A PRISIONEIRA

A FUGITIVA

O TEMPO RECUPERADO

marcel proust

EM BUSCA DO TEMPO PERDIDO

VOLUME III

Sumário

A PRISIONEIRA

marcel proust

EM BUSCA DO TEMPO PERDIDO

PREFÁCIO | por Fernando Py

A Prisioneira

Quinto romance da série *Em Busca do Tempo Perdido*, este *A Prisioneira* inaugura o chamado "ciclo de Albertine", que continua e termina em *A Fugitiva*. É o primeiro dos três romances póstumos de Marcel Proust e, embora não tenha sido deixado em versão definitiva pelo autor, está inteiramente acabado quanto ao conteúdo. Sem ser dividido em capítulos, sua estrutura compreende, todavia, cinco *jornadas*, ou séries de dias, estrutura que já foi comparada à de uma tragédia clássica.

A personagem de Albertine ganha aqui um relevo extraordinário, raiando pela obsessão. Praticamente não há página em que seu nome não apareça ou em que não haja menção a ela, de tal modo as análises psicológicas do Narrador têm como fundo o seu ciúme por ela, a quem mantém como que seqüestrada em sua casa.

O mais importante, porém, é assinalar outro tipo de reflexões sobre literatura, onde, a partir de comentários monologais quanto à obra musical de Vinteuil, Proust expõe, a grosso modo, o seu método crítico e a maneira de empregá-lo – embora não num sistema coeso, antes numa série de pequenas notações que, no entanto, visam à generalidade e preparam as reflexões finais de *O Tempo Recuperado*.

Mas a maior marca deixada em *A Prisioneira* é a da morte: não só ocorrem as mortes de muitos personagens do ciclo, especialmente as de Bergotte e de Charles Swann (a deste último, já previamente assinalada em *Sodoma e Gomorra*, tem aqui um desenvolvimento emocionado por parte do Narrador), como, especialmente na última *jornada*, ocupa uma posição de destaque nas reflexões e monólogos do Narrador, desse modo antecipando a morte futura de Albertine e a noção de que o tempo, afinal, mais uma vez, destrói todo amor. Por estas e outras considerações, *A Prisioneira* anuncia o final do ciclo e nele acelera-se enormemente o tempo da narrativa, que progride vertiginosamente para o seu fim em *O Tempo Recuperado*.

Fernando Py

Logo de manhã, a cabeça ainda virada para a parede, e antes de ter visto, acima das grandes cortinas da janela, qual era o matiz da raia de luz, eu já sabia que tempo estava fazendo. Os primeiros ruídos da rua já mo tinham informado, conforme chegassem amortecidos, desviados pela umidade ou vibrantes como flechas na área ressoante e vazia de uma manhã espaçosa, gélida e pura; desde o rodar do primeiro bonde, eu percebera se o tempo estava enregelado na chuva ou a caminho para o azul. E talvez esses mesmos ruídos também tivessem sido precedidos por uma certa emanação mais rápida, mais penetrante, que, deslizando através do meu sono, espalhasse nele uma tristeza anunciadora da neve, ou fizesse entoar, a determinada personagenzinha intermitente, tão numerosos cânticos à glória do sol, que estes acabavam por trazer até mim, que, ainda adormecido, principiava a sorrir e cujas pálpebras fechadas se preparavam para o deslumbramento, um atordoante despertar em música. Aliás, foi sobretudo do meu quarto que, durante esse período, apercebi-me da vida exterior. Sei que Bloch disse que, quando vinha visitar-me à noite, ouvia o rumor de uma conversa; como minha mãe estava em Combray, e ele jamais encontrava ninguém no meu quarto, concluiu que eu falava sozinho. Quando, muito mais tarde, soube que Albertine então morava comigo, compreendendo que eu a escondera de todos, declarou que via enfim o motivo pelo qual eu nunca desejava sair nessa época da minha vida. Enganava-se. Era, aliás, bem desculpável, pois a realidade, mesmo se necessária, não é inteiramente previsível. Aqueles que chegam a conhecer algum pormenor exato sobre a vida de outra pessoa, logo tiram dali conseqüências que o não são, vendo no fato recém-descoberto, a explicação de coisas que precisamente não têm nenhuma relação com ele.

Quando hoje penso que minha amiga fora morar, após o nosso regresso de Balbec, sob o mesmo teto que eu, em Paris, que renunciara à idéia de fazer um cruzeiro, que tinha o seu quarto a vinte passos do meu, no fim do corredor, no gabinete das tapeçarias de meu pai, e que todas as noites, bem tarde, antes de me deixar, deslizava sua língua dentro da minha boca, como um pão diário, como um alimento nutritivo e que tivesse a natureza quase sagrada de toda carne à qual os sofrimentos por que passamos devido a ela acabam por conferir uma espécie de doçura moral, o que logo recordo, por comparação, não é a noite que o capitão Borodino me permitiu que passasse no quartel, por um favor que, afinal, só curava um incômodo passageiro, mas aquela em que meu pai dissera a mamãe que fosse dormir na cama junto à minha. Desse modo, a vida, se mais uma vez deve livrar-nos de um sofrimento que parecia inevitável, fá-lo em condições diversas, por vezes opostas, a ponto de que há quase um sacrilégio aparente em constatar a identidade da graça outorgada!

Quando Albertine sabia por Françoise que, na noite de meu quarto de cortinas ainda cerradas, eu não estava dormindo, não se incomodava de fazer um pouco de barulho ao se lavar no banheiro. Então, com freqüência, em vez de esperar uma hora mais tardia, eu ia para um banheiro contíguo ao dela e que era agradável. Outrora, um diretor teatral gastava centenas de milhares de francos para recamar de esmeraldas verdadeiras um trono em que a diva representava o papel de imperatriz. Os Balés russos nos ensinaram que simples jogos de luz, dirigidos aos pontos adequados, prodigalizam jóias tão suntuosas e mais variadas. Todavia, essa decoração, mais imaterial já não é tão graciosa quanto aquela que, às oito horas da manhã, o sol substitui à que tínhamos o hábito de ver quando só nos levantávamos ao meio-dia. As janelas dos nossos dois banheiros, para que não nos vissem de fora, não eram lisas e sim enrugadas por uma geada artificial e fora de moda. De repente o sol amarelava essa musselina de vidro, dourava-a e, descobrindo suavemente em mim um rapaz mais velho que o hábito havia ocultado por muito tempo, me embriagava de lembranças, como se eu me encontrasse em meio à natureza, diante das folhagens douradas onde nem mesmo faltasse a presença de um pássaro. Pois ouvia Albertine assobiar sem parar:

Les douleurs sont des folles
Et qui les écoute est encore plus fou.[1]

Eu amava-a demais para não sorrir alegremente do seu mau gosto musical. Aliás, essa canção tinha encantado a Sra. Bontemps no último verão; e esta, ouvindo dizer que se tratava de uma inépcia, em vez de pedir a Albertine que a cantasse, quando estava com visitas, substituiu-a por:

Une chanson d'adieu sort des sources troublées,[2]

que por sua vez se tornou "uma chatice de Massenet com que a pequena nos martela os ouvidos".

Uma nuvem passava, eclipsava o sol, e eu via extinguir-se e cobrir-se de grisalha a recatada e folhuda cortina de vidro.

Os tabiques que separavam nossos banheiros (o de Albertine, todo igual, era um banheiro que mamãe, tendo outro na parte oposta do apartamento, jamais

[1] "As dores são umas loucas,/ E quem as escuta mais louco ainda." (N. do T.)

[2] "Uma canção de adeus sai das fontes turvadas." (N. do T.)

utilizara para não me fazer barulho) eram tão delgados que podíamos nos falar ao nos lavarmos cada qual no seu, prosseguindo uma conversa que só o ruído da água interrompia, nessa intimidade que, num hotel, muitas vezes permite a exigüidade do aposento e a aproximação das peças, mas que em Paris é bem rara.

De outras vezes, eu permanecia deitado, devaneando o tempo que quisesse, pois tinham ordem de nunca entrar em meu quarto sem que eu tivesse tocado a campainha, o que, devido ao jeito incômodo com que haviam colocado a pêra elétrica acima do meu leito, levava tanto tempo que, muitas vezes, cansado de procurar alcançá-la e contente por estar sozinho, eu ficava alguns instantes quase que readormecido. Não é que eu fosse absolutamente indiferente à estada de Albertine em nossa casa. A sua separação das amigas conseguia aliviar meu coração de novos sofrimentos. Mantinha-o num repouso, numa quase imobilidade, que o ajudavam a curar-se. Mas enfim essa tranqüilidade que minha amiga me proporcionava era antes apaziguamento da dor do que alegria. Não que não me permitisse gozar de numerosas alegrias, às quais a dor muito viva me havia fechado, mas essas alegrias, longe de devê-las a Albertine, que aliás eu já não achava bonita, com quem me aborrecia e a quem eu tinha a sensação nítida de não amar, eu as gozava, ao contrário, quando Albertine não estava comigo. Assim, para começar a manhã, não mandava que a chamassem logo, principalmente se fazia bom tempo. Durante alguns momentos, e na certeza de que ele me fazia mais feliz do que Albertine, eu permanecia em colóquio íntimo com a personagenzinha interior, cantante saudadora do sol e de que já falei. De todas as que compõem o nosso indivíduo, não são as mais aparentes que nos são mais essenciais. Em mim, quando a doença as tiver lançado uma por uma em terra, ficarão ainda umas duas ou três que terão vida mais dura que as outras, notadamente um certo filósofo que só está feliz quando descobre uma porção comum entre duas obras, entre duas sensações. Porém, às vezes tenho me perguntado se a última de todas não seria o homenzinho, muitíssimo parecido a outro que o oculista de Combray havia colocado atrás de sua vitrina para indicar o tempo que fazia, e que, tirando o capuz logo que fazia sol, voltava a pô-lo assim que chovia. Eu conhecia o egoísmo desse homenzinho: posso estar sofrendo de uma crise de sufocação, que só a queda da chuva acalmaria, mas ele pouco se importa e, às primeiras gotas tão impacientemente aguardadas, perdendo sua alegria, repõe o capuz de mau humor. Em compensação, creio que, na minha agonia, quando todos os meus outros "eus" estiverem mortos, se acontecer brilhar um raio de sol, a personagenzinha barométrica, enquanto eu estiver exalando meus últimos suspiros, irá sentir-se bem à vontade e retirará seu capuz para cantar: "Ah! finalmente faz bom tempo."

Eu chamava Françoise. Abria o *Figaro*. Procurava e acabava por verificar que nele não se encontrava um artigo, ou tido como tal, que eu enviara a esse jornal e que nada mais era, um pouco remodelada, do que a página, recentemente descoberta, outrora escrita no carro do doutor Percepied, ao contemplar os campanários de Martinville. Depois, lia a carta de mamãe. Ela achava esquisito, chocante, que uma moça morasse sozinha comigo. No primeiro dia, no momento de deixar Balbec, quando me vira tão infeliz e se inquietara por deixar-me sozinho, talvez minha mãe se sentisse feliz ao saber que Albertine viajaria conosco e ao ver que, com nossas malas (junto às quais eu passara a noite chorando no hotel de Balbec), tinham posto no "tortinho" as de Albertine, estreitas e pretas, que me pareciam ter a forma de ataúdes, sem que soubesse se iam trazer vida ou morte à minha casa. Mas nem havia pensado nisso, tão contente que estava, naquela manhã radiosa, por levar Albertine comigo depois do medo de ficar em Balbec. Mas a esse projeto, se no princípio minha mãe não lhe fora hostil (falando amavelmente à minha amiga, como uma mãe cujo filho acaba de ser gravemente ferido, e que é reconhecida à jovem namorada que dele cuidava com desvelo), passara a sê-lo desde que tal projeto se cumprira de todo e que a estada da moça se prolongava em nossa casa, e na ausência dela e de meu pai. Todavia, não posso dizer que minha mãe tenha me manifestado alguma vez essa hostilidade. Como antigamente, quando deixara de ousar censurar-me o meu nervosismo e minha preguiça, agora sentia escrúpulos – que eu talvez não tenha adivinhado ou desejado adivinhar no momento – em se arriscar, fazendo algumas reservas acerca da moça com quem lhe dissera que ia me casar, a entristecer a minha vida, a me tornar mais tarde menos devotado à minha mulher, a semear talvez, para quando ela própria já não existisse, o remorso de a ter desgostado ao casar com Albertine. Mamãe preferia parecer aprovar uma escolha da qual sentia não poder demover-me. Mas todos os que a viam por essa época disseram-me que, à dor de ter perdido a mãe, acrescentava-se um ar de constante preocupação. Essa contenção de espírito, essa discussão interior, davam a mamãe um grande calor nas têmporas, e ela abria constantemente as janelas para se refrescar. Mas não chegava a tomar qualquer decisão, por medo de me "influenciar" num mau sentido e de estragar aquilo que julgava ser a minha felicidade. Nem mesmo podia resolver-se a impedir que eu conservasse Albertine provisoriamente na casa. Não desejava mostrar-se mais severa que a Sra. Bontemps, que era a maior interessada naquilo e não lhe via inconveniente algum, o que muito surpreendia minha mãe. Em todo caso, lamentava ter sido obrigada a nos deixar ambos sozinhos, partindo justo naquela ocasião para Combray, onde poderia ter de ficar (e de fato ficou) longos meses, durante os quais minha tia precisou incessantemente dela dia e noite. Lá, tudo lhe foi facilitado graças à bondade e ao devotamento de Legrandin que, não recuando diante de nenhum sacrifício, adiou semana após semana o seu regresso a Paris, sem conhecer muito a minha tia, simplesmente, em primeiro lugar, porque fora amiga de sua mãe, e depois porque sentiu que a enferma, condenada, gostava de seus cuidados e não podia passar sem ele. O esnobismo é uma grave doença da alma, porém localizada, e que não a estraga de todo. Entretanto, eu, ao contrário de mamãe, estava bem feliz com a sua ida para Combray, sem a qual teria receado (sem poder dizer a Albertine que a ocultasse) que ela descobrisse a sua amizade com a Srta. Vinteuil. Para minha mãe, isso teria sido um obstáculo absoluto não só a um casamento, do qual, aliás, pedira-me que não falasse ainda em definitivo à minha amiga, e cuja idéia era-me cada vez mais intolerável, mas também a que Albertine passasse algum tempo em nossa casa. A não ser esse motivo tão grave e que ela ignorava, mamãe, pelo duplo efeito da imitação edificante e libertadora de minha avó, admiradora de George Sand, para quem a virtude consistia na nobreza do coração, e, por outro lado, de minha própria influência corruptora, era agora indulgente para com mulheres sobre cuja conduta se mostrara severa antigamente, ou mesmo nos dias de hoje, se se tratasse de suas amigas burguesas de Paris ou de Combray, mas de quem eu lhe gabava a grande alma e às quais ela perdoava em grande parte porque gostavam muito de mim. Apesar de tudo, e mesmo sem falar na questão das conveniências, creio que Albertine não teria tolerado mamãe, que conservara de Combray, de minha tia Léonie, de todos os parentes, hábitos de ordem de que minha amiga não tinha a menor noção. Não teria fechado uma porta e, em compensação, não ficaria mais constrangida que um cão ou um gato de entrar quando uma porta estivesse aberta. Seu encanto um pouco incômodo era, assim, o de estar na casa menos como uma moça do que feito um animal doméstico que entra numa sala, que sai, que se encontra em toda parte onde não é esperado, e que vinha – era para mim um repouso profundo – jogar-se em minha cama a meu lado, arrumando um lugarzinho de onde não se mexia mais, sem incomodar, como o teria feito uma pessoa. Entretanto, acabou por dobrar-se às minhas horas de sono, e evitou não só entrar no meu quarto, mas fazer barulho antes que eu tivesse tocado a campainha. Foi Françoise quem impôs essas regras. Era dessas criadas de Combray que conhecem o valor do patrão e acham que o menos que podem fazer é exigir que tenham com ele todas as atenções que julgam lhe serem devidas. Quando um visitante estranho dava a Françoise uma gorjeta para que a dividisse com a criada de cozinha, o doador mal tinha tempo de entregá-la, e já Françoise, com uma rapidez, uma discrição e uma energia iguais, passara a lição à criada de cozinha, que vinha agradecer não com meias palavras, mas francamente, em voz alta, como Françoise lhe havia dito que era necessário fazer. O cura de Combray não era um gênio, mas ele também sabia o que se devia fazer. Sob sua orientação, a filha dos primos protestantes da Sra. Sazerat se convertera ao catolicismo, e a família tivera um comportamento exemplar para com ele, ao se tratar de um casamento com um nobre de Méséglise. Os pais do rapaz escreveram, para pedir informações, uma carta bastante desdenhosa e onde era depreciada a origem protestante da moça. O cura de Combray respondeu em tom tão enérgico, que o nobre de Méséglise, curvo e prosternado, escreveu outra carta bem diferente, na qual solicitava, como o mais precioso favor, unir-se à jovem.

Françoise não teve mérito em fazer respeitar o meu sono por Albertine. Estava imbuída da tradição. Por um silêncio que manteve, ou pela resposta peremptória que deu a um pedido de entrar no meu quarto ou de me perguntar alguma coisa, que inocentemente formulara Albertine, esta compreendeu, com assombro, achar-se em um mundo estranho, de costumes desconhecidos, regulados por leis de vida que ninguém podia pensar em transgredir. Já tivera um primeiro pressentimento daquilo em Balbec, mas em Paris não tentou sequer resistir e esperou pacientemente, todas as manhãs, o meu toque de campainha para ter coragem de fazer barulho.

Aliás, a educação que lhe deu Françoise foi salutar até mesmo para a nossa velha criada, acalmando aos poucos os gemidos que, desde a nossa volta de Balbec, ela não deixara de soltar. Pois, no momento de subir para o trem, percebera que havia esquecido de despedir-se da "governanta" do hotel, criatura bigoduda que supervisionava os andares, mal conhecia Françoise, mas fora relativamente cortês com ela.

Françoise queria porque queria voltar, descer do trem, regressar ao hotel, fazer suas despedidas à governanta e só partir no dia seguinte. O juízo e sobretudo o meu súbito horror a Balbec me impediram de conceder-lhe essa graça, mas ela cultivara um mau-humor doentio e arrebatado que a mudança de clima não fora bastante para fazer abrandar e que se prolongou em Paris. Pois, segundo o código de Françoise, tal como está representado nos baixos-relevos de Saint-André-des-Champs, desejar a morte do inimigo, e até matá-lo, não é proibido, porém é horrível não fazer o que se deve, não retribuir uma gentileza, não despedir-se antes de partir, como uma perfeita grosseirona, de uma governanta de hotel. Durante toda a viagem, a lembrança, a cada instante renovada, de que não apresentara suas despedidas àquela mulher, fazia subir às faces de Françoise uma vermelhidão que podia assustar. E, se recusou beber e comer até Paris, foi mais talvez porque tal lembrança lhe dava um "peso" real "no estômago" (cada classe social tem sua patologia) do que para nos punir.

Entre as razões por que mamãe me enviava todos os dias uma carta – e uma carta onde nunca estava ausente alguma citação da Sra. de Sévigné – havia a recordação de minha avó. Mamãe me escrevia: "A Sra. Sazerat nos ofereceu um desses almoços de que ela possui o segredo e que, como teria dito a tua pobre avó, citando a Sra. de Sévigné, nos retiram a solidão sem nos trazer a sociedade." Em minhas primeiras respostas cometi a asneira de escrever a mamãe: "A essas citações, tua mãe te reconheceria de imediato." O que me valeu, três dias depois, este bilhete: "Meu pobre filho, se era para me falar de *minha mãe*, foste muito infeliz ao invocar a Sra. de Sévigné. Ela teria respondido como o fez à Sra. de Grignan: 'Então ela não era nada sua? Pensei que fossem parentes.'"

No entanto, eu escutava os passos de minha amiga que saía ou entrava em seu quarto. Tocava a campainha, pois era a hora em que Andrée ia chegar com o motorista, amigo de Morel e emprestado pelos Verdurin, para buscar Albertine. Tinha lhe falado da longínqua possibilidade de nos casarmos; porém jamais o fizera de modo formal; ela própria, por discrição, quando eu dissera: "não sei, mas talvez fosse possível", sacudira a cabeça com um sorriso melancólico, dizendo: – Não, não, não seria – o que significava: "sou pobre demais". E então, apesar de dizer-lhe "nada é menos certo" quando se tratava de projetos para o futuro, atualmente fazia tudo para distraí-la, tornando-lhe a vida agradável, procurando talvez também, de modo inconsciente, fazê-la desse modo desejar casar comigo. Ela mesma ria de todo esse luxo. – A mãe de Andrée é que vai fazer uma cara quando me vir transformada numa dama rica feito ela, o que ela chama uma dama que tem "cavalos, carruagens, quadros". Como? Nunca lhe contei que ela dizia isso? Oh! É uma figura! O que me espanta é que ela ergue os quadros à dignidade dos cavalos e das carruagens.

Pois veremos mais tarde que, apesar dos modos estúpidos de falar que lhe haviam ficado, Albertine se desenvolvera de forma assombrosa, o que me era de todo em todo indiferente pois as superioridades do espírito de uma mulher me haviam sempre despertado tão diminuto interesse que, se as apontei a uma ou outra, tinha sido por pura cortesia. Somente o curioso gênio de Céleste talvez me tivesse agradado. Contra a vontade, eu sorria durante alguns momentos quando, por exemplo, sabendo que Albertine não se achava presente, ela me abordava com essas palavras: – Divindade do céu deposta num leito! – Eu dizia: – Ora, Céleste, por que "divindade do céu"? – Se o senhor imagina que se parece com esses que andam em nossa terra vil, está muito enganado! – Mas por que "deposto" num leito? Você vê muito bem que estou deitado. – O senhor nunca está deitado. Alguma vez já se viu alguém deitado assim? O senhor veio pousar aí. Neste momento o seu pijama, todo branco, e os movimentos de seu pescoço, dão-lhe o aspecto de uma pomba.

Mesmo na ordem das coisas tolas, Albertine expressava-se de modo diverso da mocinha que era poucos anos antes em Balbec. Chegava a ponto de declarar, a propósito de um acontecimento político que reprovava: – Acho isso formidável –, e não sei se foi por essa época que aprendeu a dizer, para indicar que achava um livro mal escrito: – É interessante, mas, por exemplo, está escrito *como se o fosse por um porco.*

Divertia-a bastante a proibição de entrar em meu quarto antes que eu tivesse tocado a campainha. Como adquirira o nosso hábito familial das citações, e utilizava para tanto as das peças que havia representado no convento e que eu dissera que apreciava, comparava-me sempre a Assuero:

Et la mort est le prix de tout audacieux
Qui sans être appelé se présente à ses yeux.

Rien ne met à l'abri de cet ordre fatal,
Ni le rang, ni le sexe, et le crime est égal.

Moi même...
Je suis à cette loi comme une autre soumise,
Et sans le prévenir il faut pour lui parler
Qu'il me cherche ou du moins qu'il me fasse appeler.[3]

Fisicamente, ela também havia mudado. Seus longos olhos azuis – mais alongados – não tinham conservado a mesma forma; possuíam a mesma cor, mas pareciam ter passado ao estado líquido. De modo que, ao fechá-los, era como quando a gente impede, com cortinas, a vista do mar. Era sem dúvida dessa parte dela mesma que eu principalmente me lembrava, ao deixá-la todas as noites. Pois, por exemplo, bem ao contrário, pelas manhãs, o crespo de seus cabelos me causou durante muito tempo a mesma surpresa, como uma coisa nova que eu jamais tivesse visto. E, no entanto, acima do olhar risonho de uma moça, o que existe de mais belo que essa coroa anelada de violetas negras? O sorriso propõe mais amizade; mas os aneizinhos envernizados dos cabelos em flor, mais parentes da carne, da qual pareciam a transposição em pequeninas ondas, captam melhor o desejo.

Mal entrava em meu quarto, ela saltava sobre a cama e às vezes definia o meu tipo de inteligência, jurava, num transporte sincero, que preferiria morrer a me deixar: eram os dias em que eu me barbeara antes de mandar chamá-la. Albertine era dessas mulheres que não sabem distinguir a razão do que sentem. O prazer que lhes causa uma pele fresca, explicam-no pelas qualidades morais daquele que lhes parece, para seu futuro, representar uma felicidade, aliás passível de diminuir e de tornar-se menos necessária à medida que se deixa crescer a barba.

Perguntava-lhe aonde pensava ir. – Creio que Andrée quer me levar aos Buttes-Chaumont, que não conheço. – Claro que me era impossível adivinhar, entre tantas outras palavras, se por trás destas se escondia uma mentira. Aliás, eu tinha esperança de que Andrée me dissesse todos os locais a que iria com Albertine. Em Balbec, quando me sentia muito cansado de Albertine, pretendera dizer mentirosamente a Andrée: "Minha querida Andrée, se tivesse voltado a vê-la mais cedo! Era você a quem eu teria amado. Mas agora o meu coração está preso alhures. Ainda assim, podemos ver-nos amiúde, pois meu amor por outra me causa

[3] "E a morte é a recompensa de todo atrevido / Que sem ser chamado se apresenta a seus olhos. / / Nada me livra dessa ordem fatal, / Nem a posição, nem o sexo; e o crime é igual./ / Eu mesma... / Como qualquer outra estou submetida a essa lei, / E sem preveni-lo, se lhe quero falar / É preciso que ele venha ou me mande chamar." (Racine, *Esther*, ato I, cena III, v. 195-96 [Racine escreve *"à leurs yeux"*], 199-200 e 201-204.) (N. do T.)

grandes aflições e você me ajudará a consolar-me." Ora, essas mesmas palavras mentirosas tornaram-se verdadeiras três semanas mais tarde. Talvez Andrée tivesse acreditado em Paris que se tratava de fato de uma mentira, e que eu a amava, como sem dúvida o teria acreditado em Balbec; pois a verdade muda de tal maneira para nós que aos outros custa muito reconhecerem-se nela. E, como eu sabia que ela haveria de contar-me tudo o que teriam feito, ela e Albertine, eu lhe pedira, e ela concordara, que viesse buscá-la quase todos os dias. Poderia desse modo, sem preocupações, ficar em casa. E esse prestígio de ser Andrée uma das moças do "pequeno grupo" dava-me confiança de que ela obtivesse tudo o que eu queria de Albertine. Na verdade, poderia dizer-lhe agora, com toda a sinceridade, que ela seria capaz de me tranqüilizar.

Por outro lado, a escolha de Andrée (que acontecia achar-se em Paris, tendo renunciado a seu projeto de voltar a Balbec) como guia de minha amiga relacionava-se ao que Albertine me contara da afeição que sua amiga sentira por mim em Balbec, num momento em que, pelo contrário, eu receava aborrecê-la, e, se eu o tivesse sabido então, seria talvez Andrée aquela a quem teria amado. – Como, não sabia? – indagou Albertine –, e todavia gracejávamos sobre isso entre nós. Além do mais, não reparou que ela tinha dado para imitar o seu modo de falar e raciocinar? Principalmente quando acabava de deixá-lo, era assombroso. Ela não precisava dizer se o tinha visto. Quando chegava, se tinha estado com você, isto se via no primeiro instante. Nós nos entreolhávamos e ríamos. Ela era como um carvoeiro que gostaria que acreditassem que não é carvoeiro, embora esteja preto. Um moleiro não precisa dizer que é moleiro, isto se percebe muito bem por toda a farinha que o cobre: ainda traz a marca dos sacos que carregou. No caso de Andrée era a mesma coisa, ela franzia as sobrancelhas como você, depois o longo pescoço; enfim, nem sei como explicar. Quando pego um livro que esteve em seu quarto, posso ir lê-lo lá fora; ainda assim, todos sabem que procede de você, pois conserva algo de suas horríveis fumigações. É uma coisa de nada, não sei lhe dizer, mas no fundo é um nada bastante agradável. Toda vez que alguém falava de você com simpatia, ou dava a impressão de tê-lo em alta consideração, Andrée ficava encantada.

Apesar de tudo, para evitar que houvesse algo preparado sem meu conhecimento, aconselhei-a a abandonar naquele dia o passeio aos Buttes-Chaumont e ir de preferência a Saint-Cloud, ou a outro lugar.

É certo que isso não queria dizer que eu amasse Albertine nem um pouco. O amor talvez não passe da propagação desses redemoinhos que, em seguida a uma emoção, comovem a alma. Alguns deles tinham remexido com minha alma inteira quando Albertine, em Balbec, me falara da Srta. Vinteuil, mas agora estavam parados. Eu já não amava Albertine, pois não me restava mais coisa alguma do sofrimento, agora curado, que eu tivera no trem, em Balbec, ao saber como fora a adolescência delas, talvez com visitas a Montjouvain. Pensara demais em tudo isso, estava curado. Mas, por instantes, certos modos de falar de Albertine me faziam supor – não sei por quê – que ela deveria ter recebido, em sua vida ainda tão curta, muitos galanteios e declarações, e tê-los recebido com prazer, ou seja, com sensualidade. Assim, dizia ela a propósito de qualquer coisa: – É verdade? É verdade mesmo? – Decerto, se houvesse dito como uma Odette: – É verdade mesmo essa grande mentira? – eu não me inquietaria, pois o próprio ridículo da fórmula era explicado por uma estúpida banalidade de espírito feminino. Mas seu ar interrogativo: – É verdade? – dava, por um lado, a estranha impressão de uma criatura que não pode perceber as coisas por si mesma, que apela para o nosso testemunho, como se não possuísse as mesmas faculdades que nós (diziam-lhe: "Faz uma hora que partimos", ou "chove", e ela perguntava: "É verdade?"). Infelizmente, por outro lado, essa dificuldade de se dar conta por si mesma dos fenômenos exteriores não devia ser a verdadeira origem de "É verdade? É verdade mesmo?". Antes parecia que tais palavras teriam sido, desde sua nubilidade precoce, respostas aos: "Sabe que jamais encontrei uma criatura tão linda como você", "sabe que sinto um grande amor por você, que estou num estado de excitação terrível", afirmações às quais respondiam, com uma modéstia faceiramente aprovadora, esses "É verdade? É verdade mesmo?", os quais só serviam a Albertine, em suas relações comigo, para responder com uma pergunta a uma afirmação do tipo: – Você dormiu mais de uma hora. – É verdade?

Sem me sentir absolutamente enamorado de Albertine, sem contar no número dos prazeres os momentos que passávamos juntos, continuara preocupado com o emprego de seu tempo; certamente, fugira eu de Balbec para estar seguro de que ela não poderia mais ver tal ou qual pessoa com quem eu receava tanto que ela se comportasse mal, rindo-se, talvez rindo de mim, que havia tentado habilmente romper de um só golpe, com minha partida, todas as suas más relações. E Albertine era dotada de uma tal força de passividade, tão grande faculdade de esquecer e de se submeter, que essas relações de fato tinham sido rompidas, curando a fobia que me atormentava. Porém esta pode se apresentar sob tantas formas quanto o mal incerto que é o seu objetivo. Enquanto meu ciúme não se reencarnava em novas criaturas, eu tivera, depois de passados os meus sofrimentos, um intervalo de calma. Mas o menor pretexto serve para fazer renascer uma doença crônica, como aliás a menor ocasião pode servir para que, após uma trégua de castidade, se exerça de novo, com criaturas diversas, o vício da pessoa que é a causa deste ciúme. Eu conseguira separar Albertine de suas cúmplices e, desse modo, exorcizar minhas alucinações; se era possível fazê-la esquecer as pessoas, tornar breves os seus relacionamentos, todavia o seu gosto pelo prazer era igualmente crônico e talvez só esperasse uma oportunidade para saciar-se. Ora, Paris fornece tantas ocasiões para isto como Balbec.

Em qualquer cidade ela não precisaria procurar, pois o mal não estava em Albertine apenas, mas em outras, para as quais toda ocasião de prazer é boa. O olhar de uma, logo entendido pela outra, aproxima as duas famintas. E é fácil a uma mulher sagaz dar a impressão de não ver, e cinco minutos depois dirigir-se à pessoa que a compreendeu e a está esperando numa rua transversal, e, com duas palavras, marcar um encontro. Quem saberá jamais? E era tão simples para Albertine dizer-me, para que aquilo continuasse, que desejava rever determinado ponto de Paris que lhe agradara. Assim, bastava que ela regressasse muito tarde, que seu passeio tivesse durado um tempo inexplicável, embora talvez bem fácil de ser explicado sem a ocorrência de qualquer motivo sensual, para que meu mal renascesse, desta vez relacionado a representações que não eram de Balbec, e que eu me esforçaria, como às precedentes, para destruir, como se a destruição de uma causa efêmera pudesse carrear consigo a de um mal congênito. Eu não me dava conta de que nessas destruições, onde tinha por cúmplice, em Albertine, a sua faculdade de mudar, a sua força de esquecer, quase de odiar, o objeto recente de seu amor, causava por vezes uma dor profunda a tal ou qual das criaturas desconhecidas com quem ela sucessivamente desfrutara o prazer, e que era debalde que causava essa dor, pois essas criaturas seriam abandonadas porém substituídas; e, paralelamente ao caminho balizado por tantos abandonos que ela cometeria levianamente, outro prosseguiria implacável para mim, apenas interrompido por muito breves intervalos; de modo que, pensando bem, meu sofrimento não podia ter um fim senão comigo ou com Albertine. Mesmo nos primeiros tempos da nossa chegada a Paris, insatisfeito com as informações que Andrée e o motorista me haviam passado sobre os passeios que faziam com minha amiga, eu sentira os arredores de Paris tão cruéis como os de Balbec e saíra em viagem por alguns dias com Albertine. Mas em toda parte a incerteza sobre o que ela fazia era a mesma; as possibilidades de que fosse o mal, igualmente numerosas, a vigilância ainda mais difícil, de forma que voltei com ela a Paris. Na verdade, ao deixar Balbec, julgara abandonar Gomorra, arrancando Albertine de lá; ai de mim, Gomorra andava espalhada pelos quatro cantos do mundo. E parte devido ao meu ciúme, parte por ignorância dessas alegrias (caso que é bastante raro), eu havia regulado, sem o saber, esse jogo de esconde-esconde em que Albertine me fugiria sempre.

Interrogava-a à queima-roupa: – Ah, a propósito, Albertine, será que sonhei ou você me disse que conhecia Gilberte Swann? – Sim, quer dizer, ela me falou no curso, porque possuía os cadernos de História da França, até foi muito gentil e me emprestou os cadernos, que devolvi assim que tornei a vê-la. – Será que ela é do tipo das mulheres de quem não gosto? – Oh, de jeito nenhum; pelo contrário.

Mas, em vez de me entregar a esse gênero de conversas inquiridoras, dedicava-me com freqüência a imaginar o passeio de Albertine, as forças que não empregava em fazê-lo, e falava à minha amiga com esse ardor que os projetos irrealizados conservam inato. Expressava tamanha vontade de rever determinado vitral da Sainte-Chapelle, tamanha pena de não poder fazê-lo sozinho em sua companhia, que ela me respondia com ternura: – Mas, meu querido, já que isso lhe agrada tanto, faça um pequeno esforço, venha conosco. Esperaremos o tempo que você quiser até que fique pronto. Além disso, se lhe agrada mais estar sozinho comigo, basta mandar embora Andrée, ela voltará em outra ocasião. – Mas esses mesmos pedidos de sair aumentavam a tranqüilidade que me permitia ficar em casa.

Eu não imaginava que a apatia em descarregar desse modo sobre Andrée ou o motorista os cuidados de acalmar a minha agitação, deixando-lhes a tarefa de vigiar Albertine, paralisasse em mim, tornando inertes, todos esses movimentos imaginativos da inteligência, todas as inspirações da vontade que auxiliam a adivinhar e a impedir o que uma pessoa vai fazer. Era tanto mais perigoso, visto que, por natureza, o mundo das possibilidades sempre me estivera mais aberto que o da contingência real. Isto ajuda a conhecer a alma, porém a gente se deixa enganar pelos indivíduos. Meu ciúme nascia através de imagens, devido a um sofrimento e não de acordo com uma probabilidade. Ora, pode haver na vida dos homens e dos povos (e um dia deveria haver na minha) um momento em que seja necessário ter dentro de si um chefe de polícia, um diplomata de larga visão, um delegado de segurança, que, ao invés de pensar nos possíveis que estende aos quatro pontos cardeais, raciocina corretamente, dizendo consigo: "Se a Alemanha declara isto, é que nos deseja fazer outra coisa, não uma outra coisa vaga, mas precisamente esta ou aquela que talvez já esteja começada. Se determinada pessoa fugiu, não foi para os locais *a, b* ou *d*, mas para o ponto *c*, e o local onde é necessário realizar nossas buscas é *etc.*" Ai de mim, essa faculdade, não muito desenvolvida em mim, eu a deixava entorpecer-se, perder suas forças, desaparecer, ao me habituar a ficar sossegado no momento em que outros se ocupavam da vigilância por mim. Quanto à razão desse desejo, ter-me-ia sido desagradável externá-la a Albertine. Dizia-lhe que o médico me ordenara que permanecesse deitado. Não era verdade. E, mesmo que o fosse, suas prescrições não me impediriam de acompanhar a minha amiga. Pedia a esta que me dispensasse de acompanhá-la e à Andrée. Direi apenas uma das razões, e que era uma razão de cautela. Quando saía com Albertine, por um momento em que ela ficasse sem mim, eu me mostrava inquieto, imaginava que ela talvez falasse a alguém ou apenas olhasse alguém. Se ela não estava de muito bom humor, eu logo pensava que a estava fazendo perder ou adiar um projeto. A realidade não passa jamais de uma isca lançada a um desconhecido em cujo caminho não podemos ir muito longe. É preferível não saber, pensar o menos possível, não fornecer ao ciúme o menor detalhe concreto. Infelizmente, à falta da vida exterior, os incidentes igualmente são causados pela vida interior; à falta dos passeios de Albertine, as eventualidades encontradas nas reflexões que eu fazia sozinho forneciam-se às vezes esses pequenos retalhos de realidade que atraem a si próprios, como um ímã, um pouco do desconhecido, que desde então faz-se doloroso. Por mais que se viva sob o equivalente de uma campânula pneumática, as associações de idéias e as lembranças continuam a agir.

Mas semelhantes choques internos não ocorriam de imediato; logo que Albertine saía para seu passeio, eu me sentia revivescer, nem que fosse apenas por alguns segundos, pelas virtudes exaltantes da solidão. Tomava a minha parte nos prazeres do dia que principiava; o desejo arbitrário – a veleidade caprichosa e puramente minha – de gozá-los não teria bastado para pô-los à minha disposição, se o tempo especial que fazia não me tivesse não só evocado imagens passadas, como afirmado a realidade atual, imediatamente acessível a todos os homens a que uma circunstância contingente (e, por conseguinte, desprezível) não forçasse a ficar em casa. Em alguns dias bonitos fazia tanto frio, estávamos em tão ampla comunicação com a rua que parecia que haviam derrubado as paredes da casa, e cada vez que passava o bonde o seu timbre ressoava como o teria feito uma faca de prata batendo numa casa de vidro. Mas era sobretudo em mim que eu ouvia inebriado um som novo emitido pelo violino interior. Suas cordas são retesadas ou soltas por simples diferenças de temperatura e da luz exteriores. Em nosso ser, instrumento que a uniformidade do hábito fez silencioso, o canto nasce desses desvios, dessas variações, origem de toda música: o tempo que faz em certos dias transporta-nos logo de uma nota a outra. Reencontramos a ária esquecida cuja necessidade matemática poderíamos ter adivinhado e que nos primeiros instantes cantamos sem conhecer. Somente essas modificações internas, conquanto vindas de fora, renovariam para mim o mundo exterior. Portas de comunicação, desde há muito condenadas, reabririam-se em meu cérebro. A vida de certas cidades, a alegria de certos passeios retomavam o seu lugar em mim. Fremindo todo inteiro ao redor da corda vibrante, eu teria sacrificado minha mortiça vida de outrora e o meu porvir, apagados pela borracha do hábito, por esse estado tão particular.

Se eu não tinha ido acompanhar Albertine em seu longo passeio, meu espírito vagabundeava mais ainda e, por haver recusado desfrutar com os sentidos aquela manhã, gozava em imaginação todas as manhãs parecidas, passadas ou possíveis, mais precisamente um gênero de manhãs de que as do mesmo tipo não eram mais que a intermitente aparição, e que eu logo reconhecia; pois o ar vivo se incumbia de virar as páginas necessárias, e eu achava bem indicado diante de mim, para poder segui-lo do meu leito, o evangelho do dia. Essa manhã ideal enchia meu espírito de realidade permanente, idêntica a todas as manhãs parecidas, e me comunicava uma alegria que meu estado de debilidade não fazia diminuir; o bem-estar resulta, para nós, muito menos de nossa boa saúde que do excedente não empregado de nossas forças; podemos alcançá-lo tanto aumentando estas, como restringindo a nossa atividade. A que transbordava em mim e que eu mantinha em potencial em meu leito, fazia-me estremecer, saltar interiormente, como uma máquina que, impedida de mudar de lugar, gira sobre si mesma.

Françoise vinha acender o fogo e, para fazê-lo, lançava nele alguns raminhos, cujo aroma, esquecido durante todo o verão, descrevia em torno da lareira um círculo mágico, dentro do qual, vendo-me a mim mesmo no ato de ler, ora em Combray, ora em Doncières, sentia-me tão contente, permanecendo em meu quarto em Paris, como se estivesse a ponto de sair em passeio para os lados de Méséglise ou de reencontrar Saint-Loup e seus amigos em serviço no campo. Acontece muitas vezes que o prazer que todos os homens sentem em rever as lembranças que sua memória colecionou é mais vivo, por exemplo, naqueles a quem a tirania do mal físico e a esperança diária de cura privam, por um lado, de ir buscar na natureza os quadros que se assemelham a tais lembranças e, por outro lado, deixam bem confiantes de o poderem fazer em breve, para ficarem diante deles em estado de desejo, de apetite, e não considerá-los apenas como lembranças, como quadros. Porém, mesmo que nunca mais devessem ser senão isso para mim, e pudesse eu, ao recordá-los, revê-los somente, de súbito já se refaziam em mim, totalmente de mim, pela virtude de uma sensação idêntica, a criança e o adolescente que os tinha visto. Não houvera apenas mudança de tempo lá fora, ou modificação de aromas no quarto, mas, em mim, diferença de idade, substituição de pessoa. No ar gelado, o aroma dos raminhos de árvore era como um pedaço do passado, uma banquisa invisível destacada de um inverno antigo e avançando pelo quarto adentro, aliás muitas vezes estriada por tal perfume, tal clarão, como por anos diferentes onde eu me achava remergulhado, e até mesmo invadido, antes que os houvesse identificado pela alegria de esperanças abandonadas há muito. O sol chegava até minha cama e atravessava o tabique transparente de meu corpo adelgaçado, aquecia-me, tornava-me ardente como o cristal. Então, convalescente famoso que já se repasta de todas as iguarias que ainda lhe recusam, eu me perguntava se casar com Albertine não estragaria a minha vida, ou fazendo-me assumir o encargo, pesado demais para mim, de me consagrar a outra criatura, ou forçando-me a viver ausente de mim mesmo por causa de sua presença contínua, e privando-me para sempre das alegrias da solidão. E não somente dessas. Mesmo não pedindo ao dia senão desejos, existem alguns – os que são provocados não mais pelas coisas e sim pelas criaturas – cuja natureza é serem individuais. Assim, se, saltando da cama, ia abrir por um instante as cortinas da janela, não era apenas como um músico abre por um momento o seu piano, e para verificar se, sobre o balcão e na rua, a luz do sol estava exatamente no mesmo diapasão que na minha lembrança; era também para avistar alguma lavadeira carregando o seu cesto de roupa, uma padeira de avental azul, uma leiteira com um babador e mangas de algodão branco, segurando o gancho em que estão suspensas as garrafas de leite, alguma altiva jovem loura seguindo a sua governanta, uma imagem enfim cuja diferença de linhas, talvez quantitativamente insignificantes, bastava para fazer tão diferente de qualquer outra como, para uma frase musical, a diferença de duas notas, e sem cuja visão eu teria empobrecido o dia dos objetos que ele podia propor a meus desejos de felicidade. Mas, se o excesso de alegria, trazido pela visão das mulheres impossíveis de imaginar *a priori*, fazia-me mais desejáveis, mais dignas de serem exploradas, a rua, a cidade, o mundo, dava-me, por isso mesmo a sede de ficar curado, de sair e, sem Albertine, de ser livre. Quantas vezes, no momento em que a mulher desconhecida com quem eu ia sonhar passava diante de casa, ora a pé, ora a toda velocidade de seu automóvel, sofri porque meu corpo não pôde seguir o meu olhar que a agarrava e, caindo sobre ela como que atirado do vão da minha janela por um arcabuz, deter a fuga do rosto no qual me esperava a oferta de uma ventura que eu, assim enclausurado, jamais poderia desfrutar!

Em compensação, nada mais me restava para descobrir de Albertine. A cada dia ela me parecia menos bonita. Somente o desejo que excitava nos outros, quando, ao percebê-lo, eu começava a sofrer e queria disputá-la aos demais, a elevava em meus sonhos a um alto patamar. Ela era capaz de me causar sofrimento, mas de modo algum alegria. Só pelo sofrimento é que subsistia a minha tediosa ligação. Quando ela desaparecia, e com ela a necessidade de acalmar essa ligação, exigindo toda a minha atenção como uma distração atroz, eu sentia o nada que ela era para mim, que eu devia ser para ela. Sentia-me infeliz com a duração desse estado e por momentos desejava conhecer algo terrível que ela tivesse feito e que fosse capaz de nos deixar brigados até que eu me curasse, o que permitiria que nos reconciliássemos, que reatássemos de modo diverso e mais flexível a corrente que nos unia. Enquanto esperava, encarregava mil circunstâncias, mil prazeres, de lhe proporcionarem junto a mim a ilusão dessa felicidade que eu já não me sentia capaz de lhe oferecer. Logo que estivesse curado, gostaria de partir para Veneza; mas como fazê-lo se me casasse com Albertine, eu tão ciumento dela que, mesmo em Paris, quando me resolvia a mexer-me era para sair com ela? Mesmo quando ficava em casa a tarde inteira, meu pensamento a seguia em seu passeio, descrevia um horizonte longínquo, azulado, engendrava em torno ao centro que eu era uma zona móvel de incerteza e vaguidão. – "O quanto Albertine", dizia comigo, "me pouparia as angústias da separação se, no decurso de um desses passeios, vendo que não mais lhe falava de casamento, decidisse não regressar e partisse com a tia, sem que eu precisasse de lhe dizer adeus!" – Meu coração, desde que sua chaga cicatrizava, já principiava a não aderir ao da minha amiga; por meio da imaginação, eu podia substituí-la, afastá-la de mim sem sofrer. Por certo, na falta de mim mesmo, algum outro seria seu esposo e, livre, ela talvez tivesse dessas aventuras que me causavam horror. Mas fazia um tempo tão lindo, eu estava tão seguro de que ela regressaria à noitinha, que, mesmo se essa idéia de possíveis culpas me vinha ao espírito, eu podia, por um ato livre, aprisioná-la numa parte de meu cérebro onde ela não tinha mais importância do que teriam para a minha vida real os vícios de uma pessoa imaginária; fazendo ranger os suaves gonzos de meu pensamento, eu tinha, com uma energia que sentia, na cabeça, ser a um tempo física e mental, como um movimento muscular e uma iniciativa espiritual, ultrapassado o estado de preocupação costumeira a que estivera confinado até então, e começava a mover-me ao ar livre, de onde tudo sacrificar para evitar o casamento de Albertine com um outro e criar obstáculo ao seu gosto pelas mulheres parecia tão desarrazoado a meus próprios olhos como aos de alguém que não a conhecesse. Aliás, o ciúme é uma dessas doenças intermitentes, cuja causa é caprichosa, imperativa, sempre idêntica no mesmo doente, às vezes completamente diversa em outro. Há os asmáticos que só acalmam suas crises abrindo as janelas, respirando o vento forte, o ar puro das alturas; outros, refugiando-se no centro da cidade, num quarto cheio de fumaça. Existem poucos ciumentos cujo ciúme não admite certas abolições. Este consente em ser traído, contanto que lhe confessem a traição; este outro contanto que lha ocultem, no que um não é menos absurdo que o outro, visto que, se o segundo é mais verdadeiramente enganado, já que lhe dissimulam a verdade, o primeiro reclama, nessa verdade, o alimento, a extensão e o renovar de seus sofrimentos.

Ainda mais, essas duas manias inversas do ciúme vão muitas vezes além das palavras, implorem ou recusem as confidências. Vêem-se ciumentos que só o são dos homens com que sua amante se relaciona longe deles, mas consentem que ela se dê a outro homem, com sua autorização, perto deles e, se não à sua vista, ao menos sob o mesmo teto. Esse caso é bastante comum entre os homens idosos apaixonados por uma moça. Sentem a dificuldade de agradá-la, às vezes a impotência de satisfazê-la e, em vez de serem traídos, preferem deixar que venha à casa deles, num quarto próximo, alguém que julgam incapaz de dar a ela maus conselhos porém não de lhe proporcionar prazer. Para outros, é exatamente o contrário: não deixando a amante sair um minuto sozinha numa cidade que eles conhecem, mantendo-a em verdadeira escravidão, permitem-lhe partir por um mês a um país que não conhecem, onde não podem imaginar o que ela há de fazer. Em relação a Albertine, eu cultivava essas duas espécies de mania apaziguadora. Não teria ficado com ciúmes se ela desfrutasse prazeres perto de mim, encorajados por mim, todos mantidos inteiramente sob minha supervisão, poupando-me desse modo o temor da mentira; também não me enciumaria se ela viajasse para um país bem desconhecido de mim, e afastado, para que eu não pudesse imaginar, nem ter possibilidade e tentação de conhecer seu gênero de vida. Em ambos os casos, a dúvida teria sido suprimida por uma ignorância ou por um conhecimento igualmente completos.

O declínio do dia remergulhava-me pela recordação numa atmosfera antiga e fresca, e eu a respirava com as mesmas delícias que Orfeu o ar sutil, desconhecido desta terra, dos Champs-Elysées. Mas o dia já terminava, e eu era invadido pela desolação do entardecer. Olhando maquinalmente no relógio de pêndulo quantas horas passariam antes que Albertine voltasse, eu via que ainda dispunha de tempo para me vestir e descer a fim de pedir à minha proprietária, Sra. de Guermantes, algumas indicações sobre certas coisas bonitas de toalete que pretendia dar à minha amiga. Às vezes eu encontrava a duquesa no pátio, saindo para excursões a pé, mesmo se fazia mau tempo, com um chapéu baixo e um casaco de pele. Eu bem sabia que, para grande número de pessoas inteligentes, ela não era outra coisa senão uma dama qualquer, visto que o nome de duquesa de Guermantes não significava nada agora que não há mais duques nem principados, mas eu adotara um outro ponto de vista em meu modo de usufruir dos seres e dos países. Todos os castelos das terras de que ela era duquesa, princesa, viscondessa, essa dama de casaco de pele, afrontando o mau tempo, parecia-me carregá-los consigo, como as personagens esculpidas no dintel de um portal sustentam na mão a catedral que construíram, ou a cidadela que defenderam. Porém esses castelos e essas florestas, somente os olhos do meu espírito podiam vê-los na mão enluvada da dama de casaco de pele, prima do rei. Os olhos de meu corpo ali não distinguiam, nos dias em que o tempo se fazia ameaçador, senão um guarda-chuva de que a duquesa não receara armar-se. – Nunca se pode saber, é mais prudente, se me encontrar muito longe e um carro me pedir preços *caros demais* para mim. – As expressões "caros demais" e "exceder os meus meios" retornavam o tempo todo na conversa da duquesa, bem como esta: "sou muito pobre", sem que se percebesse muito bem se ela falava assim por achar divertido dizer que era pobre, sendo tão rica, ou porque julgasse elegante, sendo tão aristocrática, isto é, afetando ser uma camponesa, fingisse não dar à riqueza a importância das pessoas que são apenas ricas e que desprezam os pobres. Talvez antes fosse um hábito contraído numa época de sua vida em que, já rica, porém insuficientemente, a julgar pelo custo da manutenção de tantas propriedades, ela experimentava certas dificuldades de dinheiro que não desejava parecer estar dissimulando. As coisas de que falamos na maioria das vezes em tom de gracejo são geralmente, pelo contrário, as que aborrecem, mas das quais não queremos dar a impressão de estarmos aborrecidos, talvez com a inconfessada esperança de uma vantagem suplementar: a de que justo a pessoa com quem conversamos, ao nos ouvir gracejar a respeito, creia que aquilo não é verdade.

Mas, na maioria das vezes, àquela hora, eu sabia que encontrava a duquesa em casa, e isso me fazia contente, pois era mais cômodo para lhe pedir as demoradas informações desejadas por Albertine. E eu descia quase sem pensar o quanto era extraordinário que, à casa dessa misteriosa Sra. de Guermantes da minha infância, eu comparecesse exclusivamente a fim de me valer dela para uma simples comodidade prática, como fazemos com o telefone, instrumento sobrenatural, diante de cujos milagres a gente se maravilhava outrora, e do qual nos servimos hoje sem nem pensar nisso, para chamar o alfaiate ou encomendar um sorvete.

As ninharias do vestuário davam grande prazer a Albertine. Eu não sabia me recusar a dar-lhe, todos os dias, um presente desse tipo. E cada vez que ela me falava com encantamento numa *écharpe*, numa estola, numa sombrinha que, pela janela, ou passando pelo pátio, com seus olhos que percebiam tão depressa tudo o que se relacionasse à elegância, ela avistara no pescoço, nos ombros, na mão da Sra. de Guermantes, sabendo que o gosto naturalmente difícil da moça (ainda marcado pelas lições de elegância dadas pela conversação de Elstir) não se satisfaria de modo algum com um simples objeto de imitação mesmo que fosse bonito, que substitui o verdadeiro aos olhos do vulgo, mas dele difere inteiramente, eu ia em segredo perguntar à duquesa onde, como, a partir de que modelo fora confeccionado aquilo que agradara a Albertine, como deveria proceder para obter exatamente aquilo, em que consistia o segredo do fabricante, o encanto (que Albertine chamava "o chique", "o gênero") de seu feitio, o nome exato – a beleza da matéria tendo a sua importância – e a qualidade dos tecidos que eu devia pedir que fossem utilizados.

Quando eu dissera a Albertine, na nossa chegada de Balbec, que a duquesa de Guermantes morava à nossa frente, no mesmo palacete, ela assumira, ao ouvir o grande título e o grande nome, esse ar mais que indiferente, hostil, desdenhoso, que é o sinal do desejo impotente nas naturezas orgulhosas e apaixonadas. Por magnífica que fosse a de Albertine, as qualidades que encerrava só podiam se desenvolver no meio desses entraves que são os nossos gostos, ou esse luto dos gostos a que fomos obrigados a renunciar – como, no caso de Albertine, o esnobismo – e a que chamamos ódios. O de Albertine pela alta sociedade, aliás, guardava muito pouco espaço em seu espírito e me agradava por um aspecto de "espírito de revolução" – quer dizer, amor infeliz pela nobreza – inscrito na face oposta do caráter francês em que está o gênero aristocrático da Sra. de Guermantes. Albertine, pela impossibilidade de alcançá-lo, talvez nem se preocupasse com ele, mas, lembrando-se que Elstir lhe falara da duquesa como sendo a mulher que melhor se vestia em Paris, o desdém republicano quanto a uma duquesa cedera em minha amiga a um vivo interesse por uma elegante. Pedia-me freqüentemente informações sobre a Sra. de Guermantes e gostava que eu fosse buscar com a duquesa conselhos de toalete para ela própria. Sem dúvida eu poderia pedi-las à Sra. Swann e até lhe escrevi uma vez com essa finalidade. Mas a Sra. de Guermantes me parecia levar ainda mais longe a arte de se vestir. Se, descendo por um momento à casa dela, depois de me haver assegurado de que ela não saíra e tendo pedido que me avisassem logo que Albertine voltasse, eu encontrasse a duquesa envolvida na bruma de um vestido de crepe da China cinzento, aceitava esse aspecto que sentia dever-se a causas complexas e que não poderia ter mudado, deixava-me invadir pela atmosfera que dele se desprendia, como o fim de certas tardes envoltas num cinza-pérola por uma névoa vaporosa; se, pelo contrário, esse vestido caseiro era chinês, com flamas rubras e amarelas, eu a olhava como a um poente que se esbraseia; essas toaletes não eram um cenário qualquer, substituível à vontade, mas uma dada realidade, e poética, como o é a do tempo que faz, como o é a luz especial a uma determinada hora.

De todos os vestidos ou chambres que a Sra. de Guermantes usava, aqueles que pareciam mais corresponder a uma determinada intenção, ser dotados de um sentido especial, eram os vestidos que Fortuny havia feito de acordo com desenhos antigos de Veneza. Será o seu caráter histórico, será antes o fato de cada um deles ser único o que lhes dá um caráter tão particular, que a pose da mulher que os veste enquanto nos espera, enquanto conversa conosco, adquire uma importância excepcional, como se essa roupa tivesse sido o fruto de uma longa deliberação, e como se essa conversa se desprendesse da vida cotidiana como uma cena de romance? Nos romances de Balzac vêem-se heroínas pôr intencionalmente este ou aquele vestido, no dia em que devem receber determinado visitante. Os vestidos de hoje não têm cunho tão pronunciado, com exceção das roupas de Fortuny. Nenhuma imprecisão pode subsistir na descrição do romancista, já que esse vestido existe de fato, e os seus menores desenhos são tão naturalmente determinados como os de uma obra de arte. Antes de vestir este ou aquele, a mulher teve de escolher entre dois vestidos, não mais ou menos parecidos, mas cada um profundamente individual, a que se poderia dar um nome.

Mas o vestido não me impedia de pensar na mulher. A própria Sra. de Guermantes me pareceu, nessa época, mais agradável que no tempo em que eu ainda a amava. Esperando menos dela (pois não ia mais vê-la por ela mesma) era quase com a tranqüila sem-cerimônia com que pomos, quando sozinhos, os pés na grade da lareira, que eu a escutava como teria lido um livro escrito em linguagem de outrora. Eu tinha bastante liberdade de espírito para apreciar, no que ela dizia, aquela graça francesa tão pura que já não se encontra nem na maneira de falar, nem nos escritos de hoje. Escutava a sua conversação como a uma canção popular deliciosamente francesa; compreendia que a tivesse ouvido troçar de Maeterlinck (que aliás, agora, ela admirava por fraqueza de espírito de mulher, sensível a essas modas literárias cujos raios chegam tardiamente), como compreendia que Mérimée troçasse de Baudelaire, Stendhal de Balzac, Paul-Louis Courier de Victor Hugo, Meilhac de Mallarmé. Entendia perfeitamente que o trocista tivesse compreensão bem restrita em face daquele de quem troçava, mas também um vocabulário mais puro. O da Sra. de Guermantes, quase tanto como o da mãe de Saint-Loup, era-o a tal ponto que encantava. Não é nos frios pastichos dos escritores de hoje, que dizem *au fait* (por *en realité), singulièrement* (por *en particulier), étonné* (por *frappé de stupeur*)[4] etc., etc., que se reencontra a antiga linguagem e a verdadeira pronún-

[4] *Au fait*, "de fato", *en realité*, "na realidade"; *singulièrement*, "singularmente"; *en particulier*, "em particular"; *étonné*, "espantado", "assombrado"; *frappé de stupeur*, "pasmo", "atônito". (N. do T.)

cia das palavras, e sim conversando com uma Sra. de Guermantes ou uma Françoise. Com esta, eu aprendera, desde os cinco anos, que não se diz o *Tarn*, mas o *Tar*, nem *Béarn*, mas o *Béar*. O que fez com que aos vinte anos, ao freqüentar a sociedade, não precisei aprender que não era necessário dizer, como o fazia a Sra. Bontemps, "Madame de Béarn".

Mentiria se dissesse que a duquesa não tinha consciência desse lado rural e quase camponês que permanecia nela, e não pusesse uma certa afetação em exibi-lo. Mas de sua parte, era menos falsa simplicidade de grande dama que se faz de camponesa, e orgulho de duquesa que zomba das senhoras ricas desdenhosas dos camponeses a quem não conhecem, do que o gosto quase artístico de uma mulher que conhece o encanto do que possui e não vai estragá-lo com uma pincelada moderna. Do mesmo gênero era um restaurador normando que todo mundo conheceu em Dives, proprietário do "Guilherme-o-Conquistador", que tinha evitado – coisa bem rara – dar à sua hospedaria o luxo moderno de um hotel e que, sendo milionário, conservava a linguagem e a blusa de um camponês normando e permitia que o viessem ver ele próprio a preparar na cozinha, como no campo, um jantar que nem por isso deixava de ser infinitamente melhor e até mais caro do que nos maiores hotéis de luxo.

Toda a seiva local que existe nas velhas famílias aristocráticas não é o suficiente; é preciso que nelas nasça uma criatura inteligente o bastante para não desdenhá-la, para não apagá-la sob o verniz mundano. A Sra. de Guermantes, infelizmente espirituosa e parisiense, e que, quando a conheci, só conservava de seu torrão o sotaque, ao menos, quando queria pintar sua vida de mocinha, achara para a sua linguagem (entre o que teria parecido involuntariamente provinciano demais ou, pelo contrário, artificialmente letrado) um desses compromissos que fazem o encanto de *La Petite Fadette* de George Sand ou de certas lendas relatadas por Chateaubriand nas *Memórias d'outre-tombe*. Meu prazer era, sobretudo, ouvi-la contar alguma história acerca de camponeses com ela. Os nomes antigos, os velhos costumes, davam algo de muito saboroso a essa aproximação entre o castelo e a aldeia. Uma certa aristocracia permanece regional por ter mantido contato com as terras onde é soberana, de modo que a frase mais simples faz desenrolar-se diante de nossos olhos todo um mapa histórico e geográfico da História da França.

Se não havia naquilo afetação, nenhum desejo de fabricar uma linguagem para seu próprio uso, então essa forma de pronunciar era um verdadeiro museu de História da França através da conversação. – Meu tio-avô Fitt-jam – nada tinha que espantasse, pois sabia-se que os Fitz-james proclamam de bom grado serem grãos-senhores franceses e não querem que pronunciem seu nome à maneira inglesa. Aliás, é preciso admirar a tocante docilidade das pessoas que, até então, tinham julgado dever esforçar-se por pronunciar gramaticalmente certos nomes e que, de súbito, após ter ouvido a duquesa de Guermantes pronunciá-los diversamente, aplicavam-se à pronúncia que nem sequer haviam suposto. Assim, a duquesa, que tivera um bisavô que assessorava o conde Chambord, para implicar com o marido que se tornara orleanista, gostava de proclamar: – Nós, os velhos de Frochedorf. – O visitante que até então julgara correto dizer "Frohsdorf" mudava de opinião o mais depressa possível e passava a dizer sem parar "Frochedorf".

Certa vez em que perguntava à Sra. de Guermantes quem era um jovem requintado que ela me apresentara como seu sobrinho e de quem mal ouvira o nome, tal nome não o distingui melhor quando, do fundo da garganta, a duquesa emitiu com força mas sem articular: – É o.. éon,... nhado de Robert. Ele pretende ter a forma do crânio dos velhos galeses. – Então compreendi que ela dissera: é o pequeno Léon (o príncipe de Léon, de fato cunhado de Robert de Saint-Loup). – Em todo caso, não sei se ele tem o crânio – acrescentou ela –, mas o seu modo de se vestir, que aliás é bem chique, não tem muito o jeito daquele país. Um dia em que, de Josselin, onde eu estava em casa dos Rohan, tínhamos saído em peregrinação, vieram camponeses, um pouco de todas as partes da Bretanha. Um grandalhão leonês olhava assombrado para as calças beges do cunhado de Robert. – Que tem você que tanto me olha? Aposto que não sabe quem sou eu –, disse Léon. E, como o camponês dissesse que não: – Pois bem, sou o teu príncipe. – Ah! – respondeu o camponês se descobrindo e pedindo desculpas –, pensei que o senhor fosse um *englische*. – E, se, aproveitando esse ponto de partida, eu estimulava a Sra. de Guermantes a falar dos Rohan (a quem sua família muitas vezes se aliara), sua conversação se impregnava um pouco do encanto melancólico das romarias bretãs e, como diria aquele verdadeiro poeta que é Pampille, "do acre sabor dos *crêpes* de trigo preto cozidos num fogo de juncos"[5].

Do marquês de Lau (de quem se conhece o triste fim, quando, surdo, fazia-se levar à casa da Sra. H***, cega), ela contava os anos menos trágicos, quando, depois da caça, em Guermantes, punha chinelos para tomar o chá com o rei da Inglaterra, ao qual não se considerava inferior e com quem, como se vê, não fazia cerimônia. Ela assinalava este fato com tanta graciosidade que lhe acrescentava o penacho à mosqueteiro dos fidalgos um tanto gloriosos do Périgord.

Além disso, mesmo na simples qualificação de pessoas, ter o cuidado de diferenciar as províncias era na Sra. de Guermantes, fiel a si própria, um grande encanto que uma parisiense de origem nunca saberia possuir; e aqueles simples nomes de Anjou, de Poitou e do Périgord refaziam paisagens em sua conversação.

Para voltar à pronúncia e ao vocabulário da Sra. de Guermantes, é por esse aspecto que a nobreza se mostra verdadeiramente conservadora, com tudo o que esse termo carreia, ao mesmo tempo, de um tanto pueril, um tanto perigoso, de

[5] Pampille era pseudônimo da Sra. Léon Daudet, autora de um livro de receitas. (N. do T.)

refratário ao progresso, mas igualmente de divertido para o artista. Eu queria saber como se escrevia antigamente o nome Jean. Fiquei sabendo ao receber uma carta do sobrinho da Sra. de Villeparisis, que se assina – conforme foi batizado e figura no Gotha – Jehan de Villeparisis, com o mesmo e belo *h* inútil, heráldico, tal como é admirado, colorido de vermelhão ou de ultramar, num livro de horas ou num vitral.

Infelizmente, não dispunha de tempo para prolongar indefinidamente essas visitas, pois desejava na medida do possível não voltar para casa depois de minha amiga. Ora, era sempre a conta-gotas que podia obter da Sra. de Guermantes as informações sobre suas toaletes, informações que eram úteis para mandar fazer toaletes do mesmo gênero para Albertine, na medida em que uma moça possa usá-las.

– Por exemplo, senhora, no dia em que devia jantar na casa da Sra. de Saint-Euverte antes de ir à casa da princesa de Guermantes, estava usando um vestido todo vermelho, com sapatos vermelhos; estava extraordinária, parecia uma grande flor de sangue, um rubi em chamas; como se chamaria isso? E uma moça pode usar um vestido assim?

A duquesa, dando ao rosto fatigado a radiosa expressão que possuía a princesa des Laumes quando Swann lhe fazia cumprimentos outrora, olhou, rindo até as lágrimas, com ar zombeteiro, interrogativo e deslumbrado, para o Sr. de Bréauté, sempre presente àquela hora, e que fazia amornar sob o monóculo um sorriso indulgente para esse anfiguri de intelectual por causa da exaltação física de rapaz que ele parecia ocultar. A duquesa dava a impressão de dizer: "Que terá ele, estará louco?" Depois, virando-se para mim com ar carinhoso: – Eu não sabia que parecia um rubi em chamas ou uma flor de sangue, mas lembro-me de fato que usei um vestido vermelho: era de cetim rubro como então costumava usar-se. Sim, uma moça pode, a rigor, usar isso, mas você me disse que ela não saía à noite. É um vestido de festa de gala, não pode ser usado apenas para fazer visitas.

O extraordinário é que daquele sarau, enfim não tão antigo, a Sra. de Guermantes só se lembrasse de sua toalete e tivesse esquecido uma coisa que no entanto, conforme veremos, deveria ter grande importância para ela. Parece que nas pessoas de ação, e os mundanos são pessoas de ação (minúsculas, microscópicas, mas enfim pessoas de ação), o espírito esgotado pela atenção naquilo que há de ocorrer dentro de uma hora, só confia muito pouco à memória. Muitas vezes, por exemplo, não era para despistar e parecer não ter se enganado, que o Sr. de Norpois, quando lhe falavam de prognósticos que ele havia emitido a respeito de uma aliança alemã que nem sequer fora concluída, dizia: – Devem estar enganados, não me recordo absolutamente, isto não parece coisa minha, pois nesse tipo de conversa sou sempre muito lacônico e jamais teria predito o sucesso de golpes espetaculares, que em geral não passam de cabeçadas e habitualmente degeneram em atos de violência. É inegável que, num futuro remoto, poderia efetuar-se uma aproximação franco-alemã, a qual seria muito vantajosa para os dois países, e dela a França não tiraria só desvantagens, creio; mas jamais falei sobre tal assunto, porque o fruto ainda não está maduro e, se querem a minha opinião, penso que, ao pedirmos a nossos velhos inimigos que convolem conosco em justas bodas, correríamos o risco de um tremendo fracasso e só receberíamos bordoadas. – Dizendo isto, o Sr. de Norpois não mentia, simplesmente se esquecera. De resto, a gente se esquece depressa daquilo que não pensou com profundidade, do que nos foi ditado pela imitação e pelas paixões circundantes. Elas mudam, e com elas modifica-se a nossa recordação. Ainda mais que os diplomatas, os políticos não se lembram do ponto de vista que adotaram em certa ocasião, e algumas de suas palinódias se referem menos a um excesso de ambição do que a uma falta de memória. Quanto às pessoas mundanas, estas lembram-se de pouca coisa.

A Sra. de Guermantes afirmou-me que, no sarau ao qual comparecera de vestido vermelho, já não se lembrava que ali estivera a Sra. de Chaussepierre, que certamente eu me enganava. Ora, sabe Deus no entanto se, desde então, os Chaussepierre não ocuparam o espírito do duque e até da duquesa! Eis o motivo. O Sr. de Guermantes era o mais antigo vice-presidente do Jockey quando o presidente faleceu. Certos membros do clube que não têm relações e cujo único prazer é dar bolas pretas às pessoas que não os convidam, fizeram campanha contra o duque de Guermantes, o qual, certo de ser eleito e bem negligente quanto a essa presidência que valia muito pouco relativamente à sua posição mundana, não cuidou de nada. Ressaltaram que a duquesa era dreyfusista (no entanto, o Caso Dreyfus já se encerrara há muito tempo, mas vinte anos depois ainda se falava nele, e ela só o era havia dois anos), recebia os Rothschild, que se favoreciam demais desde algum tempo dos grandes potentados internacionais, como o duque de Guermantes, que era meio alemão. A campanha encontrou um terreno bastante propício, pois os clubes invejam muito as pessoas em destaque e detestam as grandes fortunas. A de Chaussepierre não era pequena, mas não dava para ofuscar ninguém; ele não gastava um tostão, o apartamento do casal era modesto, a mulher andava vestida de lã preta. Louca por música, dava muitas reuniões pequenas para as quais eram convidadas muito mais cantoras do que à casa dos Guermantes. Mas ninguém falava nelas, tudo isso se passava sem refrescos, até o marido estava ausente, na obscuridade da rua de la Chaise. Na Ópera, a Sra. de Chaussepierre passava despercebida, sempre na companhia de pessoas cujo nome evocava o meio mais "ultra" da intimidade de Carlos X, mas pessoas apagadas, pouco mundanas. No dia da eleição, para surpresa geral, a obscuridade triunfou sobre o esplendor: Chaussepierre, segundo vice-presidente, foi eleito presidente do Jockey, e o duque de Guermantes levou carona, isto é, permaneceu como primeiro vice-presidente. Claro que ser presidente do Jockey não representa muita coisa para os príncipes da mais alta estirpe como eram os Guermantes. Mas não sê-lo quando chegou a vez, ver-se preterido por um Chaussepierre cuja mulher Oriane não só não cumprimentava dois anos antes, como chegava a se mostrar ofendida de ser cumprimentada por aquele morcego desconhecido – era duro para o duque. Ele pretendia estar acima desse fracasso, assegurando aliás que era à sua velha amizade a Swann que o devia. Na realidade, sua cólera era interminável. Muito curioso era o fato de jamais terem ouvido o duque de Guermantes servir-se da expressão *bel et bien*, bastante trivial, no sentido de "inteiramente". Mas desde a eleição do Jockey, quando lhe falavam do Caso Dreyfus, *bel et bien* surgia logo: – Caso Dreyfus, Caso Dreyfus, é fácil de dizer e o termo é impróprio; não se trata de uma questão de religião, mas *bel et bien* de uma questão política. – Cinco anos podiam passar sem que lhe ouvissem dizer *bel et bien* se, nesse período, não lhe falassem do Caso Dreyfus; mas se, passados cinco anos, o nome de Dreyfus voltava à conversa, logo o *bel et bien* retornava automaticamente. Além disso, o duque não mais podia suportar que lhe falassem desse Caso "que provocou", dizia, "tantas desgraças", embora na realidade só fosse sensível a uma única, o seu fracasso na disputa da presidência do Jockey.

Assim, na tarde de que estou falando e na qual recordei à Sra. de Guermantes o vestido vermelho que ela usava no sarau da sua prima, o Sr. de Bréauté foi muito mal recebido quando, querendo dizer algo, por uma associação de idéias que permaneceu obscura e que ele não revelou, começou fazendo manobrar a língua na ponta da boca em forma de cu de galinha: – A propósito do Caso Dreyfus... – (por que do Caso Dreyfus? tratava-se apenas de um vestido vermelho, e certamente o pobre Bréauté, que jamais pensara senão em fazer graça, não punha qualquer malícia naquilo). Mas bastou o nome de Dreyfus para franzir as sobrancelhas jupiterianas do duque de Guermantes. – Contaram-me – disse Bréauté – um belo gracejo, na verdade muito fino, do nosso amigo Cartier (avisamos o leitor que esse Cartier, irmão da Sra. de Villefranche, não tinha a menor sombra de relação com o joalheiro do mesmo nome), o que aliás não me espanta, pois ele tem espírito para dar e vender. – Ah – interrompeu Oriane –, não seria eu quem compraria. Não sei lhe dizer o quanto o seu Cartier sempre me enfadou, e jamais pude compreender o encanto infinito que Charles de la Trémoïlle e sua mulher encontram nesse maçante que vejo todas as vezes que vou à casa deles. – Minha iara duiesa – respondeu Bréauté, que dificilmente pronunciava os *cc* –, acho-a muito severa quanto a Cartier. É verdade que talvez lhe dêem confiança demais na casa dos La Trémoïlle, mas enfim é para larles uma espécie, como direi, uma espécie de fiel Acates, o que se torna um pássaro bem raro nos tempos que correm. Em todo caso, eis o que me contaram. Cartier teria dito que, se o Sr. Zola procurara um processo e quisera ser condenado, fora porque desejava experimentar uma sensação que ainda não conhecia, a de estar numa prisão. – Por isso fugiu antes de ser preso – interrompeu Oriane. – Isto não tem pé nem cabeça. Aliás, mesmo que fosse verossímil, acho o gracejo bem idiota. Se é isso que você chama de espirituoso... – Meus Deus, minha iara Oriane – respondeu Bréauté que, vendo-se contestado, começava a recuar –; o gracejo não é meu, eu o repito tal como me passaram; julgue-o pelo que vale. Em todo caso, foi motivo para que o Sr. Cartier tenha sido severamente admoestado por este excelente La Trémoïlle, que, com muita razão, não quer que se fale jamais em seu salão disso que chamarei, como dizer?, as questões em curso, e que ficou tanto mais contrariado pois estava presente a Sra. Alphonse Rothschild. Cartier teve de sofrer da parte de La Trémoïlle uma verdadeira descompostura. – Evidentemente – disse o duque de muito mau humor – os Alphonse de Rothschild, embora tenham o tato de jamais falar desse caso abominável, são dreyfusistas até a alma, como todos os judeus. Isso é até um argumento *ad hominem* (o duque empregava um pouco a torto e a direito a expressão *ad hominem*) que ainda não se fez valer o suficiente para mostrar a má-fé dos judeus. Se um francês rouba, assassina, não me sinto obrigado a considerá-lo inocente por ser um francês como eu. Mas os judeus nunca irão admitir que um de seus concidadãos seja traidor, embora saibam perfeitamente que o é, e preocupam-se muito pouco com as terríveis repercussões (o duque naturalmente pensava na maldita eleição de Chaussepierre) que o crime de um dos seus pode acarretar até... Vejamos, Oriane, você não vai pretender que não é deprimente para os judeus o fato de que eles apoiam um traidor. Não vai me dizer que não é porque são judeus. – Meu Deus, claro que não – respondeu Oriane (sentindo com irritação um certo desejo de resistir ao Júpiter tonante, e também de colocar um pouco de "inteligência" acima do Caso Dreyfus). – Mas talvez seja exatamente porque, sendo judeus e conhecendo-se a si próprios, sabem que é possível ser judeu sem ser forçosamente traidor ou antifrancês, como dizem que afirma o Sr. Drumont. Certamente se Dreyfus fosse cristão, os judeus não se interessariam por ele, mas interessam-se porque vêem perfeitamente que, se ele não fosse judeu, não o julgariam com tanta facilidade traidor *a priori*, como diria o meu sobrinho Robert. – As mulheres não entendem nada de política – exclamou o duque encarando a duquesa. – Pois esse crime horrível não é simplesmente uma causa judia, mas *bel et bien* um imenso caso nacional que pode ter as mais tremendas conseqüências para a França, de onde deveriam ser expulsos todos os judeus, embora eu reconheça que as sanções decretadas até agora o foram (de um modo ignóbil que deveria ser revisto) não contra eles, mas contra seus adversários mais eminentes, contra homens de primeira categoria, postos de lado para desgraça do nosso pobre país.

Senti que as coisas se azedavam e, precipitadamente, voltei a falar nos vestidos.

– A senhora se lembra – disse eu – da primeira vez que foi gentil comigo? – A primeira vez que fui gentil com ele – repetiu ela, olhando risonha para o Sr. de Bréauté, cuja ponta do nariz se afilava, cujo sorriso se enternecia por polidez para com a Sra. de Guermantes, e cuja voz de faca ao ser amolada deixou ouvir alguns sons vagos e roucos. – A senhora trajava um vestido amarelo com grandes flores negras. – Mas, meu filho, é a mesma coisa, são vestidos de festa. – E seu chapéu de *bleuets* que tanto apreciei! Mas enfim, tudo isso pertence ao passado. Gostaria de mandar fazer para a moça em questão um casaco de pele como o que a senhora usava ontem de manhã. Seria possível que eu o visse? – Por ora, não. Hannibal vai ser obrigado a sair dentro de um instante. Porém volte aqui, e minha camareira lhe mostrará tudo isso. Apenas, meu filho, tenho muito gosto em lhe emprestar tudo o que desejar, mas, se mandar fazer os vestidos de Callot, de Doucet e de Paquin por costureirinhas, nunca sairá a mesma coisa. – Mas de modo algum pretendo ir à loja de uma costureirinha, sei perfeitamente que vai ser coisa bem diversa; mas a mim interessaria compreender por que seria diferente. – Mas você sabe que não consigo explicar nada, pois sou uma tola, falo como uma camponesa. É uma questão de ter boa mão, de feitio; quanto às peles, pelo menos posso lhe dar um bilhete para o meu fornecedor, que desse modo não há de roubá-lo. Mas saiba que mesmo assim isso lhe custará oito ou nove mil francos. – E aquele chambre que cheira tão mal, que a senhora usava outra noite e que é sombrio, felpudo, mosqueado, estriado de ouro com uma asa de borboleta? – Ah, aquilo é de Fortuny. A sua jovem poderia perfeitamente usá-lo em casa. Tenho muitos deles, vou lhe mostrar; posso até lhe dar alguns, se lhe agrada. Mas gostaria principalmente que visse o da minha prima Talleyrand. Preciso escrever-lhe para que me empreste. – Mas a senhora também estava de sapatos tão bonitos, ainda eram de Fortuny? – Não, eu sei do que está falando, é um couro dourado de cabrito que descobrimos em Londres, dando um passeio com Consuelo em Manchester. Era extraordinário. Nunca pude compreender de que forma era dourado, dir-se-ia uma pele de ouro. era apenas isto, com um pequeno diamante no meio. A pobre duquesa de Manchester está morta, mas, se lhe agrada, escreverei à Sra. de Warwick ou à Sra. Marlborough para que elas tentem descobrir outros idênticos. Pergunto-me se eu mesma ainda não terei dessa pele. Talvez seja possível mandar fazê-la aqui. Vou dar uma olhada esta noite e lhe mandarei informar.

Como eu procurasse, na medida do possível, deixar a duquesa antes que Albertine regressasse, ocorria muitas vezes que encontrava àquela hora no pátio, ao sair da Casa da Sra. de Guermantes, o Sr. de Charlus e Morel, que iam tomar chá na casa de... Jupien, favor supremo para o barão! Não cruzava com eles todos os dias, mas eles ali compareciam diariamente. Aliás, é de se notar que a constância de um hábito de ordinário está relacionada com o que existe de absurdo nele. As coisas brilhantes em geral só são feitas de modo imprevisto. Mas as vidas insensatas, em que o próprio maníaco se priva de todos os prazeres e se inflige os maiores males, estas vidas são as que menos mudam. A cada dez anos, caso tivéssemos curiosidade para tanto, voltaríamos a encontrar o desgraçado dormindo às horas em que poderia viver, saindo às horas em que não há quase outra coisa a fazer senão deixar-se assassinar nas ruas, bebendo gelados quando está com calor, sempre se curando de uma gripe. Bastaria um pequeno movimento de energia, um único dia, para mudar isto de uma vez por todas. Porém justamente essas vidas são de hábito o apanágio de seres incapazes de energia. Os vícios são um outro aspecto dessas existências monótonas, que a força de vontade bastaria para tornar menos atrozes. Ambos os aspectos podiam ser igualmente considerados quando o Sr. de Charlus ia todos os dias, na companhia de Morel, tomar chá na casa de Jupien. Uma única tempestade havia marcado esse costume cotidiano. Tendo a sobrinha do coleteiro dito certo dia a Morel: – Pois é, venha amanhã que eu lhe pagarei o chá – o Sr. de Charlus achara com razão a frase bem vulgar para uma pessoa de quem contava fazer sua quase nora; mas, como gostava de constranger e se embriagava com a própria cólera, em vez de dizer simplesmente a Morel que desse à moça uma lição de boas maneiras, todo o regresso passou-se em cenas violentas. No tom mais insolente, mais orgulhoso: – O toque, pelo visto, não é forçosamente aliado ao "tato"; e portanto impediu em você o desenvolvimento normal do olfato, já que tolerou que essa expressão fétida de pagar o chá, a quinze cêntimos suponho, venha trazer-me às régias narinas o seu odor de dejetos! Quando, em minha casa, terminou um solo de violino, alguma vez viu que o recompensavam com um peido em vez de um aplauso frenético, ou com um silêncio ainda mas eloqüente, pois é feito do medo de não poder reter, não aquilo com que sua noiva nos prodigalizou, mas o soluço que lhe sobe aos lábios?

Quando um funcionário se vê infligido de tais censuras pelo seu chefe, invariavelmente é demitido no dia seguinte. Ao contrário, nada teria sido mais cruel ao Sr. de Charlus do que despedir Morel e, receando mesmo ter ido um pouco longe demais, pôs-se a fazer, sobre a moça, elogios minuciosos, cheios de gosto, involuntariamente semeados de impertinências. – Ela é encantadora. Como você é músico, penso que ela o seduziu pela voz, que é muito linda nas notas altas, onde parece esperar o acompanhamento do seu *si* sustenido. Seu registro grave me agrada menos, e isto deve relacionar-se com o triplo recomeçar do pescoço estranho e fino, que parece terminar mas continua a subir; nela, em vez de detalhes medíocres, o que me agrada é antes a silhueta. E, como ela é costureira e deve saber lidar com tesouras, é necessário que me dê um belo corte de si mesma em papel.

Charlie pouca atenção dera a esses elogios, tanto mais que celebravam qualidades que sempre lhe haviam escapado em sua noiva. Porém respondeu ao Sr. de Charlus: – Está entendido, meu benzinho, eu lhe passarei um sabão para que não fale mais desse jeito. – Se Morel dizia assim "meu benzinho" ao Sr. de Charlus, não é que ignorasse que mal teria um terço da idade do barão. Também não dizia como o teria feito Jupien, mas com aquela simplicidade que, em certas relações, postula que a supressão da diferença de idade tacitamente precedeu a ternura. A ternura fingida em Morel, a ternura sincera em outros. Assim, por aquela época, o Sr. de Charlus recebeu uma carta concebida nestes termos: "Meu caro Palamède, quando te verei? Estou muito aborrecido com tua ausência e penso muito em ti *etc.* Todo teu, PIERRE." O Sr. de Charlus quebrou a cabeça para descobrir quem era, dentre os parentes, que se permitia escrever-lhe com tanta familiaridade, e que devia por conseqüência conhecê-lo bem, e do qual, apesar de tudo, não reconhecia a escrita. Todos os príncipes a quem o Almanaque de Gotha dedica umas poucas linhas desfilaram por alguns dias na cabeça do Sr. de Charlus. Por fim, bruscamente, um endereço escrito no verso do envelope o esclareceu: o autor da carta era um moço de recados de um clube de jogo aonde o Sr. de Charlus ia às vezes. Esse rapaz não se julgara impolido ao escrever naquele tom ao Sr. de Charlus, que, ao contrário, gozava de grande prestígio a seus olhos. Mas imaginava não ser gentil não tratar por tu a uma pessoa que o havia beijado várias vezes e que, desse modo – pensava ele em sua ingenuidade –, dera-lhe a sua afeição. No fundo, o Sr. de Charlus ficou deslumbrado com aquela familiaridade. Chegou até a acompanhar o Sr. de Vaugoubert a casa, certo dia, para poder lhe mostrar a carta. E, no entanto, Deus sabe como o Sr. de Charlus não gostava de sair com o Sr. de Vaugoubert. Pois este, de monóculo no olho, contemplava de todos os lados os rapazes que passavam. Mais ainda: liberando-se quando estava com o Sr. de Charlus, fazia uso de uma linguagem que o barão detestava. Punha todos os nomes de homem no feminino e, como era muito imbecil, julgava esse gracejo bastante espirituoso e não deixava de rir às gargalhadas. Como, a par disso, era enormemente apegado a seu posto diplomático, os modos zombeteiros e deploráveis que ostentava na rua eram interrompidos constantemente pelo susto que lhe causava no mesmo momento a passagem de pessoas da sociedade, mas sobretudo de funcionários. – Esta pequena telegrafista – dizia, cutucando o barão carrancudo –, já me dei bem com ela, mas a velhaca resolveu mudar de vida! Oh! aquele entregador das Galerias Lafayette, que maravilha! Meus Deus, aí vem passando o diretor dos Assuntos Comerciais. Tomara que não tenha notado o meu gesto! Seria capaz de falar nisso ao ministro, que me poria em disponibilidade, tanto mais que também é "uma". – O Sr. de Charlus explodia de raiva. Enfim, para abreviar aquele passeio que o exasperava, resolveu mostrar a carta e pedir ao embaixador que a lesse, mas recomendou-lhe descrição, pois fingia que Charlie estivesse com ciúmes, a fim de poder fazer crer que era amado. – Ora – acrescentou, com um impagável ar de bondade –, devemos sempre tentar causar o mínimo possível de sofrimento aos outros.

Antes de retornar à loja de Jupien, o autor faz questão de dizer o quanto ficaria entristecido se o leitor se melindrasse com cenas tão estranhas. Por um lado (e é a menor parte da coisa), julgam que a aristocracia parece, proporcionalmente, neste livro, mais acusada de degenerescência que as outras classes sociais. Mesmo que assim fosse, não seria de admirar. As mais antigas famílias acabam por confessar, num nariz grosso e vermelho, num queixo deformado, sinais específicos em que todos admiram a "raça". Mas, em meio aos traços persistentes e sem cessar agravados, há os que não são visíveis, e estes são as tendências e os gostos.

Uma objeção mais grave, se tivesse fundamento, seria dizer que tudo isso nos é estranho e que é preciso extrair poesia da verdade bem próxima. A arte extraída do real mais familiar existe de fato e seu domínio é talvez o maior. Mas não é menos verdade que um grande interesse, por vezes a beleza, pode nascer de ações decorrentes de uma forma de espírito de tal modo distanciada de tudo o que sentimos, de tudo em que acreditamos, que nem sequer podemos chegar a compreendê-las, e elas se apresentam diante de nós como um espetáculo sem motivo. Que existe de mais poético do que Xerxes, filho de Dario, mandando açoitar as águas que haviam engolido seus barcos?

É certo que Morel, usando dos poderes que seus encantos lhe davam sobre a moça, transmitiu-lhe, tomando-os à sua conta, as observações do barão, pois a expressão "pagar o chá" desapareceu tão completamente da loja do coleteiro, como desaparece para sempre de um salão determinada pessoa íntima que era recebida todos os dias e com quem, por um motivo ou outro, brigou-se ou que convém ocultar e só se freqüenta fora de casa. O Sr. de Charlus ficou satisfeito com a desaparição de "pagar o chá", e viu naquilo uma prova de sua ascendência sobre Morel e o apagamento da única manchinha na perfeição da moça. Por fim, como todos os da sua espécie, embora sendo sinceramente amigo de Morel e de sua quase noiva, e ardente partidário da união deles, gostava muito do poder de criar à sua vontade brigas mais ou menos inofensivas, acima e fora das quais se mantinha tão olímpico feito o seria seu irmão.

Morel dissera ao Sr. de Charlus que amava a sobrinha de Jupien, queria desposá-la, e era doce ao barão acompanhar seu jovem amigo às visitas, em que representava o papel de futuro sogro indulgente e discreto. Nada lhe agradava mais.

Minha opinião pessoal é que "pagar o chá" vinha do próprio Morel, e que, por cegueira de amor, a jovem costureira adotara uma expressão da criatura adorada, expressão que destoava, pela feiúra, na linguagem bonita da moça. Essa linguagem, as maneiras encantadoras que se harmonizavam com ela, a proteção do Sr. de Charlus, faziam com que muitos fregueses para quem ela trabalhara a recebessem como amiga, convidando-a para jantar, mesclando-a às suas relações; aliás, a mocinha só aceitava esses convites com a permissão do Sr. de Charlus e nas noites em que isto lhe convinha. "Uma costureirinha na alta sociedade?", diriam. "Que inverosimilhança!" Pensando bem, não era menos inverossímil que antigamente Albertine viesse ver-me à meia-noite, e agora vivesse comigo. E talvez fosse inverossímil com outra, de modo algum com Albertine, sem pai nem mãe, levando uma vida tão livre que, no começo, eu a tomara em Balbec pela amante de um ciclista, tendo por parente mais próximo a Sra. Bontemps que, já na casa da Sra. Swann, só admirava na sobrinha os seus maus modos e agora fechava os olhos, sobretudo se houvesse possibilidade de desembaraçar-se dela conseguindo-lhe um casamento rico, no qual parte do dinheiro fosse para a tia (na mais alta sociedade, mães muito nobres e muito pobres, tendo conseguido um casamento rico para o filho, deixam-se sustentar pelo jovem casal, aceitam casacos de pele, automóveis, dinheiro de uma nora de quem não gostam e que fazem ser recebida na sociedade).

Talvez chegue um dia em que as costureiras, o que não me pareceria de modo algum chocante, freqüentem a alta sociedade. A sobrinha de Jupien, sendo uma exceção, não pode ainda deixar prevê-lo, pois uma andorinha não faz verão. Em todo caso, se a situação modestíssima da sobrinha de Jupien escandalizou algumas pessoas, não foi a Morel, pois sob certos aspectos sua estupidez era tão grande que, não só achava "burrinha" aquela moça mil vezes mais inteligente que ele, talvez apenas porque o amasse, mas também supunha serem aventureiras, subcostureiras disfarçadas bancando damas, as pessoas muito bem relacionadas que a recebiam e de que ela não se envaidecia. Naturalmente não eram Guermantes, nem mesmo pessoas que os conhecessem, mas burguesas ricas e elegantes, de espírito bastante livre para achar que não há desonra em receber uma costureira, e de espírito bastante escravo para sentir algum contentamento em proteger uma moça que sua Alteza o barão de Charlus ia visitar todos os dias com a melhor das intenções.

Ao barão, nada lhe agradava mais que a idéia desse casamento, pois pensava que assim Morel não lhe seria roubado. Parece que a sobrinha de Jupien cometera, quase criança, uma "falta". E o Sr. de Charlus, apesar dos elogios que fizera da moça a Morel, gostaria de contar essa "falta" ao amigo, que ficaria furioso, desse modo semeando a cizânia. Pois o barão, conquanto tremendamente mau, assemelhava-se a um sem-número de pessoas bondosas que elogiam esta ou aquela criatura para provar a própria bondade, mas evitariam como ao fogo as palavras benfazejas, tão raramente pronunciadas, capazes de fazer reinar a paz. Malgrado isto, o barão se absteve de qualquer insinuação, e por dois motivos. – "Se lhe contar" – dizia consigo – "que sua noiva não é imaculada, seu amor-próprio ficará ofendido, e ele vai me querer mal. E depois, quem me diz que ele não está apaixonado por ela? Se não digo nada, esse fogo de palha se extinguirá depressa, e eu hei de governar as relações deles à minha moda, ele só haverá de amá-la na medida em que eu o desejar. Se eu lhe contar a falta passada da sua prometida, quem me diz que meu Charlie não está ainda apaixonado o bastante para ficar ciumento? Então, transformarei, por minha própria culpa, um flerte sem conseqüência, e que se conduz como bem se quer, num grande amor, coisa difícil de governar". Por esses dois motivos, o Sr. de Charlus conservava um silêncio que apenas aparentemente era discrição, mas que, por outro lado, era meritório, pois calar-se é quase impossível às pessoas de sua espécie.

Além disso, a moça era deliciosa, e o Sr. de Charlus, em que ela satisfazia todo o gosto estético que ele podia ter pelas mulheres, estimaria possuir centenas de fotografias dela. O barão, menos imbecil que Morel, escutava com prazer o nome das senhoras elegantes que a recebiam e que seu faro social situava bem. Evitava, porém (querendo manter o império) dizê-lo a Morel, o qual, perfeito idiota no assunto, continuava a crer que, afora a "classe de violino" e os Verdurin, só existiam os Guermantes, as poucas famílias quase régias enumeradas pelo barão, o resto não passando de uma "turba". Charlie tomava ao pé da letra estas expressões do Sr. de Charlus.

Como é que o Sr. de Charlus, debalde esperado todos os dias do ano por tantos embaixadores e duquesas, não jantando com o príncipe de Croy porque cede-se o passo a este, como é que o Sr. de Charlus, o tempo inteiro que rouba a essas grandes damas e grãos-senhores, costuma passá-lo na casa da sobrinha de um coleteiro? Em primeiro lugar, a razão suprema: Morel ali se achava. Não estivesse ele presente, e eu não veria nenhuma inverossimilhança, ou então julguem-no como o teria feito um garçom de Aimé. Não há como os garçons de restaurante para acreditar que um homem excessivamente rico usa sempre roupas novas e deslumbrantes, e que um senhor que é o que existe de mais chique dá jantares de sessenta talheres e só comparece de auto. Enganam-se. Na maioria das vezes, um homem excessivamente rico usa o mesmo jaquetão puído. Um senhor que é o que existe de mais chique é um indivíduo que, no restaurante, só fala com os empregados e, de volta a casa, joga cartas com seus lacaios. Isto não impede que ele se recuse a ficar atrás do príncipe Murat.

Dentre as razões que faziam feliz o Sr. de Charlus com o casamento dos dois jovens, havia esta: a sobrinha de Jupien seria de algum modo uma extensão da personalidade de Morel e, assim, do poder e ao mesmo tempo do conhecimento que o barão possuía acerca dele. O Sr. de Charlus não teria um segundo sequer o menor escrúpulo de "enganar", no sentido conjugal do termo, a futura esposa do violinista. Mas ter "um jovem casal" para dirigir, sentir-se o protetor temido e todo-poderoso da mulher de Morel, a qual considerando o barão como um deus provaria desse modo que o caro Morel lhe inculcara essa idéia e assim conteria algo de Morel, fizeram variar o gênero de dominação do Sr. de Charlus e nascer em sua "coisa", Morel, uma criatura a mais, o esposo, ou seja, conferiram-lhe algo a mais, algo novo e curioso para amar nele. Talvez até essa dominação fosse agora maior que nunca. Pois, naquilo em que Morel, sozinho, nu por assim dizer, resistia muitas vezes ao barão, a quem se sentia seguro de reconquistar, uma vez casado, tremeria mais facilmente pelo seu lar, seu apartamento, seu futuro, e ofereceria às vontades do Sr. de Charlus mais superfície e mais tomada. Tudo isto, e mais, em caso de necessidade, nas noites de tédio, atear a guerra entre marido e mulher (o barão jamais detestara os quadros de batalha), agradava ao Sr. de Charlus. Menos, entretanto, do que pensar na dependência em que viveria dele o jovem casal. O amor do Sr. de Charlus por Morel reassumia uma novidade deliciosa quando ele dizia consigo: sua mulher também será minha, tanto quanto ele é meu, eles só agirão de modo a não me contrariar, obedecerão aos meus caprichos e, assim, ela será um sinal (até agora desconhecido para mim) do que eu quase esquecera e que é tão sensível ao meu coração como para todo mundo, um sinal para aqueles que me verão protegê-los, hospedá-los, e para mim mesmo, de que Morel é meu. Dessa evidência aos olhos dos outros e a seus próprios, sentia-se o Sr. de Charlus mais feliz que de tudo mais. Pois a posse daquilo que se ama é uma alegria maior ainda que a do amor. Freqüentemente os que escondem a todos essa posse fazem-no apenas de medo que o objeto querido lhes seja roubado. E essa prudência de se calarem diminui-lhes a felicidade.

Talvez sejam lembrados de que antigamente Morel dissera ao barão que seu desejo era seduzir uma mocinha, especialmente esta, e que, para consegui-lo lhe prometeria casamento, mas, uma vez realizada a violação, ele "daria o fora para bem longe". Porém isto o Sr. de Charlus havia esquecido, diante das confissões de amor pela sobrinha de Jupien que Morel acabava de lhe fazer. Ainda mais, o mesmo talvez tivesse ocorrido com Morel. Talvez houvesse uma verdadeira lacuna entre a natureza de Morel, tal como a confessara de modo cínico – e talvez mesmo habilmente exagerara – e o momento em que ela voltara a impor-se. Convivendo mais com a moça, agradara-se dela e amava-a. Conhecia-se tão pouco que certamente imaginava estar amando, talvez mesmo para sempre. Claro, seu desejo inicial, seu projeto criminoso, subsistiam, mas recobertos por tantos sentimentos superpostos que nada nos pode afirmar que o violinista não fora sincero ao dizer que aquele desejo vicioso não era o verdadeiro móvel do seu ato. Aliás, houve um período de curta duração em que, sem que ele propriamente o confessasse, tal casamento lhe pareceu necessário. Naquele momento, Morel sofria de cãibras muito fortes na mão e via-se obrigado a encarar a eventualidade de ter de deixar de tocar violino. Como, afora a sua arte, era de uma preguiça incompreensível, impunha-se a necessidade de se fazer sustentar, e ele preferia sê-lo pela sobrinha de Jupien do que pelo Sr. de Charlus, oferecendo-lhe aquela combinação maior liberdade, e também uma grande escolha de mulheres diferentes, tanto pelas aprendizes sempre novas que ele encarregaria a sobrinha de Jupien de corromper, como pelas senhoras ricas às quais a prostituiria. Que sua futura esposa pudesse recusar-se a condescender a tais complacências e fosse perversa a esse ponto, nem por um instante entrava nos cálculos de Morel. Além disso, passaram ao segundo plano, dando lugar ao amor puro, logo que as cãibras cessaram. O violino bastaria, com o que lhe dava o Sr. de Charlus, e as exigências deste certamente diminuiriam uma vez que ele, Morel, estivesse casado com a moça. O casamento era a coisa urgente, por causa de seu amor e no interesse de sua liberdade. Mandou pedir a mão da sobrinha de Jupien, que a consultou. Afinal, não havia necessidade disto. A paixão da moça pelo violinista jorrava em torno dela, como seus cabelos quando estavam soltos, como a alegria de seus olhares esparsos. Em Morel, quase tudo que lhe era agradável ou proveitoso despertava emoções morais e palavras do mesmo gênero, às vezes até lágrimas. Portanto, era com sinceridade – se tal palavra pode aplicar-se a ele – que mantinha com a sobrinha de Jupien conversas tão sentimentais (sentimentais são igualmente as que tantos jovens nobres, desejando não fazer coisa alguma na vida, mantêm com a deslumbrante filha de um burguês riquíssimo) como eram de uma baixeza sem disfarce as teorias que ele havia exposto ao Sr. de Charlus a propósito da sedução e do defloramento. Só que o entusiasmo virtuoso a respeito de uma pessoa que lhe causava prazer e os solenes compromissos que assumia para com ela tinham o seu reverso em Morel. Desde que a pessoa já não lhe causasse prazer, ou até, por exemplo, se a obrigação de satisfazer as promessas feitas lhe provocava desagrado, ela tornava-se logo, da parte de Morel, objeto de uma antipatia que ele justificava aos próprios olhos, e que, após algumas perturbações neurastênicas, permitia-lhe provar a si mesmo, uma vez reconquistada a euforia de seu sistema nervoso, que estava até mesmo considerando as coisas de um ponto de vista puramente virtuoso, isento de toda obrigação.

Desse modo, no fim de sua temporada em Balbec, havia perdido em não sei o que todo o seu dinheiro e, não tendo ousado dizê-lo ao Sr. de Charlus, buscava alguém a quem pudesse pedi-lo. Aprendera com o pai (que, apesar de tudo, proibira-lhe tornar-se um "facadista") que, nesse caso, é conveniente escrever, à pessoa a quem se deseja dirigir-se, "que se tem necessidade de lhe falar de negócios". Esta fórmula mágica encantava de tal maneira Morel, que imagino tenha desejado perder dinheiro apenas pelo prazer de solicitar um encontro "para negócios". Depois, na vida, viu que a fórmula não possuía toda a virtude que lhe atribuía. Havia constatado que as pessoas a quem ele próprio não teria escrito se não fosse para aquilo, não lhe tinham respondido cinco minutos após terem recebido a carta "para tratar de negócios". Se a tarde se escoava sem que Morel obtivesse uma resposta, não lhe passava pela cabeça que, na melhor das hipóteses, o senhor solicitado não tivesse voltado para casa, pudesse ter outras cartas para escrever, nem que estivesse viajando, ou se encontrasse enfermo etc. Se, por extraordinário acaso, Morel recebia uma resposta marcando-lhe um encontro para a manhã seguinte, abordava o solicitado com estas palavras: "Já estava surpreso de não ter recebido resposta e me perguntava se acontecia alguma coisa, quer dizer que sua saúde vai sempre bem etc." Logo, em Balbec, e sem me dizer que desejava falar-lhe de um "negócio", pedira que o apresentasse àquele mesmo Bloch com quem fora tão desagradável no trem, uma semana antes. Bloch não vacilara em lhe emprestar – ou melhor, em conseguir que o Sr. Nissim Bernard lhe emprestasse – cinco mil francos. Desde aquele dia, Morel passara a adorar Bloch. Perguntava a si mesmo, com lágrimas nos olhos, de que modo poderia prestar serviço a alguém que lhe salvara a vida. Enfim, encarreguei-me de pedir, para Morel, mil francos mensais ao Sr. de Charlus, dinheiro que este remeteria imediatamente a Bloch, que assim rapidamente seria reembolsado. No primeiro mês, Morel, ainda sob a impressão da bondade de Bloch, enviou-lhe de imediato os mil francos, mas, depois disso, achou sem dúvida que um emprego diverso dos outros quatro mil restantes poderia ser mais agradável, pois começou a falar muito mal de Bloch. Bastava que o visse para ficar com idéias negras e Bloch, tendo ele próprio esquecido exatamente o quanto havia emprestado a Morel e reclamado três mil e quinhentos francos em vez de quatro mil, o que faria o violinista ganhar quinhentos francos, este último respondeu que, diante de tamanha falsidade, não só não pagaria mais um tostão como o seu credor devia julgar-se muito feliz que ele não o processasse. E dizendo isto seus olhos chamejavam. Aliás, Morel não se contentou com dizer que Bloch e o Sr. Nissim Bernard não tinham motivo para ter queixas dele, mas eles sim é que deveriam considerar-se felizes que não lhes guardasse rancor. Enfim, tendo o Sr. Nissim Bernard, ao que parece, declarado que Thibaud tocava tão bem quanto Morel, este julgou dever atacá-lo diante dos tribunais, pois tal afirmativa o prejudicava na profissão; depois, como não existe mais justiça na França, sobretudo contra os judeus (o anti-semitismo em Morel fora o efeito natural do empréstimo de cinco mil francos por um israelita), passou a sair sempre com um revólver carregado. Um tal estado nervoso, seguindo-se a uma viva ternura, devia logo ocorrer em Morel relativamente à sobrinha do coleteiro. É verdade que o Sr. de Charlus foi, talvez sem desconfiar, um pouco responsável por essa mudança, pois muitas vezes declarava, sem acreditar no que dizia, e para aborrecê-los, que, uma vez casados, ele não voltaria a vê-los e os deixaria voar com as próprias asas. Tal idéia era em si mesmo absolutamente insuficiente para desprender Morel da moça; permanecendo no espírito de Morel, estava pronta a se combinar um dia com outras idéias afins e capazes, uma vez que a mistura se realizasse, de se tornarem um poderoso agente de ruptura.

Aliás, não era muito seguido que me ocorria encontrar o Sr. de Charlus e Morel. Muitas vezes eles já tinham entrado na loja de Jupien quando eu deixava a duquesa, pois o prazer que sentia junto dela era tanto que acabava por esquecer não só a espera ansiosa que precedia o regresso de Albertine, mas até a hora desse regresso. Colocarei à parte, dentre esses dias em que me atrasava na casa da Sra. de Guermantes, um que para mim foi marcado por um pequeno incidente cujo cruel significado me escapou inteiramente e só o compreendi muito tempo depois. Naquele fim de tarde, a Sra. de Guermantes me dera, pois sabia que as apreciava, umas siringas vindas do Sul.[6] Quando, tendo deixado a duquesa, subi de volta para casa, Albertine já tinha regressado, e cruzei na escada com Andrée, a quem o aroma excessivamente forte das flores pareceu incomodar.

[6] *Siringa*: Gênero de plantas arbustivas da família das oleáceas, muito comuns na Europa e na Ásia. (N. do T.)

– Como, vocês já voltaram? – disse eu. – Faz apenas um instante; mas Albertine tinha que escrever e me mandou embora. – Acha que ela tem em mente algum projeto censurável? – De modo nenhum. Ela está escrevendo à tia, creio. Mas ela, que não gosta de cheiros fortes, não ficará nada contente com as suas siringas. – Então eu tive uma péssima idéia! Vou dizer a Françoise que as ponha no patamar da escada de serviço. – Se pensa que Albertine não sentirá o cheiro da siringa em você! Este cheiro e o da angélica são talvez os mais persistentes. Além disso, acho que Françoise foi fazer compras. – Mas então, eu, que hoje estou sem minha chave, como é que poderei entrar? – Ora, basta tocar a campainha, que Albertine lhe abrirá a porta. E depois, talvez Françoise tenha voltado nesse meio tempo.

Despedi-me de Andrée. Logo no primeiro toque, Albertine veio me abrir a porta, o que foi bastante complicado, pois, como Françoise havia saído, Albertine não sabia onde acender a luz. Por fim, conseguiu fazer-me entrar, mas as flores de siringa a puseram em fuga. Coloquei-as na cozinha, de modo que, interrompendo a sua carta (não entendi por quê), minha amiga teve de ir ao meu quarto, de onde me chamou, e de estender-se em minha cama. Mais uma vez, no momento, não achei em tudo aquilo nada que não fosse muito natural, no máximo um tanto confuso, em todo caso insignificante. Ela escapara de ser surpreendida com Andrée e ganhara tempo apagando tudo, indo para o meu quarto para não deixar ver a sua cama em desordem e fingira estar escrevendo. Mas veremos tudo isso mais tarde, tudo isso que eu jamais soube se era verdadeiro.

Salvo este único incidente, tudo se passava normalmente quando eu voltava da casa da duquesa. Ignorando Albertine se eu desejaria ou não sair com ela antes do jantar, encontrava eu de costume, na antecâmara, o seu chapéu, seu casaco, sua sombrinha, que ela deixara para qualquer eventualidade. Logo que os avistava, ao entrar, a atmosfera da casa tornava-se respirável. Eu sentia que, em vez de um ar rarefeito, a ventura é que a enchia. Estava salvo da minha tristeza, a vista desses nadas me fazia possuir Albertine, corria para ela.

Nos dias em que eu não descia à casa da Sra. de Guermantes, a fim de que o tempo me parecesse menos longo, durante aquela hora que precedia o regresso da minha amiga, eu folheava um álbum de Elstir ou um livro de Bergotte.

Então – como as próprias obras que parecem dirigir-se apenas à vista e ao ouvido exigem que, para desfrutá-las, nossa inteligência desperta colabore estreitamente com esses dois sentidos – eu fazia, sem perceber, que saíssem de mim os sonhos que Albertine suscitara outrora, quando não a conhecia ainda, e que a vida cotidiana havia extinto. Eu os lançava na frase do músico ou na imagem do pintor como um crisol, e deles alimentava a obra que estava lendo. E esta, sem dúvida, me parecia mais viva. Porém Albertine não ganhava menos em ser desse modo transportada de um dos dois mundos a que temos acesso e onde podemos situar alternativamente um mesmo objeto, em escapar assim à esmagadora pressão da matéria para nos recrearmos nos fluidos espaços do pensamento. De súbito acontecia-me, e por um instante, poder sentir pela tediosa moça ardentes afetos. Nesse momento, ela parecia uma obra de Elstir ou de Bergotte, eu experimentava uma exaltação momentânea por ela, vendo-a no recuo da imaginação e da arte.

Em breve, preveniam-me que ela acabava de regressar; ainda tinham ordem de não lhe pronunciar o nome se eu não estivesse sozinho, se, por exemplo, estivesse comigo Bloch, a quem eu obrigava a ficar mais um instante, de modo a que não se arriscasse a encontrar a minha amiga. Pois eu escondia que ela morava comigo, e até que a recebia em casa, tamanho era o medo de que um de meus amigos se enamorasse dela, fosse esperá-la fora, ou que, no instante de um encontro na antecâmara ou no corredor, ela pudesse fazer um sinal e marcar um encontro. Depois eu ouvia o ruído da saia de Albertine, que se dirigia para o quarto, pois por discrição e também, sem dúvida, por aquelas tentações com que, no tempo dos nossos jantares na Raspelière, esforçava-se para que eu não ficasse enciumado, ela não vinha para o meu quarto, sabendo que não estava sozinho. Mas não era só por isto, eu a compreendia logo. Lembrava-me, havia conhecido uma primeira Albertine; depois, bruscamente, ela se mudara numa outra, a atual. E pela mudança não podia eu responsabilizar a ninguém, só a mim mesmo. Tudo o que ela teria logo me confessado facilmente, de bom grado, quando éramos bons camaradas, deixara de expandir-se desde que julgara que eu a amava, ou talvez sem pronunciar o nome do Amor, adivinhara um sentimento inquisitorial que pretende saber, entretanto sofre ao saber, e procura saber ainda mais. Desde aquele dia ela me ocultara tudo. Desviava-se do meu quarto se pensava que eu estava, nem mesmo, muitas vezes, com uma amiga e sim com um amigo, ela cujos olhos se interessavam outrora tão vivamente quando lhe falava de uma moça: – Convém tratar de convidá-la, gostaria de conhecê-la. – Mas ela tem aquilo que você chama de maus modos. – Justamente, seria bem mais divertido. – Naquele momento, eu poderia talvez saber tudo. E mesmo quando, no pequeno cassino, ela afastara os seios dos de Andrée, não creio que o fizesse devido à minha presença mas à de Cottard, o qual lhe teria dado fama, segundo pensava sem dúvida, de má reputação. Entretanto, já então ela começara a congelar-se, as palavras confiantes já não saíam de seus lábios, seus gestos eram reservados. Depois afastara de si mesma tudo o que teria podido emocionar-me. Às partes de sua vida que eu não conhecia, dava um caráter ao qual se fazia cúmplice a minha ignorância, para sublinhar o que possuía de inofensivo. E agora, completada a transformação, ela ia diretamente a seu quarto, se eu não estivesse sozinho, não só para não me incomodar, mas para me mostrar que era despreocupada em relação aos outros. Havia só uma coisa que ela nunca mais faria para mim, que ela só teria feito no tempo em que isso me fora indiferente, que teria feito facilmente por isso mesmo, era justamente confessar. Eu estaria, para sempre, como um juiz, reduzido a tirar conclusões incertas de imprudências de linguagem que não eram talvez inexplicáveis sem recorrer à culpabilidade. E ela sempre me sentiria ciumento e juiz.

Nosso noivado assumia uma condição de processo e dava-lhe a timidez de uma pessoa culpada. Agora ela mudava de assunto quando se tratava de pessoas, homens ou mulheres, que não fossem velhos. Quando ela ainda não desconfiava que lhe tinha ciúmes é que eu deveria ter indagado o que desejava saber. É preciso aproveitar aquele tempo. É então que nossa amiga nos fala dos seus prazeres e até dos meios que emprega para dissimulá-los aos outros. Agora, já não teria me confessado como fizera em Balbec, um tanto porque era verdade, um tanto para se escusar de não mostrar mais sua ternura por mim, pois eu já então a deixava cansada, e ela havia percebido, pela minha amabilidade com ela, que não havia necessidade de me agradar tanto quanto aos outros para obter de mim mais do que deles – ela já não teria me confessado como então: "Acho estúpido deixar ver que se ama; comigo, é o contrário: quando uma pessoa me agrada, finjo não prestar atenção nela. Assim, ninguém fica sabendo de coisa alguma." Como! Era a mesma Albertine de hoje, com suas pretensões à franqueza e a ser indiferente a todos, que me dissera aquilo! Não teria me enunciado essa regra agora! Ao conversar comigo, contentava-se em aplicá-la dizendo acerca de tal ou qual pessoa que podia inquietar-se: – Ah! Não sei, não olhei para ela, é insignificante demais. – E, de vez em quando, para antecipar-se às coisas que eu poderia acabar sabendo, fazia dessas confissões cuja entonação, antes que se conheça a realidade que elas são encarregadas de deturpar, de inocentar, já denuncia como sendo mentiras.

Escutando os passos de Albertine com o confortável prazer de imaginar que ela não voltaria a sair aquela noite, admirava-me de que, para essa moça, com quem outrora acreditara jamais poder travar relações, voltar todos os dias para casa significava exatamente entrar em minha casa. O prazer feito de mistério e de sensualidade, que eu experimentara, fugitivo e fragmentário em Balbec, na noite em que ela tinha vindo dormir no hotel, estava completo, estabilizado, enchia a minha casa, outrora vazia, de uma permanente provisão de brandura doméstica, quase familial, dispersa até pelos corredores, e na qual todos os meus sentidos, ora de fato, ora nos momentos em que eu estava sozinho, em imaginação e pela expectativa do regresso, se nutriam sossegadamente. Ao ouvir fechar-se a porta do quarto de Albertine, caso eu estivesse na companhia de um amigo, apressava-me a fazê-lo sair, só o deixando quando estava certo de que ele já se achava na escada, de que eu descia alguns degraus se fosse necessário.

No corredor, Albertine vinha ao meu encontro. – Olhe, enquanto mudo a roupa, mando-lhe Andrée, ela subiu um momentinho para lhe dar boa-noite. – E, estando ainda envolvida no seu grande véu cinzento, que descia da touca de chinchila e que eu lhe havia dado em Balbec, retirou-se e voltou para seu quarto, como se tivesse adivinhado que Andrée, encarregada por mim de vigiá-la, ia, ao me contar numerosos detalhes, ao fazer menção ao encontro delas com uma pessoa conhecida, trazer alguma precisão às regiões vagas em que se desenrolara o passeio que haviam feito o dia inteiro e que eu não pudera imaginar.

Os defeitos de Andrée tinham se denunciado; ela não era mais tão agradável como quando a conhecera. Havia nela, agora, à flor da pele, uma espécie de inquietação acre, prestes a recrudescer como no mar uma rajada de vento, se por acaso eu lhe falasse de alguma coisa que fosse agradável para Albertine e para mim. Isto não impedia que Andrée fosse melhor para mim, gostasse mais de mim – e muitas vezes tive a prova disso – do que de pessoas mais amáveis. Mas o menor ar de felicidade que se tivesse, se não fosse causado por ela, produzia-lhe uma impressão nervosa, desagradável como o barulho de uma porta fechada com muita força. Ela admitia os sofrimentos em que não tomasse parte, não os prazeres; se me via doente, afligia-se, lastimava-se, teria cuidado de mim. Mas, se eu tivesse uma satisfação, tão insignificante como espreguiçar-me com ar de beatitude, ao fechar um livro, e dizer: – Ah, acabo de passar duas horas encantadoras a ler tal livro agradável –, estas palavras, que teriam dado prazer a minha mãe, a Albertine, a Saint-Loup, excitavam em Andrée uma espécie de reprovação, talvez simplesmente mal-estar nervoso. Minhas satisfações causavam-lhe uma irritação que ela não podia ocultar. Esses defeitos eram completados por outros mais graves; um dia em que eu falava daquele rapaz tão entendido em assuntos de corridas, jogos e golfe, e tão inculto quanto ao resto, que eu encontrara com o pequeno grupo em Balbec, Andrée começou a fazer troça: – Sabe? O pai dele cometeu um roubo, quase foi processado. Tornaram-se ainda mais petulantes, mas eu me divirto contando o caso a todos. Gostaria que me processassem por denunciação caluniosa. Que belo depoimento eu faria! – Seus olhos faiscavam. Ora, eu soube que o pai não cometera nenhum ato desabonador, que Andrée o sabia tão bem como qualquer um. No entanto, julgara-se desprezada pelo filho, havia procurado algo que o pudesse prejudicar, cobri-lo de vergonha, inventara todo um romance de depoimentos que imaginariamente ela seria chamada a fazer e, à força de repetir os detalhes dessa invenção, talvez ela própria ignorasse que tudo aquilo não era verdade.

Tal como se havia tornado (e até sem seus ódios curtos e doidos), não teria desejado vê-la, nem que apenas fosse por causa daquela suscetibilidade malévola que rodeava de um cinturão acre e glacial a sua verdadeira índole, mais calorosa e melhor. Porém as informações que só ela podia me dar sobre a minha amiga interessavam-me demais para que eu desprezasse uma tão rara ocasião para sabê-las. Andrée entrava, fechava a porta atrás de si; elas haviam encontrado uma amiga, e Albertine jamais me falara dela. – Que foi que conversaram? – Não sei, pois aproveitei que Albertine não estava sozinha para ir comprar lã. – Comprar lã? – Sim, foi Albertine quem me pediu. – Mais uma razão para não ir, era talvez de propósito para afastá-la. – Mas ela me havia pedido antes de encontrar a amiga. – Ah! – respondia eu, recobrando o fôlego. E logo a suspeita me assaltava de novo: – Mas quem sabe se ela não tinha marcado um encontro de antemão com essa amiga e não combinara um pretexto para estar segura de ficar sozinha quando quisesse? – Além disso, não estaria eu certo de que a velha hipótese (a de que Andrée só me dizia a verdade) fosse a boa? Andrée talvez estivesse mancomunada com Albertine. Amor, dizia eu comigo em Balbec, a gente tem por uma pessoa cujos atos principalmente nos despertam o ciúme; sentimos que, se ela no-los contasse todos, talvez nos curássemos facilmente de amar. O ciúme, por mais habilmente dissimulado que seja por aquele que o sente, é bem depressa descoberto por aquela que o inspira, e que por sua vez usa de habilidade. Ela procura nos iludir acerca de que nos possa tornar infelizes, e o consegue, pois, àquele que não está prevenido, por que razão uma frase insignificante revelaria as mentiras que ela esconde? Não a distinguimos das outras; dita com temor, é ouvida sem atenção. Mais tarde, quando estivermos a sós, voltaremos àquela frase, e ela não nos parecerá perfeitamente adequada à realidade. Mas essa frase, lembramo-nos bem dela? Parece nascer em nós, espontaneamente, a seu respeito e quanto à exatidão de nossa lembrança, uma dúvida do tipo daquelas que fazem com que, no decurso de certos estados nervosos, a gente nunca possa lembrar se correu ou não o ferrolho, e isto tanto na qüinquagésima como na primeira vez; dir-se-ia que se pode recomeçar indefinidamente o ato sem que ele jamais seja acompanhado de uma lembrança exata e libertadora. Pelo menos podemos fechar a porta uma qüinquagésima primeira vez. Ao passo que a frase inquietante está no passado, numa audição incerta, cuja renovação não depende de nós. Então, exercemos nossa atenção sobre outras pessoas, que não escondem nada, e o único remédio, que absolutamente não queremos, seria ignorar tudo para não ter o desejo de saber melhor. Logo que o ciúme é descoberto, é considerado por aquela de quem é o objeto como uma desconfiança que autoriza a traição. Além disso, para tentar saber alguma coisa, nós é que tomamos a iniciativa de mentir, de enganar. Andrée e Aimé bem que nos prometem não dizer nada, mas o farão? Bloch não pôde prometer nada, visto que nada sabia, e, por pouco que converse com cada um dos três, Albertine, com a ajuda do que Saint-Loup teria denominado "cotejo", saberá que lhe mentimos quando pretendíamos ser indiferentes a seus atos e moralmente incapazes de mandá-la vigiar. Assim ocorrendo – relativamente ao que fazia Albertine –, à minha infinita dúvida habitual, indeterminada demais para não ser indolor, e que era para o ciúme o que são para o desgosto esses começos de esquecimento em que o sossego nasce do vago – o pequeno fragmento de resposta que me trazia Andrée colocava de imediato novas perguntas; eu não conseguira, ao explorar uma parcela da grande zona que se estendia ao meu redor, mais que afundar para dentro dela aquele incognoscível que é para nós, quando procuramos efetivamente nos representá-la, a vida real de uma outra pessoa. Continuava a interrogar Andrée, enquanto Albertine, por discrição e para me deixar (tê-lo-ia adivinhado?) todo o lazer de questionar sua amiga, prolongava o ato de despir-se no quarto.

– Creio que o tio e a tia de Albertine gostam muito de mim – disse eu estouvadamente a Andrée, sem pensar no seu temperamento. E logo vi o seu rosto viscoso alterar-se como um xarope azedo, parecendo turvar-se para sempre. Sua boca se fez amarga. Nada mais restava em Andrée daquela alegria juvenil que, como todo o pequeno grupo e apesar de sua natureza enfermiça, ela ostentava no ano de minha primeira temporada em Balbec, e que agora (é verdade que Andrée estava um pouco mais velha) se eclipsava tão depressa nela. Mas eu ia fazê-la involuntariamente renascer antes que me deixasse para ir jantar em casa. – Alguém me fez hoje um imenso elogio de sua pessoa – disse-lhe. E logo um raio de alegria iluminou seu olhar, ela parecia amar-me de fato. Evitava olhar-me, mas ria no vago com dois olhos subitamente bem redondos. – Quem foi? – perguntou com um interesse ingênuo e glutão. Disse-lhe um nome e, fosse quem fosse, ela estava feliz.

Depois, chegava a hora de ir embora, ela me deixava. Albertine voltava para junto de mim; tirara o vestido e agora trazia um dos *peignoirs* de crepe da China, ou dos chambres japoneses, cuja descrição eu havia pedido à Sra. de Guermantes e para vários dos quais eu recebera certos detalhes suplementares da Sra. Swann, por meio de uma carta que principiava por estas palavras: "depois de seu longo eclipse, julguei, ao ler a sua carta relativa aos meus *teagown*, receber notícias de uma alma do outro mundo." Albertine calçava sapatos pretos, ornados de brilhantes, que Françoise, com raiva, chamava de tamancos, semelhantes aos que, pela janela do salão, ela vira que a Sra. de Guermantes usava em casa à noite, assim como, tempos depois, Albertine usou sandálias, umas de pele de cabrito, douradas, outras de chinchila, e cuja vista lhe satisfazia porque umas e outras eram como sinais (que outros calçados não seriam) de que ela morava comigo. Também possuía coisas que não provinham de mim, como um belo anel de ouro, no qual eu admirava as asas abertas de uma águia. – Foi presente da minha tia – disse ela. – Apesar de tudo, ela às vezes é gentil. Isto me envelhece, pois ganhei-o quando fiz vinte anos.

Por todas essas lindas coisas, Albertine era de um gosto bem mais vivo do que a duquesa, porque, como todo obstáculo aplicado a uma posse (como, para mim, a doença, que me tornava as viagens tão difíceis e tão desejáveis), a pobreza, mais generosa que a opulência, concede às mulheres bem mais do que o vestido que elas não podem comprar, o desejo desse vestido, e que é conhecimento verdadeiro, detalhado e aprofundado dele. Ela, porque não pudera comprar essas coisas, eu, porque, mandando fazê-las, procurava lhe dar prazer, éramos como esses estudantes que conhecem de antemão os quadros que anseiam ver em Dresde ou em Viena. Ao passo que as mulheres ricas, no meio da multiplicidade de seus chapéus e vestidos, são como esses visitantes a quem a ida a um museu, não sendo precedida de qualquer desejo, dá somente uma sensação de entorpecimento, fadiga e tédio. Aquela touca, aquela capa de zibelina, aquele *peignoir* de Doucet com mangas de forro cor-de-rosa assumiam para Albertine, que os avistara, cobiçara e, graças ao exclusivismo e à minúcia que caracterizam o desejo, os havia a um tempo isolado do resto num vazio sobre o qual se destacava às maravilhas o forro ou a *écharpe*, e conhecido em todas as suas partes – e para mim, que fora à casa da Sra. de Guermantes tentar fazer-me explicar em que consistia a particularidade, a superioridade e o chique da coisa, e o feitio inimitável do grande fabricante –, uma importância, um encanto que certamente não tinham para a duquesa, saciada antes mesmo de estar com apetite, ou mesmo para mim se os houvesse visto alguns anos antes, acompanhando esta ou aquela mulher elegante numa de suas aborrecidas turnês pelas lojas de costureiras. Decerto, Albertine se tornava, aos poucos, uma mulher elegante. Pois, se cada coisa que eu assim mandava fazer para ela era no gênero a mais bonita, com todos os refinamentos que nela poriam a Sra. de Guermantes ou a Sra. Swann, dessas coisas ela começava a ter muitas. Mas pouco importava, desde que ela as havia amado primeiro e isoladamente. Quando nos apaixonamos por um pintor, depois por outro, podemos afinal ter por todo o museu uma admiração que não é glacial, pois composta de amores sucessivos, cada qual exclusivo em seu tempo, e que por fim se reuniram e se reconciliaram.

Aliás, ela não era frívola; lia muito quando estava sozinha e também lia para mim quando estava comigo. Tornara-se extremamente inteligente. Dizia, aliás enganando-se: – Fico assombrada ao pensar que sem você teria permanecido estúpida. Não negue; você me abriu um mundo de idéias de que eu nem suspeitava, e o pouquinho em que me tornei devo-o apenas a você.

Da mesma forma, aliás, referira-se à minha influência sobre Andrée. Uma ou outra sentiriam algo por mim? E, em si mesmas, quem eram Albertine e Andrée? Para sabê-lo, seria preciso imobilizar-vos, não viver nesta espera perpétua de vós em que passais sempre outras, seria preciso não mais amar-vos para vos fixar, não mais conhecer vossa interminável e sempre desconcertante chegada, ó jovens, ó raio sucessivo no turbilhão em que palpitamos ao tornar a ver-vos reaparecer, ao mal reconhecer-vos na vertiginosa velocidade da luz. Talvez ignorássemos essa velocidade e tudo nos pareceria imóvel, caso uma atração sexual não nos fizesse correr para vós, gotas de ouro sempre dissemelhantes e que sempre ultrapassam a nossa expectativa. De cada vez, uma moça se assemelha tão pouco ao que era na vez anterior (fazendo em pedaços, desde que a vemos, a lembrança que havíamos conservado e o desejo que nos propúnhamos) que a estabilidade de natureza que lhe atribuímos é apenas fictícia e para a comodidade da linguagem. Disseram-nos que uma jovem é terna, amorosa, dotada dos mais delicados sentimentos. Nossa imaginação acredita-o sob palavra e, quando nos aparece pela primeira vez, na moldura ondulada dos cabelos louros, o disco do seu rosto rosado, quase chegamos a temer que essa irmã excessivamente virtuosa nos arrefeça por sua própria virtude, e jamais possa ser para nós a amante com que havíamos sonhado. Pelo menos, quantas confidências lhe fazemos desde o primeiro momento, fiados nessa nobreza de coração, quantos projetos feitos em conjunto! Porém, alguns dias depois, lamentamos ter confiado tanto, pois a jovem rosada nos surge, da segunda vez, com expressões de deslavada sensualidade. Nas faces sucessivas que, após a pulsação de alguns dias, apresenta-nos a rósea luz interceptada, nem mesmo é garantido que um *movimentum* exterior a essas moças não haja modificado o seu aspecto, e isso poderia ter ocorrido com as minhas jovens de Balbec. Elogiam para nós a doçura e a pureza de uma virgem. Mas, depois disso, sentimos que algo mais apimentado nos saberia melhor e aconselhamo-la a se mostrar mais picante. Em si própria, qual das duas ela era mais? Talvez nem uma nem outra, mas capaz de aceder a tantas possibilidades diversas na corrente vertiginosa da vida. Com outra, cujo atrativo residia em algo de implacável (que contávamos dobrar à nossa maneira), como, por exemplo, a terrível saltadora de Balbec, que nos seus pulos passava raspando pelas cabeças dos velhos apavorados, que decepção quando, na nova face mostrada por essa figura, no momento em que lhe dizíamos umas ternuras exaltadas pela recordação de tantas durezas para com os outros, nós a ouvíamos dizer, para início de conversa, que era tímida, que nunca sabia dizer nada sensato a alguém da primeira vez, de tanto medo que tinha, e que só depois de quinze dias é que poderia conversar tranqüilamente conosco! O aço se transformara em algodão, já não teríamos nada para tentar dobrar visto que por si mesma ela perdera toda consistência. Por si mesma, mas talvez por culpa nossa, pois as palavras ternas que havíamos dirigido à Dureza talvez lhe houvessem, mesmo que não o tivesse feito por cálculo interessado, sugerido fazer-se meiga. (O que nos desolava, contudo, mas enfim não era tão desajeitado, pois o reconhecimento por tanta doçura ia talvez nos forçar a mais que o enlevo diante da crueldade domada.) Não digo que não há de chegar um dia em que, mesmo a essas moças luminosas, não atribuamos caracteres tão marcantes, mas é que elas terão deixado de nos interessar, que a sua entrada já não será para o nosso coração o aparecimento que ele aguardava fosse diferente e que o deixa perturbado a cada vez por encarnações novas. Sua imobilidade decorrerá da nossa indiferença, que as entregará ao julgamento do espírito. Este, aliás, não decidirá de modo muito mais categórico, pois, após ter julgado que tal defeito predominante numa, estava felizmente ausente da outra, verá que tal defeito possuía, em contrapartida, uma qualidade preciosa. De modo que, do julgamento falso da inteligência, a qual só entra em jogo quando deixamos de nos interessar, sairão definidas certas naturezas de moças, estáveis, mas que não nos informarão mais que as surpreendentes fisionomias aparecidas a cada dia, quando, na velocidade estonteante da nossa espera, nossas amigas se apresentavam todos os dias, todas as semanas, diversas demais para nos permitir, visto que jamais se interrompe a corrida, classificar, estabelecer posições. Quanto aos nossos sentimentos, já falamos demais deles para repetir que, muitas vezes, um amor não passa da associação de uma imagem de moça (que sem isso se nos tornaria rapidamente insuportável) às batidas de coração inseparáveis de uma vã espera interminável, e de um "bolo" que a tal senhorita nos deu. Tudo isso é verdade apenas para os jovens imaginativos que lidam com moças mutáveis. Desde o tempo a que chegou a nossa narrativa, parece, soube-o depois, que a sobrinha de Jupien havia mudado de opinião sobre Morel e o Sr. de Charlus. Meu chofer, vindo em reforço do amor que ela sentia por Morel, gabara-lhe, como se de fato as houvesse no violinista, delicadezas infinitas nas quais, de resto, ela estava bastante inclinada a acreditar. E, por outro lado, Morel não cessava de lhe comentar o papel de carrasco que o Sr. de Charlus exercia sobre ele e que ela atribuía à malvadez, sem adivinhar que era amor. Aliás, via-se obrigada a constatar que o Sr. de Charlus assistia tiranicamente a todas as suas entrevistas. E, corroborando isto, ela ouvia as senhoras elegantes falarem da maldade atroz do barão. Ora, não fazia muito que seu julgamento mudara completamente. Descobrira em Morel (sem por isso deixar de amá-lo) abismos de maldade e de perfídia, aliás compensadas por uma doçura freqüente e uma real sensibilidade, e, no Sr. de Charlus, uma insuspeitada e imensa bondade, mesclada a durezas que ela não conhecia. Assim, não pudera fazer um juízo mais definido sobre o que eram, cada um em si mesmo, o violinista e seu protetor, do que eu sobre Andrée, a quem no entanto via todos os dias, e sobre Albertine, que morava comigo.

Nas noites em que esta última não me lia em voz alta, ela tocava piano para mim ou jogávamos partidas de damas, ou conversávamos, jogo e conversa que eu interrompia para beijá-la. Nossas relações eram de uma simplicidade que as tornava repousantes. O próprio vazio de sua vida conferia a Albertine uma espécie de solicitude e de obediência para as únicas coisas que eu exigia dela. Por detrás dessa jovem, como detrás da luz purpurina que caía aos pés de minhas cortinas em Balbec, enquanto ribombava o concerto dos músicos, nacaravam-se as ondulações azuladas do mar. Com efeito, não era ela (no fundo de quem residia de modo habitual uma idéia de mim tão familiar que, depois de sua tia, eu era talvez a pessoa que ela menos distinguia de si mesma) a mocinha que eu vira pela primeira vez em Balbec, sob sua boina achatada, com seus olhos insistentes e risonhos, desconhecida ainda, delgada como uma silhueta recortada contra o fundo das ondas? Essas efígies que se conservam intactas na memória, quando as reencontramos, espantamo-nos com sua dissemelhança da criatura que já conhecemos; compreendemos então qual o trabalho de modelagem que o hábito cumpre diariamente. No encanto que Albertine possuía em Paris, junto à minha lareira, vivia ainda o desejo que me inspirara o séquito insolente e florido que se desenrolara ao longo da praia e, como Rachel conservava para Saint-Loup, mesmo depois que ele a fez largar o palco, o prestígio da vida teatral, naquela Albertine enclausurada em minha casa, longe de Balbec, de onde a trouxera precipitadamente, subsistiam a emoção, a desordem social, a vaidade inquieta, os desejos fugidios da vida dos banhos de mar. Ela estava tão bem engaiolada que até em certas noites eu não lhe mandava pedir que trocasse o seu quarto pelo meu, ela, a quem outrora todos seguiam, que me dava tanto trabalho para alcançá-la quando disparava na sua bicicleta, e que o próprio ascensorista não lograva me trazer de volta, não me dando qualquer esperança de que ela viesse, e que eu no entanto esperava a noite inteira. Pois não fora Albertine, diante do hotel, como uma grande atriz da praia em chamas, excitando ciúmes quando caminhava por aquele teatro da natureza, sem falar com ninguém, dando encontrões nos clientes habituais, dominando as amigas, e não era essa atriz tão cobiçada que, retirada por mim de cena, fechada em minha casa, a salvo dos desejos de todos, que de ora em diante podiam procurá-la em vão, ora no meu quarto, ora no seu, onde ela se entregava a algum trabalho de desenho ou cinzeladura?

Sem dúvida, nos primeiros dias de Balbec, Albertine parecia estar num plano paralelo àquele em que eu vivia, mas que se aproximara (quando eu estivera na casa de Elstir), até se juntarem ambos, à medida que se estreitavam nossas relações, em Balbec, em Paris, depois de novo em Balbec. Além disso, entre os dois quadros de Balbec, o da primeira e o da segunda temporadas, compostos das mesmas vivendas de onde saíam as mesmas jovens diante do mesmo mar, quanta diferença! Nas amigas de Albertine da segunda temporada, tão bem conhecidas de mim, de qualidades e defeitos tão visivelmente gravados em suas fisionomias, conseguiria eu reencontrar aquelas frescas e misteriosas desconhecidas que outrora não podiam, sem que me batesse o coração, fazer ranger na areia a porta de seus chalés e roçar de passagem as tamargueiras frementes? Seus grandes olhos tinham se reabsorvido desde então, sem dúvida porque haviam deixado de ser crianças, mas também porque essas deslumbrantes desconhecidas, atrizes do romanesco primeiro ano e sobre quem eu não cessava de pedir informações, não mais tinham mistérios para mim. Obedientes aos meus caprichos, haviam se tornado, para mim, simples moças em flor, das quais não me sentia mediocremente orgulhoso de ter colhido, escondido de todos, a mais bela rosa.

Entre os dois cenários de Balbec, tão diversos um do outro, havia o intervalo de vários anos em Paris, sobre cujo longo percurso se colocavam tantas visitas de Albertine. Eu a via, nos diferentes anos de minha vida, ocupando, em relação a mim, posições diversas que me faziam sentir a beleza dos espaços interferidos, aquele longo tempo que se passara sem que eu a visse, e sobre cuja profundeza diáfana a rósea pessoa diante de mim se modelava com misteriosas sombras e poderoso relevo. Este, aliás, era devido à superposição não só das imagens sucessivas que Albertine fora para mim, mas também das grandes qualidades de inteligência e coração, dos defeitos de caráter, uns e outros insuspeitados de mim, que Albertine, numa germinação, numa multiplicação de si mesma, numa eflorescência carnuda de cores sombrias, acrescentara a uma natureza antigamente quase nula, e agora difícil de aprofundar. Pois as criaturas, mesmo as que, de tanto sonharmos com elas, nos pareciam apenas uma imagem, uma figura de Benozzo Gozzoli que se destacasse sobre um fundo esverdeado e cujas únicas variações estávamos dispostos a acreditar se referissem ao ponto em que nos colocáramos para contemplá-la, à distância que nos afastava dela, à iluminação, essas criaturas, ao passo que mudam em relação a nós, igualmente mudam em si mesmas; e houvera enriquecimento, solidificação e acréscimo de volume na figura outrora simplesmente recortada contra o mar. De resto, não era somente o mar do fim do dia que vivia para mim em Albertine, mas, por vezes, a sonolência do mar na areia pelas noites de luar. De fato, algumas vezes, quando eu me levantava para procurar um livro no gabinete de meu pai, minha amiga, que me pedira licença para se deitar durante a minha ausência, achava-se tão cansada devido à longa excursão que fizera de manhã e de tarde, ao ar livre, que, mesmo se eu demorasse um instante apenas fora do quarto, ao voltar encontrava-a adormecida e não a despertava. Estendida ao comprido em minha cama, numa atitude de um natural que não se teria podido inventar, parecia-me uma longa haste em flor que tivessem colocado ali; e de fato assim era; o poder de devanear, que eu só possuía em sua ausência, reencontrava-o nesses instantes junto dela, como se, dormindo, ela se tornasse uma planta. Desse modo seu sono realizava, em certa medida, a possibilidade do amor; sozinho, eu podia pensar nela, mas ela me faltava, não a possuía. Presente, eu lhe falava, mas estava por demais ausente de mim mesmo para poder pensar. Quando ela dormia, eu já não precisava falar, sabia que não era mais observado por ela, não tinha mais necessidade de viver à superfície de mim mesmo. Fechando os olhos, perdendo a consciência, Albertine se despojara, um após outro, de seus diferentes caracteres de humanidade que me haviam decepcionado desde o dia em que a conhecera. Ela só estava animada da vida inconsciente dos vegetais e das árvores, vida mais diversa da minha, mais estranha e que, no entanto, me pertencia mais. Seu eu não fugia em todos os momentos, como quando conversávamos, pelas saídas do olhar e do pensamento inconfesso. Recolhera a si própria tudo o que, lhe pertencendo, estava do lado de fora; refugiara-se, enclausurada, resumida, em seu corpo. Tendo-a sob o meu olhar, em minhas mãos, tinha eu aquela impressão de possuí-la por inteiro, o que não ocorria quando ela estava acordada. Sua vida era-me submissa, exalava para mim o seu leve sopro. Eu escutava aquela murmurante emanação misteriosa, suave como um zéfiro marinho, fascinante como esse luar que era o seu sono. Enquanto este durava, eu podia sonhar com ela e todavia observá-la, e, quando ele se tornava mais profundo, tocá-la e beijá-la. O que eu experimentava então era um amor diante de algo tão puro, tão imaterial, tão misterioso, como se me encontrasse diante das criaturas inanimadas que são as belezas naturais. E, de fato, logo que ela dormia um pouco mais profundamente, deixava de ser apenas a planta que fora; seu sono, à beira do qual eu cismava com franca volúpia de que nunca me cansava, e de que poderia gozar indefinidamente, era para mim toda uma paisagem. Seu sono punha junto a mim algo tão calmo, tão sensualmente delicioso como essas noites de lua cheia na baía de Balbec, que se tornava suave como um lago e onde os ramos mal se moviam; onde, estendidos na areia, escutaríamos sem fim o quebrar do refluxo.

Entrando no quarto, eu ficara de pé na soleira sem ousar fazer barulho e não ouvia outro senão o do hálito, que vinha expirar em seus lábios a intervalos intermitentes e regulares, como um refluxo, porém mais brando e suave. E, no momento em que meu ouvido recolhia esse rumor divino, parecia-me que era, nele condensada, toda a pessoa, toda a vida da cativa encantadora, estendida ali aos meus olhos. Passavam carros barulhentos na rua; sua fronte, porém, permanecia imóvel, tão pura, sua respiração bem leve, reduzida à simples expiração do ar necessário. Depois, vendo que seu sono não seria perturbado, eu me adiantava com prudência, sentava-me na cadeira ao lado da cama e depois na própria cama. Passei noites encantadoras conversando e brincando com Albertine, porém nunca tão doces como quando a olhava dormir. Por mais que ela tivesse tagarelando, jogando cartas, aquele ar natural que uma atriz não poderia imitar, era uma naturalidade mais profunda, uma naturalidade de segundo grau o que me oferecia o seu sono. A cabeleira, descendo-lhe ao longo do rosto corado, estava pousada a seu lado na cama e, às vezes, uma mecha isolada e reta dava o mesmo efeito de perspectiva dessas árvores lunares, delgadas e pálidas, que vemos nos quadros rafaelescos de Elstir. Se os lábios de Albertine estavam fechados, em compensação, da maneira como eu me colocara, suas pálpebras pareciam tão pouco unidas que quase me perguntava se ela estava dormindo de fato. Ainda assim, essas pálpebras baixas davam a seu rosto aquela continuidade perfeita que os olhos não interrompem. Há pessoas cujo rosto assume beleza e majestade desacostumadas quando não se lhes vê o olhar. Media com os olhos, Albertine estendida a meus pés. Por instantes, ela era percorrida por uma agitação leve e inexplicável, como as folhagens que uma brisa inesperada convulsiona durante alguns momentos. Tocava no cabelo, e depois, não o tendo feito como desejava, estendia de novo a mão em movimentos tão seguidos, tão voluntários, que eu estava certo de que ela ia acordar. De modo algum; tornava-se calma no sono, que não abandonara. Daí em diante permanecia imóvel. Pousara a mão sobre o peito num abandono do braço tão ingenuamente pueril, que eu era obrigado, ao olhá-la, a conter o sorriso que, pela sua seriedade, inocência e graça, nos provocam as criancinhas. A mim, que conhecia várias Albertines numa só, parecia-me ver muitas outras mais repousando a meu lado.

Suas sobrancelhas, arqueadas como jamais as vira, cercavam os globos de suas pálpebras como um ninho suave de alcíone. Raças, atavismos e vícios repousavam no seu rosto. De cada vez que movia a cabeça criava uma nova mulher, freqüentemente não suspeitada por mim. Parecia-me possuir não uma, mas inúmeras moças. Sua respiração, aos poucos mais profunda, agora erguia-lhe o colo regularmente e, por sobre ele, as mãos cruzadas, as pérolas, deslocadas de modo diferente pelo mesmo movimento, como esses barcos, essas correntes de amarração que o movimento das ondas faz oscilar. Então, sentindo que ela estava em pleno sono, e que eu não iria ferir-me em escolhos de consciência agora recobertos pela maré montante do sono profundo, deliberadamente saltava para a cama, deitava-me ao comprido a seu lado, estreitava o seu talhe com um dos braços, pousava os lábios em seu rosto e no seu coração, e depois sobre todas as partes do corpo lhe pousava a mão que ficara livre, e que também era erguida como as pérolas pela respiração de Albertine; eu mesmo era levemente deslocado pelo seu movimento regular. Embarcara no sono de Albertine.

Às vezes, tal sono me ofertava um prazer menos puro. Para tanto, eu não precisava fazer nenhum movimento; apertava a perna contra a dela, como um remo que se deixa à toa e ao qual se imprime, de vez em quando, uma leve oscilação parecida ao bater intermitente da asa, como fazem os pássaros que dormem voando. Para olhá-la, eu escolhia aquela face de seu rosto que nunca se via e era tão linda. Compreende-se, a rigor, que as cartas que alguém nos escreve sejam mais ou menos iguais entre si e desenhem uma imagem bem diversa da pessoa que se conhece para que constituam uma segunda personalidade. Porém, quanto é mais estranho que uma mulher seja colada, como Rosita e Doodica,[7] a outra mulher, cuja beleza diversa leva a induzir um outro caráter, e que para ver uma seja necessário colocarmo-nos de perfil, e para ver a outra, de frente. O rumor de sua respiração, tornando-se mais forte, podia dar a ilusão do ofego do prazer e, quando o meu chegava ao fim, podia beijá-la sem interromper o seu sono. Nesses momentos, parecia-me acabar de possuí-la mais completamente, como uma coisa inconsciente e sem resistência da natureza muda. Não me inquietavam as palavras que ela às vezes deixava escapar ao dormir; o seu sentido me fugia, e, além disso, fosse qual a pessoa desconhecida a que se referissem, era sobre a minha mão, meu rosto, que sua mão, por vezes animada de um leve estremecimento, crispava-se por um instante. Eu fruía o seu sono com um amor desinteressado e calmante, assim como ficava horas a escutar a arrebentação das ondas. Talvez seja necessário que as criaturas se mostrem capazes de nos fazer sofrer muito, para que, nas horas de

[7] Rosita e Doodica: gêmeas siamesas, a primeira de nome verdadeiro Radica (e não Rosita), separadas em 1902 pelo professor Doyen. (N. do T.)

remissão, nos proporcionem o mesmo alívio que a natureza. Não tinha de lhe responder como quando conversávamos, e, mesmo que me calasse, como fazia também quando ela falava, ao ouvi-la falar eu não penetrava tão profundamente nela. Continuando a ouvi-la, a recolher de instante em instante o murmúrio tranqüilizador, como uma brisa imperceptível de seu hálito puro era toda uma existência fisiológica que estava diante de mim e para mim; tanto tempo como antigamente ficava deitado na praia, ao luar, teria ficado ali a contemplá-la, a escutá-la. Às vezes, dir-se-ia que o mar se encapelava, que a tempestade se fazia sentir até na baía, e eu me punha, como ela, a escutar o ronco do seu sopro, que rugia.

Às vezes, quando ela sentia muito calor, tirava, já quase dormindo, o seu quimono, e o atirava numa poltrona. Enquanto ela dormia, eu dizia comigo que todas as suas cartas estavam no bolso interno desse quimono onde as punha sempre. Uma assinatura, um encontro marcado seriam o bastante para provar uma mentira ou dissipar uma suspeita. Quando sentia ser bem profundo o sono de Albertine, afastando-me dos pés da sua cama onde a contemplava há muito sem fazer um só movimento, eu arriscava um passo, tomado de ardente curiosidade, sentindo o segredo dessa vida oferecido, frouxo e sem defesa naquela poltrona. Talvez também desse aquele passo porque contemplar sem se mexer acaba por tornar-se cansativo. E assim, na ponta dos pés, voltando-me sem cessar para ver se Albertine não acordava, eu ia até a poltrona. Ali parava, ficava longo tempo a olhar o quimono como tinha estado longo tempo a contemplar Albertine. Mas (e talvez tenha sido um erro) nunca toquei no quimono, nem coloquei a mão no bolso ou olhei as cartas. Por fim, vendo que não me resolvia, desandava o caminho com passos de lã, voltava para junto da cama de Albertine e me punha de novo a olhá-la dormindo, ela que não me dizia nada, ainda que eu visse no braço da poltrona aquele quimono que talvez me dissesse muitas coisas. E, assim como as pessoas alugam, por cem francos diários, um quarto no hotel de Balbec a fim de respirar o ar marinho, eu achava muito natural gastar mais do que isso com ela, pois tinha o seu hálito junto à face, em sua boca, que contra a minha eu entreabria e onde pela minha língua passava a sua vida.

Mas a este prazer de vê-la dormir, e que era tão bom quanto senti-la viver, um outro punha-lhe fim, e era o de vê-la despertar. A um grau mais profundo e misterioso, era o próprio prazer de que ela morasse em minha casa. Sem dúvida era-me doce tal prazer, à tarde, quando ela descia do carro, que fosse ao meu apartamento que ela regressasse. Era-o mais ainda que, quando do fundo do sono ela subisse os últimos degraus da escadaria dos sonhos, que fosse em meu quarto que ela renascesse para a consciência e para a vida, que ela se indagasse por um instante "onde estou?", e, vendo os objetos de que estava cercada, a lâmpada cuja luz fazia quase imperceptivelmente piscar os olhos, pudesse responder que estava em sua casa ao constatar que despertava na minha. Nesse primeiro momento delicioso de incerteza, parecia-me tomar de novo, mais completamente, posse de Albertine, visto que em vez de ela, depois de ter saído, entrar em seu quarto, era o meu quarto, assim que fosse reconhecido por Albertine, que ia encerrá-la, contê-la, sem que os olhos de minha amiga manifestassem qualquer perturbação, permanecendo tão calmos como se ela não tivesse dormido. A hesitação de despertar, revelada pelo seu silêncio, não o era pelo olhar.

Reencontrava a palavra, e dizia: – Meu – ou – Meu querido –, ambos seguidos de meu nome de batismo, o qual, atribuindo ao narrador o mesmo prenome do autor deste livro, daria: "Meu Marcel", "Meu querido Marcel". Desde então, eu já não permitia que, em família, os parentes, chamando-me também "querido", tirassem às palavras deliciosas que me dizia Albertine o privilégio de serem únicas. Ao dizê-las, ela fazia um pequeno trejeito que logo se transformava em beijo. Tão depressa como adormecera ainda há pouco, com a mesma rapidez despertava.

Esse enriquecimento real, esse progresso autônomo de Albertine não eram a causa importante da diferença existente entre o meu modo de vê-la agora e o meu modo de vê-la a princípio em Balbec, como não o eram também o meu deslocamento no tempo, e nem o fato de olhar uma moça sentada junto a mim sob a lâmpada que a ilumina de modo diferente do que o sol quando ela vinha caminhando pela praia. Muito mais tempo teria podido separar as duas imagens sem trazer uma mudança tão completa; ela ocorrera, essencial e repentina, quando eu soubera que minha amiga praticamente fora educada pela amiga da Srta. Vinteuil. Se antigamente eu me exaltara julgando perceber mistério nos olhos de Albertine, agora sentia-me feliz apenas nos momentos em que desses olhos, e até dessas mesmas faces, refletidoras como olhos, às vezes tão calmas mas rapidamente intratáveis, eu lograva expulsar todo mistério. A imagem que eu buscava, em que descansava, contra a qual desejaria morrer, não era mais a de Albertine de uma vida desconhecida, era a de uma Albertine tão conhecida de mim quanto possível (e é por isso que este amor não poderia ser duradouro, a menos que permanecesse infeliz, pois por definição não satisfazia a necessidade de mistério), uma Albertine que não refletisse um mundo distante, que não desejasse outra coisa – de fato, havia instantes em que aquilo parecia ser assim – senão estar comigo, inteiramente semelhante a mim, uma Albertine imagem do que precisamente era meu e não do desconhecido. Quando é assim de uma hora angustiada relativa a uma criatura, quando é da incerteza de poder ou não retê-la que nasceu um amor, este amor traz a marca da revolução que o criou, e lembra muito pouco o que tínhamos visto até então quando pensávamos nessa mesma criatura. E minhas primeiras impressões diante de Albertine, à beira das ondas, podiam subsistir numa pequena parte em meu amor por ela; na realidade, tais impressões anteriores ocupam muito pouco lugar num amor desse gênero; em sua força, em seu sofrimento, em sua necessidade de doçura e seu refúgio numa lembrança tranqüila, apaziguadora, a que desejaríamos ater-nos, sem nada mais saber sobre aquela a quem amamos, mesmo se houvesse alguma coisa odiosa a saber – bem mais até, não consultar senão essas impressões anteriores –, um tal amor é feito de coisa bem diversa! Às vezes eu apagava a luz antes que ela voltasse. Era na escuridão, mal guiada pela luz de um tição na lareira, que ela se deitava a meu lado. Minhas mãos, minhas faces, eram os únicos que a reconheciam sem que meus olhos a vissem, meus olhos que muitas vezes temiam encontrá-la mudada. De modo que, graças a esse amor cego, ela se sentia talvez mais rodeada de carinho do que habitualmente.

Eu me despia, deitava-me, e, com Albertine sentada num canto da cama, recomeçávamos nossa partida ou a conversação interrompida por beijos; e, no desejo, única coisa que nos faz achar interesse na existência e no caráter de uma pessoa, ficamos tão fiéis à nossa natureza (se, em compensação, abandonamos sucessivamente as diversas criaturas amadas por nós mesmos, uma após outra) que, uma vez avistando-me no espelho no momento em que beijava Albertine chamando-a de "minha filhinha", a expressão triste e apaixonada de minha própria fisionomia, semelhante à que teria sido outrora junto de Gilberte, de que já não me recordava, à que talvez fosse um dia junto de outra se alguma vez devesse esquecer Albertine, fez-me pensar que, acima das considerações pessoais (querendo o instinto que considerássemos a atual como a única verdadeira), eu preenchia os deveres de uma devoção ardente e dolorosa, dedicada como uma oferenda à juventude e à beleza da mulher. E contudo, a esse desejo que honrava com um *ex-voto* a juventude, bem como às lembranças de Balbec, misturava-se, à minha necessidade de assim conservar todas as noites Albertine junto a mim, alguma coisa que até então fora estranha à minha vida, pelo menos à vida amorosa, se não fosse inteiramente nova em minha vida. Era um tamanho poder de alívio como eu jamais havia experimentado desde os dias longínquos de Combray, quando minha mãe, debruçada sobre meu leito, vinha me trazer o repouso num beijo. Por certo eu ficaria bem espantado, naquela época, se me houvessem dito que eu não era inteiramente bom e sobretudo que tentaria alguma vez privar alguém de um prazer. Sem dúvida, eu me conhecia bem mal então, pois meu prazer de ter Albertine morando em minha casa era muito menos um prazer positivo do que o de ter retirado do mundo, onde cada um poderia desfrutá-la por seu turno, a moça em flor que, se pelo menos não me dava muita alegria, também não a dava aos outros. A ambição e a glória teriam me deixado indiferente. Mais ainda, eu era incapaz de sentir ódio. E, no entanto, para mim, amar carnalmente era o mesmo que triunfar sobre numerosos concorrentes. Nunca será demais repetir: era acima de tudo um alívio.

Antes que Albertine regressasse, por mais que tivesse duvidado dela, por mais que a tivesse imaginado no quarto de Montjouvain, tão logo ela se sentava de *peignoir* diante de minha poltrona, ou se, como era mais freqüente, eu ficara deitado nos pés da cama, logo lhe transmitia as minhas dúvidas, confiava-as, para que ela as dissipasse, na abdicação de um crente que faz a sua oração. Durante todo o serão ela pudera, maliciosamente enrodilhada na minha cama, brincar comigo feito uma grande gata; seu narizinho róseo, que ela fazia ainda mais diminuto na ponta com um olhar faceiro que lhe dava a finura privilegiada de certas pessoas um tanto gordas, conseguira dar-lhe uma aparência rebelde e inflamada; pudera deixar cair uma mecha de seus longos cabelos negros sobre o rosto de cera rosada e, semicerrando os olhos, descruzando os braços, parecera dizer-me: "Faze de mim o que quiseres." Quando, no momento de me deixar, aproximava-se de mim para me dar boa-noite, era a doçura quase familiar que eu beijava dos dois lados do seu pescoço firme, que então eu nunca achava por demais moreno nem de granulação suficientemente grossa, como se tais sólidas qualidades estivessem relacionadas em Albertine com alguma bondade leal.

– Virá conosco amanhã, grande malvado? – perguntava antes de me deixar. – Aonde vai? – Isto dependerá do tempo e de você. Ao menos escreveu alguma coisa esta tarde, queridinho? Não? Então não adiantou de nada não ter vindo passear. A propósito, agora há pouco, quando cheguei, você reconheceu meu jeito de andar, adivinhou que era eu? – Naturalmente. Como poderia me enganar? Como não reconheceria entre mil o andar da minha gatinha? Que ela me permita descalçá-la antes que vá deitar-se, isto me daria muito prazer. Você é tão gentil e tão rosada em toda essa brancura de rendas.

Tal era a minha resposta; no meio das expressões carnais, reconhecer-se-ão outras que eram próprias à minha mãe e à minha avó. Pois aos poucos eu ia começando a me parecer com todos os parentes, com meu pai que – de um modo bem diverso de mim, é claro, pois se as coisas se repetem, é com grandes variações – se interessava tanto pelo tempo que fazia; e não apenas com ele, mas cada vez mais com a tia Léonie. Sem isso, Albertine não teria podido ser para mim senão um motivo para sair, para não deixá-la ir só, sem meu controle. Minha tia Léonie, inteiramente beata, e com a qual eu teria jurado não ter um só ponto em comum, eu tão apaixonado por prazeres, totalmente diverso na aparência daquela maníaca que jamais conhecera nenhum e rezava o terço o dia inteiro, eu que sofria por não poder realizar uma vida literária, ao passo que ela tinha sido a única pessoa da família que ainda não pudera compreender que o ato da leitura era algo diverso de passar o tempo e de "divertir-se", o que tornava, mesmo no tempo da Páscoa, a leitura permitida no domingo, quando toda ocupação séria é proibida, a fim de que eu seja santificado unicamente pela oração. Ora, apesar de encontrar todos os dias a causa disso numa indisposição particular, o que me fazia tantas vezes permanecer deitado era uma criatura (não Albertine, não uma mulher que eu amava), uma criatura com mais força sobre mim do que um ser amado, era, transmigrada em mim, despótica a ponto de fazer calar às vezes as minhas ciumentas suspeitas, ou pelo menos ir verificar se eram fundadas ou não, era a minha tia Léonie. Não bastava que eu me parecesse exageradamente com meu pai, a ponto de não me contentar em consultar o barômetro como ele, mas de tornar-me eu próprio um barômetro vivo, não era bastante que me deixasse comandar pela tia Léonie para ficar observando o tempo, mas do quarto e até da minha cama? Eis que também agora falava a Albertine, ora como a criança que eu fora em Combray falando a minha mãe, ora como a minha avó me falava. Quando ultrapassamos uma certa idade, a alma da criança que fomos e a alma dos mortos de que saímos vêm jogar-nos, às mancheias, suas riquezas e seus maus destinos, exigindo colaborar nos novos sentimentos que experimentamos e nos quais, apagando sua antiga efígie, nós os refundimos em uma criação original. Assim todo o meu passado, desde os anos mais remotos, e para além deles o passado de meus pais, misturavam ao meu amor impuro por Albertine a doçura de um carinho a um tempo filial e maternal. Devemos receber, a partir de um dado momento, todos os nossos parentes chegados de tão longe e assentados ao nosso redor.

Antes que Albertine me obedecesse e me deixasse tirar-lhe os sapatos, eu lhe entreabria a camisa. Os dois pequenos seios, empinados, eram tão redondos que pareciam menos fazer parte integrante de seu corpo do que terem amadurecido ali como dois frutos; e seu ventre (dissimulando o lugar que no homem se enfeia, como numa estátua desvendada, o grampo que ficou gravado) fechava-se na junção das coxas por duas valvas de uma curvatura tão suave, tão repousante, tão claustral, como a do horizonte quando o sol já desapareceu. Ela tirava os sapatos e se deitava perto de mim.

Ó grandes atitudes do Homem e da Mulher, em que se procura juntar, na inocência dos primeiros dias e com a humildade da argila, o que a Criação separou, em que Eva fica admirada e submissa diante do Homem, ao lado de quem ela desperta, como ele próprio, ainda só, diante de Deus que o formou. Albertine cruzava os braços atrás dos cabelos pretos, os quadris bojudos, a perna caída numa inflexão de pescoço de cisne que se alonga e se recurva para voltar sobre si mesmo. Só quando ela estava inteiramente de lado, é que se via um certo aspecto de seu rosto (tão bom e tão bonito de frente) que eu não podia suportar, adunco feito em certas caricaturas de Leonardo da Vinci, parecendo revelar maldade, avidez pelo lucro, artimanhas de uma espiã cuja presença em minha casa me teria horrorizado, e que parecia desmascarada por esses perfis. E logo eu tomava o rosto de Albertine entre as mãos e a repunha de frente para mim.

– Seja bonzinho, prometa-me que, se não sair amanhã, há de trabalhar – dizia a minha amiga recolocando a camisa. – Sim, mas não ponha ainda o seu *peignoir*. – Às vezes eu acabava dormindo ao lado dela. O quarto esfriara, era preciso lenha. Eu tentava encontrar a campainha às minhas costas; não a alcançava, tateando todos os varões de cobre que não eram os dois entre os quais ela ficava pendurada e, a Albertine, que saltara da cama para que Françoise não nos visse lado a lado, eu dizia: – Não, volte para aqui por um instante; não consigo achar a campainha.

Instantes doces, alegres, na aparência inocentes e onde, no entanto, acumula-se a possibilidade do desastre, o que faz da vida amorosa a mais contrastada de todas, aquela em que a chuva imprevisível de enxofre e pez tomba após os mais risonhos momentos, e em que, a seguir, sem ter coragem de tirar uma lição da desgraça, reconstruímos imediatamente sobre os flancos da cratera, de onde só poderá sobrevir a catástrofe. Eu tinha a despreocupação daqueles que julgam duradoura a sua felicidade. Justamente porque foi necessária essa doçura para engendrar a dor – e aliás ela voltará para acalmá-la a intervalos – é que os homens podem ser sinceros com outrem, e até consigo mesmos, quando enaltecem a bondade de uma mulher para com eles, embora, feitas as contas, na intimidade de sua ligação circule constantemente, de modo secreto, inconfessado aos outros ou involuntariamente revelado por perguntas e inquéritos, uma dolorosa inquietação. Esta, porém, não poderia ter nascido sem a doçura prévia; mesmo a seguir, a doçura intermitente é necessária para tornar suportável o sofrimento e evitar rupturas; e a dissimulação do inferno secreto que é a vida em comum com essa mulher, até a ostentação de uma intimidade que fingimos ser doce, exprime um ponto de vista verdadeiro, um nexo geral de causa e efeito, uma das formas segundo as quais a produção da dor se tornou possível.

Já não me admirava de que Albertine ali se encontrasse e só devesse sair no dia seguinte comigo ou sob a proteção de Andrée. Tais hábitos de vida em comum, essas grandes linhas que delimitavam a minha existência e em cujo interior não podia penetrar ninguém exceto Albertine, e também (no plano futuro, ainda desconhecido de mim, de minha vida ulterior, como o que é traçado por um arquiteto quanto aos monumentos que só se erguerão bem mais tarde) as linhas distantes, paralelas a essas, e mais amplas, com as quais se esboçava em mim, como uma ermida isolada, a fórmula um tanto rígida e monótona de meus amores futuros, na verdade tinham sido traçadas naquela noite em Balbec, onde, depois que Albertine me revelara, no trenzinho, quem a havia educado, eu desejara a todo preço subtraí-la a certas influências e impedi-la de estar longe da minha presença durante alguns dias. Os dias tinham-se sucedido uns aos outros, os hábitos tornaram-se maquinais, mas, como esses ritos de que a História busca descobrir o significado, eu poderia dizer (e não o desejaria) a quem me houvesse perguntado o que significava essa vida de retiro na qual me seqüestrava, a ponto de não ir mais ao teatro, que ela se originava na ansiedade de uma noite e na necessidade de provas a mim mesmo, nos dias seguintes, que a moça cuja infância deplorável eu acabara de conhecer, não teria a possibilidade, se o quisesse, de se expor às mesmas tentações. Não pensava senão muito raramente nessas possibilidades, mas elas deviam entretanto permanecer vagamente presentes na minha consciência. O fato de destruí-las – ou de tentá-lo – dia após dia era sem dúvida o motivo pelo qual era-me tão doce beijar aquelas faces que não eram mais bonitas que muitas outras; sob toda doçura carnal um pouco profunda, existe a permanência de um perigo.

* * *

Eu havia prometido a Albertine que, se não saísse com ela, haveria de entregar-me ao trabalho. Mas, no dia seguinte, como se aproveitando de nosso sono a casa tivesse miraculosamente viajado, despertei num tempo diferente, sob diverso clima. Não se trabalha no momento de desembarcar num novo país, a cujas condições é preciso adaptar-se. Ora, todo dia era para mim um país diferente. Minha própria preguiça, sob as formas novas de que se revestia, como a teria eu reconhecido? Logo, dir-se-á que, em dias de mau tempo irremediável, somente a residência na casa, situada no meio de uma chuva igual e contínua, tinha a deslizante doçura, o silêncio calmante, o interesse de uma navegação; noutra ocasião, em um dia claro, ficando imóvel na cama, era deixar rodar as sombras em torno a mim, como à volta de um tronco de árvore. De outras vezes ainda, aos primeiros toques dos sinos de um convento próximo, raros como as devotas matinais, mal embranquecendo o céu sombrio com sua saraiva incerta que o vento morno fundia e dispersava, eu discernira um desses dias tempestuosos, desordenados e agradáveis, em que os telhados, batidos por pancadas intermitentes que uma brisa ou um raio de sol logo secam, deixam deslizar, aos arrulhos, uma gota de chuva e, enquanto o vento não recomeça a rodopiar, alisam ao sol momentâneo, que as irisa, suas ardósias furta-cor; um desses dias cheios de tantas mudanças de tempo, de incidentes aéreos, de tempestades, que o preguiçoso não os dá por perdidos, pois se interessou pela atividade que a atmosfera tem desenvolvido em vez dele, agindo de certo modo em seu lugar; dias semelhantes a esses tempos de rebelião ou de guerra que não parecem vazios ao estudante que não vai à escola, porque, nos arredores do Palácio da Justiça ou lendo os jornais, tem a ilusão de achar, nos acontecimentos ocorridos, à falta da tarefa que não pôde cumprir, um proveito para a sua inteligência e uma desculpa para sua ociosidade; enfim, dias aos quais se podem comparar aqueles em que ocorre, na nossa vida, uma crise excepcional e da qual o que nunca fez nada pensa que vai extrair, se tudo termina bem, hábitos de trabalho: por exemplo, a manhã em que ele sai para um duelo que vai se dar em condições especialmente perigosas; então lhe aparece, de súbito, no momento em que talvez lhe vá ser tirada, o preço de uma existência de que poderia ter aproveitado para iniciar uma obra ou simplesmente desfrutar prazeres, e da qual não soube gozar nada. "Se pudesse escapar com vida" pensa ele, "como começaria logo a trabalhar e também como haveria de me divertir!". De fato, a vida assumiu de repente, a seus olhos, um valor bem maior, pois ele põe nela tudo o que lhe parece que ela pode lhe oferecer, e não o pouco que ele lhe faz dar habitualmente. Vê-a segundo o seu desejo, não como sua experiência lhe ensinou que ele sabia torná-la, isto é, tão medíocre. Num instante, sua vida se encheu de labores, de viagens, de excursões a montanhas, de todas as belas coisas que ele imagina poderão ficar impossíveis com o desfecho funesto desse duelo, sem pensar que já o eram antes que se tratasse do duelo, devido aos maus hábitos que, mesmo sem duelo, teriam permanecido. Ele volta para casa sem sequer ter sofrido um ferimento. Mas encontra os mesmos obstáculos aos prazeres, às excursões, às viagens, a tudo de que há pouco receara por um momento ficar despojado para sempre pela morte; basta para isso a vida. Quanto ao trabalho – tendo as circunstâncias excepcionais por efeito exaltar o que de antemão existia no homem, no trabalhador o trabalho e no preguiçoso a preguiça –, resolve tirar férias.

Eu fazia como ele e como sempre fizera desde que tomara resolução de me pôr a escrever, assumida outrora, mas que me parecia datar de ontem, porque havia considerado cada dia, um após outro, como não tendo chegado. Procedia da mesma forma com este, deixando passar, sem nada fazer, seus aguaceiros e estiadas, e prometendo a mim mesmo começar a trabalhar no dia seguinte. Porém, nele eu já não era mais o mesmo sob um céu sem nuvens; o som dourado dos sinos não continha somente luz, como o mel, mas a sensação de luz (e também o sabor enjoativo dos doces, porque em Combray muitas vezes ele se demorava, como uma vespa, sobre nossa mesa depois de retirados os pratos, talheres e toalha). Nesse dia de sol deslumbrante, ficar o dia inteiro de olhos fechados era uma coisa permitida, comum, salubre, agradável e própria da estação, como manter as janelas fechadas devido ao calor. Eram em dias assim que, no começo da minha segunda temporada em Balbec, eu ouvia os violinos da orquestra por entre as massas de água azuladas da maré montante. Como eu possuía mais Albertine hoje! Dias havia em que o rumor de um sino que dava as horas trazia sobre a esfera de sua sonoridade uma placa tão fresca, tão poderosamente cortada de umidade ou luz, que era como uma tradução para cegos, ou, se quiserem, como uma tradução musical do encanto da chuva ou do encanto do sol. De modo que, nesse momento, de olhos fechados em meu leito, eu dizia comigo que tudo pode ser transposto, e que um universo somente audível poderia ser tão variado como o outro. Remontando preguiçosamente o correr do tempo como numa barca, e vendo sempre aparecer à minha frente novas recordações encantadas, que eu não escolhia, que no instante anterior me eram invisíveis e que minha memória me apresentava, uma após outra, sem que pudesse escolhê-las, eu prosseguia preguiçosamente, naqueles espaços uniformes, o meu passeio ao sol.

Aqueles concertos matinais de Balbec não eram antigos. E, no entanto, naquele momento relativamente próximo, eu pouco me importava com Albertine. Mesmo nos primeiros dias após a chegada, não tivera conhecimento de sua presença em Balbec. Por quem o soubera então? Ah, sim! Por Aimé. Fazia um dia lindo como este. Bom Aimé! Estava contente de me rever. Mas ele não gosta de Albertine. Nem todos podem gostar dela. Sim, foi ele quem me informou que ela estava em Balbec. Como sabia disso? Ah, ele a tinha encontrado, e lhe achara umas maneiras estranhas. Neste momento, abordando o relato de Aimé por outro ângulo que não o que ele me apresentara no instante em que o fizera, meu pensamento, que até então navegara sorridente sobre aquelas águas bem-aventuradas, estourava de súbito, como se houvesse dado de encontro a uma mina invisível e perigosa, insidiosamente colocada naquele ponto da minha memória. Ele me dissera que a tinha encontrado, que lhe achara umas maneiras estranhas. Que pretendera dizer com maneiras estranhas? Eu tinha entendido maneiras vulgares, pois, para antecipadamente contradizê-lo, havia declarado que ela possuía distinção. Mas não, talvez ele quisesse dizer maneiras de Gomorra. Ela estava com uma amiga, talvez se abraçassem pela cintura e olhassem para outras mulheres, talvez de fato tivessem um "jeito" que eu jamais vira em Albertine na minha presença. Quem seria a amiga? Onde Aimé tinha encontrado essa odiosa Albertine? Eu tentava lembrar-me exatamente do que Aimé havia dito, para ver se aquilo podia se referir ao que imaginava, ou se ele quisera falar apenas de maneiras vulgares. Porém, por mais que indagasse, a pessoa que fazia a pergunta e aquela que podia oferecer a lembrança eram infelizmente uma só e a mesma pessoa, eu, que momentaneamente me duplicava, mas sem nada acrescentar. Eu questionava debalde, era eu quem respondia, não ficava sabendo mais nada. Já não pensava na Srta. Vinteuil. Nascido de uma suspeita nova, o acesso de ciúme que me assaltava era igualmente novo, ou melhor, não passava do prolongamento, da extensão de tal suspeita; tinha o mesmo cenário, que já não era Montjouvain, mas o caminho em que Aimé havia encontrado Albertine; e, por objeto, algumas amigas, das quais uma ou outra poderia ser a que estava com Albertine naquele dia. Talvez fosse uma certa Élisabeth, ou então, as duas moças que Albertine olhara pelo espelho no cassino, quando parecia não vê-las. Sem dúvida, mantinha relações com elas, e aliás também com Esther, a prima de Bloch. Tais relações, caso me fossem reveladas por um terceiro, teriam bastado para que eu ficasse meio morto, mas como era eu que as imaginava, tinha o cuidado de acrescentar bastante incerteza para amortecer o sofrimento. Sob a forma de suspeitas, chega-se a observar diariamente, em doses enormes, essa mesma idéia de que se é traído, de que uma quantidade bem pequena poderia ser mortal, inoculada pelo pico de uma palavra lancinante. E é por isso, sem dúvida, e por um derivado do instinto de conservação, que o mesmo ciumento não hesita em formular suspeitas atrozes acerca de fatos inocentes, com a condição, diante da primeira prova que lhe tragam, de se recusar à evidência. Além disso, o amor é um mal incurável, como essas diáteses em que o reumatismo só dá um pequeno descanso para ceder lugar a enxaquecas epileptiformes. Serenada a suspeita ciumenta, eu ficava agastado com Albertine por não ter sido carinhosa, quem sabe por ter zombado de mim com Andrée. Pensava com terror no juízo que ela formaria se Andrée lhe repetisse todas as nossas conversas; o futuro me parecia atroz. Essas tristezas só me deixavam se uma nova suspeita ciumenta me lançava em outras buscas, ou se, pelo contrário, as manifestações de ternura de Albertine tornassem insignificante a minha felicidade. Quem poderia ser essa moça? Era necessário que eu escrevesse a Aimé, que procurasse vê-lo, e a seguir verificaria suas palavras conversando com Albertine, pondo-a em confissão. Enquanto esperava, julgando que se tratasse da prima de Bloch, pedi a este, que absolutamente não entendeu com que objetivo, que me mostrasse uma só fotografia dela, ou, bem mais, que me fizesse encontrá-la casualmente.

Quantas pessoas, cidades, estradas, o ciúme assim nos faz tão ávido para conhecê-las! Ele é uma sede de saber graças à qual, sobre pontos isolados uns dos outros, acabamos por ter sucessivamente, todas as noções possíveis, salvo a que desejaríamos. Não se sabe nunca se uma suspeita não nascerá, pois de repente a gente se recorda de uma frase que não era clara, de um álibi que não fora dado sem segundas intenções. No entanto, não voltamos a ver a pessoa, porém existe um ciúme posterior que nasce apenas depois que a deixamos, um ciúme retardatário. Talvez o hábito de guardar no fundo de mim mesmo alguns desejos que eu adquirira, desejo de uma moça da sociedade como as que eu via passar da minha janela seguidas da sua governanta, e mais particularmente daquela de que me falara Saint-Loup, que freqüentava os bordéis, desejo das belas camareiras e especialmente daquela da Sra. Putbus, desejo de ir ao campo, no começo da primavera, a fim de rever os espinheiros-alvos, as macieiras em flor, as tempestades, desejo de Veneza, desejo de me pôr a trabalhar, desejo de levar a vida de toda a gente, talvez o hábito de conservar em mim, insaciavelmente, todos esses desejos, contentando-me com a promessa feita a mim mesmo de não me esquecer de satisfazê-los um dia, talvez esse hábito, antigo de tantos anos, do adiamento perpétuo, daquilo que o Sr. de Charlus estigmatizava com o nome de procrastinação, se tivesse tornado tão geral em mim que também se apropriava de minhas suspeitas ciumentas e, fazendo-me tomar nota mentalmente de um dia não deixar de ter uma explicação com Albertine a respeito da moça (talvez das moças, esta parte da narrativa era confusa, apagada, quer dizer, indecifrável, na minha memória) com a qual – ou as quais – Aimé a encontrara, fazia-me atrasar essa explicação. Em todo caso, não falaria disso naquela noite com a minha amiga, para não me arriscar a parecer ciumento e aborrecê-la. Todavia, quando, no dia seguinte, Bloch me enviou a fotografia de sua prima Esther, eu me apressei a fazê-la chegar às mãos de Aimé. E no mesmo instante, lembrei-me que Albertine recusara-me, de manhã, um prazer que de fato poderia tê-la cansado. Seria então para reservá-lo para outrem, talvez naquela tarde? A quem? Assim é que é interminável o ciúme, pois mesmo que o ser amado, por exemplo estando morto, não pode mais provocá-lo com seus atos, ocorre que as lembranças, posteriormente a todo acontecimento, comportam-se de repente em nossa memória como outros tantos acontecimentos, lembranças que não tínhamos esclarecido até então, que nos tinham parecido insignificantes, e às quais basta a nossa própria reflexão sobre elas, sem nenhum fato exterior, para conferir um sentido novo e terrível. Não precisamos ser dois, basta estarmos sozinhos no quarto, pensando, para que se produzam novas traições de nossa amante, mesmo que esteja morta. Assim, não se deve temer no amor, como na vida comum, apenas o futuro, mas também o passado, que muitas vezes só se realiza para nós depois do futuro; e não falamos somente do passado de que ficamos sabendo muito tarde, mas daquele que conservamos desde longo tempo em nós e que de súbito aprendemos a decifrar.

Não importa, eu me sentia bem feliz, a tarde findava, e já não tardava a hora em que ia pedir a Albertine o sossego de que precisava. Infelizmente, a noitada que chegou foi uma dessas em que tal sossego não me foi trazido, em que o beijo que Albertine me daria, ao me deixar, bem diferente do beijo habitual, não me acalmaria mais do que outrora o de minha mãe quando estava zangada, e quando eu não tinha coragem de chamá-la de novo, mas sentia que não poderia adormecer. Essas noites agora eram aquelas em que Albertine formara, para o dia seguinte, algum projeto que não queria que eu conhecesse. Se mo houvesse confiado, eu teria posto em assegurar a sua realização um ardor que ninguém senão Albertine poderia me inspirar. Mas ela não me dizia nada e, aliás, não tinha necessidade de dizer coisa alguma: logo que regressava, mesmo à porta do quarto, como ainda estivesse de chapéu ou de gorro, eu já vira o desejo desconhecido, rebelde, encarniçado, indomável. Ora, era muitas vezes nas noites em que eu havia esperado o seu regresso com os mais ternos pensamentos, em que contava saltar-lhe ao pescoço com a maior ternura. Ai de mim, como tivera tantas vezes esses desentendimentos com meus pais, a quem achava frios ou irritados no momento em que corria para junto deles transbordando de ternura; não era nada diante dos desentendimentos que ocorrem entre dois amantes. O sofrimento neste caso é bem menos superficial, é bem mais difícil de suportar, tem por sede uma camada bem mais profunda do coração. Naquela noite, Albertine no entanto foi obrigada a me dizer uma palavra acerca do projeto que havia formado; compreendi imediatamente que ela, no dia seguinte, queria ir fazer uma visita à Sra. Verdurin, visita que, em si mesma, absolutamente não teria me contrariado. Mas com certeza era para ter lá algum encontro, preparar algum prazer. Se não fosse isto, não faria tanta questão dessa visita. Quer dizer, não teria repetido que não se empenhava por ela. Em minha existência, eu havia seguido um caminho inverso ao dos povos que só se utilizam da escrita fonética depois de terem considerado os caracteres apenas como uma seqüência de símbolos; eu, que durante tantos anos só buscara a vida e o pensamento reais das pessoas no enunciado direto que deles me forneciam elas voluntariamente, chegara pelo contrário, por culpa delas, a só dar importância aos testemunhos que não são expressão racional e analítica da verdade; as próprias palavras só me informam sob a condição de serem interpretadas como um afluxo de sangue ao rosto de uma pessoa que se perturba, ou ainda, à maneira de um súbito silêncio. Determinado advérbio (por exemplo, empregado pelo Sr. de Cambremer quando ele julgava que eu era "escritor" e que, não tendo ainda me falado, ao contar uma visita que havia feito aos Verdurin, voltara-se para mim, dizendo: – Estava lá *justamente* Borrelli –) lançado numa conflagração pela proximidade involuntária, por vezes perigosa, de duas idéias que o interlocutor não exprimia, e da qual eu podia extraí-las por certos métodos de análise ou de eletrólise apropriados, dizia-me mais coisas que um discurso. Às vezes Albertine deixava escapar, em suas frases, um ou outro desses preciosos amálgamas que eu me apressava a "tratar" para transformá-los em idéias claras.

De resto, é uma das coisas mais terríveis para o enamorado que, se os fatos particulares – que só a experiência, a espionagem, entre tantas realizações possíveis, fariam conhecer – são tão difíceis de achar, em compensação, a verdade seja tão fácil de perceber ou apenas de pressentir. Muitas vezes eu a vira, em Balbec, fixar sobre as moças que passavam um olhar brusco e prolongado, semelhante a um contato, e após o qual, se eu as conhecia, indagava-me: – E se as convidássemos? Gostaria de lhes dizer uns desaforos. – E desde algum tempo, desde que sem dúvida me adivinhara o pensamento, nenhum pedido para convidar ninguém, nenhuma palavra, nem mesmo um desvio de olhar, que se tornara silencioso e sem finalidade, e com a fisionomia distraída e vaga de que eram acompanhados, tão revelador como outrora a sua magnetização. Pois bem, não me era possível censurá-la ou fazer perguntas a propósito de coisas que ela teria declarado ser tão ínfimas, tão insignificantes, que eu conservara na memória só pelo prazer de "esmiuçar". Já é difícil dizer "por que olhou para aquela moça?" e mais ainda "por que não olhou para ela?" E no entanto eu bem sabia, ou pelo menos teria sabido, se tivesse desejado acreditar, não nas afirmações de Albertine, mas em todos os nadas incluídos em um olhar, provados por ele e por tal ou qual contradição nas palavras, contradição da qual muitas vezes só me dava conta muito tempo depois de tê-la deixado, que me fazia sofrer a noite inteira, na qual não tinha mais coragem de voltar a falar, mas que nem por isso deixava de honrar minha memória de vez em quando com suas visitas periódicas. Muitas vezes, naqueles simples olhares furtivos ou desviados na praia de Balbec, ou nas ruas de Paris, eu podia indagar-me se a pessoa que os provocava não era somente um objeto de desejos no momento em que passava, mas uma conhecida antiga, ou então uma moça de quem lhe haviam falado e da qual, quando eu vinha a sabê-lo, ficava estupefato de que lhe houvessem falado, de tão fora que a julgava de todos os conhecimentos possíveis de Albertine. Mas a Gomorra é um *puzzle* feito de pedaços que vêm de onde menos se espera. Foi assim que, em Rivebelle, compareci a um grande jantar, onde por acaso conhecia, ao menos de nome, as dez convidadas, tão dissemelhantes quanto possível, e todavia perfeitamente ajustadas, de forma que jamais vi um jantar tão homogêneo, muito embora tão compósito.

Para retornar às jovens passantes, Albertine jamais teria olhado para uma senhora idosa ou um velho com tanta fixidez ou, pelo contrário, com reserva e como se não os visse. Os maridos enganados que não sabem de nada, ainda assim sabem de tudo. Mas é necessário um dossiê mais materialmente documentado para estabelecer uma cena de ciúme. Além disso, se o ciúme nos ajuda a descobrir, na mulher que amamos, uma certa propensão a mentir, ele centuplica essa propensão quando a mulher já descobriu que somos ciumentos. Ela mente (nas mesmas proporções em que nunca nos mentiu antes), seja por piedade ou medo, ou se furta instintivamente por uma fuga simétrica às nossas investigações. Decerto existem amores em que, desde o começo, uma mulher leviana afetou ser virtuosa aos olhos do homem que a ama. Mas quantas outras compreendem dois períodos perfeitamente contrastantes! No primeiro, a mulher fala quase com facilidade, com simples atenuantes, sobre o seu gosto pelo prazer pela vida galante que ele lhe proporcionou, coisas essas que negará inteiramente a seguir, com a máxima energia, ao mesmo homem, mas porque o percebeu enciumado dela e a espioná-la. Ela chega a ter saudades do tempo daquelas primeiras confidências, mas cuja lembrança o tortura. Se a mulher ainda as fizesse lhe forneceria, quase por si mesma, o segredo das culpas que ele persegue inutilmente todos os dias. E depois, que entrega não provaria isso, que confiança, que amizade! Se ela não pode viver sem enganá-lo, pelo menos o enganaria como amiga, relatando-lhe seus prazeres, associando-o a eles. E ele lamenta semelhante vida que os começos de seu amor pareciam esboçar, que a sua continuação tornou impossível, transformando esse amor em algo atrozmente doloroso, que tornará uma separação, conforme o caso, inevitável ou impossível.

Às vezes a escrita em que eu decifrava as mentiras de Albertine, sem ser ideográfica, necessitava simplesmente ser lida às avessas; foi assim que naquela noite ela me lançara com ar negligente esta mensagem destinada a passar quase despercebida: – É possível que amanhã eu vá à casa dos Verdurin, não sei absolutamente se irei, não tenho muita vontade. – Anagrama infantil desta confissão: "Amanhã irei à casa dos Verdurin, é absolutamente certo, pois dou muita importância a isso." Esta aparente hesitação significava uma vontade resolvida e tinha por finalidade diminuir a importância da visita pelo fato de me anunciá-la. Albertine sempre usava o tom dubitativo para as resoluções irrevogáveis. A minha não o era menos: eu trabalharia para que a visita à Sra. Verdurin não se realizasse. Muitas vezes, o ciúme não passa de uma necessidade inquieta de tirania aplicada às coisas do amor. Sem dúvida eu herdara de meu pai esse brusco desejo arbitrário de ameaçar as criaturas que eu mais amava nas esperanças em que se embalavam com uma segurança que eu queria mostrar-lhes ser ilusória; quando eu via que Albertine havia combinado, à minha revelia, ocultando de mim, o plano de um passeio que eu teria feito tudo no mundo para torná-lo mais fácil e mais agradável se ela mo houvesse confidenciado, eu dizia com negligência, para fazê-la tremer, que esperava sair nesse dia.

Pus-me a sugerir a Albertine outros objetivos de passeio que teriam tornado impossível a visita aos Verdurin, em palavras carregadas de uma fingida indiferença sob a qual eu tentava disfarçar meu nervosismo. Mas ela já a havia despistado. E meu sentimento encontrava nela a força elétrica de uma vontade oposta que o repelia com vivacidade; nos olhos de Albertine, eu via essa força soltar suas faíscas. De resto, de que adiantava cuidar do que diziam as pupilas naquele instante? Como é que eu não havia percebido há muito que os olhos de Albertine pertenciam à família dos que (mesmo numa pessoa medíocre) parecem feitos de vários pedaços, por causa de todos os lugares onde ele deseja encontrar-se – e ocultar que quer achar-se – nesse dia? Olhos, por mentira sempre imóveis e passivos, mas dinâmicos, mensuráveis pelos metros e quilômetros que é preciso transpor para chegar ao local do encontro marcado, implacavelmente marcado, olhos que sorriem menos ainda ao prazer que os seduz do que se aureolam da tristeza e do desânimo de que talvez existam obstáculos para ir a esse encontro. Entre nossas próprias mãos, tais seres são criaturas em fuga. Para compreender as emoções que causam e que outros seres até mais belos não causam, é preciso calcular que eles estão, não imóveis, mas em movimento, e acrescentar à sua pessoa um sinal correspondente ao que em física é o sinal que indica velocidade.

Se perturbamos o seu dia, eles nos confessam o prazer que nos tinham ocultado: "Queria tanto ir tomar chá às cinco horas com tal pessoa amiga!" Pois bem, se seis meses depois acabamos conhecendo a pessoa em questão, saberemos que nunca a moça, cujos projetos transtornáramos, e que, apanhada em flagrante nos confessara, para que a deixássemos livre, o chá que assim tomava com uma pessoa querida todos os dias à hora em que não a víamos, saberemos que essa pessoa nunca a recebeu, que elas jamais tomaram chá juntas, que a moça dizia viver muito presa exatamente por nossa culpa.

Assim, a pessoa com quem ela confessara que ia tomar chá, com quem ela suplicara que a deixássemos tomar chá, essa pessoa, razão confessada pela necessidade, não era aquela mas outra, e não se tratava de chá mas de outra coisa! Outra coisa, o quê? Uma outra, quem? Ai de nós, os olhos fragmentados, tristes, partindo para longe, talvez permitissem medir as distâncias, mas não indicam as direções. Estende-se o campo infinito das possibilidades e se, por acaso, o real se apresentava diante de nós, estaria de tal modo tão fora dos possíveis que, num súbito aturdimento, cairíamos para trás, indo bater contra essa parede inesperada. O movimento e a fuga verificados nem sequer são indispensáveis, basta que os induzamos. Ela nos havia prometido uma carta, estávamos tranqüilos, já não a amávamos. A carta não chegou, nenhum correio a trouxe, "que se passa?", a ansiedade renasce e com ela o amor. São principalmente tais seres que nos inspiram o amor, para nosso tormento. Pois cada nova ansiedade que sentimos por causa deles, rouba-lhes aos nossos olhos um pouco de sua personalidade. Estávamos resignados ao sofrimento, crendo amar fora de nós, e nos damos conta de que nosso amor é uma função da nossa tristeza, que nosso amor é talvez nossa tristeza, e que o objeto dele só em parte diminuta é a moça de cabeleira negra. Mas enfim, são principalmente tais seres que nos inspiram o amor. Na maioria das vezes, o amor não tem por objeto um corpo, a não ser quando nele se fundem uma emoção, o medo de perdê-lo, a incerteza de reencontrá-lo. Ora, esse tipo de ansiedade tem muita afinidade pelos corpos. Ela acrescenta-lhes uma qualidade que ultrapassa a própria beleza, o que é um dos motivos por que vemos homens, indiferentes às mulheres mais belas, amarem apaixonadamente algumas que nos parecem feias. A essas criaturas, a essas criaturas de fuga, sua natureza e a nossa inquietação emprestam asas. E até junto a nós o seu olhar parece dizer que vão alçar vôo. A prova dessa beleza, que excede a beleza acrescentada pelas asas, é que, muitas vezes, para nós, uma mesma criatura é sucessivamente alada e sem asas. Basta recearmos perdê-la para esquecermos todas as outras. Certos de conservá-la, comparamo-la a essas outras, que logo preferimos a ela. E, como essas emoções e certezas podem alternar-se de uma semana para outra, uma criatura pode, numa semana, ver sacrificarem-lhe tudo o que lhe agradava, na semana seguinte ser sacrificada, e assim por diante durante muito tempo. O que seria incompreensível, se não soubéssemos pela experiência que todo homem tem de ter em sua vida, ao menos uma vez, deixado de amar, esquecido uma mulher, o pouco em si mesma que é uma criatura quando já não o é mais, ou não é ainda permeável às nossas emoções. E ficamos bem entendidos que o que dizemos dessas criaturas de fuga é igualmente verdadeiro para as criaturas em prisão, mulheres cativas que julgamos jamais poder possuir. Desse modo, os homens detestam as alcoviteiras, pois elas facilitam a fuga, fazem brilhar a tentação; mas, se amam uma mulher enclausurada, procuram de bom grado as alcoviteiras para fazê-las saírem de sua prisão e conduzi-las a eles. O motivo pelo qual as uniões com mulheres raptadas são menos duradouras que outras, é que o medo de não chegarmos a obtê-las ou a inquietação de vê-las fugir compõe todo o nosso amor e que, uma vez roubadas a seu marido, arrancadas a seu teatro, curadas da tentação de nos abandonar, numa palavra, dissociadas de nossa emoção, seja qual for, elas são apenas elas próprias, ou seja, quase nada e, tão longamente cobiçadas, são logo abandonadas por aquele mesmo que tanto temera ser abandonado por elas.

Eu disse: "Mas como é que não adivinhei?" Mas não o adivinhara desde o primeiro dia em Balbec? Não adivinhara em Albertine uma dessas meninas sob cujo envoltório carnal palpitam mais criaturas ocultas, já não digo que num baralho ainda na caixa, que numa catedral fechada ou num teatro antes que entremos, porém mais do que na multidão imensa e renovada? Não apenas tantas criaturas, mas o desejo, a lembrança voluptuosa, a busca inquieta por tantas criaturas. Em Balbec, eu não ficara perturbado, pois nem sequer supusera que um dia haveria de seguir pistas mesmo falsas. Não importa, para mim aquilo dera a Albertine a plenitude de um ser cheio até as bordas pela superposição de tantas criaturas, de tantos desejos e de lembranças voluptuosas de criaturas. E agora que ela me dissera um dia: – Srta. Vinteuil –, eu desejaria, não arrancar-lhe o vestido para ver seu corpo, mas, através do corpo, ver toda a sua agenda de recordações e de seus próximos e ardentes encontros marcados.

Como as coisas provavelmente mais insignificantes assumem de repente um valor extraordinário quando uma criatura a quem amamos (ou a quem só falta aquela duplicidade para que a amemos) no-las esconde! Em si mesmo, o sofrimento não nos causa obrigatoriamente sentimentos de amor ou ódio pela pessoa que o provocou: um cirurgião que nos causa dor nos deixa indiferente. Mas uma mulher que nos afirmou durante algum tempo que éramos tudo para ela, sem que ela própria fosse tudo para nós, uma mulher que temos prazer em ver, beijar, em ter sobre os nossos joelhos, muito admirados ficamos ao descobrir, por uma súbita resistência, que não dispomos dela. A decepção acorda então às vezes em nós a lembrança esquecida de uma velha angústia, que no entanto sabemos não ter sido provocada por essa mulher, mas por outras cujas traições se escalonam sobre o nosso passado. E, além disso, como se tem a coragem de desejar viver, como se pode fazer um movimento para se preservar da morte num mundo em que o amor só é causado pela mentira e consiste apenas em nossa aspiração de ver acalmadas nossas dores pela criatura que nos fez sofrer? Para sair do acabrunhamento que sentimos ao descobrir essa mentira e essa resistência, há o triste remédio de procurar agir, contra a vontade dela, com a ajuda de pessoas que sentimos serem mais ligadas à sua vida do que nós próprios, sobre aquela que nos resiste e nos mente, usar de astúcia nós também, fazer-nos detestar. Mas o sofrimento de um tal amor é desses que invencivelmente levam o enfermo a procurar, numa mudança de posição, um bem-estar enganoso. Tais meios de ação não nos faltam, ai de nós! E o horror desses amores, que somente a inquietude gerou, decorre de que viramos e reviramos sem cessar dentro em nós frases insignificantes; sem contar que raramente as criaturas pelas quais os sentimos nos agradam fisicamente de maneira completa, visto que não é o nosso gosto deliberado, mas o acaso de um minuto de angústia, minuto indefinidamente prolongado pela nossa fraqueza de caráter, a qual refaz todas as noites as experiências e se rebaixa aos calmantes, que fez a escolha por nós.

Sem dúvida o meu amor por Albertine não era o mais miserável daqueles até onde, por falta de vontade, a gente pode decair, pois não era inteiramente platônico; ela concedia-me satisfações carnais, e além disso era inteligente. Porém tudo isto era supérfluo. O que me ocupava o espírito não era o que ela pudesse dizer de inteligente, mas certa frase que acordava em mim uma dúvida sobre seus atos. Eu tentava me lembrar se ela dissera isto ou aquilo, com que ar, em que momento, em resposta a que palavras, reconstituir toda a cena de seu diálogo comigo, em que momento ela quisera ir à casa dos Verdurin, que palavra minha dera o ar contrariado a seu rosto. Se se tratasse do mais importante acontecimento, eu não teria me dado a tanto trabalho para restabelecer a verdade, para lhe recompor a atmosfera e o colorido exatos. Tais inquietudes, é evidente, depois de terem atingido um grau em que nos são insuportáveis, conseguimos por vezes acalmá-las de todo por uma noite. A festa a que deve comparecer a amiga que amamos, e sobre cuja verdadeira natureza o nosso espírito vinha trabalhando há dias, somos também convidados a ela; nossa amiga só tem olhos e palavras para nós, levamo-la de volta para casa, e conhecemos então, dissipadas as inquietações, um sossego tão completo, tão reparador, como o que se observa por vezes no sono profundo que ocorre após as longas caminhadas. Mas, na maioria das vezes, apenas mudamos de inquietação. Uma das palavras da frase que devia nos acalmar põe nossas suspeitas em outra pista. E sem dúvida um repouso desses merece que o paguemos bem caro. Mas não teria sido mais simples não comprarmos nós mesmos, voluntariamente, a ansiedade, e mais caro ainda? Além disso, sabemos muito bem que, por mais profundos possam ser esses desafogos momentâneos, a inquietação ainda assim será mais forte. Muitas vezes até, ela é renovada pela frase cujo fim era nos trazer repouso. As exigências do nosso ciúme e a cegueira da nossa credulidade são maiores do que o podia imaginar a mulher que amamos. Quando, espontaneamente, ela nos jura que determinado homem só é um amigo, deixa-nos transtornados ao nos informar – coisa de que não suspeitávamos – que para ela tratava-se de um amigo. Enquanto nos conta, para mostrar sua sinceridade, de que modo eles tomaram juntos o chá naquela mesma tarde, a cada palavra que ela diz, o invisível, o insuspeitado adquire forma à nossa frente. Ela confessa que ele lhe pediu que se tornasse sua amante e nós sofremos o martírio de que ela tenha podido ouvir as suas propostas. Recusou-as, diz ela. Mas dali a pouco, lembrando-nos de seu relato, nós nos indagaremos se a recusa é de fato verdadeira, pois entre as diversas coisas que ela nos disse há aquela ausência de nexo lógico e necessário que, mais do que os fatos contados, é o sinal da verdade. E, além disso, ela usou daquela terrível entonação desdenhosa: – Eu lhe disse não, de modo categórico – que se encontra em todas as classes da sociedade quando uma mulher mente. Cumpre no entanto agradecer-lhe por haver recusado, encorajá-la pela nossa bondade a continuar no futuro a nos fazer confidências tão cruéis. Quando muito, fazemos uma objeção: – Mas se ele já fizera propostas, por que aceitou tomar chá em sua companhia? – Para que ele não se aborrecesse comigo nem dissesse que eu não fora amável. – E não temos coragem de lhe dizer que, se recusasse, teria sido talvez mais amável conosco.

Aliás, Albertine me assustava declarando que eu tinha razão de dizer, para não prejudicá-la, que não era seu amante, pois na verdade, acrescentava, "o fato é que você não o é". Com efeito, eu talvez não fosse inteiramente seu amante, mas então seria necessário pensar que todas as coisas que fazíamos juntos, será que ela também as fazia com todos os homens de quem me jurava não ter sido amante? Querer conhecer a todo custo o que Albertine pensava, o que ela via, o que ela amava – como era estranho que eu sacrificasse tudo a tal necessidade, pois havia experimentado a mesma necessidade de saber, a respeito de Gilberte, nomes próprios e fatos que hoje me eram tão indiferentes! Eu percebia muito bem que em si mesmas as ações de Albertine já não tinham interesse. É curioso que um primeiro amor, se, pela fragilidade que deixa em nosso coração, abre caminho aos amores seguintes, não nos dê, ao menos pela identidade mesma dos sintomas e das dores, a maneira de curá-los. Além disso, há necessidade de se conhecer um fato? Pois, de um modo geral, não conhecemos logo a própria mentira e discrição dessas mulheres que têm algo a esconder? Existe aí alguma possibilidade de erro? Elas acham que é uma virtude ficarem caladas, ao passo que gostaríamos tanto de fazê-las falar. E sentimos que elas afirmaram a seu cúmplice: – Nunca digo nada. Não é por mim que se há de saber alguma coisa, eu nunca digo nada.

Damos a nossa fortuna, a nossa vida, por uma criatura, e no entanto sabemos muito bem que, com dez anos de intervalo, mais cedo ou mais tarde, negaríamos a essa criatura tal fortuna, preferiríamos conservar a vida. Pois já então essa criatura estaria desligada de nós, sozinha, isto é, seria nula. O que nos une às criaturas são essas mil raízes, esses fios inumeráveis que formam as lembranças do sarau da véspera, as esperanças da vesperal do dia seguinte; é essa trama contínua de hábitos de que não podemos nos livrar. Da mesma forma que existem os avarentos que economizam por generosidade, nós somos pródigos que gastamos por avareza, e é menos a uma criatura que sacrificamos nossa vida, do que a tudo o que ela pôde prender a si mesma de nossas horas, de nossos dias, daquilo em comparação do que a nossa vida ainda não vivida, a vida relativamente futura, nos parece uma vida mais longínqua, mais desligada, menos íntima e menos nossa. Necessário seria desfazermo-nos desses laços que de fato têm muito mais importância que a pessoa, mas cujo efeito é criar em nós deveres momentâneos para com ela, deveres que nos levam a não ter coragem de deixá-la por medo de sermos mal interpretados, ao passo que mais tarde ousaríamos, pois, livre de nós, ela não seria mais nós e a verdade é que só criamos deveres para nós mesmos (ainda que estes possam, por uma aparente contradição, nos levar ao suicídio).

Se eu não amava Albertine (coisa de que não estava certo), este lugar que ela ocupava junto a mim nada tinha de extraordinário: nós só vivemos com o que não amamos, com o que só fizemos viver conosco para matar o insuportável amor, trate-se de uma mulher, de um país, ou ainda de uma mulher que em si mesma encerra todo um país. E teríamos muito medo de recomeçar a amar se ocorresse de novo a ausência. Quanto a Albertine, eu ainda não chegara a tal ponto. Suas mentiras e confissões deixavam-me por acabar a tarefa de esclarecer a verdade. Suas mentiras, tão numerosas porque ela não se contentava em mentir como toda criatura que se julga amada, mas porque, afora isso, ela era por natureza mentirosa, e aliás tão mutável que, mesmo dizendo-me de cada vez a verdade sobre o que, por exemplo, pensava das pessoas, de cada vez teria dito coisas diferentes; suas confissões, porque de tão raras, de tão interrompidas, deixavam entre elas, no que se referia ao passado, grandes lacunas inteiramente em branco, e sobre cuja extensão era-me preciso traçar, e para isso primeiro conhecer, a sua vida. No que respeita ao presente, tanto quanto eu podia interpretar as palavras sibilinas de Françoise, não era apenas sobre pontos particulares mas sobre todo um conjunto que Albertine me mentia, e eu veria "num belo dia" aquilo que Françoise aparentava saber, o que ela não queria dizer-me, o que eu não ousava lhe perguntar. Aliás, era sem dúvida por causa do mesmo ciúme que tivera outrora em relação a Eulalie, que Françoise falava as coisas mais incríveis, de tal modo vagas que se poderia ver nelas, quando muito, a insinuação bastante inverossímil de que a pobre cativa (que amava as mulheres) preferia um casamento com alguém que não parecia de modo algum ser eu. Se assim era, como, apesar de suas radiotelepatias, o teria sabido Françoise? Certamente os relatos de Albertine não podiam de maneira nenhuma esclarecer-me, pois eram todos os dias tão opostos como as cores de um pião quase parado. Além disso, parecia que era sobretudo o ódio que fazia falar Françoise. Não passava um dia sem que me dissesse, e eu não suportasse na ausência de minha mãe, palavras como estas: – Decerto, o senhor é amável e eu jamais esquecerei o reconhecimento que lhe devo (isto provavelmente para que eu criasse títulos à sua gratidão). Mas a casa está empestada desde que a amabilidade instalou aqui a trapaça, e que a inteligência protege a pessoa mais cretina que já se viu, depois que a finura, as boas maneiras, o espírito, a dignidade em todas as coisas, a aparência e a realidade de um príncipe se deixaram dominar e enganar, permitindo que eu, que há quarenta anos estou na família, fosse humilhada pelo vício, pelo que há de mais vulgar e mais baixo.

A aversão de Françoise por Albertine decorria principalmente do fato de receber ordens de alguém que não fosse nós, de um aumento do trabalho de casa e de um cansaço que, alterando a saúde de nossa velha criada (que apesar disso não queria ser auxiliada no trabalho, não se julgando "uma pessoa sem serventia"), bastaria para explicar esse nervosismo, essa cólera odiosa. Decerto, ela gostaria que Albertine-Esther fosse banida. Era o voto de Françoise. E isto, consolando-a, já teria sossegado nossa velha criada. Mas, na minha opinião, não se tratava só disso. Um ódio dessa natureza só poderia ter nascido num corpo exausto. E, mais ainda que de cuidados, Françoise precisava de sono.

Enquanto Albertine ia mudar de roupa, eu, para providenciar o mais depressa possível, peguei o receptor do telefone, invoquei as divindades implacáveis, mas não fiz mais que excitar a sua fúria, que se traduziu por estas palavras: – Está ocupado. – De fato, Andrée estava conversando com alguém. Enquanto aguardava que ela terminasse a ligação, eu me perguntava por que motivo, já que tantos pintores buscam renovar os retratos femininos do século XVIII, em que a engenhosa encenação é um pretexto para as expressões da espera, do arrufo, do interesse e do devaneio, por que motivo nenhum dos nossos modernos Boucher ou Fragonard pintou, em vez de *La Lettre* ['A Carta'] ou o *Clavecin* ['Cravo'], etc., esta cena, que poderia chamar-se: *Diante do telefone,* e na qual nasceria espontaneamente nos lábios da ouvinte um sorriso tanto mais verdadeiro por saber que não era visto. Finalmente, Andrée me ouviu: – Você vem buscar Albertine amanhã? – e, ao pronunciar este nome de Albertine, pensava eu na inveja que me havia inspirado Swann quando me dissera, no dia da festa na casa da princesa de Guermantes: – Venha ver Odette – e eu ficara pensando no que, apesar de tudo, havia de forte num prenome que aos olhos de todos, e da própria Odette, somente na boca de Swann possuía aquele sentido absolutamente possessivo. E como semelhante embargo – resumido num vocábulo – sobre uma existência inteira me havia parecido, de cada vez que eu estava apaixonado, dever ser tão doce! Mas na realidade, quando se é possível dizê-lo, ou isto se tornou indiferente, ou então o hábito não embotou a ternura, mas ela mudou as doçuras em mágoas. A mentira é muito pouco, vivemos no meio dela não fazendo mais que sorrir, praticamo-la julgando não fazer mal a ninguém, mas o ciúme sofre por causa dela e enxerga mais do que ela oculta (muitas vezes a nossa amiga se recusa a passar a noite conosco e vai ao teatro simplesmente para que não lhe vejamos a fisionomia abatida), assim como freqüentes vezes se mostra cego ao que esconde a verdade. Mas o ciúme não pode obter coisa alguma, pois aquelas que juram não mentir recusariam, até o último instante, confessar o seu caráter. Sabia que somente eu podia dizer daquele modo "Albertine" a Andrée. E no entanto, para Albertine, para Andrée e para mim mesmo, eu sentia que não era nada. E compreendia a impossibilidade em que tropeça o amor. Imaginamos que ele tenha por objeto uma criatura que pode estar deitada diante de nós, fechada num corpo. Infelizmente ele é a extensão dessa criatura a todos os pontos do espaço e do tempo que ela ocupou e ocupará. Se não possuímos o seu contato com determinado lugar, com determinada hora, não a possuímos. Ora, não podemos tocar todos esses pontos. Ainda se nos fossem designados, talvez pudéssemos estender-nos até eles. Porém tateamos sem encontrá-los. Daí a desconfiança, o ciúme, as perseguições. Perdemos um tempo precioso a seguir uma pista absurda e passamos sem desconfiar ao lado da verdade.

Porém já uma das divindades irascíveis, de servas vertiginosamente ágeis, irritava-se não mais porque eu falava, mas porque não dizia nada. – Mas fale, está livre! Há tempos que está em comunicação; se não falar, desligo. – Mas ela não fez nada e, ao mesmo tempo que suscitava a presença de Andrée, envolveu-a, grande poeta que é sempre uma telefonista, da atmosfera peculiar à casa, ao bairro, à própria vida da amiga de Albertine. – É você? – disse Andrée, cuja voz era projetada até mim com uma velocidade instantânea pela deusa que tem o privilégio de tornar os sons mais rápidos que o relâmpago. – Escute – respondi – vá aonde quiser, menos à casa da Sra. Verdurin. É preciso a todo custo amanhã afastar Albertine de lá. – Mas é que justamente ela deve ir lá amanhã. – Ah!

Mas eu era obrigado a me interromper por um instante e fazer gestos ameaçadores, pois, se Françoise continuava – como se se tratasse de coisa tão desagradável como a vacina ou tão perigosa como o aeroplano – a não querer aprender a telefonar, o que, se nos teria aliviado das comunicações de que ela poderia ficar sabendo sem inconveniente, em compensação entrava imediatamente no meu quarto quando me dispunha a dar telefonemas bastante secretos para que fizesse questão de lhos ocultar. Por fim, quando ela saiu do quarto, não sem demorar-se apanhando vários objetos que ali estavam desde a véspera e onde poderiam ter permanecido uma hora a mais sem incomodar ninguém por nada neste mundo, e para recolocar uma acha de lenha no fogo, medida totalmente inútil devido ao calor abrasador que me davam a presença da intrusa e o medo de ter a ligação cortada: – Perdão – disse eu a Andrée –, fui atrapalhado. Tem certeza absoluta de que ela devia ir amanhã à casa dos Verdurin? – Absoluta, mas posso dizer a ela que isto o aborrece. – Não, pelo contrário, é possível que eu vá com vocês. – Ah! – fez Andrée com voz contrariada e como que surpresa pela minha audácia, que aliás não fez mais que se afirmar. – Então, deixo-a, e desculpe por tê-la incomodado por nada. – De modo algum – disse Andrée, e (como agora o uso do telefone se tornara comum, em torno dele desenvolvera-se o adorno de frases especiais, como antigamente ao redor dos "chás") acrescentou: – Tenho grande prazer em ouvir a sua voz.

Eu poderia dizer outro tanto, e mais verdadeiramente que Andrée, pois acabara de ficar infinitamente sensível à sua voz, não tendo até então reparado que era tão diferente das outras. Então, lembrei-me de outras vozes mais, sobretudo vozes de mulheres, umas vagarosas por causa da precisão de uma pergunta e devido à atenção do espírito; outras sufocadas, até mesmo interrompidas, pela onda lírica do que estão contando; lembrei-me, uma a uma, das vozes das moças que havia conhecido em Balbec, depois da de Gilberte, depois da de minha avó, depois da Sra. de Guermantes, achei-as todas dissemelhantes, moldadas numa linguagem particular a cada uma, tocando todas um instrumento diverso, e disse comigo que pífio concerto devem dar no Paraíso os três ou quatro anjos músicos dos velhos pintores, quando eu via elevar-se para Deus, às dezenas, às centenas, aos milhares, a harmoniosa e multissonora saudação de todas as Vozes. Não desliguei o telefone sem agradecer, com algumas palavras propiciatórias, àquela que reina sobre a velocidade dos sons, por ter querido usar em favor de minhas humildes palavras, de um poder que as tornava cem vezes mais rápidas que o trovão. Mas minhas ações de graça não tiveram como resposta senão o serem cortadas.

Quando Albertine voltou para o meu quarto, usava um vestido de cetim preto que contribuía para torná-la mais pálida, fazer dela a parisiense lívida, ardente, estiolada pela falta de ar, pela atmosfera das multidões e talvez pelo hábito do vício, e cujos olhos pareciam mais inquietos porque não os animava o rubor das faces. – Adivinhe – disse eu – a quem acabo de telefonar: a Andrée. – A Andrée?! – exclamou Albertine em tom estridente, surpreso, emocionado, que uma notícia tão simples não comportava. – Espero que ela pensou em lhe dizer que tínhamos encontrado a Sra. Verdurin outro dia. – A Sra. Verdurin? Não me lembro – respondi, parecendo estar pensando em outra coisa, a um tempo para mostrar-me indiferente a tal encontro e para não trair Andrée, que me dissera aonde Albertine iria no dia seguinte. Mas quem sabe se a própria Andrée não me trairia, se amanhã não contaria a Albertine que eu lhe pedira que evitasse, seja a que preço fosse, que ela comparecesse aos Verdurin, e se ela já não lhe revelara que várias vezes eu lhe tinha feito recomendações análogas? Ela me garantira jamais tê-las repetido, mas o valor dessa afirmação era contrabalançado em meu espírito pela impressão de que já não via mais no rosto de Albertine a confiança que durante tanto tempo ela tivera em mim.

No amor, o sofrimento cessa por instantes, mas para assumir um aspecto diverso. Choramos ao ver a mulher a quem amamos já não ter para conosco aqueles impulsos de simpatia, aqueles avanços amorosos do princípio; sofremos ainda mais ao ver que, não os tendo mais conosco, tenha-os com outros; depois somos distraídos desse sofrimento por um novo mal, mais atroz, a suspeita de que ela nos mentiu sobre a noite da véspera, onde ela sem dúvida nos traiu; tal suspeita igualmente se dissipa, a gentileza demonstrada por nossa amiga nos acalma; mas então uma frase esquecida nos volta ao espírito, disseram-nos que ela era ardente no gozo, e todavia sempre a conhecêramos tranqüila; tentamos imaginar o que teriam sido os seus frenesis com outros, percebemos o pouco que somos para ela, reparamos num ar de tédio, de nostalgia, de tristeza, enquanto falamos, reparamos, como se fossem um céu negro, nos vestidos descuidados que ela põe quando está conosco, guardando para os outros aqueles com que procurava a princípio deslumbrar-nos. Se, ao contrário, ela é carinhosa, que alegria por um instante! Mas, vendo essa lingüinha esticada como para um chamado dos olhos, pensamos naquelas a quem tantas vezes era dirigido esse chamado, que, mesmo talvez junto a mim, sem que Albertine pensasse nelas, tinha persistido como um sinal maquinal, por causa de um longo hábito. Depois, retorna a sensação de que a aborrecemos. Mas, subitamente, tal sofrimento se reduz a bem pouco ao pensarmos nos maus procedimentos desconhecidos de sua vida, nos lugares, impossíveis de conhecer, em que ela esteve, aonde vai ainda nas horas em que não estamos a seu lado, se mesmo ela não tenciona viver definitivamente nesses lugares, lugares em que está longe de nós, não é nossa, e sente-se mais feliz do que conosco. Tais são as eventualidades do ciúme.

O ciúme é também um demônio que não pode ser exorcizado, e sempre reaparece, encarnado sob uma nova forma. Mesmo que chegássemos a exterminar todas elas, a guardar perpetuamente aquela a quem amamos, o Espírito do Mal tomaria então uma outra forma, ainda mais patética, o desespero de não ter obtido a fidelidade senão pela força, o desespero de não ser amado.

Entre Albertine e mim havia muitas vezes o obstáculo de um silêncio feito sem dúvida de agravos que ela calava, pois julgava-os irreparáveis. Por mais terna que se mostrasse em certas noites, Albertine já não possuía aqueles movimentos espontâneos que eu lhe conhecera em Balbec quando ela me dizia: – Mas como você é gentil! – e o fundo do seu coração parecia vir até mim sem a reserva de nenhum desses agravos que ela tinha agora, e que calava, pois sem dúvida julgava-os irreparáveis, impossíveis de esquecer, inconfessados, mas que, nem por isso deixavam de erguer entre nós a significativa prudência de suas palavras ou o intervalo de um silêncio intransponível.

– E pode-se saber por que telefonou a Andrée? – Para perguntar se não ficaria contrariada se eu me juntasse a vocês amanhã e, assim, fazer aos Verdurin a visita que lhes prometo desde a Raspelière. – Como quiser. Mas previno-o de que há um terrível nevoeiro esta noite e que certamente haverá outro amanhã. Digo isto porque não gostaria que você passasse mal. Sabe muito bem que, por mim, prefiro que venha conosco. Aliás – acrescentou com ar preocupado – não sei absolutamente se irei à casa dos Verdurin. Fizeram-me tantas gentilezas que, no fundo, eu deveria ir. Depois de você, foram as pessoas que me trataram melhor, mas há umas coisinhas que me desagradam na casa deles. É absolutamente necessário que eu vá ao *Bon Marché* ou aos *Trois Quartiers* para comprar um lenço branco para o pescoço, pois este vestido é escuro demais.

Deixar Albertine ir sozinha a uma grande loja percorrida por tantas pessoas em quem a gente se esfrega, dotada de tantas saídas que se pode alegar que não se encontrou o carro, que esperava um pouco além, era coisa que eu estava resolvido a não consentir, mas sobretudo sentia-me infeliz. E no entanto, não percebia que de há muito deveria ter cessado de ver Albertine, pois para mim, ela havia entrado naquele período lamentável em que uma criatura, disseminada no espaço e no tempo, já não é para nós uma mulher, mas uma série de eventos sobre os quais não podemos fazer luz, uma série de problemas insolúveis, um mar que ridiculamente procuramos, como Xerxes, chicotear para puni-lo pelo que engoliu. Uma vez principiado esse período, estamos forçosamente derrotados. Felizes aqueles que o compreendem logo para não prolongar uma batalha inútil, exaustiva, cercada de todas as partes pelos limites da imaginação e onde o ciúme se debate tão vergonhosamente que o mesmo homem que outrora, se os olhares da que estava sempre a seu lado se dirigiam para um outro, imaginava uma intriga e experimentava tantos tormentos, resigna-se depois a deixá-la sair sozinha, às vezes com aquele que sabe ser seu amante, preferindo, ao que não pode conhecer, essa tortura ao menos conhecida! É uma questão de ritmo a adotar e que é seguido por hábito. Nervosos que não poderiam faltar a um jantar e que bem depois fazem curas de repouso nunca suficientemente longas; mulheres, ainda recentemente levianas, vivem na penitência; ciumentos que, para espionar a mulher amada, privam-se do sono, do repouso, sentindo que os desejos dela, o mundo tão vasto e tão secreto, e o tempo são mais fortes que eles, deixam-na sair sem a sua companhia, e depois viajar, e depois se separam. Assim, o ciúme acaba por falta do que alimentar-se e só durou tanto devido a tê-los reclamado sem parar. Eu estava bem longe desse estado.

É claro que o tempo de Albertine me pertencia em quantidades superiores que em Balbec. Agora eu era livre para passear com ela quantas vezes quisesse. Como não demorara que se construíssem campos de aviação ao redor de Paris, e que são para os aeroplanos o que os portos representam para os navios, e como, desde o dia em que, perto da Raspelière, o encontro quase mitológico com um aviador, cujo vôo fizera encabritar o meu cavalo, tinha sido para mim como uma imagem da liberdade, eu gostava muitas vezes que, ao entardecer, o fim das nossas jornadas – aliás agradável a Albertine, apaixonada por todos os esportes – fosse um desses aeródromos. Íamos para lá, atraídos ambos por essa vida incessante de partidas e chegadas que conferem tanto encanto aos passeios pelo cais ou apenas pela praia para aqueles que apreciam o mar, e às andanças em torno de um centro de aviação, para os que gostam do céu. A todo instante, por entre o descanso dos aparelhos inertes e como que ancorados, víamos um deles sendo tirado penosamente por vários mecânicos, como é arrastado sobre a areia um barco pedido por um turista que deseja dar um passeio no mar. Depois o motor era posto em funcionamento, o aparelho corria, tomava impulso e por fim, de repente, em ângulo reto, elevava-se lentamente no êxtase rígido, como que imobilizado, de uma velocidade horizontal súbito transformada em majestosa ascensão vertical. Albertine não podia conter o júbilo e pedia explicações aos mecânicos que regressavam, agora que o aparelho se pusera a voar. Entretanto, o passageiro não tardava a transpor quilômetros, e o grande esquife sobre o qual não cessávamos de fixar os olhos não era mais no azul do que um ponto quase indistinto, o qual, aliás, ia retomando aos poucos a sua materialidade, sua grandeza, seu volume, quando, aproximando-se do fim o tempo do passeio, chegava o momento de voltar a seu porto. Albertine e eu olhávamos com inveja, no instante em que saltava em terra, o passeante que desse modo fora desfrutar ao largo, naqueles horizontes solitários, o sossego e a limpidez da tarde. Depois, fosse do aeródromo, fosse de algum museu ou igreja que tivéssemos ido visitar, voltávamos juntos para a hora do jantar. E todavia eu não regressava calmo, como me sentia em Balbec, depois dos passeios mais raros de que me orgulhava durassem toda uma tarde, e que contemplava a seguir, destacando-se em belos maciços de flores sobre o resto da vida de Albertine como sobre um céu vazio diante do qual a gente sonha suavemente, sem pensar. O tempo de Albertine, por essa época, não me pertencia em quantidades tão amplas como hoje. No entanto, parecia-me então muito mais meu, porque eu só levava em consideração – o meu amor regozijando-se como se fosse uma dádiva – as horas que ela passava comigo; agora – o meu ciúme procurando nelas, com inquietude, a possibilidade de uma traição –, eu só levava em conta as horas que ela passava sem mim. Ora, amanhã ela iria desejar que houvesse tais horas. Seria preciso escolher entre cessar de sofrer e deixar de amar. Pois, assim como no princípio é formado pelo desejo, o amor, depois, só é mantido pela ansiedade dolorosa. Sentia que uma parte da vida de Albertine me escapava. O amor, tanto na ansiedade dolorosa como no desejo feliz, é a exigência de um todo. Ele só nasce, só subsiste se resta uma parte a conquistar. Só se ama aquilo que não se possui completamente. Albertine mentia ao dizer que certamente não iria visitar os Verdurin, como eu mentia ao dizer que desejava ir à casa deles. Ela procurava somente impedir-me de sair em sua companhia, e eu, devido ao brusco anúncio desse projeto, que de modo algum contava pôr em execução, queria ferir nela o ponto que adivinhava ser o mais sensível, atacar o desejo que ela ocultava e forçá-la a confessar que minha presença junto dela amanhã, a impediria de satisfazê-la. Em suma, ela o fizera ao deixar bruscamente de querer ir à casa dos Verdurin.

– Se você não quer ir visitar os Verdurin – disse eu –, há no Trocadero uma representação magnífica de caráter beneficente. – Ela ouvia a minha sugestão com ar dolente. Voltei a ser duro com ela, como em Balbec, nos tempos do meu primeiro ciúme. Seu rosto refletia uma decepção e empreguei para censurar a minha amiga os mesmos motivos que tantas vezes me haviam sido dados por meus pais quando eu era criança e que me tinham parecido desinteligentes e cruéis à minha infância incompreendida. – Não, apesar do seu ar triste – dizia eu a Albertine – não posso lamentá-la; lamentaria se você estivesse enferma, se lhe houvesse acontecido uma desgraça, se tivesse perdido uma parente; o que talvez não lhe desse nenhum pesar, devido ao desperdício de falsa sensibilidade que você faz por um nada. Além disso, não aprecio a sensibilidade de pessoas que tanto pretendem nos amar, sem serem capazes de nos prestar o menor serviço e cujo pensamento, ao se voltar para nós, as deixa tão distraídas que se esquecem de levar a carta que lhes confiamos e da qual depende o nosso futuro.

Tais palavras, pois uma grande parte do que dizemos não passa de um recitativo, eu as ouvira pronunciar todas por minha mãe, a qual (explicando-me de bom grado que não convinha confundir a verdadeira sensibilidade, o que, dizia ela, os alemães, cujo idioma admirava bastante, apesar do horror de meu pai por aquele país, denominavam *Empfindung*, com o sentimentalismo, *Empfindelei*) chegara certa vez a ponto de dizer, quando eu estava chorando, que Nero talvez fosse nervoso e não era melhor por causa disso. Na verdade, como essas plantas que se desdobram ao crescer, havia agora, diante da criança sensitiva que eu exclusivamente fora, um homem completamente diverso, cheio de bom senso, severo para com a sensibilidade doentia dos outros, um homem parecido com o que meus pais tinham sido para mim. Sem dúvida, visto que cada um deve fazer continuar em si a vida dos seus, o homem ponderado e zombeteiro, inexistente em mim no começo, juntara-se ao sensível, e era natural que eu por minha vez fosse igual ao que meus pais tinham sido. Ademais, no momento em que este novo eu se formava, encontrava a sua linguagem já pronta na lembrança da outra, irônica e rabugenta, que empregaram comigo e que eu agora usava com os outros, e saía muito naturalmente da minha boca, seja porque a evocasse por mimetismo e associação de lembranças, seja também porque as delicadas e misteriosas incrustações do poder genésico tivessem desenhado em mim, sem que o soubesse, como sobre a folha de uma planta, as mesmas entonações, os mesmos gestos, as mesmas atitudes que tinham tido aqueles de quem me originara. Pois, às vezes, bancando o homem prudente quando falava a Albertine, parecia estar ouvindo minha avó. De resto, não sucedera a minha mãe (de tantas obscuras correntes inconscientes infletirem em mim, até aos menores movimentos dos meus dedos para arrastá-los nos mesmos ciclos que meus pais) acreditar que se tratava de meu pai entrando, de tal modo eu tinha a mesma forma de bater que ele? Por outro lado, o acoplamento de elementos contrários é a lei da vida, o princípio da fecundação e, conforme veremos, a causa de muitas infelicidades. De hábito, detestamos o que nos é semelhante, e nossos próprios defeitos vistos de fora nos exasperam. Ainda mais quando alguém, que passou da idade em que os expressamos ingenuamente e que, por exemplo, assume um ar glacial nos momentos mais ardentes, execra os mesmos defeitos se se trata de outro, mais jovem ou mais ingênuo, ou mais bobo, que os exprime! Há pessoas sensíveis para quem a visão, nos olhos alheios, de lágrimas que eles próprios contêm, é exasperadora. É a máxima semelhança que faz com que, apesar da afeição, e às vezes quanto maior é a afeição, reine a divisão nas famílias. Talvez em mim, e em muitos, o segundo homem em que eu me tornara era simplesmente uma face do primeiro, exaltado e sensível ao lado de si mesmo, sábio Mentor para os outros. Talvez o mesmo ocorresse com meus pais, conforme fossem considerados em relação a mim ou em si mesmos. E, quanto a minha avó e minha mãe, era bastante visível que a severidade delas comigo era proposital e até mesmo lhes custava, mas talvez até no meu pai não seria a frieza apenas um aspecto exterior de sua sensibilidade? Pois não era talvez a verdade humana desse duplo aspecto,

aspecto da vida interior e aspecto da vida das relações sociais, o que se expressava nestas palavras que outrora me pareciam tão falsas em seu sentido quanto plenas de banalidade em sua forma, quando se dizia, falando de meu pai: – Sob sua frieza glacial, esconde uma sensibilidade extraordinária; o que ele possui, acima de tudo, é o pudor de sua sensibilidade. – No fundo, não ocultava incessantes e secretas tempestades, aquela calma semeada, se preciso, de reflexões sentenciosas, de ironia pelas manifestações desastradas da sensibilidade, calma que era a sua, mas que agora também eu afetava diante de todos e de que não me afastava, em certas circunstâncias, diante de Albertine?

Creio que, naquele dia, eu verdadeiramente ia decidir a nossa separação e seguir para Veneza. O que me prendeu de novo à minha ligação disse respeito à Normandia, não que Albertine manifestasse alguma intenção de viajar àquela região, onde eu tinha tido ciúmes dela (pois, por sorte, os seus projetos nunca tocavam nos pontos dolorosos das minhas recordações), mas porque, tendo-lhe dito: – É como se eu lhe falasse da amiga de sua tia que mora em Infreville –, ela respondera, encolerizada, feliz como toda pessoa que discute e que deseja para si o maior número possível de argumentos, para mostrar que eu estava errado e ela certa: – Mas minha tia jamais conheceu alguém em Infreville, e eu mesma nunca estive lá. – Havia esquecido a mentira que me dissera uma noite acerca da dama suscetível em cuja casa era de todo necessário que fosse tomar chá, ainda que, indo visitar essa dama, corresse o risco de perder minha amizade e ter de se matar. Não lhe recordei a mentira. Mas fiquei acabrunhado. E adiei o rompimento para outra ocasião. Não é necessária a sinceridade, e nem mesmo a destreza na mentira, para ser amado. Aqui, chamo de amor uma tortura recíproca. Nessa noite, eu não achava de modo algum repreensível falar-lhe como minha avó, tão perfeita, fizera comigo, nem, para lhe dizer que a acompanharia à casa dos Verdurin, ter adotado a maneira brusca de meu pai, o qual jamais nos comunicava uma decisão a não ser do jeito que nos pudesse causar o máximo de uma agitação desproporcionada, nesse grau, à própria decisão. De modo que estava coberto de razão quando nos achava absurdos de mostrarmos tanta angústia por tão pequena coisa, angústia que de fato correspondia à comoção que nos causara. E como (da mesma forma que o bom senso inflexível de minha avó) essas veleidades arbitrárias de meu pai viessem completar em mim a natureza sensível a que tinham permanecido por tanto tempo alheias, e a qual durante toda a minha infância fizeram sofrer tanto, essa natureza sensível informava-se bem exatamente sobre os pontos que deviam visar com eficácia: não existe melhor delator que um antigo ladrão, ou do que um súdito da nação que se guerreia. Em certas famílias mentirosas, um irmão que vem visitar outro irmão sem motivo aparente e lhe pede casualmente, à porta da rua, ao sair, uma informação que nem sequer parece ouvir, por isso mesmo dá a entender ao irmão que tal informação era a finalidade de sua visita, pois o irmão bem conhece aquele ar desligado, aquelas palavras ditas como que entre parênteses no último minuto, pois ele próprio as empregou várias vezes. Ora, existem igualmente famílias patológicas, sensibilidades aparentadas, temperamentos fraternos, iniciados nesse tácito idioma que faz com que em família as pessoas se compreendam sem falar. Assim, quem mais que um nervoso pode ser enervante? E além do mais, talvez houvesse na minha conduta, nesses casos, uma causa mais geral, mais profunda. É que, nesses momentos breves, porém inevitáveis, quando se detesta a quem se ama – esses momentos que duram às vezes toda a vida com as pessoas de quem não se gosta –, não desejamos parecer bons, para que não tenham pena de nós; queremos ao mesmo tempo ser malvados e cruéis o mais possível para que nossa felicidade seja verdadeiramente odiosa e ulcere a alma do nosso inimigo ocasional ou duradouro. Diante de quantas pessoas não fui eu mentirosamente caluniado, apenas para que meus "êxitos" lhes parecessem imorais e os encarniçassem ainda mais contra mim! Seria preciso seguir o caminho inverso, mostrar sem orgulho que temos bons sentimentos, em vez de os esconder tanto. O que seria fácil se soubéssemos jamais odiar, amar sempre. Pois então seríamos tão felizes por só dizer as coisas que podem dar alegria aos outros, enternecê-los, fazer com que nos amem!

Decerto eu sentia um pouco de remorso por ser tão irritante para com Albertine, e dizia comigo: "Se não a amasse, ela me teria maior reconhecimento, pois eu não seria ruim com ela; mas não, isto se compensaria, pois eu também seria menos amável." E, para me justificar, poderia lhe dizer que a amava. Mas a confissão desse amor, além de não trazer novidade alguma a Albertine, talvez a deixasse mais fria a meu respeito do que as durezas e ardis de que justamente o amor era a única desculpa. É tão natural ser duro e ardiloso com quem se ama! Se o interesse que demonstramos aos outros não nos impede de sermos doces com eles e complacentes com aquilo que desejam, é que esse interesse é uma mentira. O próximo nos é indiferente, e a indiferença não convida à maldade.

A noite passava; antes que Albertine fosse deitar-se, não havia tempo a perder se quiséssemos fazer as pazes e recomeçar com os beijos. Nenhum de nós ainda tomara a iniciativa.

Sentindo que ela estava realmente zangada, aproveitei para lhe falar de Esther Lévy. – Bloch me disse (o que não era verdade) que você conhecera muito bem a sua prima Esther. – Eu nem sequer a reconheceria – disse Albertine com ar vago. – Vi a fotografia dela – acrescentei furioso. Ao dizer isto, não encarava Albertine, de modo que não vi sua expressão, que teria sido a única resposta, pois ela não disse nada.

Já não era o sossego do beijo de minha mãe em Combray o que eu sentia junto de Albertine nessas noites, mas, ao contrário, a angústia daqueles dias em que minha mãe mal me dava boa-noite, ou até nem subia para o meu quarto, ou porque estivesse zangada comigo ou porque a retivessem os convidados. Essa angústia, não a sua transposição para o amor, não, essa própria angústia, que por algum tempo se especializara no amor, que se destinara unicamente a ele, depois de operada a partilha, a divisão das paixões, agora parecia de novo estender-se a todas, tornada outra vez indivisa, assim como na minha infância, como se todos os meus sentimentos, que estremeciam à idéia de não poder conservar Albertine junto ao meu leito, a um tempo como amante, como irmã, como filha, como mãe igualmente, de cujo boa-noite cotidiano eu recomeçava a sentir a necessidade pueril, tivessem começado a reunir-se, a se unificar na noite prematura da minha vida, que parecia dever ser tão breve como um dia de inverno. Mas, se eu experimentava a angústia de minha infância, a mudança da criatura que me fazia senti-la, a diferença de sentimento que ela me inspirava, a própria transformação do meu caráter, tornavam impossível reclamar-lhe o alívio como outrora à minha mãe. Eu já não sabia dizer: "Estou triste." Com a morte na alma, limitava-se a falar de coisas indiferentes que não me adiantavam em nada para uma solução feliz. Repisava em dolorosas banalidades. E com aquele egoísmo intelectual que, por menos que uma verdade insignificante se refira ao nosso amor, nos faz ter em grande conta aquele que a encontrou, talvez tão casualmente como a cartomante que nos anunciou um fato banal mas que desde então se cumpriu, eu não estava muito longe de acreditar Françoise superior a Bergotte e a Elstir, porque me dissera em Balbec: – Essa moça lhe dará desgostos.

Cada minuto me aproximava do boa-noite de Albertine, que por fim ela me dava. Mas naquela noite o seu beijo, de onde ela própria estava ausente e que não me encontrava, fazia-me tão ansioso que, o coração palpitante, eu a contemplava ir até a porta, pensando: "Se quero achar um pretexto para chamá-la, retê-la, fazer as pazes, preciso apressar-me, ela só precisa de mais alguns passos para sair do quarto, mais dois, mais um, ela gira a maçaneta, abre, é tarde, já fechou a porta." Talvez não fosse tarde demais, apesar de tudo. Como antigamente em Combray, quando minha mãe me havia deixado sem me sossegar com seu beijo, eu queria lançar-me no encalço de Albertine, sentia que não teria sossego enquanto não a visse de novo, que o fato de revê-la iria tornar-se algo imenso como ainda não ocorrera até ali, e que, se não conseguisse me livrar sozinho dessa tristeza, talvez adquirisse o hábito vergonhoso de ir mendigar aos pés de Albertine; saltei da cama quando ela já estava em seu quarto, andava para cá e para lá no corredor, esperando que ela saísse e me chamasse; permanecia imóvel diante de sua porta, para não me arriscar a não ouvir um débil chamado, entrava por um instante em meu quarto para ver se minha amiga por felicidade não tinha esquecido um lenço, uma bolsa, alguma coisa que eu pudesse fingir recear que lhe fizesse falta e que me desse o pretexto de ir a seu quarto. Não, nada. Voltava a postar-me diante de sua porta. Mas na frincha desta já não havia luz, Albertine já a apagara, estava deitada, eu ficava lá, imóvel, esperando não sei que oportunidade que não vinha; e muito tempo depois, gelado, tornava a me deitar sob os cobertores e chorava a noite inteira.

Assim, às vezes, em certas noites, recorri a um ardil que me proporcionava o beijo de Albertine. Sabendo o quanto era rápido o seu adormecimento logo que se estendia na cama (ela também o sabia, pois instintivamente, quando se deitava, descalçava as sandálias que eu lhe dera, e o anel, que punha a seu lado, como fazia em seu quarto ao se acomodar), sabendo o quanto era profundo o seu sono e carinhoso o seu despertar, agarrava-me a um pretexto para ir buscar alguma coisa, fazia-a estender-se em minha cama. Quando voltava, ela adormecera, e eu via diante de mim aquela outra mulher em que se transformava quando estava inteiramente de frente. Mas ela mudava depressa de personalidade, pois eu me estendia a seu lado e a reencontrava de perfil. Podia pôr a minha mão na sua, nos seus ombros, no seu rosto, que Albertine continuava a dormir. Podia segurar sua cabeça, virá-la, encostá-la nos meus lábios, rodear meu pescoço com seus braços, e ela continuava a dormir como um relógio de bolso que não pára, como um bicho que continua vivendo qualquer que seja a posição que lhe dêem, como uma trepadeira, uma ipoméia que continua a estender seus ramos, seja qual for o arrimo de que disponha. Apenas o seu arfar se modificava a cada um dos meus contatos, como se ele fosse um instrumento que eu tocasse e ao qual fizesse executar modulações, tirando notas diferentes de uma, depois de outra de suas cordas. Meu ciúme se acalmava, pois sentia que Albertine transformada num ser que respira, que não é outra coisa, como o indicava o sopro regular pelo qual se exprime essa pura função fisiológica, a qual, inteiramente fluida, não possui a espessura da palavra nem do silêncio e, em sua ignorância de todo mal, ofego extraído antes de um caniço oco que de um ser humano, realmente paradisíaco para mim, que naqueles momentos sentia Albertine subtraída de tudo, não só material mas moralmente, era o puro cântico dos anjos. E no entretanto, por aquele hálito eu de súbito considerava que talvez muitos nomes humanos, trazidos pela memória, deveriam passar.

Às vezes, até a voz humana se acrescentava a essa música. Albertine pronunciava algumas palavras. Como desejaria obter-lhes o sentido! Acontecia que o nome de uma pessoa de quem tínhamos falado e que excitava o meu ciúme, subia-lhe aos lábios, mas sem me fazer infeliz, pois a recordação que trazia parecia ser apenas a das conversas que ela tivera comigo sobre o assunto. Entretanto, certa noite, de olhos fechados, meio que acordada, disse carinhosamente dirigindo-se a mim: "Andrée." Dissimulei minha emoção. – Estás sonhando, não sou Andrée – retruquei rindo. Ela também sorriu: – Não, eu queria te perguntar o que te disse Andrée há pouco. – Pensei que já tinhas deitado assim junto dela. – Não, nunca – disse Albertine. Unicamente, antes de responder isto, escondera por um instante o rosto nas mãos. Logo, seus silêncios eram apenas véus, seus carinhos superficiais no fundo somente retinham milhares de lembranças que teriam me dilacerado – sua vida, portanto, era repleta desses fatos cuja narrativa trocista e cuja crônica risonha constituem nossos mexericos diários a respeito dos outros, dos indiferentes, mas que, enquanto uma criatura permanece extraviada em nosso coração, nos parecem um esclarecimento tão precioso de sua vida que, para conhecer esse mundo subjacente, daríamos de bom grado a nossa. Então o seu sono me surgia como um mundo maravilhoso e mágico, onde por instantes se eleva, do fundo do elemento apenas translúcido, a confissão de um segredo que não se compreenderá. Mas em geral, quando Albertine dormia, parecia-me que reencontrava sua inocência. Na atitude que eu lhe atribuíra mas que em seu sono ela depressa tornava sua, dava a impressão de confiar-se a mim. Sua fisionomia perdera toda e qualquer expressão de manha ou de vulgaridade, e entre ela e mim, para quem erguia o braço, sobre quem descansava a mão, parecia haver um abandono completo, um elo indissolúvel. Aliás, o seu sono não a separava de mim, deixando subsistir nela a noção de nossa ternura, tendo antes por efeito abolido o resto; eu a beijava, dizia que ia dar alguns passos lá fora, ela entreabria os olhos e me dizia, com ar espantado – e de fato já era noite: – Mas aonde vais desse jeito, meu querido? – e, chamando-me pelo meu prenome, logo voltava a adormecer. Seu sono era apenas uma espécie de apagamento do resto da vida, um silêncio uniforme onde, de vez em quando, erguiam vôo palavras familiares de carinho. Aproximando-as umas das outras, teria sido possível compor a conversação sem mistura, a secreta intimidade de um amor puro. Este sono tão calmo encantava-me como encanta à mãe, que o considera uma qualidade, o bom sono de seu filho. E com efeito o sono de Albertine era o de uma criança. Outrossim o seu despertar, e é tão natural, tão carinhoso, antes mesmo que ela se desse conta de onde estava, que às vezes eu me perguntava, com terror, se ela tivera o hábito, antes de viver comigo, de não dormir sozinha e de encontrar alguém a seu lado ao abrir os olhos. Mas sua graça infantil era mais forte. Tal uma mãe, ainda maravilha-me que sempre acordasse de bom humor. Ao cabo de alguns instantes, ela readquiria a consciência, dizia palavras encantadoras, sem relação umas com as outras, um pipilar apenas. Por uma espécie de contradança, o seu pescoço, habitualmente pouco notado, e agora quase belo demais, tomara a importância enorme que seus olhos fechados pelo sono haviam perdido, seus olhos, meus habituais interlocutores e aos quais já não podia me dirigir desde o cerrar das pálpebras. Da mesma forma que os olhos fechados conferem uma beleza inocente e grave ao rosto, suprimindo tudo o que os olhares expressam demais, nas palavras, não sem sentido, mas entrecortadas de silêncio, que Albertine pronunciava ao despertar, havia uma beleza pura que não é a todo instante manchada, como o é a conversação, de hábitos verbais, de lengalengas, de vestígios de defeitos. Além disso, quando me decidia a acordar Albertine, podia fazê-lo sem medo, pois sabia que seu despertar não estaria de modo algum relacionado com a noite que acabáramos de passar, mas sairia do seu sono como da noite sai a manhã. Logo que ela entreabria os olhos sorrindo, estendia-me os lábios e, antes que dissesse alguma coisa, eu já lhe saboreara o frescor, calmante como o de um jardim ainda silencioso antes do despontar do dia.

No dia seguinte àquela noite em que Albertine me dissera que talvez fosse à casa dos Verdurin, e depois que não iria, eu acordei cedo e, ainda meio adormecido, minha alegria informou-me que era, interpolado no inverno, um dia de primavera. Lá fora, temas populares finamente escritos por instrumentos variados, desde a buzina do consertador de porcelana, ou a corneta do empalhador de cadeiras, até a flauta do cabreiro que parecia num dia lindo ser um pastor da Sicília, orquestravam de leve o ar matinal numa "Abertura para um dia de festa". A audição, este sentido delicioso, traz até nós a companhia da rua, da qual retraça todas as linhas, desenha todas as formas que passam, mostrando-nos o seu colorido. As cortinas de ferro da padaria, da leiteria, que haviam abaixado a noite anterior sobre todas as possibilidades de ventura feminina, erguiam-se agora como as leves polés de um navio que aparelha e vai zarpar, cruzando o mar transparente, sobre um sonho de jovens empregadas. Este rumor da cortina de ferro que está sendo erguida talvez fosse o meu único prazer num bairro diferente. Neste meu, cem outros formavam a minha alegria, e nem um só eu quisera perder dormindo até mais tarde. O encanto dos velhos bairros aristocráticos é serem igualmente populares. Como às vezes os tiveram as catedrais, não longe das portadas (às quais ocorreu mesmo conservarem-lhes o nome, como o da catedral de Ruão, chamada dos "Livreiros", porque junto a ela expunham estes a sua mercadoria ao ar livre), diversos pequenos ofícios, mas ambulantes, passavam diante do nobre palacete de Guermantes, e por vezes faziam pensar na França eclesiástica de outrora. Pois o apelo que lançavam às pequenas residências vizinhas nada possuía com raras exceções, de uma canção. Diferia dela tanto quanto da declamação – mal colorida por variações insensíveis – de *Boris Godunov* e de *Pélleas*; mas, por outro lado, lembrava o salmodiar de um padre no decurso dos ofícios, dos quais estas cenas de rua são apenas a contrapartida ingênua, forânea, todavia meio litúrgica. Eu jamais sentira tanto prazer com elas desde que Albertine morava comigo; parecia-me um alegre sinal de seu despertar e, interessando-me pela vida lá fora, faziam-me sentir melhor a virtude calmante de uma presença querida, tão constante como a desejava. Certos alimentos gritados na rua, e que eu pessoalmente achava detestáveis, eram muito do gosto de Albertine, de modo que Françoise os mandava comprar pelo seu jovem lacaio, que talvez se sentisse humilhado por se ver confundido na multidão plebéia. Naquele bairro tão tranqüilo (em que os rumores já não eram um motivo de tristeza para Françoise e haviam se tornado a razão de doçura para mim) chegavam-me, cada qual com sua modulação diversa, os recitativos declamados por aquelas pessoas do povo, como o seriam na música, tão popular, de *Boris*, onde uma entonação inicial quase não se altera pela inflexão de uma nota que sobre outra se debruça, música da multidão que antes é uma linguagem do que uma música. Era: "Olha o marisco, olha o marisco por dez tostões!", atraindo a freguesia para os cestos onde eram vendidas essas horríveis conchinhas que, não fosse Albertine, teriam me causado repugnância, assim como os caramujos que eu ouvia serem vendidos à mesma hora. Aqui, ainda era na declamação apenas lírica de Mussorgsky que fazia pensar o vendedor, mas não somente nela. Pois, após ter quase "falado": "Os caramujos estão fresquinhos, estão bonitos", era com a tristeza e a vaguidão de Maeterlinck, musicalmente transpostas por Debussy, que o vendedor de caramujos, num desses dolorosos finais com que o autor de *Pélleas* se parece com Rameau ("Se devo ser vencida, serás tu o meu vencedor?"), acrescentava com sua melancolia cantante: "A trinta tostões a dúzia..."

Sempre me foi difícil compreender porque aquelas palavras tão claras eram suspiradas num tom tão pouco adequado, misterioso, como o segredo que faz com que todos tenham a fisionomia triste no velho palácio a que Mélisande não conseguiu levar a alegria, e profundo como um pensamento do velho Arkel, que busca proferir em palavras muito simples toda a sabedoria e o destino. As próprias notas em que se eleva com doçura crescente a voz do velho rei de Allemonde, ou a de Golaud, para dizer: "Não se sabe o que acontece aqui. Isto pode parecer estranho. Talvez não existam ocorrências inúteis", ou então: "Não precisas te assustar... Era uma pobre criaturinha misteriosa, como todo mundo", eram as que serviam ao vendedor de caramujos para repetir, numa cantilena indefinida: "A trinta tostões a dúzia..." Porém essa lamentação metafísica não tinha tempo de expirar à beira do infinito; era interrompida por uma forte trombeta. Desta vez não se tratava de comidas, as palavras do libreto eram: "Tosamos cachorros, cortamos gatos, as caudas e as orelhas."

Certo, a fantasia e o espírito de cada vendedor ou vendedora introduziam, com freqüência, variantes nas frases de todas essas músicas que eu ouvia da cama. Entretanto, uma parada ritual, pondo um silêncio em meio a uma frase, sobretudo quando era repetida duas vezes, evocava constantemente a lembrança de velhas igrejas. Em seu pequeno carro, conduzido por uma burrinha que ele fazia parar diante de todas as casas para entrar nos pátios, o vendedor de roupa, segurando um chicote, salmodiava: "Roupas, vendem-se roupas, rou... pas" com a mesma pausa, entre as duas sílabas de "roupas", com que teria entoado em cantochão: *"Per omnia saecula saeculo... rum"* ou: *"Requiescat in pa... ce*", embora não acreditasse na eternidade de suas roupas e nem tampouco as oferecesse como sudário para o supremo repouso na paz. E da mesma forma, como os motivos principiavam a cruzar-se desde aquela hora matinal, uma vendedora de hortaliças, empurrando o seu carrinho, usava para a sua ladainha a divisão gregoriana:

As hortaliças, as hortaliças
Alcachofras macias e bonitas
Alca-chofras

embora ela fosse provavelmente ignorante do antifonário e dos sete tons que simbolizam, quatro as ciências do quadrívio e três as do trívio.

Tirando de uma flautinha, de uma gaita de foles, as melodias de sua região meridional, cuja luz combinava bem com os dias claros, um homem de blusa, tendo à mão um vergalho e na cabeça uma boina basca, parava diante das casas. Era o cabreiro com dois cães e, à sua frente, o rebanho de cabras. Como vinha de longe, passava bem tarde no nosso bairro; e as mulheres acorriam com uma tigela para recolher o leite que devia fortalecer os seus filhinhos. Mas às melodias pirenaicas daquele pastor benfazejo misturava-se já a campainha do amolador, que gritava: "Facas, tesouras, navalhas." Com ele não podia lutar o amolador de serrotes, pois, destituído de instrumento, contentava-se em chamar: "Quem tem serrotes para amolar? Olha o amolador!", ao passo que, mais alegre, o funileiro, depois de ter enumerado os caldeirões, as caçarolas, tudo quanto ele soldava, entoava o refrão:

Tão, tão, tão
Conserto até o chão
Ponho fundo em tudo
E tapo buracos
Raco, raco, raco!;

e italianinhos, carregando grandes caixas de ferro pintadas de vermelho, onde estavam marcados os números – perdedores e ganhadores –, e tocando matraca, convidavam: "Venham, venham, minhas senhoras, eis a grande diversão."

Françoise me trouxe o *Figaro*. Bastou um só olhar para ver que o meu artigo ainda não fora publicado. Ela me disse que Albertine indagava se podia vir ao meu quarto e me mandava dizer que, em todo caso, desistira de fazer uma visita aos Verdurin e esperava ir, como eu lhe aconselhara, à vesperal "extraordinária" do Trocadero (o que hoje chamaríamos, para coisa muito menos importante, uma vesperal de gala) depois de um passeiozinho a cavalo que faria com Andrée. Agora que eu sabia que ela renunciara a seu desejo, talvez perverso, de ir visitar a Sra. Verdurin, respondi rindo: – Que venha! – e disse para mim mesmo que ela podia ir aonde bem quisesse, pois para mim seria indiferente. Sabia que, no fim da tarde, quando chegasse o crepúsculo, eu sem dúvida seria um outro homem, triste, dando às menores idas e vindas de Albertine uma importância que elas não tinham naquela hora matinal, e quando o dia era tão lindo. Pois a minha despreocupação era seguida pela noção bem clara de sua causa, mas sem ser alterada por ela. – Françoise me assegurou que você estava acordado e que eu não incomodaria – disse Albertine entrando. E, como aquele de me causar frio abrindo a janela num momento mal escolhido, o maior medo de Albertine era o de entrar no meu quarto quando eu cochilava: – Espero não ter feito mal – acrescentou. – Receava que você me dissesse:

Que mortal insolente vem procurar a morte?[8]

E ela riu com aquele riso que tanto me perturbava. Respondi-lhe no mesmo tom gracejador:

Foi para vós que se deu ordem tão severa?[9]

E de medo que ela a infringisse alguma vez, acrescentei: – Embora ficasse furioso se você me acordasse. – Eu sei, eu sei, não tenha medo – disse Albertine. E, para suavizar, acrescentei, continuando a representar com ela a cena de *Esther*, ao passo que na rua prosseguiam os apelos que ficavam confusos devido à nossa conversa:

Somente em vós encontro uma tal ou qual graça
Que me deslumbra sempre, mas jamais me cansa[10]

(e comigo mesmo dizia: "Sim, ela me cansa muitas vezes"). E lembrando-me do que ela dissera na véspera, e agradecendo-lhe com exagero por ter renunciado ir aos Verdurin, para que de outra vez me obedecesse da mesma forma nisso ou naquilo, observei: – Albertine, você desconfia de mim, que muito a amo, e tem confiança em pessoas que não gostam de você (como se não fosse natural desconfiar das pessoas que nos amam e são as únicas que têm interesse em nos mentir para saber, para nos opor obstáculos). – E acrescentei estas palavras mentirosas: – No fundo, você não acredita que eu a ame, é engraçado. De fato, não a *adoro*. – Ela por sua vez mentiu, dizendo que só confiava em mim, e a seguir foi sincera, garantindo que sabia muito bem que eu a amava. Mas tal afirmação não parecia implicar que ela não me julgasse mentiroso e capaz de espioná-la. E parecia perdoar-me, como se visse aí a conseqüência insuportável de um grande amor, ou como se ela mesma se achasse menos bondosa.

– Peço-lhe, minha querida, nada de cabriolas como fez outro dia. Pense, Albertine, se lhe ocorre um acidente! – Mas é claro que não lhe desejava nenhum mal. Mas que bom seria se, com seus cavalos, ela tivesse a boa idéia de partir não sei para onde, onde se sentisse feliz, e de nunca mais voltar para a minha casa! Como tudo se simplificaria se ela fosse viver feliz algures, e nem mesmo me importava saber onde! – Oh, sei muito bem que você não me sobreviveria quarenta e oito horas, acabaria se matando!

---

8 Tradução da *Esther* de Racine (ato II, cena VII, segundo verso). (N. do T.)

9 *Esther*, ato II, cena VII, verso 8. (N. do T.)

10 *Esther*, id., ibid., versos 39 e 40 (N. do T.)

Assim, trocávamos palavras mentirosas. Mas uma verdade mais profunda do que essa que proferiríamos se fôssemos sinceros pode às vezes ser expressa e prenunciada por outro meio que o da sinceridade.

– Esses barulhos todos na rua não o incomodam? – perguntou ela –; pois eu os adoro. Mas você que tem o sono tão leve? – Ao contrário, eu o tinha às vezes bem profundo (como já disse, mas como o episódio que se segue me obriga a recordá-lo) e sobretudo quando só adormecia pela manhã. Como tal sono foi em média quatro vezes mais repousante, parece ter sido quatro vezes mais longo àquele que dormiu, quando de fato foi quatro vezes mais curto. Magnífico erro de uma multiplicação por dezesseis que confere tanta beleza ao despertar e na vida introduz uma verdadeira inovação, semelhante àquelas grandes mudanças de ritmo que, na música, fazem com que uma colcheia, no andante, tenha a mesma duração que uma mínima num *prestissimo*, e que são desconhecidas no estado de vigília. A vida aí é quase sempre a mesma, de onde as decepções da viagem. No entanto, bem parece que o sonho é feito às vezes da matéria mais grosseira da vida, mas tal matéria aí é tratada, amassada de tal modo, com um alongamento devido a que nenhum dos limites horários do estado de vigília a impede de desprender-se a tão enormes alturas, que ninguém mais a reconhece. Nas manhãs em que esta boa sorte me ocorria, em que a esponja do sono apagara do meu cérebro os sinais das ocupações diárias que nele são traçadas como num quadro-negro, eu precisava fazer reviver a minha memória; à força de vontade, pode-se reaver o que a amnésia do sono ou de um ataque fez olvidar e que renasce aos poucos, à medida que os olhos se abrem ou que a paralisia desaparece. Eu vivera tantas horas em alguns minutos que, desejando falar a Françoise, a quem chamara, numa linguagem conforme a realidade e de acordo com a hora, era obrigado a empregar todo o meu poder interno de compreensão para não dizer: "Ora, Françoise, já são cinco horas da tarde e não vejo você desde ontem à tarde." E para repelir os meus sonhos, em contradição com eles, mentindo para mim mesmo, eu dizia atrevidamente, e reduzindo-me com todas as minhas forças ao silêncio, palavras opostas: – Françoise, já são dez horas! – Eu nem dizia dez horas da manhã, mas simplesmente dez horas, para que essas dez horas, tão incríveis, dessem a impressão de ser pronunciadas no tom mais natural. Todavia, dizer essas palavras em vez daquelas que continuava a pensar, mal desperto, o dormidor que eu era ainda, exigia o mesmo esforço de equilíbrio que a alguém que, saltando de um trem em movimento e correndo por um instante ao longo da linha, consegue entretanto não cair. Corre por um instante porque o meio que abandona é um meio animado de grande velocidade, e muito diverso do solo inerte ao qual seus pés têm alguma dificuldade de se adaptar. Pelo fato de que o mundo do sono não é o mundo da vigília, daí não se segue que o mundo da vigília seja menos verdadeiro, pelo contrário. No mundo do sono as nossas percepções são de tal forma sobrecarregadas, cada qual engrossada por outra, superposta, que a reduplica e inutilmente a deixa cega, que nem sequer sabemos distinguir o que se passa no aturdimento do despertar; Françoise é quem viera ou fora eu que, cansado de chamá-la, tinha ido ao seu encontro? O silêncio naquele instante era o único meio de nada revelar, como no momento em que somos presos por um juiz instruído de circunstâncias que nos dizem respeito, mas das quais não temos conhecimento. Viera Françoise ou fora eu quem a chamara? Talvez Françoise é que dormia e eu a tinha despertado. Ainda mais, não estaria Françoise encerrada no meu peito, e a distinção das pessoas e sua interação existindo apenas nessa parda escuridão em que a realidade é tão pouco translúcida como no corpo de um porco-espinho, e onde a percepção quase nula talvez possa dar a idéia da de certos animais? Além disso, mesmo na límpida loucura que antecede esses sonos mais pesados, flutuam-se luminosamente alguns fragmentos de sabedoria, se os nomes de Taine e de George Eliot ali não são ignorados, nem por isso resta menos, para o mundo da vigília, aquela superioridade de ser possível continuar a cada manhã, o que não sucede a cada noite com o sonho. Mas talvez haja outros mundos mais reais que o da vigília. Aliás, temos visto que mesmo este é transformado a cada revolução nas artes, e muito mais, ao mesmo tempo, pelo grau de aptidão ou de cultura que diferencia um artista de um tolo ignorante.

E muitas vezes uma hora de sono a mais é um ataque de paralisia após o qual é preciso reencontrar o uso dos membros, reaprender a falar. A vontade não o conseguiria. Dormiu-se demais, não se é mais. O despertar é apenas sentido mecanicamente e sem consciência, como o pode ser num tubo o fechamento de uma torneira. Sucede-se uma vida mais inanimada que a da medusa, na qual bem que se poderia imaginar que se está sendo retirado do fundo do mar ou voltando do banho, caso fosse possível pensar alguma coisa. Mas então, do alto dos céus, a deusa Mnemotecnia[11] se inclina e nos confere, sob a forma "hábito de pedir o café com leite", a esperança da ressurreição. E mesmo o dom súbito da memória nem sempre é tão simples. Temos muitas vezes junto a nós, nesses primeiros minutos em que nos deixamos deslizar para fora do sono, uma gama de realidades diversas onde julgamos poder escolher como num jogo de cartas. É manhã de sexta-feira e voltamos do passeio, ou então é a hora do chá à beira-mar. A idéia do sono e de que estamos deitados de camisola é muitas vezes a última que se nos apresenta. A ressurreição não chega de imediato, pensamos ter tocado a campainha e não o fizemos, agitamos palavras loucas no cérebro. Só o movimento é que nos devolve o raciocínio e, quando efetivamente tocamos a campainha, podemos dizer devagar mas com nitidez: – Já são dez horas. Françoise, traga-me o café com leite.

[11] *Mnemotecnia*: arte e técnica de desenvolver a memória. Aqui o termo é empregado em vez do nome da deusa da memória entre os gregos, *Mnemósine*. (N. do T.)

Ó milagre! Françoise não pudera imaginar o oceano de irrealidade que ainda me banhava todo e através do qual eu tivera a energia de fazer passar a minha estranha pergunta. De fato, ela me respondeu: – São dez e dez – o que me dava uma aparência razoável e me permitia não deixar perceber as conversas esquisitas que me haviam acalentado interminavelmente, nos dias em que não fora uma montanha do Nada que me cancelara a vida. À força de vontade eu me reintegrara no real. Desfrutava ainda dos destroços do sono, ou seja, da única invenção, do único renovo que existe no modo de contar, não comportando todas as narrativas em estado de vigília, ainda que embelezadas pela literatura, essas misteriosas diferenças de onde deriva a beleza. É fácil falar da que o ópio originou. Mas, para um homem habituado a só dormir sob o efeito de drogas, uma hora inesperada de sono natural desvendará a imensidão matinal de uma paisagem tão misteriosa e de maior frescura. Fazendo variar a hora, o local onde se adormece, provocando o sono de modo artificial, ou, pelo contrário, retornando por um dia ao sono natural – o mais estranho de todos para qualquer pessoa que tenha o hábito de dormir tomando soporíferos –, chega-se a obter variedades de sono mil vezes mais numerosas do que as variedades de cravos e de rosas que obteríamos se fôssemos jardineiros. Estes obtêm flores que são deliciosos sonhos e outras também que se parecem a pesadelos. Quando eu adormecia de certo modo, despertava tiritando, julgando estar com sarampo ou, coisa bem mais dolorosa, que minha avó (em quem já nunca pensava) sofria porque eu zombara dela no dia em que, em Balbec, acreditando que ia morrer, ela quisera que eu tivesse uma fotografia sua. E depressa, apesar de acordado, queria ir explicar-lhe que ela não me havia compreendido. Porém já me reaquecia. O diagnóstico de sarampo estava afastado e minha avó se distanciava de mim a tal ponto que não mais fazia doer meu coração.

Por vezes, abatia-se uma súbita escuridão sobre esses diferentes sonos. Eu sentia medo ao prolongar o meu passeio numa avenida completamente às escuras, onde ouvia passarem os vagabundos. De repente, erguia-se uma discussão entre um policial e uma dessas mulheres que muitas vezes exerciam a profissão de cocheiro e que, de longe, tomamos por um rapaz. Na sua boléia cercada de trevas eu não a enxergava, mas ela me falava e na sua voz eu lia as perfeições do seu rosto e a juventude do seu corpo. Caminhava na sua direção, dentro do negror, para subir no seu cupê antes que ela fosse embora. Estava longe. Felizmente, a discussão com o guarda se prolongava. Alcançava o carro, ainda parado. Este pedaço da avenida era iluminado por lampiões. A pessoa na boléia tornava-se visível. Era mesmo uma mulher, porém velha, alta e corpulenta, com cabelos brancos que lhe fugiam por debaixo do boné, e uma lepra vermelha no rosto. Afastava-me pensando: "É isso o que acontece com a mocidade das mulheres? Aquelas que encontramos, se de repente desejamos revê-las, tornam-se velhas? A jovem que desejamos será como um emprego de teatro, em que, pela decadência das criadoras de um papel, somos obrigados a confiá-lo a novas estrelas? Mas então já não é a mesma."

Depois uma tristeza me invadia. Assim, temos em nosso sono numerosas Piedades, como as *Pietà* do Renascimento, mas não como elas executadas no mármore, mas pelo contrário, inconsistentes. Todavia, elas têm a sua utilidade, que é a de nos lembrar um certo ponto de vista mais enternecido e mais humano das coisas, que somos por demais tentados a esquecer no bom senso gelado da vigília, por vezes cheio de hostilidade. Assim me foi lembrada a promessa, que eu me fizera em Balbec, de sempre ser compassivo para com Françoise. E, ao menos durante toda aquela manhã, eu saberia me esforçar para não irritar-me com as rixas de Françoise e do mordomo, ser carinhoso com Françoise, a quem os outros tratavam com tão pouca bondade. Somente naquela manhã; e precisaria tentar estabelecer para mim um código mais estável; pois, assim como os povos não são governados durante muito tempo por uma política de puro sentimento, os homens não o são pela recordação de seus sonhos. Este já principiava a evolar-se. Buscando lembrá-lo para o descrever, fazia-o fugir ainda mais depressa. Minhas pálpebras já não estavam seladas com tanta força sobre meus olhos. Se tentava reconstituir meu sonho, elas se abririam totalmente. A todo instante é preciso escolher entre a saúde e a lucidez, de um lado, e os prazeres espirituais, de outro. Sempre tive a covardia de escolher a primeira. Aliás, o perigoso poder ao qual eu renunciava era-o ainda mais do que imaginamos. As Piedades e os sonhos não se dissipam sozinhos. Variando assim as condições em que adormecemos, não são apenas os sonhos que se dissipam, mas durante muitos dias, anos às vezes, a faculdade não só de sonhar mas de adormecer. O sono é divino, mas pouco estável; o mais leve choque deixa-o volátil. Amigo dos hábitos, estes o retêm cada noite, mais fixos do que ele, em seu lugar consagrado, preservam-no de todo choque. Mas, se o mudarmos de lugar, se não o mantivermos submisso, ele se desfaz como um vapor. Assemelha-se à juventude e aos amores, não o encontraremos mais.

Nestes sonos diversos, ainda como na música, era o aumento ou a diminuição do intervalo que criava a beleza. Eu desfrutava dela, mas, em compensação, tinha perdido naquele sono, conquanto breve, uma boa parte dos pregões em que se nos torna sensível a vida circulante dos ofícios e dos alimentos de Paris. Assim, de hábito (sem prever, infelizmente, o drama que tais despertares tardios e minhas leis draconianas e persas de Assuero raciniano deviam em breve me acarretar), eu me esforçava por acordar cedo a fim de não perder coisa alguma daqueles pregões. Além da satisfação de conhecer o gosto de Albertine por eles e de sair de casa sem me erguer da cama, ouvia neles como o que o símbolo da atmosfera exterior, da perigosa vida turbulenta em cujo seio não a deixava circular sem minha tutela, num prolongamento exterior do seqüestro, e de onde a retirava à hora que quisesse a fim de fazê-la voltar para junto de mim.

Portanto, foi com a maior sinceridade do mundo que pude responder a Albertine: – Pelo contrário, eles me agradam porque sei que você gosta deles. 'Olha as ostras fresquinhas!' – Oh, as ostras! Tenho tanta vontade de comê-las! – Felizmente Albertine, meio inconstância, meio docilidade, esquecia depressa o que desejara e, antes que eu tivesse tempo de dizer que ela encontraria melhores ostras na casa Prunier, ela queria sucessivamente tudo o que ouvia ser apregoado pela vendedora de peixes: "Olha os camarões, os bons camarões, olha a arraia viva, vivinha!" – "Pescadas para fritar, para fritar!" – "Está chegando a cavala, cavala nova, cavala fresquinha!" – "Chegou a cavala, senhoras, é boa a cavala" – "Olha os mexilhões, bons e fresquinhos, os mexilhões!" – Contra a minha vontade, o pregão: "Está chegando a cavala" me fazia estremecer. Mas, como tais palavras não podiam aplicar-se ao nosso motorista,[12] eu só pensei no peixe que detestava e minha inquietação logo se dissipou. – Ah, os mexilhões – disse Albertine –, gostaria tanto de comer os mexilhões. – Minha querida, isso era bom em Balbec, aqui não presta: peço que se lembre do que lhe disse Cottard a respeito dos mexilhões. – Porém a minha observação era tanto mais desastrada, pois a vendedora seguinte anunciava algo que Cottard proibia ainda mais:

Alface romana, a boa alface!
Não se vende, dá-se!

Todavia Albertine consentiu-me o sacrifício da alface romana, contanto que lhe prometesse mandar comprar dali a uns dias à vendedora que apregoa: "Olha o belo aspargo de Argenteuil, olha o belo aspargo!" Uma voz misteriosa, e da qual seria de esperar as frases mais estranhas, insinuava: "Tonéis, tonéis!" Éramos obrigados a sentir a decepção de que se tratava apenas de tonéis, pois essa palavra era quase inteiramente abafada pelo pregão: "Vidrá, vidraceiro, vidraças quebradas, aqui está o vidrá, vidraceiro!", divisão gregoriana que, entretanto, lembrou-me menos a liturgia do que o fizera o grito do vendedor de roupas velhas, que reproduzia, sem o saber, uma dessas bruscas interrupções de sonoridades, no meio de uma prece, tão freqüentes no ritual da Igreja: *Praeceptis salutaribus moniti et divina institutione fomarti audemus dicere*[13] – diz o padre, concluindo vivamente no *dicere*. Sem irreverência, como o piedoso povo da Idade Média, no próprio adro na igreja, representava as farsas e as *soties*, é nesse *dicere* que faz pensar o vendedor de roupas velhas, quando, depois de arrastar a voz por todas as palavras, diz a última sílaba com uma precipitação digna do acento regulado pelo grande papa do século VII:[14] "Trapos, ferro-velho pra vender!" (tudo isto salmodiado lentamente, bem como

[12] Em francês "cavala" é *maquereau*, palavra que também significa "rufião", "cáften". (N. do T.)

[13] Do latim: "Instruídos em seus preceitos salvadores e formados pelo seu ensinamento divino, ousamos dizer..." Fórmula ritual que na missa precede o *Pater noster* ('Padre-nosso'). (N. do T.)

[14] Papa Gregório I Magno (590-604). Deu ao ritual da missa a forma que se mantém até hoje. (N. do T.)

as duas sílabas seguintes, ao passo que a última acaba mais vivamente que *dicere*), "peles de coê-lhos." – "Olha a laranja fresquinha, a Valência, a boa laranja de Valência!", os próprios alhos-porros modestos: "Olha os bonitos alhos-porros", as cebolas: "Oito tostões a minha cebola!", ressoavam para mim como um eco das vagas onde, livre, Albertine poderia perder-se, assumindo desse modo a doçura de um *Suave mari magno*.[15] "Olha as cenouras! só dois vinténs o molho!" – Oh! – exclamou Albertine –, couves, cenouras, laranjas. Só coisas que tenho vontade de comer. Mande Françoise comprá-las. Ela fará cenouras com creme. E além do mais, será muito bom comer tudo isso junto. Serão todos os ruídos que ouvimos transformados numa boa refeição. Oh, peço-lhe, diga a Françoise para preparar de preferência uma arraia frita na manteiga queimada. É tão gostoso! – Meu benzinho, está combinado. Não demore mais, senão vai querer tudo o que essas mulheres estão vendendo. – Está feito, vou indo, mas de agora em diante só quero para os nossos jantares as coisas que tivermos ouvido apregoar. É bem divertido. E dizer que precisamos ainda esperar dois meses para ouvir: "Ervilhas macias, ervilhas, olha a ervilha!". Como fica bem dizer "ervilhas macias"! Sabe que gosto delas finas, bem fininhas, escorrendo molho de vinagre, nem se diria que as estamos comendo, macias como o orvalho. Ai de mim! É o caso dos requeijõezinhos, estão mais longe ainda: "Olha o requeijão fresquinho, o requeijão!", e as uvas brancas de Fontainebleau: "Tenho belas uvas brancas." – E eu pensava com pavor em todo aquele tempo que teria de ficar com ela até à época das uvas brancas. – Escute, estava dizendo que só queria as coisas que tivermos ouvido apregoar, mas é claro que faço algumas exceções. De modo que não será impossível que você passe no Rebattet para encomendar sorvete para nós dois. Você vai dizer que ainda não é tempo, mas tenho tanta vontade! – Fui agitado pelo projeto sobre Rebattet, tornado mais certo e suspeito para mim devido a estas palavras: "Não será impossível." Era no dia em que os Verdurin recebiam e, desde que Swann lhes dissera que era a melhor casa, era no Rebattet que eles encomendavam sorvetes e bolinhos. – Não faço qualquer objeção a um sorvete, minha querida Albertine, mas deixe-o por minha conta, não sei mesmo se o encomendarei no Poiré-Blanche, no Rebattet, no Ritz, enfim, vou ver. – Então vai sair? – perguntou Albertine com ar desconfiado. Sempre dizia que ficaria encantada se eu saísse mais, mas se uma palavra minha podia deixar supor que eu não ficaria em casa, seu ar inquieto fazia pensar que a satisfação que ela teria em me ver sair com freqüência talvez não fosse sincera. – Talvez saia, talvez não, você sabe perfeitamente que nunca faço projetos antecipados. Em todo caso, os sorvetes não são coisa que se apregoe, que se venda pelas ruas; por que você os deseja então? – E aí ela me respondeu com estas palavras que me provaram o

[15] *Suave mari magno*: ver nota 10, p. 571, de *Sodoma e Gomorra* (N. do T.)

quanto, de fato, a inteligência e o gosto latente se haviam bruscamente desenvolvido nela desde Balbec, com estas palavras do tipo daquelas que ela pretendia serem devidas unicamente à minha influência, à constante coabitação comigo, palavras que no entanto eu jamais teria dito, como se me tivesse sido feita alguma proibição, por um desconhecido, de empregar na conversa formas literárias. Talvez o futuro não devesse ser o mesmo para Albertine e para mim. Tive quase o pressentimento disso, ao vê-la apressar-se a empregar, falando, imagens tão escritas e que me pareciam reservadas para outro uso mais sagrado e que eu ainda ignorava. Ela me disse (e apesar de tudo fiquei profundamente enternecido, pois pensei: "Com certeza não falaria desse modo, sofreu profundamente a minha influência, portanto ela não pode me amar, é obra minha"): – O que eu amo nessas comidas apregoadas é uma coisa ouvida, como uma rapsódia, muda de natureza às refeições, e se dirige ao meu paladar. Quanto aos sorvetes (pois espero que você os encomende naquelas formas fora de moda que têm todas as configurações possíveis de arquitetura), todas as vezes que os tomo, templos, igrejas, obeliscos, rochedos, é como uma geografia pitoresca que olho primeiro e, a seguir, converto seus monumentos de framboesa ou de baunilha em frescor na minha garganta. – Eu achava que aquilo era um tanto bem enunciado demais, porém ela sentiu que eu achava que estava bem dito e continuou, parando por um momento quando obtinha uma comparação feliz, para rir com seu belo riso que me parecia tão cruel por ser tão voluptuoso: – Meu Deus, no hotel Ritz receio muito que você encontre colunas Vendôme de sorvetes, sorvete de chocolate ou de framboesa, e então será preciso vários para que se pareçam a colunas votivas ou pilares erguidos numa alameda à glória do Frescor. Fazem também obeliscos de framboesa que se levantarão de sítio em sítio no deserto ardente de minha sede e cujo granito róseo irei derreter no fundo da garganta e que eles irão desalterar melhor do que os oásis (e aqui estalou o riso profundo, fosse pela satisfação de falar bem, fosse por zombaria consigo mesma por expressar-se em imagens tão continuadas, fosse, ai de mim, pela volúpia física de sentir em si própria algo de tão bom, tão viçoso, que lhe causava o equivalente de um orgasmo). Esses picos de sorvete do Ritz lembram às vezes o monte Rose, e até, se o sorvete é de limão, não desgosto que não tenha forma monumental, que seja irregular, abrupto, como uma montanha de Elstir. Então, não é necessário que seja muito branco, mas um tanto amarelado, com aquele aspecto de neve suja e embaçada das montanhas de Elstir. O sorvete pode não ser grande, ser meio sorvete apenas, se quiser; mesmo assim, esses sorvetes de limão são montanhas reduzidas a uma escala bem pequena, mas a imaginação restabelece as proporções como no caso daquelas arvorezinhas japonesas anãs que se percebe muito bem serem cedros, carvalhos, mancenilhas, de modo que, pondo algumas delas ao longo de um pequeno sulco no meu quarto, eu teria uma imensa floresta descendo para um rio e onde as criancinhas poderiam perder-se. Da mesma forma, junto ao meu sorvete amarelado de limão, vejo perfeitamente postilhões, viajantes, seges de posta, sobre os quais a minha língua se encarrega de fazer desabar glaciais avalanches que os engolirão (a cruel volúpia com que ela falou isto excitou o meu ciúme); da mesma forma – acrescentou ela – encarrego-me de destruir com meus lábios, coluna por coluna, essas igrejas venezianas de um pórfiro que é morango, e de fazer cair sobre os fiéis o que eu tiver poupado. Sim, todos esses monumentos hão de passar de sua praça de pedra para o meu peito, onde já palpita o seu frescor que se derrete. Mas, olhe, mesmo sorvetes, nada é tão excitante nem dá sede como os anúncios de fontes termais. Em Montjouvain, na casa da Srta. Vinteuil, não existia um bom sorveteiro nas redondezas, mas nós fazíamos no jardim a nossa excursão pela França, bebendo a cada dia uma água mineral gasosa e diferente, como a água de Vichy, que, ao ser servida, levanta logo das profundezas do copo uma nuvem branca, que se abranda e se dissipa se não bebemos depressa. – Mas ouvir falar de Montjouvain era penoso demais para mim, de modo que a interrompia. – Estou sendo aborrecida, adeus querido. – Que mudança desde Balbec, onde duvido que o próprio Elstir pudesse ter adivinhado essas riquezas de poesia em Albertine. De uma poesia menos estranha, menos pessoal que a de Céleste Albaret, por exemplo, que ainda na véspera viera visitar-me e, encontrando-me deitado, exclamara: – Ó majestade do céu deposta numa cama! – Por que do céu, Céleste? – Oh, porque o senhor não se parece com ninguém, está enganado se julga ter algo desses que viajam sobre essa nossa terra vil. – Em todo caso, por que "deposto"? – Porque o senhor nada tem de um homem deitado, o senhor não está na cama, não se move, os anjos é que parecem ter descido para depô-lo aí. – Albertine jamais teria tido esse achado, mas o amor, mesmo quando parece a ponto de acabar, é parcial. Eu preferia a "geografia pitoresca" dos sorvetes, cuja graça excessivamente fácil me parecia um motivo para amar Albertine e uma prova de que eu tinha poder sobre ela, que ela me amava.

Logo que Albertine saiu, senti como era cansativa para mim essa presença perpétua, insaciável de vida e movimento, que perturbava o meu sono com seus movimentos e me fazia viver num constante resfriado devido às portas que deixava abertas, forçava-me – para achar pretextos que justificassem não acompanhá-la, sem todavia parecer muito enfermo, e por outro lado, para fazê-la acompanhar – a inventar cada dia mais artimanhas que Sherazade. Infelizmente, se por uma artimanha igual a narradora persa adiava a sua morte, eu apressava a minha. Assim, há na vida certas situações, nem todas criadas, como esta, pelo ciúme amoroso e por uma saúde precária que não permite compartilhar da vida de uma criatura ativa e jovem, mas em que, mesmo assim, o problema de continuar a vida em comum ou de retornar à vida separada de antes, coloca-se de uma forma quase médica: à qual das duas espécies de repouso é necessário sacrificar-se (continuando a estafa diária, ou regressando às angústias da ausência): à do cérebro ou à do coração?

De qualquer modo, sentia-me bem satisfeito que Andrée acompanhasse Albertine ao Trocadero, pois recentes e aliás minúsculos incidentes faziam com que, mesmo tendo é claro igual confiança na honestidade do motorista, sua vigilância – ou pelo menos a perspicácia da sua vigilância – já não me parecia tão boa como antes. Assim é que, ultimamente, tendo eu mandado Albertine sozinha com ele a Versalhes, Albertine me dissera ter almoçado nos Reservatórios. Como o motorista me falara do restaurante Vatel, no dia em que percebi essa contradição, arrumei um pretexto para descer e falar ao chofer (sempre o mesmo, aquele que vimos em Balbec) enquanto Albertine se vestia. – Outro dia você me disse que havia almoçado no Vatel; a Srta. Albertine me fala dos Reservatórios. Que significa isso? – O chofer respondeu: – Ah, eu disse que tinha almoçado no Vatel, mas não posso saber onde a senhorita almoçou. Ao chegar a Versalhes, ela me deixou para tomar um fiacre puxado a cavalo, o que ela prefere quando não é para andar na estrada. – Já me enfureci pensando que ela ficara sozinha; enfim, fora apenas para almoçar. – Você não poderia – disse eu com ar gentil (pois não queria parecer estar positivamente mandando vigiar Albertine, o que teria sido humilhante para mim, e duplamente, pois aquilo significaria que ela me ocultava as suas ações) – almoçar, não digo com ela, mas no mesmo restaurante? – Mas ela me havia pedido que só às seis da tarde estivesse na Praça de Armas. Eu não deveria ir buscá-la à saída do seu almoço. – Ah – disse eu, procurando dissimular meu abatimento. E subi de novo. Assim, Albertine estivera sozinha mais de sete horas, entregue a si mesma. É verdade que eu bem sabia que o fiacre não fora um simples expediente para se desembaraçar da vigilância do chofer. Na cidade, Albertine preferia passear de fiacre, dizia que se via bem, que o ar era mais puro. Apesar disso, ela passara sete horas sobre as quais eu nunca saberia coisa alguma. E não ousava imaginar no modo como ele as empregara. Achei que o motorista fora muito inábil, mas minha confiança nele, daí em diante, foi completa. Pois, se ele estivesse de combinação com Albertine, jamais teria me confessado que a deixara livre das onze da manhã às seis da tarde. Só haveria outra explicação, porém absurda, para a confissão do motorista. É que uma briga entre ele e Albertine lhe tivesse dado o desejo de, fazendo-me uma pequena revelação, mostrar à minha amiga que era homem capaz de falar e que, se depois da primeira advertência, feita de modo benigno, Albertine não andasse direito conforme ele queria, iria denunciá-la abertamente. Mas tal explicação era absurda; era preciso primeiro supor uma desavença inexistente entre ele e Albertine, e depois atribuir uma natureza de vigarista àquele bom chofer, que sempre se mostrara tão afável e tão bom rapaz. Aliás, dois dias depois eu percebi que, mais do que supusera por um momento em minha loucura suspicaz, ele sabia exercer sobre Albertine uma vigilância aguda e discreta. Pois, tendo podido lhe falar particularmente a respeito do que me contara acerca de Versalhes, dizia-lhe com ar amistoso e natural: – Aquele passeio a Versalhes, de que me falou anteontem, era perfeito, e você foi perfeito como sempre. Apenas, como uma pequena recomendação, aliás sem importância, tenho tal responsabilidade desde que a Sra. Bontemps pôs a sua sobrinha sob a minha guarda, que sinto muito medo de acidentes; e me censuro tanto por não acompanhá-la que prefiro que seja você, tão seguro, tão maravilhosamente hábil, que leve a Srta. Albertine a toda parte. Assim, não receio nada. – O encantador chofer apostólico sorriu com finura, com a mão no volante em forma de cruz de consagração. Depois disse-me estas palavras que (expulsando as inquietudes do meu peito, onde logo foram substituídas pelo júbilo) me deram vontade de lhe saltar ao pescoço: – Não tenha medo – disse. – Nada pode lhe acontecer, pois, quando o meu volante não a leva, o meu olhar a segue por toda parte. Em Versalhes, como quem não quer nada, visitei a cidade por assim dizer com ela. Dos Reservatórios ela foi ao Château, do Château aos Trianons, e sempre eu na sua cola sem que parecesse vê-la, e o melhor é que ela não me viu. Oh, se ela me visse, não tinha importância. Era natural que, tendo o dia inteiro à minha frente sem fazer nada, eu também visitasse o Château. Tanto mais que a senhorita certamente já percebeu que tenho alguma leitura e que me interesso por todas as velhas curiosidades (era verdade, eu teria até ficado surpreendido se soubesse que ele era amigo de Morel, de tanto que ultrapassava o violinista em gosto e finura). Mas enfim, ela não me viu. – Aliás, deve ter encontrado amigas, pois tem muitas delas em Versalhes. – Não, estava sempre sozinha. – Devem observá-la então; uma jovem deslumbrante e sozinha! – É certo que a olhem, mas ela quase não dá atenção, pois tem os olhos no guia o tempo todo, e depois ergue-os para os quadros. – A narrativa do motorista me pareceu tanto mais exata quanto fora, de fato, um cartão-postal representando o Château e um outro representando os Trianons, que Albertine me mandara no dia de seu passeio. A atenção com que o gentil chofer a seguira passo a passo muito me comoveu. Como poderia supor que essa retificação, sob a forma de um vasto complemento às suas palavras da antevéspera, derivasse de que, no decurso desses dois dias, Albertine, alarmada com a idéia de que o chofer me falasse, fizera as pazes com ele? Tal suspeita nem mesmo me ocorreu.

É certo que o depoimento do motorista, tirando-me todo o medo de que Albertine me enganasse, esfriou-me muito naturalmente em relação à minha amiga, tornando menos interessante o dia que ela passara em Versalhes. Todavia, creio que as explicações do chofer que, inocentando Albertine, fazia-a ainda mais aborrecida a meus olhos, não teriam talvez bastado para me acalmar tão depressa. Duas pequenas espinhas que minha amiga teve na testa durante alguns dias conseguiram, talvez melhor ainda, modificar os sentimentos do meu coração. Por fim, tais sentimentos se desviaram dela, a ponto de eu só me lembrar de sua existência quando a via, devido à confidência singular que me fez a camareira de Gilberte, encontrada por acaso. Fiquei sabendo que, quando eu ia diariamente à casa de Gilberte, ela amava um rapaz a quem via muito mais que a mim. Por um instante eu suspeitara disso, à época, e até mesmo interrogara a respeito esta mesma camareira. Mas, como ela sabia que eu estava apaixonado por Gilberte, havia negado o fato, jurando que a Srta. Swann nunca vira aquele rapaz. Mas agora, sabendo que meu amor estava morto há tanto tempo, que há muito eu deixara sem respostas as cartas de Gilberte (e talvez também porque já não estava a serviço da moça), espontaneamente contou-me por extenso o episódio amoroso que eu não tinha sabido. Isso lhe parecia muito natural. Lembrando-me de seus juramentos de então, julguei que ela não estivesse a par. Absolutamente; era ela mesma que, sob as ordens da Srta. Swann, ia prevenir o rapaz logo que aquela a quem eu amava estava a sós. Que eu amava então... Mas não me perguntei se meu amor de outrora estava tão morto quanto o julgava, pois essa narrativa me foi penosa. Como não creio que o ciúme possa ressuscitar um amor morto, imaginei que minha triste impressão era devida, ao menos em parte, ao meu amor-próprio ferido, pois várias pessoas de quem eu não gostava e que naquela época, e até mesmo um pouco depois – isto mais tarde mudou –, afetavam a meu respeito uma atitude de desprezo, sabiam perfeitamente, enquanto eu estava tão apaixonado por Gilberte, que me portava como um iludido. E tal constatação me fez até indagar, retrospectivamente, se no meu amor por Gilberte não houvera uma parcela de amor-próprio, visto que sofria tanto agora por verificar que todas as horas de ternura que me haviam feito tão feliz, eram conhecidas como uma verdadeira traição de minha amiga à minha custa, pelas pessoas de quem eu não gostava. Em todo caso, amor ou amor-próprio, Gilberte estava quase morta em mim, porém não de todo, e esse aborrecimento acabou por impedir que eu me preocupasse demais com Albertine, que ocupava uma faixa tão estreita em meu coração. Não obstante, para voltar a ela (depois de um parêntese tão longo) e a seu passeio a Versalhes, os cartões-postais de Versalhes (pode-se, então, ter assim o coração simultaneamente consumido por dois ciúmes entrecruzados, cada qual se referindo a uma pessoa diferente?) me davam uma impressão um tanto desagradável, cada vez que, arrumando papéis, meus olhos caíam sobre eles. E eu pensava que, se o motorista não fosse um homem correto, a concordância de seu segundo depoimento com os cartões-postais de Albertine não teria significado muita coisa, pois o que é que nos mandam de Versalhes senão o Château e os Trianons, a menos que o cartão seja escolhido por um sujeito requintado, amoroso de uma determinada estátua, ou por algum idiota elegendo como vista a estação de bondes a cavalo ou a gare dos Chantiers?

E ainda erro dizendo um idiota, pois esses cartões-postais nem sempre foram comprados por um deles ao acaso, pelo interesse de vir de Versalhes. Durante dois anos, os homens inteligentes e os artistas acharam Siena, Veneza, Granada uma chatice, e diziam de qualquer ônibus e de todos os vagões: – Isto é que é belo. – Pois esse gosto passou, como os outros. Nem mesmo sei se não se voltou ao "sacrilégio de destruir as coisas nobres do passado". Em todo caso, um vagão de primeira classe deixou de ser considerado *a priori* como mais belo que São Marcos de Veneza. Entretanto, dizia-se: – Ali é que está a vida, a volta para trás é uma coisa artificial –, mas sem tirar disso uma conclusão clara. Para estar mais seguro, e embora tendo toda a confiança no chofer e para que Albertine não pudesse livrar-se dele sem que ele ousasse recusar por medo de passar por espião, não a deixei mais sair sem o reforço de Andrée, ao passo que por algum tempo o chofer me bastara. Eu até a deixara então (o que não teria ousado fazer desde aí) ausentar-se durante três dias, sozinha com o chofer, e ir até as vizinhanças de Balbec, de tanta vontade que ela havia mostrado de rodar pela estrada em simples *chassis* a toda velocidade. Três dias em que eu ficara bem tranqüilo, embora a chuva de cartões-postais que ela me enviara só me houvesse chegado às mãos, devido ao detestável funcionamento do correio bretão (bom no verão, mas muito desorganizado no inverno), oito dias depois do regresso de Albertine e do chofer, tão corajosos que na própria manhã do regresso retomaram, como se nada tivesse havido, o passeio cotidiano. Mas desde o incidente de Versalhes eu tinha mudado. Estava entusiasmado que Albertine fosse hoje ao Trocadero, àquela vesperal "extraordinária", mas, sobretudo, tranqüilo por sabê-la na companhia de Andrée.

Abandonando esses pensamentos, agora que Albertine saíra, fui colocar-me por um momento à janela. Primeiro houve um silêncio, em que o apito do vendedor de tecidos e a buzina do bonde fizeram ressoar o ar em oitavas diferentes, como um afinador de piano cego. Depois, aos poucos, tornaram-se distintos os motivos entrecruzados aos quais se juntavam outros novos. Havia também em outro apito, chamamento de um vendedor de quem nunca soube o que vendia, apito que era exatamente igual ao de um bonde, e como não fosse levado pela velocidade poder-se-ia dizer um só bonde, não dotado de movimento, ou que estivesse com uma pane, imobilizado, gemendo a curtos intervalos como um animal agonizante.

E parecia-me que, se jamais devesse deixar esse bairro aristocrático – a menos que me mudasse para outro inteiramente popular –, as ruas e as alamedas do centro (onde a frutaria, a peixaria, etc., estabilizada em grandes casas de gêneros alimentícios, tornavam inúteis os gritos dos vendedores, que aliás não teriam conseguido fazer-me ouvir) me dariam a impressão de serem bem tristes, bem inabitáveis, despojadas, filtradas de todas aquelas ladainhas dos pequenos ofícios e das comedorias ambulantes, privados da orquestra que vinha me encantar desde a manhã. Na calçada, uma mulher pouco elegante (ou obediente a uma moda feia) passava, clara demais num paletó saco de pêlo de cabra; mas não, não era uma mulher, era um motorista que, enfiado no seu casaco de pele, voltava a pé para a garagem. Saindo dos grandes hotéis, os *grooms* alados, de tons cambiantes, curvados sobre o guidom das bicicletas, corriam velozmente para as gares, a fim de alcançar os viajantes do trem da manhã. O ressôo de um violino era causado às vezes pela passagem de um automóvel, às vezes por eu não ter posto água suficiente no meu saco elétrico. Em meio à sinfonia destoava uma ária fora de moda: substituindo a vendedora de bombons que de costume acompanhava sua melodia com uma matraca, o vendedor de brinquedos, em cuja flauta de cana estava preso um boneco, que ele fazia mover em todos os sentidos, ia levando outros bonecos de engonço e, sem se preocupar com a declamação ritual de Gregório o Grande, com a declamação reformada de Palestrina e com a declamação lírica dos modernos, entoava a plenos pulmões, partidário atrasado da melodia pura:

Vamos, papais, vamos mamães,
Satisfaçam seus filhinhos:
Eu mesmo os faço, eu mesmo os vendo,
E eu mesmo recolho o dinheiro.
Tra-lá-lá-lá, trá-lá-lá-lé
Trá-lá-lá-lá-lá-lá
Vamos, crianças!

Italianinhos de gorro na cabeça não tentavam resistir àquela *aria vivace*, e, sem dizer nada, ofereciam suas pequenas estatuetas. Enquanto que um pequeno pífaro obrigava o vendedor de brinquedos a afastar-se e a cantar de modo mais confuso, embora *presto*: "Vamos papais, vamos mamães." Seria o pequeno pífaro um daqueles dragões que eu ouvia de manhã em Doncières? Não, pois o que se seguia eram estas palavras: – Aqui está o consertador de faianças e de porcelana. Conserto vidros, mármores, cristais, ossos, marfins e objetos de antigüidades. Aqui está o consertador. – Num açougue, onde à esquerda havia uma auréola de sol e à direita um boi inteiro pendurado, um açougueiro muito alto e magro, de cabelos louros, com o pescoço saindo de um colarinho azul-celeste, separava, com rapidez vertiginosa e uma religiosa consciência, de um lado os filés mais escolhidos e de outro a pior alcatra, colocava-os em deslumbrantes balanças superadas por uma cruz, de onde pendiam belas correntes e (embora a seguir só se ocupasse em arrumar no mostrador os rins, turnedôs e entrecostos) dava na realidade muito mais impressão de um belo anjo que no Dia do Juízo Final irá preparar para Deus, conforme suas qualidades, a separação dos Bons e dos Maus, e a pesagem das almas. E novamente o pífaro agudo e esguio subia nos ares, anunciador não mais das destruições que Françoise temia, cada vez que desfilava um regimento de cavalaria, mas de "reparações" prometidas por um "antiquário" ingênuo ou zombeteiro, e que, de qualquer modo bastante eclético, longe de se especializar, tinha por objeto de sua arte as mais diversas matérias. As pequenas entregadoras de pão se apressavam a empilhar em seus cestos os pãezinhos destinados ao almoço, e, a seus ganchos, as leiteiras rapidamente penduravam as garrafas de leite. A nostálgica visão que eu tinha dessas meninas, podia considerá-la exata? Não seria uma outra caso eu pudesse conservar imóvel, junto a mim, por alguns instantes, uma dessas que, das alturas da minha janela, eu só enxergava na loja ou de fugida? Para avaliar a perda que me causava a reclusão, isto é, a riqueza que me ofertava o dia, seria preciso interceptar, no longo desenvolvimento da frisa animada, alguma garota que levasse leite ou roupa lavada, fazê-la passar por um momento, como uma silhueta de cenário móvel, entre os batentes, pelo vão da minha porta, e retê-la sob meus olhos, não sem obter a seu respeito algumas informações que me permitissem reencontrá-la um dia, semelhantes à ficha sinalética que os ornitólogos ou os ictiólogos pregam, antes de devolver-lhes a liberdade, no ventre dos pássaros ou dos peixes, cujas migrações desejam poder identificar.

Assim, disse a Françoise que, para um recado que eu queria enviar, mandasse-me ela uma dessas meninas que vinham freqüentemente levar e trazer a roupa, o pão ou as garrafas de leite, e que ela muitas vezes mandava à rua em pequenas comissões. Nisso eu me parecia a Elstir, que, obrigado a ficar trancado em seu ateliê, em certos dias de primavera, quando, sabendo que os bosques estavam cheios de violetas, sentia um desejo violento de vê-las, mandava a porteira lhe comprar um buquê; então, comovido, alucinado, não era a mesa sobre a qual depusera o pequeno modelo vegetal, mas todo o tapete de vegetação rasteira, onde vira outrora, aos milhares, hastes serpentinas se dobrando sob seu bico azul, que Elstir pensava ter sob os olhos como uma zona imaginária, encerrada em seu ateliê pelo límpido aroma da flor evocadora.

Num domingo não era de esperar que viesse uma lavadeira. Quanto à padeirinha, por um acaso infeliz ela havia tocado a campainha num momento em que Françoise estava ausente, deixara os pães no cesto, no patamar da escada, e escapulira. A vendedora de frutas só viria bem mais tarde. Uma vez eu tinha entrado na leiteria para encomendar um queijo e, no meio das empregadinhas, havia reparado numa moça, verdadeira extravagância loura, de porte alto embora pueril, e que, no meio das outras vendedoras, parecia sonhar, numa atitude bem altiva. Eu só a vira de longe e passando tão rápido que não poderia dizer como era, a não ser que devia ter crescido depressa demais e sua cabeleira dava muito menos idéia das particularidades capilares que de uma estilização escultural dos meandros isolados de nevados paralelos. Fora tudo o que eu distinguira, bem como um nariz muito desenhado (coisa rara numa criança) num rosto magro, e que lembrava o bico dos filhotes de abutres. Além disso, o grupo das companheiras a seu redor não fora a única coisa a me impedir de observá-la bem, mas igualmente a incerteza dos sentimentos que eu poderia lhe inspirar à primeira vista e a seguir, fossem de altivez indomável, ou de ironia, ou de um desdém que mais tarde exprimisse às amigas. Tais suposições alternativas que eu fizera em um segundo a seu respeito tinham espessado em torno dela a atmosfera perturbadora em que ela se ocultava, como uma deusa na nuvem que o raio faz tremer. Pois a incerteza moral é uma causa maior de dificuldades para uma exata percepção visual do que o seria um defeito material do olho. Naquela jovem magra demais e que também chamava demais a atenção, o excesso do que um outro talvez qualificasse de encantos era justamente o que me desagradava, mas, ainda assim, tivera como resultado impedir-me de perceber alguma coisa e, pela mais forte razão, de não me lembrar nada das outras empregadinhas, que o nariz arqueado desta, o seu olhar, algo tão pouco agradável, pensativo, pessoal, dando a impressão de julgar, tinham mergulhado na noite à maneira de um relâmpago louro que entenebrecesse a paisagem circundante. E assim, da minha visita para encomendar um queijo na leiteira, eu só me lembrara (se é que se pode dizer "lembrar-se" a propósito de um rosto, tão mal observado que adaptamos dez vezes ao nada do rosto um nariz diferente), eu só me lembrara da moça que me havia desagradado. Isso foi o bastante para fazer começar um amor. No entanto, eu teria esquecido a extravagância loura e jamais desejaria revê-la, se Françoise não me houvesse dito que, embora muito nova, essa garota era espertíssima e ia abandonar sua patroa porque, demasiado coquete, fizera dívidas no bairro. Diz-se que a beleza é uma promessa de felicidade. Inversamente, a possibilidade do prazer pode indicar um princípio de beleza.

Pus-me a ler a carta de minha mãe. Através das citações da Sra. de Sévigné ("Se meus pensamentos não são inteiramente negros em Combray, são pelo menos de um cinzento-escuro; penso em ti a todo instante; desejo a tua presença; tua saúde; teus assuntos, tua ausência; que pensas que tudo isso pode fazer no lusco-fusco?") eu sentia que ela estava aborrecida por ver que a temporada de Albertine em nossa casa se prolongava, e se afirmavam, embora ainda não declaradas à noiva, as minhas intenções de casamento. Ela não mo dizia mais diretamente por temer que eu largasse suas cartas em qualquer lugar. E ainda me censurava, por mais veladas que elas fossem, por não avisá-la imediatamente do recebimento de cada uma: "Sabes muito bem que a Sra. de Sévigné dizia: 'Quando se está distante, já não se zomba das cartas que principiam por: recebi a sua.'" Sem falar do que mais a inquietava, ela se dizia zangada com minhas grandes despesas: "Em que se vai todo o teu dinheiro? Já me atormenta bastante que tu, como Charles de Sévigné, não saibas o que queres e que sejas 'dois ou três homens ao mesmo tempo', mas pelo menos trata de não ser como ele nos gastos e que eu não possa dizer de ti: 'Ele achou um meio de gastar sem parecer, de perder sem jogar e de pagar sem ficar quites.'" Eu acabava de ler a carta de mamãe quando Françoise voltou para me dizer que ali estava justamente a pequena leiteira, um tanto ousada demais, da qual me havia falado. – Ela poderá muito bem levar a carta do senhor e dar algum recado desde que não seja para muito longe. O senhor vai ver, ela parece um Chapeuzinho Vermelho. – Françoise foi buscá-la e ouvi que a conduzia, dizendo: – Ora vamos, estás com medo porque há um corredor, sua fingida, pensava que fosses menos acanhada. Será que vou precisar segurar a tua mão? – E Françoise, como boa e honesta empregada que acha deverem respeitar o patrão como ela própria o respeita, revestia-se daquela majestade que enobrece as alcoviteiras nesses quadros dos velhos mestres, onde ao lado delas se dilui quase à insignificância o casal de amantes.

Elstir, quando as olhava, não tinha de se preocupar com o que faziam as violetas. A entrada da pequena leiteira logo me tirou a calma de contemplador; só pensei em tornar verossímil a fábula da carta que ela haveria de levar e me pus a escrever com rapidez, sem ousar encará-la senão às furtadelas, para não parecer tê-la feito entrar só para aquilo. Para mim, ela estava ornada com o encanto do desconhecido, que eu não poderia ver acrescentado a uma bonita moça nessas casas em que elas nos esperam. Não estava nem nua nem disfarçada, mas era uma legítima empregadinha de leiteria, dessas que imaginamos tão bonitas quando não temos tempo de nos aproximar delas; era um pouco do que constitui o eterno desejo, a eterna tristeza da vida, cuja dupla corrente por fim é desviada e trazida para junto de nós. Dupla, pois trata-se do desconhecido, de uma criatura que adivinhamos dever ser divina, por causa da sua estatura, das suas proporções, seu olhar indiferente, sua tranqüila altivez; por outro lado, queremos que essa mulher seja bem especializada em sua profissão, permitindo-nos a evasão para esse mundo que um costume particular nos faz romanticamente julgar diverso. De resto, se procuramos enquadrar numa fórmula a lei das nossas curiosidades amorosas, seria preciso buscá-la no afastamento máximo entre uma mulher avistada e uma mulher que se aborda e acaricia. Se as mulheres daquilo que antigamente se chamava casas de tolerância, se as próprias meretrizes (desde que as saibamos meretrizes) nos atraem tão pouco, não é que sejam menos bonitas que as outras, é que elas estão inteiramente a nosso dispor; é que o que se busca exatamente atingir elas já no-lo ofertam; é que não são conquistas. O afastamento aí é mínimo. Uma prostituta já nos sorri na rua como o fará junto a nós. Somos escultores. Queremos obter de uma mulher uma estátua inteiramente diversa da que ela nos apresentou. Vimos uma jovem indiferente, mal-educada, à beira-mar; vimos uma caixeira ativa e séria, no seu balcão, que nos responderá com secura, ainda que seja apenas para não se tornar objeto das zombarias das companheiras, uma vendedora de frutas que mal nos responde. Pois bem, não sossegamos enquanto não pudermos experimentar se a jovem altiva de beira-mar, se a caixeira que pouco se importa com o que dizem dela, se a distraída vendedora de frutas não são suscetíveis, depois de manobras sagazes de nossa parte, de concordar em dobrar sua atitude retilínea, de rodear-nos o pescoço com esses braços que trazem frutas, de inclinar sobre nossa boca, num sorriso que consente, os olhos até então glaciais ou distraídos – ó beleza dos olhos severos nas horas de trabalho, em que a operária receava tanto a maledicência das companheiras, olhos que se furtavam aos nossos olhares obsessivos e que agora, que estamos a sós, baixam as pupilas ao peso ensolarado do riso quando falamos de fazer amor!

Entre a caixeira, a lavadeira atenta a passar a roupa, a vendedora de frutas, a moça da leiteria – e esta mesma garota que vai se tornar nossa amante –, atinge-se o máximo de afastamento, levado a seus limites extremos, e variado por esses gestos habituais da profissão, que fazem dos braços, enquanto dura o trabalho, algo tão diferente quanto possível, como arabesco, desses elos suaves que todas as noites já enlaçam nosso pescoço ao passo que a boca se apresta para o beijo. Assim, passamos toda a nossa vida em inquietas manobras, incessantemente renovadas, junto às jovens sérias e cujo mister parece afastá-las de nós. Uma vez em nossos braços, elas já não são o que eram, está suprimida a distância que sonhávamos franquear. Porém recomeçamos com outras mulheres, com tais empreendimentos gastamos todo o tempo de que dispomos, todo o dinheiro, todas as forças, explodimos de raiva contra o cocheiro demasiado lento que talvez nos faça perder o primeiro encontro, temos febre. Esse primeiro encontro, sabemos todavia que acarretará o desvanecimento de uma ilusão. Não importa; enquanto durar a ilusão, queremos ver se podemos mudá-la em realidade, e então pensamos na lavadeira em cuja frieza reparamos. A curiosidade amorosa é como a que em nós excitam os nomes de países; sempre decepcionada, renasce e permanece sempre insaciável.

Ai de mim! Uma vez junto comigo, a loura leiteira de mechas estriadas, destituída de tanta imaginação, de tantos desejos despertados em mim, achou-se reduzida a si própria. A nuvem fremente de minhas suposições já não a envolvia de vertigem. Ela assumia um ar todo envergonhado de só ter um nariz (em lugar dos dez, dos vinte, de que me lembrava sucessivamente, sem poder fixar a lembrança), mais redondo do que o imaginara, que lhe dava um ar de estupidez e, de qualquer modo, perdera a faculdade de se multiplicar. Esse vôo capturado, inerte, aniquilado, incapaz de acrescentar coisa alguma à sua pobre evidência, já não dispunha da minha imaginação para colaborar com ele. Caído no real imóvel, tentei reagir; as faces, não percebidas na loja, pareceram-me tão lindas que fiquei intimidado e, para recobrar a naturalidade, disse à garota: – Poderia me fazer o favor de me alcançar o *Figaro* que está aí; preciso ver o nome de um lugar aonde quero mandá-la. – Imediatamente, pegando o jornal, ela descobriu até o cotovelo a manga rubra da sua jaqueta e me estendeu o diário conservador com um gesto hábil e gentil que me agradou pela rapidez familiar, pela aparência macia e a cor escarlate. Enquanto eu abria o *Figaro*, para dizer algo e sem erguer os olhos, perguntei à menina: – Como se chama esse seu casaco de tricô vermelho? É muito bonito. – Ela respondeu: – É o meu golfe. – Pois, devido a uma degradação costumeira a todas as modas, as roupas e os ternos que, alguns anos antes, pareciam pertencer ao mundo relativamente elegante das amigas de Albertine, eram agora usados pelas operárias. – Não se incomodará se eu a mandar a um recado um pouco longe? – disse-lhe, aparentando procurar no *Figaro*. Logo que achei penoso o serviço que me prestaria, ela começou de fato a pensar que era um transtorno. – É que devo passear daqui a pouco de bicicleta. Droga, só temos o domingo para isso. – Mas não vai sentir frio, com a cabeça descoberta desse jeito? – Ah! Mas não estarei de cabeça descoberta, e sim com a minha boina, e poderia até passar sem ela por causa da minha cabeleira. – Ergui os olhos para as mechas flavescentes e frisadas, e senti que seu turbilhão me arrastava, o coração palpitante, na luz e nas rajadas de um furacão de beleza. Continuava a ler o jornal, mas, embora fosse apenas para me recobrar e ganhar tempo, enquanto fingia ler ia compreendendo, apesar do sentido das palavras que tinha diante dos olhos, e estas me deixaram atônito: "No programa da vesperal que anunciamos e que será executada esta tarde no salão de festas do Trocadero, é necessário acrescentar o nome da Srta. Léa, que aceitou comparecer em *Les Fourberies de Nérine*.[16] Evidentemente, ela fará o papel de Nérine, no qual é estonteante de vivacidade e de encantadora alegria." Foi como se me tivessem arrancado brutalmente do coração o curativo sob o qual ele começara a cicatrizar desde o meu regresso de Balbec. O fluxo de minhas angústias jorrou em torrentes. Léa era a comediante amiga das duas moças que Albertine, sem parecer vê-las, havia em uma tarde observado pelo espelho, no cassino. É verdade que, em Balbec, Albertine, ao nome de Léa, assumira um tom particular de compunção para me dizer, quase chocada de que se pudesse suspeitar de pessoa tão virtuosa: – Oh não, não é de modo algum uma mulher desse tipo; é uma mulher muito correta. – Infelizmente para mim, quando Albertine fazia uma afirmação desse gênero, isto nunca passava do primeiro estágio de afirmações diferentes. Pouco depois da primeira, vinha esta segunda: – Não a conheço. – Em terceiro lugar, depois de me ter falado de tal pessoa como "acima de qualquer suspeita", e que, a seguir, afirmava não a conhecer, esquecia-se aos poucos, primeiro de haver dito que não a conhecia, e, numa frase em que se contradizia sem querer, voltava a falar que a conhecia. Consumado este primeiro esquecimento e tendo sido enunciada a nova afirmação, principiava um segundo esquecimento, o de que a pessoa era insuspeitável. – Será que essa fulana – indagava eu – tem esses hábitos? – Ora, naturalmente, todo mundo sabe disso! – Porém logo o tom compungido voltava para uma afirmação que era um vago eco bastante atenuado da primeira: – Devo dizer que comigo sempre se mostrou muito correta. Naturalmente ela sabia que eu a teria posto em seu lugar, e de que maneira! Mas, afinal, pouco importa. Sou forçada a lhe ser grata pelo verdadeiro respeito que ela sempre testemunhou por mim. Vê-se que ela sabia com quem estava lidando. – Lembramo-nos da verdade porque ela tem um nome, raízes antigas; mas uma mentira improvisada se esquece depressa. Albertine se esquecia dessa última mentira, a Quarta, e, num dia em que desejava ganhar minha confiança por meio de confidências, chegava a me dizer da mesma pessoa, no começo tão distinta e que

[16] 'As artimanhas de Nérine', comédia em versos de Théodore de Banville (1823-1891). (N. do T.).

ela não conhecia: – Teve uma quedinha por mim. Três, quatro vezes me pediu para acompanhá-la até em casa e subir com ela. Eu não via mal nenhum em acompanhá-la, diante de todo mundo, em pleno dia, na rua. Mas, logo que chegava à sua porta, achava sempre um pretexto e nunca subi. – Algum tempo depois, Albertine me fazia alusão à beleza dos objetos que se viam na casa da mesma pessoa. De aproximação em aproximação, talvez se chegasse a fazê-la dizer a verdade, uma verdade quem sabe menos grave do que eu era levado a crer, pois talvez, fácil com as mulheres, ela preferisse um amante, e agora que eu era o seu, não mas teria pensado em Léa. Em todo caso, quanto a muitas das mulheres, já teria me bastado apresentar numa síntese à minha amiga as suas afirmações contraditórias para convencê-la de seus erros (erros que são bem mais fáceis de verificar pelo raciocínio, como as leis astronômicas, do que de observar, de surpreender na realidade). Mas ela ainda teria preferido dizer que mentira quando fizera uma de suas afirmações, cuja retirada faria desse modo desmoronar todo o meu sistema, em vez de reconhecer que tudo o que havia contado desde o princípio não passava de uma trama de histórias mentirosas. Há casos iguais nas *Mil e Uma Noites*, e que nos encantam. Fazem-nos sofrer numa pessoa a quem amamos, e por causa disso nos permitem penetrar um pouco mais fundo no conhecimento da natureza humana, em vez de limitar-nos à sua superfície. O desgosto nos invade e obriga-nos pela curiosidade dolorosa a penetrar. Daí decorrem as verdades que não nos sentimos com o direito de ocultar, de modo que um ateu agonizante que as descobriu, seguro do Nada, despreocupado da glória, usa todavia suas horas derradeiras para tentar fazer com que sejam conhecidas.

Sem dúvida, eu estava ainda na primeira daquelas afirmações sobre Léa. Ignorava até se Albertine a conhecia ou não. Pouco importa, dava no mesmo. Era preciso, a todo custo, impedir que Albertine, no Trocadero, pudesse reencontrar essa conhecida, ou travar relações com essa desconhecida. Disse que não sabia se ela a conhecia ou não; no entanto, é possível que o tivesse sabido em Balbec, através da própria Albertine. Pois o esquecimento apagava tanto em mim quanto em Albertine uma boa parte das coisas que ela me havia afirmado. Porque a memória, em vez de um exemplar em dobro, sempre presente a nossos olhos, dos diversos fatos da nossa vida, é antes um Nada de onde, por instantes, uma similitude atual nos permite extrair, ressuscitadas, lembranças mortas; mas existem ainda mil pequenos fatos que não caíram nessa virtualidade da memória e que permanecerão para sempre inverificáveis para nós. A tudo o que ignoramos relacionar-se à vida real da pessoa a quem amamos não prestamos atenção, esquecemos logo o que ela nos disse a propósito de um determinado fato ou de uma certa pessoa que não conhecemos, e o aspecto dela ao nos dizer tais coisas. Assim, quando a seguir o nosso ciúme é excitado por essas mesmas pessoas, para saber se ele não se engana, se é precisamente a elas que se deve relacionar uma certa pressa que a nossa amante tem de sair, certo descontentamento de ter sido privada de fazê-lo porque voltamos cedo demais, o nosso ciúme, examinando o passado para obter indicações, nada encontra nele; sempre retrospectivo, é como um historiador que tivesse de escrever uma história para a qual não dispusesse de documento algum; sempre atrasado, ele se precipita como um touro furioso para onde não se encontra a criatura brilhante e altiva que o irrita com suas picadas e cuja magnificência e astúcia a multidão cruel admira. O ciúme se debate no vazio, indeciso, como o somos nesses sonhos em que sofremos por não encontrar em sua casa vazia uma pessoa que conhecemos muito bem na vida, mas que aqui talvez seja uma outra e apenas tenha assumido as feições de outra personagem; indeciso, como o somos mais ainda quando, após o despertar, buscamos identificar tal ou qual detalhe do nosso sonho. Que jeito seria o da nossa amiga ao nos dizer isso? Teria um aspecto feliz, não estaria mesmo assobiando, coisa que ela só faz quando lhe ocorre um pensamento amoroso e nossa presença a importuna ou irrita? Não nos terá dito uma coisa que se acha em contradição com o que afirma agora, que conhece ou não conhece tal pessoa? Não o sabemos, não saberemos jamais, empenhamo-nos em procurar os destroços inconsistentes de um sonho, e durante esse tempo a nossa vida com a amante continua, nossa vida distraída diante do que ignoramos ser importante para nós, atenta ao que talvez o não seja, atormentada de pesadelos com criaturas que não têm relações reais conosco, nossa vida cheia de esquecimentos, de lacunas, de ansiedades vãs, nossa vida semelhante a um sonho.

Dei-me conta de que a garota da leiteria ainda estava ali. Disse-lhe que decididamente era muito longe, que não precisava dela. E logo ela achou também que ia ser muito incômodo: – Vai haver um bom *match* daqui a pouco, gostaria de não perdê-lo. – Senti que ela já devia gostar de esportes e que dentro de alguns anos diria: viver sua vida. Disse-lhe que decididamente não precisava dela e lhe dei cinco francos. Imediatamente, como se não esperasse por isso, e considerando que se ganhara cinco francos para não fazer nada, poderia ganhar muito mais pela comissão, começou a achar que seu *match* não tinha importância. – Bem que eu poderia dar o seu recado. Sempre se consegue dar um jeito. – Mas eu a impeli até a porta, precisava estar sozinho; tinha a todo custo de impedir que Albertine encontrasse as amigas de Léa no Trocadero. Precisava, precisava consegui-lo; para dizer a verdade, ainda não sabia como; e, durante aqueles primeiros instantes, abria as mãos, olhava-as, fazia estalar as juntas dos dedos, ou porque o espírito que não pode achar o que procura, tomado de preguiça, concorda em fazer uma parada durante um momento, quando as coisas mais indiferentes lhe aparecem com nitidez, como essas pontas de capim que do vagão vemos tremer nos taludes ao sopro do vento, quando o trem pára em campo raso – imobilidade que nem sempre é mais fecunda que a do animal capturado, que, paralisado de medo, ou fascinado, olha sem se mexer –, ou porque eu mantivesse o corpo inteiramente preparado – com minha inteligência dentro e, nela, os meios de ação sobre tal ou qual pessoa – como sendo apenas uma arma de onde partiria o golpe que haveria de separar Albertine de Léa e de suas duas amigas. Decerto, na manhã em que Françoise viera me dizer que Albertine iria ao Trocadero, eu havia pensado: "Albertine pode muito bem fazer o que quiser" e acreditara que até a noite, naquele tempo radioso, os seus atos não teriam importância perceptível para mim. Mas não fora apenas o sol da manhã, como pensara, que me fizera tão despreocupado; era porque, tendo obrigado Albertine a renunciar aos projetos que ela podia talvez preparar ou até mesmo realizar na casa dos Verdurin, e limitando-a a ir a uma vesperal que eu próprio escolhera e em função da qual ela não pudera combinar coisa alguma, sabia que o que ela faria forçosamente seria inocente. Da mesma forma, se Albertine dissera instantes depois: – Se eu me matar, pouco me importa –, fora por estar convencida de que não se mataria. À minha frente, à frente de Albertine, houvera aquela manhã (bem mais que a iluminação do dia) aquele meio que não vemos, mas através de cujo intermédio translúcido e mutável nós víamos, eu as suas ações, e ela a importância de sua própria vida, isto é, aquelas crenças que não percebemos mas que, como o ar que nos rodeia, não são assimiláveis a um puro vácuo; compondo ao nosso redor uma atmosfera variável, por vezes excelente, muita vez irrespirável, elas mereceriam ser destacadas e assinaladas com tanto cuidado como a temperatura, a pressão barométrica e a estação, pois os nossos dias têm sua originalidade física e moral. A crença, não notada por mim naquela manhã e na qual todavia estivera alegremente envolto até o momento em que abrira o *Figaro*, de que Albertine só faria coisas inofensivas, essa crença acabava de desaparecer. Eu já não vivia num dia lindo, mas num dia criado no seio deste pela inquietude de que Albertine reatasse com Léa e mais facilmente ainda com as duas moças, caso estas fossem, como me parecia provável, aplaudir a atriz no Trocadero, onde não lhes seria difícil, num entreato, reencontrar Albertine. Eu não pensava mais na Srta. Vinteuil, o nome de Léa me fizera rever, para sentir ciúmes, a imagem de Albertine no cassino perto das duas moças. Pois eu só possuía na memória séries de Albertine separadas umas das outras, incompletas, perfis, instantâneos; desse modo, o meu ciúme se restringia a uma expressão descontínua, a um tempo fixa e fugidia, e às criaturas que a tinham feito aparecer na fisionomia de Albertine. Lembrava-me desta quando, em Balbec, era excessivamente olhada pelas duas moças ou por mulheres desse tipo; lembrava-me do sofrimento que senti ao ver percorrido por olhos ativos como os de um pintor que quer fazer um croqui, este rosto inteiramente coberto por eles e que, devido, é claro, à minha presença, sofria esse contato sem dar a impressão de percebê-lo, com uma passividade talvez clandestinamente voluptuosa. E, antes que ela se recobrasse e me falasse, havia um segundo durante o qual Albertine não se movia, sorrindo no vazio, com o mesmo ar de natureza fingido e de prazer dissimulado que teria se lhe fossem tirar o retrato; ou até para escolher diante da objetiva uma pose mais picante – aquela mesma que assumira em Doncières quando passeávamos com Saint-Loup: rindo e passando a língua nos lábios, fingia que estava irritando um cão. Decerto, nesses momentos não era de modo algum a mesma que se interessava pelas garotas que passavam. Ao contrário, neste último caso o seu olhar estreito e aveludado se fixava, colocava-se na passante, tão aderente, tão corrosivo, que parecia que, ao retirar-se, levaria consigo a pele. Mas nesse momento aquele olhar, que pelo menos lhe dava um quê de seriedade, fazendo-a até parecer doente, era-me suave em comparação com o seu olhar inerte e feliz junto das duas moças, e eu teria preferido a sombria expressão do desejo que ela talvez sentia às vezes, à expressão risonha causada pelo desejo que ela inspirava. Por mais que tentasse disfarçar a consciência que tinha disso, esta a banhava e envolvia, vaporosa, voluptuosa, fazia surgir todo corado o seu rosto. Mas tudo o que Albertine deixava em suspenso nesses instantes dentro de si mesma, e que irradiava à sua volta e me fazia sofrer tanto, quem sabe se na minha ausência ela continuaria a manter em silêncio, se aos avanços das duas moças, agora que eu já não estava ali, ela não corresponderia com audácia? É claro que tais lembranças me causavam grande mágoa. Eram como uma confissão total dos gostos de Albertine, uma confissão geral de sua infidelidade, contra o que não poderiam prevalecer suas juras particulares, nas quais eu gostaria de crer, os resultados negativos de minhas incompletas indagações, as garantias de Andrée, talvez forjadas em conivência com Albertine. Esta podia negar suas traições particulares; com palavras que lhe escapavam, mais fortes que as declarações contrárias, ou por simples olhares, ela confessara o que desejava ocultar, muito mais do que fatos particulares: aquilo que preferia matar-se a dar a conhecer, o seu vício. Pois nenhuma criatura deseja entregar a sua alma. Apesar da mágoa que tais lembranças me causavam, poderia eu negar que era o programa da vesperal do Trocadero que despertara a minha necessidade de Albertine? Ela era dessas mulheres em quem as culpas poderiam, se preciso fosse, substituir os encantos e, tanto quanto as culpas, a bondade que lhes sucede e nos devolve aquela doçura que com elas, como um enfermo que nunca se sente bem dois dias seguidos, sempre somos obrigados a reconquistar. Aliás, mais até do que as culpas do tempo em que as amamos, existem as culpas de antes que as conhecêssemos, e a primeira de todas: a sua natureza. De fato, o que torna dolorosos tais amores é que preexiste a eles uma espécie de pecado original da mulher, um pecado que faz com que a amemos, de modo que, quando o esquecemos, temos menos necessidade dela e, para recomeçar a amar, é necessário recomeçar a sofrer. Neste momento, que ela não se encontrasse com as duas moças e saber se ela conhecia ou não conhecia Léa era o que mais me preocupava, embora a gente não devesse interessar-se por fatos particulares a não ser devido à sua significação geral, e apesar da puerilidade que existe, tão grande como a da viagem ou do desejo de conhecer mulheres, em fragmentar a curiosidade sobre aquilo que, da torrente invisível das realidades cruéis que nos ficarão sempre desconhecidas, casualmente se cristalizou em nosso espírito. Além disso, mesmo que chegássemos a destruir tal cristalização, ela seria logo substituída por outra. Ontem, eu temia que Albertine fosse à casa dos Verdurin. Hoje só estava preocupado com Léa. O ciúme, que traz uma venda nos olhos, não é só impotente para descobrir alguma coisa nas trevas que o cercam; é também um dos suplícios em que a tarefa é recomeçar sem descanso, como a das Danaides, como a de Íxion. Mesmo se as duas moças lá não estivessem, qual a impressão que poderia causar sobre ela a atriz Léa, embelezada pela caracterização, glorificada pelo sucesso, quantas fantasias deixaria ela para Albertine, quais os desejos que, mesmo refreados em minha casa, lhe dariam o desgosto de uma vida em que não poderia satisfazê-los? Aliás, quem sabe se ela não conhecia Léa e não iria vê-la em seu camarim, e até que Léa não a conhecesse: quem me asseguraria que, tendo-a de qualquer modo avistado em Balbec, não a reconheceria e não lhe faria um sinal desde o palco, o que autorizaria Albertine a mandar abrir a porta dos bastidores? Um perigo parece muito evitável quando é conjurado. Este não o era ainda, eu receava que não fosse possível evitá-lo, e por isso ele me parecia tanto mais terrível. E no entanto esse amor por Albertine, que eu sentia quase desvanecer-se quando tentava realizá-lo, parecia de algum modo provado pela violência da minha dor nesse momento. Eu não me preocupava com outra coisa e só pensava nas maneiras de impedir Albertine de ficar no Trocadero, teria oferecido qualquer quantia a Léa para que lá não comparecesse. Se se demonstra a preferência de alguém pela ação que pratica mais do que pelas idéias que defende, então eu estava amando Albertine. Mas essa retomada do sofrimento não dava maior consistência à imagem de Albertine dentro de mim. Provocava os meus males como uma divindade que permanece invisível. Fazendo mil conjecturas, eu procurava remediar meu sofrimento sem por isso realizar o meu amor.

Primeiro, era necessário ter certeza de que Léa iria de fato ao Trocadero. Depois de ter mandado embora a garota da leiteria, dando-lhe dois francos,[17] telefonei para Bloch, também ligado a Léa, para tomar informações. Não sabia de nada e pareceu espantado que aquilo pudesse interessar-me. Pensei que era preciso apressar-me, que Françoise já estava pronta e eu não; e, enquanto me levantava, mandei-a tomar um automóvel;[18] ela devia ir ao Trocadero, comprar uma entrada, procurar

[17] Lapso de Proust: anteriormente escrevera que o Narrador havia entregue cinco francos. (N. do T.)

[18] No original há um intercalamento, derivado de um dos estados da datilografia primitiva do romance. O Narrador diz: "pedi a minha mãe que a deixasse sozinha o dia inteiro." Ora, ocorre que a mãe do Narrador ainda não tinha voltado de Combray na ocasião, e a referência à mãe deixa o trecho sem sentido, ou, pelo menos, ambíguo, pois tem-se a impressão de que quem tomaria o automóvel é a mãe e não Françoise. Assim, preferimos suprimir o trecho, e traduzir este passo de acordo com a edição crítica de Pierre Clarac e André Ferré (1954). (N. do T.)

Albertine por todo o salão e lhe entregar um bilhete meu. Nesse bilhete eu dizia que estava transtornado por uma carta recebida há pouco da mesma senhora por quem ela sabia que me sentira tão infeliz certa noite em Balbec. Lembrava-lhe que no dia seguinte ela me censurara por não ter mandado chamá-la. Assim, dizia eu, permitia-me pedir que sacrificasse a sua vesperal e viesse buscar-me para tomarmos juntos um pouco de ar, a fim de tentar que eu melhorasse. Mas, como eu levaria muito tempo para me vestir e me aprontar, ela me daria grande prazer aproveitando a presença de Françoise para ir comprar nos *Trois Quartiers* (sendo menor, esta loja me inquietava menos que o *Bon Marché*) o lenço de tule branca de que necessitava.

Meu bilhete provavelmente não era inútil. Para falar a verdade, eu nada sabia do que havia feito Albertine desde que a conhecia, nem mesmo antes. Mas em sua conversação (Albertine poderia dizer, se lhe tivesse falado nisso, que eu compreendera mal) havia certas contradições, certos retoques que me pareciam tão decisivos como um flagrante delito, porém menos utilizáveis contra Albertine que, muitas vezes, surpreendida em fraude como uma criança, de cada vez, graças a súbitas retificações estratégicas, tornara baldados meus cruéis ataques e restabelecera a situação. Cruéis para mim. Ela empregava, não por refinamento de estilo, mas para reparar suas imprudências, esses saltos bruscos de sintaxe um tanto semelhantes ao que os gramáticos denominam anacoluto ou seja lá o que for. Deixando escapar, ao falar de mulheres, estas palavras: – Lembro-me que ultimamente, eu –, bruscamente, depois de uma "pausa de semicolcheia", "eu" se transformava em "ela", era uma coisa que ela tinha avistado num passeio inocente, e não realizada. Não era ela o sujeito da ação. Gostaria eu de me lembrar exatamente do começo da frase para concluí-la por mim mesmo, já que ela se interrompera, qual teria sido o final. Mas, como havia esperado esse final, mal me recordava do princípio, pois talvez o meu ar interessado a tivesse feito desviar-se, e eu ficava ansiando pelo seu pensamento verdadeiro, pela sua recordação verídica. Infelizmente, com os começos de uma mentira de nossa amante ocorre o mesmo que com os começos do nosso próprio amor, ou com os começos de uma vocação. Eles se formam, conglomeram-se e passam despercebidos de nossa própria atenção. Quando queremos nos lembrar de que modo começamos a amar uma mulher, já estamos amando; dos devaneios de antes, não dizíamos: é o prelúdio de um amor, estejamos atentos; e eles avançavam de surpresa, mal notados por nós. Da mesma forma, a não ser em casos relativamente escassos, foi quase por comodidade da narrativa que muitas vezes opus aqui um dito mentiroso de Albertine com (sobre o mesmo assunto) a sua afirmação primitiva. Essa afirmação primitiva, muitas vezes, não lendo no futuro e não adivinhando qual afirmação contraditória lhe corresponderia mais tarde, deslizara despercebida, com certeza escutada por meus ouvidos, mas sem que eu a isolasse da continuidade das palavras de Albertine. Posteriormente, gostaria de me lembrar; era em vão; minha memória não fora prevenida a tempo; havia julgado inútil guardar uma cópia.

Recomendei a Françoise que, quando tivesse feito Albertine sair do salão, avisasse-me por telefone e a trouxesse de volta, contente ou não. – Não faltava mais nada que ela não ficasse contente de vir para a companhia do senhor. – Mas não sei se ela gosta tanto assim de estar comigo. – Seria preciso que ela fosse bem ingrata – replicou Françoise, em quem Albertine renovava, depois de tantos anos, o mesmo suplício da inveja que outrora lhe causara Eulalie junto de minha tia. Ignorando que a situação de Albertine junto a mim não fora procurada por ela mas por mim desejada (o que por amor-próprio e para enraivecer Françoise eu punha tanto empenho em lhe ocultar), ela admirava e execrava a sua habilidade e chamava-a, quando falava dela aos demais criados, de "comediante", de "impostora", que fazia de mim o que queria. Não ousava ainda entrar em guerra aberta contra Albertine, fazia-lhe boa cara, e valorizava-me os serviços que prestava em suas relações comigo, pensando ser inútil dizer-me qualquer coisa e que não conseguiria nada, mas aguardando uma ocasião; e, se alguma vez descobrisse uma fissura na situação de Albertine, prometia a si mesma alargá-la e separar-nos completamente. – Muito ingrata? Mas não, Françoise, eu é que me considero ingrato, você não sabe como ela é boa para mim. (Era-me tão doce parecer ser amado!) Vá depressa. – Vou chispando.

A influência de sua filha começava a alterar um pouco o vocabulário de Françoise. Assim todas as línguas perdem a sua pureza pela anexação de novos termos. Aliás, eu era indiretamente responsável por essa decadência do modo de falar de Françoise, que conhecera em sua bela época. A filha de Françoise não teria feito com que degenerasse ao mais baixo calão a linguagem clássica da mãe, se se tivesse contentado em falar o patoá com ela. Nunca se privara disso, e, quando as duas estavam juntas comigo, se tinham coisas secretas a se dizer, em vez de irem fechar-se na cozinha, elas se faziam, bem no meio do meu quarto, uma proteção mais intransponível que a porta mais bem trancada, falando o patoá. Eu apenas supunha que mãe e filha não viviam sempre em boa harmonia, a julgar pela freqüência com que se repetia o único vocábulo que eu podia distinguir: *m'esasperate* (a menos que o objeto dessa exasperação fosse eu). Infelizmente, acabamos por aprender a língua mais desconhecida, desde que a ouçamos falar sempre. Lamentei que fosse o patoá, pois cheguei a conhecê-lo e não teria aprendido menos bem se Françoise tivesse o hábito de se exprimir em persa. Françoise, quando se apercebeu de meu progresso, tratou de falar o mais depressa possível, e a filha também, mas nada adiantou. A mãe ficou desolada quando soube que eu compreendia o patoá, e depois contente ao me ouvir falá-lo. Na verdade, esse contentamento era o da zombaria, pois, embora eu acabasse por pronunciá-lo mais ou menos como ela, Françoise achava entre nossas pronúncias abismos que a encantavam, e punha-se a lastimar não ver mais pessoas da sua terra, nas quais há muitos anos que não pensava, e que, ao que parece, se torceriam de um riso que ela desejaria ouvir, ao me escutarem falar tão mal o patoá. Bastava essa idéia para enchê-la de alegria e de mágoa de não vê-la realizada, e nomeava este ou aquele camponês que chegaria às lágrimas de tanto rir. Em todo caso, nenhuma alegria se misturou à tristeza de que, mesmo o pronunciando mal, eu o compreendesse bem. As chaves tornavam-se inúteis quando aquele a quem desejamos impedir de entrar pode se servir de uma gazua ou de uma chave-mestra. Reduzindo-se o patoá a uma defesa sem valor, Françoise pôs-se a falar com a filha um francês que bem depressa se tornou o das épocas mais baixas.

Eu já estava pronto. Françoise ainda não havia telefonado; seria preciso sair sem esperar? Mas quem sabe se ela encontraria Albertine? E se esta não se encontrasse nos bastidores? E se até, descoberta por Françoise, não se deixasse levar embora? Meia hora depois, ressoou o toque do telefone e no meu coração bateram tumultuosamente o receio e a esperança. Era um esquadrão volante de sons que, sob as ordens de um funcionário da companhia telefônica, com uma velocidade instantânea, me trazia as palavras do telefonista, não as de Françoise, a quem uma timidez e uma melancolia ancestrais, aplicadas a um objeto desconhecido de seus pais, a impediam de se aproximar de um receptor, mas que, no entanto, não temia visitar doentes contagiosos. Havia encontrado Albertine sozinha no corredor, e esta, tendo ido apenas avisar Andrée que não ficaria, logo se reunira a Françoise. – Ela não estava zangada? Ah, perdão. Pergunte a esta senhora se a senhorita não estava zangada. – Esta senhora me diz para lhe dizer que não, absolutamente não, muito pelo contrário; em todo caso, se ela não está contente isto não se percebe. Agora elas vão aos *Trois Quartiers* e estarão de volta às duas horas. – Compreendi que duas horas queria dizer três horas, pois já passava das duas. Mas era, em Françoise, um dos defeitos particulares, permanentes e incuráveis, a que chamamos doentios, o de nunca poder olhar nem dizer exatamente a hora. Jamais pude compreender o que se passava na sua cabeça quando Françoise, tendo olhado o relógio, caso fossem duas horas dizia: é uma hora, ou são três horas; jamais pude compreender se o fenômeno que ocorria então tinha por sede o olhar de Françoise, o seu cérebro, ou a sua linguagem; o certo é que tal fenômeno corria sempre. A humanidade é muito velha. A hereditariedade e os cruzamentos deram uma força invencível a maus hábitos, a reflexos viciosos. Algumas pessoas espirram e respiram com dificuldade porque passam perto de um arbusto, outras têm erupções devido ao odor da tinta fresca; muitas têm cólicas se é preciso viajar, e netos de ladrões que agora são milionários generosos não resistem à tentação de nos roubar cinqüenta francos. Quanto a saber em que consistia a impossibilidade em que se achava Françoise de dizer a hora exata, não foi dela que pude extrair qualquer esclarecimento a respeito. Pois, apesar da cólera que me davam habitualmente suas respostas inexatas, Françoise não procurava desculpar-se pelo erro, nem explicá-lo. Permanecia muda, dava a impressão de não me ouvir, o que acabava de me exasperar. Gostaria eu de ouvir uma palavra de justificação, ainda que fosse apenas para rebatê-la, mas nada; um silêncio indiferente. Em todo caso, quanto a hoje, nenhuma dúvida: Albertine ia voltar com Françoise às três horas, Albertine não veria Léa nem suas amigas. Assim, estando conjurado o perigo que ela renovasse suas relações com tais pessoas, esse perigo logo perdeu importância a meus olhos, e me espantei, ao ver a facilidade com que fora evitado, de ter pensado que não conseguiria que o fosse. Senti um vivo movimento de gratidão por Albertine, a qual, via bem, não fora ao Trocadero por causa das amigas de Léa, e que me mostrava, deixando a vesperal e voltando para casa a um sinal meu, que ela me pertencia para o futuro até mais do que eu imaginava. Maior ainda foi tal sentimento quando um ciclista me trouxe um bilhete dela para que eu tivesse paciência, bilhete em que havia amabilidades que lhe eram comuns: "Meu querido, meu caro Marcel, chego menos depressa que este ciclista, de cuja bicicleta gostaria de utilizar-me para estar mais cedo com você. Como pode imaginar que eu possa ficar aborrecida e que algo possa me agradar mais do que estar junto de você? Seria ótimo sairmos os dois juntos e melhor ainda seria nunca sairmos senão juntos. Que idéia são as suas, então? Esse Marcel! Toda sua, Albertine."

Até os vestidos que lhe comprava, o iate de que lhe falara, os *peignoirs* de Fortuny, tudo isso, tendo nesta submissão de Albertine não a sua compensação, mas o seu complemento, surgia-me como outros tantos privilégios que eu exercia; pois os deveres e os encargos de um senhor fazem parte de sua dominação e a definem e provam, tanto quanto os seus direitos. E esses direitos que ela me reconhecia dava precisamente a meus encargos o seu verdadeiro caráter: eu tinha uma mulher à minha disposição, a qual, ao primeiro recado que lhe enviasse de improviso, mandava-me telefonar, com deferência, que voltava, que se deixava reconduzir logo. Eu era mais senhor do que julgava. Mais senhor, isto é, mais escravo. Eu já não tinha nenhuma impaciência de ver Albertine. A certeza de que ela estava fazendo compras com Françoise, que regressaria com ela num momento próximo que eu de bom grado prorrogaria, iluminava como um astro radioso e pacífico um tempo que agora eu gostaria muito mais de passar sozinho. O amor por Albertine fizera erguer-me e me preparar para sair, mas me impediria de desfrutar a minha saída. Imaginava que, nesse domingo, operariazinhas, *midinettes* e cocotes iam passear no Bois. E com essas palavras, *"midinettes"*, "operariazinhas" (como já me ocorrera muitas vezes com um nome próprio, um nome de moça lido no noticiário de um baile), com a imagem de um corpete branco, de uma saia curta, pois atrás disso eu punha uma criatura desconhecida e que poderia me amar, eu criava sozinho mulheres desejáveis, e dizia comigo: "Como devem ser gostosas!" Mas de que me serviriam que o fossem, visto que eu não saía só?

Aproveitando o fato de que ainda estava sozinho, e entrecerrando as cortinas para que o sol não me impedisse de ler as notas, sentei-me ao piano e abri ao acaso a Sonata de Vinteuil que ali estava posta, e comecei a tocar porque, estando ainda meio distante a chegada de Albertine, mas em compensação sendo segura, eu dispunha de tempo e de paz de espírito. Banhado na espera, cheio de segurança pelo seu retorno na companhia de Françoise e de confiança em sua docilidade, como na beatitude de uma luz interior tão reaquecedora como a de fora, eu podia dispor do meu pensamento, desprendê-lo de Albertine, aplicá-lo à Sonata. Mesmo nesta, não me empenhei em reparar o quanto a combinação do motivo voluptuoso e do motivo ansioso respondia agora mais ao meu amor por Albertine, do qual o ciúme estivera por tão longo tempo ausente que eu havia podido confessar a Swann a minha ignorância de tal sentimento. Não, tomando a Sonata de um outro ponto de vista, encarando-a em si mesma como sendo a obra de um grande artista, eu era conduzido pelo fluxo sonoro em direção aos dias de Combray – não quero dizer de Montjouvain e do lado de Méséglise, mas dos passeios pelos lados de Guermantes – quando eu próprio desejara ser artista. Abandonando de fato tal ambição, renunciara eu a alguma coisa real? Poderia a vida consolar-me da arte, haveria na arte uma realidade mais profunda em que nossa personalidade verdadeira encontrasse uma expressão que não lhe conferem as ações da vida? Todo grande artista parece de fato de tal modo diverso dos outros, e tanto nos dá aquela sensação de individualidade que em vão buscamos na existência cotidiana! No momento em que eu pensava nisto, um compasso da Sonata me impressionou, compasso que aliás eu conhecia bem; mas às vezes a atenção ilumina diversamente coisas já conhecidas no entanto há muito, e nas quais assinalamos o que nunca tínhamos percebido nelas. Tocando esse compasso, e conquanto Vinteuil estivesse exprimindo ali um sonho que deveria permanecer de todo estranho a Wagner, não pude evitar murmurar: *"Tristão!"* – com o sorriso que tem um amigo da família ao encontrar algo do avô numa entonação, num gesto do neto que não o conheceu. E como então se olha uma fotografia que permite precisar a semelhança, instalei na estante, por sobre a Sonata de Vinteuil, a partitura de *Tristão*, do qual tocavam, justamente naquela tarde, alguns trechos no Concert Lamoureux. Na minha admiração pelo mestre de Bayreuth, eu não tinha nenhum dos escrúpulos daqueles, como Nietzsche, a quem o dever lhes dita que fujam, na arte como na vida, da beleza que os provoca, repudiando *Tristão* como renegam *Parsifal* e, por ascetismo espiritual, de mortificação em mortificação, chegam, seguindo o mais sangrento dos caminhos da cruz, a elevar-se ao puro conhecimento e à adoração perfeita do *Postilhão de Longjumeau.*[19] Eu percebia tudo o que a obra de Wagner tem de real, revendo esses temas insistentes e fugazes que visitam um ato, afastando-se apenas para retornar, e às vezes distantes, entorpecidos, quase desligados, são, em outros momentos, mesmo sempre continuando vagos, tão próximos e prementes, tão internos, tão orgânicos, tão viscerais, que se diria serem a retomada menos de um motivo que de uma nevralgia.

[19] Ópera-cômica de Adolphe Adam (1803-1856). (N. do T.)

A música, bem diferente nisto da companhia de Albertine, ajudava-me a descer ao fundo de mim mesmo, e a descobrir aí coisas novas: a variedade que eu em vão buscara na vida, na viagem, cuja nostalgia no entanto me era dada por esse fluxo sonoro que fazia morrer a meu lado suas ondas ensolaradas. Dupla diversidade. Como o espectro exterioriza para nós a composição da luz, do mesmo modo a harmonia de um Wagner e a cor de um Elstir nos permitem conhecer aquela essência qualitativa das sensações de outrem, onde o amor por outra criatura não nos faz penetrar. Além disso, diversidade no seio da própria obra, pelo único meio que há de ser realmente diverso: reunir várias individualidades. Onde um músico qualquer julgaria estar pintando um escudeiro, ou um cavaleiro, ainda quando os fizesse cantar a mesma música, Wagner, ao contrário, coloca, sob cada denominação, uma realidade diferente e, cada vez que seu escudeiro aparece, trata-se de uma figura particular, a um tempo simplista e complicada, que, com um entrechoque de linhas radiante e feudal, inscreve-se na imensidade sonora. Decorre daí a plenitude de uma música de fato repleta de tantas músicas, cada uma das quais é um ser. Um ser ou a impressão que nos dá um aspecto momentâneo da natureza. Mesmo aquilo que é mais independente do sentimento que ela nos faz experimentar, conserva sua realidade exterior e inteiramente definida, o canto de um pássaro, o som da trompa de um caçador, a canção tocada por um pastor na sua flauta de cana, recortam no horizonte a sua silhueta sonora. Por certo Wagner ia fazê-la mais próxima, aproveitar-se dela, colocá-la numa orquestra, submetê-las às mais altas idéias musicais, todavia respeitando sua originalidade primitiva como um fabricante de arcas respeita as fibras, a essência particular da madeira que esculpe.

Mas apesar da riqueza dessas obras em que a contemplação da natureza tem seu lugar ao lado da ação, ao lado de indivíduos que não são mais que nomes de personagens, mesmo assim eu imaginava o quanto essa obras participam do caráter de ser – ainda que maravilhosamente – sempre incompletas, que é o caráter de todas as grandes obras do século XIX, cujos maiores escritores deixaram em seus livros a marca de sua personalidade, mas, observando-se enquanto trabalhavam, como se fossem a um tempo o operário e o juiz, extraíram dessa autocontemplação uma beleza nova, exterior e superior à obra, impondo-lhe retroativamente uma unidade, uma grandeza que ela não possui. Sem nos determos naquele que viu em seus romances, depois de concluídos, uma *Comédia Humana*, nem naqueles que a poemas ou ensaios inconjuntos denominaram *A Lenda dos Séculos* e *A Bíblia da Humanidade*, não podemos no entanto dizer que este último encarna tão bem o século XIX, que as maiores belezas de Michelet devemos procurá-las menos na sua própria obra que nas atitudes que ele assume em face da mesma, não na sua *História da França* ou na sua *História da Revolução*, mas em seus prefácios a esses dois livros? Prefácios, ou seja, páginas escritas depois dos livros, onde ele os examina, e às quais convém acrescentar, aqui e ali, algumas frases, começando de hábito por um "Devo dizê-lo?" que não é uma cautela de sábio, mas uma cadência de músico. O outro músico, o que me deslumbrava no momento, Wagner, tirando de suas gavetas um trecho delicioso para fazê-lo entrar como tema retrospectivamente necessário em uma obra na qual não pensava no momento em que a compusera e, depois, tendo composto uma primeira ópera mitológica, depois uma segunda, depois ainda outras, e de súbito percebendo que acabava de fazer uma Tetralogia, deve ter sentido um pouco da mesma embriaguez de Balzac, quando este, lançando às suas obras um olhar a um tempo de um estranho e de um pai, achando neste romance a pureza de Rafael, neste outro a simplicidade do Evangelho, reparou bruscamente, ao lançar sobre eles uma iluminação retrospectiva, que ficariam mais belos reunidos num ciclo em que as mesmas personagens reaparecessem e acrescentou à sua obra, nesse ajustamento, uma pincelada, a derradeira e a mais sublime. Unidade ulterior, não artificial. Senão seria reduzida a pó como tantas sistematizações de escritores medíocres que, com grande reforço de títulos e subtítulos, desejam parecer que se deram ao esforço de perseguir um só e transcendente desígnio. Não fictícia, talvez mais real até por ser ulterior, por ter nascido de um momento de entusiasmo em que é descoberta entre pedaços que só precisam se unir, unidade que se ignorava, portanto vital e não lógica, que não proscreveu a variedade nem ressecou a execução. Ela é (mas aplicando-se desta vez ao conjunto) como determinado trecho composto à parte, nasceu de uma inspiração, não exigida pelo desenvolvimento artificial de uma tese, e que vem integrar-se ao resto. Antes do grande movimento de orquestra que precede a volta de Isolda, foi a própria obra que atraiu para si a ária meio esquecida da flauta de um pastor. E, sem dúvida, assim como a progressão da orquestra, ao aproximar-se da nave, apodera-se dessas notas da flauta, transforma-as, associa-as à sua embriaguez, quebra o seu ritmo, aclara-lhes a tonalidade, acelera-lhes o movimento, multiplica-lhes a instrumentação, assim o próprio Wagner, sem dúvida, alegrou-se ao descobrir em sua memória a ária do pastor, agregou-a à sua obra, deu-lhe toda a sua significação. De resto, semelhante alegria não o abandona jamais. Seja qual for a tristeza do poeta, ela é consolada nele, superada – quer dizer, infelizmente um pouco destruída – pela alegria do fabricante. Mas então, tanto quanto pela identidade que eu havia notado há pouco entre a frase de Vinteuil e a de Wagner, sentia-me perturbado por essa habilidade vulcânica. Seria essa habilidade que confere, nos grandes artistas, a ilusão de uma originalidade intrínseca, irredutível, aparentemente um reflexo de uma realidade mais que humana, e de fato o produto de um labor industrioso? Se a arte não passa disto, não é mais real do que a vida, e eu não tinha que lastimar o fato de não ser artista. Continuava a tocar *Tristão*. Separado de Wagner pelo tabique sonoro, ouvia-o exultar, convidar-me a partilhar da sua alegria, ouvia redobrar o riso imortalmente jovem e as marteladas de *Siegfried*, em quem, aliás, mais maravilhosamente marcadas eram tais frases, a habilidade técnica do operário só servindo para fazê-las mais livremente deixar a terra, pássaros idênticos não ao cisne de Lohengrin, mas àquele aeroplano que eu vira, em Balbec, mudar sua energia em elevação, planar acima das ondas e perder-se no céu. Talvez, como as aves que mais alto sobem, que voam mais depressa, têm uma asa mais possante, fossem necessários aparelhos realmente materiais para explorar o infinito, desses cento e vinte cavalos marca Mistério, nos quais entretanto, por mais alto que se voe, é-se um tanto impedido de desfrutar o silêncio dos espaços devido ao potente ronco do motor!

Não sei por que o curso de meus devaneios, que até aqui havia seguido as recordações da música, desviou-se para aqueles que foram, em nossa época, os melhores executantes, e entre os quais, superestimando-o um pouco, eu situava Morel. E logo o meu pensamento fez um brusco desvio e foi sobre o caráter de Morel, e certas singularidades desse caráter, que me pus a devanear. Aliás – e isto podia acrescentar-se mas não se confundir com a neurastenia que o atormentava –, Morel tinha o hábito de falar de sua vida, mas dando um retrato tão sombrio dela que era difícil distinguir alguma coisa. Por exemplo, colocava-se à inteira disposição do Sr. de Charlus, com a condição de ter as noites livres, pois desejava poder seguir o curso de álgebra depois do jantar. O Sr. de Charlus dava licença, mas pedia para vê-lo depois. – Impossível, é uma velha pintura italiana – (este gracejo não faz qualquer sentido transcrito assim; mas o Sr. de Charlus fizera Morel ler *A Educação Sentimental*, em cujo penúltimo capítulo Fréderic Moreau diz esta frase; e, assim, Morel, de brincadeira, nunca dizia a palavra "impossível" sem fazê-la seguir por estas: "é uma velha pintura italiana") –, o curso dura muitas vezes até bem tarde e já é um grande incômodo para o professor, que naturalmente ficaria melindrado... – Mas não há necessidade de curso, álgebra não é como a natação, nem mesmo como o inglês, isto se aprende muito bem num livro – replicava o Sr. de Charlus, tendo logo adivinhado nesse curso de álgebra uma dessas imagens em que não se podia destrinçar nada. Talvez se tratasse da cópula com uma mulher, ou, se Morel procurava ganhar dinheiro por meios suspeitos e estivesse de combinação com a polícia secreta, de uma operação com agentes de segurança, ou, quem sabe, pior ainda, a espera de um gigolô de quem se poderá precisar num bordel. – Bem mais facilmente até pelos livros – respondia Morel ao Sr. de Charlus –, pois não se compreende nada num curso de álgebra. – Então por que não a estudas de preferência lá em casa, onde tens de fato todo o conforto? – poderia ter respondido o Sr. de Charlus; evitou, porém, dizê-lo, sabendo que, imediatamente, conservando apenas o mesmo caráter de necessidade para reservar as horas da noite, o curso de álgebra se mudaria numa aula obrigatória de dança ou de desenho. No que o Sr. de Charlus pôde perceber que se enganava, ao menos em parte: Morel, muitas vezes, na casa do barão, ocupava-se em resolver equações. O Sr. de Charlus objetava que a álgebra não podia servir em nada a um violinista. Morel retrucava que era uma distração para passar o tempo e combater a neurastenia. É claro que o Sr. de Charlus poderia procurar saber o que eram na verdade aquelas misteriosas e fatais aulas de álgebra, só ministradas à noite. Mas o Sr. de Charlus estava envolvido demais nas obrigações da sociedade para se ocupar em deslindar o emaranhado das ocupações de Morel. As visitas feitas ou recebidas, o tempo passado no círculo, os jantares na cidade e as noites no teatro impediam-no de pensar nisso, bem como naquela malvadez, a um tempo violenta e sorrateira, que Morel, dizia-se, fazia ao mesmo tempo brilhar e dissimular nos ambientes sucessivos, nas diferentes cidades por onde passara, e onde só falavam dele com um arrepio, baixando a voz, e sem coragem de contar coisa alguma. Infelizmente, foi a uma dessas explosões de nervosismo maldoso que tive ocasião de assistir naquele dia, quando, tendo deixado o piano, desci ao pátio para ir ao encontro de Albertine que ainda não tinha chegado. Passando em frente à loja de Jupien, onde Morel e aquela que eu julgava vir a ser em breve sua mulher estavam sozinhos, ouvi Morel gritando com toda a força, o que fazia sair dele uma entonação que não lhe conhecia, rude, habitualmente recalcada, e estranhíssima. As palavras não o eram menos, erradas do ponto de vista da língua francesa, mas ele conhecia tudo imperfeitamente. – Saia já daqui, sua grandessíssima puta, grandessíssima puta, grandessíssima puta – repetia ele à pobre moça, que certamente no começo não entendera o que ele queria dizer, e depois, trêmula e digna, permanecia imóvel diante dele. – Já lhe disse para sumir daqui, grandessíssima puta, grandessíssima puta, vá procurar o seu tio para que eu lhe diga o que você é, sua puta. – Justo naquele momento a voz de Jupien, que regressava conversando com um amigo, fez-se ouvir no pátio, e, como eu sabia que Morel era um tremendo poltrão, achei inútil juntar minhas forças à de Jupien e seu amigo, que num instante estariam dentro da loja, e voltei a subir, para evitar Morel, que, embora tivesse tanto desejado que chamassem Jupien (provavelmente para aterrorizar e dominar a moça com uma chantagem sem qualquer fundamento), apressou-se a sair logo que ouviu sua voz no pátio. As palavras reproduzidas não são nada, nem explicariam o bater do coração com que subi. Tais cenas a que assistimos na vida encontram um elemento de força incalculável no que os militares denominam, em matéria de ofensiva, a vantagem da surpresa, e, por maior que fosse a minha sensação de suave tranqüilidade por saber que Albertine, em vez de ficar no Trocadero, ia voltar para junto de mim, nem por isso ressoava menos nos ouvidos o acento daquelas palavras dez vezes repetidas: "grandessíssima puta, grandessíssima puta", que tinham me perturbado tanto.

Pouco a pouco minha agitação se acalmou. Albertine ia chegar. Eu a ouviria bater à porta dentro de um instante. Sentia que minha vida não era mais a mesma como poderia ter sido; e que ter assim uma mulher com a qual muito naturalmente, quando estivesse de volta, deveria sair, para cujo embelezamento iam ser cada vez mais desviadas as forças e a atividade do meu ser, fazia de mim como que uma haste acrescida, mas vergada ao peso do fruto opulento pelo qual passam todas as suas reservas. Contrastando com a ansiedade que eu experimentara uma hora antes, o sossego que me causava o regresso de Albertine era mais vasto do que o que eu sentira de manhã, antes de sua partida. Antecipando o futuro, de que a docilidade de minha amiga me tornava mais ou menos senhor, mais resistente, como que repleto e estabilizado pela presença iminente, importuna, inevitável e doce, era o sossego (dispensando-nos de buscar a felicidade em nós mesmos) que nasce de um sentimento familial e de uma ventura doméstica: foi isso ainda, não menos que o sentimento que me trouxera tanta paz enquanto eu esperava Albertine, o que experimentei a seguir, passeando com ela. Ela tirou a luva por um momento, fosse para tocar a minha mão, fosse para me deslumbrar, deixando-me ver no seu dedo mindinho, ao lado daquele que recebera da Sra. Bontemps, um anel onde se estendia a larga e líquida toalha de uma clara folha de rubis: – Um novo anel, Albertine? Sua tia é tão generosa! – Não, este não veio da minha tia – disse ela, rindo. – Eu mesma é que o comprei, visto que, graças a você, posso fazer grandes economias. Nem mesmo sei a quem pertenceu. Um viajante que não tinha dinheiro o deixou para o dono de um hotel onde estive em Mans. O homem não sabia o que fazer dele e o teria vendido bem abaixo do seu valor. Mas ainda assim era muito caro. Agora que, graças a você, eu me torno uma dama elegante, mandei lhe perguntar se ele o possuía ainda. E aí está. – Tanto anel, Albertine. Onde vai pôr o que lhe vou dar? Em todo caso, este é muito bonito; não consigo distinguir os lavores em torno aos rubis, dir-se-ia uma cabeça humana fazendo caretas. Mas não tenho boa vista. – Mesmo que a tivesse, não adiantaria muito. Eu também não distingo nada.

Antigamente, muitas vezes me ocorrera, ao ler um volume de memórias ou um romance, em que um homem sempre sai com uma mulher, merendam juntos, desejar poder fazer o mesmo. Às vezes julgara consegui-lo, por exemplo, levando comigo a amante de Saint-Loup, indo jantar com ela. Mas debalde eu invocava a idéia de que, naquele momento, representava bem a personagem que havia invejado no romance, essa idéia me convencia de que eu devia ter satisfação ao lado de Rachel e, todavia, não me proporcionava. É que, de cada vez que desejamos imitar alguma coisa, esquecemos que essa coisa foi produzida não pela vontade de imitar, mas por uma força inconsciente, também real. Mas essa impressão particular que não pudera me dar todo o meu desejo de sentir um prazer delicado ao passear com Rachel, eis que agora o sentia sem o ter procurado de forma alguma, mas por motivos completamente diversos, sinceros, profundos – para citar um exemplo – porque meu ciúme impedia-me de estar longe de Albertine e, no momento em que eu podia sair, de deixá-la passear sem mim. Só o sentia agora porque o conhecimento é, não das coisas exteriores que desejamos observar, mas das sensações involuntárias; porque outrora uma mulher, por mais tempo que estivesse no mesmo carro que eu, não estava *na realidade* junto a mim, enquanto não a recriasse ali, a todo instante, uma necessidade dela como eu a tinha de Albertine, enquanto a carícia constante do meu olhar não lhe devolvesse permanentemente as cores que exigem ser perpetuamente refrescadas, enquanto os sentidos, mesmo apaziguados, mas que se recordam, não pusessem sob aquelas cores o sabor e a consistência, enquanto, unido aos sentidos e à imaginação que os exalta, o ciúme não mantivesse tal mulher em equilíbrio junto a mim por uma atração compensada, tão poderosa como a lei da gravidade.

Nosso carro descia depressa pelos bulevares, pelas avenidas, cujos palacetes enfileirados, rósea congelação de sol e de frio, recordavam-me as visitas à casa da Sra. Swann, docemente iluminadas pelos crisântemos à espera da hora dos lampiões. Eu mal tinha tempo de avistar, tão separado delas atrás do vidro do automóvel como o teria estado atrás da janela do meu quarto, uma jovem caixeira da casa de frutas, uma moça da leiteria de pé diante da porta, iluminada pelo lindo dia como uma heroína que meu desejo bastava para empenhar em peripécias deliciosas, no limiar de um romance que eu nunca haveria de conhecer. Pois eu não podia pedir a Albertine que parássemos, e já não eram mais visíveis as moças, de quem meus olhos mal distinguiram as feições e mal puderam acariciar a frescura no louro vapor em que elas se banhavam. A emoção de que me sentia possuído ao avistar a filha de um comerciante de vinhos ou uma lavadeira conversando na rua era a emoção que se tem ao reconhecer as Deusas. Desde que o Olimpo já não existe, seus habitantes vivem na terra. E, quando, ao compor um quadro mitológico, os pintores fizeram posar, como Vênus ou Ceres, moças do povo que exerciam os ofícios mais vulgares, bem longe de cometer um sacrilégio, não fizeram mais que acrescentar-lhes, restituir-lhes a qualidade e os atributos divinos de que se achavam despojadas. – Como lhe pareceu o Trocadero, louquinha? – Estou muito contente de o ter deixado para passear com você. É de Davioud, creio. – Mas como a minha pequena Albertine é instruída! De fato, é de Davioud, mas eu o tinha esquecido. – Enquanto você dormia li seus livros, grande preguiçoso. Como monumento, é bem feio, não acha? – Menina, você está mudando com tamanha rapidez e se torna de tal modo inteligente (é verdade, mas, além disso, gostava que ela tivesse a satisfação, à falta de outras, de pensar que pelo menos o tempo que passava em minha casa não era totalmente perdido), que lhe diria, quando necessário, algumas coisas que em geral seriam consideradas falsas e que correspondem a uma verdade que estou procurando. Você sabe o que é o impressionismo? – Sei. – Pois bem, veja o que pretendo dizer: lembra-se da igreja de Marcouville-l'Orgueilleuse, que Elstir não apreciava porque era nova? Será que ele não está um tanto em contradição com o seu próprio impressionismo, quando retira assim esses monumentos da impressão global em que estão situados, leva-os para fora da luz onde estão dissolvidos e examina o seu valor intrínseco feito um arqueólogo? Quando pinta, por acaso um hospital, uma escola ou um cartaz numa parede não têm o mesmo valor que uma catedral inestimável que está perto, numa imagem indivisível? Lembre-se de como a fachada estava queimada pelo sol, como o relevo daqueles santos de Marcouville sobrenadavam na luz. Que importa que um monumento seja novo, se parece velho? E mesmo que não pareça! O que os velhos bairros têm de poético foi extraído até a última gota, porém certas casas recentemente construídas para pequenos burgueses endinheirados, nos bairros novos, onde a pedra muito branca mostra ter sido preparada há pouco, não rompem elas o ar tórrido do meio-dia em julho, à hora em que os comerciantes voltam para o almoço no subúrbio, com um grito tão ácido como o odor das cerejas, antes que a refeição seja servida na sala de jantar penumbrosa, onde os prismas de vidro para descanso das facas projetam focos multicores tão belos como os vitrais de Chartres? – Como você é delicioso de ouvir! Se algum dia eu me tornar inteligente, será graças a você. – Por que, num dia bonito, desviar os olhos do Trocadero cujas torres em forma de pescoço de girafa fazem pensar na cartuxa de Pavia? – Ele me lembrou também, dominando da mesma forma do alto da colina, uma reprodução de Mantegna que você possui, creio que é *São Sebastião*, onde existe ao fundo uma cidade em anfiteatro e onde se poderia jurar que fica o Trocadero. – Você observa bem! Mas como é que viu a reprodução de Mantegna? Você é surpreendente.

Tínhamos chegado aos bairros mais populares, e a ereção de uma Vênus ancilar atrás de cada balcão fazia dele uma espécie de altar suburbano ao pé do qual eu gostaria de passar a minha vida. Como se faz às vésperas de uma morte prematura, eu recapitulava os prazeres de que me privava o ponto final que Albertine punha na minha liberdade. Em Passy, foi no próprio leito da rua, por causa do tráfego congestionado, que as moças, abraçadas pela cintura, deslumbraram-me com seu sorriso. Não tive tempo de o perceber muito bem, mas era pouco provável que o superestimasse; de fato, em qualquer multidão, em qualquer multidão de gente jovem, não é raro que se encontre a efígie de um nobre perfil. De modo que essas balbúrdias populares dos dias de festa são para o indivíduo voluptuoso tão preciosas como, para o arqueólogo, a desordem de uma terra onde uma escavação faz surgir medalhas antigas. Chegamos ao Bois. Eu pensava que, se Albertine não tivesse vindo comigo, poderia naquele instante, no Circo do Champs-Élysées, ouvir a tempestade wagneriana fazer gemer todos os instrumentos de corda da orquestra, atrair para si como leve espuma a ária da flauta que eu havia tocado há pouco, fazê-la voar, petrificá-la, deformá-la, dividi-la, arrastá-la num turbilhão crescente; pelo menos, desejei que o nosso passeio fosse curto e que voltássemos cedo, pois, sem nada falar a Albertine, eu decidira ir à noite à casa dos Verdurin. Tinham-me ultimamente enviado um convite que eu jogara na cesta, como a todos os anteriores. Mas resolvera reconsiderar aquela noite, pois queria tentar saber que tipo de pessoas Albertine poderia esperar encontrar de tarde na casa deles. Para falar a verdade, eu chegara com Albertine àquele momento em que (se tudo continua como está, se as coisas se passam normalmente) uma mulher só serve para nós como transição para outra mulher. Ela ainda nos fala ao coração, mas muito pouco; temos pressa de ir encontrar desconhecidas todas as noites, e sobretudo desconhecidas que ela conhece, e que poderão nos contar a vida dela. Com efeito, já possuímos e esgotamos tudo o que ela consentiu em nos entregar de si mesma. Sua vida é ainda ela mesma, mas justamente a parte que não conhecemos, as coisas sobre as quais interrogamos em vão e que poderemos ouvir de lábios novos.

Se minha vida com Albertine devia impedir-me de ir a Veneza, de viajar, pelo menos eu teria podido, há pouco, se estivesse sozinho, conhecer as jovens *midinettes* espalhadas ao sol daquele belo domingo e em cuja beleza eu colocava uma grande parte da vida desconhecida que as animava. Os olhos que vemos não estão inteiramente penetrados por um olhar cujas imagens, lembranças, expectativas, desdéns não conhecemos e dos quais não os podemos separar? Essa existência, que é a da criatura que passa, não haverá de dar, conforme ela seja, um valor variável ao franzir das sobrancelhas, à dilatação das narinas? A presença de Albertine me impedia de ir ter com elas e talvez, desse modo, de cessar de desejá-las. Aquele que quer manter em si mesmo o desejo de continuar a viver e a crença em algo mais delicioso que as coisas costumeiras, deve passear; pois as ruas e as avenidas estão cheias de Deusas. Mas as Deusas não permitem que nos aproximemos delas. Aqui e ali, entre as árvores, à entrada de qualquer botequim, uma criada velava como uma ninfa à entrada de um bosque sagrado, enquanto que ao fundo três moças estavam sentadas junto ao imenso arco de suas bicicletas colocadas a seu lado, como três imortais debruçadas da nuvem ou do fabuloso corcel sobre o qual realizavam suas viagens mitológicas. Reparei que de cada vez que Albertine encarava aquelas moças por um instante, com profunda atenção, logo se voltava para mim. Mas eu não me atormentava muito nem com a intensidade dessa contemplação, nem com a brevidade que a intensidade compensava; de fato, quanto a esta última, ocorria muitas vezes que Albertine, fosse por cansaço, fosse por maneira de olhar própria de pessoa atenta, considerava assim, numa espécie de meditação, seja meu pai ou seja Françoise; e, quanto à sua rapidez em voltar-se para mim, podia ser motivada pelo fato de que Albertine, conhecendo minhas suspeitas, podia querer, mesmo não sendo justificadas, evitar provocá-las. Aliás, essa atenção, que teria me parecido culposa da parte de Albertine (e tanto quanto o seria se tivesse por objeto os rapazes), eu a dava, sem me sentir absolutamente culpado – e achando quase que Albertine o era por me impedir, com sua presença, de parar e descer –, a todas as *midinettes*. A gente acha inocente desejar e atroz que o outro deseje. E esse contraste entre o que diz respeito, ou a nós ou então àquela a quem amamos, não se refere unicamente ao desejo, mas também à mentira. Haverá coisa mais usual do que ela, quer se trate, por exemplo, de encobrir as fraquezas diárias de uma saúde que se deseja impingir como boa, quer se trate de dissimular um vício, ou de ir, sem causar mágoa a outrem, à coisa que se prefere? A mentira é o instrumento mais necessário de conservação, e o mais utilizado. Ora, é justo ela que temos a pretensão de banir da vida daquela a quem amamos, é ela que espionamos, é ela que farejamos, que detestamos por todo canto. Ela nos perturba, é bastante para provocar um rompimento, parece esconder as maiores faltas, a menos que não as esconda tão bem que não as suspeitemos. Estranho estado esse em que ficamos de tal modo sensíveis a um agente patogênico que a sua difusão universal torna inofensivo para os outros e tão grave para o infeliz que acaba por não ter mais imunidade contra ele! A vida dessas lindas jovens (devido a meus longos períodos de reclusão, eu as encontrava tão raramente) me parecia, como se dá com todos aqueles a quem a facilidade de realizações não amorteceu a potência de conceber, algo tão diverso do que eu conhecia, tão desejável, como as mais maravilhosas cidades que a viagem promete.

A decepção causada pelas mulheres que eu conhecera, nas cidades aonde fora, não me impedia de me deixar levar pela atração de outras e de crer na sua realidade. Assim, da mesma forma que ver Veneza – Veneza, de quem eu sentia também a nostalgia naqueles dias primaveris e que o casamento com Albertine me impediria de conhecer – ver Veneza num panorama que Ski talvez tivesse declarado ser mais belo de tonalidade que a cidade real, em nada me teria substituído a viagem a Veneza, viagem cuja distância, determinada sem minha participação, parecia-me indispensável transpor – da mesma forma, por mais bonita que fosse a *midinette* que uma alcoviteira me obtivesse artificialmente, não poderia em nada substituir, para mim, aquela que, rebolando os quadris, passava naquele instante sob as árvores, rindo com uma amiga. A que eu pudesse ter encontrado num bordel, ainda que fosse mais bonita, não seria a mesma coisa, pois não olhamos para os olhos de uma garota que não conhecemos como o faríamos para uma plaqueta de opala ou de ágata. Sabemos que o pequeno raio de luz que os irisa ou os grãos de brilhante que os fazem cintilar são tudo o que podemos ver de um pensamento, de uma vontade, de uma memória, onde residem a casa de família que não conhecemos, os amigos queridos que invejamos. Chegar a apossar-nos de tudo isso, que é tão difícil, tão arisco, é o que dá ao olhar o seu valor, muito mais do que a simples beleza material (pelo que se pode explicar que um rapaz desperte todo um romance na imaginação de uma mulher que ouviu dizer que ele era o príncipe de Gales, e que não lhe dê mais atenção ao saber que se enganou); encontrar a *midinette* no bordel é encontrá-la vazia dessa vida ignorada que a penetra, e que aspiramos possuir com ela, é nos aproximarmos de olhos que de fato se tornaram simples pedras preciosas, de um nariz cujo franzir é tão destituído de significado como o de uma flor. Não, essa *midinette* desconhecida que ali passava, e da qual me parecia tão indispensável, se eu quisesse continuar a crer na sua realidade, experimentar-lhe as resistências adaptando-lhes o meu procedimento, arriscando-me a ouvir desaforos, voltando à carga, obtendo um encontro, esperando-a à saída do emprego, conhecendo episódio por episódio tudo o que compunha a vida dessa garota, atravessando aquilo de que se formava para ela o prazer que eu procurava e a distância que seus hábitos diversos e sua vida especial colocavam entre mim e a atenção, o favor que eu queria atingir e captar – quanto fazer uma longa viagem de trem se eu quisesse acreditar na realidade de Pisa, que eu veria e que não seria apenas um espetáculo de exposição universal. Mas as próprias semelhanças que existem entre o desejo e a viagem fizeram com que eu prometesse a mim mesmo penetrar um pouco mais fundo na natureza dessa força invisível mas tão poderosa como as crenças, ou como, no mundo físico, a pressão atmosférica, que erguia tão alto as cidades, as mulheres, enquanto eu não as conhecia, e que se ocultava debaixo delas logo que eu me aproximava, fazendo-as desabar repentinamente no terra-a-terra da mais trivial realidade. Mais adiante, uma outra mocinha estava de joelhos junto a sua bicicleta, consertando-a. Uma vez terminados os reparos, a jovem ciclista montou na bicicleta, mas sem cavalgá-la como o teria feito um homem. Por um momento a bicicleta balançou, e o jovem corpo parecia ter adquirido um véu, uma asa imensa, e logo vimos afastar-se a toda velocidade a jovem criatura meio humana, meio alada, anjo ou *peri*,[20] prosseguindo a sua viagem.

Eis do que exatamente me privava a presença de Albertine, a minha vida com Albertine. Do que me privava? Não deveria eu pensar: do que, ao contrário, ela me gratificava? Se Albertine não vivesse comigo, se ela fosse livre, eu teria imaginado, e com razão, todas essas mulheres como objetos possíveis e prováveis do seu desejo, do seu prazer. Elas me apareceriam todas como essas dançarinas que, num balé diabólico, representando as Tentações para uma pessoa, atiram suas flechas no coração de outra. As *midinettes*, as moças, as atrizes, como as teria odiado! Objeto de horror, seriam excluídas por mim da beleza do universo. O cativeiro de Albertine, permitindo-me não mais sofrer por causa delas, restituía-as à beleza do mundo. Inofensivas, tendo perdido o aguilhão que enfia no coração o ciúme, era-me permitido admirá-las, afagá-las com o olhar, talvez mais intimamente em outro dia. Encerrando Albertine, eu ao mesmo tempo devolvera ao universo todas aquelas asas reluzentes que sussurravam nas avenidas, nos bailes, nos teatros, e que se tornavam tentadoras para mim porque ela já não podia sucumbir à sua tentação. Elas compunham a beleza do mundo. Tinham feito antigamente a de Albertine. Porque a vira como um pássaro misterioso, depois como uma grande atriz da praia, desejada, talvez conquistada, é que eu a achara maravilhosa. Uma vez cativo em minha casa o pássaro que eu tinha visto uma tarde caminhar a passos vagarosos

[20] *Peri*: gênio feminino da mitologia árabe-persa. (N. do T.)

sobre o molhe, cercado da congregação das outras jovens semelhantes a gaivotas vindas não se sabe de onde, Albertine perdera todas as suas cores, com todas as chances que os outros tinham de a possuir. Aos poucos perdera a sua beleza. Eram necessários passeios como este, em que eu a imaginava sem mim, abordada por tal mulher ou tal rapaz, para que eu a revisse no esplendor da praia, ainda que e o meu ciúme estivesse num plano diverso do que o declínio dos prazeres de minha imaginação. Mas, apesar desses bruscos sobressaltos em que, desejada por outros, ela se me tornava bela outra vez, eu bem podia dividir sua temporada em minha casa em dois períodos: o primeiro, em que ela era ainda, embora menos a cada dia, a reluzente atriz da praia; e o segundo, em que, transformada na sombria prisioneira, reduzida a seu eu amortecido, eram-lhe precisos esses clarões, em que eu me recordava do passado, para lhe restituir as cores.

Às vezes, nas horas em que ela me era mais indiferente, voltava-me a lembrança de um momento longínquo em que, na praia, quando ainda não a conhecia, não longe de certa senhora com quem eu estava em muito maus termos e com a qual agora estava quase seguro de que ela tivera relações, Albertine desatava a rir, olhando-me de modo insolente. O mar, brunido e azul, sussurrava em torno; ao sol da praia, Albertine, no meio de suas amigas, era a mais bela, era uma garota magnífica, que, no quadro habitual de águas imensas, infligira-me aquela afronta, preciosa para a dama que a admirava. Tal afronta era definitiva, pois a dama talvez voltasse a Balbec, talvez constatasse a ausência de Albertine na praia luminosa e sussurrante. Ignorava, porém, que a moça vivia em minha casa, só para mim. As águas imensas e azuis, o esquecimento das preferências que tinha por esta moça e que se dirigiam a outras, haviam recaído sobre a afronta que me fizera Albertine, prendendo-a num deslumbrante e infrangível escrínio. Então o ódio por aquela mulher me mordia o coração; também por Albertine, mas um ódio mesclado de admiração pela bela jovem adulada, de maravilhosa cabeleira, e cujo estalar de riso na praia era uma afronta. A vergonha, o ciúme, a recordação dos primeiros desejos e do quadro cintilante haviam devolvido a Albertine a sua beleza, o seu valor de outrora. E assim alternava, com o tédio um tanto pesado que eu sentia junto dela, um desejo fremente, cheio de imagens magníficas e saudades, conforme ela estivesse a meu lado no quarto, ou eu lhe restituísse a liberdade em minha memória, no molhe, em seus alegres trajes de praia, ao sabor dos instrumentos de música do mar, Albertine, ora saída desse ambiente, possuída e sem grande valor, ora mergulhada nele, escapando-me num passado que eu não poderia conhecer, ofendendo-me junto àquela senhora, junto da amiga, tanto quanto o salpico das ondas ou a ofuscação do sol, Albertine recolocada na praia ou reposta no meu quarto, numa espécie de amor anfíbio.

Além, um grupo numeroso jogava bola. Todas essas meninas tinham querido aproveitar o sol, pois esses dias de fevereiro, mesmo quando são tão brilhantes, não duram até tarde, e o esplendor de sua luz não atrasa a vinda de seu declínio. Antes que este chegasse, tivemos um pouco de penumbra, porque, depois de descer até o Sena, onde Albertine admirou – e com sua presença me impediu de admirar – os reflexos de velas vermelhas sobre a água azul e invernal, uma casa de telhas acocorada ao longe como uma única papoula no claro horizonte de que Saint-Coud parecia, mais longe ainda, a petrificação fragmentária, friável e cheia de pregas, saltamos do carro e caminhamos por muito tempo. Durante alguns momentos eu até lhe dava o braço, e parecia-me que o anel que o seu braço fazia sob o meu unia numa só criatura nossas pessoas e ligava nossos destinos um ao outro. A nossos pés, nossas sombras paralelas, mais juntas e aproximadas, formavam um desenho encantador. Sem dúvida já me parecia maravilhoso em casa que Albertine morasse comigo, que fosse ela quem se estendesse em minha cama. Mas era como a exportação para fora, em plena natureza, que diante daquele lago de Bois, de que eu tanto gostava, ao pé das árvores, que fosse justamente a sua sombra, a sombra pura e simplificada de sua perna, de seu busto, que o sol tivesse de pintar numa aquarela, ao lado da minha, sobre a areia da alameda. E eu achava um encanto, mais imaterial sem dúvida, porém não menos íntimo, na aproximação, na fusão de nossas sombras do que na de nossos corpos. Depois voltamos para o carro. E este tomou por pequenas alamedas sinuosas onde as árvores de inverno, vestidas de heras e de sarças, como ruínas, pareciam levar à casa de um mágico. Mal saímos de sua cobertura ensolarada, encontramos, para deixar o Bois, o dia claro, tão claro ainda que eu julgava ter tempo de fazer tudo o que desejava antes de jantar, quando, só alguns instantes depois, no momento em que nosso carro se aproximava do Arco do Triunfo, foi com um brusco movimento de surpresa e pavor que avistei, sobre Paris, a lua cheia e prematura, como o mostrador de um relógio parado que nos faz pensar que estamos atrasados. Tínhamos dito ao cocheiro que voltasse para casa. Para Albertine, era também voltar para a minha casa. A presença das mulheres que precisam nos deixar para regressar a casa, por mais amadas que sejam, não nos dá essa paz que eu desfrutava na presença de Albertine, sentada no fundo do carro a meu lado, presença que nos encaminhava, não ao vazio das horas em que se fica separado, mas à reunião mais estável ainda e melhor definida dentro do meu lar, que também era o seu símbolo material do meu poder sobre ela. É claro que, para possuir, é preciso ter desejado. Não possuímos uma linha, uma superfície, um volume, sem que nosso amor o ocupe. Mas Albertine não fora para mim, durante nosso passeio, como Rachel o fora antigamente, uma poeira vã de carne e tecidos. A imaginação de meus olhos, de meus lábios, de minhas mãos, tinha, em Balbec, tão solidamente construído e tão ternamente cinzelado o seu corpo, que agora naquele carro, para tocar esse corpo, para contê-lo, eu não tinha necessidade de me apertar contra Albertine, nem mesmo de vê-la, bastava-me ouvi-la, e, se ela se calava, sabê-la junto a mim; meus sentidos retrançados envolviam-na inteirinha e, quando, chegando em frente da casa, ela desceu com toda a naturalidade, eu parei um instante para dizer ao chofer que voltasse para me buscar, mas meus olhares ainda a envolviam, enquanto ela desaparecia sob o arco, e era sempre essa mesma calma inerte e doméstica o que eu desfrutava ao vê-la assim pesada, purpúrea, opulenta e cativa, entrar naturalmente em casa comigo, como uma mulher que fosse minha, e, protegida pelos muros, desaparecer em nossa casa.

Infelizmente, ela parecia sentir-se prisioneira e ser da opinião daquela Sra. de La Rochefoucauld, que, como lhe perguntassem se não estava contente por viver numa residência tão bonita como Liancourt, respondeu que "não existe uma bela prisão", a julgar pelo ar tristonho e cansado que exibiu aquela noite durante o jantar, nós dois sozinhos no seu quarto. A princípio não reparei nisso; e eu é que fiquei desolado ao pensar que, se não fosse Albertine (pois com ela eu teria de morrer de ciúmes num hotel onde ela ficaria o dia todo em contato com tantas pessoas), poderia naquele instante estar jantando em Veneza, numa daquelas pequenas salas de jantar de teto rebaixado como um porão de navio, e de onde se vê o Grande Canal através de janelinhas arqueadas em molduras mouriscas.

Devo acrescentar que Albertine admirava muito, em nossa casa, um grande bronze de Barbedienne, que com muita razão Bloch achava extremamente feio. Tinha-a menos talvez de se admirar que eu o conservasse. Eu jamais buscara, como ele, fazer um conjunto de mobílias artísticas, compor peças, era preguiçoso demais para isso, muito indiferente ao que estivesse habituado a ter diante dos olhos. Já que o meu gosto não se preocupava, eu tinha o direito de não matizar os interiores. Apesar disso, poderia talvez me desfazer do bronze. Mas as coisas feias e extravagantes são utilíssimas, pois têm, junto às pessoas que não nos compreendem, que não têm o nosso gosto, e das quais podemos estar enamorados, um prestígio que não teria uma peça ilustre que não revela a sua beleza. Ora, as pessoas que não nos compreendem são justamente as únicas junto às quais pode nos ser útil usar de um prestígio diante de criaturas superiores apenas por sermos inteligentes. Por mais que Albertine principiasse a ter um certo gosto, ela ainda mostrava algum respeito por aquele bronze; e esse respeito se refletia sobre mim numa consideração que, vindo dela, importava-me infinitamente mais do que conservar um bronze um tanto desonroso, visto que amava Albertine.

Mas a idéia da minha escravidão cessou de repente de me pesar, e eu aspirava a prolongá-la ainda mais, pois parecia-me perceber que Albertine sentia cruelmente a sua. Sem dúvida, cada vez que eu lhe perguntava se não se aborrecia em minha casa, dizia-me sempre que não sabia onde poderia ser mais feliz. Muitas vezes, porém, tais palavras eram desmentidas por um ar de nostalgia, de nervosismo. Certamente, se ela tivesse os gostos que eu julgara que possuísse, esse impedimento de jamais satisfazê-los deveria ser tão irritante para ela como tranqüilizador para mim; tranqüilizador a ponto de que a hipótese de que a acusara injustamente teria me parecido a mais verossímil, se nela não encontrasse muita dificuldade em explicar aquele cuidado extraordinário que Albertine punha em nunca estar sozinha, nunca estar livre, em nunca parar um momento diante da porta ao entrar, em se fazer acompanhar ostensivamente, cada vez que ia telefonar, por alguém que pudesse me repetir as suas palavras, por Françoise, por Andrée, em me deixar sempre sozinho com esta última, sem dar a impressão que fosse de propósito quando tinham saído juntas, para que eu pudesse obter um relatório minucioso de sua saída. Com essa maravilhosa docilidade, contrastavam certos movimentos de impaciência, logo reprimidos, que me fizeram especular se Albertine não teria formado o projeto de romper as cadeias.

Alguns fatos acessórios apoiavam minha suposição. Assim, um dia em que eu saíra sozinho, tendo encontrado Gisèle perto de Passy, conversamos de uma coisa ou outra. Em pouco, muito feliz de poder informá-la, disse-lhe que via Albertine constantemente. Gisèle me perguntou onde poderia encontrá-la, pois tinha *justamente* uma coisa a lhe dizer. – O que é? – Coisas das amiguinhas dela. – Que amiguinhas? Eu podia talvez lhe informar, o que não impediria que você a procurasse depois. – Oh, amigas de antigamente; não me recordo os seus nomes – respondeu Gisèle com um ar vago, batendo em retirada. Deixou-me, julgando ter falado com tanta prudência que tudo só me poderia parecer bem claro. Mas a mentira é tão pouco exigente, necessita de tão pouco para se manifestar! Se se tratasse de amiguinhas de antigamente, de quem ela nem mesmo recordava os nomes, por que precisaria *justamente* falar delas a Albertine? Este advérbio, bem parecido a uma expressão cara à Sra. Cottard: "isso vem a calhar" – só podia aplicar-se a uma coisa especial, oportuna, talvez urgente, referindo-se a pessoas determinadas. Aliás, nada como a forma de abrir a boca, como quando se vai bocejar, com um ar vago ao me dizer (e quase recuando com o corpo, desde que dava marcha a ré a partir daquele momento na nossa conversa): – Ah, não sei, não me lembro dos seus nomes – para fazer de seu rosto e, combinado com ele, da sua voz, um rosto de mentira, da mesma forma que o ar bem diverso, conciso, animado, indiscreto do "tinha justamente", significava uma verdade. Nada mais perguntei a Gisèle. De que adiantaria? Certo, ela não mentia da mesma maneira que Albertine. E evidentemente as mentiras desta me doíam mais. Porém havia entre elas um ponto comum, o próprio fato da mentira que, em certos casos, é uma evidência. Não da realidade que se oculta sob essa mentira. Sabemos que, embora cada assassino em particular pense ter realizado tão bem o seu trabalho que nunca será descoberto, ele é quase sempre capturado. Contrariamente, os mentirosos raramente são apanhados e, entre eles, mais especialmente as mulheres que amamos. Ignoramos aonde ela foi, o que andou fazendo lá, mas, no momento mesmo em que ela fala, quando fala de outra coisa sob a qual está o que ela não diz, a mentira é logo descoberta. E o nosso ciúme redobra, pois percebemos a mentira e não chegamos a conhecer a verdade. Em Albertine, a sensação da mentira era dada por diversas particularidades que já vimos no decorrer desta narrativa, mas principalmente pelo fato de que, ao mentir, o seu relato pecava ou por insuficiência, omissão, inverossimilhança, ou, ao contrário, por excesso de pequenos fatos destinados a torná-lo verossímil. O verossímil, apesar do que o mentiroso imagina, não é de modo algum a verdade. Quando, ao se ouvir alguma coisa verdadeira, escuta-se algo que é apenas verossímil, que o é talvez mais que a verdade, que o é talvez demais, o ouvido um tanto musical sente que não é exatamente aquilo, como se dá com um verso errado, ou uma palavra lida em voz alta por outra pessoa. O ouvido o sente e, se amamos, o coração se alarma. Por que não considerarmos então, quando mudamos toda a nossa vida por não sabermos se uma mulher passou pela rua de Berri ou pela rua Washington, por que não considerarmos que esses poucos metros de diferença, e a própria mulher, serão reduzidos a um centésimo milionésimo de seu tamanho (isto é, a uma grandeza que não podemos distinguir), para isso bastando-nos ter a prudência de ficar alguns anos sem ver tal mulher, e o que era um Gulliver, em bem maiores proporções, se tornará uma liliputiana que nenhum microscópio – ao menos o do coração, pois o da memória indiferente é mais poderoso e menos frágil – terá condições de perceber! Seja como for, se havia um ponto em comum – a própria mentira – entre as de Albertine e de Gisèle, esta, contudo, não mentia da mesma forma que Albertine, tampouco da mesma maneira que Andrée, mas suas respectivas mentiras se encaixavam tão bem umas nas outras, apresentando sempre grande variedade, que o pequeno grupo exibia a solidez impenetrável de certas firmas comerciais, de livraria ou de imprensa por exemplo, onde o infeliz autor jamais há de chegar a saber, a despeito da diversidade das personalidades componentes, se está sendo logrado ou não. O diretor do jornal ou da revista mente com uma atitude de sinceridade tanto mais solene quanto precisa dissimular em várias ocasiões que faz exatamente a mesma coisa, e se entrega às mesmas práticas mercantis que condena em outros diretores de jornal ou de teatro, em outros editores, quando tomou partido, erguendo contra eles o estandarte da Sinceridade. O fato de ter proclamado (como chefe de um partido político, como qualquer coisa) ser atroz mentir, obriga na maioria das vezes a mentir mais que os outros, sem por isso abandonar a máscara solene, nem depor a tiara augusta da sinceridade. O sócio do "homem sincero" mente de outra forma e de modo mais ingênuo. Engana o autor como engana a mulher, com truques de *vaudeville*. O secretário da redação, homem honesto e grosseiro, mente com simplicidade, como o arquiteto que nos promete que nossa casa ficará pronta numa ocasião em que ela nem sequer estará começada. O redator-chefe, alma angélica, rodopia entre outros três, e, sem saber de que se trata, leva-lhes, por escrúpulo fraterno e carinhosa solidariedade, o auxílio precioso de uma palavra insuspeita. Estes quatro personagens vivem em constantes dissensões que a chegada do autor faz cessar. Acima das rixas particulares, cada qual se lembra do grande dever militar de vida em ajuda ao "corpo" ameaçado. Sem o perceber, eu há muito vinha exercendo o papel desse autor diante do "pequeno grupo". Se Gisèle havia pensado, ao dizer "justamente", em determinada amiguinha de Albertine disposta a viajar com ela desde que minha amiga, sob qualquer pretexto, deixasse-me, e em avisar Albertine de que era chegada a hora, ou que em breve chegaria, teria preferido deixar-se fazer em pedaços a dizê-lo. Então, era de todo inútil fazer-lhe perguntas.

Encontros como os de Gisèle não eram os únicos a acentuar as minhas dúvidas. Por exemplo, eu admirava as pinturas de Albertine. E estas, distrações comoventes da cativa, impressionaram-me tanto que lhe dei meus parabéns. – Não, são muito ruins, e eu nunca tive uma aula sequer de desenho. – Mas certa noite, em Balbec, você me disse que tinha ficado para ter uma aula de desenho. – Lembrei-lhe o dia e falei que entendera logo que não se davam lições de desenho àquela hora. Albertine enrubesceu. – É verdade – disse –, eu não tomava lições de desenho, menti muito para você a princípio, isto eu reconheço. Mas não minto mais. – Eu tanto quisera saber quais eram as numerosas mentiras do princípio! Mas de antemão sabia que suas confissões seriam novas mentiras. Assim, limitei-me a beijá-la. Perguntei-lhe apenas qual era uma dessas mentiras. Respondeu: – Por exemplo: sim, que o ar marinho me fazia mal. – Deixei de insistir diante daquela má vontade.

Toda criatura amada, e até, em certa medida, qualquer criatura, é para nós como o deus Jano, apresentando-nos a fronte que nos agrada, se essa criatura nos abandona, e a fronte sombria se a temos à nossa disposição permanente. Quanto a Albertine, a convivência duradoura com ela apresentava algo penoso de outra forma que não posso contar nesta narrativa. É terrível ter a vida de outra pessoa ligada à nossa como uma bomba que não podemos largar sem cometer um crime. Mas tomem-se como comparação os altos e baixos, os perigos, a inquietude, o medo de ver acreditadas mais tarde coisas falsas e verossímeis que já não será possível explicar, sentimentos por que se passa quando se tem na intimidade um louco. Por exemplo, eu sentia pena de que o Sr. de Charlus vivesse com Morel (e logo a lembrança da cena da tarde me fez sentir o lado esquerdo do peito bem mais pesado que o outro); deixando de lado as relações que pudessem ter ou não juntos, o Sr. de Charlus, no princípio, deveria ignorar que Morel era louco. A beleza deste, sua chatice e arrogância, deveriam ter desviado o barão de ir procurar tão longe, até aos dias de melancolia em que Morel acusava o Sr. de Charlus por sua tristeza, sem poder dar explicações, insultava-o por sua desconfiança com o auxílio de arrazoados falsos, porém extremamente sutis, ameaçava-o com resoluções desesperadas, no meio das quais persistia a mais velhaca intenção do interesse mais imediatista. Tudo isto é apenas comparação. Albertine não era louca.

Para lhe fazer parecer menos penoso o seu jugo, o mais hábil se me afigurou fazê-la crer que eu próprio ia rompê-lo. Em todo caso, não podia confiar-lhe naquele momento semelhante projeto mentiroso, quando voltara tão amável do Trocadero, agora há pouco; o que eu podia fazer, muito longe de afligi-la com a ameaça de um rompimento, era quando muito calar os sonhos de perpétua vida comum que meu coração reconhecido formava. Olhando-a, esforçava-me por evitar desabafá-los, e talvez ela o percebesse. Infelizmente, a expressão deles não é contagiosa. O caso de um velho amaneirado como o Sr. de Charlus, que, à força de só ver, na imaginação, um rapaz simpático, julga tornar-se ele próprio um rapaz simpático e tanto mais quanto mais se torna amaneirado e ridículo, é o caso mais geral. E que desgraça para um amante apaixonado não perceber que, ao passo que vê um belo rosto à sua frente, sua amante está vendo o dele, que, ao contrário, não fica mais belo quando se deforma pelo prazer que nele faz surgir a vista da beldade. E o amor nem mesmo esgota toda a generalidade desse caso; não vemos o nosso corpo, que os outros vêem, e "seguimos" o nosso pensamento, objeto invisível aos outros que está à nossa frente. Tal objeto, por vezes o artista o expõe em sua obra. Daí decorre que os admiradores desta sentem-se desiludidos pelo autor, em cujo rosto essa beleza interior imperfeitamente se refletiu.

Guardando de meu sonho de Veneza apenas o que podia referir-se a Albertine e suavizar o tempo que ela passava em minha casa, falei-lhe de um vestido de Fortuny que era necessário que encomendássemos por aqueles dias. Eu procurava saber com que novos prazeres poderia distraí-la. Gostaria de poder fazer-lhe a surpresa de lhe dar, se fosse possível achá-las, peças de velha prataria francesa. De fato, quando tínhamos feito o projeto de possuir um iate, projeto julgado irrealizável por Albertine – e por mim mesmo, cada vez que pensava que ela fosse virtuosa e a vida com ela principiava logo a parecer-me tão ruinosa quanto impossível o nosso casamento –, tínhamos pedido conselhos a Elstir, sem que ela no entanto acreditasse que eu compraria um.

Soube que naquele dia ocorrera um falecimento que me deu muita pena, o de Bergotte. Era sabido que sua enfermidade vinha de muito tempo. Evidentemente, não a que o afligira no começo, e que era natural. A natureza parece quase incapaz de produzir doenças que não sejam muito curtas. Mas a medicina acrescenta-lhes a arte de prolongá-las. Os remédios, a remissão que oferecem, o mal-estar que sua interrupção faz renascer, compõem um simulacro de doença que o hábito do paciente acaba por estabilizar, por estilizar, assim como as crianças tossem regularmente por muito tempo depois de estarem curadas da coqueluche. E depois os remédios agem menos, e aumentam-lhes sua dose, eles não fazem mais nenhum bem, mas começaram a fazer mal graças a essa indisposição duradoura. A natureza não lhes teria oferecido uma tão longa duração. É uma maravilha que a medicina, quase igualando a natureza, possa forçar o doente a ficar de cama, a continuar, sob pena de morte, o uso de um medicamento. Desde então, a doença artificialmente implantada cria raízes, torna-se mal-estar secundário porém verdadeiro, com esta única diferença de que as doenças naturais se curam, mas nunca essas que a medicina cria, pois ela ignora o segredo da cura.

Fazia já muitos anos que Bergotte não saía de casa. Aliás, ele jamais gostara da sociedade, ou gostara dela apenas um dia, para desprezá-la como tudo o mais e da mesma maneira, que era a sua, a saber, não desprezar porque não podia obter, mas logo depois de obtê-lo. Vivia de modo tão simples que não se suspeitava a que ponto era rico, e, ainda que alguém o soubesse, estaria enganado julgando-o avarento, pois nunca ninguém fora tão generoso. Era-o sobretudo com mulheres, melhor dizendo, com meninas, e que ficavam envergonhadas de receber tanto por tão pouco. Ele se desculpava aos próprios olhos, pois sabia que nunca poderia produzir tão bem como na atmosfera de se sentir enamorado. O amor, melhor dizendo, o prazer um tanto entranhado na carne, auxilia no trabalho das letras porque aniquila os outros prazeres, por exemplo os prazeres da sociedade, que são os mesmos para todo o mundo. E, mesmo se esse amor traz desilusões, ao menos agita desse modo também a superfície da alma, que sem isso se arriscaria a ficar estagnada. Assim, o desejo não é inútil para o escritor, pois primeiro o afasta dos outros homens e o conforma a eles, e em seguida restitui algum movimento a uma máquina espiritual que, depois de certa idade, tende a se imobilizar. Não se chega a ser feliz mas assinalam-se as razões que impedem de sê-lo e que nos ficariam invisíveis sem essas fendas bruscamente abertas pela decepção. E os sonhos, é claro, não são realizáveis, bem sabemos; não os conceberíamos talvez sem o desejo, e é útil concebê-los para os ver fracassarem e para que seu fracasso nos sirva de lição. Assim, Bergotte dizia consigo: "Gasto com essas meninas mais que os multimilionários, mas os prazeres ou as decepções que me causam me fazem escrever um livro que me dá dinheiro." Do ponto de vista econômico, tal raciocínio era absurdo, mas certamente encontrava Bergotte algum contentamento em transmudar desse modo o ouro em carícias e as carícias em ouro. E depois, como vimos no momento da morte da minha avó, sua velhice fatigada amava o repouso. Ora, na sociedade só existe a conversação. Ali ela é estúpida, mas tem o poder de suprimir as mulheres, que se reduzem a perguntas e respostas. Fora da sociedade, as mulheres se tornam de novo o que é tão repousante para o velho cansado: um objeto de contemplação.

Em todo caso, agora já não se tratava de nada disso. Disse que Bergotte não saía mais de casa e, quando se levantava por uma hora em seu quarto, ficava todo envolto em xales, mantas, tudo aquilo que serve para cobrir no momento de se expor a um tremendo frio e subir para o vagão de um trem. Desculpava-se com os raros amigos que ainda permitia que o visitassem e, mostrando suas cobertas e mantas escocesas, dizia jovialmente: – Que se há de fazer, meu caro? Anaxágoras disse: a vida é uma viagem. – Assim, ele ia se resfriando progressivamente, pequeno planeta que oferecia uma imagem antecipada dos últimos dias do grande, quando aos poucos se há de retirar da Terra o calor e depois a vida. Então a ressurreição terá chegado ao fim, pois, por mais que brilhem as obras dos homens nas gerações futuras, é necessário que os homens ainda existam. Se algumas espécies de animais resistem por mais tempo ao frio invasor, quando não houver mais homens e supondo que a glória de Bergotte dure até lá, vai extinguir-se bruscamente para sempre. Não serão os últimos animais que irão lê-lo, pois é pouco provável que, como os apóstolos no Pentecostes, eles possam compreender a linguagem dos diversos povos humanos sem a ter aprendido.

Nos meses que precederam a sua morte, Bergotte sofria de insônias e, o que é pior, de pesadelos assim que adormecia, pesadelos que, se acordava, faziam com que evitasse voltar a dormir. Por muito tempo gostara dos sonhos, mesmo os maus sonhos, pois graças a eles, graças à contradição que apresentam com a realidade que temos diante de nós no estado de vigília, nos dão, o mais tardar logo que despertamos, a sensação profunda de que dormimos. Mas os pesadelos de Bergotte não eram assim. Quando ele falava de pesadelos, antigamente entendia por isso coisas desagradáveis que se passavam no seu cérebro. Agora, era como vindas de fora que sentia uma mão munida de um esfregão molhado que, passado em seu rosto por uma mulher malvada, esforçava-se por acordá-lo, intoleráveis cócegas nos quadris, a raiva – porque Bergotte havia murmurado do sono que ele conduzia mal – de um cocheiro louco furioso, que se atirava sobre o escritor e lhe mordia os dedos, e os serrava. Enfim, logo que no seu sono a escuridão era suficiente, a natureza se encarregava de uma espécie de ensaio, sem vestimenta, do ataque de apoplexia que o haveria de matar: Bergotte entrava num carro sob o pórtico do novo palacete dos Swann, queria descer. Uma vertigem fulminante pregava-o no banco, o porteiro tentava ajudá-lo a descer, ele ficava sentado sem poder se levantar e se firmar nas pernas. Procurava arrimar-se ao pilar de pedra que estava à sua frente, mas não achava apoio bastante para se pôr de pé. Consultou os médicos que, lisonjeados por terem sido chamados por ele, viram em suas virtudes de grande trabalhador (há vinte anos que ele já não fazia nada), no cansaço excessivo, a causa de seu mal-estar. Aconselharam-no que não lesse contos de terror (ele não lia nada), a desfrutar mais do sol, "indispensável à vida" (devia ao fato de viver enclausurado alguns anos de relativa melhora), a se alimentar mais (o que o fez emagrecer e alimentou sobretudo os pesadelos). Sendo dotado do espírito de contrariar e irritar o próximo, um dos médicos, quando Bergotte o recebia na ausência dos outros e, para não constrangê-lo, submetia-lhe como idéias próprias o que os demais lhe haviam aconselhado, o contradizia, achando que Bergotte procurava que lhe receitassem alguma coisa que lhe agradava, e logo lhe proibia, muitas vezes com razões fabricadas tão depressa para as necessidades da causa que, diante da evidência das objeções materiais opostas por Bergotte, o médico que o contradizia era forçado a contradizer a si próprio na mesma frase, mas, por razões novas, reforçava a mesma proibição. Bergotte retornava a um dos primeiros médicos, homem metido a espirituoso, sobretudo diante de um dos mestres da pena, e que, se Bergotte insinuava: – Parece-me no entanto que o doutor X me havia dito (antigamente, é claro) que isto poderia congestionar-me o rim e o cérebro... – sorria, malicioso, erguia o dedo e pronunciava: – Eu disse usar, e não abusar. Fica entendido que todo remédio, se a gente exagera, torna-se uma faca de dois gumes. – Existe no nosso corpo um certo instinto daquilo que nos seja saudável, como no coração o do dever moral, e que nenhuma autorização de um doutor em medicina ou em teologia pode substituir. Sabemos que os banhos frios nos fazem mal; gostamos deles, achamos sempre um médico que os aconselhe, e não para impedir que eles nos façam mal. De cada um desses médicos Bergotte obteve licença para aquilo que, por cautela, abstivera-se durante anos. Ao fim de algumas semanas, os acidentes de outrora haviam reaparecido, e os mais recentes tinham se agravado. Atormentado por um sofrimento de todos os minutos, ao qual se acrescentava a insônia cortada de breves pesadelos, Bergotte não mais chamou nenhum médico e tentou com êxito, mas com excesso, diversos narcóticos, lendo confiantemente a bula que acompanhava cada um deles, bula que proclamava a necessidade do sono mas insinuava que todos os produtos que o provocam (salvo o contido no frasco que ela envolvia e que jamais causava intoxicação) eram tóxicos e por esse motivo faziam o remédio ficar pior que o mal. Bergotte experimentou todos. Alguns são de família diversa daqueles a que estamos habituados, derivados por exemplo da amila e do etilo. Não absorvemos o novo produto, de composição inteiramente diversa, senão com a deliciosa expectativa da ignorância. O coração bate como num primeiro encontro. Para que gêneros desconhecidos de sono, de sonhos, o recém-chegado vai nos levar? Está em nós agora, possui a direção do nosso pensamento. De que maneira vamos adormecer? E, uma vez que estivermos dormindo, por quais caminhos estranhos, sobre quais cimos, em que abismos inexplorados o mestre todo-poderoso vai nos comandar? Que novo grupamento de sensações vamos conhecer nessa viagem? Vai levar-nos ao mal-estar? À beatitude? À morte? A morte de Bergotte sobreveio na véspera daquele dia, quando ele se confiara assim a um desses amigos (amigo? inimigo?) excessivamente poderoso.

Morreu nas seguintes circunstâncias: uma crise de uremia bem leve fora motivo para que lhe prescrevessem o repouso. Mas, tendo um crítico escrito que na *Vista de Delft*, de Vermeer (emprestado pelo museu de Haia para uma exposição holandesa), quadro que ele adorava e julgava conhecer muito bem, havia um pequeno lanço de muro amarelo (de que não se lembrava) tão bem pintado que era, se lhe fixassem o olhar, como uma preciosa obra de arte chinesa, de uma beleza que se bastava em si mesma – Bergotte comeu algumas batatas, saiu da casa e foi à exposição. Logo aos primeiros degraus que teve de subir, sentiu tonteiras. Passou diante de vários quadros e teve a impressão de secura e da inutilidade de uma arte tão artificial, e que não valia as correntes de ar e os raios de sol de um palácio de Veneza, ou de uma simples casa à beira-mar. Por fim chegou diante do Vermeer que ele recordava ser mais cintilante, mais diverso de tudo o que conhecia, mas onde, graças ao artigo do crítico, reparou pela primeira vez em pequenos personagens em azul, e que a areia era rósea, e, afinal, a preciosa matéria do pedacinho bem pequeno de muro amarelo. Suas tonteiras aumentavam; não tirava os olhos do precioso pedacinho de muro amarelo, como procede a criança com uma borboleta amarela a que pretende agarrar. – Assim é que eu deveria ter escrito – dizia. – Meus últimos livros são muito secos, seria preciso passar-lhes diversas camadas de cor, tornar a minha frase preciosa em si mesma, como este pedacinho de muro amarelo. – Entretanto, a gravidade de suas tonteiras não lhe escapava. Numa celeste balança lhe aparecia, deposta num dos pratos, sua própria vida, ao passo que o outro continha o pedacinho de muro tão bem pintado em amarelo. Sentia Bergotte haver dado imprudentemente a primeira pelo segundo. – No entanto não gostaria – disse consigo – de ser para os jornais vespertinos a nota sensacional desta exposição. – Repetia para si mesmo: "Pedacinho de muro amarelo com uma varanda, pedacinho de muro amarelo." Nisso deixou-se cair num canapé circular; e subitamente parou de pensar que a vida estava em jogo e, voltando ao otimismo, disse consigo: "É uma simples indigestão causada por aquelas batatas mal cozidas, não é nada." Uma nova crise o derrubou, fazendo-o rolar do canapé para o chão; acorreram todos os visitantes e guardas. Estava morto. Morto para sempre? Quem o pode afirmar? Certo, as experiências espíritas, não mais que os dogmas religiosos, não provam que a alma subsiste. O que se pode afirmar é que tudo se passa na nossa vida como se nela entrássemos com o fardo de obrigações contraídas numa vida anterior; nas nossas condições de vida neste mundo, não há motivo algum para que nos julguemos obrigados a praticar o bem, a ser delicados, ou mesmo corteses, e tampouco para que o artista ateu se julgue obrigado a recomeçar vinte vezes um trabalho, cuja admiração que suscitará pouco há de importar a seu corpo devorado pelos vermes, como o pedacinho de muro amarelo que com tanta ciência e requinte pintou um artista desconhecido para sempre, mal identificado pelo nome de Vermeer. Todas estas obrigações, que não têm sanção na vida presente, parecem pertencer a um outro mundo, fundado na bondade, no escrúpulo, no sacrifício, um mundo inteiramente diverso deste, e do qual saímos para nascer nesta terra, antes talvez de voltar a viver nele sob o império dessas leis desconhecidas, às quais temos obedecido porque trazíamos em nós o seu ensinamento, sem saber quem as fizera, essas leis das quais nos aproximam todo trabalho profundo de inteligência e que apenas são invisíveis – e ainda! – para os tolos. De modo que a idéia de que Bergotte não haja morrido para sempre não é inverossímil.

Enterraram-no, mas durante toda a noite fúnebre, nas vitrinas iluminadas, seus livros, dispostos de três em três, velavam como anjos de asas abertas e pareciam, para aquele que não existia mais, o símbolo de sua ressurreição.

Como disse, soube naquele dia que Bergotte morrera. E me espantei com a falta de exatidão dos jornais que – reproduzindo uns e outros a mesma nota – diziam que ele havia morrido na véspera. Ora, na véspera Albertine se encontrara com ele, conforme contou-me na mesma noite, o que até a atrasou um pouco, pois ele havia conversado com ela por muito tempo. Sem dúvida fora com ela que Bergotte havia tido a última conversa. Albertine o conhecia através de mim, que não o via há muito mais tempo, mas como tivera a curiosidade de lhe ser apresentada, eu escrevera um ano antes ao velho mestre pedindo-lhe autorização para levá-la à sua presença. Ele concordara com o pedido, embora um tanto magoado, acho, por eu só ir revê-lo para agradar a outra pessoa, o que confirmava a minha indiferença por ele. Esses casos são freqüentes; por vezes, aquele ou aquela que imploramos não pelo prazer de conversar de novo com eles, mas por um terceiro, recusa de tal maneira obstinada que o nosso protegido julga que nos vangloriamos de um falso poder; mais comumente, o gênio ou a beldade célebre consentem, mas, humilhados em sua glória, feridos no seu afeto, só conservam por nós um sentimento diminuído, doloroso, um pouco depreciativo. Adivinhei, muito depois, que acusara falsamente os jornais de inexatidão, pois naquele dia Albertine de forma alguma se encontrara com Bergotte; porém no momento não suspeitara de nada, porque ela me havia contado aquilo de modo tão natural, e só mais tarde percebi a arte encantadora que ela possuía de mentir com simplicidade. O que ela dizia, o que confessava, possuía de tal forma as mesmas características das coisas evidentes – do que vemos, do que aprendemos de maneira irrefutável – que ela semeava assim nos intervalos da vida os episódios de uma outra vida de cuja falsidade então eu ainda não desconfiava. Aliás, haveria muito a discutir sobre essa palavra falsidade. O universo é real para nós todos e dissemelhante para cada um. O testemunho dos meus sentidos, se eu estivesse fora naquele momento, talvez me dissesse que uma certa senhora não dera alguns passos em companhia de Albertine. Mas, se eu fosse informado do contrário, seria por um desses encadeamentos de raciocínio (onde as palavras daqueles em que depositamos confiança inserem fortes malhas) e não pelo testemunho dos sentidos. Para invocar tal testemunho, seria necessário que eu tivesse estado precisamente lá fora, o que não ocorrera. No entanto, pode-se imaginar que uma tal hipótese não é inverossímil. E então eu teria sabido que Albertine mentira. Mesmo assim, seria verdade? O testemunho dos sentidos é igualmente uma operação do espírito onde a convicção cria a evidência. Vimos muitas vezes o sentido da audição levar a Françoise não a palavra pronunciada, mas a que ela julgava ser a verdadeira, o que bastava para que não ouvisse a retificação implícita de uma pronúncia melhor. Nosso mordomo era feito da mesma massa. O Sr. de Charlus usava por essa época – pois mudava muito – calças demasiado claras e que seriam reconhecidas entre mil. Ora, o nosso mordomo, que julgava que a palavra *pissotière*[21] (palavra que designa o que o Sr. de Rambuteau ficara indignado por ouvir o duque de Guermantes denominar um "urinol Rambuteau") era *pistière*, nunca ouviu em toda a vida uma só pessoa dizer *pissotière*, embora muitas vezes assim a pronunciassem diante dele. Mas o erro é mais obstinado que a fé e não examina as próprias crenças. Constantemente o mordomo dizia: – Com certeza o Sr. barão de Charlus pegou uma doença para ficar assim tanto tempo numa *pistière*. Eis o que acontece com quem anda sempre atrás de mulheres. Acaba metido nessas calças. Hoje de manhã, a patroa me mandou fazer compras em Neuilly. Na *pistière* da rua de Bourgogne, vi entrar o Sr. barão de Charlus. Voltando de Neuilly, uma boa hora mais tarde, vi suas calças amarelas na mesma *pistière*, no mesmo lugar, no meio, onde ele se põe sempre para que não o vejam. – Eu não conhecia nada mais lindo, mais nobre nem mais jovem que uma certa sobrinha da Sra. de Guermantes. Mas ouvi o porteiro de um restaurante aonde ia às vezes dizer à sua passagem: – Olhem essa velha bruaca, que tipo! E tem pelo menos oitenta anos. – Quanto à idade, parecia-me difícil que acreditasse no que dizia. Mas os criados que se agrupavam em torno dele e que troçavam cada vez que ela passava diante do hotel para visitar tão longe dali as duas tias-avós encantadoras, Sras. de Fezensac e de Balleroy, viram na fisionomia dessa jovem beleza os oitenta anos que, gracejando ou não, atribuíra o porteiro à "velha bruaca". Haveriam de se torcer de riso se lhes dissessem que a moça era mais distinta que uma das duas caixeiras do hotel e que, embora roída de eczemas, de uma gordura ridícula, parecia-lhes uma bela mulher. Talvez somente o desejo sexual teria sido capaz de impedi-los de caírem no seu erro, caso ele houvesse agido à passagem da pretensa "velha bruaca", e se aqueles criados tivessem de súbito cobiçado a jovem deusa. Mas, por motivos ignorados e que provavelmente deviam ser de ordem social, tal desejo não se manifestara.

Mas afinal eu poderia ter saído e ter passado na rua à hora em que Albertine me dissera, naquela noite (sem me ter visto), que dera alguns passos em companhia da tal senhora. Uma obscuridade sagrada se apoderou de meu espírito, eu teria posto em dúvida que a vira sozinha, mal teria procurado compreender por que ilusão de ótica não havia percebido a senhora e não ficaria mais espantado por me haver iludido, pois o mundo dos astros é menos difícil de conhecer do que as ações reais dos seres, sobretudo nos seres a que amamos, fortificados que são contra nossa dúvida por fábulas destinadas a protegê-los. Durante quantos anos podem eles deixar que o nosso apático amor acredite que a mulher amada tem no estran-

[21] *Pissotière*: mictório. (N. do T.)

geiro uma irmã, um irmão, uma cunhada que jamais existiram! De resto, se não fôssemos obrigados, para a boa ordem da narrativa, a nos limitar a razões frívolas, quantas outras mais sérias nos permitiriam mostrar a insignificância mentirosa do princípio deste volume, onde, do meu leito, ouço o despertar do mundo, ora num dia ensolarado, ora num dia chuvoso. Sim, fui obrigado a adelgaçar a coisa e a ser mentiroso, mas não é só um universo, são milhões de universos que despertam todas as manhãs, quase tão numerosos quantas são as pupilas e inteligências humanas.

Para voltar a Albertine, jamais conheci mulheres mais dotadas do que ela da engenhosa aptidão para a mentira animada, colorida com os próprios matizes da vida, a não ser uma de suas amigas – uma das minhas moças em flor também, rósea como Albertine, mas cujo perfil irregular, reentrante aqui, além proeminente, depois de novo reentrante, parecia-se exatamente a certos cachos de flores róseas de cujo nome não me recordo e que têm, da mesma forma, longas e sinuosas reentrâncias. Esta moça era, do ponto de vista da fabulação, superior a Albertine pois, naquilo que contava, não misturava nenhum dos momentos dolorosos e subentendidos coléricos que eram freqüentes na minha amiga. No entanto, falei que era encantadora quando inventava um relato que não deixava lugar a dúvidas, pois então víamos à nossa frente a coisa – todavia imaginada – que ela dizia, servindo de vista a sua palavra. Era a minha verdadeira percepção.

Acrescentei: "o que ela confessava", e eis o motivo: às vezes certas aproximações singulares me despertavam suspeitas ciumentas em que, ao lado dela, figurava no passado ou, ai de mim, no futuro, uma outra pessoa. Para ter certeza do que imaginava, dizia o nome e Albertine falava: – Sim, encontrei-a há oito dias a poucos passos da casa. Por delicadeza, respondi ao seu cumprimento. Dei alguns passos com ela. Mas nunca houve nada entre nós e jamais haverá. – Ora, Albertine nem sequer se encontrara com essa pessoa, pela boa razão de que esta não vinha a Paris há dez meses. Mas minha amiga achava que negar completamente era pouco verossímil. De onde esse curto encontro fictício, narrado com tanta simplicidade que eu via a senhora, para dar-lhe bom-dia, caminhar um pouco na sua companhia. Somente a verossimilhança havia inspirado Albertine, de modo algum o desejo de provocar ciúmes. Pois Albertine, talvez sem interesse, gostava que lhe fizessem gentilezas. Ora, se no decorrer desta narrativa já tive e ainda terei muitas oportunidades de mostrar como o ciúme reduplica o amor, foi no ponto de vista do amante que me coloquei. Porém, por menos brio que este possua, mesmo que deva morrer após a separação, não responderá a uma traição suposta com uma gentileza; ou se afastará ou, sem afastar-se, resolverá fingir indiferença. Portanto, é em pura perda para si mesma que a amante o faz sofrer tanto. Ao contrário, se dissipar com uma palavra adequada e suaves carinhos as suspeitas que o torturavam, embora ele bancasse o indiferente, sem dúvida o amante sentirá aquele aumento desesperado do amor a que o eleva o ciúme, porém, deixando bruscamente de sofrer, feliz, enternecido, acalmado como se é depois de uma tempestade, quando a chuva caiu e mal se percebe ainda, sob os grandes castanheiros, pingarem a longos intervalos as gotas suspensas, coloridas pelo sol que já reapareceu, não sabe ele como exprimir o seu reconhecimento àquela que o fez curar-se. Albertine sabia que eu gostava de recompensá-la por suas gentilezas, e isso talvez explicava que ela inventasse, para se inocentar, confissões naturais como essas histórias que eu não punha em dúvida, e uma das quais fora o seu encontro com Bergotte quando ele já estava morto. Até então, das mentiras de Albertine eu só conhecia aquelas que, por exemplo, contara-me Françoise em Balbec, a que não me referi apesar de me terem feito muito mal. "Como não queria vir, ela me disse: 'Será que não podia dizer a ele que não me encontrou, que eu tinha saído?'" Mas os "inferiores" que nos amam, como Françoise me amava, têm prazer em ferir o nosso amor-próprio.

Depois do jantar, disse a Albertine que desejava aproveitar o fato de haver deixado a cama para visitar alguns amigos, a Sra. de Villeparisis, a Sra. de Guermantes, os Cambremer, não sabia quantos, mas aqueles que encontrasse em casa. Silenciei apenas os nomes a cuja residência pretendia ir, os Verdurin. Perguntei a Albertine se não queria ir comigo. Alegou que não tinha vestido. – E além disso, estou tão mal penteada. Você faz questão que eu continue a usar este penteado? – E, para se despedir, estendeu-me a mão com aquele modo brusco, de braço esticado, aprumando os ombros, que tivera outrora na praia de Balbec, e que nunca mais mostrara. Este movimento esquecido refez do corpo animado por ele o daquela Albertine que mal me conhecia ainda. Devolveu a Albertine, cerimoniosa sob a capa da brusquidão, a sua novidade primeira, o seu mistério, e até o seu ambiente. Enxerguei o mar por detrás daquela moça a quem jamais vira cumprimentar-me daquele modo desde que eu voltara de Balbec. – Minha tia acha que isso me envelhece – acrescentou com ar de tédio. – "Tomara que esteja certa", pensei. "Tudo o que a Sra. Bontemps deseja é que Albertine, parecendo uma menina, a faça parecer mais jovem; e mais, que Albertine não lhe custe nada até o dia em que, casando comigo, lhe traga vantagens." Mas que Albertine parecesse menos jovem, menos bonita, fizesse voltarem-se menos na rua para vê-la, eis o que eu, pelo contrário, desejava. Pois a velhice de uma aia não é tranqüilizadora para um amante ciumento como a velhice do rosto daquela a quem ama. Só me incomodava que o penteado que lhe pedira que adotasse pudesse parecer a Albertine uma reclusão a mais. E ainda foi este sentimento doméstico novo que não cessou de me ligar a Albertine, mesmo longe dela.

Depois de dizer a Albertine, pouco disposta, segundo me confessara, a me acompanhar à casa dos Guermantes ou dos Cambremer, que não sabia aonde iria, saí para a casa dos Verdurin. No momento em que saía e que a idéia do concerto que iria ouvir lá me recordou a cena da tarde: "grandessíssima puta, grandessíssima puta" – cena de amor despeitado, talvez do amor ciumento, mas desse modo tão bestial como o que, excetuadas as palavras, poderia fazer a uma mulher um orangotango apaixonado por ela –, no momento em que na rua ia chamar um fiacre, ouvi soluços reprimidos de um homem que estava sentado num frade-de-pedra. Aproximei-me. O homem, com o rosto nas mãos, parecia jovem e fiquei surpreendido ao ver que se vestia com elegância; parecia, pela brancura que saía da capa, que estava de casaca e gravata branca. Ao ouvir-me, descobriu o rosto inundado em lágrimas, mas logo, tendo me reconhecido, desviou a cara. Era Morel. Compreendeu que eu o reconhecera e, tentando estancar as lágrimas, disse que havia parado um momento, de tanto que sofria. – Hoje mesmo insultei grosseiramente – disse ele – uma pessoa por quem nutro sentimentos elevados. Foi covardia, pois ela me ama. – Com o tempo, ela talvez esqueça – respondi, sem pensar que, falando dessa maneira, dava a entender que ouvira a cena da tarde. Mas ele estava tão absorto em suas mágoas que nem lhe ocorreu que eu pudesse saber de alguma coisa. – Talvez esqueça – disse. – Eu é que não poderei esquecer. Tenho a noção da minha vergonha, tenho nojo de mim! Mas enfim está dito, nada pode fazer que não tenha sido dito. Quando estou com raiva, não sei mais o que faço. E isso é tão ruim para mim, sinto os nervos todos entrecruzados uns pelos outros – pois, como todos os neurastênicos, preocupava-se grandemente com a saúde. Se, de tarde, eu vira a cólera amorosa de um animal furioso, agora, à noitinha, em poucas horas haviam decorrido séculos, e um sentimento novo, um sentimento de vergonha, arrependimento e desgosto, mostrava que uma grande etapa fora vencida na evolução da besta destinada a se transformar em ser humano. Apesar de tudo, eu ouvia sempre "grandessíssima puta" e temia uma recorrência próxima ao estado selvagem. Aliás, compreendia bem mal o que se havia passado, e isto era tanto mais natural quanto o próprio Sr. de Charlus ignorava inteiramente que, desde alguns dias e particularmente nesse dia, mesmo antes do vergonhoso episódio que não se referia diretamente ao estado do violinista, Morel tivera nova crise de neurastenia. De fato, no mês anterior havia apressado o quanto pudera, muito mais lentamente do que desejara, a sedução da sobrinha de Jupien, com quem, na qualidade de noivo, podia sair à vontade. Porém logo que fora um pouco longe demais em suas tentativas de violação, e sobretudo quando falara à noiva que se unisse a outras moças que ele lhe indicaria, encontrara uma resistência que o tinha exasperado. De repente (fosse porque ela se mostrasse excessivamente casta, ou, pelo contrário, se tivesse entregado a ele), o seu desejo passou. Resolvera romper com ela, mas, sentindo o barão muito mais moral, conquanto vicioso, receou que ele o pusesse no olho da rua logo que soubesse do rompimento. Assim, decidira há cerca de quinze dias não voltar a ver a moça, deixar que o Sr. de Charlus e Jupien arranjassem (ele empregava uma expressão mais cambronesca) e, antes de anunciar a ruptura, resolvera "dar o fora" sem dizer para onde. Amor, cujo desenlace o deixava um pouco triste; de modo que, embora a conduta que tivera com a sobrinha de Jupien pudesse perfeitamente superpor-se, nos menores detalhes, àquela sobre a qual teorizara diante do barão enquanto jantavam em Saint-Mars-le-Vêtu, é bem provável que fossem muito diferentes e que sentimentos menos atrozes, e que não previra em sua conduta teórica, haviam embelezado e tornado sentimental sua conduta verdadeira. O único ponto em que, ao contrário, a realidade era pior que o projeto, é que no projeto não lhe parecia possível permanecer em Paris depois de tamanha traição. Agora, "dar o fora" lhe parecia demais por uma coisa tão simples. Seria deixar o barão, que certamente ficaria furioso, e sacrificar sua situação. Perderia todo o dinheiro que lhe dava o Sr. de Charlus. A idéia de que isso era inevitável causava-lhe crises de nervos. Ficava chorando horas a fio, e, para não pensar naquilo, tomava morfina com prudência. Depois, de súbito, vinha-lhe ao espírito uma idéia que sem dúvida estava tomando vida e forma fazia algum tempo; tal idéia era que a alternativa, a escolha entre o rompimento com a moça e a briga total com o Sr. de Charlus talvez não fosse forçosa. Perder todo o dinheiro do barão era muito. Morel, indeciso, mergulhou durante alguns dias em idéias negras, como as que lhe causavam a vista de Bloch. Depois decidiu que Jupien e a sobrinha haviam tentado fazê-lo cair numa armadilha e deviam considerar-se muito felizes por ter a coisa acabado assim. Em suma, achava que a moça era culpada por ter sido tão desajeitada, por não ter sabido prendê-lo pelos sentidos. Não só lhe parecia absurdo o sacrifício de sua situação junto ao Sr. de Charlus, como lamentava até os jantares dispendiosos que oferecera à moça desde que estavam noivos, e cujo custo poderia saber, como filho que era de um criado de quarto que ia todos os meses levar o seu "livro" a meu tio. Pois livro, no singular, que significa obra impressa para o comum dos mortais, perde esse sentido para as Altezas e os criados de quarto. Para estes, significa o livro de contas; para os primeiros, o registro em que as visitas inscrevem seu nome. (Em Balbec, num dia em que a princesa de Luxemburgo me dissera estar sem livro, eu ia lhe emprestar o *Pescador da Islândia* e *Tartarin de Tarascon*, quando compreendi o que ela queria dizer: não que passaria menos agradavelmente o tempo, mas que eu teria mais dificuldade em deixar o meu nome ao visitá-la). Apesar da mudança do ponto de vista de Morel quanto às conseqüências de sua conduta, embora esta lhe tenha parecido abominável dois meses antes, quando amava apaixonadamente a sobrinha de Jupien, enquanto que de uns quinze dias para cá não cessava de repetir a si mesmo que essa conduta era natural e louvável, cada vez mais se lhe agravava o estado de nervosismo em que há pouco anunciara o rompimento. E estava pronto a "descarregar a cólera", senão (a não ser num acesso momentâneo) na moça, para com quem conservava aquele resto de receio, derradeiro vestígio do amor, pelo menos no barão. Contudo, evitou falar-lhe sobre isso antes do jantar, pois, colocando acima de mais nada o seu próprio virtuosismo profissional, no momento em que precisava executar peças difíceis (como naquela noite em casa dos Verdurin), evitava (tanto quanto possível, e já era demasiada a cena da tarde) tudo aquilo que pudesse dar a seus movimentos uma certa dureza. Assim como um cirurgião, apaixonado pelo automobilismo, deixa de dirigir quando tem de operar. Desse modo se explica por que Morel, enquanto falava comigo, movia suavemente os dedos, um após outro, para ver se haviam readquirido sua flexibilidade. Esboçou-se na sua fisionomia um franzir de sobrancelhas que parecia significar que seus dedos ainda estavam um tanto duros. Mas, para não aumentar a sua rigidez nervosa, desenrugava o rosto, feito alguém que procurasse não enervar-se por não dormir ou por não possuir facilmente uma mulher, com receio de que a própria fobia retardasse ainda o instante do sono ou do prazer. Assim, desejando retomar a serenidade para, como de hábito, entregar-se inteiramente ao que iria tocar na casa dos Verdurin enquanto estivesse tocando, e querendo permitir que eu constatasse a sua dor, enquanto o estivesse vendo, o mais simples lhe pareceu suplicar-me que fosse embora imediatamente. A súplica era inútil e a partida era-me um alívio. Eu receara que, indo ambos na direção da mesma casa, a poucos minutos de intervalo, ele quisesse a minha companhia, pois, tendo ainda viva na lembrança a cena da tarde, não podia deixar de sentir um certo nojo em ter Morel a meu lado durante o trajeto. É bem possível que o amor, e depois, a indiferença ou o ódio de Morel pela sobrinha de Jupien tenham sido sinceros. Infelizmente não era a primeira vez (e não seria a última) que procedia assim, que ele "dava o fora" bruscamente numa moça a quem prometera amar para sempre, chegando ao ponto de lhe mostrar um revólver carregado, dizendo que estouraria os miolos se tivesse a covardia de abandoná-la. Nem por isso deixava de abandoná-la em seguida e sentia, em vez de remorso, uma espécie de rancor. Não era a primeira vez que agia assim, não devia ser a última, de modo que muitas cabecinhas de moças – moças que se esqueciam menos dele do que ele delas – sofreram, como sofreu por muito tempo ainda a sobrinha de Jupien, continuando a amar Morel, embora o desprezasse – sofreram, prestes a estalar pela violência de uma dor interna, porque no cérebro de cada uma delas, como o fragmento de uma escultura grega, um aspecto do rosto de Morel, duro como o mármore e belo como as esculturas antigas, estava encravado com seus cabelos em flor, seus olhos finos, seu nariz reto, formando protuberância num crânio não destinado a recebê-lo, e que não podia ser operado. Mas com o tempo, esses fragmentos tão duros acabam por deslizar até um ponto em que já não causam tanto sofrimento, não se movem mais, onde já não se sente a sua presença; é o esquecimento, ou a recordação indiferente.

Guardava em mim dois produtos desse meu dia. Por um lado, graças à tranqüilidade que me trazia a submissão de Albertine, era a possibilidade, e, conseqüentemente, a resolução de romper com ela. Por outro lado, fruto de minhas reflexões enquanto a esperava, sentado ao piano, a idéia de que a Arte, à qual me esforçaria por consagrar a liberdade reconquistada, não era algo que valesse a pena um sacrifício, algo exterior à vida, não participando de sua vaidade e de seu vazio, pois a aparência de individualidade real obtida nas obras era devida apenas a uma ilusão produzida pela habilidade técnica. Se a minha tarde deixara em mim outros resíduos, talvez mais profundos, só deveriam subir bem depois à minha consciência. Quanto aos dois que eu nitidamente sopesava, não iriam ser duradouros; pois, desde aquela mesma noite, minhas idéias sobre arte iam se recompor da diminuição que tinham experimentado à tarde, mas em compensação, o sossego, e por conseguinte, a liberdade que me permitiria dedicar-me a ela, ser-me-ia novamente retirado.

Como o meu carro, rodando ao longo do cais, se aproximasse da casa dos Verdurin, fi-lo parar. Com efeito, acabava de ver Brichot descer do bonde na esquina da rua Bonaparte, limpar os sapatos com um jornal velho e calçar luvas cor de pérola. Caminhei até ele. Fazia algum tempo que, tendo piorado sua doença de olhos, fora dotado – tão suntuosamente como um laboratório – de novas lentes, as quais, potentes e complicadas como instrumentos astronômicos, pareciam aparafusadas a seus olhos. Assestou em mim aquelas luzes excessivas e me reconheceu. As lentes estavam em situação primorosa. Mas, por detrás delas, percebi, minúsculo, pálido, convulsivo, expirante, um olhar longínquo colocado sob aquele potente aparelho, como, nos laboratórios por demais subvencionados para os trabalhos que neles se executam, se põe um mísero bichinho agonizante sob os aparelhos mais aperfeiçoados. Ofereci o braço ao semicego para lhe amparar os passos. – Desta vez não é perto da grande Cherburgo que nós nos encontramos – disse ele –, mas ao lado do *Petit Dunkerque*[22] – frase que me pareceu muito aborrecida, pois não entendi o que queria dizer; todavia não ousei fazer perguntas a Brichot, por temer ainda mais o seu desprezo do que suas explicações. Respondi que estava bastante curioso por ver o salão em que Swann outrora se encontrava todas as noites com Odette. – Como, o senhor conhece estas velhas histórias? – exclamou ele.

A morte de Swann me deixara transtornado na ocasião. A morte de Swann! Swann não desempenha nesta frase o papel de um simples genitivo. Entendo por isso a morte particular, a morte enviada pelo destino ao serviço de Swann. Pois dizemos a morte, para simplificar, mas são tantas as mortes quantas as pessoas. Não possuímos sentidos que nos permitam ver, correndo a toda velocidade e em todas as direções, as mortes, as mortes ativas dirigidas pelo destino para este ou aquele. Muitas vezes são mortes que só serão liberadas inteiramente de sua tarefa dois ou três anos após. Correm depressa para pôr um câncer nos flancos de um

[22] *Petit Dunkerque*: pequena loja de novidades em Paris, no começo do século. (N. do T.)

Swann, e depois saem para outras tarefas, só regressando no momento em que, tendo ocorrido a operação dos cirurgiões, é preciso recolocar o câncer. Depois chega o momento em que se lê no *Le Gaulois* que a saúde de Swann inspirou cuidados, mas que sua indisposição está em franco processo de cura. Então, minutos antes do último suspiro, a morte, como uma religiosa que nos tivesse assistido em vez de destruir, chega para acompanhar nossos últimos instantes, e coroa com uma auréola suprema a criatura para sempre enregelada cujo coração cessou de bater. E é essa multiplicidade de mortes, o mistério de seus circuitos, a cor de sua *écharpe* fatal, que conferem algo de tão impressionante às linhas dos jornais: "Acabamos de saber com vivo pesar que o Sr. Charles Swann sucumbiu ontem em Paris, em seu palacete, vítima de pertinaz moléstia. Parisiense, cujo espírito era apreciado por todos, bem como a firmeza de suas relações escolhidas porém fiéis, será unanimemente lamentada a sua falta, tanto nos meios artísticos e literários, onde a finura esclarecida do seu bom gosto fazia com que se sentisse bem e fosse procurado por todos, como no Jockey-Club, do qual era um dos membros mais antigos e influentes. Pertencia também ao Círculo da União e ao Clube Agrícola. Há pouco apresentara a sua demissão ao círculo da rua Royale. Sua fisionomia espirituosa, bem como sua notável notoriedade não deixavam de excitar a curiosidade pública em todo *great event* da música e da pintura, notadamente nas *vernissages*, das quais fora *habitué* fiel até seus últimos anos, quando só raramente saía de casa. Os funerais terão lugar, etc."

Sob este ponto de vista, se não somos "alguém", a ausência de título conhecido faz mais rápida ainda a decomposição da morte. Sem dúvida é de modo anônimo, sem distinção de individualidade, que se é o duque de Uzès. Mas a coroa ducal mantém unidos por algum tempo os elementos como os daqueles espelhos de formas bem desenhadas, apreciados por Albertine. Ao passo que os nomes de burgueses ultramundanos, logo que eles morrem, desagregam-se, derretem-se, extraídos de seus moldes. Vimos a Sra. de Guermantes falar de Cartier como sendo o melhor amigo do duque de La Trémoïlle, como de um homem bastante solicitado nos meios aristocráticos. Na geração seguinte, Cartier se tornou algo tão informe que talvez o engrandecessem aparentando-o com o joalheiro Cartier, e no entanto ele teria sofrido de que os ignorantes o pudessem ter confundido com o outro! Swann, pelo contrário, era uma notável personalidade intelectual e artística; e, embora não tenha "produzido" nada, teve a oportunidade de durar um pouco mais. E todavia, caro Charles Swann, que conheci tão pouco quando ainda era tão jovem e você tão perto do túmulo, é justamente porque este, a quem você devia considerar um pequeno imbecil, fez de você o herói de um de seus romances, que se volta a falar de você e que por isso talvez você continue vivendo. Se a respeito do quadro de Tissot, que representa a sacada do círculo da rua Royale, onde você está entre

Gallifet, Edmond de Polignac e Saint-Maurice, fala-se tanto de você, é porque vêem que existem alguns traços seus na personagem de Swann.[23]

Para retornar a realidades mais genéricas, foi dessa morte prevista e contudo inesperada de Swann que ouvira o próprio Brichot falar à duquesa de Guermantes, na noite da festa na casa da prima desta. Era a mesma morte cuja estranheza específica e impressionante me afastara na noite em que eu folheara o jornal e a notícia me fizera estacar de súbito, como se traçada em misteriosas linhas inoportunamente intercaladas. Haviam bastado para fazer de um vivo alguém que já não pode responder ao que lhe dizem, um nome, um nome escrito, repentinamente passado do mundo real para o reino do silêncio. Eram elas que me davam ainda neste momento o desejo de conhecer melhor a residência onde outrora haviam morado os Verdurin e onde Swann, que então não era apenas algumas letras impressas no jornal, jantara tantas vezes com Odette. É preciso acrescentar igualmente (e isto me tornou, por muito tempo ainda, mais dolorosa do que qualquer outra a morte de Swann, embora esses motivos não se relacionassem com a estranheza individual de *sua* morte) que eu não fora visitar Gilberte como lhe havia prometido na casa da princesa de Guermantes; que ele, Swann, não me havia exposto aquela "outra razão" a que aludira nessa noite, para a qual me escolhera como confidente de sua conversa com o príncipe, que mil perguntas me vinham à cabeça (como bolhas que sobem do fundo da água) e que eu desejaria fazer-lhe a respeito dos mais diversos assuntos: sobre Vermeer, sobre o Sr. de Mouchy, sobre ele mesmo, sobre uma tapeçaria de Boucher, sobre Combray, perguntas – é claro – de pouca urgência, visto que as adiara dia após dia, mas que me pareciam capitais desde que, estando selados os seus lábios, a resposta já não viria. A morte dos outros é como uma viagem que nós próprios faríamos e durante a qual recordamos, a cem quilômetros de Paris, ter esquecido de duas dúzias de lenços, de deixar uma chave para a cozinheira, de nos despedirmos do tio, de perguntar o nome da cidade onde se acha a fonte antiga que desejamos ver. Enquanto estes esquecimentos que nos acossam e que narramos em voz alta, por pura formalidade, ao amigo que viaja conosco, têm por única resposta o começo da aceitação do banco estofado, o nome da estação gritado pelo chefe do trem só faz afastar-nos ainda mais das realizações dali em diante impossíveis, de maneira que, desistindo de pensar nas coisas irremediavelmente olvidadas, desfazemos o embrulho das comidas e permutamos jornais e revistas.

– Mas não – replicou Brichot –, não era aqui que Swann se encontrava com sua futura mulher; ou, pelo menos, só foi aqui nos últimos tempos, depois do sinistro que destruiu parcialmente a primeira residência da Sra. Verdurin.

[23] O quadro em questão representa, entre as pessoas mencionadas, a figura de Charles Haas (1832-1902), principal modelo de Charles Swann. (N. do T.)

Infelizmente, com receio de ostentar aos olhos de Brichot um luxo que me parecia deslocado, visto que o universitário não tomava parte nele, eu havia descido com muita precipitação do carro, e o cocheiro não compreendera o que lhe recomendara às pressas para ter tempo de me afastar antes que Brichot me avistasse. O resultado foi que o cocheiro veio ao nosso encontro e perguntou se devia voltar para me apanhar; disse-lhe rapidamente que sim e redobrei de respeito para com o universitário, que chegara de ônibus. – Ah, o senhor está de carro – disse-me ele em tom grave. – Meu Deus, pelo maior dos acasos; isto não acontece nunca, sempre ando de ônibus ou a pé. Porém, desse modo talvez tenha a grande honra de levá-lo até em casa esta noite, se o senhor consentir em me acompanhar nesse calhambeque; ficaremos um pouco apertados. Mas o senhor é tão bondoso comigo. – Ai de mim; propondo-lhe aquilo não me privo de nada, pensei, visto que serei obrigado da mesma forma a regressar por causa de Albertine. Sua presença em minha casa, numa hora em que ninguém podia visitá-la, permitia-me dispor tão livremente de meu tempo como de tarde, quando sabia que ela ia voltar do Trocadero e eu não tinha pressa em revê-la. Mas afinal, também como de tarde, sentia eu que tinha uma mulher e que, voltando para casa, não conheceria a exaltação revigorante da solidão. – Aceito de coração – respondeu Brichot. – Na época a que o senhor alude, os nossos amigos moravam na rua Montalivet, num magnífico andar térreo com água-furtada dando para um jardim, menos suntuoso, é claro, e que no entanto prefiro ao palacete da Embaixada de Veneza. – Brichot contou-me que naquela noite havia, no "cais Conti" (era assim que os fiéis denominavam o salão Verdurin desde que se mudara para lá), um grande "tra-la-lá" musical, organizado pelo Sr. de Charlus. Acrescentou que, no tempo antigo de que eu falava, o pequeno núcleo era outro e o tom bem diferente, não só porque os fiéis eram muito jovens. Contou-me as farsas de Elstir (o que denominava "puras patacoadas"), como num dia em que este, tendo fingido que roera a corda, viera disfarçado de mordomo extra e, enquanto passava os pratos, dissera graçolas ao ouvido da muito pudica baronesa Putbus, vermelha de espanto e raiva; depois, desaparecendo antes do fim do jantar, mandara trazer ao salão uma banheira cheia d'água, de onde, quando saíam todos da mesa, emergira completamente nu soltando palavrões; e também das ceias onde todos apareciam em roupas de papel, desenhadas, cortadas e pintadas por Elstir, que eram obras-primas, tendo Brichot certa ocasião vestido a de um grande fidalgo da corte de Carlos VII, com sapatos de bico revirado, e, de outra vez, a de Napoleão I, para a qual Elstir havia feito a grande insígnia da Legião de Honra com lacre. Em suma, recordando Brichot o salão de outrora, com seus janelões, seus canapés baixos comidos pelo sol do meio-dia e que fora preciso substituir, declarava todavia preferi-lo ao de hoje. Por certo, eu bem compreendia que, por "salão", Brichot queria dizer – como o vocábulo "igreja" não indica apenas o edifício religioso mas a comunidade de fiéis – não apenas a água-furtada, mas as pessoas que a freqüentavam, os prazeres especiais que vinham procurar ali e aos quais, em sua memória, tinham dado sua forma aqueles canapés, em que, quando vinham visitar a Sra. Verdurin de tarde, esperavam que ela se aprontasse, enquanto as flores róseas dos castanheiros, lá fora, e os cravos nos vasos sobre a lareira pareciam, num pensamento de graciosa simpatia pelo visitante, traduzido nas risonhas boas-vindas de suas cores rosadas, mirar fixamente a chegada tardia da dona da casa. Mas se este "salão" lhe parecia superior ao atual, era talvez porque o nosso espírito é o velho Proteu, não pode permanecer escravo de nenhuma forma e, mesmo no terreno mundano, desprende-se subitamente de um salão, que chegou lenta e dificilmente a seu ponto de perfeição, para preferir um salão menos brilhante, assim como as fotografias "retocadas" que Odette mandara fazer no fotógrafo Otto, nas quais estava elegantíssima em seu rico vestido de princesa e ondulada por Lenthéric, não agradavam tanto a Swann quanto um cartãozinho postal de Nice, onde, numa capelinha de pano modesto, os cabelos mal toucados saindo para fora de um chapéu de palha bordado de amores-perfeitos e com um laço de veludo negro (pois as mulheres em geral parecem mais velhas quanto mais antigas forem as fotografias), vinte anos mais moça em elegância, parecia uma criadinha vinte anos mais velha. Talvez Brichot também tivesse a satisfação de me gabar aquilo que eu não havia conhecido, em mostrar-me que desfrutara de prazeres que eu não poderia ter. Conseguia-o, aliás, pois, citando apenas os nomes de duas ou três pessoas que já não existiam e a cujo encanto atribuía algo de misterioso por sua maneira de falar delas e dessas intimidades deliciosas, eu indagava a mim mesmo sobre o que ele poderia ter sido, sentia que tudo aquilo que me haviam contado acerca dos Verdurin era excessivamente grosseiro; e até Swann, que eu conhecera, censurava-me por não ter prestado atenção nele, de não lhe ter prestado atenção com suficiente desinteresse, de não o ter escutado bem quando, à espera de que sua mulher regressasse para o almoço, ele me recebia e me mostrava belas coisas, agora que eu sabia que ele era comparável aos melhores conversadores de antigamente.

No momento de chegar à casa da Sra. Verdurin, avistei o Sr. de Charlus que vinha navegando em direção a nós com seu corpo enorme, arrastando atrás, sem querer, um desses apaches ou mendigos que agora a sua passagem fazia infalivelmente surgir até mesmo dos cantos aparentemente mais desertos, e dos quais aquele monstro poderoso era escoltado bem contra sua vontade, embora a certa distância, como o tubarão pelo peixe piloto, afinal, contrastando de tal modo com o forasteiro altivo do primeiro ano em Balbec, de aspecto severo e com sua afetação de virilidade, que me pareceu descobrir, acompanhado de seu satélite, um astro num período totalmente diverso de sua revolução e que agora se começa a ver em sua fase cheia; ou um enfermo invadido agora pelo mal que, anos antes, não passava de uma leve borbulha que ele facilmente dissimulava e de cuja gravidade ninguém suspeitava. Embora uma operação que Brichot sofrera lhe houvesse restituído um pouquinho da visão que para sempre tinha perdido, não sei se percebera o vagabundo que seguia o barão. Aliás, pouco importava, pois desde La Raspelière e apesar da amizade que o universitário tinha por ele, a presença do Sr. de Charlus lhe dava um certo mal-estar. Sem dúvida para cada homem a vida de outrem prolonga na escuridão caminhos de que não se tem qualquer idéia. A mentira, contudo, tantas vezes enganadora, e pasto de todas as conversas, esconde menos perfeitamente um sentimento de inimizade ou de interesse, ou uma visita que desejamos dar a impressão que não foi feita, ou uma escapada com uma amante de um dia e que queremos ocultar à nossa mulher – do que uma boa reputação o segredo de maus costumes de que ninguém desconfia. Esses maus costumes podem ficar ignorados a vida inteira; revela-os o súbito acaso de um encontro à noite, num cais; mas esse acaso é muitas vezes mal compreendido e é preciso que um terceiro, já conhecedor do segredo, forneça-nos o seu sentido oculto, que todos ignoram. Porém uma vez conhecidos, eles impressionam, pois percebemos que raiam pela loucura muito mais do que por serem imorais. A Sra. de Surgis não possuía um sentimento moral muito desenvolvido e teria admitido qualquer comportamento de seus filhos desde que aviltado e explicado pelo interesse, o que é compreensível em todos os homens. Mas proibiu-lhes que continuassem a freqüentar o Sr. de Charlus quando soube que, por uma espécie de relógio de repetição, o barão era fatalmente levado, em cada visita, a beliscar-lhes o queixo e a fazer com que ambos se beliscassem um ao outro. Experimentou aquela sensação de inquietude do mistério físico, que faz com que nos indaguemos se o vizinho, com quem temos boas relações, não estará atacado de antropofagia; e às repetidas perguntas do barão: – Quando é que verei de novo os rapazes? – respondeu, sabendo os furores que acumularia contra a sua pessoa, que eles estavam ocupados com os estudos, os preparativos de uma viagem, etc. A irresponsabilidade agrava as culpas e até os crimes, digam o que disserem. Landru[24] (supondo que ele tenha de fato matado as mulheres), se o fez por interesse, coisa a que se pode resistir, pode ser perdoado, mas não se o fez por um sadismo irresistível. Os pesados gracejos de Brichot, no começo de sua amizade com o barão, tinham dado lugar, quando já não se tratava de dizer lugares-comuns mas de compreender, a um sentimento desagradável que encobria o contentamento. Ele sossegava recitando páginas de Platão, versos de Virgílio, porque, igualmente cego de espírito, não compreendia que então amar um rapaz era como hoje (os gracejos de Sócrates revelam-no melhor do que as teorias

[24] Henri Désiré Landru (1869-1922) foi preso e acusado da morte de dez mulheres, a quem teria proposto casamento, e que nunca mais foram vistas. Condenado, sofreu pena de morte na guilhotina sem jamais ter confessado os crimes (1920). Dos episódios da vida real mencionados na *Busca do Tempo Perdido*, este é o de data mais recente. (N. do T.)

de Platão) sustentar uma dançarina e depois arranjar um bom casamento. O próprio Sr. de Charlus mal o teria entendido, ele que confundia a sua mania com a amizade, que não se lhe parece a coisa alguma, e os atletas de Praxíteles com dóceis pugilistas. Não queria ver que há mil e novecentos anos ("um cortesão devoto sob um príncipe devoto teria sido ateu sob um príncipe ateu", disse La Bruyère) todo o homossexualismo de costume – e dos rapazes de Platão como o dos pastores de Virgílio – desaparecera, que sobrenada e se multiplica apenas o involuntário, o nervoso, o que se oculta aos outros e se disfarça aos próprios olhos. E o Sr. de Charlus teria errado em não renegar francamente a genealogia pagã. Em troca de um pouco de beleza plástica, quanta superioridade moral! O pastor de Teócrito que suspira por um rapaz, mais tarde não terá motivo algum para ser menos duro de coração e mais fino de espírito que o outro pastor, cuja flauta ressoa por Amarílis. Pois o primeiro não é atacado por um mal, apenas obedece à moda de seu tempo. É o homossexualismo sobrevivente, apesar dos obstáculos, vergonhoso, desonrado, o único verdadeiro, o único a poder corresponder, num mesmo indivíduo, um refinamento das qualidades morais. Assusta-nos a relação que o físico possa ter com estas quando se pensa na pequena aberração de gosto puramente físico, na ligeira tara de um sentido, que explicam por que o universo dos poetas e dos músicos, tão fechado ao duque de Guermantes, entreabre-se para o Sr. de Charlus. Que este demonstre gosto no arranjo de sua residência, como uma dona de casa colecionadora de bibelôs, não é coisa que surpreenda; mas a estreita fenda que abre para Beethoven e Veronese! Nem por isso, no entanto, as pessoas sãs de espírito deixam de ter medo quando um louco, que fez um poema sublime, depois de lhes explicar pelos motivos mais justos que está internado por engano, pela maldade de sua mulher, pede que intervenham junto ao diretor do asilo, queixando-se das promiscuidades que lhe impõem, concluindo assim: – Olhem, este que virá falar-me no pátio, cujo contato sou obrigado a suportar, acredita ser Jesus Cristo. Ora, isto é o bastante para me provar com que espécie de alienados me prendem; ele não pode ser Jesus Cristo, pois Jesus Cristo sou eu! – Um momento antes, estavam prontos para denunciar o erro ao médico alienista. Diante dessas últimas palavras, e mesmo levando em conta o admirável poema em que esse homem trabalha todos os dias, as pessoas se afastam, como os filhos da Sra. de Surgis se afastavam do Sr. de Charlus, não que este lhes tenha feito algum mal, mas devido ao luxo de convites dos quais a finalidade era lhes beliscar os queixos. É de lamentar que o poeta, que não dispõe de nenhum Virgílio para guiá-lo, precise atravessar os círculos de um inferno de pez e de enxofre, de se lançar a um fogo que desce do céu, para dali trazer alguns habitantes de Sodoma. Nenhum encanto em sua obra; a mesma severidade na sua vida que na daqueles que seguem a regra do mais casto celibato para que não posam atribuir o terem largado a batina a outra coisa que não a perda da fé. Todavia, não ocorre sempre do mesmo modo com esses escritores. Qual o médico de loucos que não terá tido, à força de assisti-los, a sua crise de loucura? Feliz ainda se pode afirmar que não se trata de uma loucura anterior e latente que o tivesse feito dedicar-se a eles. O objeto de seus estudos, por um psiquiatra, muitas vezes age de novo sobre ele. Mas antes disso, esse objeto, que obscura inclinação, que terror fascinante o fizera escolhê-lo?

Fingindo não ver o indivíduo suspeito que ajustava seus passos pelos dele (quando o barão se aventurava pelos bulevares ou atravessava a sala de espera da estação de Saint-Lazare, semelhantes seguidores se contavam por dúzias que, na esperança de ganhar dinheiro, não o largavam) e com receio de que o outro se animasse a dirigir-lhe a palavra, o barão baixava devotamente os cílios enegrecidos que, contrastando com as faces cobertas de pó-de-arroz, faziam-no parecer-se a um grande inquisidor pintado por El Greco. Mas tal padre causava medo e se assemelhava a um padre suspenso das ordens, pois os diversos expedientes a que tivera de recorrer por necessidade, a fim de satisfazer o seu vício e proteger seu segredo, tinham tido por efeito trazer à superfície do rosto precisamente aquilo que o barão tentava ocultar, uma vida crapulosa atestada pela decadência moral. De fato, esta, seja qual for a sua causa, facilmente se lê, pois não demora a materializar-se e prolifera sobre um rosto, especialmente nas faces e ao redor dos olhos, tão fisicamente quanto o amarelo ocre numa pessoa que sofre do fígado ou os vermelhos repugnantes de uma doença de pele. Aliás, não era apenas nas faces, ou melhor, nas bochechas desse rosto pintado, no peito de mamas salientes, nas nádegas proeminentes desse corpo entregue à indolência e invadido pela gordura, que sobrenadava agora, espalhado como óleo, o vício outrora tão intimamente resguardado pelo Sr. de Charlus no ponto mais secreto de si mesmo. Transbordava agora de suas frases.

– Quer dizer, Brichot, que você anda passeando à noite com um belo rapaz? – disse aos abordar-nos, enquanto que o tal tipo, desapontado, afastava-se. – Muito bonito. Vou dizer aos seus alunozinhos da Sorbonne que você não é tão sério assim. Aliás, a companhia da juventude lhe faz bem, senhor professor, está fresco feito uma rosinha. E você, meu caro, como vai? – disse-me ele, abandonando seu tom de gracejo. – Não é visto muitas vezes no cais Conti, bela juventude. Pois bem, e sua prima, como está? Não veio com você. Lamentamos, pois é encantadora. Poderemos vê-la esta noite? Oh, ela é bem bonita. E o seria mais ainda se cultivasse amiúde a arte, tão rara, que possui naturalmente, de bem vestir-se. – Aqui devo dizer que o Sr. de Charlus "possuía", o que o tornava o exato oposto, o antípoda de mim, o dom de observar minuciosamente, de distinguir os detalhes tanto de um vestido como de uma tela. Quanto aos vestidos e chapéus, certas más línguas ou determinados teóricos radicais dirão que, num homem, a inclinação pelos atrativos masculinos tem por compensação o gosto inato, o estudo e a ciência da toalete feminina. E com efeito, isso ocorre às vezes, como se os homens, tendo açambarcado todo o desejo físico, toda a profunda ternura de um Charlus, o outro sexo em troca se achasse gratificado com tudo o que fosse gosto "platônico" (adjetivo bastante impróprio), ou *tout court*, de tudo que fosse gosto, com os mais sábios e seguros requintes. Sob tal aspecto, o Sr. de Charlus teria merecido a alcunha que lhe deram mais tarde, "a Costureira". Mas seu gosto e espírito de observação se estendiam a muitas outras coisas. Na noite em que fui vê-lo depois de um jantar na casa da duquesa de Guermantes, vimos que eu só me apercebera das obras-primas que ele possuía em casa à medida que ele as ia mostrando a mim. Reconhecia de imediato aquilo a que pessoa alguma jamais prestara atenção, e isso tanto nas obras de arte como nas iguarias de um jantar (e da pintura à cozinha todo o meio-termo ficava compreendido). Sempre lamentei que o Sr. de Charlus, em vez de limitar seus dons artísticos à pintura de um leque oferecido de presente à cunhada (vimos a duquesa de Guermantes segurando-o na mão e abrindo-o, menos para se abanar do que para gabar-se, fazendo ostentação da amizade de Palamède) e ao aperfeiçoamento de sua execução pianística a fim de acompanhar sem erros o desempenho do violino de Morel, repito, sempre lamentei, e lamento ainda, que o Sr. de Charlus nunca tenha escrito coisa alguma. É claro que não posso extrair da eloqüência de sua conversação e até de sua correspondência a conclusão de que ele teria sido um escritor de talento. Esses méritos não cabem no mesmo plano. Temos visto obras-primas escritas por enfadonhos alinhadores de banalidades, e reis da conversação mostrarem-se inferiores ao mais medíocre quando tentam escrever. Apesar disso, creio que o Sr. de Charlus teria experimentado a prosa, e, para começar com aqueles temas artísticos que ele conhecia bem, o fogo teria irrompido, o clarão brilharia, e o homem mundano se tornaria um senhor escritor. Disse-lhe isto várias vezes, e ele jamais quis tentar, talvez apenas por preguiça ou devido ao tempo ocupado com festas brilhantes e divertimentos sórdidos, ou uma necessidade própria de Guermantes de prolongar indefinidamente os falatórios. Tanto mais o lamento porque, em sua mais brilhante conversa, o espírito nunca se separava do temperamento, os achados de um da insolência do outro. Se tivesse escrito livros, em vez de detestá-lo mesmo admirando-o como se fazia num salão onde, em seus mais curiosos instantes de inteligência, ele ao mesmo tempo espezinhava as fábulas, vingava-se de quem não o insultara, procurava de maneira vil fazer que amigos brigassem – se tivesse escrito livros, teriam todos avaliado isoladamente o seu valor espiritual, decantado do mal; nada teria perturbado a admiração e muitos aspectos despertariam a amizade.

Em todo caso, mesmo que eu me engane sobre o que ele teria podido realizar na menor página, teria ele prestado um raro serviço escrevendo, pois, se distinguia tudo, de tudo o que ele distinguia conhecia o nome. Certamente, conversando com ele, se não aprendi a ver (meu espírito e meu sentimento tinham tendência a estar alhures), pelo menos vi coisas que, sem ele, teriam-me ficado despercebidas, porém o nome delas, que me teria auxiliado a reencontrar o seu desenho, suas cores, esse nome eu sempre esqueci bem depressa. Se tivesse escrito livros, ainda que ruins – e não creio que o fossem –, que delicioso dicionário, que repertório inesgotável! Afinal de contas, quem sabe? Em vez de pôr no livro todo o seu conhecimento e seu gosto, talvez devido a esse demônio que muitas vezes contraria o nosso destino, ele houvesse escrito folhetins desenxabidos, inúteis narrativas de viagens e de aventuras.

– Sim, ela sabe se vestir ou, mas exatamente, enfeitar-se – continuou o Sr. de Charlus a propósito de Albertine. – Minha única dúvida é se ela se arruma em conformidade com sua beleza particular, e eu talvez seja um tanto responsável por isso, por causa dos conselhos não muito ponderados que lhe dei. O que muitas vezes lhe disse ao ir à Raspelière e que era antes ditado talvez – e disso me arrependo – pela natureza da região e pela proximidade das praias do que pelo caráter individual de tipo da sua prima, fê-la acentuar um pouco demais o gênero leve. Reconheço que a vi usar lindas tarlatanas, encantadoras *écharpes* de gaze, uma determinada touca cor-de-rosa onde uma pequena pluma rósea não fazia má figura. Mas acho que sua beleza, que é real e maciça, exige mais do que belos enfeites. Conviria a touca a essa cabeleira enorme que um *kakochnik*[25] não faria mais que ressaltar? Há poucas mulheres a quem convenham os vestidos antigos que dão um aspecto de fantasia de teatro. Mas a beleza dessa moça, já mulher, abre uma exceção e mereceria um vestido antigo de veludo de Gênova (logo pensei em Elstir e nos vestidos de Fortuny) que eu não recearia tornar mais pesado ainda com incrustações ou pingentes de maravilhosas pedras desusadas (é o mais belo elogio que se pode fazer a tal respeito) como a olivina, a marcassita e a incomparável labradorita. Aliás, ela mesma parece possuir o instinto do contrapeso, que exige uma beleza um tanto pesada. Lembre-se, para ir jantar na Raspelière, de todo esse acompanhamento de belos estojos, de bolsas pesadas, nos quais, quando se casar, ela poderá colocar mais do que a brancura do pó-de-arroz ou o carmim da pintura de rosto, mas – num cofrezinho de lápis-lazúli não muito cor de anil – também as pérolas e rubis não reconstituídos, creio, pois ela pode fazer um casamento rico.

– Ora, ora, barão – interrompeu Brichot, temendo que eu me aborrecesse com essas últimas palavras, pois tinha dúvidas sobre a pureza de minhas relações e a autenticidade do parentesco de Albertine comigo –, aí está como você se ocupa com as senhoritas!

– Faça o favor de se calar diante deste menino, língua viperina – troçou o Sr. de Charlus abaixando, num gesto para impor silêncio a Brichot, a mão que não deixou de apoiar em meu ombro. – Incomodei-os; vocês pareciam divertir-se como

[25] Penteado em diadema das mulheres russas. Proust grafa *kakochnyk*. (N. do T.)

duas louquinhas e não precisavam de uma velha vovó desmancha-prazeres como eu. Não irei confessar-me por causa disso, pois vocês já estavam quase chegando. – O barão estava de muito bom humor, tanto mais que ignorava completamente a cena da tarde, pois Jupien julgara mais útil proteger a sobrinha contra nova ofensiva de Morel do que ir prevenir o Sr. de Charlus. Assim, este sempre acreditava no casamento e se regozijava com isso. Dir-se-ia que é um consolo, para esses grandes solitários, conferir a seu trágico celibato o alívio de uma paternidade fictícia. – Mas palavra de honra, Brichot – acrescentou ele, voltando-se a rir para nós –, que tenho escrúpulos em vê-lo em tão galante companhia. Vocês pareciam dois namorados. De braços dados, que liberdades são essas, hem Brichot? – Seria preciso atribuir, como causa de tais palavras, o envelhecimento do intelecto, menos senhor de seus reflexos que outrora e que em momentos de automatismo deixa escapar um segredo tão cuidadosamente escondido durante quarenta anos? Ou então o desdém pela opinião dos plebeus que no fundo anima todos os Guermantes e do qual o irmão do Sr. de Charlus, o duque, apresentava uma forma diversa quando, pouco se importando que minha mãe pudesse vê-lo, fazia a barba à janela, de camisola aberta? Teria o Sr. de Charlus contraído, nos trajetos sufocantes de Doncières a Douville, o perigoso hábito de se pôr à vontade e assim, como então colocava o chapéu de palha no alto da cabeça para refrescar a testa enorme, de afrouxar, a princípio apenas por alguns instantes, a máscara havia tanto tempo rigorosamente pregada a seu rosto verdadeiro? As atitudes conjugais do barão para com Morel teriam com razão espantado a quem soubesse que o Sr. de Charlus já não o amava. Mas ocorrera com o barão que a monotonia dos prazeres que seu vício lhe oferece acabara por fatigá-lo. Instintivamente, ele havia procurado novas performances e, depois de se cansar dos desconhecidos que encontrava, passara ao pólo oposto, àquilo que julgara que detestaria sempre: a imitação de uma "vida conjugal" ou de uma "paternidade". Por vezes, nem isto o satisfazia mais, precisava de novidade, ia passar a noite com uma mulher da mesma forma que um homem normal pode, uma vez na vida, ter desejado procurar um rapaz, por uma curiosidade semelhante e inversa, e, em ambos os casos, igualmente malsã. A existência de "fiel" do barão, não vivendo, por causa de Charlie, senão no "pequeno clã", tivera, para quebrar os esforços que ele vinha fazendo há muito a fim de manter as aparências enganosas, a mesma influência de uma viagem de exploração ou de uma temporada nas colônias sobre certos europeus que perdem lá os princípios norteadores que os dirigiram na França. E no entanto, a revolução interna de um espírito, ignorando a princípio a anomalia que carregava consigo, depois horrorizado diante dela ao reconhecê-la e, por fim, familiarizando-se com ela a ponto de já não perceber que não podia sem perigo confessar aos outros aquilo que se acabou por confessar a si mesmo sem pudor, fora mais eficiente ainda para libertar o Sr. de Charlus dos últimos constrangimentos sociais do que o tempo passado na casa dos Verdurin. De fato, não há exílio no pólo Sul ou no cimo do Monte Branco que nos afaste tanto dos outros como uma estadia prolongada no seio de um vício interior, ou seja, de um pensamento diferente do deles. Vício (assim o Sr. de Charlus o qualificava antigamente) ao qual o barão atribuía agora a figura complacente de um simples defeito, muito espalhado, antes simpático e quase divertido, como a preguiça, a distração ou a gulodice. Percebendo a curiosidade que as peculiaridades de sua pessoa excitavam, o Sr. de Charlus sentia um certo prazer em satisfazê-la, em atiçá-la, entretê-la. Da mesma forma que um certo publicista judeu faz-se todos os dias o campeão do catolicismo, provavelmente não na esperança de ser levado a sério, mas para não frustrar a expectativa dos leitores zombeteiros, o Sr. de Charlus castigava com espírito os maus costumes no pequeno clã, como teria arremedado os ingleses ou imitado Mounet-Sully, sem esperar que lho pedissem, e para contribuir com sua parte de bom grado, exercendo na sociedade um talento de amador; de modo que o Sr. de Charlus ameaçava denunciar Brichot à Sorbonne, dizendo que agora ele passeava na companhia de rapazes, da mesma forma que o cronista circunciso alude, a propósito de tudo, à "filha mais velha da Igreja" e ao "sagrado coração de Jesus", isto é, sem sombra de hipocrisia, mas com uma ponta de cabotinismo. Não era apenas da mudança das próprias palavras, tão diversas das que ele se permitia usar antigamente, que seria curioso procurar a explicação, mas também da que sobreveio nas entonações e nos gestos, estes e aquelas agora singularmente semelhantes ao que o Sr. de Charlus vergastava com toda a aspereza outrora; agora, soltava involuntariamente quase os mesmos gritinhos – tão involuntários quanto mais profundos – que, voluntariamente, soltam os invertidos que se tratam por "minha querida"; como se esse fricote intencional, a que o Sr. de Charlus sempre se mostrara tão avesso, não passasse na realidade de uma genial e fiel imitação das maneiras que acabam por adquirir, queiram ou não, os Charlus ao atingirem determinada fase de seu mal, como os doentes de paralisia geral ou de ataxia acabam fatalmente por apresentar certos sintomas. Na verdade – e é o que todo aquele fricote interior revelava – não haveria entre o severo Charlus, todo vestido de preto, de cabelos à escovinha, que eu conhecera, e os rapazes arrebicados, cobertos de jóias, senão aquela diferença puramente superficial que há entre uma pessoa agitada, que fala depressa e se remexe o tempo todo, e um neuropata que fala devagar, conserva uma fleuma permanente, mas está atacado da mesma neurastenia aos olhos do clínico que sabe que este, como o outro, é devorado pelas mesmas angústias e marcado pelas mesmas taras. Aliás, via-se que o Sr. de Charlus envelhecera por sinais bem diferentes, como a extraordinária extensão que haviam tomado em sua conversa algumas expressões que tinham proliferado e agora voltavam a todo instante (por exemplo: "o encadeamento das circunstâncias") e às quais a palavra do barão se apoiava de frase em frase como a um tutor necessário. – Será que Charlie já chegou? – perguntou Brichot ao Sr. de Charlus quando avistamos a casa.

– Ah, não sei – disse o barão, erguendo os braços e semicerrando os olhos com o ar de pessoa que não deseja ser acusada de indiscrição, tanto mais que provavelmente recebera censuras de Morel por algo que havia dito, e que este, tão covarde quanto vaidoso, renegando o Sr. de Charlus com a mesma facilidade com que dele se orgulhava, havia julgado graves embora fossem insignificantes. – Você sabe que não tenho a mínima idéia do que ele anda fazendo. Não sei com quem está me enganando, e quase não o vejo. – Se a conversa entre duas pessoas que têm uma ligação está cheia de mentiras, nascem estas não menos naturalmente nas conversas que um terceiro tem com um amante acerca da pessoa amada por este último, seja qual for o sexo dessa pessoa.

– Faz muito que o senhor não o vê? – perguntei ao Sr. de Charlus, para parecer não recear falar-lhe de Morel e, ao mesmo tempo, fazer crer que ignorava completamente que vivessem juntos. – Hoje de manhã ele apareceu casualmente durante cinco minutos, enquanto eu ainda estava meio adormecido, sentando-se na beira da cama como se quisesse me violar. – Tive logo a idéia de que o Sr. de Charlus estivera com Charlie uma hora antes, pois, quando perguntamos a uma mulher quando viu ela certo homem que sabemos – ela imagina talvez que desconfiamos – ser seu amante, e se almoçou com ele, ela responde: – Vi-o por um momento, antes do almoço. – Entre esses dois fatos, a única diferença é que um é falso e o outro verdadeiro, mas um é tão inocente, ou, se preferimos, tão culpado quanto o outro. Assim, não se compreenderia por que motivo a amante (e aqui o Sr. de Charlus) escolhe sempre o fato mentiroso, se não se soubesse que tais respostas são determinadas, à revelia da pessoa que as dá, por uma enormidade de fatores aparentemente em tamanha desproporção com a insignificância do fato que seria inútil enumerá-los. Mas, para um físico, o lugar que ocupa a menor bolinha do sabugueiro é explicado pela ação, conflito ou equilíbrio das leis de atração e repulsão que governam mundos bem maiores. Mencionemos aqui, só para lembrar, o desejo de parecer natural e animoso, o gesto instintivo de ocultar um encontro secreto, uma mescla de pudor e ostentação, a necessidade de confessar o que é tão agradável e de mostrar que se é amado, uma penetração daquilo que o interlocutor sabe ou supõe, mas não diz, penetração que, indo além ou aquém da sua, faz com que esta seja ora sobre ora subestimada, o desejo involuntário de brincar com fogo e a vontade de fazer parte do fogo. Outras tantas leis diferentes, agindo em sentido oposto, ditam as respostas mais gerais relativas à inocência, ao "platonismo", ou, pelo contrário, à realidade carnal das relações que se têm com a pessoa que afirmamos ter visto pela manhã quando a vimos à noite. Todavia de um modo geral, digamos que o Sr. de Charlus, apesar do agravamento de seu mal, e que o levava permanentemente a revelar, a insinuar, às vezes simplesmente a inventar detalhes comprometedores, procurava, nesse período de sua vida, afirmar que Charlie não era o mesmo tipo de homem que ele, Charlus, e que entre os dois só existia amizade. Isto não impedia (mesmo que talvez fosse verdade) que se contradissesse às vezes (como quanto à hora em que o vira pela última vez), ou porque então dissesse a verdade por esquecimento, ou porque mentisse, para se gabar ou por sentimentalismo, ou por achar espirituoso confundir o interlocutor. – Você sabe que ele é para mim um bom rapazinho, pelo qual tenho o maior afeto, como tenho certeza (duvidava, por acaso, para sentir essa necessidade de afirmar que tinha certeza?) de que o tem por mim, mas entre nós não existe outra coisa, nada disso, compreende? Nada disso – afirmou o barão de modo tão natural como se falasse de uma dama. – Sim, ele veio esta manhã quando eu ainda estava na cama. E no entanto ele sabe que eu detesto que me veja deitado. Você não? Oh, é um horror! Isso incomoda, e como somos feios nesse momento! Sei muito bem que já não tenho vinte e cinco anos, não quero bancar a donzela, mas cada um tem a sua vaidade mesmo assim.

É possível que o barão falasse com sinceridade quando se referia a Morel como um bom rapazinho e que talvez dissesse a verdade julgando mentir, ao afirmar: – Não sei o que ele anda fazendo, não conheço a sua vida. – De fato, digamos (para adiantar de algumas semanas a narrativa, que retomaremos logo após este parêntese, aberto enquanto o Sr. de Charlus, Brichot e eu nos dirigimos para a casa da Sra. Verdurin), digamos que, pouco tempo depois dessa reunião noturna, o barão mergulhou na dor e na estupefação causadas por uma carta que abriu por descuido e que era endereçada a Morel. Essa carta, que por outro lado me daria desgostos cruéis, era escrita pela atriz Léa, célebre pelo gosto exclusivo que possuía por mulheres. Ora, sua carta a Morel (que o Sr. de Charlus nem sequer suspeitava que a conhecesse) era redigida no tom mais apaixonado. Sua baixeza impede que a reproduzamos aqui, mas podemos adiantar que Léa só o tratava no feminino, dizendo-lhe: "Sua grande porcalhona", "Minha queridinha, você pelo menos *é*", etc. E nessa carta havia referência a várias outras mulheres que não pareciam ser menos amigas de Morel que de Léa. Por outra parte, a zombaria de Morel em relação ao Sr. de Charlus e a de Léa quanto ao oficial que a sustentava e de quem ela dizia: "Em suas cartas, ele me suplica que eu tenha juízo! Puxa! Meu queridinho" – não revelavam ao Sr. de Charlus uma realidade menos insuspeitada dele do que o eram as relações tão particulares de Morel com Léa. O barão ficou perturbado sobretudo pela expressão "é". Depois de tê-la ignorado a princípio, ficara sabendo, após muito tempo, que ele mesmo "era". Eis que a noção adquirida se achava de novo em questão. Quando descobrira que "era", julgava entender por aquilo que o seu gosto, como diz Saint-Simon, não se dirigia às mulheres. Ora, eis que, para Morel, a expressão "era" adquiria uma extensão que o Sr. de Charlus não conhecera, visto que Morel provara, por essa carta, que também "era", tendo os mesmos gostos que algumas mulheres sentem por outras mulheres. Desde então, o ciúme do Sr. de Charlus já não tinha motivo para se limitar aos homens que Morel conhecia, mas ia estender-se às próprias mulheres. Assim, os seres que "eram" não seriam somente aqueles que ele julgara, mas toda uma enorme parcela do planeta, tanto composta de mulheres como de homens, de homens que amavam não apenas os homens mas as mulheres. E o barão, diante do significado novo de um termo que lhe era tão familiar, sentia-se torturado por uma inquietação da inteligência tanto como do coração, em face desse duplo mistério onde, a um tempo, existiam o aumento de seu ciúme e a súbita insuficiência de uma definição.

O Sr. de Charlus nunca passara de um amador na vida. Quer dizer, incidentes desse gênero não lhe podiam ser de nenhuma utilidade. Descarregava a impressão penosa que lhe causassem, em cenas violentas onde sabia ser eloqüente, ou em intrigas sorrateiras. Mas para uma criatura do valor de Bergotte, por exemplo, tais incidentes poderiam ser preciosos. E talvez seja isto mesmo que explique em parte (pois agimos às cegas, mas escolhendo como os animais a planta que nos é favorável) que criaturas como Bergotte vivam em geral na companhia de pessoas medíocres, falsas e malvadas. A beleza destas é bastante para a imaginação do escritor, exalta a sua bondade, mas não transforma em nada a natureza de sua companheira, cuja vida, situada milhares de metros abaixo, as relações inverossímeis, as mentiras impelidas adiante e sobretudo numa direção diversa da que se poderia acreditar, aparecem de relance de quando em vez. A mentira, a mentira perfeita, sobre as pessoas que conhecemos, as relações que tivemos com elas, nosso móbil em determinada ação que formulamos de modo inteiramente diverso, a mentira sobre o que somos, sobre o que amamos, sobre o que sentimos em relação à criatura que nos ama e que julga ter-nos modelado à sua semelhança porque nos beija o dia inteiro – essa mentira é uma das únicas coisas neste mundo que pode nos abrir perspectivas para o novo, para o desconhecido, que pode abrir nossos sentidos adormecidos para a contemplação de universos que jamais teríamos conhecido. No que concerne ao Sr. de Charlus, é preciso dizer que, se ficou estupefato ao conhecer acerca de Morel um certo número de coisas que este cuidadosamente lhe ocultara, errou em concluir daí que é um engano ter uma relação com gente do povo e que revelações tão penosas[26] (a mais penosa para ele fora a de uma viagem que Morel fizera com Léa, ao passo que ele havia assegurado ao Sr. de Charlus que naquela ocasião, estava estudando música na Alemanha. Para arquitetar sua mentira, Morel se havia servido de pessoas benévolas, que moravam na Alemanha, às quais mandara suas cartas, que eram reexpedidas para o Sr. de Charlus; este, aliás, estava de tal maneira convencido de que Morel se achava na Alemanha que nem mesmo observara o carimbo do correio.) Com efeito, veremos, no último volume desta obra, o Sr. de Charlus ocupado em fazer coisas que teriam deixado os amigos e parentes ainda mais estupefatos do que ele o ficara com a vida revelada por Léa.

[26] Esta frase ficou sem acabar. (N. do T.)

Mas é tempo de alcançar o barão, que se adianta, comigo e com Brichot, para a porta dos Verdurin. – E que fim levou – acrescentou ele voltando-se para mim – o seu jovem amigo hebreu que víamos em Douville? Tinha pensado que, se lhe agrada, poderíamos convidá-lo uma noite dessas. – De fato, o Sr. de Charlus, contentando-se em mandar espionar sem pudor o comportamento de Morel por uma agência de detetives, exatamente como um marido ou um amante, não deixava de prestar atenção aos outros rapazes. A vigilância que ele encarregava um velho criado de mandar exercer por uma agência sobre Morel era tão pouco discreta, que os lacaios se julgavam perseguidos e uma arrumadeira já não vivia direito, não ousava sair à rua, acreditando ter sempre um policial no seu encalço. E o velho criado: – Ela pode fazer o que quiser! Vejam só se a gente ia perder tempo e dinheiro em vigiá-la! Como se o seu comportamento nos interessasse! – exclamava com ironia, pois era tão apaixonadamente dedicado ao patrão que, embora de modo algum compartilhasse de seus gostos, acabava, de tanto ardor caloroso que punha em servi-los, por falar deles como se fossem os seus. – É a melhor das pessoas – dizia desse velho criado o Sr. de Charlus, pois a ninguém apreciamos tanto como as criaturas que juntam às grandes virtudes essa de as pôr incondicionalmente à disposição de nossos vícios. Aliás, era apenas dos homens que o Sr. de Charlus podia sentir ciúme no que se referia a Morel. As mulheres não lhe inspiravam nenhum. De resto, essa é a regra geral quanto aos Charlus. O amor do homem a quem amam por uma mulher é algo totalmente diverso, passado em uma outra espécie animal (o leão deixa os tigres sossegados), não os incomoda e até os tranqüiliza. É verdade que às vezes, entre os que fazem da inversão um sacerdócio, esse amor os desgosta. Então, querem mal a seu amigo por ter se entregado a tal amor, não como uma traição, mas como uma degradação. Outro Charlus que não o barão ficaria indignado ao saber que Morel tinha relações sexuais com uma mulher, como teria ficado se lesse num cartaz que ele, intérprete de Bach e Haendel, iria tocar Puccini. É por isso, aliás, que os rapazes, que por interesse condescendem com o amor dos Charlus, afirmam que as mulheres só lhes causam nojo, da mesma forma que diriam aos médicos que jamais bebem álcool e só apreciam a água da fonte. Mas, sob esse aspecto, o Sr. de Charlus se afastava um pouco da regra habitual. Admirando tudo em Morel, os êxitos femininos deste não o inquietavam, davam-lhe a mesma alegria que seus êxitos no concerto ou no jogo do *écarté*. – Mas, meu caro, sabe, ele anda com mulheres – dizia em tom de revelação, de escândalo, talvez de inveja, e sobretudo de admiração. – Ele é extraordinário – acrescentava. – Em toda a parte, as prostitutas mais procuradas só têm olhos para ele. Chama a atenção em qualquer lugar, tanto no metrô como no teatro. O negócio chega a ser enjoado! Não posso ir com ele ao restaurante sem que o garçom lhe traga recadinhos de pelo menos três mulheres. E sempre das mais bonitas. Aliás, não é de estranhar. Eu o contemplava ontem, compreendendo-as, ele se tornou de uma beleza tal, parece uma figura de Bronzino. É verdadeiramente admirável. – Mas o Sr. de Charlus gostava de mostrar que amava Morel, de persuadir os outros, talvez de persuadir a si mesmo, de que era amado por ele. Punha em retê-lo junto a si o tempo todo, apesar do prejuízo que aquele rapazinho podia acarretar à sua posição mundana, uma espécie de amor-próprio. Pois (e o caso é freqüente entre os homens esnobes e bem situados, que, por vaidade, rompem todas as relações para serem vistos em toda parte com uma amante de má fama ou uma senhora desacreditada, que ninguém recebe, e à qual entretanto lhe parece ser lisonjeiro estar ligado) havia chegado àquele ponto em que o amor-próprio põe todo o seu empenho em destruir os objetivos que atingiu, seja porque, sob a influência do amor, descobrimos um prestígio, que somos os únicos a perceber, em relações ostentatórias com quem amamos, seja porque, pelo enfraquecimento das ambições mundanas alcançadas, e a maré montante das curiosidades servis, tanto mais absorventes quanto mais platônicas, tenham estas não só atingindo como ultrapassado o nível onde a custo as outras se mantinham.

Quanto aos outros rapazes, o Sr. de Charlus achava que ao seu gosto por eles a existência de Morel não era um obstáculo e que até a sua brilhante reputação de violinista ou sua fama nascente de compositor e jornalista poderiam em certos casos lhe ser um atrativo. Se apresentavam ao barão um jovem compositor de aparência agradável, era nos talentos de Morel que ele buscava a oportunidade para fazer uma cortesia ao recém-conhecido. – O senhor deveria – dizia-lhe – trazer-me suas composições para que Morel possa tocá-las no concerto ou numa turnê. Existe tão pouca música agradável escrita para violino! É uma fortuna encontrar uma nova composição. E os estrangeiros apreciam muito uma coisa dessas. Mesmo na província há pequenos círculos musicais onde ama-se a música com um fervor e uma inteligência admiráveis. – Sem mais sinceridade (pois tudo aquilo só servia de engodo e era raro que Morel se prestasse a realizações), como Bloch lhe havia dito que era um tanto poeta, "quando lhe dava na telha", acrescentara com o riso sarcástico que, de costume, fazia acompanhar uma banalidade quando não podia achar uma expressão original, o Sr. de Charlus me disse: – Diga então àquele jovem israelita, visto que ele faz versos, que deveria me trazer alguns para que os leve a Morel. Para um compositor, é sempre um problema encontrar uma coisa bonita para musicar. Poderíamos até pensar num libreto. Não seria desinteressante e chegaria a ter uma certa importância devido aos méritos do poeta, de minha proteção, de todo um encadeamento de circunstâncias auxiliares, entre as quais o talento de Morel ocupa o primeiro lugar. Pois ele está compondo muito atualmente, e escreve também e de modo lindo, vou conversar com você sobre isso. Quanto ao seu talento de executante (você sabe que ele já é um mestre completo), irá ver esta noite como esse menino toca bem a música de Vinteuil. Fico impressionado: na sua idade, ter tamanha compreensão e permanecer tão infantil, tão colegial! Oh, esta noite é um pequeno ensaio. O grande recital vai ocorrer dentro de alguns dias. Mas será muito mais elegante que hoje. Assim, ficamos encantados de que você tenha vindo – disse ele, empregando esse plural "ficamos", sem dúvida porque o rei diz "queremos". – Por causa do magnífico programa, aconselhei a Sra. Verdurin a dar duas festas. Uma daqui a alguns dias, na qual estarão presentes todas as suas relações. Outra esta noite, em que a Patroa ficará, como se diz no jargão judicial, desapropriada. Fui eu que fiz os convites e convoquei algumas pessoas agradáveis de outro ambiente, que podem ser úteis a Charlie e que os Verdurin terão prazer em conhecer. Sim, pois está muito bem que sejam ouvidas as mais lindas obras executadas pelos maiores artistas, mas a manifestação fica abafada como em algodão se o público é composto pela merceeira da casa defronte e pelo comerciante da esquina. Sabe o que penso do nível intelectual das pessoas da sociedade, mas elas podem desempenhar certos papéis muito importantes; entre eles, o papel que cabe à imprensa nos acontecimentos públicos, e que é o de ser um órgão de divulgação. Compreende o que quero dizer; por exemplo, convidei minha cunhada Oriane; não é certo que ela compareça, mas, em compensação, é certo que, se comparecer, não compreenderá absolutamente nada. Mas ninguém lhe pede que compreenda, o que está acima de seus meios, mas que fale, o que lhe fica admiravelmente bem apropriado, e ela nunca deixa de fazer. Conseqüência: a partir de amanhã, em vez do silêncio da merceeira e do comerciante, uma conversa animada na casa dos Mortemart, onde Oriane conta que ouviu coisas maravilhosas, que um certo Morel etc., raiva indescritível das pessoas não convidadas, que dirão: "Sem dúvida Palamède julgou que éramos indignos; além disso, quem é essa gente em cuja casa se realizou tal coisa", reverso tão útil como os louvores de Oriane, pois o nome de Morel retorna o tempo todo e acaba por gravar-se na memória como uma lição que se lê dez vezes seguidas. Tudo isto forma um encadeamento de circunstâncias que pode ter o seu lucro para o artista, para a dona da casa, e, de algum modo, servir de megafone a uma manifestação que, assim, virá a ser ouvida por um público longínquo. Na verdade, vale a pena. Você verá o progresso que ele fez. Além do mais, descobriram-lhe um novo talento, meu caro, ele escreve como um anjo. Como um anjo, repito.

"Você que conhece Bergotte,[27] pensei que talvez pudesse, talvez refrescando-lhe a memória sobre a literatura desse adolescente, em suma, colaborar comigo, ajudar-me a criar um encadeamento de circunstâncias capazes de favorecer um duplo talento de músico e de escritor que um dia pode adquirir o prestígio de Berlioz. Veja o que conviria dizer a Bergotte. Você sabe, as pessoas ilustres muitas

[27] Este parágrafo não leva em consideração a narrativa da morte de Bergotte, algumas páginas antes, e que foi inserida tardiamente no corpo do romance. (N. do T.)

vezes têm mais o que pensar, são aduladas, só se interessam por elas mesmas. Porém Bergotte, que é verdadeiramente simples e serviçal, deve mandar publicar no *Gaulois*, ou não sei mais onde, essas croniquetas, meio de humorista e meio de músico, que são de fato muito bonitas, e eu ficaria na verdade bem contente que Charlie acrescente ao violino essa peninha de Ingres. Sei muito bem que exagero facilmente quando se trata dele, como todas as velhas mamães-corujas do Conservatório. Como, meu caro, não o sabia? Mas é que não conhece o meu lado palerma. Canso-me de esperar de pé, durante horas, o resultado dos exames. Divirto-me demais. E, quanto a Bergotte, ele me garantiu que a prosa de Charlie era de fato muito boa."

O Sr. de Charlus, que o conhecia há muito por intermédio de Swann, de fato o fora visitar e pedir-lhe que conseguisse que Morel fosse escrever no jornal algumas crônicas meio humorísticas sobre a música. Ao visitá-lo, o Sr. de Charlus sentira um pouco de remorso, pois, grande admirador de Bergotte, percebia que jamais ia visitá-lo por ele mesmo, mas para, graças à consideração meio intelectual, meio social, que Bergotte lhe tributava, poder fazer um grande obséquio a Morel, à Sra. Molé e a muitos outros. Que já não se servisse da sociedade senão para isso não repugnava ao Sr. de Charlus, mas que agisse desse modo com Bergotte não lhe parecia bem, pois sentia que Bergotte não era utilitário como as pessoas da sociedade e merecia mais. Apenas, levava uma vida muito ocupada e não dispunha de tempo senão quando desejava muito uma coisa, por exemplo, algo que se relacionasse a Morel. Além disso, muito inteligente, a conversa de um homem inteligente era-lhe bem indiferente, sobretudo a de Bergotte, que era por demais homem de letras para seu gosto, e de outro clã, não se colocando no ponto de vista dele, Charlus. Quanto a Bergotte, percebia perfeitamente o utilitarismo das visitas de Charlus, mas não lhe queria mal por isso; pois era incapaz de uma bondade continuada, mas desejoso de dar uma alegria, compreensivo, indiferente ao prazer de dar uma lição. Quanto ao vício do Sr. de Charlus, não partilhava dele em nenhum grau, achando-lhe antes um elemento de cor no personagem, o *fas et nefas* para um artista, consistindo não nos exemplos morais mas nas recordações de Platão ou do Sodoma.[28]

O Sr. de Charlus não se lembrava de dizer que desde algum tempo, como aqueles grandes senhores do século XVII, que desdenhavam assinar e até escrever os seus libelos, mandava Morel redigir pequenos tópicos baixamente difamantes e dirigidos contra a condessa Molé. Parecendo já insolentes aos que os liam, quanto mais cruéis não o seriam para a jovem senhora, que neles achava, tão habilmente

[28] *Fas et nefas* (latim): O lícito e o ilícito. *Sodoma*: nome pelo qual é conhecido o pintor italiano Giovanni Antonio Bazzi (c.1477-1549). (N. do T.)

encaixados que ninguém senão ela percebia coisa alguma, passagens de cartas dela, textualmente citadas porém tomadas num sentido em que podiam transtorná-la como a mais feroz vingança. A jovem senhora acabou morrendo de desgosto. Mas, diria Balzac, é que se faz todos os dias em Paris uma espécie de jornal falado, mais terrível que o outro. Veremos depois que essa imprensa verbal reduziu a nada o poder de um Charlus fora de moda e erigiu bem acima dele um Morel que não valia a milionésima parte de seu antigo protetor. Será pelo menos ingênua essa moda intelectual e de boa-fé acreditará na insignificância de um genial Charlus, na autoridade incontestável de um estúpido Morel? O barão era menos inocente em suas vinganças implacáveis. Daí sem dúvida esse amargo veneno na boca, veneno cuja invasão parecia conferir-lhe às faces um tom amarelo quando ele se encolerizava.

– Gostaria muito que ele comparecesse esta noite, pois poderia ouvir Charlie nas coisas que ele na verdade toca melhor. Mas parece que ele não sai de casa, não quer que o aborreçam, e tem razão. Mas você, bela juventude, ninguém o vê quase no cais Conti! Não abuse! – Informei que saía principalmente com minha prima. – Vejam só! Saindo com a prima, que pureza! – disse o Sr. de Charlus para Brichot. E dirigindo-se de novo a mim: – Mas não estamos lhe pedindo contas do que anda fazendo, meu *fffilho*. Você é livre para fazer tudo o que lhe agradar. Apenas lamentamos não compartilhar de seus prazeres. De resto, você tem muito bom gosto, sua prima é encantadora, pergunte a Brichot, ele não pensava noutra coisa em Douville. Sentiremos a sua falta esta noite. Mas você talvez tenha agido bem em não trazê-la. É admirável a música de Vinteuil. Mas soube por Charlie, esta manhã, que deverão estar presentes a filha do compositor e sua amiga, que são pessoas de reputação terrível. Sempre seria constrangedor para uma moça. Até eu me sinto meio incomodado por causa dos convivas. Mas, como têm quase todos a idade canônica, não terá o fato conseqüências para eles. Elas estarão lá, a menos que essas duas senhoritas não tenham podido vir, pois deveriam sem falta estar presentes a tarde inteira num ensaio de estudos que a Sra. Verdurin realizava hoje e para o qual só convidara os importunos, a família, as pessoas que não deviam vir à noite. Ora, há pouco, antes do jantar, Charlie me disse que o que chamamos as duas senhoritas Vinteuil, esperadas com toda a certeza, não tinham vindo. – Apesar da horrível dor que eu sentia em aproximar subitamente do efeito, só este conhecido a princípio, a causa, por fim descoberta, do desejo que Albertine manifestara de vir, ou seja, a presença anunciada (mas que eu ignorava) da Srta. Vinteuil e de sua amiga, conservei a liberdade de espírito de reparar que o Sr. de Charlus, que nos dissera há pouco não ter visto Charlie desde a manhã, confessava irrefletidamente tê-lo visto antes do jantar. Mas o meu sofrimento era visível. – Que está sentindo? – indagou o barão. – Você está verde; venha, entremos, você vai ficar resfriado, está muito abatido. – Não era a primeira dúvida acerca da virtude de Albertine que as palavras do Sr. de Charlus acabavam de despertar em mim. Muitas outras já me haviam assaltado; a cada nova dúvida a gente acha que a medida está repleta, que não poderemos suportá-la, e depois lhe descobrimos um lugar de alguma forma. E, uma vez que ela é introduzida em nosso meio vital, entra em concorrência com tantos desejos de acreditar, com tantos motivos para esquecer, que bem depressa a ela nos acomodamos e acabamos por não mais lhe prestar atenção. E permanece apenas como uma dor mal curada, uma simples ameaça de sofrimento e que, sendo o avesso do desejo mas da mesma ordem que ele, e tornando-se como ele o centro de nossos pensamentos, irradia neles, a distâncias infinitas, tristezas sutis, como prazeres de origem irreconhecível, por toda parte onde alguma coisa pode se associar à idéia daquela a quem amamos. Mas a dor desperta quando uma nova dúvida, inteira, penetra em nós; por mais que nos digamos logo em seguida: "Vou me arranjar, haverá um sistema para não sofrer, isso não deve ser verdade", houve todavia um primeiro instante em que sofremos como se acreditássemos naquilo. Se possuíssemos apenas membros, como as pernas e os braços, a vida seria suportável. Infelizmente trazemos em nós esse pequeno órgão a que chamamos coração, o qual está sujeito a certas enfermidades em cujo decorrer ele se torna infinitamente impressionável a tudo que se refere à vida de uma certa pessoa, e assim uma mentira – essa coisa tão inofensiva e no meio da qual vivemos tão alegremente, quer seja dita por nós ou pelos outros – vinda dessa pessoa, dá a esse coraçãozinho, que deveria poder ser extraído cirurgicamente, crises intoleráveis. Nem falemos do cérebro, pois nosso pensamento, por mais que raciocinemos sem parar no decurso dessas crises, não as modifica em nada, assim como a nossa atenção não alivia uma dor de dentes. É certo que tal pessoa é culpada de nos haver mentido, pois tinha jurado dizer-nos sempre a verdade. Mas sabemos por nós próprios, pelos outros, o que valem tais juramentos. E desejáramos crer neles quando provinham dela, que tinha justamente todo o interesse em nos mentir, e, por outro lado, não fora por nós escolhida por suas virtudes. É verdade que posteriormente ela quase já não teria necessidade de nos mentir – justamente quando o coração se tornasse indiferente à mentira – porque não nos interessaremos mais pela sua vida. Sabemos disto e contudo sacrificamos de bom grado a nossa, ou porque nos matamos por essa pessoa, ou porque nos fazemos condenar à morte ao assassiná-la, ou simplesmente porque gastamos em poucos anos toda a nossa fortuna com ela, o que em seguida nos obriga ao suicídio, pois não temos mais nada. Aliás, por mais tranqüilos que nos julguemos ao amar, sempre trazemos o amor no coração em estado de equilíbrio instável. Uma coisinha de nada basta para colocá-lo em posição de felicidade, ficamos radiantes, cobrimos de carinho não aquela a quem amamos, mas todos aqueles que nos fizeram valer a seus olhos, que a resguardaram contra qualquer tentação imoral; julgamo-nos tranqüilos e basta uma frase: "Gilberte não virá", "A Srta. Vinteuil está convidada", para que se aniquile toda a felicidade preparada a que nos lançávamos, para que o sol se esconda, para que gire a rosa-dos-ventos e se desencadeie a tempestade interior a que um dia já não seremos capazes de resistir. Nesse dia, o dia em que o coração se tornou tão frágil, amigos que nos admiram suportam que tais aniquilamentos, que certas criaturas possam nos fazer mal, provocar a nossa morte. Mas o que podem fazer? Se um poeta está agonizando de uma pneumonia infecciosa, será possível imaginar que seus amigos expliquem ao pneumococo que esse poeta tem talento e que ele deveria deixá-lo curar-se? A dúvida no que se refere à Srta. Vinteuil não era absolutamente nova. Mas, mesmo sob esse aspecto, o meu ciúme da tarde, excitado por Léa e seus amigos, a tinha abolido. Uma vez afastado esse perigo do Trocadero, eu sentira, julgara ter reconquistado para sempre uma paz completa. Mas o que principalmente era novo para mim, era um certo passeio de que Andrée me havia dito: – Fomos a esse e àquele lugar, não encontramos ninguém –, e onde, ao contrário, a Srta. Vinteuil evidentemente marcara um encontro com Albertine na casa da Sra. Verdurin. Agora, eu de bom grado deixaria Albertine sair sozinha, fosse aonde quisesse ir, contanto que eu pudesse prender em algum lugar a Srta. Vinteuil e sua amiga e ter certeza de que Albertine não as veria. É que o ciúme geralmente é parcial, com localizações intermitentes, seja por tratar-se do doloroso prolongamento de uma ansiedade causada ora por uma pessoa, ora por outra, que nossa amiga poderia amar, seja pela exigüidade do nosso pensamento, que só se apercebe daquilo que imagina, deixando o resto num território vago de que relativamente não podemos sofrer.

No momento em que íamos entrar no pátio da casa, fomos alcançados por Saniette, que não nos reconhecera de imediato. – Eu já os olhava entretanto faz algum tempo – disse-nos com voz ofegante. – Não é curioso que tenha hesitado? – *Est-ce pas curieux* foi o que ele disse, pois *N'est-il pas curieux* lhe teria parecido um erro, e ele tomava com as antigas formas de linguagem uma familiaridade exasperadora. – No entanto vocês são pessoas que se pode ter por amigos. – Seu rosto sombrio parecia iluminado pelo reflexo plúmbeo de uma tempestade. Seu ofego, que até o verão anterior só ocorria quando o Sr. Verdurin o "espinafrava", era agora constante. – Sei que uma obra inédita de Vinteuil vai ser executada por artistas excelentes, e singularmente por Morel. – Por que singularmente? – indagou o barão, que viu nesse advérbio uma crítica. – Nosso amigo Saniette – se apressou a explicar Brichot, que fez o papel de intérprete – prefere falar, como excelente letrado que é, a linguagem de um tempo em que "singularmente" equivalia ao nosso "muito particularmente".

Quando entrávamos na ante-sala da Sra. Verdurin, o Sr. de Charlus me perguntou se eu trabalhava, e, como lhe dissesse que não, mas que me interessava muito, naquele momento, pelas velhas baixelas de prata e de porcelana, ele me falou que eu não poderia encontrar mais belas do que na casa dos Verdurin, que, além disso, eu poderia vê-las na Raspelière, visto que, a pretexto de que os objetos também são nossos amigos, eles cometiam a loucura de levar tudo consigo; que seria menos cômodo tirar tudo dos armários num dia de recepção, mas que todavia ele, Charlus, pediria que me mostrassem o que eu quisesse. Roguei-lhe que não pedisse nada. O Sr. de Charlus desabotoou o sobretudo, tirou o chapéu; vi que principiava, aqui e ali, a fazer-se prateado o alto de sua cabeça. Mas, assim como um arbusto precioso que não só o outono colore, mas do qual se protegem certas folhas com envoltórios de algodão em rama ou mediante aplicações de gesso, o Sr. de Charlus só recebia desses poucos cabelos brancos, dispostos no alto do crânio, uns tons de pintura a mais, que se ajuntavam ao arrebique do rosto. E todavia, mesmo sob as camadas de expressões diversas, de cosméticos e de hipocrisia que tão mal o maquiavam, o rosto do Sr. de Charlus continuava a calar a quase todo mundo o segredo que ele me parecia gritar. Sentia-me quase constrangido pelos seus olhos, onde eu receava que me surpreendesse a lê-lo como a um livro aberto, por sua voz, que me parecia repetir tal segredo em todos os tons, com uma incansável indecência. Mas os segredos são bem ocultos pelas criaturas, pois todos os que delas se aproximam são feito cegos e surdos. As pessoas que sabiam da verdade por tê-la ouvido de um ou de outro, pelos Verdurin por exemplo, acreditavam nela, mas somente enquanto não conheciam o Sr. de Charlus. Sua fisionomia, longe de espalhar, dissipava os rumores maldosos. Pois, sobre certas entidades, fazemos uma idéia tão alta que não poderíamos identificá-la com os traços familiares de uma pessoa de nosso conhecimento. E dificilmente acreditamos nos vícios, assim como jamais acreditaríamos no gênio de uma pessoa com quem tivéssemos ido à Ópera na véspera.

O Sr. de Charlus estava entregando o seu sobretudo com as recomendações de conviva habitual. Mas o lacaio a quem o entregava era um empregado novo, muito jovem. Ora, o Sr. de Charlus muitas vezes agora perdia as estribeiras e já não percebia o que se faz e o que não se faz. O desejo louvável, que possuía em Balbec, de mostrar que certos indivíduos não o assustavam, de não ter medo de declarar, a propósito de alguém: "É um belo rapaz", em uma palavra, de dizer as mesmas coisas que poderiam ser ditas por alguém que não fosse como ele, ocorria-lhe agora traduzir esse desejo dizendo, pelo contrário, coisas que jamais teria podido dizer alguém que não fosse como ele, coisas para as quais seu espírito se voltava tão constantemente que chegava a esquecer-se de que não faziam parte da preocupação habitual de todas as pessoas. Assim, encarando o novo lacaio, ergueu o indicador ameaçadamente e, pensando fazer um excelente gracejo: – Proíbo-lhe piscar-me o olho desse modo – disse o barão e, voltando-se para Brichot: – Este menino tem uma cara divertida, um nariz engraçado – e, completando a pilhéria, ou cedendo a um desejo, abaixou o indicador horizontalmente, hesitou por um instante e depois, sem mais poder conter-se, impeliu-o irresistivelmente para o criado, tocando-lhe a ponta do nariz dizendo: – Pif! – e logo a seguir, acompanhado de Brichot e de mim, e de Saniette, que nos informou que a princesa Sherbatoff havia morrido às seis horas, entrou no salão. – Que sujeito esquisito! – disse consigo o lacaio, que perguntou aos companheiros se o barão era farsante ou maluco. – São as maneira dele – respondeu o mordomo, que achava o barão meio "tantã", meio "gira" –, mas trata-se de um dos amigos de Madame, que sempre apreciei; tem bom coração.

Nesse momento o Sr. Verdurin veio ao nosso encontro; só Saniette, não sem temer resfriar-se, pois a porta exterior se abria constantemente, esperava resignado que lhe pegassem os agasalhos. – Que é que faz aí nessa pose de cachorro perdigueiro? – perguntou-lhe o Sr. Verdurin. – Espero que uma dessas pessoas que tomam conta das roupas possa pegar o meu sobretudo e me dar um número. – Que é que está dizendo? – perguntou o Sr. Verdurin em tom severo: – *"Qui surveillent aux vêtements.*" Será que está ficando caduco? A gente diz: *"surveiller les vêtements"*.[29] Será que é preciso que lhe ensinem de novo o francês, como se faz com as pessoas que sofreram um derrame? – *Surveiller à quelque chose* é a forma correta – murmurou Saniette com voz entrecortada – o abade Le Batteux... – O senhor me irrita – exclamou o Sr. Verdurin com voz terrível. – Como está resfolegando! Por acaso acaba de subir seis andares? – A grosseria do Sr. Verdurin teve como resultado que os homens do vestiário fizessem passar outras pessoas antes de Saniette e, quando este quis estender seus agasalhos, responderam: – Cada um por sua vez, senhor, não seja tão apressado. – Aí estão homens que apreciam a ordem, aí estão as competências; muito bem, meus rapazes – disse o Sr. Verdurin com um sorriso de simpatia, a fim de animá-los em sua disposição de fazer passar Saniette depois de todo mundo. – Venham – disse –, este animal quer nos matar na corrente de ar em que se diverte. Vamos nos aquecer um pouco no salão. *Surveiller aux vêtements!* – repetiu, quando entramos no salão. – Que imbecil! – Ele se deixa levar pelo preciosismo, mas não é má pessoa – disse Brichot. – Não disse que era má pessoa e sim que era um imbecil – replicou o Sr. Verdurin com azedume.

– O senhor volta este ano a Incarville? – perguntou-me Brichot. – Creio que a nossa Patroa tornou a alugar La Raspelière, embora tenha estado brigando com os proprietários. Mas tudo isso não é nada, são nuvens que se dissipam – acrescentou no mesmo tom otimista dos jornais que dizem: "Houve erros, é claro, mas quem não os comete?" Ora, eu me lembrava em que estado de sofrimento havia deixado Balbec e não desejava de modo algum voltar lá. Adiava sempre para o dia seguinte os meus projetos com Albertine. – Mas é evidente que ele há de voltar, nós o queremos, ele nos é indispensável – declarou o Sr. de Charlus com o egoísmo autoritário e incompreensivo da amabilidade.

[29] Saniette diz, para "tomam conta das roupas", *surveiller aux vêtements*, em vez de *surveiller les vêtements*. (N. do T.)

O Sr. Verdurin, a quem apresentamos nossas condolências pela princesa Sherbatoff, observou: – Sim, sei que ela está muito mal. – Mas não, ela morreu às seis horas – exclamou Saniette. – O senhor exagera sempre – retrucou brutalmente o Sr. Verdurin, que, já que a reunião noturna não fora cancelada, preferia a hipótese da doença. Entretanto a Sra. Verdurin estava em grande conferência com Cottard e Ski. Morel acabava de recusar, porque o Sr. de Charlus não poderia comparecer, um convite para a casa de amigos aos quais ela todavia prometera o concurso do violinista. O motivo da recusa de Morel em tocar na reunião dos amigos dos Verdurin, motivo ao qual vamos ver em breve somarem-se outros mais graves, pudera ganhar forças devido a um hábito próprio em geral aos ambientes ociosos, mas particularmente ao pequeno núcleo. Certo, se a Sra. Verdurin surpreendia entre um novato e um fiel uma palavra dita a meia voz e que podia dar a entender que eles já se conheciam, ou tivessem vontade de estreitar relações ("Então, na sexta, na casa de Fulano" ou: "Vá ao ateliê quando quiser, estou lá sempre até às cinco horas, o prazer será todo meu"), agitada, supondo que o novato dispunha de uma "situação" que podia transformá-lo numa aquisição brilhante para o pequeno núcleo, a Patroa, parecendo sempre não ter ouvido coisa alguma, e conservando em seu lindo olhar, onde o hábito de Debussy punha mais olheiras que a cocaína, o aspecto extenuado que lhe davam apenas as puras delícias da música, revolvia, sob a bela fronte arqueada por tantos *quatuors* e enxaquecas consecutivas, pensamentos que não eram exclusivamente polifônicos; e, não agüentando mais, não podendo esperar um segundo sequer a sua picada, atirava-se aos dois conversadores, arrastava-os à parte, e dizia ao novato designando o fiel: – Não quer vir jantar com *ele*, sábado, por exemplo, ou até no dia que lhe aprouver, com pessoas amáveis? Não fale muito alto, pois não vou convidar toda essa turba – termo que por cinco minutos designava o pequeno clã, momentaneamente desdenhado em favor do novato no qual se fundavam tantas esperanças.

Porém essa necessidade de se entusiasmar por certas pessoas, de também fazer aproximações entre outras, tinha a sua contrapartida. A assiduidade às quartas fazia nascer nos Verdurin uma disposição contrária. Era o desejo de causar brigas, de promover afastamentos. Desejo que se fortalecera, tornara-se quase furioso durante os meses passados em La Raspelière, onde as pessoas se viam da manhã à noite. O Sr. Verdurin se empenhava em surpreender alguém em falta, em estender teias por onde pudesse passar à aranha sua companheira alguma mosca inocente. À falta de agravos, inventava ridículos. Quando um fiel saía por meia hora, troçavam dele diante dos outros, fingindo surpresa de que nunca tivessem reparado que apresentava sempre dentes sujos, ou, pelo contrário, que os escovava de modo maníaco vinte vezes por dia. Se alguém se permitia abrir a janela, essa falta de educação fazia com que o Patrão e a Patroa trocassem um olhar de revolta. Ao cabo de um instante a Sra. Verdurin pedia um xale, o que dava pretexto ao Sr. Verdurin dizer com ar furioso: – Não, eu vou fechar a janela, e me pergunto quem foi que teve a desfaçatez de abri-la – diante do culpado, que enrubescia até as orelhas. Indiretamente censuravam a quantidade de vinho bebido. – Por acaso não lhe faz mal? É bom para um operário. – Os passeios a sós de dois fiéis que previamente não tinham pedido licença à Patroa, davam como resultado comentários infinitos, por mais inocentes que fossem tais passeios. Os do Sr. de Charlus e de Morel não o eram. Apenas o fato de que o barão não morava na Raspelière (por causa da vida de caserna do violinista) retardou o momento da saciedade, dos nojos, dos vômitos. Mas tal momento, todavia, estava prestes a chegar.

A Sra. Verdurin estava furiosa e decidida a "esclarecer" Morel acerca do papel odioso e ridículo que o Sr. de Charlus o fazia viver. – Acrescento – continuou ela (que, aliás, mesmo quando se sentia no dever de tributar a alguém uma gratidão que ia lhe pesar e não podia matá-lo para se livrar dela, procurava descobrir-lhe um defeito grave que a dispensasse honestamente de testemunhá-la) – acrescento que ele assume, em minha casa, uns ares que não me agradam. – É que, na verdade, a Sra. Verdurin tinha ainda uma razão mais grave para querer mal ao Sr. de Charlus do que a recusa de Morel em tocar na casa dos amigos dela. O barão, convencido da honra que dava à Patroa ao trazer ao cais Conti pessoas que, de fato, não compareceriam por causa dela, tinha, desde os primeiros nomes propostos pela Sra. Verdurin como os de pessoas que valeria a pena convidar, pronunciado o veto mais categórico, num tom peremptório em que se misturava, ao orgulho rancoroso do grão senhor rabugento, o dogmatismo do artista versado em matéria de festas e que retiraria a sua peça e recusaria o seu concurso antes de condescender em fazer concessões que, segundo ele, comprometem o resultado do conjunto. O Sr. de Charlus só dera a sua permissão, embora com reservas, a Saintine, com quem, para se livrar da sua mulher, a Sra. de Guermantes havia passado de uma intimidade cotidiana a uma completa cessação de relações; mas o Sr. de Charlus, achando-o inteligente, continuava a freqüentá-lo. Certo, foi num ambiente burguês matizado da pequena nobreza, onde todos são muito ricos e aparentados a aristocratas que a alta aristocracia não conhece, que Saintine, outrora a flor do meio Guermantes, fora buscar fortuna e, ao que pensava, obter um ponto de apoio. Mas a Sra. Verdurin, sabendo das pretensões nobiliárquicas do ambiente da mulher e não percebendo a situação do marido, pois é quem está logo acima de nós que nos dá a impressão de altura e não aquele que nos é quase invisível de tanto que se perde nos céus, julgou dever justificar um convite para Saintine encarecendo o fato de que este conhecia muita gente da sociedade, "pois se casara com a Srta.***". A ignorância que a Sra. Verdurin revelava com essa afirmativa, exatamente o oposto da realidade, fez abrirem-se os lábios pintados do barão num sorriso de indulgente desprezo e de larga compreensão. Desdenhou responder diretamente, mas como, em matéria mundana, apreciava construir teorias onde a gente encontrava a fertilidade de sua inteligência e a altivez de seu orgulho, mesclada à frivolidade hereditária de suas preocupações, disse: – Saintine deveria ter me consultado antes de se casar; existe uma eugenia social, assim como existe uma eugenia fisiológica, e eu talvez seja o seu único médico. O caso de Saintine não levantava nenhuma discussão, pois era evidente que, fazendo o casamento que fizera, ele amarrara a si próprio um peso morto e tapava o sol com a peneira. Sua vida social estava acabada. Eu lhe teria explicado isso, e ele o teria compreendido, pois é inteligente. Inversamente, sei de uma pessoa que possuía tudo o que fosse necessário para ter uma posição elevada, dominante, universal; apenas um cabo terrível a prendia à terra. Ajudei-a, meio por pressão, meio por força, a romper a amarra, e agora ela conquistou, com uma alegria triunfal, a liberdade, o poder absoluto que me deve; foi preciso talvez um pouco de força de vontade, mas que recompensa obteve! Quem sabe me ouvir é desse modo o próprio parteiro de seu destino. – Era bem claro que o Sr. de Charlus não soubera agir sobre o seu; agir é coisa diversa de falar, mesmo com eloqüência, e pensar, mesmo com engenhosidade. – Mas, no que me concerne, sou um filósofo que assiste com curiosidade às reações sociais que previ, mas que não ajudo. Assim, continuei a freqüentar Saintine, que sempre me demonstrou a calorosa deferência que convinha. Cheguei até a jantar na sua nova residência, onde a gente se aborrece tanto, no meio do maior luxo, como se divertia antigamente quando, comendo o pão que o diabo amassou, ele parecia a melhor companhia numa pequena água-furtada. Portanto, pode convidá-lo, tem a minha autorização. Porém mantenho o meu veto sobre todos os demais nomes que me propôs. E a senhora me agradecerá por isso, pois se de fato sou entendido em matéria de casamentos, não o sou menos em matéria de festas. Sei quais são as personalidades ascendentes que realçam uma reunião; e sei igualmente o nome que a joga por terra, que a faz aplastar-se de todo. – Essas exclusões do Sr. de Charlus nem sempre eram baseadas em ressentimentos de maníaco ou em requintes de artista, mas em habilidades de ator. Quando ele lançava sobre alguém, ou alguma coisa, uma tirada bem bolada, desejava que o maior número possível de pessoas a ouvisse, mas não admitindo na segunda fornada convidados da primeira que pudessem constatar que o dito não mudara. Renovava a sala, justamente porque não renovava o cartaz e, quando alcançava sucesso na conversação, teria organizado turnês, caso necessário, e dado representações na província. Quaisquer que fossem os variados motivos dessas exclusões, elas não só melindravam a Sra. Verdurin, que se sentia atingida em sua autoridade de Patroa, como também lhe causavam prejuízo mundano, e isso por duas razões. A primeira era que o Sr. de Charlus, ainda mais suscetível que Jupien, brigava, sem que nem mesmo soubessem por quê, com as pessoas mais bem apropriadas para serem de sua amizade. Naturalmente, uma das primeiras punições que se podia infligir-lhes era a de não deixar que fossem convidadas a uma festa que ele dava na casa dos Verdurin. Ora, esses párias eram muitas vezes pessoas de alta cotação, mas que, para o Sr. de Charlus, tinham deixado de sê-lo a partir do momento em que rompera com elas. Pois sua imaginação era tão engenhosa em inventar agravos das pessoas para romper com elas, quanto em retirar-lhes toda a importância desde que já não eram suas amigas. Se, por exemplo, o culpado pertencia a uma família bem antiga, mas cujo ducado só datasse do século XIX, os Montesquiou por exemplo, no dia seguinte o que contava para o Sr. de Charlus era a antigüidade do ducado, a família não valia mais nada. – Eles nem sequer são duques – exclamava. – Foi o título do abade de Montesquiou que passou indevidamente a um parente, há menos de oitenta anos. O duque atual, se existe um duque, é o terceiro. Falem-me de pessoas como os Uzès, os La Tremoïlle, os Luynes, que são o 10º, o 14º duques, como meu irmão que é o 12º duque de Guermantes, e o 17º príncipe de Condom. Os Montesquiou descendem de uma família antiga, e o que é que isso prova, mesmo se ficasse provado? São tão descendentes que estão no décimo quarto andar abaixo do solo. – Se, ao contrário, estivesse brigado com um cavalheiro possuidor de um ducado antigo, tendo as mais magníficas alianças, aparentado às famílias soberanas, mas a quem esse grande brilho tivesse vindo com muita rapidez, sem que sua família remontasse muito longe, um Luynes, por exemplo, tudo mudava de figura, só a família é que contava. – Veja bem, o Sr. Alberti só tirou o pé da lama no tempo de Luís XIII! Que nos importa que os favores da corte lhe tenham permitido acumular ducados aos quais não tinha o menor direito? – Além do mais, no Sr. de Charlus a queda seguia bem de perto o favor por causa dessa disposição, própria dos Guermantes, de exigirem da conversação e da amizade o que elas não podiam dar, e mais o temor sintomático de serem objeto de maledicências. E a queda era tanto mais profunda quanto maior tinha sido o favor. Ora, ninguém gozara junto ao barão de favor igual ao que ele ostensivamente mostrara ter a condessa Molé. Por que sinal de indiferença evidenciara ela um dia ser indigna dele? A própria condessa declarou sempre que jamais pudera descobri-lo. Sempre é certo que bastava seu nome para excitar no barão as mais violentas cóleras, as filípicas mais terríveis e eloqüentes. A Sra. Verdurin, para quem a Sra. Molé fora muito gentil e que, como veremos, alimentava grandes esperanças nela, e antecipadamente se regozijara com a idéia de que a condessa veria em sua casa as pessoas mais nobres, como a Patroa dizia, "da França e de Navarra", propôs logo convidar a "Sra. de Molé". – Ah, meu Deus, todos os gostos existem na natureza – respondera o Sr. de Charlus – e, se a senhora tem gosto pela conversa com a Sra. Pipelet, a Sra. Gibout e a Sra. Joseph Prudhomme, não peço nada melhor; mas então que seja numa noite em que eu esteja ausente. Desde as primeiras palavras, percebo que não falamos a mesma língua, visto que eu falava de nomes da aristocracia, e a senhora me cita o mais obscuro dos nomes de pessoas da magistratura, de plebeus velhacos, maldizentes, prejudiciais, de pobres damas que se imaginavam protetoras das artes porque reproduzem, uma oitava abaixo, os modos de minha cunhada Guermantes, assim como o gaio julga imitar o pavão. Acrescento que seria uma espécie de indecência introduzir numa festa, que pretendo dar na casa da Sra. Verdurin, uma pessoa que, por motivos muito sérios, excluí das minhas relações, uma estúpida mal nascida, desleal, sem espírito, que tem a loucura de acreditar ser capaz de imitar as duquesas e princesas de Guermantes, acumulação que em si mesma é uma tolice, pois não há nada mais oposto que a duquesa e a princesa de Guermantes. É como se uma pessoa pretendesse a um tempo ser Reichenberg e Sarah Bernhardt. Em todo caso, mesmo se não fosse contraditório, seria profundamente ridículo. Que eu possa sorrir às vezes dos exageros de uma e me entristecer com as limitações da outra, é direito meu. Mas essa rãzinha burguesa querendo inchar-se para se igualar a essas duas grandes damas que, de qualquer modo, sempre deixam transparecer a incomparável distinção da raça é, como se diz, de fazer rir as galinhas. A Molé! Eis um nome que não deve mais ser pronunciado, senão retiro-me – acrescentou com um sorriso, no tom de um médico que, desejando o bem do seu doente contra a vontade deste, entende que não deve aceitar a colaboração de um homeopata. Por outro lado, certas pessoas, julgadas desprezíveis pelo Sr. de Charlus, podiam de fato sê-lo para ele mas não para a Sra. Verdurin. O Sr. de Charlus, do alto de seu nascimento, podia passar sem as criaturas mais elegantes, cuja freqüência teria feito do salão da Sra. Verdurin um dos primeiros de Paris. Ora, esta começava a achar que já perdera muitas oportunidades, sem contar o enorme atraso que o erro mundano do caso Dreyfus lhe infligira. Todavia, não sem lhe prestar algum serviço. – Não sei se lhe disse o quanto a duquesa de Guermantes tinha visto com desagrado pessoas do seu meio que, subordinando tudo ao Caso Dreyfus, excluíam as mulheres elegantes e recebiam outras que não o eram, por causa do revisionismo ou do anti-revisionismo, depois de, por sua vez, ser tachada por essas mesmas damas de tíbia, mal pensante, de subordinar às etiquetas mundanas os interesses da pátria – poderia eu perguntar ao leitor, como a um amigo a quem já não somos lembrados, após tantas conversas, se tivemos a idéia ou a ocasião de pô-lo a par de uma certa coisa. Que eu o tenha feito ou não, a atitude da duquesa de Guermantes naquele momento pode facilmente ser imaginada e até, se em seguida nos reportarmos a um período ulterior, parecer, do ponto de vista mundano, perfeitamente justa. O Sr. de Cambremer considerava o Caso Dreyfus como uma trama estrangeira destinada a destruir o Serviço de Informações, a quebrar a disciplina, enfraquecer o exército, dividir os franceses, preparar a invasão. Sendo a literatura, afora algumas fábulas de La Fontaine, estranha ao marquês, ele deixava à esposa o cuidado de estabelecer que a literatura cruelmente observadora, criando o desrespeito, procedera a uma devastação paralela. – Os senhores Reinach e Hervieu são "da panelinha" – dizia ela. Não se poderá acusar o Caso Dreyfus de haver premeditado tão negros desígnios contra a sociedade. Mas certamente nesse ponto excedeu os limites. Os mundanos que não querem deixar que a política se introduza na sociedade são tão previdentes como os militares que não querem deixar que a política penetre no exército. Ocorre com a sociedade o mesmo que se dá com o apetite sexual, que não se sabe a que perversões pode chegar uma vez que se deixa as razões estéticas ditarem as escolhas. O *Faubourg* Saint-Germain adquiriu o hábito de receber damas de outra sociedade por serem nacionalistas; o motivo desapareceu com o nacionalismo, porém o hábito subsistiu. A Sra. Verdurin, graças ao dreyfusismo, atraíra a sua casa escritores de valor que, momentaneamente, não lhe foram de nenhuma utilidade mundana, pois eram dreyfusistas. Mas as paixões políticas são como as outras, não duram muito. Chegam novas gerações que já não as compreendem; até mesmo a geração que as sentiu muda, experimenta paixões políticas que, não sendo exatamente calcadas sobre as anteriores, reabilitam uma parte dos excluídos, por haver mudado a causa do exclusivismo. Os monarquistas não se preocupam mais, durante o Caso Dreyfus, se alguém fosse republicano, ou mesmo radical, ou até anticlerical, desde que fosse anti-semita e nacionalista. Se alguma vez rebentasse uma guerra, o patriotismo assumiria uma outra forma e ninguém cuidaria de saber se um escritor chauvinista fora ou não partidário de Dreyfus. Fora assim que, a cada crise política, a cada renovação artística, a Sra. Verdurin arrancara aos poucos, como o pássaro faz seu ninho, fragmentos sucessivos, provisoriamente inutilizáveis, do que um dia seria o seu salão. O Caso Dreyfus já passara, restava-lhe Anatole France. A força da Sra. Verdurin era o seu sincero amor pela arte, o trabalho que tomava com os fiéis, os magníficos jantares que preparava só para eles, sem que estivessem presentes pessoas da sociedade. Cada um deles era tratado em sua casa como Bergotte o fora na casa da Sra. Swann. Quando um familiar dessa ordem torna-se um belo dia um homem ilustre, e a sociedade quer vir vê-lo, sua presença na casa da Sra. Verdurin nada possui desse lado artificial, adulterado, de uma cozinha de banquete oficial ou de Saint-Charlemagne feita por Potel e Chabot, mas de um trivial delicioso que teriam achado tão perfeito até num dia em que não houvesse visitas. Na casa da Sra. Verdurin o grupo era perfeito, bem ensaiado, o repertório de primeira ordem, só faltava o público. E, quando o gosto deste começava a se afastar da arte racional e francesa de um Bergotte e se apaixonava principalmente pelas músicas exóticas, a Sra. Verdurin, espécie de correspondente oficial em Paris de todos os artistas estrangeiros, ia em breve, ao lado da deslumbrante princesa Yourbeletieff, servir de velha fada Carabosse, mas todo-poderosa, aos bailarinos russos. Essa invasão encantadora, contra cujas seduções só protestaram os críticos desprovidos de gosto, levou a Paris, como se sabe, uma febre de curiosidade menos áspera, mais puramente estética, mas talvez tão viva como o Caso Dreyfus. Mesmo aí a Sra. Verdurin iria figurar na primeira linha, mas para um resultado mundano inteiramente diverso. Bem como a tinham visto ao lado da Sra. Zola no tribunal, nas sessões do júri, assim também, quando a nova humanidade, aclamadora dos balés russos, comprimiu-se na Ópera, ornada de *aigrettes* desconhecidas, sempre viam num primeiro camarote a Sra. Verdurin ao lado da princesa Yourbeletieff. E, como após as emoções do Palácio da Justiça ia-se à noite à casa da Sra. Verdurin para ver de perto Picquart ou Labori, e sobretudo para saber das últimas notícias, tomar conhecimento do que se podia esperar de Zurlinden, de Loubet, do coronel Jouaust, do Regulamento, da mesma forma, com pouca disposição para ir dormir depois do entusiasmo desencadeado por *Sherazade* ou pelas danças do *Príncipe Igor*, ia-se à casa da Sra. Verdurin, onde, presididas por ela e pela princesa Yourbeletieff, as ceias requintadas reuniam todas as noites os dançarinos, que não tinham jantado para estarem mais ágeis, o diretor do espetáculo, os decoradores, os grandes compositores Igor Stravinski e Richard Strauss, pequeno núcleo imutável em torno ao qual, como nas ceias do Sr. e da Sra. Helvétius, as mais ilustres damas de Paris e as Altezas estrangeiras não desdenhavam misturar-se. Mesmo os da alta sociedade que julgavam possuir bom gosto e faziam distinções ociosas entre os balés russos, achando a apresentação das *Sílfides* um pouco mais "fina" que a de *Sherazade*, em que não estavam longe de notar influências da arte negra, ficavam encantados de ver de perto aqueles grandes renovadores do gosto, do estilo teatral, que, numa arte talvez um tanto mais artificial que a pintura, fizeram uma revolução tão profunda quanto o Impressionismo.

Voltando ao Sr. de Charlus, a Sra. Verdurin não teria ficado tão aborrecida se ele se tivesse limitado a pôr no índex a Sra. Bontemps, que ela havia notado na casa de Odette por seu amor às artes e que, durante o Caso Dreyfus, tinha vindo algumas vezes jantar na companhia do marido, a quem a Sra. Verdurin chamava de água-morna porque não punha o processo em revisão, mas que, muito inteligente e querendo relacionar-se com todos os partidos, estava encantado por mostrar a sua independência ao jantar com Labori, que o escutava sem dizer nada de comprometedor, mas inserindo na ocasião própria uma homenagem à lealdade de Jaurès, reconhecida em todos os partidos. Mas o barão igualmente proscrevera certas damas da aristocracia com as quais a Sra. Verdurin entrara recentemente em relações, por ocasião de solenidades musicais, de coleções e de caridade, e que, fosse qual fosse o juízo que o Sr. de Charlus tivesse acerca delas, teriam sido, muito mais que ele próprio, elementos essenciais para formar, na casa da Sra. Verdurin, um novo núcleo, este aristocrático. A Sra. Verdurin havia justamente contado para essa festa, à qual o Sr. de Charlus lhe traria senhoras da mesma sociedade, para lhes acrescentar suas novas amigas, e gozara de antemão a surpresa que elas teriam em encontrar no cais Conti as amigas ou parentas convidadas pelo barão. Estava decepcionada e furiosa com a proibição delas. Restava saber se a reunião noturna, nessas condições, se traduziria, quanto a ela, por um ganho ou uma perda. Esta não seria muito grave se pelo menos as convidadas do Sr. de Charlus viessem com disposições tão calorosas para com a Sra. Verdurin, que se lhe tornassem as amigas do futuro. Nesse caso só haveria meio prejuízo e, num dia próximo, essas duas metades da alta sociedade, que o barão quisera manter isoladas, seriam reunidas, conquanto sem a presença dele naquela noite. A Sra. Verdurin, portanto, esperava as convidadas do Sr. de Charlus com certa emoção. Não ia demorar a conhecer o estado de espírito com que vinham e as relações que poderia esperar ter com elas. Enquanto esperava, a Sra. Verdurin se aconselhava com os fiéis; porém, vendo Charlus entrar com Brichot e comigo, interrompeu-se de súbito.

Para nosso grande espanto, quando Brichot lhe falou de sua tristeza ao saber que a grande amiga dela passava tão mal, a Sra. Verdurin respondeu: – Escute, sou obrigada a confessar que não sinto tristeza nenhuma. É inútil fingir sentimentos que não temos... – Sem dúvida falava assim por falta de energia, pois sentia-se cansada à idéia de fazer cara triste durante toda a recepção; por orgulho, para não dar a impressão de estar procurando desculpas por não ter cancelado a reunião; mas também por respeito humano e habilidade, pois a falta de pesar que demonstrava era mais honrosa se devesse ser atribuída a uma antipatia especial, de súbito revelada, quanto à princesa, do que a uma insensibilidade universal, e porque não se podia evitar de ficar desarmado por uma sinceridade que não cabia ser posta em dúvida: se a Sra. Verdurin não tinha sido de fato indiferente à morte da princesa, iria, para explicar por que recebia, acusar-se de uma falta bem mais grave? Esqueciam que a Sra. Verdurin confessara, ao mesmo tempo que o pesar, a falta de coragem de renunciar a um prazer; ora, a dureza da amiga era algo mais chocante, mais imoral, porém menos humilhante e, assim, mais fácil de confessar, que a frivolidade da dona da casa. Em matéria de crime, onde há perigo para o culpado, é o interesse que dita as confissões. Para as culpas sem sanção, é o amor-próprio. Além disso, achando muito batido, sem dúvida, o pretexto das pessoas, que, para não se deixarem interromper pelos pesares em sua vida de prazeres, repetem que lhe parece inútil pôr exteriormente um luto que têm no coração, a Sra. Verdurin preferia imitar esses culpados inteligentes a quem repugnam os clichês da inocência e cuja defesa – que é meia-confissão, sem que o percebam – consiste em dizer que não teriam visto nenhum mal em cometer o que lhes é censurado, o que por acaso, aliás, não tiveram ocasião de fazer; fosse porque, tendo adotado, para explicar sua conduta, a tese da indiferença, achasse, uma vez lançada na vertente do seu mau sentimento, que havia nele uma certa originalidade em experimentá-lo, uma rara perspicácia em ter sabido desvendá-lo, e um tal ou qual desplante em proclamá-lo dessa forma, a Sra. Verdurin fez questão de insistir em sua falta de pesar, não sem uma certa satisfação orgulhosa de psicólogo paradoxal e de audacioso dramaturgo. – Sim, é engraçado – disse ela –, mas não senti quase nada. Meu Deus, não posso dizer que não teria preferido que ela vivesse, não era má pessoa. – Era, sim – interrompeu o Sr. Verdurin. – Ah, ele não gosta dela porque achava que era prejudicial para mim o fato de recebê-la, mas deixa-se cegar por isso. – Faça-me a justiça –

disse o Sr. Verdurin – de reconhecer que nunca aprovei essas relações. Sempre te disse que ela era de má reputação. – Mas eu nunca ouvi nada a esse respeito – protestou Saniette. – Mas como? – exclamou a Sra. Verdurin – Era uma coisa universalmente conhecida. Era má, e também de fama vergonhosa, infame. Mas não é por causa disso. Eu mesma não saberia explicar meu sentimento; não a detestava, mas ela me era de tal modo indiferente que, quando soubemos que estava muito mal, até meu marido ficou surpreso e me disse: "Parece que pouco te importas com isso". Mas vejam, hoje ele me propôs adiar a festa e eu, pelo contrário, fiz questão de mantê-la, pois teria achado uma comédia manifestar um desgosto que não sinto. – Dizia aquilo porque achava ser curiosamente "teatro livre", e também por ser bastante cômodo; pois a insensibilidade ou a imoralidade confessa simplifica tanto a vida como a moral fácil; faz das ações censuráveis, e para as quais então não precisamos procurar desculpas, um dever de sinceridade. E os fiéis ouviam as palavras da Sra. Verdurin com aquela mistura de admiração e mal-estar que certas peças cruamente realistas e de observação penosa causavam antigamente; e maravilhando-se de ver a cara Patroa exibir uma nova forma de sua retidão e sua independência, mais de um deles, dizendo consigo que afinal de contas não seria a mesma coisa, pensava na própria morte e se perguntava se, no dia em que ela ocorresse, chorariam ou dariam uma festa no cais Conti. – Estou muito contente de que a festa de hoje não tenha sido adiada, por causa dos meus convidados – disse o Sr. de Charlus, que não percebeu que, expressando-se desse modo, ofendia a Sra. Verdurin.

Entretanto eu estava impressionado, como qualquer pessoa que nessa noite se aproximasse da Sra. Verdurin, com um cheiro bem desagradável de rinogomenol. Eis aqui o motivo. Sabe-se que a Sra. Verdurin jamais expressava suas emoções artísticas de maneira moral, porém física, para que parecessem mais inevitáveis e profundas. Ora, se lhe falassem da música de Vinteuil, sua predileta, ela permanecia indiferente, como se não esperasse dela nenhuma emoção. Mas, após alguns minutos de olhar imóvel, quase distraído, ela nos respondia num tom preciso, prático, quase descortês, como se nos houvesse dito: "pouco me importa que o senhor fume, mas é por causa do tapete, ele é muito bonito, o que também pouco me importaria, mas é muito inflamável, tenho muito medo do fogo e não gostaria de que todos se queimassem por causa de uma ponta de cigarro mal apagada que deixasse cair no chão." O mesmo quando a Vinteuil. Se falassem dele, ela não demonstrava nenhuma admiração, mas, ao cabo de um instante, expressava com frieza a pena de que não o tocassem naquela noite: – Não tenho nada contra Vinteuil; no meu entender, é o maior compositor do século, apenas não posso ouvir essas coisas sem parar de chorar um só instante (ela de modo algum dizia "chorar" com jeito patético, teria dito "dormir" com o mesmo tom natural; certas más línguas pretendiam até que esse último verbo teria sido mais verdadeiro, o que ninguém aliás poderia decidir, pois ela escutava aquela música com a cabeça ente as mãos, e certos ruídos de ronco afinal poderiam ser soluços). Chorar não me faz mal, posso chorar à vontade; apenas, é que as lágrimas me causam corizas de arrebentar. Isso me congestiona a mucosa e, quarenta e oito horas depois, fico parecendo uma velha bêbada e, para que funcionem as minhas cordas vocais, sou obrigada a passar dias fazendo inalações. Enfim um aluno de Cottard... – Oh! Mas a propósito, não lhes dei os meus pêsames; morreu bem depressa o pobre professor! – [30] Pois bem, sim, que é que desejam, ele está morto, como todo mundo, tinha matado muita gente e agora chegou a sua vez de desferir golpes contra si próprio. Pois então eu lhes dizia que um de seus alunos, delicioso mestre, cuidara de mim. Ele professa um axioma bastante original: "Mais vale prevenir que remediar." E passa-me uma pomada no nariz antes do início da música. É radical. Posso chorar como não sei quantas mães que tivessem perdido seus filhos e sem a menor coriza. Às vezes um pouquinho de conjuntivite, e é só. A eficácia é total. Sem isso, não poderia ter continuado a escutar Vinteuil. Eu não fazia mais do que passar de uma bronquite a outra.

Não pude evitar de falar na Srta. Vinteuil. – Não veio a filha dele, nem uma de suas amigas? – perguntei à Sra. Verdurin. – Não, acabo justamente de receber um telegrama – disse a Sra. Verdurin de modo evasivo. – Elas foram obrigadas a ficar no campo. – E por um instante assaltou-me a esperança de que talvez nunca se cuidara de que elas viessem, e que a Sra. Verdurin somente anunciara aquelas representantes do compositor para impressionar favoravelmente os intérpretes e o público. – Como, quer dizer então que elas nem vieram ao ensaio da tarde? – indagou o barão com falsa curiosidade, pois quis dar a entender não ter estado com Charlie. Este veio cumprimentar-me. Perguntei-lhe ao ouvido acerca da desculpa da Srta. Vinteuil. Parecia estar mal informado sobre o assunto. Fiz-lhe sinal para que não falasse alto, e o avisei de que voltaríamos a tratar daquilo. Inclinou-se e prometeu que ficaria muito feliz por estar inteiramente à minha disposição. Reparei que se comportava de maneira muito mais cortês e muito mais respeitosa que antes. Fiz o elogio dele – dele, que poderia talvez ajudar a esclarecer minhas suspeitas – para o Sr. de Charlus, que respondeu: – Não faz mais do que deve, pois não valeria a pena viver entre pessoas bem-educadas se não aprendesse a ter boas maneiras. – Estas, segundo o Sr. de Charlus, eram as velhas maneiras francesas, sem sombra da rigidez britânica. Assim, quando Charlie, regressando de uma turnê na província ou pelo estrangeiro, chegava em roupa de viagem à casa do barão, este, se não havia

[30] Como as mortes de Bergotte e de Swann, a de Cottard figura num acréscimo tardio e não foi devidamente integrada no texto. Assim, Cottard reaparece no decurso dessa mesma reunião dos Verdurin, e sua morte só é indicada durante a guerra, em *O Tempo Recuperado*. (N. do T.)

muitas visitas, beijava-o sem cerimônia em ambas as faces, talvez um pouco para, com tal ostentação, tirar à sua ternura toda idéia de culpa, talvez para não furtar-se a um prazer, mas sem dúvida, principalmente por literatura, para manter e ilustrar antigas maneiras da França, e como teria protestado contra o estilo muniquense ou o estilo *art nouveau* conservando velhas poltronas de sua bisavó, opondo à fleuma britânica a ternura de um pai sensível do século XVIII, que não dissimula sua alegria de rever um filho. Enfim, haveria uma ponta de incesto nessa afeição paternal? É mais provável que a maneira como o Sr. de Charlus satisfazia habitualmente seu vício, e sobre a qual mais tarde receberemos alguns esclarecimentos, não bastasse para suas necessidades afetivas, que permaneciam em branco desde a morte da esposa; tanto é assim que, depois de ter pensado várias vezes em casar de novo, era perseguido agora por um desejo maníaco de adoção, e algumas pessoas de sua intimidade julgavam que tal desejo ia exercer-se em proveito de Charlie. O caso não é extraordinário. O invertido que só pôde nutrir sua paixão com uma literatura escrita para os homens que gostam de mulheres, que pensava nos homens ao ler *As Noites* de Musset, sente também necessidade de exercer todas as funções sociais do homem que não é invertido, de sustentar dançarinas como o amante, e, como velho freqüentador da Ópera, de ter uma vida regrada, de casar ou de se juntar a um homem, de ser pai.

Ele se afastou com Morel, ao pretexto de que este lhe explicasse o que iam tocar, sentindo principalmente uma grande ternura, enquanto Charlie lhe mostrava sua música, em exibir assim publicamente a intimidade secreta que havia entre ambos. Enquanto isso, eu me sentia encantado. Pois, embora o pequeno clã comportasse poucas moças, em compensação muitas eram convidadas nos dias das festas de gala. Havia grande número delas que eu conhecia, todas muito bonitas. De longe, mandavam-me um sorriso de boas-vindas. Desse modo, a atmosfera se ornava a cada instante de um belo sorriso de moça. É o ornamento múltiplo e esparso das noites como dos dias. A gente se lembra de uma atmosfera porque havia moças sorridentes.

Aliás, causariam espanto, se tivessem sido notadas, as palavras furtivas que o Sr. de Charlus trocara com diversos homens importantes daquela reunião. Tais homens eram dois duques, um eminente general, um grande escritor, um grande médico e um grande advogado. Ora, as palavras tinham sido estas: – A propósito, souberam se o lacaio... não, falo do rapaz que vai na boléia... E na casa da sua prima Guermantes não há nada de novo? – Atualmente não. – Então diga, diante da porta da entrada, perto dos carros, havia uma pessoa jovem, loura, de calças curtas, que me pareceu bastante simpática. Chamou muito graciosamente o meu carro, e de bom grado eu teria estendido a conversa. – Sim, mas julgo-a extremamente hostil, e além disso, faz tantos luxos; você, que gosta de obter as coisas logo de saída, ficaria aborrecido. Aliás, sei que não há nada a fazer, um de meus amigos já tentou. – É uma pena, pois achei o perfil muito fino e os cabelos magníficos. – Acha-a na verdade tão linda assim? Creio que, se a tivesse visto um pouquinho mais, teria ficado desiludido. Não, no bufê é que há uns dois meses atrás teria visto uma verdadeira maravilha, um rapagão de dois metros, uma pele ideal, e além disso gostando da coisa. Mas foi-se embora para a Polônia. – Ah, é um pouco longe. – Quem sabe? Talvez volte. A gente sempre torna a se encontrar na vida. – Não existe grande sarau mundano, se lhe fazemos um corte em profundidade bastante, que não seja igual a essas reuniões a que os médicos convidam seus enfermos, os quais conversam com muito juízo, exibem excelentes modos, e não se mostrariam doidos se não segredassem ao nosso ouvido, apontando um velho que passa: – É Joana d'Arc.

– Acho que é do nosso dever esclarecê-lo – disse a Sra. Verdurin a Brichot. – O que faço não é contra Charlus, pelo contrário. Ele é agradável, e quanto à sua reputação, direi que é de um tipo que não pode me dar prejuízo! Eu, que para o nosso pequeno clã, para os nossos jantares de conversação, detesto os namoricos, os homens dizendo asneiras a uma mulher num canto da sala, em vez de falar de coisas interessantes, com Charlus não preciso temer o que me aconteceu com Swann, com Elstir, com tantos outros. Com Charlus eu me sentia sossegada, ele chegava para os meus jantares, podiam estar presentes todas as mulheres da sociedade, mas eu tinha a certeza de que a conversa geral não seria perturbada por namoros e cochichos. Charlus é um ser à parte, a gente com ele se tranqüiliza, é como se fosse um padre. Apenas, é preciso que ele não se ponha a querer mandar nos rapazes que vêm aqui e lançar a discórdia no nosso grupinho, senão será pior ainda que um sujeito mulherengo. – E a Sra. Verdurin era sincera ao proclamar desse modo a sua indulgência em relação ao Charlismo. Como todo poder eclesiástico, ela julgava as fraquezas humanas menos graves do que aquilo que podia enfraquecer a autoridade do príncipe, prejudicar a ortodoxia, modificar o credo antigo em sua igrejinha. – Sem isso, ele vai se haver comigo. Imaginem que quis impedir Charlie de comparecer a um ensaio porque não fora convidado. Mas vou dar-lhe uma advertência grave, espero que seja bastante, senão vai ter que sumir daqui. Ele seqüestra o rapaz, palavra! – E, empregando exatamente as mesmas expressões que quase todo mundo teria usado, pois que há algumas, pouco habituais, que determinado assunto particular, certa circunstância especial, fazem afluir quase obrigatoriamente à memória de quem está falando, e que pensa exprimir livremente suas idéias e não faz mais que repetir maquinalmente a lição universal, ela acrescentou: – Não se pode mais ver Morel sem que esteja escoltado por tamanho estafermo, por essa espécie de guarda-costas. O Sr. Verdurin propôs afastar-se ele próprio com Charlie por um instante para falar-lhe, sob o pretexto de lhe perguntar alguma coisa. A Sra. Verdurin, porém, receou que o violinista ficasse perturbado e tocasse mal. – Era preferível atrasar essa execução até depois da dos trechos de música. E quem sabe até adiar para outro dia. – Pois a Sra. Verdurin, por mais que desejasse a deliciosa emoção que experimentaria quando soubesse que o marido estava esclarecendo Charlie na sala vizinha, tinha medo, se o golpe falhasse, que ele se zangasse e não comparecesse no dia 16.

O que perdeu o Sr. de Charlus naquela noite foi a má-educação – tão freqüente neste mundo – das pessoas que ele havia convidado e principiavam a chegar. Vindas a um tempo por amizade ao Sr. de Charlus e com a curiosidade de penetrar em semelhante reduto, cada duquesa ia direto ao barão como se fosse ele quem estivesse recebendo e dizia, a dois passos da Sra. Verdurin, que a tudo ouvia: – Diga-me onde está a tia Verdurin, acha ser indispensável que eu me apresente? Ao menos, espero que ela não mande pôr o meu nome nos jornais amanhã, seria motivo de briga com toda a minha gente. Como, é essa mulher de cabelos brancos? Mas ela não é tão feia assim. – Ouvindo falar da Srta. Vinteuil, aliás ausente, mais de uma dizia: – Ah, a filha da Sonata? Mostrem-na – e, encontrando muitas amigas, faziam grupo à parte, observavam, faiscando de curiosidade irônica, a entrada dos fiéis e o máximo que achavam para apontar com o dedo era o penteado um tanto singular de uma pessoa que alguns anos depois iria pô-lo na moda na mais alta sociedade, e, em suma, lamentavam não achar aquele salão muito diferente dos que já conheciam, do que tinham esperado, sentindo o desapontamento das pessoas da alta sociedade que, tendo ido à boate de Bruant na esperança de levar descompostura do cançonetista, são acolhidas à entrada com um cumprimento correto, em vez do refrão esperado: – Ah, que focinho ela tem! Que tipo! Olhem só que bocarra!

O Sr. de Charlus, em Balbec, havia criticado finamente, na minha presença, a Sra. de Vaugoubert, que, apesar de muito inteligente, provocara, depois da fortuna inesperada, a irremediável desgraça do marido. Os soberanos em cuja corte o Sr. de Vaugoubert estava credenciado, o rei Teodósio e a rainha Eudóxia, tinham voltado a Paris, mas desta vez para uma temporada de maior duração; organizaram-se festas diárias em homenagem a eles, durante as quais a rainha, relacionada havia dez anos com a Sra. de Vaugoubert, a quem via sempre na sua capital, e não conhecendo nem a esposa do Presidente da República nem as mulheres dos ministros, afastara-se destas para formar um grupo à parte com a embaixatriz. Esta, julgando estar sua posição a salvo de todo risco – pois o Sr. de Vaugoubert fora o autor da aliança entre o rei Teodósio e a França –, sentira, com a preferência que lhe mostrava a rainha, uma grande satisfação de orgulho, mas nenhuma inquietude pelo perigo que a ameaçava e que se realizou meses depois com o acontecimento, que o casal, confiante em excesso, julgara erradamente impossível, da brutal aposentadoria do Sr. de Vaugoubert. O Sr. de Charlus, comentando no trenzinho de Balbec a queda do seu amigo de infância, assombrava-se de que uma mulher inteligente não usasse, em semelhante circunstância, de toda a sua influência sobre os soberanos para deles obter que ela parecesse não ter nenhuma e fazê-los transferir para a esposa do presidente da república e dos ministros uma amabilidade pela qual se sentiriam elas tanto mais lisonjeadas, isto é, pela qual ficariam tanto mais perto, em seu contentamento, de ser gratas aos Vaugoubert, quanto haviam de pensar que essa amabilidade era espontânea e não ditada por eles. Mas quem vê o erro dos outros, por pouco que o tonteiem as circunstâncias, muitas vezes nele incide. E o Sr. de Charlus, enquanto seus convidados abriam caminho para felicitá-lo, agradecer-lhe como se ele fosse o dono da casa, não pensou em pedir-lhes que trocassem algumas palavras com a Sra. Verdurin. Unicamente a rainha de Nápoles, em cujas veias corria o mesmo sangue nobre de suas irmãs, a imperatriz Élisabeth e a duquesa d'Alençon, pôs-se a conversar com a Sra. Verdurin como se tivesse vindo para o prazer de vê-la mais do que pela música e em atenção ao Sr. de Charlus, fez-lhe mil declarações, não escondeu o antigo desejo que tinha de conhecê-la, elogiou-lhe a casa e lhe falou dos assuntos mais variados, como se estivesse de visita. Disse-lhe também que gostaria muito de ter trazido a sobrinha Élisabeth (a que deveria em breve casar-se com o príncipe Alberto, da Bélgica), que sentiria muita pena de não ter vindo. Calou-se ao ver os músicos instalarem-se no estrado e pediu que lhe mostrassem Morel. Não devia ter muitas ilusões acerca dos motivos que levavam o Sr. de Charlus a querer que cercassem o jovem virtuose de tanta glória. Mas sua velha sabedoria de soberana em quem corria um dos mais nobres sangues da História, mais ricos de experiência, de ceticismo e de orgulho, fazia-a considerar as taras inevitáveis das pessoas de quem gostava, como seu primo Charlus (filho como ela de uma duquesa da Baviera), como infortúnios que lhes faziam mais precioso o apoio que podiam encontrar nela e, conseqüentemente, faziam com que ela tivesse mais prazer ainda em lho dar. Sabia que o Sr. de Charlus ficaria duplamente agradecido por ela ter tomado o incômodo de vir em semelhante ocasião. Mas, tão bondosa como antes se mostrara cheia de coragem, essa heróica mulher que, rainha-soldado, dera tiros pessoalmente nas muralhas de Gaeta, sempre disposta a colocar-se cavalheirescamente do lado dos fracos, vendo a Sra. Verdurin só e abandonada, a qual de resto ignorava que não deveria largar a rainha, buscara fingir que para ela, rainha de Nápoles, o centro daquela reunião, o ponto atrativo que a fizera vir era a Sra. Verdurin. Não cessou de desculpar-se por não poder ficar até o fim, devendo, ela que nunca saía, comparecer a uma outra recepção, e pedindo sobretudo que, quando ela fosse embora, não se incomodassem por ela, desse modo dispensando a Sra. Verdurin das honrarias que esta aliás ignorava que lhe devia.

Contudo, é preciso fazer esta justiça ao Sr. de Charlus, ou seja, que, se ele se esqueceu completamente da Sra. Verdurin e deixou que a esquecessem, escandalosamente, as pessoas "de seu meio" que ele havia convidado, em compensação compreendeu que não devia permitir que elas mantivessem, diante da própria "manifestação musical", os maus modos que exibiam face à dona da casa. Morel já subira no estrado, os artistas se agrupavam, e ainda ouvia-se o rumor das conversas, e até risadas, frases como "é preciso ser iniciado para compreender". E logo o Sr. de Charlus, empertigando para trás o busto, como se tivesse entrado em outro corpo diferente daquele que eu tinha visto, havia pouco, chegar arrastando-se à casa da Sra. Verdurin, assumiu uma expressão de profeta e olhou a assembléia com uma seriedade que significava que aquele não era o momento de rir, e com isso fazendo corar bruscamente o rosto de mais de um convidado surpreendido em falta como um aluno pelo professor em plena sala de aula. Para mim, a atitude, aliás tão nobre, do Sr. de Charlus tinha algo de cômico; pois ora ele fulminava seus convidados com olhares chamejantes, ora, a fim de lhes indicar como num *vademecum* o silêncio religioso que era conveniente observar, a renúncia a toda preocupação mundana, ele próprio exibia, erguendo as mãos enluvadas à bela testa, um modelo (ao qual deviam todos se assemelhar) de gravidade, quase de êxtase até, sem corresponder aos cumprimentos dos retardatários, por demais indecentes para não compreenderem que agora o momento era dedicado à grande Arte. Ficaram todos hipnotizados, ninguém mais teve coragem de proferir um som, de mexer uma cadeira; o respeito pela música – de par com o prestígio de Palamède – fora de súbito inculcado a uma multidão tão mal-educada quanto elegante.

Vendo enfileirar-se no pequeno estrado não só Morel e um pianista, mas também outros instrumentistas, julguei que iriam começar pelas obras de outros compositores que não Vinteuil. Pois pensava que não tinham dele mais que a sonata para piano e violino.

A Sra. Verdurin sentou-se à parte, magnificamente abaulados os hemisférios de sua testa branca e ligeiramente rosada, os cabelos penteados para trás, um pouco para imitar um retrato do século XVIII, um pouco exigido pela necessidade de frescor de uma criatura febril a quem o pudor impede de manifestar seu estado, isolada, divindade que presidia às solenidade musicais, deusa do wagnerismo e da enxaqueca, espécie de Norna[31] quase trágica, evocada pelo gênio no meio daquelas pessoas aborrecidas, diante das quais, mais ainda que de costume, desdenharia exprimir suas impressões ao ouvir uma música que conhecia melhor que eles. O concerto começou, eu não conhecia o que se tocava; encontrava-me em região desconhecida. Onde situá-la? Na obra de que autor eu me encontrava? Bem que desejaria sabê-lo e, não tendo junto a mim pessoa alguma a quem perguntar, gostaria de ser um personagem daquelas *Mil e Uma Noites* que eu relia sem cessar e onde, nos momentos de incerteza, surge de repente um gênio ou uma adolescente

[31] As Nornas eram divindades do destino nas mitologias nórdica e germânica. Correspondem às *Moiras* gregas e às *Parcas* romanas. (N. do T.)

de beleza encantadora, invisível para os outros, mas não para o herói embaraçado, a quem ela revela exatamente o que ele deseja saber. Ora, nesse momento fui precisamente favorecido por semelhante aparição mágica. Assim como, num país que julgamos não conhecer e a que na verdade chegamos por um lado novo, quando, após uma volta do caminho, sucede-nos desembocar de súbito em um outro cujos menores recantos nos são familiares, mas aonde não tínhamos o hábito de chegar por ali, dizemos de repente: – Mas é o caminho que leva à pequena porta do jardim dos meus amigos***; estou a dois minutos da casa deles –; e de fato ali está a filha, que veio nos dar bom-dia de passagem; assim também, repentinamente, eu me reconheci no meio daquela música nova para mim, em plena sonata de Vinteuil; e mais maravilhosa que uma adolescente, a pequena frase, envolta, coberta de prata, toda recamada de sonoridades brilhantes, leves e suaves como *écharpes*, veio até mim, reconhecível sob esses novos enfeites. Minha alegria por tê-la reencontrado era aumentada pela entonação tão carinhosamente conhecida que ela assumia para dirigir-se a mim, tão persuasiva, tão simples, não sem todavia deixar esplender aquela beleza deslumbrante que a animava. Aliás, a sua significação era desta vez apenas mostrar-me o caminho, o qual não era o da sonata, pois tratava-se de uma obra inédita de Vinteuil, onde ele se divertira, por uma alusão que, nesse ponto, era justificada por umas palavras do programa, que o ouvinte precisaria ter ao mesmo tempo diante dos olhos, em fazer surgir por um instante a pequena frase. Mal recordada desse modo, ela desapareceu e encontrei-me num mundo desconhecido; mas agora sabia, e tudo não cessou de me confirmar, que esse mundo era um daqueles que eu nem sequer pudera imaginar que Vinteuil houvesse criado; pois quando, fatigado da sonata que era um universo esgotado para mim, tentava idear outros tão belos, porém diversos, fazia apenas como esses poetas que preenchem o seu pretenso Paraíso de campinas, de flores, de regatos que são simples repetições dos que vemos na Terra. O que estava à minha frente fazia-me sentir tanta alegria quanta me teria dado a sonata se eu não a conhecesse, pois, sendo assim tão belo, era diferente. Ao passo que a sonata se abria para uma aurora de lírios, campesina, dividindo sua leve candura, mas para se alçar ao emaranhamento leve e todavia consistente de uma latada rústica de madressilvas sobre gerânios brancos, era sobre superfícies unidas e planas como as do mar que, numa manhã de temporal, começava no meio de um acre silêncio, num vazio infinito, a nova obra, e era num róseo de aurora que, para se construir progressivamente diante de mim, esse universo desconhecido era extraído do silêncio e da noite. Aquele rubro tão novo, tão ausente da terna, campestre e cândida sonata, tingia todo o céu, como o arrebol, de uma esperança misteriosa. E um canto já cortava o ar, canto de sete notas, porém o mais desconhecido, o mais diverso de tudo o que eu já tivesse imaginado, a um tempo inefável e penetrante, não mais arrulho de pomba como na sonata, mas rasgando o ar, tão vivo como a nuança escarlate em que estava imerso o princípio, algo feito um canto místico do galo, um apelo inefável mas superagudo da eterna manhã. A atmosfera fria, lavada de chuva, elétrica – de uma qualidade tão diversa, sujeita a pressões tão diferentes, num mundo tão afastado do outro, virginal e guarnecido de vegetais, da sonata – mudava a todo instante, apagando a promessa purpurina da Aurora. No entanto ao meio-dia, num ensolaramento ardente e passageiro, ela parecia cumprir-se numa felicidade pesada, aldeã e quase rústica, onde a vacilação dos sinos retumbantes e desencadeados (semelhantes aos que incendiavam de calor a praça da igreja em Combray, e que Vinteuil, que os devia ter ouvido muitas vezes, talvez tivesse encontrado naquele momento na memória, como uma cor que se tem ao alcance da mão numa palheta) parecia materializar a mais espessa alegria. A falar a verdade, esteticamente esse motivo de alegria não me agradava; achava-o quase feio, o ritmo ali se arrastava tão penosamente pelo chão que seria possível imitar quase toda a sua essência apenas com os ruídos, batendo de certo modo com as baquetas numa mesa. Parecia-me que, nesse ponto, Vinteuil carecera de inspiração e, em conseqüência, faltou-me também um pouco de atenção ali.

Olhei a Patroa, cuja feroz imobilidade parecia protestar contra a marcação de compasso feita pelas cabeças ignorantes das damas do *Faubourg*. A Sra. Verdurin não dizia: "Vocês compreendem que eu conheço um pouco esta música, um pouco apenas! Se precisasse exprimir tudo o que sinto, vocês teriam muito que ouvir!" Não o dizia. Mas seu talhe ereto e imóvel, seus olhos sem expressão, as madeixas em desalinho, falavam por ela. Falavam também da sua coragem, diziam que os músicos podiam continuar, sem poupar-lhe os nervos, que ela não fraquejaria no andante, que não gritaria no alegro. Olhei os músicos. O violoncelista dominava o instrumento, que apertava entre os joelhos, inclinando a cabeça, à qual os traços vulgares davam, nos instantes de maneirismo, uma expressão de desgosto; ele se inclinava sobre seu rabecão, apalpava-o com a mesma paciência doméstica com que teria colhido couves, enquanto a seu lado a harpista (menina ainda), de saia curta, atravessada de todos os lados pelos raios horizontais do quadrilátero de ouro semelhantes àqueles que, na câmara mágica de uma sibila, representariam arbitrariamente o éter segundo as formas consagradas, parecia procurar nele, aqui e ali, no ponto exato, um som delicioso, da mesma forma que, pequena deusa alegórica, de pé junto à latada de ouro da abóbada celeste, estivesse colhendo estrelas uma a uma. Quanto a Morel, uma mecha até então invisível e confundida na sua cabeleira vinha destacar-se e fazer um anel na sua testa.

Imperceptivelmente, virei a cabeça para o público a fim de verificar o que o Sr. de Charlus parecia pensar daquela mecha. Mas meus olhos somente encontraram o rosto, ou melhor, as mãos da Sra. Verdurin, pois estas cobriam inteiramente aquele. Desejaria a Patroa, com essa atitude de recolhimento, mostrar que se considerava como estando na igreja e que não achava aquela música diferente da mais sublime das orações? Desejaria ela, como certas pessoas na igreja, subtrair aos olhares indiscretos, fosse por pudor, o fervor suposto, fosse por respeito humano, a distração culposa ou um sono invencível? Esta última hipótese, julguei-a por um momento ser a verdadeira, devido a um rumor que não era musical, mas logo percebi que era produzido pelos roncos, não da Sra. Verdurin mas de sua cadela.

Mas bem depressa, tendo sido expulso, disperso por outros o motivo triunfante dos sinos, de novo fui arrebatado por aquela música; e percebia que se, ao longo desse septeto, elementos diversos se expunham sucessivamente para se combinar no fim, da mesma forma a sonata de Vinteuil e, como soube mais tarde, todas as suas demais obras, não tinham sido, em relação ao septeto, mais que tímidos esboços, deliciosos, porém frágeis, junto da obra-prima triunfal e completa que naquele instante me era revelada. E eu não podia deixar de me lembrar, por comparação, que, da mesma forma, eu pensara nos outros mundos que Vinteuil podia ter criado como em universos fechados, como fora cada um dos meus amores; mas na realidade, eu devia forçosamente confessar que, como neste último amor – por Albertine – minhas primeiras veleidades de a amar (em Balbec, logo no começo, a seguir após o jogo do anel, depois na noite em que ela dormira no hotel, depois no Domingo de nevoeiro em Paris, depois na festa em casa dos Guermantes, depois de novo em Balbec, e afinal em Paris, onde minha vida estava estreitamente ligada à sua), os meus outros amores, se eu considerava agora não mais o meu amor por Albertine, mas toda a minha vida, não tinham sido mais que frágeis e tímidos ensaios, apelos que preparavam, que reclamavam este mais vasto amor: o amor por Albertine. E deixei de seguir a música para de novo indagar a mim mesmo se Albertine havia visto ou não a Srta. Vinteuil por aquele dias, como de novo interrogamos uma dor interna que a distração nos faz esquecer por um momento. Pois era em mim que aconteciam os possíveis atos de Albertine. De todas as criaturas que conhecemos nós possuímos um duplo. Porém, habitualmente situado no horizonte de nossa imaginação, de nossa memória, ele permanece relativamente exterior a nós, e o que fez ou pudera fazer não comporta para nós mais elementos dolorosos do que um objeto colocado a certa distância e que só nos causa as sensações indolores da vista. O que afeta essas criaturas nós o percebemos de modo contemplativo, podemos deplorá-lo em termos apropriados que dão aos outros a idéia do nosso bom coração, mas de fato não o sentimos. Porém, a partir do golpe de Balbec, era no meu coração, e a uma grande profundidade, difícil de extrair, que se achava o duplo de Albertine. O que eu enxergava dela me feria, como a um enfermo cujos sentidos estivessem tão lastimosamente transvertidos que a vista de uma cor seria interiormente por ele sentida como uma incisão em plena carne. Por sorte eu não cedera à tentação de romper com Albertine; aquele enfado de ter de encontrá-la dali a pouco ao voltar, como a uma mulher bem-amada, era quase nada perto da angústia que eu sentiria caso a separação se efetuasse naquele momento, quando eu alimentava uma dúvida a seu respeito, antes que ela tivesse tido tempo de se tornar indiferente. E, no momento em que a imaginava assim a esperar-me em casa, achando vagoroso o tempo, tendo talvez cochilado um instante no quarto, fui afagado de passagem por uma terna frase familiar e doméstica do septeto. Quem sabe – de tanto que todas as coisas se entrecruzam e superpõem na nossa vida interior – tivesse ela sido inspirada a Vinteuil pelo sono de sua filha – sua filha, hoje fonte de todas as minhas perturbações – quando tal sono envolvia em sua doçura, nas tardes pacíficas, o trabalho do músico, essa frase que me acalmou tanto, pelo mesmo macio fundo de silêncio que pacifica certas *rêveries* de Schumann, durante as quais, ainda quando "o poeta fala", adivinhamos que "a criança dorme". Adormecida, desperta, eu a encontraria àquela noite, quando me aprouvesse voltar para casa, Albertine, minha filhinha. E no entanto, disse comigo, algo mais misterioso que o amor de Albertine parecia prometido no começo daquela obra, naqueles primeiros gritos de aurora. Eu tentava afastar o pensamento da minha amiga para só pensar no músico. E assim tive bem a impressão de sua presença ali. Dir-se-ia que, reencarnado, o autor vivia para sempre em sua música; sentia-se a satisfação com que ele escolhia a cor de um dado timbre, adaptando-o a outros. Pois a dons mais profundos Vinteuil juntava igualmente este, que poucos músicos, e até poucos pintores, possuíram: o de utilizar cores não só tão estáveis, mas tão pessoais que, não apenas o tempo não lhes altera o frescor, senão também que os discípulos que imitam aquele que os descobriu e os próprios mestres que o ultrapassam não conseguem empalidecer sua originalidade. A revolução que o seu aparecimento causou não vê seus resultados assimilarem-se anonimamente às gerações seguintes; ela se desencadeia, estala de novo, mas só quando voltam a executar as obras do inovador para todo o sempre. Cada timbre acentuava-se de uma cor que todas as normas do mundo, aprendidas pelos mais sábios compositores, não poderiam imitar, de modo que Vinteuil, conquanto vindo em seu tempo e fixado em seu lugar na evolução musical, o deixaria sempre para se postar na dianteira toda vez que se tocasse uma de suas produções, que deveria a esse caráter, em aparência contraditório e de fato enganador, de duradoura novidade, a impressão de parecer posterior à obra de músicos mais recentes. Uma página sinfônica de Vinteuil, já conhecida ao piano e que era ouvida em orquestra, como um raio de sol de verão que o prisma da janela decompõe antes de sua entrada numa sala de jantar escura, desvelava, como um tesouro inesperado e multicor, todas as pedrarias das *Mil e Uma Noites*. Mas como comparar a esse deslumbramento imóvel da luz aquilo que era vida, movimento perpétuo e feliz? Aquele Vinteuil que eu conhecera tão tímido e tristonho, quando se tratava de escolher um timbre, uni-lo a outro, possuía audácias e, em todo o sentido da palavra, uma felicidade sobre a qual a audição de uma obra sua não permitia qualquer dúvida. A alegria que lhe haviam causado tais sonoridades, as forças multiplicadas que essa alegria lhe dera para descobrir outras, levavam ainda o ouvinte de achado em achado, ou melhor, era o próprio criador que o conduzia, bebendo nas cores que acabava de achar uma alegria desvairada, que lhe dava o poder de descobrir, de lançar-se às que elas pareciam chamar, extasiado, estremecendo como ao choque de uma centelha quando o sublime nascia por si mesmo do encontro dos cobres, ofegante, embriagado, louco, vertiginoso, enquanto ele pintava seu grande afresco musical, como Michelangelo amarrado à sua escada e lançando, de cabeça para baixo, tumultuosas pinceladas no teto da Capela Sistina. Vinteuil morrera havia muitos anos; porém, no meio desses instrumentos que ele havia amado, fora-lhe concedido prosseguir, por um tempo sem limites, ao menos uma parte de sua vida. De sua vida de homem, apenas? Se a arte não fosse de fato mais que um prolongamento da vida, valeria a pena sacrificar-lhe alguma coisa, não seria ela tão irreal como a própria vida? Para escutar melhor aquele septeto, eu não podia pensar assim. Sem dúvida o ruborejante septeto diferia singularmente da branca sonata; a tímida interrogação à qual respondia a pequena frase, da súplica ofegante por achar o cumprimento da estranha promessa, que, tão aguda, tão sobrenatural, tão breve, fazendo vibrar o rubor ainda inerte do céu matinal, retinira sobre o mar. Entretanto essas frases tão diversas eram compostas dos mesmos elementos, pois assim como havia um certo universo, perceptível para nós em parcelas dispersas aqui e ali, em tais casas e museus, e que era o universo de Elstir, o que ele via, aquele em que vivia, da mesma forma a música de Vinteuil desdobrava, nota por nota, pincelada por pincelada, as colorações desconhecidas, inestimáveis, de um universo insuspeitado, fragmentado pelas lacunas que entre si deixavam as audições de sua obra; essas duas interrogações tão dissemelhantes que comandavam o movimento tão diverso da sonata e do septeto, uma quebrando em curtos apelos uma linha contínua e pura, o outro consolidando os fragmentos esparsos em uma armadura indivisível, uma tão calma e tímida, quase desligada e como que filosófica, o outro tão apressado, ansioso, suplicante, era todavia uma mesma prece, brotada diante de diversos nasceres de sol interiores e só refratada através dos meios diferentes de outros pensamentos, de pesquisas de arte em progresso no decurso de anos em que ele desejara criar algo de novo. Prece, esperança que no fundo era a mesma, reconhecível sob seus disfarces nas várias obras de Vinteuil, e que, por outro lado, só nelas se encontravam. Tais frases, os musicógrafos bem poderiam achar o seu parentesco, sua genealogia, nas obras de outros grandes compositores, mas unicamente por motivos acessórios, por semelhanças externas, analogias antes engenhosamente descobertas pelo raciocínio do que sentidas pela impressão direta. A impressão dada por essas frases de Vinteuil era diferente de qualquer outra, como se, a despeito das conclusões que parecem desprender-se da ciência, existisse o individual. E era justamente quando ele procurava poderosamente ser novo, que se conheciam, sob as aparentes diferenças, as similitudes profundas; e as semelhanças intencionais que havia no seio de uma obra, quando Vinteuil retomava uma mesma frase em diversas passagens, diversificava-a, divertia-se em mudar-lhe o ritmo, em fazê-la reaparecer sob sua forma primeira, tais semelhanças intencionais, fruto da inteligência, forçosamente superficiais, nunca chegavam a ser tão impressionantes como essas semelhanças dissimuladas e involuntárias, que estalavam sob cores diversas entre duas obras-primas distintas; pois então Vinteuil, buscando poderosamente ser novo, interrogava a si mesmo com toda a pujança de seu esforço criador, atingindo sua própria essência em profundezas nas quais, seja qual for a pergunta que se lhe faça, é com o mesmo acento, o seu próprio, que ele responde. Um acento, esse acento de Vinteuil, separado dos acentos de outros compositores por uma diferença bem maior que a que percebemos entre a voz de duas pessoas, até mesmo entre o bramido e o grito de duas espécies animais; uma diferença verdadeira, a que havia entre o pensamento de um determinado músico e as eternas investigações de Vinteuil, a pergunta que ele se fazia sob tantas formas, sua especulação habitual, mas tão livre das maneiras analíticas do raciocínio como se se exercesse no mundo dos anjos, de modo que podemos medir-lhe a profundidade, porém não mais traduzi-las em linguagem humana, como ocorre com os espíritos desencarnados quando, evocados por um médium, este os interroga sobre os segredos da morte; pois, mesmo levando em conta essa originalidade adquirida que me impressionara de tarde, esse parentesco que os musicógrafos poderiam descobrir entre compositores, é de fato uma entonação única a que se elevam, a que regressam malgrado seu esses grandes cantores que são os músicos originais, e que é uma prova da existência irresistivelmente individual da alma. Embora Vinteuil tentasse compor música mais solene, mais grandiosa, ou de fazê-la viva e alegre, fazer aquilo que via refletindo-se de modo favorável no espírito do público, Vinteuil, malgrado seu, submergia tudo isso numa onda vinda do fundo de si mesmo que torna o seu canto eterno e logo reconhecível. Esse canto, diferente do canto dos outros e semelhante a todos os seus, onde o aprendera, onde o ouvira Vinteuil? Assim, todo artista parece o cidadão de uma pátria ignorada, esquecida dele próprio, diversa daquela de onde virá outro grande artista em direção à terra. Quando muito, em suas últimas obras, Vinteuil parecia ter se aproximado dessa pátria. A atmosfera nelas já não era a mesma que na sonata, as frases interrogativas faziam-se mais insistentes, mais inquietas, as respostas mais misteriosas; o ar desbotado da manhã e da noitinha parecia influenciar até as cordas dos instrumentos. Por melhor que Morel tocasse, os sons emitidos pelo seu violino me pareceram singularmente rudes, quase gritantes. Essa acritude agradava e, como em certas vozes, sentia-se nela uma espécie de qualidade moral e de superioridade intelectual. Mas isso podia chocar. Quando a visão do universo se modifica, depura-se, torna-se mais adequada à lembrança da pátria interior, é perfeitamente natural que isso se traduza por uma alteração geral de sonoridades no músico, como de cores no pintor. Aliás, o público mais inteligente não se engana nesse ponto, visto que mais tarde as últimas obras de Vinteuil foram consideradas as mais profundas. Ora, nenhum programa, nenhum assunto trazia um elemento intelectual de juízo. Adivinhava-se, portanto, tratar-se de uma transposição, na ordem sonora, da profundeza.

Essa pátria perdida não é recordada por nenhum músico, mas todos eles permanecem inconscientemente afinados num certo uníssono com ela; cada um delira de júbilo quando canta conforme sua pátria, traindo-a às vezes por amor à glória, mas então, buscando a glória, afasta-se dela e é só ao desdenhá-la que a encontra, e quando o músico, seja qual for o assunto de que trata, entoa esse canto singular cuja monotonia – pois qualquer que seja o assunto tratado, o artista permanece idêntico a si mesmo – prova nele a fixidez dos elementos constitutivos de sua alma. Mas nesse caso, não é certo que esses elementos, todo esse resíduo real que somos obrigados a conservar para nós próprios, que a conversa não pode transmitir mesmo do amigo para o amigo, do professor ao aluno, de um amante a outro, esse inefável que diferencia qualitativamente o que cada um sentiu e que é forçado a abandonar no limiar das frases, onde só pode comunicar-se com outrem limitando-se a pontos exteriores comuns a todos e sem interesse, não é certo que a arte, a arte de um Vinteuil, como a de um Elstir, fá-lo surgir para nós, exteriorizando nas cores do espectro a composição íntima desses mundos a que chamamos indivíduos, e que sem a arte jamais conheceríamos? Asas, um outro aparelho respiratório, e que nos permitissem atravessar a imensidão, não nos serviriam de nada. Pois, se fôssemos a Marte e a Vênus conservando os mesmos sentidos, eles revestiriam do mesmo aspecto que as coisas da Terra tudo aquilo que pudéssemos ver. A única viagem verdadeira, o único banho de Juvência, seria, não partir em busca de novas paragens, mas ter outros olhos, ver o universo com os olhos de outra pessoa, de cem outras, ver os cem universos que cada uma delas vê, que cada uma é; e isso podemos consegui-lo com um Elstir, com um Vinteuil; com seus pares verdadeiramente voamos de estrela em estrela.

O andante acabava de terminar numa frase repleta de uma ternura à qual eu todo inteiro me entregava; então houve, antes do movimento seguinte, um instante de repouso em que os executantes depuseram os instrumentos e os ouvintes trocaram algumas impressões. Um duque, para mostrar que entendia do assunto, declarou: – É muito difícil de se tocar bem. – Pessoas mais agradáveis conversaram comigo por um instante. Mas o que eram suas palavras que, como toda palavra humana exterior, deixavam-me tão indiferente, ao lado da celeste frase musical com a qual eu acabava de conviver? Eu era de fato como um anjo que, expulso das delícias do Paraíso, cai na mais insignificante realidade. E, assim como certas criaturas são as últimas testemunhas de uma forma de vida que a Natureza abandonou, eu me indagava se a música não seria o exemplo único do que poderia ter sido – caso não tivesse havido a invenção da linguagem, a formação de palavras, a análise das idéias – a comunicação das almas. É como uma possibilidade que não teve seguimentos; a humanidade enveredou por outros caminhos, o da linguagem falada e escrita. Porém esse retorno ao não-analisado era tão embriagador que, ao sair desse paraíso, o contato dos seres mais ou menos inteligentes me parecia de extraordinária insignificância. Durante a execução da música eu pudera lembrar-me dos seres, associá-los a ela; ou melhor, quase que só associara à música a lembrança de uma única pessoa, a de Albertine. E a frase que encerrava o andante me parecia tão sublime que eu me dizia ser uma pena que Albertine não soubesse – e se o tivesse sabido não compreendesse – a honra que era para ela estar associada a essa coisa tão grandiosa que nos reunia e da qual parecia que ela tomara emprestado a voz patética. Mas tão logo interrompida a música, as pessoas que ali se achavam pareciam demasiadamente insossas. Ofereceram-se alguns refrescos. O Sr. de Charlus, de vez em quando, interpelava um criado: – Como vai? Recebeu meu recado? Poderá vir? – Sem dúvida havia nessas interpelações a liberdade do grão-senhor que crê lisonjear e ser mais povo que o burguês, mas também a velhacaria do culpado que julga que tudo o que se ostenta por isso mesmo é considerado inocente. E acrescentava, no tom Guermantes da Sra. de Villeparisis: – É um bom rapaz, bom caráter, emprego-o muitas vezes em casa. – Mas essas atitudes voltavam-se contra o barão, pois achavam incríveis as suas amabilidades tão íntimas e seus bilhetes aos lacaios. Estes, aliás, ficavam menos lisonjeados que constrangidos diante dos companheiros.

Entretanto o septeto, que havia recomeçado, caminhava para o fim; em diversas retomadas uma ou outra frase de sonata regressava, mas mudada a cada vez, num ritmo e num acompanhamento diferentes, sendo a mesma e no entanto outra, como regressam as coisas na vida; e era uma dessas frases que, sem que se possa compreender que afinidade lhes atribui como única e necessária morada o passado de um certo compositor, encontram-se apenas em sua obra, na qual aparecem constantemente e da qual são as fadas, as dríades, as divindades familiares. A princípio eu havia discernido no septeto duas ou três frases que me lembravam a sonata. Em breve – banhada no nevoeiro violáceo que se elevava sobretudo do último período da obra de Vinteuil, de modo que, mesmo quando ele introduzia uma dança a certa altura, tal dança ficava presa numa opala – percebi uma outra frase da sonata, mas permanecendo tão distante ainda que eu mal a reconhecia; hesitante, ela se aproximou, desapareceu como que assustada, tornou a voltar, enlaçou-se a outras, provindas, como soube mais tarde, de outras obras, chamou ainda outras que por sua vez se fizeram atraentes e persuasivas logo depois de domesticadas, e entravam na ronda, na ronda divina, porém invisível para a maioria dos ouvintes, que, não tendo diante deles senão um véu confuso através do qual nada viam, pontuavam arbitrariamente de exclamações admirativas um tédio contínuo de que pensavam morrer. Depois, elas se afastaram, salvo uma que vi tornar a passar umas cinco ou seis vezes sem que pudesse distinguir o seu rosto, mas tão cariciosa, tão diferente – como sem dúvida a pequena frase da sonata para Swann – do que uma mulher alguma vez me tivesse feito desejar, que essa frase, que me oferecia com voz tão suave uma ventura que verdadeiramente teria valido a pena obter, é talvez – essa criatura invisível cuja linguagem eu não conhecia e que compreendia tão bem – a única Desconhecida que jamais me tenha sido dado encontrar. Depois essa frase se desfez, transformou-se, como acontecia com a pequena frase da sonata, e tornou-se o misterioso apelo do começo. Uma frase de caráter doloroso a ela se opôs, mas tão profunda, tão vaga, tão interna, quase tão orgânica e visceral, que já não se sabia, a cada uma de suas repetições, se eram as de um tema ou de uma nevralgia. E logo os dois motivos lutaram juntos num corpo-a-corpo onde às vezes um desaparecia completamente, em que a seguir só se percebia um trecho do outro. Corpo-a-corpo de energias somente, na verdade; pois, se tais criaturas se enfrentavam, eram destituídas de seu corpo físico, de sua aparência, de seu nome, e encontravam em mim um espectador interior – igualmente despreocupado de nomes e do particular – que se interessava pelo seu combate imaterial e dinâmico e seguia-lhe com paixão as peripécias sonoras. Afinal o motivo jubiloso triunfou; já não era um apelo quase inquieto lançado detrás de um céu vazio, era uma alegria inefável que parecia provir do Paraíso; uma alegria tão diferente da alegria da sonata quanto, de um anjo doce e grave de Bellini, tocando tiorba,[32] poderia ser, vestido de escarlate, um arcanjo de Mantegna soprando uma trombeta. Eu sabia que esse novo matiz da alegria, esse apelo a uma alegria supraterrestre, não o esqueceria jamais. Seria, porém, alguma vez realizável para mim? Essa pergunta me parecia tanto mais importante quanto aquela frase era o que melhor poderia caracterizar – como contraste com o resto da minha vida, com o mundo visível – essas impressões que a intervalos afastados eu encontrava em minha vida como os pontos de referência, os estímulos para a construção de uma vida verdadeira: a impressão sentida ante os campanários de Martinville, ante uma fileira de árvores perto de Balbec. Em todo caso, para retornar ao acento particular dessa frase, como era singular que o pressentimento mais diferente do que se contém na vida terra-a-terra, que a mais audaciosa aproximação das alegrias do além se materializasse justamente no triste pequeno burguês bem-comportado que encontrávamos no mês de Maria em Combray! Mas, acima de tudo, como acontecia que essa revelação, a mais estranha que já ouvira, de um gênero desconhecido de alegria, eu a pudesse ter recebido dele, já que, dizia-se, ao morrer não deixara mais que sua Sonata, que o restante permanecia inexistente em notações indecifráveis? Indecifráveis, mas que todavia, à força de paciência, de inteligência e de respeito,

[32] *Tiorba*: espécie de alaúde grande, de cordas dedilhadas e provido de dois braços, um encompridando o outro. Foi muito usado nos séculos XVI e XVII. (N. do T.)

acabaram por ser decifrados pela única pessoa que convivera o bastante com Vinteuil para conhecer muito bem o seu modo de trabalhar, para adivinhar as suas indicações de orquestra: a amiga da Srta. Vinteuil. Já em vida do grande compositor, ela havia aprendido com a filha deste o culto que nutria pelo pai. Por causa desse culto foi que, em momentos como aqueles nos quais procedemos contrariamente às nossas verdadeiras inclinações, as duas moças tinham conseguido achar um prazer demente nas profanações que já narramos. A adoração ao pai era a condição mesma do sacrilégio da filha. E sem dúvida elas deveriam se recusar à volúpia desse sacrilégio, mas tal volúpia não as exprimia por inteiro. E além do mais, aquelas profanações foram rareando até desaparecerem de todo, à medida que essas relações carnais e doentias, o turvo e enfumaçado incêndio da paixão, cedera lugar à chama de uma amizade alta e pura. Às vezes, a amiga da Srta. Vinteuil era assaltada pela idéia importuna de que talvez tivesse precipitado a morte de Vinteuil. Pelo menos, passando anos a decifrar o quebra-cabeças deixado por Vinteuil, estabelecendo a leitura correta daqueles hieróglifos desconhecidos, a amiga da Srta. Vinteuil teve o consolo de assegurar ao músico, de quem ensombrecera os últimos anos de vida, uma glória imortal e compensadora. De relações que não são consagradas pelas leis decorrem laços de parentesco tão múltiplos tão complexos, mais sólidos entretanto do que os que nascem do casamento. Sem mesmo nos deter em relações de natureza tão particular, não vemos todos os dias que o adultério, quando está fundado no amor verdadeiro, não abala os sentimentos de família, os deveres e parentesco e, ao contrário, os revivifica? Portanto, o adultério introduz o espírito na letra que muitas vezes o casamento deixou morta. Uma boa menina que por simples conveniência há de pôr luto pelo segundo marido da mãe, não terá lágrimas suficientes para chorar o homem que sua mãe entre todos escolhera como amante. De resto, a Srta. Vinteuil só agira por sadismo, o que não a desculpava, porém mais tarde achei um certo alívio em pensar desse modo. Ela deveria perceber muito bem, pensava eu, no momento em que profanava com a amiga a fotografia do pai, que tudo aquilo era apenas doentio, loucura, e não a verdadeira e alegre maldade que ela teria desejado. Essa idéia de que se tratava apenas de uma simulação de maldade estragava o seu prazer. Mas, se tal idéia lhe pôde retornar posteriormente, assim como lhe estragara o prazer, deve ter minorado seu sofrimento. "Não era eu," devia ter pensado consigo, "eu estava alucinada. Posso ainda rezar por meu pai, não desesperar da sua bondade." Unicamente, é possível que essa idéia, que com certeza se lhe apresentou ao espírito durante o prazer, não se apresentasse a ela no sofrimento. Gostaria eu de incuti-la em seu espírito. Tenho certeza de que lhe teria feito bem, de que poderia ter restabelecido entre ela e a lembrança do pai uma comunicação bastante confortadora.

Como nos cadernos ilegíveis onde um químico de gênio, que ignora estar a morte tão próxima, anotou descobertas que talvez permaneçam desconhecidas para sempre, a amiga da Srta. Vinteuil havia desentranhado, de papéis mais ilegíveis que papiros marcados de escrita cuneiforme, a fórmula eternamente verdadeira, para sempre fecunda, dessa alegria desconhecida, a esperança mística do anjo escarlate da manhã. E eu, para quem, talvez menos no entanto que para Vinteuil, ela também fora causa – e acabava de sê-lo naquela mesma noite, despertando de novo em mim o ciúme por Albertine, e haveria de ser no futuro – de tantos sofrimentos, graças a ela, por compensação, tivera acesso ao estranho apelo que jamais cessaria de ouvir, como a promessa de que existia outra coisa, sem dúvida realizável pela arte, além do nada que eu havia encontrado em todos os prazeres e no próprio amor, e que, se minha vida me parecia tão vã, pelo menos ainda não tinha realizado tudo.

O que essa moça permitira, graças a seu trabalho, que se conhecesse de Vinteuil, era na verdade toda a obra do compositor. Além dessa peça para dez instrumentos, certas frases da sonata, únicos trechos conhecidos pelo público, pareciam de tal modo banais que não era possível entender como tinham granjeado tanta admiração. Assim é que ficamos surpresos que durante anos peças tão insignificantes como o *Romance da Estrela* e a *Prece de Elisabeth*[33] tenham podido levantar no concerto amadores fanáticos que se cansavam de aplaudir e de gritar *bis*! quando mal se encerrava o que no entanto não passa de pobreza insossa para nós que conhecemos *Tristão, O Ouro do Reno, Os Mestres Cantores*. É preciso supor, entretanto, que essas melodias sem caráter continham já, em quantidades infinitesimais, e talvez por isso mesmo mais assimiláveis, alguma coisa da originalidade das obras-primas que retrospectivamente são as únicas importantes para nós, mas cuja própria perfeição teria acaso impedido que fossem compreendidas; puderam elas abrir-lhes o caminho nos corações. Sempre é verdade que, se davam um pressentimento confuso de belezas futuras, deixavam estas em ignorância completa. Acontecia o mesmo no caso de Vinteuil; se ao morrer ele não tivesse deixado – excetuando certas partes da sonata – senão o que pudera terminar, o que se teria conhecido dele valeria tão pouco diante de sua verdadeira grandeza como para Victor Hugo, por exemplo, se tivesse morrido depois de "O torneio do rei João", "A Noiva do Timbaleiro" e "Sara, a banhista", sem ter escrito nada da *Légende des Siècles* e das *Contemplations*: o que é para nós a sua verdadeira obra teria ficado sendo puramente virtual, tão ignorada como esses universos que a nossa percepção não consegue atingir, sobre os quais nunca poderemos formar uma idéia.

De resto, esse contraste aparente, essa união profunda entre o gênio (também o talento e até mesmo a virtude) e a ganga de vícios onde, como ocorrera com

[33] Dois trechos extraídos do *Tannhäuser*, de Wagner. (N. do T.)

Vinteuil, está ele tão freqüentemente contido, conservado, eram legíveis, como uma alegoria vulgar, na própria reunião dos convidados, em meio aos quais me encontrei quando a música terminou. Essa reunião, embora desta vez limitada ao salão da Sra. Verdurin, assemelhava-se a muitas outras cujos ingredientes são ignorados do grande público, e que os jornalistas filósofos, que são um pouco informados, denominam parisienses, ou panamistas,[34] ou dreyfusistas, sem desconfiar que elas se podem ver também em São Petersburgo, em Berlim, em Madri e em todos os tempos; se de fato o subsecretário de Estado das Belas-Artes, homem verdadeiramente artista, bem-educado e esnobe, algumas duquesas e três embaixadores com suas mulheres se achavam naquela noite em casa da Sra. Verdurin, o motivo próximo, imediato, dessa presença residia nas relações existentes entre o Sr. de Charlus e Morel, relações que faziam o barão desejar o maior arruído possível em torno aos sucessos artísticos de seu jovem ídolo e garantir para ele a cruz da Legião de Honra; a causa mais remota que tornara possível aquela reunião era que uma moça, mantendo com a Srta. Vinteuil relações semelhantes às de Charlie e do barão, dera a lume toda uma série de obras geniais e que foram uma tal revelação que não tardaria a abrir-se uma subscrição, sob o patrocínio do ministro da Instrução Pública, com o fim de erguer uma estátua a Vinteuil. Aliás, a essas obras, tanto quanto às relações da Srta. Vinteuil com sua amiga, úteis haviam sido as do barão com Charlie, espécie de atalho graças ao qual o mundo iria conhecer essas obras sem o atraso, senão de uma incompreensão que persistiria por muito tempo, ao menos de uma ignorância total que poderia se estender durante anos. Toda vez que se produz um acontecimento acessível à vulgaridade de espírito do jornalista filósofo, isto é, em geral um acontecimento político, tais jornalistas filósofos são persuadidos de que existe algo que mudou na França, que não mais serão vistos certos saraus, que Ibsen, Renan, Dostoievski, d'Annunzio, Tolstoi, Wagner e Strauss serão mais admirados. Pois os jornalistas filósofos fundam seus argumentos no que há de equívoco nessas manifestações oficiais, para daí encontrar algo de decadente na arte que tais manifestações glorificam e que muitas vezes é o que há de mais austero. Pois não existe nome, entre os mais respeitados do jornalismo filósofo, que não tenha muito naturalmente dado lugar a tais festas estranhas, conquanto a estranheza nesses casos fosse menos flagrante e mais bem escondida. Para essa festa, os elementos impuros que aí se conjugavam me impressionavam sob outro ponto de vista; certo, eu estava mais preparado que ninguém a dissociá-los, já que aprendera a conhecê-los separadamente; ocorria,

---

[34] Adjetivo derivado de Panamá e relativo ao escândalo financeiro francês naquela então colônia da Colômbia, em 1887. (N. do T.)

porém, que uns, que se relacionavam à Srta. Vinteuil e sua amiga, falando-me de Combray, também me falavam de Albertine, quer dizer, de Balbec, visto que fora porque antigamente eu conhecera a Srta. Vinteuil em Montjouvain e que soubera da intimidade da amiga desta com Albertine, é que iria dali a pouco, ao voltar para casa, encontrar, em vez da solidão, Albertine que me esperava; e outros, que se referiam a Morel e ao Sr. de Charlus, falando-me de Balbec, onde eu vira, na gare de Doncières, iniciarem-se as suas relações, falavam-me de Combray e de seus dois lados, pois o Sr. de Charlus era um desses Guermantes, condes de Combray, que moravam em Combray sem aí ter o seu domicílio, entre o céu e a terra, como Gilberto o Mau em seu vitral, e Morel era o filho daquele velho lacaio que me fizera conhecer a dama cor-de-rosa e permitira, tantos anos depois, nela reconhecer a Sra. Swann.

– Está bem executado, hein? – perguntou o Sr. Verdurin a Saniette. – Receio apenas – respondeu este gaguejando – que o próprio virtuosismo de Morel ofusque o seu tanto o sentimento geral da obra. – Ofuscar? Que quer dizer com isso? – uivou o Sr. Verdurin, enquanto alguns convidados se aprestavam para devorar, como leões, o homem apavorado. – Oh, eu não me refiro somente a ele... – Mas ele nem sabe mais o que diz. Referir-se a quê? – Seria... preciso que... eu ouça... ainda outra vez para fazer um juízo rigoroso. – Rigoroso? Ele está louco! – exclamou o Sr. Verdurin segurando a cabeça com as mãos. – Deviam acompanhá-lo. – Isto quer dizer: com exatidão, o senhor... diz *bbbem*... com exatidão rigorosa. Digo que não posso julgar rigorosamente. – E eu, eu lhe digo que vá embora! – gritou o Sr. Verdurin, fora de si pela própria cólera, mostrando-lhe a porta com o dedo, o olhar chamejante. – Não tolero que falem desse jeito na minha casa. – Saniette se foi, descrevendo círculos como um homem embriagado. Algumas pessoas pensaram que ele não fora convidado, visto que o punham assim para fora. E uma senhora, muito amiga dele até então, a quem na véspera ele havia emprestado um livro precioso, devolveu-o no dia seguinte sem uma palavra, unicamente embrulhado num papel no qual mandou pôr pelo mordomo, secamente, o endereço de Saniette; não queria "dever nada" a alguém que, visivelmente, estava longe de desfrutar das boas graças do pequeno clã. Aliás, Saniette ignorou sempre essa impertinência. Pois cinco minutos não eram decorridos desde o ataque do Sr. Verdurin, quando um lacaio veio avisar ao Patrão que o Sr. Saniette sofrera um ataque no pátio do palacete. Mas a reunião não havia terminado. – Mandem levá-lo em casa, não há de ser nada – disse o Patrão, cujo prédio "particular", como teria dito o gerente do hotel de Balbec, foi desse modo assimilado aos grandes hotéis em que se apressam a esconder os mortos súbitos para não assustar os fregueses, e onde guardam provisoriamente o defunto na despensa até o momento em que, ainda que fosse, quando vivo, o mais brilhante e generoso dos homens, o façam sair clandestinamente pela porta reservada aos "mergulhadores" (lava-pratos) e aos cozinheiros.

Aliás, morto Saniette não estava. Viveu ainda algumas semanas, mas só ligeiramente recobrou a consciência.[35]

O Sr. de Charlus recomeçou, no momento em que a música terminava e os convidados se despediam dele, os mesmos erros que praticara ao chegar. Não lhes pediu que se dirigissem à Patroa, que a associassem, e a seu marido, aos agradecimentos que lhe manifestavam. Foi um longo desfile, mas um desfile apenas diante do barão, e não sem que ele o percebesse, pois falou deste modo minutos após: – A própria forma da manifestação artística se revestiu a seguir de um lado "sacristia" muito divertido. – Chegavam a prolongar os agradecimentos com palestras diferentes, que permitiam que se ficasse um instante a mais junto do barão, enquanto os que ainda não o haviam cumprimentado pelo êxito da *sua* festa estagnavam, mexiam os pés. (Mais de um marido desejava ir logo embora; mas a esposa, esnobe ainda que duquesa, protestava: – Não, não, mesmo que a gente precise esperar uma hora, não podemos sair sem agradecer a Palamède, que teve tanto trabalho. Só mesmo ele para dar nos dias de hoje semelhantes festas. – Ninguém mais pensou em fazer-se apresentar à Sra. Verdurin assim como ninguém pede para ser apresentado a uma empregada de teatro ao qual uma grande dama convidou por uma noite a aristocracia inteira.) – Você esteve ontem na casa de Éliane de Montmorency, meu primo? – perguntava a Sra. de Mortemart, desejando prolongar a conversa. – Meu Deus, claro que não! Gosto muito de Éliane, mas não entendo o sentido dos seus convites. Sem dúvida, sou meio burro – acrescentava o barão com um vasto sorriso derramado, enquanto a Sra. de Mortemart sentia que ia ter os prelúdios de "alguma" de Palamède, como os tivera muitas vezes de Oriane. – Há cerca de quinze dias recebi um cartão da agradável Éliane. Acima do nome contestado de Montmorency, estava escrito este amável convite: *Meu primo, dê-me a graça de pensar em mim na Sexta-feira próxima, às nove e meia*. Logo abaixo estavam escritas estas duas palavras menos graciosas: *Quarteto tcheco*. Tais palavras pareceram-me ininteligíveis e, de qualquer modo, sem mais nenhuma relação com a frase anterior do que essas cartas em cujo reverso a gente vê que o missivista havia começado uma outra com as palavras: *Caro amigo,* faltando o restante, e não pegou outra folha, fosse por distração ou por economia de papel. Gosto muito de Éliane: assim, não lhe quis mal por isso, e me limitei a não levar em conta as palavras estranhas e deslocadas de *quarteto tcheco*; e, como sou um homem organizado, coloquei em cima da minha lareira o convite para pensar na Sra. de Montmorency na sexta às nove horas e meia. Embora conhecido por minha nature-

[35] Como nos casos de Bergotte e de Cottard, o episódio do ataque e da morte de Saniette está numa folha manuscrita avulsa que Proust esqueceu de incorporar devidamente ao texto. Adiante, veremos Saniette ser curado por Cottard. Morrerá somente alguns anos depois. (N. do T.)

za obediente, pontual e suave, como Buffon diz do camelo – e o riso se espalhou mais largamente em torno ao Sr. de Charlus, que sabia que, ao contrário, todos o tinham pelo homem da mais difícil convivência –, atrasei-me por alguns minutos (o tempo necessário para tirar a roupa com que chegara da rua) e, sem muito remorso por isso, pensando que nove e meia representavam de fato dez horas; e ao bater das dez, num belo chambre, os pés calçados em espessos chinelos de lã, coloquei-me no canto da lareira a pensar em Éliane como ela me havia pedido, e com uma intensidade que só começou a diminuir às dez e meia. Diga-lhe por obséquio, que obedeci estreitamente ao seu audacioso pedido. Penso que ela ficará contente.

A Sra. de Mortemart morreu de rir; e o Sr. de Charlus a acompanhou. – E amanhã – acrescentou ela, sem pensar que havia excedido em muito o tempo que se lhe podia conceder – irá à casa dos nossos primos, os La Rochefoucauld? – Oh, isso é impossível, eles me convidaram, a mim como a você, vejo agora, para a coisa mais incrível de conceber e de realizar, e que se denomina, a crer no cartão de convite: *Chá dançante*. Eu passava por ser muito ágil quando moço, mas duvido que pudesse, sem faltar ao decoro, tomar chá enquanto dançava. Ora, eu nunca apreciei comer nem beber sem asseio. Você dirá que hoje não preciso mais dançar. Porém, mesmo confortavelmente sentado a beber chá – de cuja finalidade aliás estou desconfiado, visto que se intitula dançante –, eu receava que os convidados mais jovens que eu, e talvez menos ágeis do que eu era na idade deles, derramassem na minha roupa a sua chávena, o que me interromperia o prazer de esvaziar a minha. – E o Sr. de Charlus nem sequer se contentava em omitir na conversa a Sra. Verdurin e de falar dos mais variados assuntos (que parecia ter gosto em desenvolver e variar, pelo cruel prazer que sempre tivera de deixar indefinidamente "fazendo fila" os amigos que esperavam com inesgotável paciência a chegada de sua vez). Criticava até toda a parte da reunião que era da responsabilidade da Sra. Verdurin – Mas a propósito de chávena, que estranhas meias-tigelas eram as que se pareciam com aquelas em que, quando eu era rapaz, mandavam vir sorvetes da casa Poiré Blanche? Alguém há pouco me disse que eram para o "café gelado". Mas em matéria de café gelado, não vi nem café nem gelo. Que coisinhas curiosas, de emprego mal definido! – Para dizer isso, o Sr. de Charlus colocara verticalmente sobre a boca as mãos enluvadas de branco, e circunvagara cautelosamente o olhar indicador, como se temesse ser ouvido e até visto pelos donos da casa. Mas aquilo não passava de fingimento, pois dali a pouco ia externar as mesmas críticas à própria Sra. Verdurin e, mais tarde, intimá-la com insolência: – E principalmente, nada de taças de café gelado! Dê-as a uma de suas amigas cuja casa a senhora queira enfear. Mas, sobretudo, que ela não as ponha na sala de visitas, porque a gente poderia achar que se enganou de quarto, pois parecem direitinho uns urinóis.

– Mas, meu primo – dizia a convidada, também baixando a voz e olhando o Sr. de Charlus com ar interrogativo, não por medo de aborrecer a Sra. Verdurin, mas de aborrecê-lo. – Talvez ela ainda não saiba de tudo... – Nós lhe ensinaremos. – Ah! – ria a convidada – ela não pode achar melhor professor! Que boa sorte! Com você pode-se ter a certeza de que jamais haverá uma nota em falso. – Em todo caso, não as houve na música. – Oh, estava sublime! São alegrias que nunca se esquecem. A propósito desse violinista de gênio – continuava ela, julgando em sua ingenuidade que o Sr. de Charlus se interessava pelo violino "em si" –, conhece acaso um que ouvi outro dia tocar maravilhosamente uma sonata de Fauré, chama-se Frank... – Ouvi, sim, é horrível – respondia o Sr. de Charlus, sem se incomodar pela grosseria de um desmentido que implicava ser sua prima destituída de gosto. – Em matéria de violinista, aconselho-a a limitar-se ao meu. – Os olhares iam recomeçar a trocar-se entre o Sr. de Charlus e a prima, a um tempo abaixados e espreitadores, pois, enrubescendo e buscando zelosamente reparar a gafe, a Sra. de Mortemart ia propor ao Sr. de Charlus que desse uma reunião noturna para que ouvissem Morel. Ora, para ela essa reunião não tinha por finalidade colocar em evidência um talento, finalidade que todavia ela iria pretender ser a sua, e que de fato era do Sr. de Charlus. Ela só via naquilo uma oportunidade de dar uma reunião particularmente elegante, e já calculava quem haveria de convidar e quem deixaria de lado. Essa triagem, preocupação dominante das pessoas que dão festas (essas mesmas que os jornais mundanos têm o topete ou a estupidez de chamar "a elite"), altera logo o olhar – e a escrita – mais profundamente do que o faria a sugestão de um hipnotizador. Antes mesmo de ter pensado no que Morel haveria de tocar (preocupação tida como secundária, e com razão, pois mesmo que todo mundo, por causa do Sr. de Charlus, tivesse a conveniência de ficar em silêncio durante a execução da música, em compensação ninguém teria tido a idéia de escutá-la), a Sra. de Mortemart, tendo decidido que a Sra. de Valcourt não seria das "eleitas", tomara por esse mesmo fato o ar de conspiração, de complô, que tanto rebaixa as próprias senhoras da alta sociedade em melhores condições de não se importar com a opinião pública. – Não haveria um meio de eu dar uma reunião noturna para ouvirmos o seu amigo? – disse em voz baixa a Sra. de Mortemart, que, dirigindo-se apenas ao Sr. de Charlus, não pôde evitar, como que fascinada, lançar um olhar à Sra. de Valcourt (a excluída) a fim de se assegurar que ela estava a uma distância suficiente para não ouvir suas palavras. "Não, ela não pode perceber o que eu digo", concluiu mentalmente a Sra. de Mortemart, tranqüilizada pelo próprio olhar, o qual, por sua vez, tivera sobre a Sra. de Valcourt um efeito bem diverso do que visava: "Ah," disse consigo a Sra. de Valcourt ao ver esse olhar, "Marie-Thérese prepara com Palamède alguma coisa de que não devo tomar parte". – Você quer dizer o meu protegido – retificou o Sr. de Charlus, que não tinha mais piedade pelos conhecimentos gramaticais do que pelos dotes musicais da prima. Depois, sem se importar com as súplicas mudas desta, que se desculpava sorrindo: – Pois não... – disse ele com voz forte e capaz de ser ouvida pelo salão inteiro – se bem que sempre haja perigo nesse tipo de exportação de uma personalidade fascinante para um ambiente que forçosamente a faz sofrer uma diminuição de seu poder transcendental e que, em todo caso, precisaria ser convenientemente apropriado. – A Sra. de Mortemart disse consigo que a *mezzo voce*, o pianíssimo de sua pergunta tinha sido em pura perda após o "vozeirão" em que fora dada a resposta. Enganava-se. A Sra. de Valcourt nada ouviu, pela simples razão de não ter entendido uma só palavra. Suas inquietações diminuíram e teriam sido rapidamente extintas se a Sra. de Mortemart, receando ver descoberta a sua intenção, e ser obrigada a convidar a Sra. de Valcourt, a quem era muito ligada para deixá-la de fora se a outra soubesse "antes", não tivesse novamente erguido as pálpebras na direção de Édith, como para não perder de vista um perigo ameaçador, não sem tornar a abaixá-las vivamente de modo a não se comprometer em demasia. Contava escrever-lhe no dia seguinte uma dessas cartas, complemento do olhar revelador, cartas que são consideradas hábeis mas que não passam de uma confissão sem reticências e assinada. Por exemplo: *"Cara Édith, tenho saudades suas, mas não contava muito com você ontem à noite* (como contaria comigo, pensaria Édith, visto que não me convidara?), *pois sei que detesta esse tipo de reuniões que mais parecem aborrecê-la. Nem por isso ficaríamos menos honrados de tê-la conosco* (a Sra. de Mortemart jamais empregava o termo "honrados", a não ser nas cartas, onde procurava dar a uma mentira a aparência de verdade). *Aliás, você sabe que está sempre em casa na nossa casa. Além disso, fez bem em não vir, pois a reunião foi um fracasso completo, como todas as coisas improvisadas em duas horas",* etc. Porém já o novo olhar furtivo lançado sobre ela fizera Édith compreender tudo o que ocultava a linguagem complicada do Sr. de Charlus. Esse olhar foi mesmo tão forte que, depois de ter atingido a Sra. de Valcourt, o evidente segredo e a intenção de mistério que ele continha ricochetearam sobre um jovem peruano que a Sra. de Mortemart, ao contrário, pretendia convidar. Mas desconfiado, vendo até à evidência os mistérios que faziam, sem se dar conta de que não eram para ele, sentiu logo um ódio atroz pela Sra. de Mortemart e jurou pregar-lhe mil partidas, como enviar cinqüenta cafés gelados para a casa dela num dia em que ela não estivesse recebendo, de mandar inserir, no dia em que ela recebesse, uma nota nos jornais dizendo que a reunião fora adiada, e de publicar notícias mentirosas das seguintes, nas quais figurariam, como tendo estado presentes, os nomes, de todos conhecidos, de pessoas que, por motivos diversos, ninguém pensa em receber ou nem mesmo deixar-se apresentar.

A Sra. de Mortemart errava em preocupar-se com a Sra. de Valcourt. O Sr. de Charlus ia encarregar-se de desnaturar, muito mais do que o teria feito a presença desta, a festa projetada. – Mas meu primo – disse ela em resposta à frase do "ambiente que precisaria ser convenientemente apropriado", cujo sentido o seu estado momentâneo de hiperestesia lhe permitira adivinhar – nós lhe pouparemos todo trabalho. Encarrego-me de pedir a Gilbert que se ocupe de tudo. – Não, principalmente porque ele não será convidado. Nada se fará sem mim. Acima de tudo, trata-se de excluir as pessoas que têm ouvidos para não ouvir. – A prima de Charlus, que havia contado com o atrativo de Morel para dar uma festa em que ela pudesse dizer que, à diferença de tantos parentes, "tivera o apoio de Palamède", transportou bruscamente o seu pensamento do prestígio do Sr. de Charlus para as numerosas pessoas com as quais ele iria indispô-la se se metesse a excluir e a convidar. A idéia de que o príncipe de Guermantes (por causa de quem ela em parte desejava excluir a Sra. de Valcourt, que ele não recebia) não seria convidado, a aterrorizava. Seus olhos tomaram uma expressão inquieta. – Será que esta luz um pouco forte lhe faz mal? – indagou o Sr. de Charlus com seriedade aparente cujo fundo irônico não foi entendido. – Não, absolutamente; eu pensava na dificuldade, não por minha causa naturalmente, mas pelos meus, que isso poderá criar se Gilbert souber que dei uma festa sem convidá-lo, ele que nunca recebe quatro gatos pingados sem... – Mas justamente, pode-se começar por suprimir os quatro gatos pingados, que só poderiam miar; creio que o rumor das conversas impediu-a de compreender que se tratava não de fazer gentilezas graças a uma reunião noturna, mas de proceder aos ritos habituais a toda verdadeira celebração. – Depois, julgando, não que a pessoa seguinte tivesse esperado demais, mas que não lhe seria conveniente exagerar os favores feitos àquela que tivera em vista muito menos Morel do que suas próprias "listas" de convidados, o Sr. de Charlus, como um médico que termina a consulta quando acha ter ficado tempo suficiente, deu a entender à prima que se retirasse, não dizendo-lhe adeus, mas voltando-se para a pessoa que vinha imediatamente após. – Boa-noite, senhora de Montesquiou; estava maravilhoso, pois não? Não vi Hélène; diga-lhe que toda abstenção geral, mesmo a mais nobre, o que significa a dela, comporta exceções, se são deslumbrantes, como era o caso esta noite. Mostrar-se rara está bem, mas fazer passar antes o raro, que só é negativo, o precioso, é melhor ainda. Quanto à sua irmã, de quem aprecio mais que ninguém a sistemática *ausência* nos lugares onde quem a espera não tem o seu valor, ao contrário, a presença dela numa manifestação memorável como esta, teria sido uma preeminência e teria dado à sua irmã, já tão prestigiosa, um prestígio suplementar. – Depois, passou a uma terceira pessoa.

Fiquei muito espantado ao ver ali, tão amável e lisonjeiro com o Sr. de Charlus quanto fora seco outrora para com ele, fazendo-se apresentar a Charlie e dizendo a este que esperar a a sua visita, o Sr. d'Argencourt, aquele homem tão terrível para o gênero de homens como o Sr. de Charlus. Pois agora vivia rodeado deles. Certo, não é que tivesse se tornado um semelhante ao Sr. de Charlus sob tal aspecto. Mas fazia algum tempo que mais ou menos abandonara a mulher por uma jovem senhora da sociedade, a quem adorava. Inteligente, ela o fazia compartilhar de seu gosto pelas pessoas inteligentes e desejava muito que o Sr. de Charlus fosse à sua casa. Mas sobretudo, o Sr. d'Argencourt, muito enciumado e um tanto impotente, sentindo que satisfazia mal a sua conquista, e desejando a um tempo preservá-la e distraí-la, só podia fazê-lo sem perigo rodeando-a de homens inofensivos, a quem, assim, atribuía o papel de guardiões do serralho. Estes achavam que ele se tornara muito amável, e o declaravam muito mais inteligente do que o haviam julgado, coisa com que ele e a amante se mostravam encantados.

As convidadas do Sr. de Charlus foram embora bem depressa. Muitas diziam: – Preferia não ir à sacristia (o pequeno salão onde o Sr. de Charlus, tendo Morel a seu lado, recebia as congratulações), mas convém que Palamède me veja para que saiba que fiquei até o fim. – Nenhuma se ocupava da Sra. Verdurin. Diversas fingiram não reconhecê-la e despedir-se por engano da Sra. Cottard, falando-me da esposa do médico: – Esta é mesmo a Sra Verdurin, não? – A Sra. d'Arpajon me perguntou, na cara da dona da casa: – Será que um dia existiu mesmo um Sr. Verdurin? – As duquesas que se atrasavam, não encontrando as extravagâncias que esperavam naquela casa que imaginavam ser diferente do que conheciam, desforravam-se, à falta de coisa melhor, estourando em risos doidos ante os quadros de Elstir; quanto ao resto, que elas achavam mais conforme do que haviam pensado ao que já conheciam, atribuíam tudo ao Sr. de Charlus, dizendo: – Como Palamède sabe arrumar bem as coisas! Se ele montasse uma *féerie* numa cocheira ou num toalete, o espetáculo não ficaria menos encantador. – As mais nobres eram as que com mais fervor felicitavam o Sr. de Charlus pelo sucesso de uma reunião de cujos motivos secretos algumas estavam a par, de resto sem se preocupar com isso, pois essa sociedade – talvez pela recordação de certas épocas da História em que suas famílias tinham já alcançado um grau idêntico de impudor plenamente consciente – leva o desprezo dos escrúpulos quase tão longe quanto o respeito à etiqueta. Várias delas ali mesmo convidaram Charlie para reuniões em que ele iria tocar o septeto de Vinteuil, mas nenhuma teve sequer a idéia de convidar a Sra. Verdurin. Esta estava no auge da raiva quando o Sr. de Charlus, que, sentindo-se nas nuvens, não podia percebê-lo, quis por amabilidade convidar a Patroa a partilhar sua alegria. E talvez fosse mais para se entregar a seu gosto pela literatura do que por um transporte de orgulho, que esse doutrinador de festas artísticas disse à Sra. Verdurin: – Muito bem, está contente? Creio que qualquer um o estaria por muito menos; a senhora vê que, quando me meto a dar uma festa, o sucesso é completo; não sei se as suas noções de heráldica lhe permitem avaliar exatamente a importância da manifestação, o peso que soergui, o volume de ar que desloquei pela senhora. A senhora teve aqui a rainha de Nápoles, o irmão do rei da Baviera, os três mais antigos pares de França. Se Vinteuil é Maomé, podemos dizer que deslocamos por causa dele as mais amovíveis das montanhas. Imagine que, para assistir à sua festa, a rainha de Nápoles veio de Neuilly, o que para ela é muito mais difícil do que deixar as Duas Sicílias – disse ele com intenção de perfídia, apesar de sua admiração pela rainha. – É um acontecimento histórico. Pense que ela talvez jamais tenha saído desde a tomada de Gaeta. É provável que nos dicionários ponham como datas culminantes o dia da tomada de Gaeta e o da reunião noturna dos Verdurin. O leque que ela deixou para melhor aplaudir Vinteuil merece ficar mais célebre que o que a Sra. Metternich quebrou porque assobiavam uma ária de Wagner. – Ela até esqueceu o leque – disse a Sra. Verdurin, momentaneamente apaziguada pela lembrança da simpatia que lhe testemunhara a rainha; e mostrou a Charlus o leque sobre uma poltrona. – Oh, como é emocionante! – exclamou o Sr. de Charlus, aproximando-se com veneração da relíquia. – Tanto mais tocante por ser muito feio; a violetinha é inacreditável! – Espasmos de emoção e de ironia percorriam-no alternativamente. – Meu Deus, não sei se a senhora sente essas coisas como eu. Swann ficaria simplesmente morto de convulsões caso visse isto. Bem sei que, por qualquer preço que seja lançado, arrematarei este leque no leilão da rainha. Pois terá de ir a leilão, já que está sem vintém – acrescentou com maledicência cruel, que no barão jamais deixava de misturar-se à mais sincera veneração, embora elas partissem de duas natureza opostas, porém nele reunidas.

Tais naturezas podiam até se alternar sobre um mesmo fato. Pois o Sr. de Charlus, que no fundo de seu bem-estar de homem rico, troçava da pobreza da rainha, era a mesma pessoa que com freqüência exaltava essa pobreza e que, quando se falava da princesa Murat, rainha das Duas Sicílias, respondia: – Não sei de quem estão falando. Só existe uma rainha de Nápoles, que é sublime, e não tem carro. Mas do alto do ônibus ela aniquila todas as carruagens, e todos se poriam de joelhos na poeira ao vê-la passar.

– Eu o legarei a um museu. Enquanto isso, é necessário mandar levar-lho, para que ela não tenha de pagar um fiacre para mandar buscá-lo. O mais inteligente, dado o interesse histórico de semelhante objeto, seria roubar este leque. Mas isto iria deixá-la em apuros, pois é provável que ela não possua outro – acrescentou, desatando a rir. – Enfim, a senhora viu que por minha causa ela veio. E este não é o único milagre que eu haja feito. Não creio que ninguém, atualmente, tenha o poder de mobilizar as pessoas que trouxe aqui. Aliás, é preciso dar a cada um a sua parte: Charlie e os músicos tocaram como deuses. E, minha querida Patroa – acrescentou com condescendência –, a senhora também teve o seu papel nessa festa. Seu nome nunca será esquecido. A História reteve o nome do pajem que armou Joana d'Arc quando ela partiu em combate; em suma, a senhora serviu de traço de união permitindo a fusão entre a música de Vinteuil e seu genial executante; a senhora teve a inteligência de compreender a importância capital de todo o encadeamento de circunstâncias que faria o executante beneficiar-se de todo o peso de uma personalidade considerável – se não se tratasse de mim, eu diria providencial –, a quem teve a boa idéia de pedir que assegurasse o prestígio da reunião, e que pusesse diante do violino de Morel os ouvidos diretamente ligados às línguas mais escutadas; não, não, não é nada. Não existe nada que não tenha a sua importância numa realização tão completa. Tudo concorre para ela. A Duras estava esplêndida. Enfim, tudo; foi por isso – concluiu, pois gostava de repreender – que me opus a que a senhora convidasse essas pessoas-divisores, que, diante das criaturas preponderantes que lhe trouxe, teriam feito o papel de vírgulas numa cifra, as outras sendo reduzidas a não mais que simples décimos. Tenho o senso exato dessas coisas. A senhora compreende, é preciso evitar as gafes quando damos uma festa que deve ser digna de Vinteuil, de seu genial intérprete, da senhora e, ouso dizer, de mim. A senhora teria convidado a Molé, e tudo estaria prejudicado. Seria a pequena gota contrária, neutralizadora, que tira a eficiência de uma poção. Teria faltado a eletricidade, os bolinhos não chegariam a tempo, a laranjada teria dado cólicas em todo mundo. Era a pessoa que não convinha. Seu nome bastaria para que, como numa *féerie*, nenhum som saísse dos cobres; a flauta e o oboé perderiam a voz subitamente. O próprio Morel, mesmo que conseguisse tirar alguns sons, não obedeceria ao compasso e, em vez do septeto de Vinteuil, a senhora teria ouvido a paródia dele por Beckmesser, terminando sob vaias. Eu, que acredito muito na influência das pessoas, senti perfeitamente, no desenvolvimento de um certo *largo* que se abria até o fundo como uma flor, no aumento de satisfação do final, que não era apenas *allegro* mas incomparavelmente alegre, que a ausência da Molé inspirava os músicos, dilatando de alegria até os próprios instrumentos. Aliás, no dia em que se recebem todos os soberanos, não se convida a porteira. – Chamando-a de "a Molé" (como dizia, aliás simpaticamente, "a Duras"), o Sr. de Charlus lhe fazia justiça. Pois todas essas mulheres eram atrizes da sociedade, e é certo que – mesmo considerada sob esse ponto de vista – a condessa Molé não estava à altura da extraordinária reputação de inteligência que lhe atribuíam, o que fazia pensar nesses atores ou romancistas medíocres que em certas épocas desfrutam de uma reputação de gênios, seja devido à mediocridade dos confrades, entre os quais nenhum artista superior é capaz de mostrar o que é o talento verdadeiro, seja pela mediocridade do público, o qual, caso existisse uma extraordinária individualidade, seria incapaz de compreendê-la. No caso da Sra. Molé, é preferível, se não inteiramente exato, que nos detenhamos na primeira explicação. Sendo a sociedade mundana o reduto do nada, não há entre os méritos das diversas mulheres que a freqüentam senão graus insignificantes, que só podem majorar doidamente os rancores ou a imaginação do Sr. de Charlus. E certamente se ele falava, como acabava de fazer, nessa linguagem que era uma mistura afetada de coisas da arte e da sociedade, era porque suas cóleras de mulher velha e sua cultura de mundano não forneciam à verdadeira eloqüência, que era a sua, mais que temas insignificantes. Não existindo à superfície da terra, entre todos os países que a nossa percepção uniformiza, o mundo das diferenças, com mais forte razão também não existe no mundo elegante. Existirá aliás em alguma parte? O septeto de Vinteuil parecera me dizer que sim. Mas onde?

Como o Sr. de Charlus gostasse de repetir a um o que ouvira de outro, intrigar, dividir para reinar, acrescentou: – Não a convidando, a senhora tirou à Sra.

Molé a oportunidade de dizer: "Não sei por que essa tal de Sra. Verdurin me convidou. Não sei quem é essa gente, não os conheço." Ela já disse, no ano passado, que a senhora a importunava com seus convites. É uma tola, não a convide mais. Afinal, não é uma pessoa tão extraordinária assim. Pode muito bem ir à sua casa sem luxos, pois eu também vou. Em suma – concluiu –, parece-me que a senhora pode me agradecer, pois as coisas correram muito bem, tudo esteve perfeito. A duquesa de Guermantes não veio, mas nunca se sabe, talvez tenha sido melhor assim. Não a levaremos a mal e lembrar-nos-emos dela para uma outra vez; aliás, é difícil esquecê-la, seus próprios olhos nos dizem: "Não se esqueçam de mim", já que são dois miosótis. – (E eu pensava comigo quanto era necessário que o espírito de Guermantes – a decisão de ir a um lugar e não a outro – fosse forte para ter vencido, na duquesa, o temor a Palamède.) – Diante de um êxito de tal forma completo, somos tentados, como Bernadin de Saint-Pierre, a ver em toda parte a mão da Providência. A duquesa de Duras estava encantada. Ela própria me encarregou de dizer-lho – acrescentou o Sr. de Charlus, acentuando as palavras como se a Sra. Verdurin devesse considerar aquilo como honra suficiente. Suficiente e até quase inacreditável, pois ele achou necessário dizer, para ser acreditado: – É verdade! – levado pela demência daqueles que Júpiter deseja perder. – Ela convidou Morel para tocar na sua casa, onde vão repetir o mesmo programa, e estou até pensando em pedir um convite para o Sr. Verdurin. – Essa cortesia, feita unicamente ao marido, era, sem que o Sr. de Charlus o percebesse, o mais sangrento ultraje à esposa, que, julgando-se em relação ao executante, devido a uma espécie de decreto de Moscou em vigor no pequeno clã, no direito de lho proibir que tocasse em outro salão sem sua autorização expressa, estava bem decidida a proibir sua participação no sarau da Sra. de Duras.

Só pelo fato de falar com aquela verbosidade, o Sr. de Charlus irritava a Sra. Verdurin, que não gostava que fizessem grupo à parte no pequeno clã. Quantas vezes, e já na Raspelière, ouvindo o barão falar incessantemente a Charlie em vez de se contentar em desempenhar a sua parte no conjunto concertante do clã, ela havia exclamado, apontando o barão: – Que língua que ele tem! Que língua! Ah, para um pederasta, é uma língua formidável![36] – Mas desta vez era bem pior. Embriagado pelas próprias palavras, o Sr. de Charlus não compreendia que, diminuindo o papel da Sra. Verdurin e impondo-lhe estreitos limites, estava desencadeando aquele sentimento odioso que nela não passava de uma forma particular, uma forma social de inveja. A Sra. Verdurin amava intensamente os *habitués*, os fiéis do pequeno clã, queria que pertencessem inteiramente à sua Patroa. Contemporizando, como os ciumentos que aceitam ser traídos desde que sob seu teto e até às suas vistas,

[36] Trocadilho com dois sentidos da palavra francesa *tapette*: "língua" e "pederasta", ambos de gíria. (N. do T.)

ou seja, que não os traiam, ela permitia que os homens tivessem uma amante, um amante, com a condição de que tudo isso não tivesse nenhuma conseqüência social fora de sua casa, nascesse e se perpetuasse ao abrigo das quartas-feiras. Toda risada furtiva de Odette junto de Swann lhe roía outrora o coração, bem como, fazia algum tempo, toda conversa particular entre Morel e o barão; achava apenas um consolo para seus desgostos, o de desmanchar a felicidade alheia. Não poderia suportar por muito tempo a do barão. Eis que esse imprudente precipitava a catástrofe parecendo querer restringir o lugar da Patroa em seu próprio grupinho. Ela já via Morel freqüentando a sociedade sem ela, protegido pelo barão. Só havia um remédio, fazer Morel escolher entre ela e o barão e, valendo-se da ascendência que possuía sobre o violinista por mostrar-se a seus olhos de uma extraordinária perspicácia, graças a informações que lhe davam, a mentiras que inventava e de que lhe enchia os ouvidos como provas de que ele já estava inclinado a crer, e do que ia ver à evidência, graças às armadilhas que ela preparava e onde iam cair os ingênuos, valendo-se dessa ascendência, fazer com que ele a escolhesse e não ao barão. Quanto às mulheres da sociedade que ali se achavam e que nem mesmo se tinham feito apresentar, logo que lhes compreendera as hesitações ou a sem-cerimônia, havia dito: – Ah, percebo o que são, umas velhas prostitutas que não nos convêm; estão visitando este salão pela última vez. – Pois preferia morrer a confessar que haviam sido menos amáveis com ela do que esperara.

– Ah, meu caro general – exclamou bruscamente o Sr. de Charlus deixando a Sra. Verdurin porque avistava o general Deltour, secretário da presidência da República, o qual podia ter grande importância para a condecoração de Charlie, que, depois de se aconselhar com Cottard, se eclipsava rapidamente: – Boa-noite, caro e encantador amigo. Pois então vai saindo sem se despedir de mim? – disse o barão com um sorriso de bonomia e suficiência, pois bem sabia que todos sempre se mostravam contentes em lhe falar um momento a mais. E como no estado de exaltação em que se achava, fazia ele mesmo, em tom superagudo, as perguntas e as respostas: – Muito bem, está satisfeito? Não é certo que estava muito bonito, o andante? É que jamais escreveram nada tão comovente. Eu o desafio a escutá-lo até o fim sem lágrimas nos olhos. É encantador que tenha vindo. Diga-me, recebi hoje de manhã um belo telegrama de Froberville que me anuncia que, do lado da Grande Chancelaria, as dificuldades estão aplanadas, como se diz. – A voz do Sr. de Charlus continuava a elevar-se, tão aguda, tão diversa de sua voz habitual, como a de um advogado que pleiteia com ênfase uma causa o é de sua fluência ordinária, fenômeno de amplificação vocal por superexcitação e euforia nervosa análogo ao que, nos jantares que ela dava, fazia elevar-se a um diapasão tão alto não só a voz como o olhar da duquesa de Guermantes. – Eu contava lhe mandar, amanhã de manhã, um bilhete por um guarda a fim de exprimir o meu entusiasmo, enquanto não o exprimia de viva voz, mas você estava tão rodeado! O apoio de Froberville será longe de desprezar, mas, de minha parte, tenho a promessa do Ministro – disse o general. – Ah, perfeito. Aliás, você viu que um talento igual bem o merece. Hoyos mostrava-se encantado, não pude ver a embaixatriz; estava contente? Quem não estaria, a não ser aqueles que têm ouvidos para não ouvir, o que não importa, desde que tenham língua para falar?

Aproveitando que o barão se afastara para falar ao general, a Sra. Verdurin fez sinal a Brichot. Este, que não sabia o que a Sra. Verdurin ia dizer-lhe, quis diverti-la e, sem desconfiar o quanto me fazia sofrer, disse à Patroa: – O Sr. de Charlus está encantado pelo fato de a Srta. Vinteuil e sua amiga não terem vindo. Elas o escandalizam demais. Declarou que seus costumes eram de meter medo. A senhora não imagina como o barão é pudico e severo no terreno dos costumes. – Ao contrário do que Brichot esperava, a Sra. Verdurin não se divertiu: – Ele é imundo – respondeu. – Proponha-lhe fumar um cigarro em sua companhia, para que meu marido possa levar sua dulcinéia sem que Charlus perceba, e esclarecer o rapaz acerca do abismo em que está caindo. – Brichot parecia hesitar. – Digo-lhe – prosseguiu a Sra. Verdurin para vencer os últimos escrúpulos de Brichot – que não me sinto segura com esse sujeito em minha casa. Sei que já se meteu em sujeiras e que a polícia está de olho nele. – E como possuía um certo pendor para a improvisação, quando a maledicência a inspirava, a Sra. Verdurin não ficou por aí: – Parece que já foi preso. Sim, sim, pessoas muito bem informadas é que me disseram. Aliás, sei, por alguém que mora na sua rua, que não se tem idéia dos bandidos que ele recebe em casa. – E como Brichot, que ia muitas vezes à casa do barão, protestasse, a Sra. Verdurin, inflamando-se, gritou: – Mas dou-lhe certeza! Sou eu que estou dizendo! – expressão com que, habitualmente, buscava amparar uma assertiva lançada um tanto ao acaso. – Ele há de morrer assassinado um dia ou outro, aliás como todos os de sua igualha. Talvez nem chegue a isso, pois está nas garras desse Jupien, que ele teve o topete de me mandar e que é um antigo forçado, como você e eu sabemos de modo positivo. Charlus está nas mãos dele por causa de umas cartas que são terríveis, ao que parece. Sei disso por alguém que as viu, e me disse: "Você se sentiria mal se as lesse." É assim que esse tal de Jupien o comanda à vontade e o faz espirrar todo o dinheiro que deseja. Prefiro mil vezes a morte a viver no terror em que vive Charlus. Em todo caso, se a família de Morel não se decide a apresentar queixa contra o barão, não quero ser acusada de cumplicidade. Se ele continuar, será por sua conta e risco, mas eu terei feito o meu dever. Que posso fazer? Isso não é brincadeira. – E já agradavelmente animada pela expectativa da conversa que o marido ia ter com o violinista, a Sra. Verdurin me disse: – Pergunte a Brichot se não sou uma amiga corajosa, e se não sei devotar-me para salvar os camaradas. – (Ela se referia às circunstâncias em que o fizera brigar com a lavadeira, primeiro, em seguida com a Sra. de Cambremer, brigas após as quais Brichot se tornara quase completamente cego e, dizia-se, morfinômano.) – Uma amiga incomparável, perspicaz e valente – respondeu o universitário com ingênua emoção. – A Sra. Verdurin evitou que eu fizesse uma grande asneira – disse Brichot, depois que ela se afastou de nós. – Ela não vacila em cortar o mal pela raiz. É intervencionista, como diria o nosso grande amigo Cottard. No entanto, confesso que a idéia de que o pobre barão ignora ainda o golpe que vai sofrer me causa uma grande pena. Ele está completamente louco pelo rapaz. Se a Sra. Verdurin conseguir o seu intento, o barão ficará muito infeliz. Além disso, não é certo que ela não fracasse. Receio que não faça mais que semear discórdias entre eles, que finalmente, sem separá-los, farão com que rompam com ela. – Isso ocorrera diversas vezes à Sra. Verdurin com seus fiéis. Mas era visível que, nela, a necessidade de conservar a amizade deles era cada vez mais subordinada à de que essa amizade nunca fosse posta em xeque pela que eles poderiam ter uns pelos outros. O homossexualismo não lhe desagradava, desde que não tocasse na ortodoxia, mas, como a Igreja, ela preferia todos os sacrifícios a uma concessão quanto à ortodoxia. Comecei a temer que sua irritação contra mim não se originasse do fato de ela ter sabido que eu impedira Albertine de ir à sua casa de tarde, e que não empreendesse junto a ela, se é que já não havia principiado, o mesmo trabalho para separá-la de mim que seu marido iria, quanto a Charlus, elaborar junto ao violinista. – Vamos, vá procurar Charlus, arranje um pretexto, já é tempo – disse a Sra. Verdurin –; sobretudo dê um jeito de não deixar que ele volte sem um aviso meu. Ah, que sarau! – acrescentou ela, que assim desvendou o verdadeiro motivo de sua raiva. – Ter feito executar essas obras-primas para tamanhas idiotas! Não digo a rainha de Nápoles, ela é inteligente, uma mulher agradável (leia-se: ela foi muito gentil comigo). Mas as outras! Ah, é de enfurecer a gente! Que quer, já não tenho mais vinte anos. Quando eu era moça, diziam-me ser preciso saber enfadar-se, eu me forçava. Mas agora! Ah, não! É mais forte que eu, tenho idade para fazer o que bem entendo, a vida é bem curta; aborrecer-me, freqüentar imbecis, fingir, dar a entender que os considero inteligentes, ah não! não posso. Vamos, Brichot, não há tempo a perder. – Já vou, Madame, já vou – acabou por dizer Brichot no momento em que o general Deltour se afastava. Mas primeiro o universitário me chamou à parte por um instante: – O dever moral – disse ele – é menos claramente imperativo do que o ensinam as nossas éticas. Que os cafés teosóficos e as cervejarias kantianas se conformem; o fato é que ignoramos deploravelmente a natureza do Bem. Eu mesmo, que sem qualquer presunção comentei para meus alunos, com toda a inocência, a filosofia do sobredito Emmanuel Kant, não vejo nenhuma indicação precisa para o caso de casuística mundana diante da qual estou posto, nessa *Crítica da Razão Prática* onde o grande renegado do protestantismo platonizou, à maneira da Germânia, para uma Alemanha pré-historicamente áulica e sentimental, objetivando todos os fins úteis de um misticismo pomerânio. É ainda *O Banquete*, mas dessa vez dado em Königsberg, à moda de lá, indigesto e temperado, com chucrute e sem gigolôs. É evidente, por um lado, que não posso recusar à nossa excelente anfitriã o pequeno obséquio que ela me pede, em conformidade plenamente ortodoxa com a Moral tradicional. Antes de mais nada, é preciso evitar, pois não são muitas as que nos façam dizer mais tolices, que nos logrem com palavras. Mas enfim, não hesitemos em confessar que, se as mães de família tivessem direito a voto, o barão corria o risco de ser lamentavelmente vetado como professor de virtude. Infelizmente, é com o temperamento de um libertino que ele segue sua vocação de pedagogo; repare que não estou falando mal do barão; este homem gentil, que sabe como ninguém trinchar um assado, possui, juntamente com o gênio do anátema, tesouros de bondade. Pode ser divertido como um palhaço de categoria, ao passo que com determinado confrade meu, acadêmico, eu me aborreço, como diria Xenofonte, a cem dracmas a hora. Porém receio que ele não esteja gastando com Morel um pouco mais do que recomenda a sã moral, e, sem saber até que ponto o jovem penitente se mostra dócil ou rebelde aos exercícios especiais que seu catequista lhe impõe em matéria de mortificação, não é preciso ser um grande erudito para ter certeza de que pecaríamos, como diz o outro, por mansuetude para com esse rosa-cruz, que nos parece vir de Petrônio depois de ter passado por Saint-Simon, se lhe concedêssemos de olhos fechados, em boa e devida forma, licença de satanizar. E no entanto, ocupando esse homem enquanto a Sra. Verdurin, para o bem do pecador e muito justamente tentada por essa cura, vai – ao falar sem rodeios ao jovem estouvado – privar esse velho de tudo o que ele ama, dar-lhe talvez um golpe fatal, não posso dizer que fui solícito, parece-me que o estou atraindo para uma cilada, e vacilo como diante de uma forma de indignidade. – Dito isto, não vacilou em cometê-la e, pegando-me do braço: – Vamos, barão, e se fôssemos fumar um cigarro? Este rapaz ainda não conhece todas as maravilhas da casa. – Desculpei-me, dizendo que era obrigado a ir embora. – Espere ainda um pouco – disse Brichot. – Você sabe que tem de me levar de volta e não esqueço a sua promessa. – Não quer mesmo que lhe mande mostrar a prataria? Nada seria mais simples – me disse o Sr. de Charlus. – Como você me prometeu, não diga palavra alguma acerca da condecoração a Morel. Pretendo fazer a surpresa de dizer-lho daqui a pouco, quando estivermos de partida. Embora lhe diga que isso não é importante para um artista, mas que seu tio o deseja (enrubesci, pois, pelo meu avô, os Verdurin sabiam quem era o tio de Morel). Então, não quer mesmo que lhe mande mostrar as peças mais bonitas? – indagou o Sr. de Charlus. – Contudo, já as conhece, viu-as dezenas de vezes na Raspelière. – Não tive coragem de lhe dizer que o que poderia me interessar não eram os medíocres talheres de uma prataria burguesa, ainda a mais rica, mas algum espécime, mesmo que fosse apenas uma bela gravura, da Sra. Du Barry. Estava em demasia preocupado, e sempre – como não estaria depois daquela revelação sobre a vinda da Srta. Vinteuil? –, em sociedade, muito distraído e agitado para deter minha atenção sobre objetos mais ou menos bonitos. Minha atenção só poderia fixar-se diante do apelo de alguma realidade que se dirigisse à minha imaginação, como o teria podido fazer, naquela noite, uma visita de Veneza em que eu tanto havia pensado de tarde, ou algum elemento geral, comum a diversas aparências e mais verdadeiro que elas, que por si mesmo sempre despertava em mim um espírito interior e habitualmente sonolento, mas cuja subida à superfície da minha consciência dava-me uma grande alegria. Ora, como eu saísse do salão, chamado sala de teatro, e atravessasse os outros salões com Brichot e o Sr. de Charlus, deparei-me com certos móveis, no meio de outros, vistos em La Raspelière e aos quais não prestara atenção alguma, e percebi entre o arranjo da casa e o do castelo um certo ar de família, uma identidade permanente, e compreendi Brichot quando ele me disse sorrindo: – Escute, veja este fundo de salão, isto ao menos pode a rigor lhe dar a idéia da rua Montalivet, há vinte e cinco anos, *grande mortalis aevi spatium.*[37] – Ao seu sorriso, dedicado ao salão defunto que ele estava revivendo, compreendi o que Brichot, talvez sem o perceber, preferia no antigo salão; mais do que os janelões, mais do que a alegre juventude dos donos da casa e de seus fiéis, era essa parte irreal (que eu mesmo deduzia de algumas semelhanças entre La Raspelière e o cais Conti) da qual num salão, como em todas as coisas, a parte externa, atual, que todos podem verificar, não passa do prolongamento, era aquela parte que se tornou puramente moral, de um colorido que só existia para o meu velho interlocutor, e que ele não podia fazer que eu visse, aquela parte que se destacou do mundo exterior para se refugiar na nossa alma, a quem ela confere uma mais-valia, onde ela se assimilou à sua substância habitual, transmudando-se ali – casas destruídas, pessoas de outrora, compoteiras de frutas das ceias de que nos lembramos – nesse translúcido alabastro de nossas lembranças, do qual somos incapazes de mostrar a cor que somente nós é que vemos, o que nos permite dizer veridicamente aos outros, quanto a essas coisas passadas, que eles não podem fazer idéia daquilo, que elas não se assemelham em nada ao que eles viram, e que não podemos considerá-las em nós mesmos sem uma certa emoção, imaginando que é da existência do nosso pensamento que depende a sobrevivência delas por algum tempo, o reflexo das lâmpadas que se apagaram e o aroma das alamedas ensombradas de árvores que não mais hão de florescer. E sem dúvida, por esse motivo, o salão da rua Montalivet desmerecia, para Brichot, a casa atual dos Verdurin. Mas, por outro lado, acrescentava a esta, para os olhos do professor, uma beleza que ela não podia ter para as amizades recentes. Alguns dos antigos móveis que tinham sido recolocados aqui, na mesma disposição, às vezes conservada, e que eu próprio já reconhecia da Raspelière, integravam no salão atual partes do antigo, que, por momentos, evocavam-no até à alucinação e a seguir pareciam

[37] "Uma grande parte da vida de um mortal." Citação latina: frase tirada à *Vida de Agrícola*, de Tácito, o qual fala em "quinze anos" e não em vinte e cinco. (N. do T.)

quase irreais por evocar, no seio da realidade ambiente, fragmentos de um mundo destruído que pensávamos ver alhures. Um canapé surgido do sonho por entre as poltronas novas e bem reais, cadeirinhas revestidas de seda rósea, um tecido de brocado para mesa de jogo, elevado à dignidade de pessoa, desde que, feito uma pessoa, tinha um passado e uma memória, conservando na sombra fria do salão do cais Conti o halo de ensolaramento pelas janelas da rua Montalivet (do qual conhecia tão bem a hora como a própria Sra. Verdurin) e pelos vãos das portas envidraçadas de Douville, aonde o tinham levado e onde ele contemplava o dia inteiro, para além do jardim florido, o vale profundo de ***, esperando a hora em que Cottard e o violinista jogariam a sua partida; um ramalhete de violetas e amores-perfeitos, pastel presenteado por um grande artista, já falecido, único fragmento sobrevivo de uma vida que desapareceu sem deixar traços, resumindo um grande talento e uma longa amizade, relembrando seu olhar atento e suave, sua bela mão gorda e triste enquanto pintava; alegre e desordenado estorvo dos presentes de fiéis, que por toda parte acompanharam a dona da casa e acabaram por assumir o cunho e a fixidez de um traço de caráter, de uma linha do destino; profusão de buquês de flores, de caixas de chocolate que sistematizava, aqui como lá, o seu desabrochar seguindo um modo idêntico de floração: curiosa interpolação de objetos singulares e supérfluos que ainda parecem estar saindo da caixa em que foram oferecidos e que permanecem a vida inteira o que foram no começo, presentes de Ano-Novo; todos esses objetos que não saberíamos isolar dos outros, mas que para Brichot, velho freqüentador das festas dos Verdurin, possuíam aquela pátina, aquele tom aveludado das coisas às quais, dando-lhes uma espécie de profundidade, vem ajuntar-se o seu "duplo" espiritual; tudo isso, disseminado, fazia cantar diante dele, como outras tantas teclas sonoras que despertavam em seu coração semelhanças amadas, reminiscências confusas e que, como no salão inteiramente atual que elas marchetavam aqui e ali, recortavam, delimitavam, como faz num lindo dia um quadro de sol seccionando a atmosfera, os móveis e os tapetes, e, prosseguindo de uma almofada a um jarro, de um tamborete ao relento de um perfume, de um modo de iluminação a uma predominância de cores, esculpiam, evocavam, espiritualizavam, faziam viver uma forma que era como a figura ideal, imanente a seus vários domicílios, do salão dos Verdurin.

– Vamos tentar – disse-me Brichot ao ouvido – levar o barão a conversar sobre seu assunto predileto. Nisso ele é prodigioso. – Por um lado, eu desejava tentar obter do Sr. de Charlus as informações relativas à vinda da Srta. Vinteuil e de sua amiga, informações pelas quais decidira-me a abandonar Albertine. Por outro lado, não queria deixar Albertine sozinha por muito tempo, não que ela pudesse (na incerteza do instante do meu regresso e, além do mais, a uma hora em que, se recebesse uma visita ou se saísse, daria muito na vista) fazer mau uso da minha ausência, mas para que não a achasse prolongada demais. Assim, disse a Brichot e ao Sr. de Charlus que só ia com eles por pouco tempo. – Venha assim mesmo – disse o barão, cuja excitação mundana principiava a decair, mas que sentia a necessidade de prolongar, de fazer durarem as conversas, coisa que eu já havia notado na casa da duquesa de Guermantes tanto como na sua, e que, muito própria daquela família, estende-se mais geralmente a todos os que, não oferecendo à sua inteligência outra realização do que a conversa, quer dizer, uma realização imperfeita, permanecem insatisfeitos mesmo depois das horas passadas em conjunto e se agarram cada vez mais avidamente ao interlocutor esgotado, do qual exigem, erradamente, uma *saciedade* que os prazeres sociais são impotentes de fornecer. – Venha – continuou – este é mesmo o momento agradável das festas, o momento em que todos os convidados já saíram, a hora de Doña Sol; esperemos que esta acabe de modo menos triste. Infelizmente você está com pressa, com pressa provavelmente para fazer coisas que faria melhor se não fizesse. Todo mundo sempre está apressado, e sai no momento em que deveria chegar. Estamos aqui como os filósofos de Couture, seria este o momento de recapitular o sarau, de fazer o que se chama, em estilo militar, a crítica das operações. Pedir-se-ia à Sra. Verdurin que nos mandasse trazer uma ceiazinha a que teríamos o cuidado de não convidá-la e pediríamos a Charlie – sempre *Hernani* –[38] que tocasse de novo, só para nós, o sublime adágio. É excelente, esse adágio! Mas onde está o jovem violinista? Eu queria felicitá-lo, é o momento dos carinhos e abraços. Confesse, Brichot, que eles tocaram como deuses, especialmente Morel. Repararam na ocasião em que a mecha de cabelos cai? Ah, então, meu caro, você não viu nada. Tivemos um fá sustenido de fazer morrer de inveja Enesco, Capet e Thibaud; apesar de toda a minha calma, confesso que diante daquela sonoridade, sentia o coração de tal modo apertado que me custava conter os soluços. A sala arquejava; Brichot, meu caro – exclamou o barão, sacudindo violentamente o universitário pelo braço – era sublime. Somente o jovem Charlie mantinha uma imobilidade de pedra, não o viam sequer respirar. Dava a impressão de ser como essas coisas do mundo inanimado de que fala Theodore Rousseau, que fazem pensar mas não pensam. E então, de repente – gritou o Sr. de Charlus com ênfase e imitando um lance teatral – então... a Mecha! Enquanto isso, pequena contradança graciosa do *allegro vivace*. Sabe, aquela mecha foi o sinal da revelação, mesmo para os mais tapados. A princesa de Taormina, até então surda, pois não há pior surdo que aquele que tem orelhas para não ouvir, a princesa de Taormina, diante da evidência da mecha miraculosa, compreendeu que se tratava de música e que não se jogaria pôquer. Ah! Foi um momento bem solene! – Perdoe-me, senhor, por interrompê-lo – disse eu ao Sr. de Charlus para conduzi-lo ao assunto que me interessava –, o senhor me dizia que a filha do autor devia comparecer. Isto muito

[38] Aqui, como pouco antes na referência a Doña Sol, Proust alude ao drama *Hernani*, de Victor Hugo. Convém notar a relação onomástica entre Charlie e o personagem Dom Carlos do *Hernani*. (N. do T.)

me interessaria. Tem certeza de que contavam com ela? – Ah, não sei. – Assim, o Sr. de Charlus obedecia, talvez sem o querer, àquela senha universal de não fornecer informações aos ciumentos, seja para se mostrar absurdamente "camarada" por questão de honra, mesmo que a detestasse, em relação à pessoa que é objeto do ciúme, seja por maldade para com ela, prevendo que o ciúme não faria mais que redobrar o amor; seja pela necessidade de ser desagradável aos outros, que consiste em dizer a verdade à maioria dos homens mas escondê-la aos ciumentos, visto que a ignorância lhes aumenta o sofrer, pelo menos é o que se imagina; e para magoar os outros, guiamo-nos pelo que nós mesmos pensamos, talvez erradamente, ser mais doloroso. – Você sabe – continuou ele –, isto aqui é um tanto a casa dos exageros, são pessoas encantadoras, mas enfim gostam muito de anunciar celebridades de um ou outro gênero. Mas parece que você não está passando bem e vai pegar um resfriado nesta peça tão úmida – disse ele, empurrando uma cadeira para junto de mim. – Já que está doente, é preciso tomar cuidado, vou buscar seu agasalho. Não, não vá você mesmo, seria perigoso, vai se resfriar. É assim que se fazem imprudências, afinal você não é nenhuma criança, será que precisaria de uma velha ama como eu para cuidar de você? – Não se incomode, barão, eu vou – disse Brichot, que se afastou logo. Não se dando talvez bem conta da amizade muito verdadeira que o Sr. de Charlus sentia por mim e das remissões encantadoras de simplicidade e devotamento que comportavam suas crises delirantes de grandeza e perseguição, havia receado que o barão, que a Sra. Verdurin confiara à sua vigilância como um prisioneiro, estivesse procurando, a pretexto de ir buscar meu sobretudo, juntar-se a Morel e, assim, fazer fracassar o plano da Patroa.

Nesse meio tempo Ski sentara-se ao piano, sem que ninguém lhe pedisse, e, compondo – com um franzir risonho de sobrancelhas, um olhar distante e um leve esgar da boca – o que julgava ser um ar de artista, insistia com Morel para que tocasse alguma coisa de Bizet. – Como, não gosta daquele lado garoto da música de Bizet? Mas meu caro – disse ele carregando os *rr* à sua maneira particular –, é encantador. – Morel, que não apreciava Bizet, declarou-o com exagero, e Ski (que passava por espirituoso no pequeno clã, o que era verdadeiramente inacreditável), fingindo tomar as diatribes do violinista por paradoxos, pôs-se a rir. Seu riso não era, como o do Sr. Verdurin, a sufocação de um fumante. Primeiro, Ski assumiu um ar finório; depois deixava escapar, como que sem querer, um único som de riso, como um primeiro toque de sinos, seguido de um silêncio em que o olhar sabido parecia examinar, com conhecimento de causa, a graça do que fora dito; depois vinha um novo toque de sinos e em breve era tudo um risonho ângelus.

Externei ao Sr. de Charlus a pena de que o Sr. Brichot se incomodasse por minha causa. – Nada disso, ele está bem contente, gosta muito de você, todo mundo gosta. Diziam outro dia: mas a gente não o vê mais, ele se isola! Aliás o Brichot é uma ótima pessoa – continuou o Sr. de Charlus, que sem dúvida não desconfiava, ao ver o modo franco e afetuoso com que lhe falava o professor de Moral, de como era ridicularizado sem cerimônia por ele quando se achava ausente. – É um homem de grande valor, que sabe muitíssimo, e que nem por isso se tornou ressequido, a cultura não fez dele um rato de biblioteca, como a tantos outros que fedem a tinta. Conservou uma largueza de vistas e uma tolerância raras em seus pares. Às vezes, ao ver como ele compreende a vida, como sabe devolver com simplicidade a cada um o que lhe é devido, fica-se sem saber onde um mero professorzinho da Sorbonne, um antigo mestre-escola, pôde aprender tudo isso. Eu mesmo fico espantado. – E eu mais ainda, vendo a conversação desse Brichot, que o menos refinado dos convivas da Sra. de Guermantes teria achado tão pesado e estúpido, agradar ao mais difícil de todos, o Sr. de Charlus. Mas para tal resultado haviam colaborado, entre outras influências, aliás distintas, aquelas em virtude das quais Swann, por um lado, se tinha se agradado durante tanto tempo no pequeno clã, quando estava apaixonado por Odette, por outro lado, desde que se casara, achava agradável uma pessoa como a Sra. Bontemps, que fingia adorar o casal Swann, vinha muitas vezes visitar Odette, deliciava-se com as histórias do marido e falava deles com desdém. Assim como o escritor que dá a palma da inteligência não ao homem mais inteligente, mas ao devasso que faz uma reflexão audaciosa e tolerante acerca da paixão de um homem por uma mulher, reflexão que faz com que a amante literata do escritor concorde com este em achar que, de todas as pessoas que o visitam, a menos estúpida é ainda o velho experiente que sabe das coisas do amor – da mesma forma para o Sr. de Charlus o mais inteligente de seus amigos era Brichot, que não só era amável com Morel, mas colhia oportunamente nos filósofos gregos, nos poetas latinos, nos contistas orientais, textos que adornavam o gosto do barão de um florilégio estranho e delicioso. O Sr. de Charlus chegara àquela idade em que um Victor Hugo aprecia cercar-se principalmente de Vacqueries e de Meurices. Acima de todos, preferia aqueles que partilhavam de seu ponto de vista sobre a vida. – Vemo-nos amiúde – acrescentou com voz pipilante e cadenciada, sem que um só movimento salvo dos lábios lhe alterasse a máscara grave e empoada, sobre a qual estavam meio abaixadas suas pálpebras de eclesiástico. – Freqüento suas aulas, aquela atmosfera de *quartier latin* é nova para mim, existe ali uma adolescência estudiosa, capaz de pensar, jovens burgueses mais inteligentes, mais instruídos do que eram, em outro ambiente, os meus colegas. É outra coisa, que você provavelmente conhece melhor que eu, são jovens *burgueses* – observou, sublinhando a palavra, que fez preceder de vários *bb*, destacando-a por uma espécie de hábito de elocução, correspondente a um gosto de nuanças no pensamento, que lhe era próprio, mas talvez também para não resistir ao prazer de me manifestar alguma insolência. Esta não diminuiu em nada a grande e afetuosa compaixão que me inspirava o Sr. de Charlus (desde que a Sra. Verdurin revelara as suas intenções diante de mim), divertiu-me apenas e, mesmo numa ocasião em que eu não tivesse sentido tanta simpatia por ele, não me deixaria melindrado. Eu herdara de minha avó o ser destituído de amor-próprio a um grau que facilmente me faria perder a dignidade. Sem dúvida, não tinha quase consciência disso, e, de tanto ter visto desde o colégio os meus mais caros colegas não suportarem que lhes faltassem com a consideração, não perdoarem um mau procedimento, eu acabara por mostrar, nas palavras e nos atos, uma segunda natureza que era bastante orgulhosa. Ela passava até por sê-lo em demasia porque, não sendo de modo algum medroso, facilmente arranjava duelos, cujo prestígio moral entretanto procurava diminuir caçoando deles, o que facilmente convencia que eles eram ridículos. Mas a natureza que recalcamos nem por isso deixa de existir em nós. É assim que, por vezes, se lemos a nova obra-prima de um escritor de gênio, nela encontramos com prazer todas aquelas reflexões que tínhamos desprezado, alegrias e tristezas que havíamos contido, todo um mundo de sentimentos desdenhado por nós e cujo valor nos é revelado subitamente pelo livro em que os reconhecemos. Eu acabara por aprender, da experiência da vida, que não ficava bem sorrir afetuosamente quando alguém zombava de mim e a não lhe querer mal. Mas essa ausência de amor-próprio e de rancor, se a cessara de exprimir a ponto de ignorar quase completamente que ela existia em mim, nem por isso deixara de ser o meio vital primitivo no qual eu estava mergulhado. A cólera e a maldade só me vinham de forma totalmente diversa, por meio de crises de fúria. Além do mais, o sentimento da justiça, até a uma completa ausência do senso moral, era-me desconhecido. No fundo do meu coração eu era em favor daquele que se mostrava mais fraco e infeliz. Não tinha nenhuma opinião sobre a medida em que o Bem e o Mal podiam estar empenhados nas relações de Morel e do Sr. de Charlus, mas a idéia dos sofrimentos que preparavam para o barão era-me intolerável. Gostaria de preveni-lo, mas não sabia como proceder. – O espetáculo daquele mundinho laborioso é bem divertido para uma velha carcaça feito eu; não os conheço – acrescentou, soerguendo a mão com ar de reserva, para não parecer estar se gabando, para atestar a sua pureza e não fazer pairar suspeitas sobre a dos estudantes –; mas eles são muito corteses, e chegam a ponto de muitas vezes reservarem uma cadeira para mim, já que sou um senhor idoso. Sim, meu caro, não proteste, tenho mais de quarenta anos – disse o barão, que já ultrapassara os sessenta. – Faz um pouco de calor no anfiteatro em que fala Brichot, mas sempre é interessante. – Embora o barão preferisse estar misturado à juventude das escolas, e até ser bolinado por ela às vezes, para poupá-lo das longas esperas Brichot fazia-o entrar em sua companhia. Por mais que se sentisse em casa na Sorbonne, Brichot, no momento em que o bedel, carregado de correntes, o precedia e em que se adiantava o mestre admirado pela juventude, não podia deixar de mostrar alguma timidez e, embora desejasse aproveitar aquele momento em que se sentia tão considerável para testemunhar sua amabilidade a Charlus, ficava meio sem jeito; para que o bedel o deixasse passar, dizia-lhe num tom artificial e com ar atarefado: – Siga-me, barão, encontrará seu lugar – e depois, sem mais se ocupar dele, para fazer a sua entrada, alegremente avançava sozinho pelo corredor. De cada lado cumprimentava-o uma dupla fila de professores; Brichot, desejoso de não parecer posudo para aqueles rapazes a cujos olhos sabia que era um grande pontífice, dirigia-lhes mil piscadelas, mil inclinações de cabeça, sinais de conivência, a que o seu cuidado de permanecer marcial e bom francês, dava o ar de uma espécie de encorajamento cordial, de *sursum corda*[39] de um velho soldado que diz: – Com os diabos, saberemos combater. – Depois, estrugiam os aplausos dos alunos. Por vezes, Brichot extraía dessa presença do Sr. de Charlus a oportunidade de proporcionar um prazer, quase para retribuir amabilidades. Dizia a algum parente, ou a algum de seus amigos burgueses: – Se isso puder divertir sua mulher ou sua filha, aviso-lhe que o barão de Charlus, príncipe de Agrigento, descendente de Condé, assistirá à minha aula. Para uma criança, é uma recordação a aguardar o ter visto um dos últimos descendentes da nossa aristocracia dotados de personalidade. Se vierem, reconhecê-lo-ão, pois estará ao lado da minha cátedra. Além disso, será o único, um homem corpulento, de cabelos brancos, bigode preto e com a medalha militar. – Ah, agradeço-lhe – dizia o pai. E, embora a mulher tivesse mais que fazer, para não ser indelicado com Brichot, ele a obrigava a ir àquela aula, ao passo que a filhinha, incomodada pelo calor e pela multidão, todavia devorava curiosamente com os olhos o descendente de Condé, espantando-se de que ele não usasse gola pregueada e se assemelhasse aos homens dos nossos dias. Ele, no entanto, não olhava para ela, porém mais de um estudante, que não sabia de quem se tratava, admirava-se com sua amabilidade, tornava-se importante e seco, e o barão saía cheio de sonhos e melancolia. – Perdoe-me por voltar à vaca-fria – disse eu rapidamente ao Sr. de Charlus, ao ouvir os passos de Brichot –, mas o senhor poderia me avisar por um telegrama, se soubesse que a Srta. Vinteuil ou sua amiga devessem vir a Paris, dizendo-me exatamente a duração de sua estadia e sem dizer a pessoa alguma que eu lhe pedi isto? – Eu já não acreditava que ela devesse vir, mas desse modo queria garantir-me para o futuro. – Sim, farei isto por você. Primeiro, porque devo-lhe um grande reconhecimento. E, não aceitando outrora o que eu lhe propusera, o senhor, sem querer, prestou-me um imenso serviço, deixou-me a minha liberdade. É certo que abdiquei dela por outra forma – acrescentou em tom melancólico onde transparecia o desejo de fazer confidências –; há nisso o que eu considero sempre o fato maior, toda uma reunião de circunstâncias que você deixou de utilizar em seu proveito, talvez porque o destino lhe tenha advertido, naquele preciso momento, para não contrariar o meu caminho. É sempre "o homem se agita e Deus o conduz". Quem sabe se, no dia em que saímos juntos da

[39] *Sursum corda* (latim): "Corações ao alto" (N. do T.)

casa da Sra. de Villeparisis, você tivesse aceito, talvez muitas coisas que se passaram desde então não houvessem ocorrido. – Embaraçado, fiz a conversa desviar-se apoderando-me do nome da Sra. de Villeparisis, confessando a tristeza que me causara a sua morte.[40] – Ah, sim – murmurou secamente o Sr. de Charlus com a mais insolente entonação, recebendo minhas condolências sem por um segundo parecer acreditar na sinceridade delas. Vendo que, em todo caso, o assunto Sra. de Villeparisis não lhe era doloroso, quis saber dele, tão qualificado a todos os respeitos, por que motivo a Sra. de Villeparisis fora tão rejeitada pelo mundo aristocrático. Não apenas ele não me deu a solução desse probleminha mundano, mas nem sequer pareceu conhecê-lo. Compreendi então que a posição da Sra. de Villeparisis, se mais tarde devia parecer grande à posteridade, e mesmo quando vivia a marquesa, à plebe ignorante, não parecera menor à outra extremidade da escala social, a que se ligava a Sra. de Villeparisis, aos Guermantes. Ela era tia deles, e eles valorizavam sobretudo o seu nascimento, as alianças conjugais, a importância conservada na família pela ascendência sobre esta ou aquela cunhada. Valorizavam isto menos pelo seu lado mundano que pelo lado da família. Ora, esta era mais brilhante para a Sra. de Villeparisis do que eu havia julgado. Ficara impressionado ao saber que o nome de Villeparisis era falso. Porém há outros exemplos de grandes damas que fizeram um casamento desigual e mantiveram uma situação preponderante. O Sr. de Charlus começou por me informar que a Sra. de Villeparisis era sobrinha da famosa duquesa de ***, a mais célebre mulher da alta aristocracia durante a monarquia de Julho, mas que não quisera freqüentar o Rei-Cidadão e sua família. Eu desejara tanto conhecer histórias sobre essa duquesa! E a Sra. de Villeparisis, a boa Sra. de Villeparisis, de faces que se me afiguravam faces de burguesa, a Sra. de Villeparisis que me mandava tantos presentes e que eu facilmente poderia ter visto todos os dias, a Sra. de Villeparisis era a sua sobrinha, educada por ela, em sua casa, no palácio de ***. – Ela perguntava ao duque de Doudeauville – disse-me o Sr. de Charlus, falando das três irmãs: – Qual das três lhe agrada mais? E, tendo Doudeauville respondido: – Sra. de Villeparisis –, a duquesa de *** retrucou: – Porco! – pois a duquesa era muito *espirituosa* – disse o Sr. de Charlus, dando à palavra a importância e a pronúncia de costume entre os Guermantes. Aliás, eu não me espantava que ele achasse tão espirituosa a palavra, já que havia reparado em muitas outras ocasiões na tendência centrífuga, objetiva, dos homens, que os impele a abdicar, quando apreciam o espírito dos outros, das severidades que teriam para com o próprio, e a observar, a registrar cuidadosamente o que desdenhariam criar.

[40] Como nos casos de Bergotte, Cottard e Saniette, a morte da Sra. de Villeparisis não foi devidamente incorporada ao texto, pois ela ainda estará viva em *A Fugitiva.* (N. do T.)

– Mas o que há? É o meu sobretudo que ele está trazendo – disse o barão, vendo que Brichot se demorara tanto tempo para acabar se enganando. – Seria preferível que eu mesmo o tivesse ido buscar. Afinal, você vai pô-lo sobre os ombros. Sabe que isso é bastante comprometedor, meu caro? É como beber no mesmo copo, saberei os seus pensamentos. Mas não, não é assim, olhe, deixe que o ponha em você – e, ao enfiar-me o sobretudo, assentava-o nos meus ombros, ajeitava-o no pescoço, erguia a gola e com a mão esfregava-me o queixo, desculpando-se: – Na sua idade não se sabe pôr um agasalho, é preciso mimá-lo, não segui a minha vocação, Brichot, nasci para babá de crianças. – Eu queria ir embora, mas, tendo o Sr. de Charlus manifestado a intenção de ir procurar Morel, Brichot nos reteve a ambos. Além disso, a certeza de que em casa reencontraria Albertine, certeza igual à da tarde, quando sabia que Albertine voltaria do Trocadero, dava-me naquele momento tão pouca impaciência de vê-la como tivera nesse mesmo dia enquanto estava sentado ao piano, depois que Françoise me telefonara. E foi essa tranqüilidade que me permitiu, cada vez que, no decurso daquela conversação, desejei levantar-me, obedecer à injunção de Brichot, que temia que minha partida impedisse Charlus de ficar até o momento em que a Sra. Verdurin viesse chamar-nos. – Olhe – disse ele ao barão –, fique um pouco em nossa companhia, em breve poderá lhe dar a *accolade* – acrescentou Brichot fixando em mim o seu olho quase morto, ao qual as numerosas operações que sofrera tinham feito recobrar um pouco de vida, mas que no entanto já não possuía a mobilidade necessária à expressão oblíqua da malignidade. – A *accolade*, como é tolo! – exclamou o barão num tom agudo e deliciado. – Meu caro, ele se julga estar sempre numa distribuição de prêmios, sonha com seus alunozinhos. Pergunto-me se não dorme com eles. – Você deseja ver a Srta. Vinteuil – disse-me Brichot, que ouvira o final da nossa conversa. – Prometo-lhe que o avisarei se ela vier, saberei pela Sra. Verdurin – pois ele sem dúvida previa que o barão estava na iminência de ser excluído do pequeno clã. – Pois bem, acha que está em melhores relações do que eu com a Sra. Verdurin – disse o Sr. de Charlus – para ser informado sobre a vinda dessas pessoas de fama terrível? Você sabe que é coisa superconhecida. A Sra. Verdurin errou em deixar que elas viessem, é gente que só se admite em ambientes suspeitos. Elas são amigas de toda uma turma horrível, que deve reunir-se em lugares pavorosos. – A cada uma dessas palavras meu sofrimento se acrescia de um sofrimento novo, mudava de forma. E súbito, lembrando-me de certos movimentos de impaciência de Albertine, que de resto ela reprimia logo, tive medo de que formasse o projeto de me abandonar. Tal suspeita me tornava mais necessário fazer durar nossa vida em comum até chegar uma época em que eu tivesse recobrado o meu sossego. E para tirar de Albertine, se é que ela a possuía, a idéia de antecipar-se ao meu projeto de rompimento, para lhe fazer parecer mais leve os seus grilhões, até o momento em que eu pudesse provocar o rompimento sem mágoas, o mais hábil (talvez eu me sentisse contagiado pela presença do Sr. de Charlus, pela inconsciente lembrança das comédias que ele gostava de interpretar), o mais hábil pareceu-me fazer Albertine acreditar que eu próprio tinha intenção de deixá-la e, tão logo voltasse para casa, ia simular despedidas, fingir um rompimento. – É claro que não me julgo em melhores relações que o senhor com a Sra. Verdurin – declarou Brichot acentuando as palavras, pois receava ter despertado as suspeitas do barão. E, como visse que eu queria despedir-me, desejando me reter com a isca do divertimento prometido: – Há uma coisa em que o barão parece não ter pensado quando fala da reputação dessas duas senhoras, é que uma reputação pode ser ao mesmo tempo péssima e imerecida. Assim, por exemplo, na série mais notória, que eu chamarei paralela, é certo que os erros judiciários são numerosos e que a História registrou sentenças de condenação por sodomia que desonraram homens ilustres inteiramente inocentes. A recente descoberta de um grande amor de Michelangelo por uma mulher é um fato novo que merecia ao amigo de Leão X o benefício de uma instância de revisão póstuma. O caso Michelangelo parece-me perfeitamente indicado para apaixonar os esnobes e mobilizar La Vilette, quando outro caso que conheço, em que a anarquia foi bem recebida e tornou-se o pecado da moda de nossos bons diletantes, mas cujo nome não é permitido pronunciar por temor a provocar brigas, estiver enfim enterrado. – Desde que Brichot começara a falar das reputações masculinas, o Sr. de Charlus havia traído em todo o rosto o gênero especial de impaciência que se nota num perito médico ou militar quando pessoas da sociedade, que não conhecem nada, metem-se a dizer tolices sobre pontos de terapêutica ou de estratégia. – Não sabe coisa nenhuma do que está falando – acabou ele por dizer a Brichot. – Cite-me uma só reputação imerecida. Diga os nomes. Sim, eu conheço tudo – retrucou violentamente o Sr. de Charlus a uma tímida interrupção de Brichot –, as pessoas que fizeram isso outrora por curiosidade, ou por afeição única por um amigo morto, e aquele que, receando ter-se adiantado demais, se lhe falam da beleza de um homem, responde que isso para ele é chinês, que já não sabe distinguir um homem bonito de um feio, assim como entre dois motores de automóvel, visto que a mecânica não é o seu forte. Tudo isso não passa de mentiras. Meu Deus, veja bem; não quero dizer que uma reputação má (ou o que se convencionou chamar assim) e injustificada seja algo absolutamente impossível. É de tal modo excepcional, de tal modo rara, que praticamente não existe. Todavia, eu, que sou um curioso, um bisbilhoteiro, cheguei a saber da existência de casos assim, e que não eram mitos. Sim, no decurso da minha vida tenho constatado (constatado cientificamente, pois não me contento com palavras) duas reputações imerecidas. De hábito, elas se estabelecem graças a uma semelhança de nomes ou, então, de acordo com certos sinais exteriores, o excesso de anéis por exemplo, que as pessoas incompetentes julgam ser características daquilo que está dizendo, assim como acreditam que um camponês não diz duas palavras sem acrescentar *jarniguié*,[41] ou em inglês, *goddam*. Faz parte da convenção para o teatro dos bulevares.

O Sr. de Charlus me impressionou bastante ao citar, entre os invertidos, "o amigo da atriz" que eu vira em Balbec e que era o chefe da pequena sociedade de quatro amigos. – Mas então essa atriz? – Ela lhe serve de biombo, e aliás ele tem relações sexuais com ela, mais talvez do que com os homens, com quem não se relaciona quase. – E tem relações com os outros três? – De jeito nenhum! São amigos mas não para isso! Dois deles só querem saber de mulheres. Um é invertido, mas não é certo que seu amigo o seja, e em todo caso eles se ocultam um do outro. O que os deixará assombrados é que essas reputações injustificadas são as mais sólidas aos olhos do público. Você mesmo, Brichot, que põe a mão no fogo da virtude desse ou daquele homem que vem aqui e que as pessoas bem informadas conhecem como o lobo com pele de carneiro, você, como todo mundo, deve acreditar no que dizem de certo homem em evidência, quando a verdade é que ele jamais pecou por apenas dois tostões. Digo dois tostões porque, se lhes pusermos na mão vinte e cinco luíses, veríamos o número de santinhos diminuir até zero. Seja como for, a taxa dos santos, se você vê santidade nisso, costuma em regra ser de três ou quatro em dez. – Se Brichot havia transposto para o sexo masculino a questão das más reputações, de minha parte, e inversamente, era ao sexo feminino e pensando em Albertine que relacionava as palavras do Sr. de Charlus. Estava impressionado com a sua estatística, mesmo levando em conta que ele devia exagerar as cifras ao sabor do que desejava, e também conforme os relatos de criaturas maldizentes, talvez mentirosas, em todo caso enganadas pelo próprio desejo, o qual, ajuntando-se ao do Sr. de Charlus, falseava sem dúvida os cálculos do barão. – Três em dez! – exclamou Brichot. – Invertendo a proporção, eu ainda teria de multiplicar por cem o número de culpados. Se isto é o que o senhor diz, barão, e se não está enganado, então confessemos que o senhor é um desses raros videntes de uma verdade que ninguém desconfiava em torno deles. Foi assim que Barrès fez, sobre a corrupção parlamentar, descobertas que foram comprovadas posteriormente, como a existência do planeta de Leverrier. A Sra. Verdurin citaria de preferência homens que acho melhor não nomear e que descobriram no Escritório de Informações do Estado-Maior atividades, inspiradas, segundo creio, por um zelo patriótico, mas que afinal eu não imaginava. Sobre a franco-maçonaria, a espionagem alemã, a morfinomania, Léon Daudet escreve diariamente um prodigioso conto de fadas, que ocorre ser a própria realidade. Três em dez! – repetiu Brichot estupefato. Convém dizer que o Sr. de Charlus considerava invertidos a grande maioria

[41] *Jarniguié*: corruptela de *Je renie Dieu* ("renego a Deus"), que se encontra na peça *D. João, ou o Festim de pedra*, de Molière. (N. do T.)

de seus contemporâneos, excetuando contudo os homens com quem tivera relações e cujo caso, por pouco que a elas se mesclasse um tanto de romanesco, parecia-lhe mais complexo. É assim que certos homens devassos, não acreditando na honra das mulheres, só atribuem alguma virtude àquela que foi sua amante e a respeito de quem protestam sinceramente e com ar misterioso: – Mas não, o senhor está enganado, ela não é uma mulher à-toa. – Essa inesperada estima lhes é ditada em parte pelo amor-próprio, porque é mais lisonjeiro que tais favores tenham sido reservados exclusivamente para eles, em parte por sua ingenuidade, que aceita facilmente tudo o que sua amante quis impingir-lhes, e em parte por aquele sentimento da vida que faz com que, desde que nos aproximamos das criaturas, das existências, as etiquetas e compartimentos previamente preparados pareçam simples demais. – Três em dez! Tome cuidado, barão; menos feliz que esses historiadores que o futuro há de ratificar, se o senhor quiser apresentar à posteridade o quadro que está pintando, ela poderá achar ruim o negócio. Ela só julga baseada em documentos e desejaria tomar conhecimento do seu dossiê. Ora, se nenhum documento vier autenticar esse gênero de fenômenos coletivos, já que as únicas pessoas informadas a respeito têm grande interesse em mantê-los na sombra, haveria muita indignação entre as almas caridosas, e o senhor passaria simplesmente por um caluniador ou um louco. Depois de ter obtido o máximo e o principado, no concurso de elegância deste mundo, o senhor conheceria as tristezas de uma rejeição póstuma. Não vale a pena, como diz, Deus me perdoe, o nosso Bossuet. – Não trabalho para a História – respondeu o Sr. de Charlus –, basta-me a vida, ela é muito interessante, como dizia o pobre Swann. – Como? O senhor conheceu Swann, barão? Não sabia. Ele também era dado a esses vícios? – indagou Brichot com ar inquieto. – Que grosseirão que você é! Então acha que só conheço pessoas assim? Não, não creio – disse Charlus de olhos baixos e procurando pesar os prós e os contras. E, pensando que, visto que se tratava de Swann, cujas tendências tão contrárias sempre foram muito conhecidas, uma meia confissão só podia ser inofensiva para aquele a quem ela visava e lisonjeira para quem a deixava escapar numa insinuação: – Não digo que outrora no colégio, uma vez casualmente – disse o barão, como que involuntariamente e como se estivesse pensando em voz alta, e logo se corrigindo: – Mas isto já faz duzentos anos, como quer que me lembre? O senhor me aborrece – concluiu, rindo. – Em todo caso, ele não era lá muito bonito – disse Brichot, que, sendo horroroso, achava-se razoável e sem dificuldade julgava os outros feios. – Cale-se – disse o barão –, não sabe o que está dizendo; naquele tempo Swann tinha uma pele de pêssego e – acrescentou, pronunciando cada sílaba num tom diverso – era belo como os amores. Aliás, sempre se manteve encantador. Foi amado loucamente pelas mulheres. – Mas o senhor conheceu a mulher dele? – Ora se não! Foi por meu intermédio que ele a conheceu. Achei-a encantadora em seu meio travesti, numa noite em que representava o papel de

Miss Sacripant; eu estava com alguns companheiros de clube, tínhamos todos voltado para casa com uma mulher, e, conquanto eu só tivesse vontade de dormir, as más línguas afirmaram, pois é terrível como o mundo é maldoso, que eu dormira com Odette. Apenas, ela se aproveitou disso para vir me aborrecer, e eu tive de me livrar dessa amolação apresentando-a a Swann. A partir desse dia ela não deixou mais de me importunar, pois não sabia uma só palavra de ortografia, e era eu quem escrevia as cartas dela. E depois, eu é que fui encarregado de passear com ela. Aí está, meu menino, o que significa ter uma boa reputação. De resto, só a merecia pela metade. Ela me obrigava a arrumar tremendas farras com cinco ou seis pessoas. – E os amantes que Odette havia tido sucessivamente (andara com este, depois com aquele, e nenhum desses casos foi descoberto pelo pobre Swann, cego pelo ciúme e pelo amor, computando as probabilidades e acreditando nas juras, mais afirmativas do que uma contradição que escapa à culpada, contradição bem mais difícil de perceber e no entanto bem mais significativa, e da qual o ciumento poderia prevalecer-se, mais logicamente, do que de informações que ele, falsamente, pretende ter obtido, para inquietar a sua amante), esses amantes, pôs-se o Sr. de Charlus a enumerá-los com tamanha certeza como se recitasse a lista dos reis da França. E, de fato, o ciumento está, como os contemporâneos, perto demais, ele não sabe nada, e é para os estranhos que a crônica dos adultérios assume a precisão da História e se alonga em listas, aliás indiferentes, e que só se tornam tristes para um outro ciumento, como eu era, que não pode evitar comparar o seu caso àquele de que ouve falar e que se pergunta se não existe uma lista tão ilustre quanto aquela para a mulher de quem duvida. Mas ele não pode saber nada sobre isso, é como que uma conspiração universal, uma brincadeira cruel de que todos participam, e que consiste, enquanto sua amiga passa de um para outro, em cobrir os olhos do iludido com uma venda que ele se esforça permanentemente por arrancar sem consegui-lo, pois todos mantêm cego o infeliz, os bons por bondade, os maus por malvadez, as criaturas grosseiras pelo prazer das troças de mau gosto, os bem-educados por polidez e boa educação, e todos por uma dessas convenções que se denominam princípios. – E Swann nunca soube que o senhor recebera os favores dela? – Mas, ora, que horror! Contar isso a Charles! É de fazer arrepiar os cabelos. Mas, meu caro, ele simplesmente me teria matado, era ciumento como um tigre. Como aliás eu nunca disse a Odete, a quem de resto isso pouco importava, que... Vamos, não me faça dizer asneiras. E o melhor é que foi ela quem lhe deu uns tiros que quase me atingiram. Ah! passei maus momentos com aquele casal; e naturalmente, eu é que fui obrigado a servir de testemunha a Swann contra d'Osmond, coisa que este jamais me perdoou. D'Osmond tinha raptado Odette, e Swann, para se consolar, tomara como amante, ou falsa amante, a irmã de Odette. Afinal, você não vai me fazer contar a história de Swann, teríamos assunto para dez anos, você com-preende, conheço a peça como ninguém. Era eu quem saía com

Odette quando ela não queria ver Charles. Isso me aborrecia tanto mais que eu tenho um parente próximo chamado Crécy, sem ter naturalmente direito a isso, mas a quem afinal a coisa não agradava. Pois ela se fazia chamar Odette de Crécy, e o podia perfeitamente, estando apenas separada de um Crécy de quem era a mulher, este bem autêntico, um cavalheiro muito distinto a quem ela arruinara até o último centavo. Mas para que me fazer falar desse Crécy, eu o vi conversando com ele no trenzinho de Balbec, e lá você lhe oferecia jantares. O pobre andava precisado disso: vivia de uma pensãozinha que lhe dava Swann e imagino que desde a morte do meu amigo ela não lhe tenha mais sido paga. O que não entendo – disse-me o Sr. de Charlus – é que você, que tantas vezes esteve na casa de Charles, não tenha querido há pouco que eu o apresentasse à rainha de Nápoles. Em suma, vejo que você não se interessa pelas *pessoas* como curiosidades, e isto sempre me surpreende da parte de alguém que conheceu Swann, em quem esse tipo de interesse era tão aprofundado que não se pode dizer qual de nós iniciou o outro no assunto. Surpreende-me tanto como ver alguém que conheceu Whistler e não sabe o que é bom gosto. Mas era principalmente a Morel que importava conhecê-la. Ele o desejava, aliás, de todo o coração, pois Morel é o que há de mais inteligente. É uma pena que ela tenha ido embora. Mas, enfim, hei de promover o encontro dos dois um dia desses. É indispensável que ele a conheça. O único obstáculo possível seria ela morrer amanhã. Ora, é de esperar que ela não chegue a tanto. – De súbito, como ficara paralisado pela proporção de "três em dez" que lhe revelara o Sr. de Charlus, Brichot, que não deixara de insistir na sua idéia, com uma rudeza que lembrava a de um juiz que quer obrigar um acusado à confissão, mas que na realidade era o resultado do desejo que tinha o professor de parecer perspicaz, e da perturbação que sentia ao lançar uma acusação tão grave: – Será que Ski é desse tipo? – perguntou ao Sr. de Charlus com ar sombrio. Para fazer admirar seus pretensos dotes de intuição, havia escolhido Ski, pessoa que lhe parecia um tanto esquisita, sofria de insônia, perfumava-se, enfim, estava fora do normal. – *De jeito nenhum* – gritou o barão com amarga ironia, dogmática e exasperada. – O que você diz é tão falso, tão absurdo e despropositado! Ski é justamente isso para as pessoas que não entendem do assunto. Se o fosse, não pareceria tanto sê-lo, digo-o sem qualquer intenção de crítica, pois ele possui um certo encanto, e eu acho-lhe até algo de muito cativante. – Mas diga então alguns nomes – insistiu Brichot. O Sr. de Charlus empertigou-se e respondeu com ar arrogante: – Ah, meu caro, por mim, você sabe; vivo no abstrato, tudo isso me interessa apenas de um ponto de vista transcendental –, demonstrando a suscetibilidade desconfiada, própria dos de sua laia, e a afetação de grandiloqüência que caracterizava a sua conversa. – Para mim, você compreende, existem só as generalidades que me interessam, eu lhe falo disso como da lei da gravidade. – Mas aqueles momentos de reação irritada, em que o barão cuidava de ocultar sua vida verdadeira, duravam bem pouco diante das horas de progressão contínua em que a deixava adivinhar-se, e exibia com uma complacência irritante visto que nele a necessidade de confidência era mais forte que o receio da divulgação. – O que eu queria dizer – continuou – é que, para uma má reputação injustificada, existem centenas de boas reputações que não são menos imerecidas. Evidentemente, o número dos que não as merecem varia segundo você se baseie nas palavras dos que são como eles ou nas de outros. E é certo que, se a maldade destes últimos está limitada pela excessiva dificuldade que teriam em acreditar num vício tão horrível para eles quanto o roubo ou o assassinato praticado por pessoas de quem conhecem a delicadeza e o bom coração, a maldade dos primeiros é exageradamente estimulada pelo desejo de acreditar serem, como direi?, acessíveis, pessoas que lhes agradam, por informações que lhes deram os outros, enganados por igual desejo, enfim devido à distância em que geralmente são mantidos. Já vi um homem, bem malvisto por causa desse vício, dizer que supunha que certo homem da sociedade também era viciado. E o único motivo de sua desconfiança era o fato de que esse homem fora gentil com ele! São outras tantas razões de *otimismo* – disse ingenuamente o barão – no cálculo da quantidade. Mas o verdadeiro motivo da enorme diferença entre o número calculado pelos profanos e o calculado pelos iniciados provém do mistério de que estes envolvem seus atos, a fim de escondê-los dos outros, que, desprovidos de quaisquer meios de informação, ficariam literalmente estupefatos se soubessem apenas um quarto da verdade. – Então, na nossa época, é como no tempo dos gregos – disse Brichot. – Mas como, no tempo dos gregos? Acha que isso não continuou desde então? Olhe, no reinado de Luís XIV, havia Monsieur, o pequeno Vermandois, Molière, o príncipe Louis de Baden, Brunswick, Charolais, Boufflers, o grande Condé, o duque de Brissac. – Espere um momento, eu sabia de Monsieur, sabia de Brissac por Saint-Simon, de Vendôme naturalmente e aliás de muitos outros, mas essa velha peste de Saint-Simon fala muitas vezes do Grande Condé e do príncipe Louis de Baden e jamais fez menção ao fato. – É mesmo deplorável que eu tenha de ensinar História a um professor da Sorbonne. Mas, meu caro mestre, você é ignorante como uma toupeira. – O senhor é duro, barão, mas justo. E olhe, vou lhe dar um prazer. Estou me lembrando agora de uma canção da época, que fizeram em latim macarrônico sobre certa tempestade que surpreendeu o Grande Condé enquanto descia o Ródano em companhia de seu amigo, o marquês de La Moussaye. Condé diz:

Carus Amicus Mussaeus,
Ah! Deus bonus! quod tempus!
Landerirette,
Imbre sumus perituri.

E La Moussaye o tranqüiliza, respondendo:

Securae sunt nostrae vitae,
Sumus enim Sodomitae,
Igne tantum perituri,
Landeriri.[42]

– Retiro o que disse – observou Charlus com voz aguda e afetada –, você é um poço de ciência; vai escrever isso para mim, não é? Desejo guardar essa canção nos meus arquivos de família, pois minha bisavó em terceiro grau era irmã do Senhor príncipe. – Sim, mas, barão, acerca do príncipe Louis de Baden não li nada. De resto, creio que em geral a arte militar... – Que bobagem! Naquele tempo, Vendôme, Villars, o príncipe Eugênio, o príncipe de Conti, e se lhe citasse todos os heróis de Tonquim, do Marrocos – mas falo apenas dos verdadeiramente sublimes e piedosos e "nova geração" –, eu o deixaria muito espantado. Ah, eu teria muito que ensinar às pessoas que fazem pesquisas sobre a nova geração que rejeitou as vãs complicações de seus antepassados, diz o Sr. Bourget! Tenho um amiguinho nessa geração, de que falam muito, que realizou coisas admiráveis; mas enfim, não quero ser maldoso, voltemos ao século XVII; sabe que Saint-Simon diz do marechal d'Huxelles – entre muitos outros: "... voluptuoso em devassidões gregas que não cuidava de esconder, atraía jovens oficiais a quem submetia, além de jovens criados de muito boa aparência, e isto sem disfarce, no exército e em Estrasburgo." Você provavelmente leu as cartas de Madame,[43] só o chamavam de *Putana*. Ela fala disso bem claramente. – E tinha no marido uma boa fonte de informações. – Que personagem interessante era Madame – disse o Sr. de Charlus. – Poderia servir de modelo para uma síntese lírica da "Mulher de um Veado". Em primeiro lugar, era machona; geralmente a mulher de um Veado é um homem, é o que lhes torna tão fácil fazer filhos. Além disso, Madame não fala dos vícios de Monsieur, mas alude sem cessar a esse mesmo vício nos outros, como pessoa informada e por esse hábito que temos de gostar de encontrar nas famílias dos outros as mesmas taras de que sofremos na nossa, para provar a nós próprios que isso nada tem de excepcional ou desonroso. Eu lhe dizia que isto foi sempre assim. Entretanto, o nosso tempo distingue-se particularmente sob tal aspecto. E, apesar dos exemplos que tirei do século XVII, se o meu grande antepassado François de La Rochefoucauld vivesse atualmente, poderia dizer deste século, e com maior razão ainda do que do seu, vamos, Brichot, ajude-me: "Os vícios são de todos os tempos; mas, se certas pessoas que todo mundo conhece tivessem vivido nos primeiros séculos, será que

[42] "Caro amigo La Moussaye, / Ah, meu Deus, que tempo! / Landerirete, / Nesta chuva morreremos. / — Estão seguras as nossas vidas, / Ambos somos sodomitas / Só pelo fogo morreremos, / Landeriri." (N. do T.)

[43] Madame era a esposa de Monsieur, o irmão do rei Luís XIV. (N. do T.)

hoje se falaria das prostituições de Heliogábalo?" Este *que todo mundo conhece* me agrada muito. Vejo que o meu sagaz parente conhecia "os podres" de seus mais célebres contemporâneos, assim como eu conheço os dos meus. Mas homens dessa espécie, não só aumentaram em número hoje, como também possuem algo de particular. – Vi que o Sr. de Charlus ia nos dizer de que maneira esse gênero de costumes havia evoluído. E nem por um instante, enquanto ele falava, enquanto Brichot falava, a imagem mais ou menos consciente da minha casa, onde me esperava Albertine, esteve, associada ao motivo meigo e íntimo de Vinteuil, ausente de mim. Eu retornava sem cessar a Albertine, assim como seria preciso de fato voltar para junto dela dali a pouco, feito uma grilheta à qual estivesse preso de um jeito ou outro, e que me impedisse de deixar Paris e que, naquele momento, enquanto que do salão Verdurin eu evocava minha casa, fazia-me sentir, não como um espaço vazio, exaltante para a personalidade e um tanto triste, mas como que repleto – semelhante nisso ao hotel de Balbec numa certa noite – dessa presença que dali não se movia, que permanecia ali para mim, e que, quando eu quisesse, estaria seguro de encontrar. A insistência com que o Sr. de Charlus voltava sempre ao assunto – para o qual ademais a sua inteligência, orientada sempre no mesmo sentido, possuía uma certa penetração – mostrava algo de muito complexamente penoso. Ele era enfadonho como um sábio que não enxerga nada além da sua especialidade, irritante feito uma pessoa bem informada que se envaidece com os segredos que detém e arde por divulgar, antipático como os que, quando se trata dos próprios defeitos, desabafam sem perceber que estão desagradando, obcecado como um maníaco e irresistivelmente imprudente como um culpado. Tais características, que em certos momentos se tornavam tão surpreendentes como as que distinguem um louco ou um criminoso, traziam-me aliás algum sossego. Pois, submetendo-as à transposição necessária para delas poder tirar deduções relativas a Albertine e lembrando-me da atitude desta para com Saint-Loup e comigo, eu concluía, por mais penosa me fosse uma dessas lembranças, e melancólica a outra, concluía que elas pareciam excluir o tipo de deformação tão acusada, de especialização forçosamente exclusiva, ao que parecia, que se destacava com tanta força da conversação e da pessoa do Sr. de Charlus. Mas, infelizmente, este se apressou em arruinar esses motivos de esperança, da mesma forma como nos havia fornecido, isto é, sem o saber. – Sim – disse ele –, não tenho mais vinte e cinco anos e já vi muita coisa mudar a meu redor; não reconheço mais nem a sociedade, onde as barreiras foram rompidas, onde uma chusma sem elegância nem decência dança o tango até na minha família, nem as modas, nem a política, nem as artes, nem a religião, nem nada. Confesso, porém, que o que mais mudou foi o que os alemães chamam de homossexualidade. Deus meu, no meu tempo, deixando de lado os homens que detestavam mulheres e os que, gostando só delas, faziam a outra coisa apenas por interesse, os homossexuais eram bons pais de família e só possuíam amantes para disfarçar. Se eu tivesse uma filha para casar, seria no meio deles que iria procurar um genro, se quisesse estar seguro de que ela não seria infeliz. Ai de mim! Tudo está mudado. Agora, eles também se recrutam entre os homens mais loucos por mulheres. Eu imaginava ter um certo faro, e, quando dizia comigo: "este certamente não", julgava não poder enganar-me. Pois bem, hoje desisto de acertar. Um de meus amigos, muito conhecido como tal, tinha um cocheiro que minha cunhada Oriane lhe arrumara, um rapaz de Combray que trabalhara um pouco em todos os ofícios, mas sobretudo no de fornicar com mulheres, e que eu teria jurado ser o mais hostil possível a esses hábitos. Ele fazia a desgraça da amante, enganando-a com duas mulheres a quem adorava, sem contar as outras, uma atriz e uma caixeira de cervejaria. Meu primo, o príncipe de Guermantes, que tem precisamente a inteligência irritante das pessoas que acreditam em tudo com muita facilidade, disse-me um dia: "Mas por que será que X não se deita com seu cocheiro? Quem sabe isto não daria prazer a Théodore" (é o nome do cocheiro) "e se este não está mesmo bastante aborrecido por ver que o patrão não tenta dar os primeiros passos nesse sentido?" Não pude deixar de impor silêncio a Gilbert; sentia-me, a um tempo, enervado diante daquela pretensa perspicácia, que, quando se exerce indistintamente, é uma falta de perspicácia, mas também pela malícia manifesta do meu primo, que desejaria que o nosso amigo X tentasse arriscar-se e, caso o negócio fosse viável, entrar ele por sua vez no jogo. – Quer dizer que o príncipe de Guermantes também se entrega a esse vício? – indagou Brichot com um misto de assombro e mal-estar. – Meu Deus – exclamou o Sr. de Charlus encantado –, é coisa tão conhecida que não creio cometer uma indiscrição dizendo-lhe que sim. Pois bem, no ano seguinte fui a Balbec, onde soube por um marinheiro que às vezes me levava para pescar, que o meu Théodore (que, entre parênteses, tem como irmã a camareira de uma amiga da Sra. Verdurin, a baronesa Putbus) costuma ir ao cais para buscar ora um ora outro marinheiro, com um topete diabólico, a fim de dar uma volta de barco e "outras coisinhas mais". – Foi a minha vez de perguntar se o patrão de Théodore, em quem eu reconhecera o senhor que jogava cartas o dia inteiro com a amante, era como o príncipe de Guermantes. – Mas ora, todo mundo sabe disso, ele não esconde de ninguém. – Mas ele estava com a amante. – E daí? Esses meninos são tão ingênuos! – retrucou o Sr. de Charlus com ar paternal, sem desconfiar do sofrimento que eu tirava de suas palavras pensando em Albertine. – É encantadora a sua amante. – Mas então os seus três amigos serão como ele? – De jeito nenhum – exclamou o Sr. de Charlus, tapando os ouvidos como se, tocando um instrumento, eu tivesse dado uma nota em falso. – Aí está ele agora no extremo oposto. Então não se tem mais o direito de ter amigos? Ah, a juventude! Ela confunde tudo. Precisa refazer toda a sua educação, meu jovem. Ora – prosseguiu –, confesso que nesse caso, e conheço muitos outros, por mais que procure manter o meu espírito aberto a todas as audácias, sinto-me embaraçado.

Sou bem antiquado, mas não compreendo – disse no tom de um velho galicano falando de certas formas de ultramontanismo, ou de um realista liberal que comentasse a Ação Francesa, ou de um discípulo de Claude Monet falando dos cubistas. – Não censuro esses inovadores, ou melhor, invejo-os, procuro entendê-los, mas não consigo. Se gostam tanto da mulher, por que motivo, e principalmente nesse mundo operário onde se é tão malvisto, onde se ocultam por amor-próprio, têm eles necessidade do que denominam um *mome* (garoto)? É que isso representa para eles outra coisa. O quê? – "Que outra coisa a mulher pode representar para Albertine?" pensei, e esse era de fato o motivo do meu sofrimento. – Decididamente, barão – disse Brichot –, se alguma vez o Conselho das faculdades propuser a criação de uma cátedra de Homossexualismo, irei indicá-lo em primeiro lugar. Ou antes, um Instituto de Psicofisiologia especial lhe seria mais adequado. E vejo-o sobretudo nomeado para uma cátedra do Collège de France, o que lhe permitira entregar-se a estudos pessoais, cujos resultados revelaria, como faz o professor de tâmul ou de sânscrito, diante de um número bem pequeno de pessoas que se interessam por isso. O senhor teria dois ouvintes, além do bedel, diga-se sem nenhuma intenção de lançar a menor dúvida quanto ao nosso corpo de bedéis, que julgo acima de qualquer suspeita. – O senhor não sabe nada – replicou o barão num tom duro e cortante. – Além disso, engana-se ao crer que isso interessa a tão pouca gente. É exatamente o contrário o que ocorre – e, sem se dar conta da contradição existente entre a direção que sua conversa invariavelmente tomava e a censura que ia endereçar aos outros: – Pelo contrário, é impressionante – disse ele ao Brichot com ar escandalizado e contrito –, não se fala noutra coisa. É uma vergonha, mas é como lhe digo, meu caro! Parece que anteontem, na casa da duquesa d'Ayen, não falaram noutra coisa durante duas horas. Imaginem se agora as mulheres se metem a falar nisso, será um verdadeiro escândalo! O que há de mais ignóbil é que elas são informadas – ajuntou com um ardor e uma energia extraordinários – por umas pestes, uns sujos como o pequeno Châtellerault, de quem há mais o que dizer do que de qualquer outro, e que lhes contam as histórias alheias. Já me avisaram que ele diz cobras e lagartos de mim, mas não ligo; acho que a lama e as imundícies, atiradas por um indivíduo que escapou de ser expulso do Jockey por ter feito trapaça num jogo de cartas, só podem recair sobre ele. Sei perfeitamente que, se fosse Jane d'Ayen, respeitaria bastante o meu salão para não permitir que nele se discutissem tais assuntos, nem que emporcalhassem na minha casa os meus próprios parentes. Mas já não existe sociedade, não existem regras, conveniências, tanto para a conversação como para a forma de trajar. Ah, meu caro! É o fim do mundo. Toda gente se tornou tão maldosa. Cada um que diga mais mal dos outros. É um horror!

Covarde como já era na minha infância em Combray, quando fugia para não ver oferecerem conhaque a meu avô, e os vãos esforços de minha avó a suplicar-lhe que o não bebesse, eu só tinha uma idéia: sair da casa dos Verdurin antes que ocorresse a "execução" de Charlus. – É absolutamente necessário que eu parta – disse a Brichot. – Vou com você – respondeu ele –, mas não podemos sair à inglesa. Vamos nos despedir da Sra. Verdurin – concluiu o professor, dirigindo-se para o salão com o ar de quem, nos jogos de sociedade, vai ver "se já pode voltar".

Enquanto conversávamos, o Sr. Verdurin, a um sinal da mulher, afastara-se com Morel. Aliás, mesmo que a Sra. Verdurin, depois de muito refletir, concluísse que seria mais sábio adiar as revelações a Morel, não mais teria podido fazê-lo. Há certos desejos que, às vezes circunscritos à boca, uma vez que os deixamos tomar corpo, exigem ser saciados sejam quais forem as conseqüências; não se pode mais resistir à tentação de beijar um ombro decotado que se observa desde há muito e sobre o qual os lábios caem como sobre o pássaro a serpente, de comer um doce com os dentes que a fome fascina, de se recusar ao espanto, à perturbação, à dor ou à alegria que se vai desencadear numa alma com palavras imprevistas. Assim, ébria de melodrama, a Sra. Verdurin havia imposto ao marido que chamasse Morel à parte e falasse ao violinista, custasse o que custasse. Este começara por deplorar que a rainha de Nápoles tivesse ido embora sem que ele lhe pudesse ter sido apresentado. O Sr. de Charlus tanto lhe repetira que ela era irmã da imperatriz Élisabeth e da duquesa d'Alençon, que a soberana assumira aos olhos de Morel uma importância extraordinária. Mas o Patrão lhe explicara que não estavam ali para falar da rainha de Nápoles, e fora direto ao assunto. – Veja bem – concluíra após algum tempo –, veja bem; se quiser, vamos consultar minha mulher. Palavra de honra que não disse coisa alguma a ela. Vamos ver o que ela acha. Minha opinião talvez não seja a boa, mas você sabe como é seguro o juízo dela; e depois, ela sente uma enorme estima por você, vamos submeter-lhe a causa. – E, enquanto a Sra. Verdurin esperava com impaciência as emoções que ia saborear falando ao virtuose, e logo que este saísse, ao receber um sumário exato do diálogo trocado entre ele e seu marido, não deixava de repetir: – Mas o que é que eles podem fazer? Pelo menos, espero que Auguste,[44] durante esse tempo todo, tenha sabido industriá-lo –, o Sr. Verdurin voltara com Morel, que parecia grandemente emocionado. – Ele gostaria de te pedir um conselho – disse o Sr. Verdurin à mulher, com o ar de alguém que não sabe se seu pedido será aceito. Em vez de responder ao Sr. Verdurin, afogueada pela paixão, foi a Morel que a Sra. Verdurin se dirigiu: – Sou absolutamente da mesma opinião que meu marido, acho que você não pode tolerar isso por mais tempo! – gritou ela com violência e esquecendo, como ficção fútil, que fora combinado com o marido que ela fingiria ignorar o que o Sr. Verdurin dissera ao violinista. – Como? Tolerar o quê? – balbuciou o Sr. Verdurin, que tentava aparentar

[44] Mais adiante o Sr. Verdurin será chamado de "Gustave". (N. do T.)

assombro e procurava, com uma falta de jeito que sua perturbação explicava, defender sua mentira. – Adivinhei o que lhe disseste – respondeu a Sra. Verdurin, sem se incomodar com a maior ou menor verossimilhança da explicação, e pouco ligando para o que o violinista pudesse pensar da veracidade da sua Patroa, quando recordasse aquela cena. – Não – continuou a Sra. Verdurin –, acho que você não deve suportar mais essa promiscuidade vergonhosa com uma pessoa desmoralizada que já não é recebida em parte alguma – acrescentou, não se importando que aquilo não fosse verdade e esquecendo que ela o recebia quase diariamente. – Você é o alvo da troça de todo o Conservatório – acrescentou, sentindo que esse era o argumento de maior efeito –; mais um mês dessa vida e seu futuro artístico estará liquidado, ao passo que sem o Charlus você ganharia mais de cem mil francos anuais. – Mais eu nunca ouvi dizer coisa nenhuma, estou impressionado, sou muito grato a vocês – murmurou Morel com lágrimas nos olhos. Mas, obrigado a um tempo a fingir assombro e a dissimular a vergonha, estava mais rubro e suava mais do que se tivesse tocado todas as sonatas de Beethoven uma após outra. E a seus olhos subiam prantos que o mestre de Bonn certamente não lhe teria arrancado. O escultor, interessado nessas lágrimas, sorriu e me assinalou Charlie com o canto do olho. – Se não ouviu nada, é o único. Pois ele tem uma péssima reputação e contam coisas horríveis a seu respeito. Sei que a polícia está de olho nele e, aliás, é o que lhe pode acontecer de mais feliz, para não acabar como todos os de sua igualha, assassinado por apaches – acrescentou a Sra. Verdurin, pois, ao pensar em Charlus voltava-lhe a lembrança da Sra. de Duras e, no ódio de que se embriagava, fazia por agravar ainda mais os golpes que desferia no desgraçado Charlie e se vingar dos que ela próprio recebera naquela noite. – Além disso, mesmo do ponto de vista material, ele não lhe pode servir para nada: está inteiramente arruinado, desde que é vítima de pessoas que o exploram e já não poderão aproveitar-se dele, e muito menos você, pois tudo o que ele possui está hipotecado, casa, castelo, etc. – Morel facilmente acreditou nessa mentira, tanto mais que o Sr. de Charlus gostava de tomá-lo por confidente de suas relações com os apaches, raça pela qual o filho de um lacaio, por mais crapuloso que seja, professa um horror igual ao seu apego às idéias bonapartistas.

No espírito ardiloso de Morel já havia germinado uma combinação análoga ao que se denominou, no século XVIII, uma inversão de alianças. Decidido a não mais falar ao Sr. de Charlus, faria as pazes na noite seguinte com a sobrinha de Jupien, encarregando-se de ajeitar tudo. Infelizmente para ele, tal projeto devia fracassar, pois, nessa mesma noite, teve o Sr. de Charlus um encontro com Jupien ao qual o antigo coleteiro não ousou faltar, apesar do que acontecera. Como outras pessoas, como veremos, se precipitassem a favor de Morel, quando Jupien, chorando, contou as suas desditas ao barão, este, não menos infeliz, declarou-lhe que adotava a pequena abandonada, que a ela daria um dos títulos de que dispunha, provavelmente o de Srta. d'Oloron, que lhe proporcionaria um perfeito complemento de instrução e lhe arranjaria um belo casamento. Promessas que alegraram profundamente Jupien e deixaram indiferente a sua sobrinha, pois ela continuava a amar Morel, o qual, por cinismo ou estupidez, entrou gracejando na loja quando Jupien estava ausente. – Que significam essas olheiras? – perguntou rindo. – Desgostos amorosos? Diabo, os anos se sucedem e não se parecem. Afinal, somos livres para experimentar um sapato, e com maior razão uma mulher, e se não nos serve... – Só se aborreceu uma vez, porque ela chorou, o que ele achou uma covardia, um procedimento indigno. Nem sempre suportamos bem as lágrimas que fazemos correr.

Porém antecipamos demais, pois tudo isto só se passou depois da reunião Verdurin, que interrompemos e que é preciso retomar no ponto em que a deixamos. – Eu jamais teria desconfiado – suspirou Morel, em resposta à Sra. Verdurin. – Naturalmente não lhe dizem nada na cara, o que não impede que você se torne motivo de troça no Conservatório – repetiu maldosamente a Sra. Verdurin, querendo mostrar a Morel que não se tratava unicamente do Sr. de Charlus, mas também dele. – Acredito que você não saiba de coisa alguma; todos, no entanto, comentam sem a menor cerimônia. Pergunte a Ski o que estavam dizendo outro dia no concerto de Chevillard, a dois passos de nós, quando você entrou no meu camarote. Quer dizer, você já é apontado com o dedo. Direi que, por mim, isto pouco me importa, mas acho que tal situação torna um homem terrivelmente ridículo e fá-lo ser a risota de todos para o resto da vida. – Não sei como lhe agradecer – disse Charlie, no tom que o dizemos a um dentista que acaba de nos fazer sofrer horrivelmente sem que lho tivéssemos dado a perceber, ou a uma testemunha excessivamente sanguinária que nos forçou a um duelo devido a uma insignificância, pretextando: – Você não pode engolir isto. – Acho que você tem caráter, que é um homem – respondeu a Sra. Verdurin – e que saberá falar alto e bom som, embora ele diga a todo mundo que você não se atreveria, que o tem em suas mãos. – Charlie, buscando uma dignidade de empréstimo para encobrir a sua em farrapos, encontrou na memória, por a ter lido ou ouvido dizer, e logo proclamou: – Não fui educado para agüentar isto. Hoje mesmo, romperei com o Sr. de Charlus. A rainha de Nápoles foi mesmo embora, não é? Senão, antes de romper com ele, eu lhe teria pedido... – Não é necessário romper de todo com ele – disse a Sra. Verdurin, empenhada em não desorganizar o seu pequeno clã. – Não há inconveniente em que o veja aqui no nosso grupinho, onde você é apreciado, onde ninguém falará mal de você. Mas exija a sua liberdade e, além disso, não se deixe arrastar por ele à casa de todas essas espevitadas que só são amáveis na sua frente; gostaria que ouvisse o que elas dizem de você pelas costas. Aliás, não se lastime; não só não perde nada e tira de si uma mancha que lhe ficaria por toda a vida, como, do ponto de vista artístico, mesmo se não houvesse esta vergonhosa apresentação por Charlus, eu diria que o fato de você estar se desclassificando desse jeito nesse ambiente de mundanismo falso lhe daria um ar que não é sério, uma reputação de amador, de musicozinho de salão, que é terrível na sua idade. Compreendo que, para todas essas damas elegantes, é bem cômodo retribuir gentilezas das amigas convidando você para tocar de graça, porém à custa de seu futuro de artista. Não digo que não vá à casa de uma ou duas. Você falava da rainha de Nápoles – que realmente foi embora, pois tinha outra recepção –, ela é uma excelente mulher, e eu lhe diria que acho que pouco se importa com Charlus. Direi que foi sobretudo por minha pessoa que ela veio. É claro, sei que ela tinha vontade de nos conhecer, ao Sr. Verdurin e a mim. Está certo que vá tocar na casa dela. E depois, direi que, levado por mim, que os artistas conhecem, você sabe, com quem sempre foram muito amáveis, a quem consideram um pouco como um dos seus, como a sua Patrona, é bem diferente. Mas sobretudo, evite a casa da Sra. de Duras como se fosse fogo em brasa! Não caia nessa! Sei de artistas que vieram fazer-me confidências sobre ela. Sabem que podem confiar em mim – disse ela num tom meigo e simples que sabia assumir de repente, dando a suas feições um ar de modéstia, e aos olhos um sortilégio próprio. – Eles vêm muito naturalmente contar-me seus pequenos casos; ainda os que passam por ser os mais silenciosos, às vezes conversam horas a fio comigo, e você nem imagina como são interessantes. O pobre Chabrier sempre dizia: "Não há como a Sra. Verdurin para fazê-los falar." Pois bem, sabe de uma coisa? Todos, mas todos sem exceção, já os vi chorar por terem tocado na casa da Sra. de Duras. Não se tratava apenas das humilhações que recebiam dos criados por ordem e divertimento dela; mas depois eles não conseguiam obter contrato em parte alguma. Os diretores diziam: "Ah, sim! É um que toca na casa da Sra. de Duras." E estava acabado. Não há nada como isso para liquidar o futuro de um artista. Veja, essa gente da sociedade não dá seriedade às pessoas; você pode possuir todo o talento do mundo e basta uma Sra. de Duras, é triste dizê-lo, para lhe dar a reputação de amador. E para os artistas, você compreende que os conheço bem, há quarenta anos que os freqüento, que os lanço, que me interesso por eles; pois bem! para eles, quando dizem de alguém que é "um amador", tudo está dito. E, no fundo, é o que já se começava a dizer de você. Quantas vezes fui obrigada a me agastar, a assegurar que você não haveria de tocar num dado salão ridículo! Sabe o que me respondiam? "Mas ele será forçado, Charlus nem sequer o consultará, ele não lhe pede sua opinião." Alguém achou que daria prazer no barão dizendo-lhe: "Admiramos muito o seu amigo Morel." Sabe o que ele respondeu, com aquele ar insolente que você lhe conhece? "Amigo? Mas como quer que ele seja meu amigo, nem mesmo pertencemos à mesma classe. Diga que ele é minha criatura, meu protegido." Nesse momento agitava-se, sob a fronte arqueada da deusa musicista, a única coisa que certas pessoas não podem guardar para si mesmas, uma palavra que não só é abjeta, mas imprudente de repetir. Mas a necessidade de repeti-la é mais forte que a honra, que a prudência. Foi para satisfazer essa necessidade que, após alguns leves movimentos convulsivos da fronte esférica e desgostosa, a Patroa cedeu: – Até repetiram ao meu marido que ele havia dito: "meu criado", mas isso eu não posso afirmar – acrescentou. Foi uma necessidade igual que levara o Sr. de Charlus, pouco depois de ter jurado a Morel que ninguém jamais saberia do meio em que este saíra, a dizer à Sra. Verdurin: – É filho de um lacaio. – Uma necessidade parecida, agora que a palavra fora pronunciada, iria fazê-la circular de pessoa em pessoa, que a divulgariam pedindo segredo, que seria jurado mas não cumprido, como elas próprias o haviam feito. Essas palavras, como no jogo do anel, acabariam por retornar à Sra. Verdurin, fazendo-a brigar com o interessado, que afinal soubera de onde vinha a indiscrição. Ela o sabia, mas não podia reter a palavra que lhe queimava língua. "Criado", aliás, não podia deixar de ofender Morel. No entanto ela disse "criado" e, se acrescentou que não podia afirmar, foi, a um tempo, para parecer estar certa do resto, graças a essa restrição, e para mostrar-se imparcial. A imparcialidade que exibia, tocava-a de tal modo que ela principiou a falar carinhosamente com Charlie: – Pois veja só – disse –, não censuro o barão; se ele o arrasta para um abismo, não é culpa dele, pois é o abismo em que ele próprio se precipita; ele próprio se precipita – repetiu com força, maravilhada pela exatidão da imagem, que lhe saíra tão rapidamente que só agora a atenção a alcançava e cuidava realçá-la. – Não, o que lhe censuro – disse num tom carinhoso, como uma mulher ébria do seu êxito – é a indelicadeza para com você. Há coisas que não se dizem a toda a gente. Assim, ainda há pouco, ele apostou que ia fazê-lo enrubescer de alegria, ao anunciar-lhe (por pilhéria, é claro, pois a recomendação dele bastava para impedir você de obtê-la) que você conseguiria a cruz da Legião de Honra. Isso ainda passa – continuou ela com ar digno e delicado –, embora eu nunca tenha gostado que os amigos sejam enganados, mas você sabe, há ninharias que nos magoam. É o caso, por exemplo, quando ele nos conta, torcendo-se de riso, que, se você deseja a Legião de Honra, é por causa do seu tio e que seu tio era um lacaio. – Ele lhe disse isto? – gritou Charlie, acreditando, graças a essas palavras habilmente citadas, na verdade de tudo quanto a Sra. Verdurin dissera. Esta sentiu-se inundada por uma alegria parecida à de uma velha amante que, a ponto de ser abandonada pelo amante jovem, consegue acabar com o casamento deste. E talvez ela mesma não tivesse calculado a mentira e nem sequer havia mentido conscientemente. Uma espécie de lógica sentimental, talvez ainda mais elementar, uma espécie de reflexo nervoso, que a impelia, para contentar sua vida e preservar sua felicidade, a semear a discórdia no pequeno clã, fazia-lhe subir impulsivamente aos lábios, sem que ela tivesse tempo de lhes verificar a verdade, essas asserções diabolicamente úteis, senão rigorosamente exatas. – Se ele tivesse falado nisso apenas para nós dois – continuou a Patroa –, não teria importância; sabemos qual o desconto que se deve dar a tudo o que ele nos diz, e depois, não há profissões ridículas, você tem o seu valor pessoal, você é o que você vale; mas que ele tenha feito a Sra. de Portefin dar risadas (a Sra. Verdurin citou-a expressamente, pois sabia que Charlie gostava da Sra. de Portefin), isso é o que nos entristece. Meu marido me dizia, ao ouvi-lo: "Eu preferia ter levado uma bofetada." Pois Gustave gosta tanto de você como eu, sabe? (Soube-se desse modo que o Sr. Verdurin se chamava Gustave.)[44-A] No fundo, é um sensível. – Mas eu nunca te disse que gostava dele – murmurou o Sr. Verdurin, fingindo uma brusquidão amistosa. – Charlus é quem gosta. – Ah, não; agora é que percebo a diferença, estava sendo traído por um miserável, ao passo que o senhor é bom – exclamou Charlie com sinceridade. – Não, não – murmurou a Sra. Verdurin para manter sua vitória (pois sentia que as quartas-feiras estavam garantidas) sem dela abusar –, miserável é demais; ele pratica o mal, muito até, inconscientemente. Você sabe, essa história de Legião de Honra não durou muito. E me seria desagradável repetir-lhe tudo o que afirmou sobre sua família – disse a Sra. Verdurin, que ficaria bastante embaraçada caso tivesse de fazê-lo. – Oh! Mesmo que durasse apenas um instante, prova a traição dele – exclamou Morel.

Foi nesse momento que regressamos à sala. – Ah! – exclamou o Sr. de Charlus ao ver que Morel ali se achava; e caminhando para o músico com aquela satisfação dos homens que organizaram cuidadosamente toda a sua recepção noturna com vistas a um encontro com uma mulher e que, ébrios de paixão, nem suspeitam que eles próprios andaram armando a cilada onde os asseclas do marido vão agarrá-los e espancá-los diante de todos: – Até que enfim, e não é sem tempo; então, está contente, jovem celebridade e dentro em pouco jovem cavaleiro da Legião de Honra? Pois em breve poderá mostrar sua condecoração – disse o Sr. de Charlus com ar afetuoso e triunfal, mas ratificando com aquelas mesmas palavras de condecoração as mentiras da Sra. Verdurin, que assim se afiguraram a Morel como uma verdade indiscutível. – Deixe-me, proíbo-o de se aproximar de mim! – gritou Morel ao barão. – Não deve ser a primeira vez que procede desse modo, não sou o primeiro a quem tentou perverter! – Meu único alívio era pensar que veria Morel e os Verdurin reduzidos a pó pelo Sr. de Charlus. Por mil vezes menos do que isso eu havia incorrido em suas cóleras de louco, ninguém estava a salvo delas, um rei não o teria intimidado. Ora, deu-se esta coisa extraordinária. Viu-se o Sr. de Charlus mudo, estupefato, avaliando a sua desgraça sem compreender-lhe o motivo, nem achando uma palavra, erguendo os olhos sucessivamente para todas as pessoas presentes, com ar interrogador, indignado, suplicante, e que parecia perguntar-lhes menos o que se passara do que o que deveria responder. Talvez o que o tornasse mudo fosse (vendo que o casal Verdurin desviava os olhos e que ninguém lhe acudia) o sofrimento presente e sobretudo o terror dos sofrimentos

[44-A] Ver nota 44, p. 233 (N. do T.)

vindouros; ou então, porque, não tendo previamente pela imaginação esquentado a cabeça e forjado uma cólera, e nem tendo uma raiva pronta nas mãos (pois, sensitivo, nervoso, histérico, era um verdadeiro impulsivo, mas um falso bravo, e até, como eu sempre o acreditara, e o que o fazia simpático a meus olhos, um falso mau, e não possuía as reações normais do homem de honra ultrajado), fora surpreendido e agredido bruscamente no momento em que se achava inerme; ou ainda porque, num ambiente que não era o seu, sentia-se menos à vontade e menos corajoso do que no *Faubourg*. O fato é que neste salão, por ele desdenhado, esse grão-senhor (a que não era mais essencialmente inerente a superioridade sobre os plebeus do que a de seus ancestrais angustiados diante do Tribunal revolucionário) não soube, numa paralisia de todos os membros e da língua, senão lançar para todos os lados olhares de pavor, indignados pela violência que praticavam contra ele, tão suplicantes quanto indagadores. No entanto, o Sr. de Charlus possuía todos os recursos não só da eloqüência mas da audácia, quando, tomado de uma raiva há muito fervilhante contra alguém, fazia-o calar-se de desespero com as palavras mais atrozes diante das pessoas mundanas, escandalizadas, e que jamais haviam pensado que se pudesse ir tão longe. Nesses casos, o Sr. de Charlus se inflamava, agitava-se em verdadeiros ataques de nervos, que faziam tremer todo o mundo. Mas é que em tais casos o barão tinha a iniciativa, atacava, dizia o que queria (como Bloch sabia gracejar dos judeus, mas enrubescia quando lhes pronunciavam os nomes diante dele). Essas pessoas a quem odiava, odiava-as por julgar-se desprezado por elas. Fossem amáveis com ele e, em vez de avermelhar de cólera, ele as teria beijado. Numa circunstância tão cruelmente imprevista, esse grande argumentador não soube mais que balbuciar: – Que significa isto? O que é que há? – Nem sequer o ouviam. E a eterna pantomima do terror pânico mudou tão pouco, que este velho senhor, a quem acontecia uma aventura desagradável num salão parisiense, repetia, malgrado seu, as atitudes esquemáticas nas quais a escultura grega dos primeiros tempos estilizava o terror das ninfas perseguidas pelo deus Pã.

O embaixador caído em desgraça, o chefe de repartição aposentado inesperadamente, o mundano que é tratado com frieza e o amante despedido examinam às vezes durante meses a fio o acontecimento que lhes destruiu as esperanças; viram-no, reviram-no como a um projétil atirado não se sabe de onde e nem por quem, um pouco feito um aerólito. Bem que gostariam de conhecer os elementos constitutivos daquele estranho engenho desabado sobre eles, saber que vontades malignas pode haver nisso. Os químicos ao menos dispõem da análise; os doentes que sofrem de um mal cuja origem lhes é desconhecida podem mandar vir um médico. E os casos criminais são mais ou menos solucionados pelo juiz de instruções. Porém as ações perturbadoras de nossos semelhantes, raramente lhes descobrimos os motivos. Assim, o Sr. de Charlus (para antecipar os dias que se seguiram a essa reunião, a que voltaremos) só viu na atitude de Charlie uma única coisa clara. Charlie, que muitas vezes ameaçara o barão de espalhar a paixão que lhe inspirava, devia ter se aproveitado, para fazê-lo, de fato de que já se julgava suficientemente "lançado" para voar com as próprias asas. E devia ter contado tudo por pura ingratidão à Sra. Verdurin. Mas como se deixara esta enganar, pois o barão, decidido a negar tudo, já estava ele próprio convencido de que os sentimentos que lhe censurariam eram imaginários? Amigos da Sra. Verdurin, talvez igualmente apaixonados por Charlie, tinham já preparado o terreno. O resultado é que, nos dias seguintes, o Sr. de Charlus escreveu cartas terríveis a vários "fiéis" inteiramente inocentes e que o julgaram doido; depois, o barão foi contar à Sra. Verdurin uma narrativa de enternecer, que aliás não logrou de todo alcançar o efeito que ele esperava. Pois, de um lado, a Sra. Verdurin repetia ao barão: – Não precisa mais se preocupar com ele, deixe-o de parte, é uma criança. – Ora, o barão só suspirava por fazer as pazes. Por outro lado, para dar oportunidade a estas, privando Charlie de tudo quanto este se julgava seguro, pedia à Sra. Verdurin que não o recebesse mais, ao que ela opôs uma recusa que lhe valeu cartas irritadas e sarcásticas do Sr. de Charlus. Indo de uma a outra suposição, este nunca chegou à verdadeira, ou seja, que o golpe de modo algum partira de Morel. É verdade que o barão poderia ter sabido disso, se tivesse pedido a Morel alguns minutos de entrevistas. Mas achava isso contrário à sua dignidade e aos interesses de seu amor. Fora ofendido, esperava explicações. Existe aliás, quase sempre, ligada à idéia de uma entrevista que poderia esclarecer um mal-entendido, uma outra idéia que, por alguma razão, impede que nos prestemos a essa entrevista. Aquele que se rebaixou, mostrando sua fraqueza em vinte oportunidades, dará prova de orgulho na vigésima primeira vez, a única em que seria útil não teimar numa atitude arrogante e dissipar um erro que vai enraizar-se no adversário por falta de desmentido. Quanto ao aspecto mundano do incidente, espalhou-se o rumor de que o Sr. de Charlus fora expulso da casa dos Verdurin no momento em que tentava violentar um jovem músico. Tal rumor fez com que ninguém se espantasse de não ver mais o Sr. de Charlus reaparecer na casa dos Verdurin, e quando por acaso ele encontrava em alguma parte um dos fiéis de quem suspeitara e que havia insultado, como este guardava rancor do barão, o qual por sua vez não o cumprimentava, as pessoas não se surpreendiam, compreendendo que ninguém no pequeno clã quisesse mais cumprimentar o Sr. de Charlus.

Enquanto o barão, aturdido de imediato pelas palavras que Morel acabava de pronunciar e pela atitude da Patroa, assumia a postura de uma ninfa presa de terror pânico, o Sr. e a Sra. Verdurin se haviam retirado para o primeiro salão, como em sinal de rompimento diplomático, deixando o Sr. de Charlus sozinho, ao passo que no estrado Morel guardava o seu violino. – Vais nos contar agora como tudo isto aconteceu – disse a Sra. Verdurin com avidez a seu marido. – Não sei o que a senhora lhe disse, ele parecia muito perturbado – observou Ski. – Estava com lágrimas nos olhos. – Fingindo não haver compreendido, a Sra. Verdurin comentou: – Creio que o que lhe disse lhe foi de todo diferente – por uma dessas manobras que não iludem, aliás, a todo mundo, e para obrigar o escultor a repetir que Charlie chorava, lágrimas que enchiam a Patroa de tanta vaidade que ela não queria arriscar que um ou outro fiel, que podia ter ouvido mal, as ignorasse. – Indiferente? Não, não, pelo contrário, eu via grossas lágrimas brilhando nos seus olhos –, disse o escultor em tom baixo e risonho de confidência maldosa, olhando de lado para assegurar-se de que Morel ainda estava sobre o estrado e não podia escutar a conversa. Mas havia uma pessoa que a escutou e cuja presença, logo que fosse notada, ia devolver a Morel uma das esperanças que ele tinha perdido. Era a rainha de Nápoles que, tendo esquecido seu leque, achara mais amável, ao deixar a outra reunião a que havia comparecido, vir buscá-lo em pessoa. Entrara de mansinho, como que confusa, pronta para desculpar-se e fazer uma curta visita agora que não havia mais ninguém. Porém não a tinham ouvido entrar, no calor do incidente que ela compreendera logo e que a encheu de indignação. – Ski está dizendo que viu lágrimas nos seus olhos, reparou nisso? Não vi lágrimas. Ah, sim, é verdade, estou me lembrando – corrigiu ela, no receio de que sua contestação fosse aceita. – Quanto a Charlus, está inteiramente aniquilado, devia sentar-se, está de pernas trêmulas, vai cair no chão – disse ela com um riso de escárnio impiedoso. Naquele momento, Morel acorreu para ela: – Esta senhora não é a rainha de Nápoles? – perguntou (embora soubesse perfeitamente de quem se tratava) mostrando a soberana que se dirigia para Charlus. – Depois do que se passou, infelizmente não posso mais pedir ao barão que me apresente a ela. – Espere, vou lhe fazer isto – replicou a Sra. Verdurin, e, acompanhada de alguns fiéis, menos Brichot e eu, que nos apressamos em ir pedir nossos agasalhos e sair, aproximou-se da rainha, que conversava com o Sr. de Charlus. Este julgara que a realização de seu grande desejo de que Morel fosse apresentado à rainha de Nápoles só poderia ser impedido pela improvável morte da soberana. Mas nós nos afiguramos o futuro como um reflexo do presente projetado no espaço vazio, ao passo que ele é com freqüência o resultado bem próximo de causas que na maioria nos escapam. Ainda não decorrera uma hora e o Sr. de Charlus agora já daria tudo para que Morel não fosse apresentado à rainha. A Sra. Verdurin fez uma reverência à soberana. Vendo que esta parecia não reconhecê-la: – Sou a Sra. Verdurin. Vossa Majestade não me reconhece? – Perfeitamente – respondeu a rainha, continuando tão naturalmente a falar ao Sr. de Charlus, e com um ar tão completamente distraído, que a Sra. Verdurin duvidou se era a ela que se dirigia aquele "perfeitamente" pronunciado num tom admiravelmente distraído, que arrancou ao Sr. de Charlus, em meio à sua mágoa de amante, um sorriso de reconhecimento, sorriso entendido e saboroso em matéria de impertinência. Morel, vendo de longe os preparativos da apresentação, havia se aproximado. A rainha estendeu o braço ao Sr. de Charlus. Também se achava zangada com ele, mas apenas porque o barão não enfrentava mais energicamente os infames que o insultaram. Estava rubra de vergonha por ele, visto que os Verdurin ousavam tratá-lo daquele modo. A simpatia cheia de simplicidade que lhes testemunhara horas antes, e a insolente sobranceria com que agora se mostrava diante deles originavam-se no mesmo ponto de seu coração. A rainha era mulher cheia de bondade, mas ela concebia a bondade primeiro sob forma de inabalável afeto às pessoas a quem amava, aos seus, a todos os príncipes de sua família, entre os quais se contava o Sr. de Charlus, e depois a todas as pessoas da burguesia ou das camadas mais humildes do povo que sabiam respeitar os que ela amava, nutrir bons sentimentos por eles. Era como a uma mulher dotada desses bons instintos que havia manifestado simpatia pela Sra. Verdurin. Sem dúvida, trata-se de uma concepção estreita, um pouco *tory*[45] e cada vez mais antiquada da bondade. Mas isso não quer dizer que a bondade da rainha fosse menos sincera ou menos ardente. Os antigos não amavam com menos intensidade o grupamento humano a que se devotavam porque este não excedia os limites da cidade, nem os homens de hoje amam menos a sua pátria do que aqueles que hão de amar os Estados Unidos de toda a terra. Bem perto de mim, tive o exemplo de minha mãe, que a Sra. de Cambremer e a Sra. de Guermantes nunca puderam resolver que tomasse parte em nenhuma obra filantrópica, em nenhuma instituição patriótica de beneficência, ou de ser vendedora ou patrocinadora em festas de caridade. Longe de mim dizer que ela tivesse razão de só agir quando seu coração falasse, e de reservar à família, aos criados, aos infelizes que o acaso pusera em seu caminho, seus tesouros de amor e de generosidade, porém sei que estes, como os de minha avó, foram inesgotáveis e ultrapassaram em muito tudo o que puderam e fizeram as Sras. de Guermantes ou de Cambremer. O caso da rainha de Nápoles era completamente diverso; mas afinal, é preciso reconhecer que as criaturas simpáticas não eram concebidas de todo por ela como o são nos romances de Dostoievski que Albertine pegara na minha biblioteca e monopolizara, isto é sob os traços de parasitas bajuladores, ladrões, bêbados, ora humildes, ora insolentes, devassos e até mesmo assassinos. Além disso, os extremos se tocam, visto que o homem nobre, o próximo, o parente ultrajado que a rainha queria defender era o Sr. de Charlus, ou seja, apesar das origens e de todo o parentesco que possuía com a rainha, alguém cuja virtude se cercava de muitos vícios. – Parece que você não está se sentindo bem, meu caro primo – disse ela a Charlus. – Apóie-se no meu braço. Esteja certo de que o sustentará sempre. É bastante sólido para isso. – Depois, erguendo altivamente os olhos à sua frente (diante dela, contou-me Ski, achavam-se então a Sra. Verdurin e Morel): – Você sabe que já uma vez, em Gaeta, ele impôs respeito à canalha. Saberá servir-

[45] *Tory*: nome pelo qual se conhecia o partido conservador inglês. (N. do T.)

lhe agora de amparo. – E foi assim, conduzindo o barão pelo braço e sem ter deixado que lhe apresentassem Morel, que saiu a gloriosa irmã da imperatriz Élisabeth.

Podia-se imaginar, dado o terrível caráter do Sr. de Charlus e as perseguições com que mantinha sob regime de terror até mesmo os próprios parentes que, logo após essa reunião, iria ele desencadear o seu furor e exercer represálias contra os Verdurin. Nada disso ocorreu, e o motivo principal foi certamente o fato de que o barão, tendo apanhado uma gripe depois, e contraído uma dessas pneumonias infecciosas muito freqüentes à época, foi considerado por seus médicos (e ele mesmo assim se julgava) a dois passos da morte, e depois ficou vários meses entre a morte e a vida. Teria ocorrido apenas uma metástase física, e a substituição por um mal diferente da nevrose que até então o fazia ficar fora de si mesmo nas orgias de cólera? Pois seria simples demais acreditar que, nunca tendo levado a sério, do ponto de vista social, os Verdurin, não podia lhes querer mal como a seus pares, e simples demais também recordar que os nervosos, irritados por qualquer coisa contra inimigos imaginários e inofensivos, tornam-se ao contrário inofensivos desde que alguém tome a ofensiva contra eles, e que é mais fácil acalmá-los atirando-lhes água fria ao rosto do que tentando demonstrar-lhes a inutilidade de suas queixas. Mas provavelmente não é numa metástase que se deve procurar a explicação dessa ausência de rancor, e muito mais na própria doença. Causava ela tão grandes fadigas ao barão que lhe restava pouco lazer para pensar nos Verdurin. Estava meio agonizante. Falávamos de ofensiva; mesmo as que só terão um efeito póstumo exigem, se as quisermos "montar" adequadamente, o sacrifício de uma parte de nossas forças. Restavam muito poucas ao Sr. de Charlus para essa atividade de preparação. Fala-se amiúde de inimigos mortais que abrem os olhos para se reconciliarem à beira da morte e voltam a fechá-los felizes. Esses casos devem ser raros, a não ser quando a morte nos surpreende em plena vida. É, pelo contrário, no momento em que não temos mais nada a perder, que não mais desejamos arcar com os riscos que, quando cheios de vida, teríamos assumido levianamente. O espírito de vingança faz parte da vida; o mais freqüente – apesar das exceções que, no íntimo de um mesmo caráter, como veremos, são contradições humanas – é que nos abandone na hora da morte. Depois de ter pensado um instante nos Verdurin, o Sr. de Charlus sentia-se cansado demais, virava-se para a parede e já não pensava em nada. Não que houvesse perdido a sua eloqüência, mas ela pedia-lhe menos esforços. Ainda fluía naturalmente, porém mudara. Desligada das violências que tanta vezes exornara, era agora uma eloqüência quase mística, embelezada por palavras de doçura, parábolas do Evangelho, uma aparente resignação à morte. Ele falava sobretudo nos dias em que se julgava salvo. Uma recaída fazia-o calar-se. Essa doçura cristã, em que se havia transposto sua magnífica violência (como, em *Esther*, o gênio tão diferente de *Andrômaca*), causava a admiração dos que o cercavam. Teria causado até a dos Verdurin, que não poderiam deixar de adorar um homem cujos defeitos lhe haviam provocado tanto ódio. Certamente flutuavam-lhe pensamentos que de cristãos só possuíam a aparência. Implorava ao arcanjo Gabriel para que viesse lhe anunciar, como ao profeta, dentro de quanto tempo chegaria o Messias. E interrompendo-se com um suave sorriso doloroso, acrescentava: – Mas não é preciso que o arcanjo me peça, como a Daniel, que tenha paciência por mais "sete semanas e sessenta e duas semanas", pois estarei morto antes disso. – Quem ele assim esperava era Morel. Por isso, pedia ao arcanjo Rafael que lho restituísse como o jovem Tobias. E misturando métodos mais humanos (como os papas enfermos que, mandando rezar missas, não se descuidam de chamar o médico), insinuava às suas visitas que, se Brichot lhe trouxesse logo o seu jovem Tobias, talvez o arcanjo Rafael consentisse em devolver-lhe a vista como ao pai de Tobias ou como na piscina probática de Betsaida. Mas, apesar desses regressos humanos, não se tornara menos deliciosa a pureza moral das frases do Sr. de Charlus. Vaidade, maledicência, frenesi de maldade e orgulho, tudo isso desaparecera. Moralmente, o Sr. de Charlus se elevara muito acima do nível em que vivia até há pouco. Mas esse aperfeiçoamento moral, sobre cuja realidade a sua arte oratória era de resto capaz de enganar um tanto os seus ouvintes comovidos, esse aperfeiçoamento sumiu com a doença que trabalhara para ele. O Sr. de Charlus voltou a abismar-se com uma velocidade que veremos crescer progressivamente. Mas a atitude dos Verdurin quanto a ele já não era mais que uma lembrança um pouco distante que outras cóleras mais imediatas impediram se reavivasse.

Voltando atrás, à reunião na casa dos Verdurin, naquela noite, quando os donos da casa ficaram sozinhos, o Sr. Verdurin disse à esposa: – Sabes por que Cottard não veio? Foi para junto de Saniette, que jogou na Bolsa para se recuperar e perdeu. Sabendo que estava sem tostão e que tinha perto de um milhão em dívidas, Saniette teve um derrame. – Mas também, por que jogou? É idiotice, ele era o menos indicado para isso. Sujeitos mais espertos que ele ficam depenados, e ele é o tipo que se deixa embrulhar por todos. – Mas é claro que há muito nós sabemos que ele é idiota – disse o Sr. Verdurin. – Mas enfim, aí está o resultado. Eis um homem que amanhã será posto no olho da rua pelo senhorio, e que vai ficar em miséria extrema; os parentes não gostam dele, e não será Forcheville que fará algo em seu favor. Então, pensei, não quero fazer nada que te desagrade, mas talvez pudéssemos conseguir-lhe uma pequena renda para que ele não sinta muito a sua ruína, e possa tratar-se em casa. – Estou de pleno acordo contigo, fazes muito bem em pensar nisso. Mas dizes "em casa"; esse imbecil mora num apartamento caro demais, não é possível, seria necessário alugar-lhe algum outro com duas peças. Acho que atualmente ele paga pelo apartamento seis a sete mil francos. – Seis mil e quinhentos. Mas ele é muito apegado ao apartamento em que mora. Em suma, teve um primeiro ataque, não poderá durar mais que dois ou três anos. Suponhamos que gastemos dez mil francos com ele durante três anos. Creio que poderíamos fazê-lo. Poderíamos, por exemplo, este ano, em vez de realugar a Raspelière, tomar uma casa mais modesta. Com os nossos rendimentos, parece-me que não é impossível sacrificar dez mil francos anuais durante três anos. – Seja, mas o caso é que ficarão sabendo disso, o que nos obrigará a fazer o mesmo por outras pessoas. – Acredita que já pensei nisso. Só o farei com a condição expressa de que ninguém o saiba. Tinha graça que nos transformássemos em benfeitores do gênero humano contra nossa vontade. Nada de filantropia! O que se poderia fazer era dizer-lhe que se trata de um legado da princesa Sherbatoff. – Será que ele acredita? Ela consultou Cottard para o seu testamento. – Em último caso, pode-se pôr Cottard a par do assunto; ele tem o hábito do segredo profissional, ganha muito dinheiro, nunca será um desses prestativos que nos obrigam a soltar a nota. Talvez ele mesmo queira encarregar-se de dizer que foi designado pela princesa de ser seu intermediário. Assim, nós nem sequer apareceríamos. O que evitaria o aborrecimento das cenas de gratidão, das manifestações, das frases. – O Sr. Verdurin acrescentou uma palavra que certamente significava esse gênero de cenas comoventes e de frases, que eles desejavam evitar. Mas tal palavra não me pôde ser dita com exatidão, pois não era uma palavra francesa, e sim um desses termos como os há em certas famílias para nomear determinadas coisas, sobretudo coisas irritantes, provavelmente porque se deseja poder assinalá-las diante dos interessados sem ser compreendido. Esse tipo de expressão é geralmente um resíduo contemporâneo de um estado anterior da família. Numa família judia, por exemplo, será um termo ritual desviado de seu sentido e talvez a única palavras do hebreu que a família, agora afrancesada, ainda conheça. Numa família muito acentuadamente provinciana, será um termo do jargão da província, conquanto a família já não fale e nem sequer compreenda esse jargão. Numa família vinda da América do Sul e que não fala mais senão o francês, será um termo espanhol. E, para a geração seguinte, a palavra só existirá como lembrança da meninice. Todos se lembrarão perfeitamente que os pais, à mesa, aludiam aos criados que serviam, sem serem compreendidos por eles, empregando tal palavra, mas os filhos ignoram o que significa precisamente esse termo, se provinha do espanhol, do hebraico, do alemão, do jargão provinciano, e até se chegara a pertencer a uma língua qualquer e não era um nome próprio ou uma palavra completamente inventada. A dúvida só pode ser esclarecida se se tem um tio-avô, um velho primo ainda vivo e que deve ter empregado o mesmo termo. Como não conheci nenhum parente dos Verdurin, não pude reconstituir exatamente essa palavra. A verdade é que ela fez a Sra. Verdurin sorrir, pois o emprego dessa língua menos geral, mais pessoal, mais secreta do que a língua habitual, confere aos que dela ainda se utilizam entre si um sentimento egoísta a que se junta sempre uma certa satisfação. Passado esse momento de prazer: – Mas se Cottard abrir o bico? – objetou a Sra. Verdurin. – Não vai se abrir. – Abriu-se pelo menos comigo, pois foi por intermédio dele que fiquei sabendo desse caso anos depois, no próprio enterro de Saniette. Lamentei não tê-lo sabido mais cedo. Em primeiro lugar, isso me teria levado mais rapidamente à idéia de que jamais é preciso querer mal aos homens, jamais se deve julgá-los conforme a recordação de uma maldade, pois não sabemos tudo o que, em outros momentos, pôde a alma deles querer sinceramente e realizar de bom. E assim, mesmo do simples ponto de vista da previsão, a gente se engana. Pois com certeza a forma ruim, que verificamos uma vez por todas, voltará. A alma, porém, é mais rica, possui muitas outras formas que voltarão também a esses homens, e cuja doçura recusamos por causa do mau procedimento que tiveram. Mas, de um ponto de vista mais pessoal, essa revelação não deixaria de ter efeito sobre mim. Pois, mudando minha opinião sobre o Sr. Verdurin, que cada vez mais eu julgava ser o mais malvado dos homens, essa revelação de Cottard, se ele a tivesse feito antes, dissiparia as minhas suspeitas em relação ao papel que os Verdurin podiam desempenhar entre mim e Albertine. Tê-las-iam dissipado, aliás sem fundamento, pois, se o Sr. Verdurin possuía virtudes, nem por isso deixava de ser implicante até a mais feroz perseguição e zeloso de dominação no pequeno clã, a ponto de não recuar diante das piores mentiras, diante da fomentação de ódios os mais injustificados, para romper, entre os fiéis, laços que não tivessem por objeto exclusivo o reforço do pequeno grupo. Era um homem capaz de desinteresse, de generosidades sem ostentação, o que não queria dizer obrigatoriamente um homem sensível, nem simpático, nem escrupuloso, nem verídico, e nem sempre bom. Uma bondade parcial – onde talvez subsistisse um pouco da família amiga da minha tia-avó – existia provavelmente nele antes que eu a conhecesse, como a América ou o Pólo Norte antes de Colombo ou Peary. Todavia, no momento da minha descoberta, a natureza do Sr. Verdurin me apresentou uma nova face insuspeitada; e daí concluí a dificuldade de apresentar uma imagem fixa tanto de um caráter como das sociedades e das paixões. Pois aquele muda tanto quanto estas, e, se quisermos fazer um clichê do que nele é relativamente imutável, vemo-lo apresentar sucessivamente aspectos diversos à objetiva desconcertada, o que implica não saber ele conservar a imobilidade e mexer-se.

Olhando as horas e receando que Albertine se aborrecesse por estar sozinha, pedi a Brichot, quando saímos da reunião dos Verdurin, que fizesse o favor de me deixar primeiro em casa. A seguir o meu carro o levaria à sua casa. Felicitou-me por eu voltar desse modo diretamente para casa, sem saber que ali uma moça me esperava, e por acabar tão cedo e comportadamente uma noitada, cujo verdadeiro começo eu na realidade não fizera mais que retardar. Depois, falou-me do Sr. de Charlus. Este, sem dúvida, teria ficado estupefato ao ouvir o professor, tão amável com ele, o professor que lhe dizia sempre: – Eu nunca repito nada do que ouço –, falar dele e de sua vida particular sem a menor cerimônia. E o assombro indignado de Brichot não teria talvez sido menos sincero se o Sr. de Charlus lhe houvesse dito: – Asseguraram-me que você falava mal de mim. – De fato, Brichot nutria certa afeição pelo Sr. de Charlus e, se tivesse de se reportar a alguma conversa a respeito dele, teria antes se lembrado dos sentimentos de simpatia que o barão lhe inspirara, enquanto ele dizia do amigo as mesmas coisas que todos diziam, do que dessas coisas. Não teria julgado estar mentindo ao dizer: – Eu, que falo de você com tanta amizade –, pois é certo que sentia alguma amizade quando falava do Sr. de Charlus. Este, para Brichot, possuía sobretudo o encanto que o universitário procurava na vida mundana, e que era oferecer-lhe espécimes reais daquilo que ele por muito tempo pensara ser uma invenção dos poetas. Brichot, que muitas vezes tinha explicado a segunda écloga de Virgílio sem saber ao certo se aquela ficção continha algum fundo de realidade, encontrava, no fim da vida, ao conversar com o Sr. de Charlus, um pouco do prazer que sabia que seus mestres, o Sr. Mérimée e o Sr. Renan, e seu colega, o Sr. Maspéro, tinham experimentado ao viajar pela Espanha, Palestina e Egito, em reconhecer nas paisagens e populações atuais da Espanha, da Palestina e do Egito, o ambiente e os atores invariáveis das cenas antigas que eles próprios haviam estudado nos livros. – Seja dito sem ofender esse valente de alta estirpe – declarou Brichot no carro que nos transportava: – ele é simplesmente prodigioso quando inicia o seu catecismo satânico com uma verve um tantinho adoidada[46] e uma obstinação, quase diria inocência, de gesso e de emigrado. Asseguro-lhe que, se ouso expressar-me como Monsenhor d'Hulst, não me aborreço nos dias em que recebo a visita desse feudal que, desejando defender Adônis contra esta nossa época de descrentes, seguiu os instintos de sua raça e, com toda a inocência sodomita, cruzou-se. – Eu escutava Brichot e não me sentia sozinho na companhia dele. Aliás, como desde que saíra de casa, sentia-me, por mais obscuramente que fosse, ligado à moça que naquele momento estava em seu quarto. Mesmo quando conversava com um ou outro dos convivas na casa dos Verdurin, eu a sentia confusamente a meu lado, tinha dela essa noção vaga que se tem dos próprios membros e, se me acontecia pensar nela, era como se pensa, com o tédio de estar preso por uma total escravidão, no próprio corpo. – E que usina de mexericos – continuou Brichot – para alimentar todos os apêndices das *Causeries du lundi* é a conversa desse apóstolo! Imagine que soube por ele que o tratado de ética em que sempre venerei a mais faustosa construção moral de nossa época, fora inspirada ao nosso venerável colega X por um jovem estafeta. Não hesitamos em reconhecer que meu eminente amigo descuidou de nos revelar o nome desse efebo durante suas demonstrações. Com isso, testemunhou mais respeito humano ou, se prefere,

[46] No original *charentonesque*, 'charentonesco', adjetivo derivado da cidade de Charenton-le-Pont, onde existe um célebre hospital para doentes mentais. (N. do T.)

menos gratidão que Fídias, que inscreveu o nome do atleta a quem amava no anel do seu Júpiter Olímpico. O barão ignorava este último caso. Será inútil lhe dizer que isto encantou especialmente a sua ortodoxia. Você imagina facilmente que todas as vezes que argumento com meu colega sobre uma tese de doutorado, encontro em sua dialética, aliás bastante sutil, aquele sabor a mais que algumas revelações picantes acrescentaram para Sainte-Beuve à obra escassamente confidencial de Chateubriand. De nosso colega, cuja sabedoria é de ouro mas que possuía pouco dinheiro, o telegrafista passou às mãos do barão, *com a melhor das intenções* (é preciso ouvir o tom com que ele diz isto). E como esse Satã é o mais serviçal dos homens, obteve para seu protegido um emprego nas colônias, de onde este, que tem a alma agradecida, envia-lhe de vez em quando frutos excelentes. O barão os oferece às suas altas relações; ananases do rapaz figuraram ultimamente na mesa do cais Conti, fazendo com que a Sra. Verdurin dissesse, sem malícia: "Então o senhor tem um tio ou um sobrinho na América, Sr. de Charlus, para receber ananases como estes!" Confesso que os comi com certa alegria, recitando *in petto* o começo de uma ode de Horácio, que Diderot gostava de recordar. Em suma, como o meu colega Boissier, perambulando do Palatino ao Tíbur, obtenho pela conversa do barão uma idéia singularmente mais viva e mais saborosa dos escritores do século de Augusto. Não falemos sequer dos da Decadência, e não remontemos aos gregos, embora eu tenha dito uma vez ao excelente Sr. de Charlus que, junto dele, eu me sentia como Platão na casa de Aspásia. Na verdade, eu aumentaria singularmente a escala dos dois personagens e, como diz La Fontaine, meu exemplo era tirado "de bichos menores". Seja como for, espero que não imagine que o barão tenha ficado sentido. Nunca o vi tão ingenuamente feliz. Um entusiasmo juvenil fê-lo deixar de lado a fleuma aristocrática. "Como são lisonjeadores todos estes sorbonistas!", exclamou ele deslumbrado. "E dizer que tive de chegar à minha idade para ser comparado a Aspásia! Um velho traste feito eu! Ó minha juventude!" Gostaria que o visse dizendo essas coisas, escandalosamente empoado como de hábito, e, na sua idade, perfumado como um casquilho. Além disso, sob suas idéias fixas de genealogia, o melhor homem do mundo. Por todas essas razões, eu ficaria desolado se essa ruptura de hoje à noite fosse definitiva. O que me espantou foi a maneira como o rapaz se revoltou. No entanto, desde algum tempo, ele manifestava ao barão maneiras de sectário, modos de *leude*,[47] que não faziam prever essa insurreição. Em todo caso, espero, mesmo se (*Dii omen avertant*)[48] o barão não deva retornar aos cais Conti, que este cisma não se estenda até mim. Ambos tiramos bastante proveito da troca que fazemos do meu fraco saber pela experiência

[47] *Leude:* vassalo de rei merovíngio que era ligado a este por laços de fidelidade pessoal. (N. do T.)

[48] *Dii omen avertant* (latim): "Que os deuses afastem esse presságio." Cícero, *Filípicas*, III, XXXV. (N. do T.)

dele. (Veremos, de fato, que, se o Sr. de Charlus não demonstrou rancor violento contra Brichot, ao menos a sua simpatia pelo universitário caiu totalmente a ponto de lhe permitir julgá-lo sem qualquer indulgência.) E juro-lhe que a troca é tão desigual que, quando o barão me confia o que lhe ensinou a sua existência, eu não poderia concordar com Sylvestre Bonnard, para o qual é ainda numa biblioteca que melhor realizamos o sonho da vida.

Tínhamos chegado em frente à minha porta. Desci do carro para dar ao cocheiro o endereço de Brichot. Da calçada eu via a janela do quarto de Albertine, aquela janela sempre escura outrora nas noites em que ela não morava na minha casa, e que a luz elétrica do interior, segmentada pelas grades dos postigos, estriava de alto a baixo de barras de ouro paralelas. Esse sinal mágico, desenhando diante do meu espírito sossegado imagens precisas, todas próximas, e em cuja posse eu ia entrar dali a pouco, era tão claro para mim quanto invisível para Brichot, que permanecera no carro, quase cego, e teria sido, aliás, incompreensível para ele, visto que, como os amigos que me vinham visitar antes do jantar, quando Albertine já voltara do seu passeio, o professor ignorava que uma moça, totalmente minha, esperava-me num quarto colado ao meu. O carro partiu. Fiquei sozinho por um instante na calçada. Certo, aquelas estrias luminosas que eu avistava de baixo e que a um outro teriam parecido inteiramente superficiais, eu lhes dava uma consistência, uma plenitude e uma solidez enormes, por causa de toda a significação que punha atrás delas, um tesouro se quiserem, um tesouro insuspeitado dos outros, que eu escondera ali e do qual emanavam aqueles raios horizontais; mas um tesouro em troca do qual eu alienara a minha liberdade, a solidão, o pensamento. Se Albertine não estivesse lá em cima, e até se eu não quisesse senão prazer, teria ido solicitá-lo a mulheres desconhecidas, em cuja vida teria tentado penetrar, a Veneza talvez, ou pelo menos a qualquer recanto da Paris noturna. Porém agora, o que eu precisava fazer quando me chegava a hora das carícias, não era sair em viagem, não era nem sequer sair, era voltar para casa. E voltar não para ficar sozinho ao menos, e, depois de ter deixado a companhia dos outros que forneciam de fora o alimento do espírito, me ver ao menos forçado a encontrá-lo por mim mesmo –, mas, pelo contrário, menos só do que quando estava na casa dos Verdurin, recebido que seria pela pessoa em quem abdicava, em quem entregava o mais completamente possível a minha, sem que tivesse um instante de lazer para pensar em mim mesmo, nem sequer o trabalho de pensar nela, pois ela estaria junto a mim. De modo que, erguendo uma última vez os olhos para a janela do quarto onde estaria dali a pouco, pareceu-me ver as grades luminosas que se iam fechar atrás de mim e cujos varões de ouro inflexíveis eu próprio havia forjado para uma eterna servidão.

Albertine jamais me dissera que suspeitava de meus ciúmes, de minha preocupação com tudo o que ela fazia. As únicas palavras que havíamos trocado acerca do ciúme, é verdade que bem antigas, pareciam provar o contrário. Lembrava-me que, numa bela noite de luar, no começo das nossas relações, numa das primeiras vezes em que a levara de volta para casa, e em que teria preferido não fazê-lo e deixá-la para correr atrás de outras, eu lhe havia dito: – Sabe, se me ofereço para trazê-la não é por ciúme; se você tem algum programa, eu me afasto discretamente – e ela me respondera: – Oh, sei muito bem que você não é ciumento e que isso pouco lhe importa, mas nada tenho a fazer senão estar na sua companhia. – De outra feita, foi na Raspelière, onde o Sr. de Charlus, lançando às escondidas um olhar para Morel, fizera ostentação de galante amabilidade para com Albertine; e eu dissera a ela: – e então ele lhe fez uma corte assídua, suponho. – E, como eu acrescentara, meio irônico: – Sofri todas as torturas do ciúme –, Albertine, empregando uma linguagem própria ou do meio vulgar de onde saíra, ou de um ambiente mais vulgar ainda que ela freqüentava: – Está querendo gozar com a minha cara. Sei muito bem que você não é ciumento. Primeiro, porque me disse, e depois, está se vendo, ora! – Desde aí, nunca me dissera ter mudado de opinião; é possível, porém, que se formassem nela, a tal respeito, muitas idéias novas, que ela me ocultava, mas que um acaso poderia, contra sua vontade, revelar, pois naquela noite, já em casa, quando depois de ir buscá-la em seu quarto, e de trazê-la para o meu, eu lhe disse (com algum constrangimento que eu mesmo não entendi, pois avisara Albertine de que iria sair e não sabia para onde, talvez fosse à casa da Sra. de Villeparisis, talvez visitasse a Sra. de Guermantes, talvez a Sra. de Cambremer; é verdade que não falara justamente na casa dos Verdurin): – Adivinhe de onde estou chegando? Da casa dos Verdurin –, mal tive tempo de pronunciar essas palavras e já Albertine, a fisionomia transtornada, respondia-me com estas, que pareceram explodir por si mesmas com uma força que ela não pôde conter: – Bem que eu desconfiava. – Não sabia que você ficaria tão aborrecida pelo fato de eu ir à casa dos Verdurin. – (É verdade que ela não me dizia que aquilo a deixava aborrecida, mas era visível. Também é verdade que eu não imaginara que aquilo a aborreceria. E no entanto, diante da sua explosão de cólera, como diante desses acontecimentos que uma espécie de dupla visão retrospectiva faz com que pareçam já terem sido conhecidos no passado, julguei que nunca deveria ter esperado outra coisa.) – Aborrecer-me? Isso pouco me importa! É-me indiferente! Eles não iam receber a Srta. Vinteuil? – Fora de mim ao ouvir essas palavras: – Você não me disse que esteve com a Sra. Verdurin outro dia –, retruquei, para lhe mostrar que estava mais informado do que ela pensava. – Encontrei-me com ela? – indagou Albertine com ar sonhador, a um tempo a si mesma, como se procurasse reunir suas lembranças, e a mim, como se eu é que tivesse de informá-la; e, sem dúvida, com efeito, para que eu dissesse o que sabia, e talvez também para ganhar tempo antes de dar uma resposta difícil. Mas eu estava bem menos preocupado com a Srta. Vinteuil do que com um temor que já me passara pela cabeça, e que se apossava de mim com mais força. Mesmo agora, ao voltar para casa, eu achava que a Sra. Verdurin inventara pura e simplesmente, por gloríola, a vinda da Srta. Vinteuil e de sua amiga, de forma que já me sentia tranqüilo. Unicamente Albertine, ao me dizer: – Eles não iam receber a Srta. Vinteuil? –, havia-me mostrado que eu não me enganara em minha primeira suspeita; mas enfim eu estava tranqüilo quanto a isso para o futuro, visto que, renunciando a ir à casa dos Verdurin, Albertine me sacrificara a Srta. Vinteuil.

– Além disso – continuei, encolerizado –, há muitas outras coisas que você me oculta, mesmo as mais insignificantes, como, por exemplo, a sua viagem de três dias a Balbec, digo-o de passagem. – Acrescentara essas palavras: "digo-o de passagem", como complemento de: "mesmo as coisas mais insignificantes", de modo que, se Albertine retrucasse: "O que há de incorreto em minha ida a Balbec?", eu pudesse responder: "Nem me recordo mais. O que me contam se embaralha na minha cabeça, dou tão pouca importância a isso." De fato, se eu falava daquela excursão de três dias que ela fizera com o motorista até Balbec, de onde seus cartões postais só me chegaram com grande atraso, fazia-o absolutamente ao acaso, e eu lamentava ter escolhido tão mal o meu exemplo, pois na verdade, mal tendo ela tido tempo de ir e voltar, era com certeza de todos os seus passeios aquele em que não tivera mesmo ocasião de um encontro mais prolongado fosse com quem fosse. Mas Albertine pensou, conforme o que eu acabava de dizer, que eu conhecia a verdade verdadeira, e apenas lhe ocultara que o sabia. Ficara então convencida de que, de um forma ou outra, mandando segui-la, ou enfim de um modo qualquer, estava, como na semana anterior ela dissera a Andrée, "mais informado que ela própria" acerca de sua vida. Assim, interrompeu-me com uma confissão bastante inútil, pois é certo que eu não suspeitava coisa alguma do que ela me disse e, em compensação, fiquei abatido, tão grande pode ser o afastamento entre a verdade distorcida por uma mentirosa e a idéia que, segundo essas mentiras, fez-se dessa verdade aquele que ama a mentirosa. Apenas pronunciara eu aquela frase: "Sua viagem de três dias a Balbec, digo-o de passagem", Albertine, cortando-me a palavra, declarou como se fosse uma coisa muito natural: – Você quer dizer que não houve a excursão a Balbec? Claro que não! E sempre indaguei a mim mesma por que você fingia que acreditava. Contudo, foi algo bem inofensivo. O motorista tinha de tratar de assuntos particulares durante três dias. Não se animava a lhe pedir uma folga. Então, por bondade para com ele (é bem coisa minha! e depois é sempre sobre mim que recaem as conseqüências), inventei uma pretensa viagem a Balbec. Ele simplesmente me deixou em Auteuil, na casa de minha amiga da rua da Assunção, onde passei os três dias chateando-me demais. Bem que principiei a achar que você talvez soubesse de tudo, quando vi que se punha a rir com a chegada dos cartões postais, com oito dias de atraso. Reconheço que era ridículo e que teria sido melhor não mandar cartão nenhum. Mas não foi culpa minha. Tinha-os comprado de antemão, entregado ao motorista antes que me deixasse em Auteuil, e depois aquele idiota os esqueceu no bolso em vez de mandá-los num envelope a um amigo perto de Balbec e que deveria reenviá-los a você. Eu estava sempre imaginando que eles iam chegar. Só cinco dias depois é que ele se lembrou, e, em vez de me avisar, o pateta os mandou logo para Balbec. Quando me contou, fiquei exasperada, droga! Ficar inutilmente preocupada por causa daquele imbecil, como recompensa de passar três dias enclausurada para que ele pudesse tratar dos seus probleminhas de família! Eu nem sequer me animava a sair à rua em Auteuil de medo de ser vista. Na única vez em que saí, disfarcei-me de homem, antes para me divertir. E a minha sorte, que me acompanha por toda parte, quis a primeira pessoa com quem topasse fosse o seu amigo judeu, Bloch. Mas não creio que tenha sido através dele que você soube que a viagem a Balbec nunca existiu senão na minha imaginação, pois ele pareceu não me reconhecer.

Eu não sabia o que dizer, não desejando parecer assombrado, esmagado por tantas mentiras. A um sentimento de horror, que não me dava o desejo de expulsar Albertine, pelo contrário, ajuntava-se uma enorme vontade de chorar. Esta era causada não pela mentira em si e pelo aniquilamento de tudo o que eu havia julgado de tal modo verdadeiro, que me sentia como uma cidade arrasada, onde casa nenhuma permanece de pé, onde o chão nu só apresenta ruínas –, mas pela melancolia de pensar que, durante os três dias passados a se aborrecer na casa da amiga de Auteuil, Albertine não tivesse tido uma vez sequer o desejo, talvez nem mesmo a idéia, de vir passar às escondidas um dia na minha casa ou, por um bilhetinho, pedir-me que fosse vê-la em Auteuil. Mas eu não tinha tempo de me entregar a esses pensamentos. Sobretudo, não queria parecer espantado. Sorri com o ar de alguém que sabe bem mais do que diz: – Mas isso é uma coisa entre mil outras. Olhe, antes desta noite em casa dos Verdurin, fiquei sabendo que o que você me havia dito acerca da Srta. Vinteuil... – Albertine me olhava fixamente com aspecto atormentado, buscando ler em meus olhos aquilo que eu sabia. Ora, o que eu sabia e ia dizer-lhe era sobre de quem se tratava a Srta. Vinteuil. É verdade que não fora na casa dos Verdurin que eu o soubera, mas antigamente em Montjouvain. Apenas, como nunca falara expressamente a Albertine sobre isso, podia dar a impressão de tê-lo sabido somente nesta noite. E quase tive alegria – depois de tantos sofrimentos no trenzinho por causa disso – por haver guardado aquela recordação de Montjouvain, que eu pós-dataria, mas que nem por isso deixaria de ser uma prova esmagadora, uma bordoada em Albertine. Desta vez, ao menos, eu não precisava "fingir saber" e fazê-la confessar: sabia, *tinha visto* pela janela iluminada de Montjouvain. Por mais que Albertine me dissesse que suas relações com a Srta. Vinteuil e sua amiga tinham sido muito puras, como poderia ela, quando eu lhe jurasse (e juraria sem mentir) que sabia dos costumes dessas duas mulheres, como poderia ela sustentar que, tendo vivido numa intimidade cotidiana com elas, chamando-as de "minhas irmãs mais velhas", não tivesse sido objeto de propostas que a teriam feito romper com elas caso, pelo contrário, não as tivesse aceito? Mas não tive tempo de dizer a verdade. Achando Albertine, como no caso da falsa viagem a Balbec, que eu soubera daquilo, ou pela Srta. Vinteuil, se esta havia comparecido à casa dos Verdurin, ou muito simplesmente pela Sra. Verdurin, que poderia ter falado a seu respeito à Srta. Vinteuil, não me deixou tomar a palavra e me fez uma confissão exatamente o oposto do que eu havia acreditado, mas que, demonstrando que ela jamais deixara de mentir para mim, magoou-me talvez tanto como magoaria a outra (sobretudo porque, como disse há pouco, já não sentia ciúmes da Srta. Vinteuil). Portanto, antecipando-se, Albertine falou deste modo: – Quer dizer que você soube esta noite que eu lhe menti quando fingi ter sido meio educada pela amiga da Srta. Vinteuil. É verdade que lhe menti um pouco. Mas eu me sentia tão desprezada por você, via-o tão apaixonado pela música desse Vinteuil que, como uma de minhas companheiras – é verdade, juro-lhe – fora amiga da amiga da Srta. Vinteuil, pensei bobamente em me tornar interessante a seus olhos inventando que conhecera muito essas moças. Eu percebia que você se entediava na minha companhia, que me achava tola; pensei que, dizendo conhecer essa gente, e que podia lhe fornecer detalhes sobre as obras de Vinteuil, ganharia um pouco mais de prestígio a seus olhos, que isso nos reaproximaria. Quando lhe minto, é sempre por amizade a você. E foi preciso haver essa fatal reunião dos Verdurin para que você soubesse da verdade, que aliás talvez tenham exagerado. Aposto que a amiga da Srta. Vinteuil lhe terá dito que não me conhecia. Ela me viu pelo menos duas vezes na casa da minha companheira. Mas naturalmente não sou muito chique para as pessoas que se tornaram tão célebres. Elas preferem dizer que nunca me viram. – Pobre Albertine; quando pensara que, por me dizer que fora tão ligada à amiga da Srta. Vinteuil, retardaria o nosso rompimento e a reaproximaria de mim, atingira a verdade, como ocorre tantas vezes, por um caminho diverso daquele que desejara tomar. Mostrar-se mais informada sobre a música do que a imaginara não me teria impedido de forma alguma de romper com ela nessa noite, no trenzinho; e todavia fora exatamente essa frase, dita por ela com aquele objetivo, que causara de imediato muito mais que a impossibilidade de romper. Apenas, ela cometia um erro de interpretação, não sobre o efeito que devia ter essa frase, mas sobre a causa em virtude da qual ela devia produzir esse efeito, causa que era, não a de conhecer a sua cultura musical, porém suas más relações. O que me reaproximara bruscamente dela, e bem mais, dissolvera-me nela, não fora a expectativa de um prazer – e dizer prazer é um exagero, um simples divertimento –, mas a opressão de uma dor.

Desta vez ainda, eu não tinha tempo de manter um sil prolongado que poderia deixá-la supor espanto de minha parte. Assim, comovido com sua modéstia e que se julgasse desprezada no meio dos convivas dos Verdurin, disse-lhe com ternura: – Mas, minha querida, eu teria prazer em lhe dar algumas centenas de francos para que você fosse bancar uma senhora chique onde quisesse e convidasse o Sr. e a Sra. Verdurin para um belo jantar. – Ai de mim! Albertine era várias pessoas numa só. A mais misteriosa, a mais simples, a mais atroz se mostrou na resposta que me deu com ar de nojo e cujas palavras, para falar a verdade, não percebi muito bem (até as palavras do princípio, já que ela não terminou). Só as restabeleci um pouco depois, quando adivinhei seu pensamento. Ouve-se retrospectivamente, quando se compreendeu. – Muito obrigada! Gastar um tostão com aqueles velhos; prefiro bem mais que você me dê liberdade para eu ir *me casser...*[49] – Tão logo falou, seu rosto enrubesceu e ela se mostrou envergonhada; pôs a mão na boca, tal se pudesse engolir as palavras que acabava de dizer e que eu não entendera bem. – Que está dizendo, Albertine? – Nada, nada, estava meio dormindo. – De jeito nenhum, você está bem desperta. – Eu pensava no jantar para os Verdurin, é muito gentil de sua parte. – Não, estou me referindo ao que você disse. – Ela me deu mil versões, mas que de modo algum se encaixavam, já não digo nas suas palavras que, interrompidas, permaneciam vagas mas na própria interrupção e no súbito rubor que a acompanhara. – Vamos, querida, não foi nada disso que você pretendeu dizer; senão, por que se interromperia? – Porque achei que meu pedido era indiscreto. – Que pedido? – De dar um jantar. – Não, não é isso, não temos discrições a manter entre nós. – Pelo contrário, temos sim, convém não abusar das pessoas a quem amamos. Em todo caso, juro-lhe que é apenas isso. – Por um lado, era-me sempre impossível duvidar de um juramento dela; por outro lado, suas explicações não contentavam minha razão. Não deixei de insistir. – Afinal, tenha ao menos a coragem de acabar essa frase, você se interrompeu em *casser* ... – Oh, não! Deixe-me! – Mas por quê? – Porque é horrivelmente vulgar, eu teria vergonha de dizê-la na sua frente. Não sei em que estava pensando, são dessas palavras de que nem mesmo conheço o sentido e que ouvi um dia na rua, ditas por gente muito obscena, e que me vieram à boca sem motivo ou razão. Isso não diz respeito nem a mim nem a ninguém, eu estava sonhando em voz alta. – Senti que não conseguiria tirar mais nada de Albertine. Ela me havia mentido ao jurar há pouco que se interrompera por um receio mundano de indiscrição, agora transformado na vergonha de repetir na minha frente uma palavra muito vulgar. Portanto, tratava-se agora de uma nova mentira. Pois, quando Albertine e eu estávamos juntos, não havia frases por mais devassas, nem expressões por mais grosseiras, que não pronunciássemos enquanto nos acariciávamos. Em todo caso, era inútil insistir naquele momento. Mas minha memória continuava obcecada por aquele termo *"casser"*. Muitas vezes Albertine dizia *"casser du bois sur quelqu'un, casser du sucre"*, ou, simplesmente: *"ah, ce que je lui en ai cassé!"*, para significar "como o injuriei!". Mas ela o dizia normalmente diante de mim e, se era isso o que tinha querido dizer, por que se

[49] *Me casser*, na gíria da época, era um termo chulo mais ou menos equivalente a "foder-se". Deixamos o termo em francês visto que, a seguir, o Narrador o repete várias vezes, tentando entender o que Albertine de fato havia dito; e as expressões em que esse termo aparece têm significado bem diverso, dispensando o uso do verbo chulo em português, o que não faria sentido na tradução. (N. do T.)

calara bruscamente, por que enrubescera tanto e pusera a mão na boca, modificara totalmente a frase e, quando percebera que eu tinha ouvido claramente *casser*, dera uma falsa explicação? Mas, no momento em que eu renunciava a prosseguir um interrogatório ao qual não teria resposta, o melhor era parecer não pensar mais naquilo; e, voltando pelo pensamento às censuras que Albertine me fizera por ter ido à casa da Patroa, disse-lhe muito sem jeito, o que era uma espécie de desculpa estúpida: – Eu justamente tinha querido convidá-la para vir comigo à reunião dos Verdurin esta noite –, frase duplamente desajeitada, pois se o quisera, e a vira o tempo todo, por que não o havia proposto? Furiosa com a minha mentira e animada pela minha timidez, ela retrucou: – Você poderia me convidar durante mil anos, que eu jamais teria aceito. Trata-se de pessoas que sempre foram contra mim, fizeram de tudo para me contrariar. Não houve gentileza que eu não fizesse à Sra. Verdurin em Balbec, e que bela recompensa tive! Mas ela pode me mandar chamar na hora da morte, que não irei. Há coisas que não se perdoam. Quanto a você, é a primeira indelicadeza que me faz. Quando Françoise me disse que você saíra (e veja, ela estava bem contente por me dizer isso), eu teria preferido que me partissem a cabeça ao meio. Cuidei para que ninguém reparasse nada, mas, em toda a minha vida, nunca senti afronta igual.

Mas, enquanto ela me falava, continuava em mim, no sono grandemente vivo e criador do inconsciente (sono onde acabam de se gravar as coisas que apenas roçaram por nós, onde as mãos adormecidas se apoderam da chave que abre, inutilmente procurada até então), a procura do que ela tinha querido expressar com a frase interrompida e cujo final eu desejaria saber qual fosse. E de repente, duas palavras atrozes, em que eu de modo algum pensara, vieram-me à memória: *le pot*. Não posso dizer que vieram de uma só vez, como quando, numa longa submissão passiva a uma recordação incompleta, ao mesmo tempo que se busca grave e prudentemente ampliá-la, fica-se dobrado, colado nela. Não, contrariamente à minha maneira habitual de recordar, creio, dois caminhos paralelos de procura: um levava em conta não somente a frase de Albertine, mas o seu olhar atormentado quando eu lhe propusera dar dinheiro para que oferecesse um belo jantar, um olhar que parecia dizer: "Obrigada, gastar dinheiro com coisas que me aborrecem, quando sem dinheiro eu poderia fazer aquilo que me agradasse!" E foi talvez a lembrança daquele seu olhar que me fez mudar de método para achar o fim do que ela quisera dizer. Até então eu estava como que hipnotizado pela última palavra: *"casser"*; teria ela querido dizer quebrar o quê? *Casser du bois?* Não. *Du sucre?*[50] Não. *Casser, casser, casser*. E de súbito, o retorno àquele olhar acompanhado de um erguer de

[50] *Casser*, em sentido comum, é quebrar. Mas *casser du bois* é "rachar lenha" e *casser du sucre*, "caluniar, maldizer". N. do T.)

ombros no momento em que lhe propusera que desse um jantar, fez-me retrogradar também nas palavras de sua frase. Assim, vi que ela não dissera *"casser", mas "me faire casser*". Que horror! Era isso o que ela teria preferido. Duplo horror! Pois até a última das meretrizes, que consente nisso ou que o deseja, não emprega com o homem que para tal se presta essa horrorosa expressão. Ela se sentiria aviltada demais. Só para outra mulher, se gosta delas, é que diz aquilo para se desculpar por se entregar dali a pouco a um homem. Albertine não havia mentido quando dissera que estava meio sonhando. Distraída, impulsiva, sem se lembrar que estava comigo, dera de ombros e começara a falar como o faria a uma dessas mulheres, talvez a uma das minhas moças em flor. E bruscamente chamada à realidade, vermelha de vergonha, recalcando o que ia dizer, desesperada, não quisera mais pronunciar uma só palavra. Eu não tinha um segundo a perder se não quisesse dar a perceber o desespero que me avassalava. Mas, após o sobressalto da cólera, já as lágrimas me vinham aos olhos. Como em Balbec, na noite que se seguira à revelação de sua amizade com os Vinteuil, era-me preciso inventar imediatamente um motivo plausível para a minha tristeza, motivo que ao mesmo tempo fosse capaz de produzir um efeito tão profundo em Albertine que me desse um prazo de alguns dias antes de tomar uma decisão. Assim, no momento em que ela me dizia que nunca sofrera uma afronta semelhante à que lhe infligira ao sair, que teria preferido morrer a ouvir aquilo de Françoise; como, irritado pela suscetibilidade ridícula, eu ia lhe dizer que o que havia feito era bem insignificante, que não havia o menor insulto para ela no fato de eu ter saído; e como, no decorrer desses minutos, paralelamente, minha procura inconsciente daquilo que ela quisera dizer após a palavra *"casser"* havia terminado, e que o desespero em que me lançara a minha descoberta não podia ser de todo escondido, em vez de me defender, acusei-me: – Albertine, meu benzinho – disse em tom carinhoso, de mistura com as primeiras lágrimas –, eu poderia lhe dizer que você procedeu mal, que o que eu fiz não significa nada, mas estaria mentindo; é que há seis meses, há três meses, quando ainda sentia tanta amizade por você, jamais teria feito isso. É um nada e é enorme, devido à imensa mudança que houve no meu coração, de que isto é o sinal. E já que você adivinhou essa mudança que eu esperava lhe ocultar, isso me leva a lhe dizer o seguinte: Minha querida Albertine – disse-lhe com uma doçura e uma tristeza profundas –, veja, a vida que leva aqui é muito aborrecida para você, é preferível deixar-nos; e como as melhores separações são aquelas que mais rapidamente se efetuam, peço-lhe, para abreviar a grande mágoa que vou sentir, que se despeça de mim esta noite e que parta amanhã de manhã sem que a tenha visto de novo, enquanto eu estiver dormindo. – Ela pareceu estupefata, ainda incrédula e já desolada: – Como, amanhã? É o que você quer? – E, apesar do sofrimento que eu experimentava em falar da nossa separação como se já estivesse no passado – talvez em parte devido a esse mesmo sofrimento –, passei a dirigir a Albertine os conselhos mais adequados relativamente a certas coisas que ela teria de fazer depois de me deixar. E de recomendações em recomendações, cheguei logo a entrar em detalhes minuciosos. – Tenha a bondade – disse-lhe com tristeza infinita – de me devolver o livro de Bergotte que está com sua tia. Isto não tem pressa, em três dias ou em oito dias, quando você quiser, mas não se esqueça disso, para que eu não tenha de mandar pedi-lo, isto me doeria demais. Temos sido felizes, sentimos agora que seríamos infelizes. – Não diga que sentimos que seríamos infelizes – interrompeu Albertine –, não diga "nós", pois só você é que acha isso! – Está bem; enfim, você ou eu, como quiser, por um motivo ou outro; mas já é bem tarde, vá se deitar; decidimos separar-nos esta noite. – Perdão, *você* decidiu e eu lhe obedeço porque não quero causar aborrecimentos. – Seja, fui eu que decidi, mas nem por isso é menos doloroso para mim. Não digo que será doloroso por muito tempo, você sabe que não tenho condições de me lembrar por muito tempo, mas nos primeiros dias vou sentir tantas saudades suas! Assim, acho inútil reavivar com cartas, é preciso acabar logo. – Sim, você tem razão – disse ela com ar profundamente magoado, a que se ajuntavam ainda as feições abatidas pelo cansaço da hora avançada –, em vez de cortar um dedo e depois outro, prefiro que me cortem logo a cabeça. – Meu Deus, estou apavorado de pensar a que horas você vai dormir por minha culpa; é uma loucura. Enfim, como é a última noite! Você terá tempo para dormir todo o resto da sua vida. – E assim, dizendo que era necessário que nos despedíssemos, eu buscava retardar o momento em que ela o faria. – Para se distrair nos primeiros dias, você quer que eu diga a Bloch para lhe enviar a prima dele, Esther, onde quer que você esteja? Ele fará isto por mim. – Não sei por que você diz isso (eu o dizia para tentar arrancar uma confissão de Albertine), pois só uma pessoa me interessa: você – disse Albertine, cujas palavras me encheram de doçura. Mas, logo a seguir, que mal ela me fez: – Lembro-me perfeitamente que dei minha fotografia a essa Esther porque ela insistia muito, e eu percebia que aquilo lhe dava prazer; mas quanto a ter tido amizade por ela ou a ter vontade de vê-la, nunca! – E contudo Albertine era de natureza tão leviana, que acrescentou: – Se ela quiser me ver, para mim tanto faz; ela é muito amável, mas não faço nenhuma questão. – Assim, quando eu lhe falara da foto de Esther que Bloch me havia mandado (e que eu ainda nem sequer recebera ao falar dela a Albertine), minha amiga entendera que Bloch me havia mostrado uma fotografia dela, dada por ela a Esther. Nas minhas piores suposições, jamais imaginara que uma tal intimidade pudesse ter existido entre Albertine e Esther. Albertine não achara coisa alguma para me responder quando lhe falara da fotografia. E agora, julgando, erradamente, que eu estivesse a par do assunto, achava mais hábil confessar. Eu me sentia acabrunhado. – E além disso, Albertine, peço-lhe uma coisa: é que nunca procure me rever. Se algum dia, o que poderá acontecer dentro de um, dois ou três anos, nós nos encontrarmos na mesma cidade, evite-me. – E vendo que ela não respondia afirmativamente ao pedido: – Minha Albertine, não faça tal coisa, nunca mais me volte a ver nesta vida. Isso me faria muito mal. Pois eu sentia por você uma verdadeira amizade, você sabe. Sei muito bem que, quando lhe contei outro dia que desejava rever a amiga de quem havíamos falado em Balbec, você imaginou que já fosse coisa combinada. Mas não, garanto-lhe que aquilo pouco me importava. Você está convencida de que eu resolvera há muito tempo abandoná-la, que a minha ternura era uma comédia. – Absolutamente, você está louco, nunca tive essa idéia – disse-me ela com tristeza. – Tem razão, não é preciso acreditar nisso, eu amava de verdade a você, talvez não fosse amor, mas uma grande, muito grande amizade, mais do que pode imaginar. – Ah sim, acredito nisso. E você imagina que eu não gosto de você! – É um grande desgosto para mim ter de abandoná-la. – O meu desgosto é mil vezes maior – respondeu Albertine. Fazia alguns instantes que eu já sentia não poder reter as lágrimas que me subiam aos olhos. E essas lágrimas de modo nenhum nasciam do mesmo tipo de tristeza que outrora eu havia experimentado ao dizer a Gilberte: "É melhor não nos vermos mais, a vida nos separa." É claro que, quando escrevia isto a Gilberte, dizia-me que, quando já não sentisse amor por ela e sim por outra, o excesso do meu amor diminuiria o que eu talvez pudesse inspirar, como se existisse fatalmente entre duas criaturas uma certa quantidade de amor disponível, onde o tomado a mais por uma fosse retirado à outra, e que, da outra também, como de Gilberte, eu seria condenado a me separar.[51] Mas a situação era completamente diversa por muitos motivos, dos quais o primeiro, que por sua vez originara os outros, era que aquela falta de vontade que minha avó e minha mãe tanto receavam em mim, quando em Combray, e diante da qual tanto uma como outra tinham sucessivamente capitulado, a tal ponto um doente possui energia para impor sua fraqueza, essa falta de vontade fora se agravando de modo cada vez mais rápido. Quando eu percebera que minha presença fatigava Gilberte, tinha eu ainda força bastante para renunciar a ela; já não possuía mais forças ao fazer a mesma constatação quanto a Albertine, e só pensava em retê-la de qualquer jeito. De forma que, se eu escrevia a Gilberte dizendo que não a veria mais e com a intenção de nunca mais vê-la de fato, dizia-o para Albertine somente como simples mentira e para propiciar uma reconciliação. Assim, apresentávamos um ao outro uma aparência bem diversa da realidade. E, sem dúvida, é sempre assim quando dois seres estão face a face, pois cada um deles ignora uma parte do que está no outro (e mesmo o que ele sabe não pode em parte compreendê-lo), e ambos manifestam o que lhes é menos pessoal, ou porque eles próprios não o tenham distinguido e o julguem desprezível, ou porque lhe pareçam mais importantes e lisonjeiras certas vantagens insignificantes e que não dependem deles; e,

[51] No original, *"... à le séparer."* ('a separá-lo'). Preferimos, neste passo, seguir a lição de Pierre Clarac e André Ferré (*à me séparer*), na edição crítica de 1954. (N. do T.)

por outro lado, certas coisas às quais se aferram para não serem desprezados, como não as possuem, esforçam-se para não parecer dar-lhes importância, e é justo a coisa que aparentam desdenhar acima de tudo, e até execrar. Mas, no amor, esse mal-entendido é levado ao grau máximo porque, salvo talvez quando se é criança, tratamos de fazer com que a aparência que assumimos, em vez de refletir exatamente o nosso pensamento, reflita o que tal pensamento julga ser o mais próprio para nos fazer obter o que desejamos, e que, para mim, desde que voltara para casa, era poder manter Albertine tão dócil como no passado, que ela não me pedisse na sua irritação uma liberdade maior, que eu aspirava a dar-lhe um dia, mas que naquele momento, em que temia suas veleidades de independência, me faria excessivamente ciumento. A partir de uma certa idade, por amor-próprio e por sagacidade, as coisas que mais desejamos são aquelas que mais fingimos desprezar. Mas em amor, a simples sagacidade – que aliás não é provavelmente a verdadeira sabedoria – nos força bem depressa a esse gênero de duplicidade[51-A]. Tudo o que eu, em criança, sonhara de mais doce no amor, e que me parecia a sua própria essência, era, diante daquela que eu amasse, expandir livremente a minha ternura, o meu reconhecimento por uma bondade, meu desejo por uma perpétua vida em comum. Mas eu havia muito bem percebido, por experiência própria e pela de meus amigos, que a expressão de tais sentimentos longe está de ser contagiosa. O caso de uma solteirona afetada como o Sr. de Charlus, que, de tanto ver apenas na sua imaginação um belo rapaz, julga tornar-se ele mesmo um rapaz bonito e trai cada vez mais a feminilidade em suas risíveis afetações viris, é caso que se insere numa lei que se aplica muito além dos Charlus, uma lei de tamanha generalidade que o próprio amor não a esgota de todo; não vemos o nosso corpo como os outros o vêem, e "seguimos" nosso pensamento, o objeto que está diante de nós, invisível aos outros (às vezes tornado visível pelo artista numa obra, de que decorrem tão freqüentes desilusões, entre seus admiradores, quando são admitidos à presença do autor, em cujo rosto a beleza interna está refletida tão imperfeitamente). Uma vez que reparamos nisso, não mais nos deixamos seduzir; de tarde, eu evitara testemunhar a Albertine toda a minha gratidão por não ter ela ficado no Trocadero. E nesta noite, receando que ela me abandonasse, eu havia fingido desejar abandoná-la, fingimento que aliás não me era ditado apenas, como veremos daqui a pouco, pelas informações que eu julgara recolher de meus amores precedentes e dos quais tentava tirar proveito para o atual. Esse receio de que Albertine talvez fosse me dizer: "Quero algumas horas para sair sozinha, poder ausentar-me durante vinte e quatro horas", enfim, qualquer pedido de liberdade que eu não procurava definir, mas que

[51-A] No original "génie de duplicite", o que não faz sentido. Preferimos "genre" (gênero). (N. do T.)

me apavorava, essa idéia me viera à cabeça por um instante durante a reunião dos Verdurin. Mas ela se dissipara, aliás contradita pela lembrança de tudo o que Albertine me dizia sem cessar acerca de sua felicidade na minha casa. A intenção de me deixar, se existia em Albertine, só se manifestava de um modo obscuro, por certos olhares tristes, certas impaciências, frases que não queriam absolutamente dizer isso, mas, se a gente raciocinasse (e nem havia necessidade de raciocinar, pois adivinha-se de imediato essa linguagem da paixão, mesmo a gente do povo compreende essas frases que só podem se explicar pela vaidade, pelo rancor, pelo ciúme, aliás inexpressos, mas que logo despista no interlocutor uma faculdade intuitiva que, como aquele "bom senso" de que fala Descartes, é a "coisa mais disseminada do mundo"), só podia explicar pela presença, nela, de um sentimento que ela ocultasse e que podia levá-la a fazer planos para uma outra vida sem mim. Assim como essa intenção não se exprimia em suas palavras de uma forma lógica, assim também o pressentimento dessa intenção que eu tinha desde essa noite permanecia dentro de mim igualmente vago. Eu continuava a viver na hipótese que admitia como verdadeiro tudo o que Albertine me dizia. Mas pode se dar que em mim, durante esse tempo, ocorresse uma hipótese inteiramente contrária, e na qual eu não queria pensar e nem me abandonava; o que é tanto mais provável, porquanto, a não ser isso, eu não me sentiria constrangido de dizer a Albertine que fora à casa dos Verdurin, nem que, sem isso, não teria sido compreensível o pouco espanto que me causou a sua cólera. De modo que o que vivia provavelmente em mim era a idéia de uma Albertine inteiramente oposta à que minha razão fazia dela, e também àquela que suas próprias palavras figuravam, uma Albertine contudo inteiramente inventada, pois era como um espelho interior de certos movimentos que nela se produziam, como o seu mau humor pelo fato de eu ter ido à casa dos Verdurin. Aliás, fazia muito tempo que minhas angústias freqüentes, meu medo de dizer a Albertine que a amava, tudo isso correspondia a uma outra hipótese que explicava muito mais coisas e tinha também isto a seu favor: que, se adotada a primeira, a segunda se tornava mais provável, pois, deixando-me arrastar a efusões de carinho com Albertine, dela só alcançava irritação (que, aliás, ela atribuía a outra causa).

Devo dizer que o que me parecera mais grave e mais me impressionara como sintoma de que ela se antecipava às minhas acusações, era o que me havia dito: – Creio que eles receberão a Srta. Vinteuil esta noite – a que eu respondera o mais cruelmente possível: – Você não me havia dito que estivera com a Sra. Verdurin. – Desde que eu não achava que Albertine fosse amável, em vez de lhe dizer que estava triste fazia-me cruel. Analisando as coisas desse modo, de acordo com o sistema invariável de respostas que expressavam exatamente o contrário do que eu sentia, posso estar seguro de que, se aquela noite eu lhe disse que iria deixá-la, era – mesmo antes de me tornar consciente daquilo – porque temia que ela desejasse uma liberdade (não saberia dizer qual fosse essa liberdade que me fazia estremecer, mas enfim uma liberdade tal que lhe permitisse trair-me ou, pelo menos, uma liberdade em que eu não mais teria certeza se ela não me enganava) e queria mostrar-lhe por orgulho, por habilidade, que muito longe estava de temer aquilo, como já em Balbec, quando eu desejava que ela tivesse uma excelente idéia de mim e, mais tarde, quando queria que ela não tivesse tempo de se aborrecer comigo.

Enfim, quanto à objeção que se poderia opor a esta segunda hipótese – informulada – de que tudo o que Albertine me dizia sempre significava, ao contrário, que sua vida preferida era a vida em minha casa, o repouso, a leitura, a solidão, o ódio aos amores sáficos, etc., seria inútil perder tempo com ela. Pois se, por seu lado, Albertine tivesse querido avaliar o que eu sentia pelo que lhe dizia, chegaria exatamente ao contrário da verdade, já que eu nunca manifestava o desejo de deixá-la senão quando não podia passar sem ela, e em Balbec lhe confessara duas vezes amar outra mulher, uma vez Andrée, outra vez uma pessoa misteriosa, nas duas vezes em que o ciúme reanimara o meu amor por Albertine. Portanto, de modo algum minhas palavras refletiam meu pensamento. Se o leitor não tem disso senão uma idéia bastante fraca, é que, enquanto narrador, eu lhe exponho meus sentimentos e, ao mesmo tempo, repito-lhe minhas palavras. Mas, se lhe ocultasse os primeiros, e ele conhecesse apenas estas, os meus atos, que têm tão pouca relação com elas, dar-lhe-iam tantas vezes a impressão de estranhas reviravoltas que ele me julgaria mais ou menos louco. Procedimento, aliás, que não seria muito mais falso do que o que adotei, pois as imagens que me faziam agir, tão opostas às que se desenhavam em minhas palavras, eram nesse momento grandemente obscuras; só imperfeitamente eu conhecia a natureza segundo a qual agia; hoje, conheço claramente a sua verdade subjetiva. Quanto à verdade objetiva, quer dizer, se as intuições dessa natureza alcançavam mais precisamente que meu raciocínio as verdadeiras intenções de Albertine, se tive razão em me confiar a essa natureza ou se, pelo contrário, ela não alterou as intenções de Albertine em vez de esclarecê-las, é o que me é difícil dizer.

Esse vago receio que senti na casa dos Verdurin, de que Albertine me abandonasse, a princípio se dissipara. Quando cheguei em casa, foi com o sentimento de ser um prisioneiro, e não de ir encontrar-me com uma prisioneira. Mas o receio dissipado voltara a apoderar-se de mim com maior intensidade quando, no momento em que anunciara a Albertine que havia ido à casa dos Verdurin, eu havia visto superpor-se em seu rosto uma aparência de enigmática irritação, que de resto não lhe aflorava pela primeira vez. Eu bem sabia que aquilo não passava da cristalização, na carne, de queixas racionais, de idéias claras para a criatura que as forma, calando-as, síntese tornada visível mas não mais racional, e que aquele que lhe recolhe o precioso resíduo nas feições da criatura amada tenta, por sua vez, para compreender o que nelas se passa, reduzir pela análise a seus elementos intelectuais.

A equação aproximativa daquela incógnita que era para mim o pensamento de Albertine resultara em pouco mais ou menos isto: "Eu conhecia as suspeitas dele, tinha certeza de que ele tentaria verificá-las, e para que eu não pudesse incomodá-lo, fez ele todo o seu trabalho às ocultas." Mas, se era com tais idéias, e que ela jamais me externara, que vivia Albertine, não deveria ela ter horror a mim, não agüentar mais, não poderia, de um dia para o outro, decidir terminar com uma existência em que, se era, ao menos em desejo, culpada, sentia-se adivinhada, perseguida, impedida de se entregar alguma vez a seus gostos, sem que meu ciúme por isso se desarmasse; uma existência em que, se ela era inocente de intenção e de fato, tinha o direito, desde algum tempo, de se sentir desencorajada ao ver que, desde Balbec, onde fora tão perseverante em evitar ficar sozinha com Andrée, até hoje, quando renunciara a ir aos Verdurin e a permanecer no Trocadero, não lograra obter de novo a minha confiança? Tanto mais que eu não podia dizer que seu comportamento não fosse perfeito. Se em Balbec, quando se falava das moças que tinham má fama, ela muitas vezes dava risadas, espreguiçava-se, imitava-lhes os modos, o que me causava torturas devido ao que eu supunha que isto significava para suas amigas; depois que ela soube de minha opinião a esse respeito, logo que aludiam a esse tipo de coisa ela deixava de tomar parte na conversa, não só com a palavra, mas também com a expressão fisionômica. Seja para não contribuir às maledicências que se diziam sobre esta ou aquela moça, seja por um motivo inteiramente diverso, a única coisa que impressionava nela então, em suas feições tão móveis, era que, a partir do momento em que se tocava no assunto, revelavam elas a sua distração, conservando precisamente a expressão que tinham tido um minuto antes. E essa imobilidade de uma expressão mesmo leve pesava como um silêncio; teria sido impossível dizer se ela censurava, se ela aprovava, se ela conhecia ou não essas coisas. Cada um de seus traços não se relacionava senão com outro desses traços. Seu nariz, sua boca, seus olhos formavam uma harmonia perfeita, isolada do resto; ela assumia o ar de um desenho a pastel; e era como se falar daquilo diante dela ou diante de um retrato de La Tour desse no mesmo.[52]

Meu cativeiro, ainda percebido por mim, quando, ao dar ao cocheiro o endereço de Brichot, divisara a luz da janela, deixara de me pesar pouco depois, quando eu tinha percebido que Albertine parecia sentir tão cruelmente o seu. E, para que ele lhe parecesse menos pesado, e para que ela não tivesse a idéia de rompê-lo por conta própria, o mais hábil seria não lhe dar a impressão de que fosse definitivo, e que eu mesmo desejava que acabasse. Vendo que meu fingimento dera resultado, poderia eu sentir-me feliz, primeiro porque aquilo que tanto receara, a vontade que eu atribuía a Albertine de ir-se embora, estava afastada; depois,

[52] *La Tour*: Maurice Quentin de La Tour (1704-1788), retratista francês (N. do T.)

porque afora mesmo o efeito visado, em si mesmo o sucesso do meu artifício, provando que eu absolutamente não era para Albertine um amante desdenhado, um ciumento escarnecido, cujas manhas são previamente descobertas, devolvia ao nosso amor uma espécie de virgindade, fazia renascer para ele o tempo em que ela ainda podia, em Balbec, acreditar tão facilmente que eu amava a outra. Sem dúvida, ela não mais teria acreditado nisso, mas acreditava na minha intenção simulada de nos separarmos para sempre aquela noite.

Parecia desconfiar que a causa dessa minha intenção fosse alguma coisa ouvida na casa dos Verdurin. Disse-lhe que vira um autor teatral, Bloch, muito amigo de Léa, a quem ela dissera coisas estranhas (pensava deste modo fazê-la acreditar que eu sabia muito mais coisas do que dizia acerca das primas de Bloch). Mas, por uma necessidade de apaziguar a perturbação em que me punha aquela simulação de rompimento, disse-lhe: – Albertine, você pode jurar que nunca me mentiu? – Ela encarou fixamente o vago, e depois respondeu: – Sim, quer dizer, não. Fiz mal em lhe dizer que Andrée andara muito caída por Bloch, nós não o tínhamos visto. – Mas então, por quê? – Porque eu tinha medo que você pensasse outras coisas dela. – É tudo? Olhou de novo, fixamente, o vazio e disse: – Fiz mal em lhe esconder uma viagem de três semanas com Léa. Mas eu conhecia você tão pouco. – Foi antes de Balbec? – Antes da segunda vez, sim. – E nessa mesma manhã ela me havia dito que não conhecia Léa! Era como se eu visse uma chama queimar instantaneamente um romance que eu levara milhões de minutos a escrever. Para quê? Para quê? Claro, eu compreendia perfeitamente que Albertine só revelava esses dois fatos por achar que eu soubera indiretamente deles por Léa, e não havia motivo nenhum para que não houvesse mais uma centena de fatos semelhantes. Compreendia também que as palavras de Albertine, quando a interrogava, não continham jamais um átomo de verdade, que a verdade, ela só a deixava escapar sem querer, como uma súbita mistura que nela se fazia entre os fatos que até então estava decidida a ocultar e a crença de que já fossem conhecidos. – Mas duas coisas, isto não é nada – disse eu a Albertine. – Vamos ver um pouco mais, para que você me deixe algumas recordações. Que outra coisa pode me revelar? – Ela voltou a encarar um ponto fixo no vago. A que crenças na vida futura adaptaria ela a mentira, com que deuses menos indulgentes do que pensara tentaria acomodar-se? Não deve ter sido fácil, pois seu silêncio e a fixidez do seu olhar duraram muito tempo. – Nada, nada mais – acabou por dizer. E, apesar da minha insistência, teimou, facilmente agora, nesse "nada". E que mentira, pois, já que ela possuía aquele vício, quantas vezes, em quantos lugares e passeios ela teria podido satisfazê-lo, até o dia em que se vira enclausurada na minha casa! As gomorrianas são a um tempo bem raras e bem numerosas para que, em qualquer multidão, uma não passe despercebida aos olhos de outra. Daí então o entendimento é fácil. Lembrei-me horrorizado de uma noite que na ocasião só me parecera ridícula. Um de meus amigos me convidara para jantar no restaurante com sua amada e um outro de seus amigos, que também trouxera a sua. Elas não demoraram a entender-se, mas ficaram de tal modo impacientes por se possuírem que, desde a sopa, os pés se buscavam, com freqüência encontrando os meus. Em breve as pernas se entrelaçaram. Meus dois amigos nada viam; eu pisava em brasas. Uma das mulheres, que não podia conter-se, agachou-se embaixo da mesa, dizendo que havia deixado cair alguma coisa. Depois, uma teve enxaqueca, desculpou-se e foi ao lavabo. A outra percebeu que estava na hora de ir encontrar-se com uma amiga no teatro. Afinal fiquei sozinho com meus amigos, que não desconfiavam de nada. A que estava com enxaqueca desceu, mas pediu para sair sozinha, e esperar seu amante na casa dele a fim de tomar um pouco de antipirina. Elas se fizeram muito amigas, passeavam juntas; uma, que se vestia de homem, seduzia meninas, levava-as para a casa da outra, e iniciava-as. A outra tinha um garoto, de quem parecia estar descontente, e fazia-o ser corrigido pela amiga, que o surrava à beça. Pode-se dizer que não existe lugar, por mais público que seja, onde não fizessem o que há de mais secreto.

– Mas Léa sempre foi correta comigo, durante essa viagem – disse Albertine. – Ela era até mais reservada que muitas mulheres da boa sociedade. – Quer dizer que houve mulheres da boa sociedade que não foram reservadas com você, Albertine? – Nunca. – Então, o que é que você quer dizer? – Ora, quero dizer que ela era menos livre em suas expressões. – Exemplo? – Ela não teria empregado, como tantas mulheres que são recebidas em sociedade, a palavra "paulificante", e a expressão "mandar para o raio que o parta". – Pareceu-me que uma parte do romance que ainda não havia queimado reduzia-se afinal a cinzas. Meu desânimo teria durado. As palavras de Albertine, quando pensava nelas, faziam mudar-se o desânimo em cólera insana. Esta cedia a uma espécie de enternecimento. Eu também, desde que entrara em casa e havia declarado a intenção de romper, também mentia. E essa vontade de separação que eu fingia com perseverança, infundia-me aos poucos algo da tristeza que teria sentido se de fato quisesse deixar Albertine.

Além disso, mesmo pensando de novo, intermitentemente, por acessos, como se diz das outras dores físicas, nessa vida orgiástica de Albertine antes que me conhecesse, ainda mais admirava a docilidade da minha cativa e deixava de lhe querer mal. É claro que nunca, durante a nossa vida em comum, eu deixara de dar a entender a Albertine que semelhante vida não seria provavelmente mais que provisória, de forma que Albertine continuasse a achar nela algum encanto. Porém nessa noite eu fora mais longe, tendo receado que vagas ameaças de separação não fossem bastantes, desmentidas que seriam certamente, no espírito de Albertine, pela sua idéia de um grande amor ciumento por ela, o qual, parecia ela dizer, teria me levado a fazer indagações na casa dos Verdurin. Naquela noite pensei que, em meio às outras causas que poderiam ter me decidido subitamente, sem mesmo me dar conta de que, à medida que representava essa comédia de ruptura, havia sobretudo esta: quando eu, num daqueles impulsos como os de meu pai, ameaçava alguém em sua segurança, como não tinha, feito meu pai, a coragem de realizar uma ameaça, para não deixar crer que se tratava de palavras no ar, ia bem longe nas aparências da realização e só recuava quando o adversário, verdadeiramente convencido da minha sinceridade, apavorava-se de fato.

Aliás, nessas mentiras, sentimos muito bem o que existe de verdade, sentimos que, se a vida não traz mudanças em nossos amores, nós mesmos é que nos encarregamos de causá-las ou fingi-las, e falar de separação, de tal maneira sentimos que todos os amores e todas as coisas evoluem rapidamente para o adeus. Desejamos chorar as lágrimas que ele nos fará derramar muito antes que sobrevenha o momento. Sem dúvida, havia dessa vez, na cena que eu representara, uma razão de utilidade. De repente eu fizera questão de guardá-la, pois sentia-a esparsa em outras criaturas às quais eu não podia impedi-la de se juntar. Mas, se ela renunciasse a todos para sempre, por minha causa, talvez eu tivesse mais firmemente ainda resolvido não deixá-la jamais, pois a separação se torna cruel devido ao ciúme, mas impossível por causa da gratidão. Em todo caso, eu sentia que travava a grande batalha em que devia vencer ou sucumbir. Teria oferecido a Albertine em uma hora tudo quanto possuísse, porque dizia comigo: "Tudo depende dessa batalha." Porém tais batalhas se parecem menos àquelas de antigamente, que duravam poucas horas, do que a uma batalha contemporânea que não se acaba nem no dia seguinte, nem no outro, nem na semana posterior. Damos todas as nossas forças, porque imaginamos sempre que são as últimas de que precisaremos. E mais de um ano se passa sem trazer a "decisão".

Talvez se houvesse acrescido a isso uma reminiscência inconsciente de cenas mentirosas feitas pelo Sr. de Charlus, junto a quem me achava quando o temor de ser abandonado por Albertine se apossara de mim. Porém mais tarde, ouvi minha mãe contar o seguinte, que então eu ignorava e que me fez crer que eu tivesse encontrado todos os elementos desta cena em mim mesmo, numa dessas reservas obscuras da hereditariedade que determinadas emoções, operando nisso como, na economia de nossas forças armazenadas, os medicamentos análogos ao álcool e ao café põem à nossa disposição: quando minha tia Léonie sabia por Eulalie que Françoise, certa de que sua patroa não sairia nunca mais, tinha tramado uma saída que minha tia devia ignorar, esta, na véspera, fingia decidir que tentaria dar um passeio no dia seguinte. A Françoise, a princípio incrédula, ela ordenava não apenas que preparasse as coisas com antecedência, arejasse aquelas que estavam guardadas há muito, mas até que reservasse o carro e determinasse, com aproximações de um quarto de hora todos os detalhes do dia. Somente quando Françoise, convencida ou ao menos abalada, via-se forçada a contar a minha tia os projetos que fizera, é que esta renunciava publicamente aos seus, para, conforme dizia, não estorvar os de Françoise. Da mesma forma, para que Albertine não pudesse acreditar que eu exagerava e para fazê-la ir o mais longe possível na idéia de que nos iríamos separar, tirando eu próprio as deduções do que acabava de dizer, pusera-me a antecipar o tempo que ia começar no dia seguinte e que duraria para sempre, o tempo em que estaríamos separados, dirigindo a Albertine as mesmas recomendações como se não fôssemos nos reconciliar dali a pouco. Como os generais que julgam que para que um estratagema consiga enganar o inimigo, é preciso ir fundo, tinha empenhado no meu quase tanto de minhas forças de sensibilidade como se ele fosse verdadeiro. Esta cena de separação fictícia acabava por me dar quase tanta mágoa como se fosse real, talvez porque um dos atores, Albertine, julgando-a real, aumentava a ilusão para o outro. Vivíamos um cotidiano que, mesmo penoso, era suportável, preservado como estava no terra-a-terra pelo lastro do hábito e pela certeza de que o dia seguinte, ainda que fosse cruel, conteria a presença da criatura amada. E então, eis que loucamente eu destruía essa vida incômoda. É verdade que não a destruía senão de um modo fictício, mas aquilo bastava para me deixar desolado; talvez porque as palavras tristes que pronunciamos, ainda que de mentira, trazem em si a sua tristeza e no-la injetam profundamente; talvez porque sabemos que, ao simular um adeus, evocamos por antecipação uma hora que fatalmente virá mais tarde; depois, não temos bem certeza de que não acionamos o mecanismo que fará soar essa hora. Em todo blefe existe, por menor que seja, uma parte de incerteza acerca do que vai fazer aquele que enganamos. E se essa comédia de separação fosse terminar numa separação de verdade! Não podemos encarar tal possibilidade, mesmo que improvável, sem um aperto no coração. Ficamos duplamente ansiosos, pois a separação, nesse caso, iria ocorrer no momento em que seria insuportável, em que sofremos pela mulher que vai nos deixar antes de nos ter curado, ou ao menos acalmado. Enfim, não temos mais nem o ponto de apoio do hábito, em que pudéssemos repousar, mesmo na dor. Acabamos voluntariamente de nos privar dele, demos ao dia presente uma importância extraordinária, destacamo-lo dos dias vizinhos, ele flutua sem raízes como um dia de partida; nossa imaginação, deixando de estar paralisada pelo hábito, acaba de espertar, e de repente acrescentamos ao nosso amor cotidiano devaneios sentimentais que o engrandecem enormemente, tornando-nos indispensável uma presença com a qual, todavia, não estamos mais absolutamente seguros de poder contar. Sem dúvida, foi justamente para assegurar no futuro essa presença, que nos entregamos ao jogo de poder dispensá-la. Porém nós mesmos nos tornamos vítimas desse jogo, recomeçamos a sofrer porque fizemos algo de novo, de inusitado, e que assim sucede assemelhar-se a essas curas que devem sanar mais tarde o mal de que sofremos, mas cujos primeiros efeitos fazem-no agravar-se.

Eu tinha lágrimas nos olhos como aqueles que, sozinhos no quarto, imaginando a morte de um ente amado conforme os desvios caprichosos de seus devaneios, representam para si mesmos tão minuciosamente a dor que sentiriam, que acabam por senti-la. Assim, multiplicando as recomendações a Albertine acerca da conduta que ela deveria ter para comigo quando nos separássemos, parecia-me sentir quase tanta mágoa como se não fôssemos nos reconciliar dentro em breve. E, além disso, estava eu tão certo assim de consegui-lo, de fazer Albertine voltar à idéia de uma vida em comum? E, caso eu o conseguisse aquela noite, não poderia acontecer que o estado de espírito, que esta cena havia dissipado, renascesse ainda? Eu me sentia, mas não me acreditava, senhor do futuro, pois compreendia que esta sensação provinha exclusivamente daquilo que ainda não existia e que, desse modo, eu não estava acabrunhado pela sua necessidade. Afinal, sempre mentindo, eu punha talvez mais verdade nas minhas palavras do que pensava. Acabava de ter um exemplo disso quando dissera a Albertine que a esqueceria depressa. Fora o que, de fato, acontecera-me com Gilberte, a quem agora eu me abstinha de ir visitar, para evitar não um sofrimento, mas uma chatice. E certamente havia sofrido ao escrever a Gilberte dizendo que não a veria mais. Pois só de vez em quando ia a sua casa. Todas as horas de Albertine me pertenciam. E, no amor, é mais fácil renunciar a um sentimento do que perder um hábito. Mas todas essas palavras dolorosas sobre nossa separação, se me fora dado a força de pronunciá-las porque as sabia mentirosas, em compensação eram sinceras na boca de Albertine quando a ouvi exclamar: – Ah, está combinado, não o verei jamais. Tudo menos vê-lo chorar desse modo, meu querido. Não quero magoá-lo. Já que é preciso, não nos veremos mais. – Elas eram sinceras, o que não poderiam ser de minha parte, pois, como Albertine só sentia amizade por mim, por um lado a renúncia que elas prometiam custava menos; por outro lado, porque minhas lágrimas, que significariam tão pouco num grande amor, pareciam-lhe quase extraordinárias, deixando-a enleada, transpostas para o domínio dessa amizade em que ela se fixava, dessa amizade maior que a minha, pelo que acabava de dizer – pelo que acabava de dizer, porque numa separação aquele que não ama é que diz coisas carinhosas, pois o amor não se exprime diretamente –, pelo que acabava de dizer, e que talvez não fosse de todo inexato, pois as mil bondades do amor podem acabar por despertar na pessoa que o inspirava sem senti-lo, uma afeição, uma gratidão, menos egoísta que o sentimento que as causou e que, talvez, depois de anos de separação, quando nada mais restar dele no antigo amante, subsistirão sempre na amada.

Houve apenas um momento em que senti por Albertine uma espécie de ódio que só fez tornar mais viva a minha necessidade de retê-la. Como pensava com a maior indiferença no Trocadero – unicamente ciumento, naquela noite, da Srta. Vinteuil –, não só porque a enviara para ali a fim de evitar os Verdurin, mas também por ver ali essa Léa, por causa de quem eu mandara buscar Albertine de volta, para que ela não a conhecesse, eu disse o nome de Léa sem pensar naquilo, e ela, desconfiada e julgando que talvez me tivessem contado mais coisas, antecipou-se e disse com volubilidade, não sem ocultar um pouco o rosto: – Conheço-a muito bem, fui vê-la representar no ano passado, com algumas amigas; depois do espetáculo, fomos até seu camarim, ela se vestiu na nossa frente. Foi muito interessante. – Então meu pensamento foi obrigado a abandonar a Srta. Vinteuil e, num esforço desesperado, nessa queda no abismo das reconstituições impossíveis, prendeu-se à atriz, àquela noite em que Albertine havia ido a seu camarim. Por um lado, depois de todos os juramentos que ela me fizera e num tom tão verídico, depois do sacrifício tão completo de sua liberdade, como acreditar que houvesse maldade em tudo aquilo? E no entanto minhas suspeitas, não eram elas umas antenas dirigidas para a verdade, visto que, se ela me sacrificara os Verdurin para ir ao Trocadero, ainda assim, nos Verdurin, deveria ter estado a Srta. Vinteuil? E, visto que no Trocadero, que aliás ela sacrificara para passear comigo, houvera, como razão para fazê-la regressar, essa Léa que parecia inquietar-me sem motivo, e que, todavia, numa frase que eu não lhe pedira, ela declarava ter conhecido numa escala bem maior do que a que atingiriam meus temores, em circunstâncias bem suspeitas, pois o que a pudera levar a subir daquele jeito ao camarim? Eu deixava de sofrer por causa da Srta. Vinteuil, quando sofria por causa de Léa, as duas algozes do meu dia, ou porque o meu espírito era enfermo e não podia imaginar ao mesmo tempo cenas demais, ou devido à interferência de minhas emoções nervosas das quais o meu ciúme não passava de um reflexo. Daí eu podia inferir que Albertine não estivera mais com Léa do que com a Srta. Vinteuil, e que eu só acreditava em Léa porque ainda sofria por causa dela. Mas porque meus ciúmes se dissipavam – para despertar às vezes, um após outro – isto tampouco significava o contrário, que não correspondessem a alguma verdade pressentida, pois dessas mulheres não seria preciso que me dissesse nenhuma, mas todas. Digo pressentidas, pois não podia ocupar todos os pontos do espaço e do tempo que seriam precisos, e, ainda assim, qual o instinto que me teria fornecido a conjunção de uns e outros, para me permitir surpreender Albertine aqui em tal hora com Léa, ou com as moças de Balbec, ou com a amiga da Sra. Bontemps em quem roçara, ou com a moça do tênis que a tocara com o cotovelo, ou com a Srta. Vinteuil?

– Minha querida Albertine, você é muito amável em me prometer isso. Aliás, nos primeiros anos pelo menos, eu hei de evitar os lugares onde você estiver. Sabe se irá este ano a Balbec? Porque nesse caso, vou arranjar as coisas para não ir até lá. – Agora, se eu continuava a proceder assim, adiantando os tempos na minha invenção mentirosa, era menos para atemorizar Albertine do que para fazer mal a mim mesmo. Como um homem que não tinha a princípio senão motivos pouco importantes para se aborrecer, exalta-se de todo com os efeitos da própria voz, deixando-se levar por uma fúria engendrada não por suas razões de queixa, mas pela própria cólera em vias de crescimento, assim eu rolava cada vez mais rápido pelo declive da minha tristeza, na direção de um desespero cada vez mais profundo, e com a inércia de um homem que sente o frio assaltá-lo, não tenta reagir e acha até uma espécie de prazer em tiritar. E por fim, se eu tivesse dali a pouco, como esperava, a força de me recobrar, de reagir e de voltar atrás, o beijo de Albertine, no momento de me dar boa-noite, teria hoje de me consolar, muito mais que do desgosto que ela me dera acolhendo tão mal o meu regresso, da tristeza que eu experimentara ao tramar, por fingir determiná-las, as formalidades de uma separação imaginária, a lhe prever as conseqüências. Em todo caso, não era preciso que ela tomasse a iniciativa de me dar esse boa-noite, o que me tornaria mais difícil a reviravolta pela qual eu lhe proporia desistir da nossa separação. Assim, não cessava de lembrar-lhe que a hora de nos despedirmos já chegara há muito, o que, se me deixava a iniciativa, permitia-me retardar esse boa-noite por um instante ainda. Desse modo, ia eu semeando de alusões a noite já avançada, à nossa fadiga, as perguntas que fazia a Albertine. – Não sei para onde vou – respondeu ela à última, com ar preocupado. – Talvez vá para a casa da minha tia na Touraine. – E esse primeiro projeto que ela esboçou, deixou-me gelado, como se ele começasse a realizar de fato a nossa separação definitiva. Ela olhou o quarto, a pianola, as poltronas de cetim azul. – Ainda não posso me acostumar com a idéia de não ver mais tudo isto amanhã, nem depois de amanhã, nem nunca mais. Pobre quartinho! Parece impossível; isto não consegue entrar na minha cabeça. – Vai ser preciso, você era muito infeliz aqui. – Mas não, eu não era infeliz, de agora em diante é que o serei. – Não, eu lhe asseguro, é melhor para você. – Para você, talvez! – Pus-me a encarar fixamente o espaço, como se, presa de grande hesitação, debatesse-me contra uma idéia que me ocorrera ao espírito. Afinal, de repente: – Escute, Albertine, você diz que é mais feliz aqui, que seria infeliz lá fora. – Certo. – Isto me perturba; deseja que tentemos prolongar isto por algumas semanas? Quem sabe? Semana após semana, pode-se chegar talvez bem longe, você sabe que há situações provisórias que podem acabar durando para sempre. – Oh, como seria gentil de sua parte! – Mas então foi uma loucura a gente se ter torturado desse modo para nada, durante horas; foi como uma viagem para a qual nos preparássemos e depois desistíssemos de fazer. Estou moído de desgosto. – Sentei-a nos meus joelhos, peguei o manuscrito de Bergotte que ela tanto desejava e escrevi na capa: "À minha querida Albertine, como lembrança da renovação de um contrato." – Agora – disse-lhe – vá dormir até tarde amanhã, minha querida, você deve estar esgotada. – Sobretudo estou bem contente. – Gosta um pouquinho de mim? – Cem vezes mais do que antes.

Andaria eu mal em me sentir feliz com a pequena comédia, ainda que não tivesse ela chegado à forma de verdadeira encenação a que a levara. Se apenas tivéssemos falado de separação, já teria sido grave. Em conversas desse gênero, julgamos falar não apenas sem sinceridade, o que acontece de fato, mas livremente. Ora, em geral elas são, sem o sabermos, o primeiro murmúrio sussurrado, malgrado nosso, de uma tempestade de que não desconfiamos. Na realidade, o que então expressamos é o contrário do nosso desejo (que é o de viver sempre com aquela a quem amamos), mas é também essa impossibilidade de viver em comum que forma o nosso sofrimento diário, sofrimento que preferimos ao da separação, mas que terminará, contra nossa vontade, por nos separar. Pelo hábito, entretanto, e não de um golpe. O mais das vezes ocorre – veremos como este não foi o meu caso com Albertine – que, algum tempo depois das palavras em que não acreditávamos, põe-se em ação uma tentativa informe de separação intencional, não dolorosa, temporária. Pede-se à mulher, para que depois ela se sinta melhor em nossa companhia, para que, por outro lado, possamos fugir momentaneamente a tristezas e fadigas contínuas, que faça sem nós, ou que nos deixe fazer sem ela, uma viagem de alguns dias, os primeiros – desde muito tempo – passados sem ela, o que nos teria parecido impossível. Bem depressa ela volta para retomar o seu posto a nosso lado. Unicamente essa separação, curta mas realizada, não é tão arbitrariamente decidida e nem tão certamente a única, como pensamos. As mesmas tristezas recomeçam, a mesma dificuldade de vida em comum se acentua, e só a separação já não é coisa tão difícil; principiou-se por falar nela, e a seguir realizamo-la sob uma forma amigável. Mas isso são apenas os pródromos que não reconhecemos. Em breve, à separação risonha e momentânea sucederá a separação atroz e definitiva que preparamos sem o saber.

– Venha a meu quarto daqui a cinco minutos, para que eu possa vê-lo um pouco, meu queridinho. Você vai ser muito carinhoso. Mas eu vou dormir logo depois, pois estou quase morta. – Foi de fato uma morta que eu vi quando entrei em seguida no seu quarto. Adormecera logo que se deitara; e os lençóis, enrolados como um sudário em torno a seu corpo, haviam assumido, com suas belas dobras, uma rigidez de pedra. Dir-se-ia, como em certos Juízos Finais da Idade Média, que só a cabeça aparecia fora do túmulo, esperando em seu sono a trombeta do Arcanjo. Essa cabeça fora surpreendida pelo sono quase caída, os cabelos hirsutos. E, vendo aquele corpo insignificante ali deitado, eu me indagava que espécie de tábua de logaritmos ele constituía, para que todos os atos a que pudesse estar ligado, desde uma cotovelada até um roçar de vestido, fossem capazes de me provocar, estendidas ao infinito de todos os pontos que ele havia ocupado no espaço e no tempo, e de vez em quando bruscamente revivificadas em minha lembrança, angústias tão dolorosas, e que no entanto eu sabia serem determinadas por movimentos e desejos dela que me teriam sido noutra mulher, nela mesma cinco anos antes, cinco anos depois, tão indiferentes. Era uma mentira, porém mentira para a qual eu não me animava a procurar outras soluções que não a minha morte. Assim, permanecia eu, envolto ainda na peliça que não havia tirado desde a minha volta da casa dos Verdurin, diante daquele corpo retorcido, daquela figura alegórica de quê? De minha morte? Do meu amor? E logo comecei a ouvir sua respiração igual. Fui sentar-me à beira de sua cama para fazer essa cura calmante de brisa e de contemplação. Depois retirei-me suavemente para não acordá-la.

Era tão tarde que desde manhãzinha recomendei a Françoise que caminhasse bem devagarinho sempre que tivesse de passar diante do quarto de Albertine. Assim Françoise, convencida de que tínhamos passado a noite no que ela chamava "orgias", recomendou aos demais criados, com ironia, que não "despertassem a princesa". E uma das coisas que eu temia era que Françoise não pudesse mais se conter e tratasse Albertine de maneira insolente, e que isso acarretasse complicações em nossa vida. Françoise, então, já não estava, como na época em que sofria por ver Eulalie bem tratada por minha tia, em idade de suportar valentemente o seu ciúme. Este alterava, paralisava a fisionomia da nossa empregada a tal ponto que, por momentos, eu me perguntava se ela não teria tido, como resultado de alguma crise de cólera, um pequeno insulto cerebral que me tivesse passado despercebido. Tendo desse modo pedido que preservassem o sono de Albertine, eu mesmo não pude conciliá-lo. Tentava compreender qual seria o verdadeiro estado de espírito de Albertine. Com a triste comédia que eu havia representado, teria eu conseguido evitar um perigo real, e apesar de ela dizer que se sentia tão feliz naquele casa, tivera ela de fato, em certos momentos, a idéia de querer a liberdade, ou, ao contrário, era preciso acreditar nas suas palavras? Qual das duas hipóteses era a verdadeira? Se me ocorria muitas vezes, se devia me ocorrer sobretudo estender um caso de minha vida passada até às dimensões da história, quando queria tentar compreender um acontecimento político, inversamente naquela manhã não deixei de identificar, apesar de tantas diferenças e para esforçar-me por compreender-lhe o alcance, a nossa cena da véspera com um incidente diplomático que ocorrera há pouco.

Talvez tivesse o direito de raciocinar assim. Pois era bem provável que, contra a minha vontade, o exemplo do Sr. de Charlus me tivesse guiado naquela cena mentirosa que eu tantas vezes o vira representar com tamanha autoridade; e, por outro lado, não seria ela, de sua parte, senão uma importação inconsciente, no domínio da vida privada, da tendência profunda de sua raça alemã, provocadora por astúcia e, por orgulho, guerreira se necessário?

Diversas pessoas, entre as quais o príncipe de Mônaco, tendo sugerido ao governo francês a idéia de que, se ele não afastasse o Sr. Delcassé, a Alemanha, ameaçadora, efetivamente iria declarar guerra, o ministro das Relações Exteriores fora convidado a demitir-se. Portanto, o governo francês admitira a hipótese de nos declararem guerra caso não cedêssemos. Mas outras pessoas pensavam tratar-se de um simples blefe e que, se a França tivesse mostrado firmeza, a Alemanha não teria desembainhado a espada. Sem dúvida a situação era não só diferente, mas quase oposta, já que a ameaça de rompimento comigo jamais fora proferida por Albertine; mas um conjunto de impressões me trouxera a crença de que ela assim pensava, como o governo francês tivera essa crença quanto à Alemanha. Por outro lado, se a Alemanha desejava a paz, o fato de haver provocado no governo francês a idéia de que desejava a guerra era de uma habilidade contestável e perigosa.

Certamente a minha conduta fora bastante esperta, se era a idéia de que eu nunca me decidiria a romper com Albertine o que provocava nela súbitos desejos de independência. E não seria difícil acreditar que ela não a tivesse, recusar-me a ver nela toda uma vida secreta, dirigida para satisfação do seu vício, a julgar pela cólera que ela mostrara ao saber da minha ida à casa dos Verdurin, gritando: "Eu tinha certeza!", e acabando por desvelar tudo ao dizer: "Devem ter recebido a Srta. Vinteuil?" Tudo isso corroborado pelo encontro de Albertine com a Sra. Verdurin, que me fora contado por Andrée. Talvez, no entanto, esses bruscos desejos de independência – dizia eu comigo quando tentava ir contra meu instinto – fossem causados – supondo que existissem – ou acabassem por sê-lo pela idéia contrária, a saber, que eu jamais pensara em desposá-la, que era quando aludia, como que involuntariamente, à nossa próxima separação que eu falava a verdade, que de qualquer modo a deixaria um dia ou outro, crença que a minha cena daquela noite não fizera mais que fortalecer e que podia engendrar nela essa resolução: "Se isso deve acontecer fatalmente um dia ou outro, então o melhor é terminar logo." Os preparativos de guerra, que o mais falso dos adágios preconiza para fazer triunfar a vontade de paz, ao contrário, criam, em cada um dos dois adversários, primeiro a crença de que o outro deseja o rompimento, crença que leva ao rompimento, e depois quando ele ocorre, esta outra crença em ambos de que foi o outro que o quis. Mesmo que a ameaça não fosse sincera, seu êxito anima a repeti-la. Mas o ponto exato até onde o blefe pode ter sucesso é difícil de determinar; se um vai longe demais, o outro, que até então havia cedido, por sua vez avança; o primeiro, não sabendo mais mudar de método, habituado à idéia de que dar a impressão de não temer o rompimento é a melhor maneira de evitá-lo (o que eu fizera aquela noite com Albertine), e, além disso, levado a preferir, por altivez, sucumbir ao invés de ceder, persevera em sua ameaça até o momento em que ninguém mais pode recuar. O blefe também pode estar misturado à sinceridade, alternar-se com ela, e aquilo que era um jogo hoje torna-se uma realidade amanhã. Enfim, também pode ocorrer que um dos adversários esteja de fato resolvido a guerrear, que Albertine, por exemplo, mais cedo ou mais tarde, tenha a intenção de não continuar vivendo aquela vida, ou, pelo contrário, que essa idéia jamais lhe ocorra ao espírito, e que minha imaginação a tenha inventado nos mínimos detalhes. Tais foram as diferentes hipóteses que eu considerei enquanto ela dormia, àquela manhã. Entretanto, no que diz respeito à última, posso dizer que, nos dias que se seguiram, jamais ameacei Albertine de abandono senão para responder a uma idéia de má liberdade que ela tivesse, idéia que ela não expressava, mas que me parecia estar implícita em certos descontentamentos misteriosos, certas palavras, certos gestos, dos quais essa idéia era a única explicação possível, e pelos quais ela se recusava a me dar alguma. Ainda com maior freqüência, eu os constatava sem fazer nenhuma alusão a uma separação possível, achando-os provenientes de um mau humor que acabaria nesse mesmo dia. Mas seu mau humor durava às vezes, sem qualquer alívio, semanas inteiras, quando Albertine parecia querer provocar um conflito, como se houvesse naquele momento, numa região mais ou menos afastada, prazeres que ela conhecia, dos quais a sua clausura em minha casa a privava, e que a influenciavam até que tais prazeres tivessem terminado, como essas mudanças atmosféricas que, mesmo ao pé da nossa lareira, agem sobre os nossos nervos ainda que se originem a tão longa distância como as ilhas Baleares.

Naquela manhã, enquanto Albertine dormia e eu tentava adivinhar o que se achava oculto nela, recebi uma carta de minha mãe em que ela me expressava a sua inquietação de nada conhecer das minhas decisões, por meio desta frase da Sra. de Sévigné: "Por mim, estou persuadida de que ele não se casará; mas então por que perturbar essa menina que ele não desposará nunca? Por que fazê-la correr o risco de recusar outros partidos que ela só olhará com desprezo? Por que tirar a paz de espírito de uma pessoa que seria tão fácil evitar?" Esta carta de minha mãe me fez voltar à realidade. Por que hei de procurar uma alma misteriosa, interpretar umas feições e sentir-me rodeado de pressentimentos que não tenho coragem de aprofundar? – indaguei a mim mesmo. A coisa é bem simples, eu devaneava. Sou um rapaz indeciso e trata-se de um desses casamentos sobre os quais ficamos durante algum tempo sem saber se se realizam ou não. Não existe nada de especial em Albertine. Essa idéia me deu um sossego profundo, porém curto. Bem depressa disse comigo: "De fato, pode-se reduzir tudo, se considerarmos o aspecto social, à mais comum das ocorrências diárias; de fora, seria talvez desse modo que eu veria a coisa. Mas sei perfeitamente que o que é verdadeiro, que pelo menos o que também é verdadeiro, foi tudo o que li nos olhos de Albertine, são os medos que me torturam, é o problema que me coloco sem cessar em relação a Albertine. A história do noivo hesitante e do casamento desfeito pode corresponder a isso, como a apreciação de um crítico teatral de bom senso pode dar idéia de uma peça de Ibsen. Mas há outra coisa além dos fatos que se narram. É verdade que essa coisa existe talvez, caso se saiba vê-la, em todos os noivos hesitantes e em todos os casamentos que demoram, porque talvez haja mistério na vida de todos os dias. Era-me possível desprezá-lo no que dizia respeito à vida dos outros, mas a minha e a de Albertine eu a vivia por dentro.

A partir daquela noite, Albertine não me contou mais o que ela havia feito no passado: – Sei que você não tem confiança em mim, vou tentar dissipar suas suspeitas. – Mas esta idéia, que ela nunca exprimiu, poderia servir de explicação para seus menores atos. Não só ela manobrava no sentido de jamais estar um momento sozinha, de modo que eu não pudesse ignorar o que havia feito, caso não acreditasse em suas próprias declarações, mas até quando precisava telefonar para Andrée ou para a garagem, ou para o picadeiro, ou para qualquer outra parte, alegava ser muito aborrecido ficar sozinha telefonando, devido ao tempo que as telefonistas levavam para fazer a ligação, e achava um meio para que eu estivesse junto dela naquele momento ou, na minha ausência, Françoise, como se temesse que eu pudesse imaginar ligações censuráveis e que servissem para marcar encontros misteriosos. Ai de mim, tudo aquilo não me tranqüilizava. Aimé havia me devolvido a fotografia de Esther, dizendo que não se tratava dela. Então havia outras mulheres ainda? Quais? Devolvi essa fotografia a Bloch. A que eu queria ver era a que Albertine havia dado a Esther. Como estaria nela? Talvez decotada; quem sabe se elas não teriam tirado fotografias juntas? Mas não me animava a falar nisso, nem a Albertine (pois teria dado a impressão de não ter visto a fotografia), nem a Bloch, para quem eu não desejava parecer que me interessava por Albertine. E essa vida, que deveria achar tão cruel para mim e para Albertine quem quer que soubesse das minhas suspeitas e do seu cativeiro, vista de fora, como para Françoise, passava por uma vida de prazeres imerecidos que sabia me proporcionar com habilidade aquela "engambeladora" e, como dizia Françoise, que empregava muito mais esse feminino que o masculino, invejando mais as mulheres, aquela "charlatã".[53] E até, como Françoise, na minha convivência, enriquecera o seu vocabulário com novos termos, mas arranjando-os a seu modo, ela dizia de Albertine que jamais conhecera pessoa de semelhante *perfididade*,[54] que sabia arrancar-me os tostões, representando tão bem a comédia (o que Françoise, que tão facilmente usava o particular pelo geral como o geral pelo particular, e que só possuía idéias muito vagas quanto à distinção de gêneros na arte dramática, chamava "saber representar a pantomima"). Talvez eu próprio fosse um tanto responsável por esse erro acerca da nossa vida verdadeira, minha e de Albertine, por causa das vagas confirmações que, ao conversar com Françoise, habilmente deixava escapar, fosse por vontade de implicar com ela, fosse para parecer, sendo amado, ao menos feliz. E, no entanto, o meu ciúme, a vigilância que exercia sobre Albertine, e dos quais tanto desejava que Françoise não desconfiasse, esta não demorou a adivinhá-los, como o espírita que, de olhos vendados, consegue encontrar um objeto, por aquela intuição que ela possuía das coisas que me podiam ser penosas, não se deixando desnortear pelas mentiras que eu pudesse lhe dizer a fim de despistá-la, e também por aquele ódio a Albertine que a levava – mas ainda do que a imaginar serem suas inimigas umas farsantes mais bem-sucedidas e mais devassas do que eram – a descobrir o que poderia perdê-las e precipitar sua queda. É claro que Françoise nunca fizera escândalos com Albertine. Eu me indagava se esta, sentindo-se vigiada, não efetuaria por conta própria aquela separação de que eu a havia ameaçado, pois a vida, alterando-se, transforma em realidade as nossas fábulas. Cada vez que a ouvia abrir uma

[53] No original *charlatante*, forma feminina de *charlatant*, charlatão. (N. do T.)

[54] Em francês *perfidité*, no lugar de *perfidie*, perfídia. (N. do T.)

porta, experimentava aquele sobressalto que minha avó tivera na agonia todas as vezes que eu tocava a campainha. Eu não imaginava que ela saísse sem me avisar, mas era o meu inconsciente que pensava assim, como era o inconsciente de minha avó que palpitava aos toques da campainha, ainda que ela não tivesse consciência disso. Certa manhã mesmo, senti de repente a súbita inquietação de que ela não apenas saíra, mas partira em definitivo. Eu acabava de ouvir bater uma porta que me parecia de seu quarto. Com passos de lã fui até esse quarto, entrei, permaneci no limiar. Na penumbra, os lençóis estavam erguidos em semicírculo; devia ser Albertine que, o corpo recurvado, dormia com os pés e a cabeça voltados para a parede. Somente, ultrapassando os limites da cama, os cabelos dessa cabeça, negros e abundantes, fizeram-me compreender que se tratava dela, que ela não tinha aberto a porta, não se mexera, e senti aquele semicírculo imóvel e vivo, onde se abrigava toda uma vida humana, e que era a única coisa à qual eu dava importância; senti que ali ele se achava, sob a minha posse dominadora.

Mas eu conhecia a arte da insinuação de Françoise, o partido que ela sabia tirar de um cenário significativo, e não posso acreditar que ela tenha resistido a dar a entender, diariamente, a Albertine o papel humilhante que esta fazia na casa, a transtorná-la pelo retrato, sabiamente exagerado, da clausura a que minha amiga estava submetida. Certa ocasião encontrei Françoise, com óculos de lentes grossas, remexendo nos meus papéis e recolocando entre eles um outro onde eu anotara uma narrativa concernente a Swann e à impossibilidade em que este se achava de viver sem Odette. Teria ela levado esse papel por descuido ao quarto de Albertine? Além disso, acima de todos os subentendidos de Françoise, que não tinham sido mais que, em registro abaixo, uma orquestração sussurrante e pérfida, é provável que se devia ter elevado mais alta, mais nítida, mais premente, a voz acusadora e caluniosa dos Verdurin, irritados por verem que Albertine me retinha involuntariamente, e eu a ela voluntariamente, longe do pequeno clã.

Quanto ao dinheiro que eu gastava com Albertine, era-me quase impossível escondê-lo de Françoise, pois não podia ocultar-lhe despesa alguma. Françoise tinha poucos defeitos, mas estes haviam criado nela, para servi-los, verdadeiros dons, que muitas vezes lhe faltavam quando não exercia tais defeitos. O principal era a curiosidade aplicada ao dinheiro que gastávamos com outras pessoas que não ela. Se eu tinha de pagar uma conta, dar uma gorjeta, por mais que me afastasse ela achava sempre um prato para guardar, um guardanapo para apanhar, alguma coisa que lhe permitisse aproximar-se. E por menos tempo que lhe desse, mandando-a de volta, enfurecido, essa mulher, que já enxergava com muita dificuldade, que mal sabia fazer contas, guiada pelo mesmo instinto que faz com que um alfaiate, ao ver-nos, compute de imediato a fazenda da nossa roupa sem mesmo impedir-se de apalpá-la, ou faz com que um pintor seja sensível a um efeito de cores, Françoise, de soslaio, via e calculava instantaneamente a quantia que eu dava. Se, para que ela não pudesse dizer a Albertine que eu corrompia o seu motorista, eu me antecipava e, desculpando-me pela gorjeta, assim dizia: – Quis ser amável com o rapaz, dei-lhe dez francos –, Françoise, impiedosa e para quem o seu olhar de águia velha quase cega fora o bastante, respondia-me: – Não, o senhor lhe deu quarenta e três francos de gorjeta. Ele disse ao senhor que eram quarenta e cinco francos, o senhor deu-lhe cem francos e ele só lhe devolveu doze. – Françoise tivera tempo de ver e de contar o total da gorjeta que eu mesmo ignorava.

Se o objetivo de Albertine era restituir-me o sossego, alcançou-o em parte; aliás, minha razão só desejava provar-me que me enganara acerca dos maus projetos de Albertine, como talvez eu me houvesse enganado sobre seus instintos viciosos. Sem dúvida eu levava em conta, no valor dos argumentos que minha razão me oferecia, o desejo que eu tinha de achá-los bons. Mas, para ser justo e ter ocasião de ver a verdade, a menos que se admita que esta jamais seja conhecida a não ser pelo pressentimento, por uma emanação telepática, não me seria então preciso afirmar que, se minha razão, buscando alcançar a minha cura, deixava-se conduzir pelo meu desejo, em compensação, no que dizia respeito à Srta. Vinteuil, os vícios de Albertine, suas intenções de ter uma outra vida, seu projeto de separação, os quais eram corolários de seus vícios, tinha podido o meu instinto, para me fazer adoecer, deixar-se transviar pelo ciúme? Aliás, o seqüestro de Albertine, que ela própria se incumbia tão engenhosamente de tornar absoluto, eliminando-me o sofrimento, afastou-me aos poucos a suspeita e voltei a achar na presença de Albertine, quando a noite me trazia de novo as inquietações, o sossego dos primeiros dias. Sentada ao lado da minha cama, ela me falava de um daqueles vestidos ou objetos que eu não cessava de lhe dar para procurar tornar mais suave a sua vida e mais bela a sua prisão, receando às vezes que ela não fosse da opinião daquela Sra. de La Rochefoucauld, que respondera a alguém que lhe indagava se não se sentia contente por encontrar-se numa vivenda tão bonita como Liancourt, que não conhecia prisão mais bela.

Assim, se eu interrogara o Sr. de Charlus sobre a velha prataria francesa, quando tínhamos feito o projeto de possuir um iate, projeto considerado irrealizável por Albertine – e por mim mesmo, cada vez que, principiando a acreditar em sua virtude, meu ciúme, declinando, já não comprimia outros desejos em que ela não tinha parte alguma e que também demandavam dinheiro para serem satisfeitos –, tínhamos, a qualquer risco, e aliás sem que ela cresse que algum dia viéssemos a possuir um, pedido conselhos a Elstir. Ora, tanto quanto para as roupas femininas, o gosto do pintor era requintado e difícil para o mobiliário dos iates. Neles, só admitia móveis ingleses e prataria antiga. A princípio, Albertine só pensara em vestidos e móveis. Agora a prata a interessava, e isso a levara, desde que voltáramos de Balbec, a ler obras sobre a arte de trabalhos em prata, sobre os buris dos antigos cinzeladores. Mas tendo sido a prata antiga fundida duas vezes, por ocasião dos tratados de Utrecht, quando o próprio rei, nisso imitado pelos grãos-senhores, doou sua baixela, e em 1789, é raríssima hoje. Por outro lado, por mais que os ourives modernos reproduzam toda essa prataria segundo os desenhos do Pont-aux-Choux, Elstir considerava essa antigualha nova indigna de entrar na casa de uma mulher de gosto, ainda que se tratasse de uma casa flutuante. Eu sabia que Albertine havia lido a descrição das maravilhas que Roettiers fizera para a Sra. Du Barry. Morria de vontade de ver algumas dessas peças, caso ainda existissem, e eu de dar-lhas. Ela chegara a iniciar bonitas coleções que instalava numa vitrina com encantador bom gosto, e que eu não podia contemplar sem ternura e receio, pois a arte com que ela as dispunha era feita da paciência, engenhosidade, nostalgia e necessidade de esquecer a que se entregam os cativos.

Quanto às toaletes, o que principalmente lhe agradava naquele momento era tudo o que fazia Fortuny. Esses chambres de Fortuny, um dos quais eu vira na Sra. de Guermantes, eram aqueles que Elstir, quando nos falava dos vestidos magníficos das contemporâneas de Carpaccio e Ticiano, anunciara-nos para lançamento em breve, renascendo suntuosos das cinzas, pois tudo deve retornar, como está escrito nas abóbadas de São Marcos, e como o proclamam, bebendo nas urnas de mármore e de jaspe dos capitéis bizantinos, os pássaros que indicam ao mesmo tempo a morte e a ressurreição. Desde que as mulheres começaram a usá-los, Albertine se lembrara das promessas de Elstir e desejara ter um deles; nós devíamos ir escolhê-lo. Ora, esses chambres, se não eram antigos de verdade, dentro dos quais as mulheres de hoje parecem um tanto fantasiadas em excesso e que é melhor conservar como peças de coleção (aliás, eu também procurava dessas para Albertine), igualmente não possuíam a frieza do pastiche, do falso antigo. Tais chambres eram confeccionados antes à maneira dos cenários de Sert, de Baskt e de Benois, que por essa época evocavam, nos balés russos, os momentos de arte mais apreciados, com o auxílio de obras de arte impregnadas de seu espírito e todavia originais; assim, os chambres de Fortuny, fielmente antigos mas poderosamente originais, faziam surgir como um cenário, e até com maior força de evocação do que um cenário, pois que o cenário ficava por imaginar, a Veneza toda atulhada de Oriente, onde teriam sido usados, e da qual eram, mais do que uma relíquia no relicário de São Marcos, evocadores do sol e dos turbantes circunvizinhos, a cor fragmentada, misteriosa e complementar. Desse tempo havia tudo perecido, porém tudo renascia, evocado, para voltar a ligá-los uns aos outros pelo esplendor da paisagem e a efervescência da vida, pelo surto parcelar e sobrevivente dos tecidos das dogaresas.

Uma ou duas vezes eu desejara pedir conselho sobre isso à Sra. de Guermantes. Mas a duquesa não gostava de toaletes que têm ar de fantasia. Ela mesma nunca ficava tão bem como quando vestia preto com diamantes. E, para peças como as de Fortuny, o seu conselho não era muito útil. Além disso, eu sentia escrúpulos, ao pedir-lho, de parecer que ia procurá-la apenas quando por acaso precisava dela, mesmo porque vinha recusando há muito tempo vários convites seus por semana. Aliás, somente da parte dela é que eu recebia convites com essa profusão. Certo, ela e muitas outras mulheres sempre tinham se mostrado bastante gentis comigo. Mas a minha clausura certamente decuplicara essa gentileza. Parece que na vida mundana, insignificante reflexo do que se passa no amor, a melhor maneira de fazer com que sejamos convidados é recusar-nos. Um homem calcula tudo o que pode citar no terreno de feitos gloriosos para ele, a fim de impressionar uma mulher; varia constantemente de roupas, cuida da sua aparência, e contudo ela não lhe dá uma só das atenções que ele recebe de outra, a quem, traindo-a, e apesar de lhe surgir sem asseio e sem qualquer artifício para agradá-la, conquistou para sempre. Da mesma forma, se um homem se lamentasse por não ser bastante requisitado pela sociedade, eu não lhe diria que fizesse um número ainda maior de visitas, ou que comprasse uma carruagem mais bonita; diria que não fizesse visita nenhuma, que vivesse trancado em seu quarto, no qual não deixasse entrar ninguém, e que, desse modo, todos fariam fila diante de sua porta. Ou melhor, não diria. Pois trata-se de um modo seguro para ser procurado que só obtém êxito como a maneira igual de ser amado, ou seja, se não for adotado intencionalmente, se, por exemplo, não se sai do quarto porque se está gravemente enfermo, ou porque se acha estar, ou porque ali se mantenha trancada uma amante que se prefere à sociedade (ou por estes três motivos, a um tempo), sociedade para a qual será um motivo, sem saber da existência dessa mulher, e simplesmente porque a gente se recusa a freqüentá-la, de nos preferir a todos os que se oferecem, e de se interessar por nós.

– A propósito de chambres – disse eu a Albertine –, será preciso que em breve nos ocupemos de seu chambre de Fortuny. – E certamente, para ela que os desejara há tanto tempo, que os escolhera longamente comigo, que de antemão já lhes reservara um lugar não só em seus armários mas na sua imaginação, possuir esses chambres, cada detalhe dos quais considerava longamente, para se decidir por um dentre tantos outros, seria algo mais do que para uma mulher excessivamente rica que possui mais robes do que deseja e nem sequer os olha. Entretanto, apesar do sorriso com que Albertine me agradeceu, dizendo: – Você é muito gentil –, notei como parecia cansada e até triste. Às vezes, mesmo, enquanto esperava que aprontassem os que ela queria, eu pedia emprestados alguns, por vezes só fazendas, e os experimentava em Albertine, envolvia-a neles; ela passeava pelo meu quarto com a majestade de uma dogaresa e de um manequim. Apenas, o meu cativeiro em Paris se me tornara mais pesado à vista desses tecidos que me lembravam Veneza. Evidente que Albertine era mais prisioneira que eu. E era curioso como, através das paredes de sua prisão, o destino que transforma os seres pudera passar, mudá-la em sua própria essência e, da moça de Balbec, fazer uma enfadonha cativa dócil. Sim, os muros da prisão não tinham impedido que essa influência os atravessasse; talvez eles próprios a houvessem produzido. Já não se tratava da mesma Albertine, porque ela não estava, como em Balbec, incessantemente em fuga em sua bicicleta, inencontrável por causa do grande número das pequenas praias aonde ia dormir em casa de amigas e onde, aliás, suas mentiras faziam-na mais difícil de achá-la; porque, fechada em minha casa, solitária e dócil, já não era nem mesmo o que em Balbec, ainda quando eu podia encontrá-la, fora na praia, aquela criatura fugidia, prudente e astuta, cuja presença se prolongava de tantos encontros que ela era hábil em dissimular, que a faziam amar porque faziam sofrer, em quem, sob sua frieza para com os outros e suas respostas banais, sentia-se o encontro da véspera e o do dia seguinte, e, para mim, um pensamento[55] ardiloso, cheio de desdém. Porque o vento marinho não mais inflava seus vestidos, porque, principalmente, eu lhe cortara as asas, ela deixara de ser uma Vitória, era uma escrava incômoda de quem eu desejava livrar-me.

Então, para mudar o curso de meus pensamentos, em vez de começar com Albertine um jogo de cartas ou de damas, pedi-lhe que tocasse um pouco de música. Fiquei deitado na cama, e ela foi sentar-se na extremidade do quarto, diante da pianola, entre os suportes da biblioteca. Albertine escolhia trechos ou totalmente novos, ou que me havia tocado apenas uma ou duas vezes, pois, começando a me conhecer, sabia que eu não gostava de propor à minha atenção aquilo que me era ainda obscuro, e poder, no decurso dessas audições sucessivas, reunir umas às outras, graças ao entendimento crescente mas, ai de mim, desnaturador e estranho à minha inteligência, as linhas fragmentárias e interrompidas da construção, a princípio quase submersa na bruma. Ela sabia, e creio que compreendia, a satisfação que, nas primeiras vezes, dava ao meu espírito esse trabalho de modelagem de uma nebulosa ainda informe. E, enquanto ela tocava, eu só podia ver, da múltipla cabeleira de Albertine, um tufo de cabelos negros em forma de coração, aplicado ao longo da orelha como numa infanta de Velásquez. Do mesmo modo que o volume daquele anjo músico era constituído pelos trajetos múltiplos entre os diversos pontos do passado que sua lembrança ocupava em mim e as diferentes sedes, desde a vista até as sensações mais internas do meu ser, que me ajudavam a descer até a intimidade do seu, a melodia que ela tocava também possuía um volume, produzido pela desigual visibilidade das diversas frases, conforme eu tivesse mais ou menos conseguido iluminá-las e juntar umas às outras as linhas de uma construção que a princípio me havia parecido quase inteiramente submergida no nevoeiro. Albertine sabia que me agradava ao propor ao meu pensamento apenas as

[55] No trecho, no manuscrito original, há uma palavra ilegível. Seguimos aqui a lição da edição de Clarac e Ferré, que se basearam nos responsáveis pela primeira edição, de 1923. (N. do T.)

coisas ainda obscuras e a modelagem dessas nebulosas. Adivinhava que, na terceira ou quarta audição, tendo a minha inteligência alcançado e, por conseguinte, posto à mesma distância todas as partes, e, já não havendo atividade a desenvolver quanto a elas, as estendera e imobilizara reciprocamente sobre um plano uniforme. Entretanto, não passava ainda a um novo trecho, pois, sem talvez perceber perfeitamente o trabalho que se produzia em mim, sabia que, no momento em que o trabalho da minha inteligência chegasse a dissipar o mistério de uma obra, era bem raro que, em compensação, no decurso de sua tarefa nefasta, não tivesse atingido esta ou aquela reflexão proveitosa. E, no dia em que Albertine dizia: – Eis aqui um rolo que vamos dar a Françoise para que ela mande trocá-lo por outro – muitas vezes existia para mim, sem dúvida, um trecho de música a menos no mundo, porém uma verdade a mais.

Compreendera eu tão perfeitamente que seria absurdo sentir ciúmes da Srta. Vinteuil e de sua amiga, já que Albertine de modo nenhum procurava vê-las, e de todos os projetos de férias que tínhamos formado ela própria afastara Combray, tão próxima a Montjouvain, que muitas vezes o que eu pedia a Albertine que tocasse, e sem que isso me fizesse sofrer, era a música de Vinteuil. Apenas uma vez, essa música de Vinteuil fora causa indireta de ciúme para mim. De fato, Albertine, que sabia que eu a ouvira tocar na casa da Sra. Verdurin por Morel, falou-me dele uma noite, manifestando-me um vivo desejo de ir ouvi-lo tocar, de conhecê-lo. Isto se deu justamente dois dias depois que eu soubera da carta de Léa a Morel, involuntariamente interceptada pelo Sr. de Charlus. Perguntei-me se Léa por acaso não falara dele a Albertine. As expressões "grande porcalhona" e "grande viciada" voltaram-me à lembrança com horror. Mas, justamente por ter a música de Vinteuil ficado assim dolorosamente ligada à Léa – e não à Srta. Vinteuil e à sua amiga –, logo que se acalmou a dor que Léa causara já pude ouvir essa música sem sofrer; um mal me havia curado da possibilidade de ter outros. Dessa música ouvida na casa da Sra. Verdurin, frases despercebidas, larvas obscuras, então indistintas, tornavam-se arquiteturas deslumbrantes; e algumas delas faziam-se amigas, algumas que a princípio eu mal notara, ou, se as notara, achara feias, e das quais nunca teria pensado que fossem como essas pessoas antipáticas no começo e que só se revelam como são quando as conhecemos bem. Entre os dois estados havia uma verdadeira transmutação. Por outro lado, as frases, distintas desde a primeira vez, mas que na ocasião eu não havia reconhecido, identificava-as com frases de outras obras, como aquela frase da Variação Religiosa para órgão que, na casa da Sra. Verdurin, passara-me despercebida no septeto, onde todavia, santa que descera os degraus do santuário, achava-se reunida às fadas familiares do músico. Por outro lado, a frase que me parecera tão pouco melódica, tão mecanicamente ritmada, da alegria titubeante dos sinos do meio-dia, era desta que eu mais gostava agora, ou porque me tivesse habituado à sua feiúra, ou porque houvesse descoberto a sua beleza. Esta reação contra a decepção causada a princípio pelas obras-primas, é possível com efeito atribuí-la a um enfraquecimento da impressão inicial, ou ao esforço necessário para distinguir a verdade. Duas hipóteses que se apresentam para todas as questões importantes, as questões relativas à realidade da Arte, e à realidade da Eternidade da alma: é preciso fazer uma escolha entre ambas. E, quanto à música de Vinteuil, essa escolha se apresentava a todo momento sob muitas formas. Por exemplo: essa música me parecia algo de mais verdadeiro que todos os livros conhecidos. Por alguns instantes, eu pensava que isso tinha a ver com o que sentimos na vida, não o sendo sob a forma de idéias, sua tradução literária, quer dizer, intelectual, que, ao expô-lo, explica-o, analisa-o, mas não o recompõe feito a música, onde os sons parecem assumir a inflexão da criatura, reproduzir esse pico interno e extremo das sensações que é a parte que nos dá essa embriaguez específica que reencontramos de vez em quando e que, ao exclamarmos: – Que dia lindo! Que belo sol! – não se dá a conhecer de todo ao próximo, em quem o mesmo sol e o mesmo dia despertam vibrações completamente diversas. Assim, na música de Vinteuil existiam dessas visões que é impossível exprimir e quase proibido contemplar, pois, quando, no instante de adormecer, recebemos a carícia e seu encantamento irreal, nesse mesmo instante, quando a razão já nos abandonou, os olhos se fecham e, antes de termos tido tempo de conhecer não apenas o inefável mas o invisível, adormecemos. Quando me entregava a essa hipótese em que a arte seria real, parecia-me até que era mais do que a simples alegria nervosa de um dia lindo ou de uma noite de ópio o que a música pode exprimir; era uma embriaguez mais real, mas fecunda, pelo menos ao que eu pressentia. Mas não é possível que uma escultura, uma melodia que confere uma emoção que sentimos ser mais elevada, mais pura, mais verdadeira, não corresponda a uma certa realidade espiritual; ou então a vida não teria qualquer sentido. Assim, nada se assemelhava mais do que uma bela frase de Vinteuil a esse prazer especial que às vezes eu sentira na vida, por exemplo, diante dos campanários de Martinville, de certas árvores de uma estrada de Balbec ou, mais simplesmente, no começo desta obra, ao beber uma taça de chá. Como essa taça de chá, tantas sensações de luz, os ruídos nítidos, as cores estridentes, que Vinteuil nos enviava do mundo em que compunha, passeavam pela minha imaginação com insistência, porém rápidas demais para que ela pudesse apreendê-las, algo que eu pudesse comparar à seda balsâmica de um gerânio. Apenas, ao passo que, na lembrança, esse vago pode ser, se não aprofundado, ao menos tornado mais nítido graças a um ajuste de circunstâncias que explicam por que um determinado sabor despertou-nos sensações luminosas, as vagas sensações dadas por Vinteuil, pois que vindas não de uma lembrança mas de uma impressão (como a dos campanários de Martinville), exigiriam que se encontrasse, para a fragrância de gerânio de sua música, não uma explicação material, mas o equivalente profundo, a festa ignorada e colorida (de que as suas obras pareciam os fragmentos dispersos, os estilhaços de escarlates fraturas), a maneira conforme a qual ele "ouvia" e lançava para fora de si o universo. Essa qualidade desconhecida de um mundo único, e que nenhum outro músico jamais nos fizera ver, talvez nisso resida, dizia eu a Albertine, a prova mais autêntica do gênio, bem mais que no conteúdo da própria obra. – Mesmo na literatura? – perguntava Albertine. – Mesmo na literatura. – E, repensando na monotonia das obras de Vinteuil, expliquei a Albertine que os grandes literatos nunca fizeram mais que uma única obra, ou melhor, refrataram através dos mais diferentes meios uma mesma beleza que trazem ao mundo. – Se não fosse tão tarde, minha pequena – dizia-lhe –, eu lhe mostraria isso em todos os escritores que você lê enquanto estou dormindo, mostrar-lhe-ia a mesma identidade que existe em Vinteuil. Essas frases-tipos, que você principia a reconhecer como eu, minha querida Albertine, e são as mesmas na sonata, no septeto, nas outras obras, seriam, por exemplo, em Barbey d'Aurevilly, uma realidade oculta revelada por um traço material, o rubor fisiológico da Enfeitiçada, de Aimée de Spens, da Clotte, a mão do *Rideau cramoisi*, os velhos costumes, os velhos usos, as velhas palavras, os ofícios antigos e singulares por trás dos quais existe o Passado, a história oral composta pelos pastores no espelho,[56] as nobres cidades normandas recendendo a Inglaterra, bonitas como uma aldeia da Escócia, lançadores de maldições contra as quais não há remédio, a Vellini, o pastor, uma mesma sensação de ansiedade numa paisagem, seja a mulher em busca do marido em *Uma velha amante*, ou o marido de *A Enfeitiçada* percorrendo o matagal, e a própria Enfeitiçada ao sair da missa. Semelhante ainda a essas frases-tipos de Vinteuil é aquela geometria do talhador de pedras nos romances de Thomas Hardy.

As frases de Vinteuil me fizeram pensar na "pequena frase", e contei a Albertine que essa fora como que o hino nacional do amor de Swann e de Odette. – Os pais de Gilberte, que suponho você conheça. Você me disse que ela tinha má fama. Não terá procurado relacionar-se com você? Ela me falou a seu respeito. – Sim; como os seus pais a mandavam de carro ao curso, quando o tempo estava muito ruim, creio que ela me levou um dia até em casa e me beijou – disse ela após um instante, rindo, e como se se tratasse de uma confidência divertida. – De súbito me perguntou se eu gostava de mulheres. – (Mas, se ela apenas julgava lembrar-se que Gilberte a levara em casa, como poderia afirmar com tanta precisão que Gilberte lhe fizera essa pergunta esquisita?) – E até me veio não sei que idéia maluca de mistificá-la, e respondi que sim. – (Dir-se-ia que Albertine receava que Gilberte me houvesse contado aquilo e não quisesse que eu verificasse que ela mentia.) – Mas

[56] Aqui Marcel Proust alude a uma cena de magia, no romance *A Enfeitiçada*, em que um pastor faz surgir uma visão terrível com a ajuda de seu espelho. (N. do T.)

não fizemos absolutamente nada. – (Se haviam trocado essas confidências, era estranho que não tivessem feito nada, sobretudo se antes disso tinham se beijado no carro, segundo dizia Albertine.) – Ela me levou do mesmo modo umas quatro ou cinco vezes, talvez um pouco mais, e foi tudo. – Tive de fazer muito esforço para não indagar coisa alguma, mas, dominando-me, para não parecer atribuir àquilo qualquer importância, retornei aos talhadores de pedra de Thomas Hardy. – Lembre-se bem dos talhadores de pedra de *Judas o obscuro*; viu, em *A Bem-amada*, os blocos de pedra que o pai retira da ilha, e que, transportados em navios, acumulam-se na oficina do filho, onde se tornam estátuas; em *Olhos Azuis*, o paralelismo das tumbas, e também a linha paralela do barco, e os vagões contíguos onde estão os dois apaixonados e a morta; o paralelismo entre *A Bem-amada*, onde o homem ama três mulheres, e *Olhos Azuis*, em que a mulher ama três homens, etc., e por fim todos esses romances superponíveis uns aos outros, como as casas verticalmente amontoadas no chão pedregoso da ilha? Não posso lhe falar desse jeito dos maiores num só minuto, mas você veria em Stendhal um certo sentimento de altitude unindo-se à vida espiritual, o local elevado em que Julien Sorel está prisioneiro, a torre em cujo cimo está encerrado Fabrice, o campanário no qual o abade Blanès se ocupa de astrologia e de onde Fabrice lança um olhar tão belo. Você me disse que tinha visto certos quadros de Vermeer; notou bem que são fragmentos de um mesmo mundo, que é sempre, seja qual for o gênio com que foram recriadas, a mesma mesa, a mesma toalha, a mesma mulher, a mesma nova e única beleza, enigma para aquela época em que nada se lhe assemelha nem o explica, se buscamos não aparentá-lo pelos assuntos, mas distinguir a impressão particular que a cor produz. Pois bem, essa beleza nova permanece idêntica em todas as obras de Dostoievski: a mulher em Dostoievski (tão particular como uma mulher de Rembrandt), com sua fisionomia misteriosa cuja beleza agradável se transforma bruscamente, como se ela tivesse representado a comédia da bondade, numa terrível insolência (apesar de que no fundo pareça ser sobretudo bondosa), não será sempre a mesma, trate-se de Nastassia Filipovna escrevendo cartas de amor a Aglaé e lhe confessando que a odeia, ou, numa visita inteiramente idêntica a essa – àquela também em que Nastassia Filipovna insulta os pais de Gania – Gruchenka, tão gentil em casa de Catarina Ivanovna quanto esta a imaginara terrível, e depois subitamente revelando a sua malvadez, insultando Catarina Ivanovna (embora Gruchenka no fundo seja boa). Gruchenka, Natassia, figuras tão originais, tão misteriosas, não só como as cortesãs de Carpaccio mas como a Betsabé de Rembrandt. Repare como ele certamente só conheceu essa fisionomia brilhante, dúbia, de súbitas expansões de orgulho que fazem a mulher parecer diversa do que é ("Tu não és a mesma", diz Muichkine a Nastassia na visita aos pais de Gania, e Aliocha poderia dizê-lo a Gruchenka na visita a Catarina Ivanovna). E, em compensação, quando deseja ter "idéias de quadros", elas são sempre estúpidas e dariam quando muito os quadros em que Munkacsy[57] gostaria que representassem um condenado à morte no momento em que etc., a Virgem Santa no momento em que etc. Mas, para voltar à beleza nova que Dostoievski trouxe ao mundo, assim como em Vermeer existe a criação de uma certa alma, de uma certa cor de tecidos e de lugares, em Dostoievski não existe apenas criação de seres, mas de moradias, e a casa do Assassinato, no *Crime e Castigo*, com seu *dvornik* (porteiro), não é tão maravilhosa quanto a obra-prima das casas do Assassinato na obra de Dostoievski, essa sombria, e tão comprida e tão alta e tão vasta casa do Assassinato de Rogojine, onde ele mata Nastassia Filipovna. Essa beleza nova e terrível de uma casa, essa beleza nova e mista de um rosto de mulher, eis o que Dostoievski trouxe de único ao mundo, e as aproximações que os críticos literários podem fazer entre ele e Gogol, entre ele e Paul de Kock, não têm qualquer interesse, sendo exteriores a essa beleza secreta. Aliás, se eu te disse que de romance em romance se descreve a mesma cena, é no seio de um mesmo romance que as mesmas cenas e os mesmos personagens se reproduzem caso o romance seja muito longo. Eu poderia facilmente mostrar-te isso em *Guerra e Paz*, e determinada cena numa carruagem... – Eu não queria interrompê-lo, mas já que vejo que você está abandonando Dostoievski, tenho medo de esquecer. Meu querido, que foi que você quis dizer outro dia, quando falou: "É como o lado Dostoievski da Sra. de Sévigné"? Confesso que não compreendi. Parece-me tão diferente. – Venha cá, minha pequena, deixe-me dar-lhe um beijo em agradecimento por ter lembrado tão bem o que eu disse, e depois volte para a pianola. E confesso que o que havia dito era uma asneira. Mas dissera-o por dois motivos. O primeiro é um motivo particular. Sucede que a Sra. de Sévigné, como Elstir, como Dostoievski, em vez de apresentar as coisas em ordem lógica, isto é, começando pela causa, mostra-nos primeiro o efeito, a ilusão que nos impressiona. É deste modo que Dostoievski apresenta seus personagens. As ações destes surgem-nos tão enganadoras como aqueles efeitos de Elstir em que o mar parece estar no céu. Ficamos admirados ao saber que um certo homem soturno é no fundo uma pessoa excelente, ou vice-versa. – Sim, mas dê um exemplo, no caso da Sra. de Sévigné. – Confesso – respondi rindo – que é muito forçado, mas enfim eu poderia achar exemplos. Eis uma descrição.[58] ....

– Mas Dostoievski chegou a assassinar alguém? Todos os romances que conheço dele poderiam denominar-se História de um Crime. É uma obsessão nele, não é natural que fale sempre disso. – Não creio, minha Albertine, conheço mal a sua vida. É certo que, como todo mundo, ele conheceu o pecado sob uma forma ou outra, e provavelmente sob uma forma que as leis proíbem. Neste sentido ele devia

[57] Miguel Munkacsy (1844-1900), pintor húngaro. (N. do T.)

[58] No manuscrito original, a frase se interrompe; Proust prossegue adiante, sem continuá-la. (N. do T.)

ser um tanto criminoso, como seus heróis, que aliás não o são completamente, que são condenados com circunstâncias atenuantes. E talvez não valesse mesmo a pena que ele fosse criminoso. Não sou romancista, é possível que os criadores sejam tentados por determinadas formas de vida que não experimentaram pessoalmente. Se formos juntos a Versalhes, conforme combinamos, eu lhe mostrarei o retrato de um homem honesto por excelência, homem que foi o melhor dos maridos, Choderlos de Laclos, que escreveu o mais horrivelmente perverso dos livros, e justo à sua frente o da Sra. de Genlis, que escreveu contos morais e não se contentou em trair a duquesa de Orléans, mas supliciou-a, dela afastando os filhos. Mesmo assim, reconheço que em Dostoievski essa preocupação com o assassinato possui algo de extraordinário e que o faz muito estranho para mim. Já fico estupefato quando ouço Baudelaire dizer:

Se le voil, le poison, le poignard, l'incendie...
C'est que notre âme, hélas! N'est pas assez hardie.[59]

Mas pelo menos posso acreditar que Baudelaire não seja sincero. Ao passo que Dostoievski... Tudo isso me parece tão distante quanto possível, a menos que eu carregue dentro de mim porções que desconheço, pois não nos realizamos senão sucessivamente. Em Dostoievski encontro poços extremamente profundos, mas em alguns pontos isolados da alma humana. Mas trata-se de um grande criador. Primeiro, o mundo que ele retrata tem verdadeiramente o aspecto de ter sido criado por ele. Todos esses bufões que retornam sem cessar, todos esses Lebedev, Karamázov, Ivolguine, Segrev, esse cortejo inacreditável, compõem uma humanidade mais fantástica do que a que povoa *A Ronda da noite*, de Rembrandt. E, contudo, ela talvez só seja fantástica, do mesmo modo, por causa da iluminação e das roupas, e, no fundo, seja habitual. Em todo caso, ao mesmo tempo ela está cheia de verdades, é profunda e única, pertencendo unicamente a Dostoievski. Tais bufões dão quase a impressão de um emprego que não existe mais, como certos personagens da comédia antiga; e, todavia, como revelam aspectos verdadeiros da alma humana! O que me irrita é a maneira solene com que se fala e escreve sobre Dostoievski. Já reparou no papel que desempenham o orgulho e o amor-próprio nos seus personagens? Dir-se-ia que para ele o amor e o ódio mais extremado, a bondade e a traição, a timidez e a insolência, não passam de dois estados de uma só natureza; o amor-próprio e o orgulho impedem Aglaé, Nastassia, o capitão de quem Mítia puxa a barba, Krassotkine, o inimigo-amigo de Aliocha, de se mostrarem como são na realidade. Mas ainda há muitas outras grandezas. Conheço bem pou-

[59] "Se o estupro, o veneno, o punhal a paixão... / É que nossa alma infelizmente não é bastante ousada." Prefácio às *Flores do mal*, de Baudelaire. Há dois versos intercalados entre estes no poema. (N. do T.)

co os livros de Dostoievski. Mas não será um motivo escultural e simples, digno da arte mais antiga, uma frisa interrompida e retomada onde se desenrolariam a Vingança e a Expiação, o crime do pai Karamázov engravidando a pobre louca, o movimento misterioso, animal, inexplicado, pelo qual a mãe, sendo contra a vontade o instrumento das vinganças do destino, obedecendo assim obscuramente a seu instinto de mãe, talvez a um misto de ressentimento e gratidão física pelo estuprador, vai dar à luz na casa do pai Karamázov? Este é o primeiro episódio, grande, misterioso, augusto, como uma criação da Mulher nas esculturas de Orvieto. E, como compensação, o segundo episódio, mais de vinte anos depois, o assassinato do pai Karamázov, a infâmia sobre a família Karamázov por aquele filho da louca, Smerdiákov, seguido pouco após de um mesmo ato tão misteriosamente escultural e inexplicado, de uma beleza tão obscura e natural como o parto no jardim do pai Karamázov, quando Smerdiákov se enforca depois de praticar o homicídio. Quanto a Dostoievski, eu não o abandonava tanto como você pensa ao falar de Tolstoi, que o imitou muito. E existe em Dostoievski, concentrado, ainda contraído e rabugento, muito daquilo que se expandirá em Tolstoi. Existe em Dostoievski esse mau humor antecipado dos primitivos que os discípulos irão desanuviar. – Meu querido. É uma pena que você seja tão preguiçoso. Repare como encara a literatura de um modo mais interessante do que como nos era ensinada; os deveres que nos mandavam fazer sobre *Esther*. "Senhor", você se lembra – disse ela rindo, menos para zombar dos mestres e de si mesma do que pelo prazer de reencontrar em sua memória, na nossa memória comum, uma lembrança já um tanto antiga.[60]

Mas, enquanto ela me falava, e como eu estivesse pensando em Vinteuil, era por sua vez a outra hipótese, a hipótese materialista, a do Nada, que se apresentava a mim. Então, punha-me a duvidar, dizia comigo que, afinal de contas, bem podia ser que se as frases de Vinteuil pareciam a expressão de certos estados da alma – análogos ao que eu experimentara ao provar a *madeleine* mergulhada na xícara de chá –, nada me garantia que a vagueza de tais estados fosse um sinal de sua profundidade, mas apenas do fato de ainda não termos sabido analisá-los; que portanto não haveria nada que fosse mais real neles que em outros. Contudo, aquela felicidade, aquele sentimento de certeza na felicidade, enquanto bebia a taça de chá, quando respirava nos Champs-Élysées um cheiro de madeira velha, não era nenhuma ilusão. De qualquer maneira, dizia-me o espírito da dúvida, ainda que tais estados sejam na vida mais profundos que outros, e por isso mesmo não-analisáveis, visto que põem em jogo forças demasiadamente numerosas de que ainda não nos apercebemos, o encanto de certas frases de Vinteuil fez pensar neles por também

[60] Aqui, Albertine se refere ao episódio da composição colegial de uma pretensa carta de Sófocles a Racine, em *À sombra das moças em flor*, pp. 685-687. (N. do T.)

ser não-analisável. Porém isto não prova que possua a mesma profundidade. A beleza de uma frase de música pura parece facilmente a imagem, ou pelo menos aparenta-a, de uma impressão inintelectual que tenhamos tido, mas unicamente porque é inintelectual. E por que então julgamos particularmente profundas essas frases misteriosas que freqüentam certos quartetos e aquele "concerto" de Vinteuil? Aliás, não era só música dele o que me tocava Albertine; por instantes, a pianola valia para nós como uma lanterna mágica científica (história e geografia), e, nas paredes daquele quarto de Paris dotado de invenções mais modernas que o de Combray, eu via, conforme Albertine tocasse Rameau ou Borodine, estender-se ora uma tapeçaria do século XVIII semeada de Cupidos sobre um fundo de rosas, ora a estepe oriental onde as sonoridades se abafam no ilimitado das distâncias, e na feltragem da neve. E essas decorações fugitivas eram, de resto, as únicas do meu quarto, pois se, no momento em que havia herdado da minha tia Léonie, resolvera possuir coleções como Swann, comprar quadros, estátuas, meu dinheiro era gasto em comprar cavalos, um automóvel, vestidos para Albertine. Mas não continha o meu quarto uma obra de arte mais preciosa que essas? Era a própria Albertine. Eu a contemplava. Era-me estranho pensar que se tratava dela, a quem eu julgara por tanto tempo ser impossível até de conhecer, e que hoje, fera selvagem domesticada, roseira a quem eu havia fornecido o tutor, a moldura, a latada da sua vida, estava assim assentada, todos os dias, como se em casa, perto de mim, diante da pianola, encostada à minha estante. Seus ombros, que eu vira arqueados e sorrateiros quando ela carregava os tacos de golfe, apoiavam-se nos meus livros. Suas lindas pernas, que no primeiro dia eu imaginara com razão terem pedalado uma bicicleta durante toda a sua adolescência, faziam subir e descer alternativamente os pedais da pianola, onde Albertine, hoje com uma elegância que me fazia senti-la mais minha, pois era eu quem lha proporcionava, pousava seus sapatos em tecido de ouro. Seus dedos, outrora familiares ao guidom, descansavam agora sobre as teclas como os de uma santa Cecília; seu pescoço, cujo contorno, visto de minha cama, era cheio e forte e, àquela distância e sob a luz da lâmpada, parecia no entanto mais róseo do que seu rosto inclinado de perfil, ao qual meus olhares, vindo das profundezas de mim mesmo, carregados de lembranças e ardentes de desejo, acrescentavam tamanho brilho, tamanha intensidade de vida, que seu relevo parecia desprender-se e voltear, com a mesma energia quase mágica que a do dia, no hotel de Balbec, em que a minha vida se turvou pelo imenso desejo que tive de beijá-la; eu prolongava cada superfície para além do que podia ver e sob aquela que a ocultava de mim e só me fazia senti-la melhor – pálpebras que cerravam os olhos a meio, cabeleira que escondia o alto das faces – o relevo desses planos superpostos; os olhos, como, num minério onde a opala ainda estivesse encravada, as duas únicas plaquetas já polidas, mais resistentes que o metal, brilhando mais que a luz, faziam aparecer, no meio da matéria cega que as desapruma, como que umas asas de borboleta que houvessem colocado sob um vidro; e os cabelos negros e crespos, mostrando outros conjuntos conforme ela se virava para mim para perguntar o que deveria tocar, ora uma asa magnífica, aguda na ponta, larga na base, negra, empenada e triangular, ora condensando o relevo de seus cachos numa cadeira variada e robusta, cheia de cristas, de linhas divisórias, de precipícios, com seu ondulado tão rico e tão múltiplo parecendo ultrapassar a variedade que a natureza habitualmente elabora, e corresponder mais ao desejo de um escultor que acumula as dificuldades para fazer ressaltar a flexibilidade, o impulso, o modelado, a vida de sua realização, e faziam realçar mais, interrompendo-as para as recobrir, a curva animada e com ela a rotação do rosto liso e róseo, do fosco envernizado de uma madeira pintada. E, para contraste com tanto relevo, também pela harmonia que a ligava aos objetos, que adaptara sua atitude à forma e a utilização deles – a pianola que meio a escondia como uma caixa de órgão, a estante –, todo aquele canto do quarto parecia reduzido a não ser mais que o santuário iluminado, o presépio daquele anjo músico, obra de arte que, dali a pouco, por uma doce magia, ia destacar-se de seu nicho e oferecer a meus beijos sua rosada e preciosa substância. Mas não; Albertine de modo algum era para mim uma obra de arte. Eu sabia o que era admirar uma mulher do ponto de vista da arte – pois conhecera Swann. Por mim mesmo, aliás, de qualquer mulher que se tratasse, era incapaz de fazê-lo, visto não possuir nenhum espírito de observação exterior, não sabendo jamais aquilo que via, e ficava maravilhado quando Swann acrescentava retrospectivamente para mim uma dignidade artística – comparando-a, ao conversar comigo, assim como se comprazia em fazê-lo galantemente diante dela, a algum retrato assinado por Luini, fazendo notar na sua toalete o vestido ou as jóias de um quadro de Giorgione – a uma mulher que me parecera insignificante. Nada disso ocorria comigo. E até, para falar a verdade, quando começava a encarar Albertine como um anjo músico maravilhosamente patinado, que eu me felicitava de possuir, ela não demorava a se me tornar indiferente, eu logo me aborrecia junto dela, mas esses instantes pouco duravam. A gente só ama aquilo em que persegue algo de inacessível, só amamos o que não possuímos, e bem depressa eu voltava a sentir que não possuía Albertine. Em seus olhos eu via passando, ora a esperança, ora a recordação, talvez a saudade, de alegrias que não adivinhamos, às quais neste caso ela preferia renunciar a me confessá-las, e que eu, captando-lhes apenas esse lampejo nas pupilas, não enxergava mais do que o espectador a quem não deixavam entrar na sala, e que, colado à vidraça da porta, não pode distinguir coisa alguma do que se passa no palco. (Não sei se era este o caso dela, mas é estranha, como nos mais incrédulos um testemunho de crença no Bem, essa perseverança na mentira que têm todos os que nos traem. Seria escusado dizer-lhes que sua mentira causa mais mágoa que a confissão, escusado que eles mesmos o percebessem, pois voltariam a mentir um instante após, para ficarem de acordo com o que nos disseram primeiro que eram, ou com o que nos disseram que éramos para eles. É desse modo que um ateu, que se aferra à vida, deixa-se matar para não desmentir a idéia que fazem sobre sua bravura.) Durante aquelas horas, por vezes eu via flutuar sobre ela, nos seus olhares, no seu sorriso, quando fazia beicinho, o reflexo desses espetáculos interiores cuja contemplação tornava-a naquelas noites diferente, distanciada de mim, a quem eram recusados. – Em que está pensando, minha querida? – Em nada, ora. – Às vezes, para responder à censura que lhe fazia por não me dizer nada, ou dizia-me coisas que não ignorava que eu sabia tão bem como todos (como esses estadistas que não nos anunciariam a mais ínfima das notícias, mas, em compensação, nos contam o que todos puderam ler nos jornais da véspera), ou me contava sem qualquer exatidão, numa espécie de falsas confidências, os passeios de bicicleta que dava em Balbec, um ano antes de me conhecer. E, como se eu tivesse corretamente adivinhado outrora, inferindo dele[61] que ela deveria ser uma jovem muito livre, realizando longas excursões, a evocação que ela fazia desses passeios insinuava entre os lábios de Albertine aquele mesmo sorriso misterioso que me havia seduzido nos primeiros dias, no molhe de Balbec. Também me falava daqueles passeios que dera com amigos pelos campos da Holanda, de seus regressos a Amsterdã à noite, em horas tardias, quando uma compacta multidão jovial de pessoas a quem conhecia quase todas, enchia as ruas, as margens dos canais, cujas luzes inumeráveis e fugidias eu julgava ver se refletindo nos olhos brilhantes de Albertine, como nas janelas incertas de um carro que passa depressa. Como a suposta curiosidade estética merecia antes o nome de indiferença junto da curiosidade dolorosa, infatigável, que eu sentia pelos lugares em que Albertine vivera, pelo que pudesse ter feito em tal noite, pelos sorrisos e olhares que tivera, pelas palavras que havia dito, pelos beijos que recebera! Não, nunca o ciúme que um dia tivera de Saint-Loup, caso houvesse persistido, ter-me-ia dado esta imensa inquietação. Esse amor entre mulheres era algo por demais desconhecido, cujos prazeres e qualidade nada me permitia imaginar com certeza, com exatidão. Quantas pessoas, quantos lugares (mesmo os que não se relacionam diretamente a ela, vagos lugares de prazer onde ela o tivesse podido gozar, lugares onde há muita gente, onde somos bolinados) Albertine – como uma pessoa que consegue fazer passar seus companheiros, toda uma comitiva, pelo porteiro e os introduzir no teatro – fizera passar da entrada da minha imaginação ou da minha lembrança, onde absolutamente não me importavam, introduzira em meu coração! Agora o conhecimento que eu tinha deles era interno, imediato, espasmódico, doloroso. O amor é o espaço e o tempo tornados sensíveis ao coração.

---

[61] "Dele" refere-se ao "sorriso misterioso" de Albertine, linhas depois. (N. Do T.)

E no entanto, se eu fosse inteiramente fiel, talvez não tivesse sofrido infidelidades, que seria incapaz de conceber. Mas o que me torturava imaginar em Albertine, era o meu próprio desejo permanente de agradar a novas mulheres, de esboçar novos romances; era de lhe supor aquele olhar que eu outro dia não pudera, mesmo a seu lado, evitar de lançar sobre as jovens ciclistas sentadas às mesas do Bois de Boulogne. Assim como só se tem conhecimento de si mesmo, quase se pode dizer que só temos ciúmes de nós mesmos. A observação de pouco vale. Só do prazer sentido por nós mesmos é que podemos extrair conhecimento e dor.

Por momentos, nos olhos de Albertine, no súbito rubor de suas faces, eu sentia passar furtivamente como que um raio de calor nas regiões mais inacessíveis para mim e onde evoluíam as lembranças de Albertine, para mim desconhecidas. Então aquela beleza que, ao pensar nos anos sucessivos em que havia conhecido Albertine, seja na praia de Balbec, seja em Paris, eu achara nela ainda há pouco, e que consistia no fato de que minha amiga se desenvolvia em tantos planos e continha em si tantos dias transcorridos, aquela beleza adquiria para mim algo de dilacerante. Então, sob aquele rosto ruborizado, eu sentia cavar-se, como um abismo, o inexaurível espaço das noites em que não conhecera ainda Albertine. Bem que eu podia sentar Albertine em meus joelhos, segurar seu rosto em minhas mãos, podia acariciá-la, passar longamente as mãos por ela, mas, como se estivesse manuseando uma pedra que a salinidade de oceanos imemoriais, ou o raio de luz de uma estrela, percebia que apenas tocava o envoltório fechado de uma criatura que pelo interior alcançava o infinito. Quanto sofria eu nessa posição a que nos reduziu o esquecimento da natureza que, instituindo a divisão dos corpos, não pensou em tornar possível a interpenetração das almas! E eu não me dava conta de que Albertine não era sequer para mim (pois, se o seu corpo estava em meu poder, seu pensamento fugia ao domínio do meu) a maravilhosa cativa com quem eu pensara enriquecer a minha casa, escondendo tão perfeitamente a sua presença, mesmo aos que vinham me visitar e que não desconfiavam estivesse na extremidade do corredor, no quarto vizinho – como aquele personagem que todos ignoravam mantivesse fechada numa garrafa a princesa da China; convidando-me de modo insistente, cruel e sem saída, à procura do passado, ela era antes como uma grande deusa do Tempo. E, se foi necessário que eu perdesse com ela muitos anos, a minha fortuna – e, contanto que eu possa dizer, o que infelizmente não é certo, que ela nada perdeu –, não tenho nada a lamentar. É claro que a solidão teria valido mais, seria mais fecunda e menos dolorosa. Mas a vida de colecionador que me aconselhava Swann – que o Sr. de Charlus me censurava não conhecer, quando, num misto de espírito, gosto e insolência, me dizia: "Como tudo é feio em sua casa!" –, que estátuas, que quadros longamente desejados, por fim possuídos, ou até, na melhor das hipóteses, contemplados com desinteresse, me teriam dado, como a feridinha que cicatrizava bem depressa, mas que a falta de jeito inconsciente de Albertine, dos indiferentes, ou de meus próprios pensamentos, não tardava a reabrir, o acesso àquela saída para fora de mim mesmo, esse caminho de comunicação privado mas que leva à estrada real por onde passa o que só conhecemos do dia em que sofremos por causa dela a vida dos outros?

Às vezes fazia um luar tão lindo, que mais ou menos uma hora depois de Albertine ter se deitado, eu ia até sua cama para lhe dizer que olhasse pela janela. Tenho certeza de que era para isso que eu ia ao seu quarto, e não para me certificar de que lá estivesse mesmo. Aparentemente, como poderia e desejaria fugir? Teria sido necessário um conluio inverossímil com Françoise. Na escuridão do quarto eu só via, na brancura do travesseiro, um fino diadema de cabelos negros. Porém ouvia a respiração de Albertine. Seu sono era tão profundo que hesitei em chegar ao pé da cama; depois, sentei-me na beirada; o sono continuava a decorrer no mesmo murmúrio. Era impossível dizer até que ponto seus despertares eram alegres. Eu beijava-a, sacudia-a. E logo ela deixava de dormir e, sem o intervalo de um só momento, estalava o riso e dizia-me, passando os braços em torno ao meu pescoço: – Estava justamente imaginando se você vinha ou não – e ria cada vez mais, carinhosamente. Dir-se-ia que sua cabeça encantadora, quando ela dormia, só estivesse cheia de alegria, de ternura e riso. E, despertando-a, eu só fizera, como quando se abre uma fruta, espremer o sumo que escorre e que mata a sede.

Todavia, o inverno findava; voltou o bom tempo, e muitas vezes, logo que Albertine se despedia, estando ainda o meu quarto, as cortinas e a parede acima delas inteiramente escuros, eu ouvia no jardim das religiosas vizinhas, rica e preciosa no silêncio com um harmônio de igreja, a modulação de um pássaro desconhecido que, ao modo lídio,[62] já cantava matinas e, no meio de minhas trevas, introduzia a rica nota deslumbrante do sol que estava vendo. Em breve as noites diminuíram e antes das horas antigas da manhã eu já via atravessar as cortinas da minha janela a brancura diariamente aumentada do dia. Se me resignava a deixar que Albertine continuasse levando aquela vida em que, apesar de suas negativas, eu sentia que ela se julgava uma prisioneira, era somente porque cada dia estava certo de que no dia seguinte poderia, ao mesmo tempo que começar a trabalhar, levantar-me, sair, preparar uma viagem a alguma propriedade que compraríamos e onde Albertine poderia levar mais livremente, e sem inquietação para mim, a vida do campo ou do mar, de navegação ou de caça, que lhe agradava.

Porém no dia seguinte, naquele tempo passado que eu alternadamente amava e detestava em Albertine (como, quando ele é o presente, e, entre ele e nós, todos, ou por interesse, ou por polidez ou piedade, cuidam de tecer uma cortina de mentiras que julgamos ser a realidade), acontecia que uma das horas que o compu-

[62] "Modo lídio": modo (escala) religioso da Idade Média, que vai de fá a fá. (N. do T.)

nham e até daquelas que eu acreditava conhecer, apresentava-me de súbito, retrospectivamente, um aspecto que já não tentavam ocultar-me e que era bem diverso daquele sob o qual me havia aparecido antes. Por detrás de um certo olhar, em vez do bom pensamento que eu imaginara ver nele antigamente, estava um desejo, até então insuspeitado, que se revelava, alienando-me uma nova parte daquele coração de Albertine que eu julgara ter assimilado ao meu. Por exemplo, quando Andrée deixara Balbec, no mês de julho, Albertine nunca me dissera que deveria vê-la em breve; e eu pensava que ela tornara a vê-la mais cedo até do que imaginara, pois, devido à grande tristeza que eu tivera em Balbec naquela noite de 14 de setembro, ela me fizera o sacrifício de não ficar e de voltar imediatamente a Paris. Quando chegara, no dia 15, eu lhe pedira que fosse ver Andrée e lhe havia dito: – Ela ficou contente em rever você? – Pois agora a Sra. Bontemps tinha vindo trazer alguma coisa para Albertine; estive com ela por um minuto e disse que Albertine saíra com Andrée: – Foram passear no campo. – Sim – respondeu a Sra. Bontemps. – Albertine não é exigente em matéria de passeios no campo. Assim, há três anos tinha de ir todos os dias aos Buttes-Chaumont. – A esse nome de Buttes-Chaumont, aonde Albertine me havia dito que nunca fora, perdi o fôlego por um instante. A realidade é o mais hábil dos inimigos. Desfecha seus ataques sobre o ponto do coração onde não os esperávamos e onde não tínhamos estabelecido uma defesa. Teria Albertine mentido à tia, dizendo-lhe que ia todos os dias aos Buttes-Chaumont, e depois a mim, ao me confessar que não os conhecia? – Felizmente – acrescentou a Sra. Bontemps – essa pobre Andrée vai partir em breve para uma região mais saudável, para o verdadeiro campo, e ela bem que precisa disso, anda tão abatidinha. É verdade que este ano ela não teve tempo de desfrutar do ar livre no verão, como precisava. Imagine que deixou Balbec em fins de julho tencionando voltar em setembro; mas, como o irmão destroncou o joelho, ela não pôde voltar. – Então Albertine a esperava em Balbec e me ocultou isso! É certo que fora tanto mais amável ter-me proposto voltar. A menos que... – Sim, lembro-me que Albertine me falou disso... (o que não era verdade). Quando então ocorreu o tal acidente? Tudo isto anda um tanto confuso na minha cabeça. – Mas sob um aspecto veio na hora certa, pois um dia mais tarde o aluguel da vivenda teria começado a correr e a avó de Andrée teria sido obrigada a pagar um mês inutilmente. Ele quebrou a perna a 14 de setembro, ela teve tempo de telegrafar a Albertine no dia 15 de manhã dizendo que não viria, e Albertine pôde avisar a agência. Um dia depois, e o aluguel correria até 15 de outubro. – Assim, sem dúvida, quando Albertine, mudando de opinião, dissera-me: – Partamos esta noite – o que ela tinha em vista era um apartamento que eu não conhecia, o da avó de Andrée, onde desde o nosso regresso iria poder encontrar a amiga, que, sem que eu desconfiasse, ela pensara rever brevemente em Balbec. As palavras tão amáveis que tivera, para voltar comigo, em contraste com sua *teimosa* recusa de pouco antes, buscara eu atribuí-las a uma reviravolta de seu bom coração. Mas eram simplesmente o reflexo de uma mudança ocorrida numa situação que não conhecemos, e que significa todo o segredo da variação da conduta das mulheres que não nos amam. Elas nos recusam obstinadamente um encontro para o dia seguinte porque se acham cansadas, porque o avô exige que jantem na casa dele. – Mas venha depois – insistimos. – Ele me prende até bem tarde. Poderá querer me acompanhar. – Simplesmente elas têm um encontro com alguém que lhes agrada. De repente, este já não está livre. E elas vêm dizer-nos que lamentam nos ter magoado, que se livraram do avô, que ficarão conosco, pouco se importando com o resto. Eu deveria ter reconhecido estas frases na linguagem com que se expressara Albertine no dia da minha partida, em Balbec. Entretanto, talvez só devesse reconhecê-la, mas, para interpretar essa linguagem, precisaria lembrar-me de dois traços particulares do caráter de Albertine.

Dois traços do caráter de Albertine me voltaram ao espírito naquele momento, um para me consolar e o outro para me desolar, pois encontramos de tudo na nossa memória: ela é uma espécie de farmácia, de laboratório de química, onde pomos a mão ao acaso, ora numa droga calmante, ora num veneno perigoso. O primeiro traço, o consolador, foi aquele hábito de fazer uma mesma ação servir para o agrado de várias pessoas, aquele emprego múltiplo do que ela fazia, bem característico de Albertine. Era bem próprio do seu caráter voltando a Paris (o fato de que Andrée não voltaria a Balbec podia tornar-lhe incômoda a sua permanência lá sem que isso significasse que não podia passar sem Andrée), tirar de uma só viagem a ocasião para sensibilizar duas pessoas a quem amava com sinceridade: a mim, fazendo-me acreditar que assim agia para não me deixar sozinho, para que eu não sofresse, por devotamento para comigo; e a Andrée, convencendo-a de que, desde o momento em que esta não voltava a Balbec, não desejava ficar ali nem mais um só momento, que só havia prolongado a sua estada para vê-la e que no mesmo instante acorria para junto dela. Ora, a partida de Albertine em minha companhia ocorrera, com efeito, de modo tão imediato, de um lado, à tristeza por que eu passara, ao meu desejo de voltar a Paris, e portanto, ao telegrama de Andrée, que era bem natural que Andrée e eu, ignorando respectivamente, ela o meu desgosto, eu o seu telegrama, tivéssemos acreditado que a partida de Albertine era a conseqüência da causa única que cada um conhecia e que a ela se seguia com tão poucas horas de intervalo e tão repentinamente. E nesse caso eu ainda podia crer que acompanhar-me fora o objetivo real de Albertine, que todavia não quisera desprezar uma oportunidade de granjear o reconhecimento de Andrée. Mas infelizmente lembrei-me logo de outro aspecto do caráter de Albertine, e que era a vivacidade com que se deixava empolgar pela tentação irresistível de um prazer. Ora, eu me lembrava, quando ela decidiu partir, da impaciência que tinha de chegar ao trem, como empurrara o gerente do hotel, que, tentando nos reter, poderia nos fazer perder o ônibus, o dar de ombros cúmplice que me fazia e com que eu ficara tão comovido, quando, no "tortinho", o Sr. de Cambremer nos perguntara se não podíamos "adiar para a semana seguinte". Sim, o que ela via ante os olhos naquele momento, o que a tornava tão impaciente por ir-se embora, o que estava impaciente por rever, era um apartamento desabitado que eu vira uma vez, e que pertencia à avó de Andrée, um apartamento luxuoso aos cuidados de um velho lacaio, virado para o sul, mas tão vazio, tão silencioso, que o sol parecia pôr capas no canapé, nas poltronas dos quartos em que Albertine e Andrée pediam ao guardião respeitoso, talvez ingênuo, talvez cúmplice, que as deixasse repousar.

Agora eu via o tempo todo esse apartamento, vazio, com uma cama ou um canapé, uma criada simplória ou cúmplice, e para onde, cada vez que Albertine parecia apressada e séria, partia para encontrar-se com a amiga, que sem dúvida chegara antes dela, pois era mais livre. Até então, eu jamais pensara naquele apartamento, que para mim assumia agora uma beleza horrível. O desconhecido da vida das criaturas é como o da natureza, que cada descoberta só faz recuar mas não elimina. Um ciumento exaspera aquela a quem ama, privando-a de mil prazeres sem importância. Mas aqueles que representam a base da vida da amada, ela os resguarda num lugar onde, nos momentos em que a inteligência dele julga mostrar grande perspicácia e onde os terceiros melhores o informam, não imagina procurar.

Afinal, pelo menos, Andrée ia partir. Mas eu não queria que Albertine pudesse me desprezar por ter feito papel de tolo diante dela e de Andrée. E um dia ou outro haveria de dizer-lhe. E assim talvez a forçaria a me falar com mais franqueza das coisas que me ocultava. Mas não queria lhe falar daquilo ainda, primeiro porque, sendo muito recente a visita de sua tia, ela teria compreendido de onde me viera a informação, teria calado essa fonte e não recearia outras desconhecidas. Depois, porque eu não queria, enquanto não estivesse absolutamente certo de guardar Albertine pelo tempo que desejasse, arriscar-me a lhe causar cóleras excessivas que poderiam ter como resultado fazê-la desejar abandonar-me. É verdade que se eu raciocinava, buscava a verdade e prognosticava o futuro segundo suas palavras, que aprovavam sempre todos os meus projetos e exprimiam o quanto ela amava essa vida, quanto a sua clausura a privava de pouco, era porque não duvidava que ela permanecesse para sempre a meu lado. E me sentia até bastante aborrecido, sentia que a vida, o universo, de que jamais havia desfrutado, escapavam-me, trocados por uma mulher em que eu já não podia encontrar nada de novo. Não podia sequer ir a Veneza onde, enquanto eu estivesse na cama, seria por demais torturado pelo temor das propostas que lhe poderiam fazer o gondoleiro, os empregados do hotel, as venezianas. Mas se, pelo contrário, eu raciocinava conforme a outra hipótese, a que se apoiava não nas palavras de Albertine, mas nos silêncios, nos olhares, nos rubores, nos amuos e até nas cóleras, de que me teria sido bem melhor fingir que não os percebia, então eu dizia comigo que essa vida lhe era insuportável, que durante o tempo inteiro ela se via privada do que gostava, e que fatalmente me abandonaria um dia. Tudo o que eu desejava, se ela me deixasse, era poder escolher o momento, um momento em que aquilo já não me fosse penoso, e depois numa época em que ela não pudesse ir a nenhum dos lugares onde eu imaginava suas devassidões, nem a Amsterdã, nem à casa de Andrée, nem à da Srta. Vinteuil que, é bem verdade, ela iria encontrar alguns meses mais tarde. Mas até lá eu me teria acalmado e aquilo me seria indiferente. Em todo caso, era preciso esperar, para pensar nisso, que eu me curasse da pequena recaída provocada pela descoberta dos motivos pelos quais Albertine, com poucas horas de intervalo, não quisera e depois quisera imediatamente deixar Balbec; era preciso deixar o tempo fazer desaparecer os sintomas, que não podiam deixar de ir se atenuando se eu não soubesse de nada novo, mas ainda demasiado agudos para não tornar mais dolorosa, mais difícil, uma operação de ruptura que agora reconhecia como inevitável, mas de modo algum urgente, e que era preferível realizar "a frio". Dessa escolha, no momento, era eu o senhor; pois, se ela queria partir antes que eu o tivesse decidido, no momento em que me anunciasse que estava farta daquela vida sempre haveria tempo para tomar providências visando a combater suas razões, para lhe dar mais liberdade, prometer-lhe um grande prazer próximo que ela mesma desejaria ficar aguardando, e até, se eu só achasse recursos em seu coração, confessar-lhe meu desgosto. Portanto, estava bem sossegado sob esse aspecto, não sendo nisso, aliás, muito lógico comigo mesmo. Pois, numa hipótese em que eu não levava precisamente em conta certas coisas que ela me dizia e anunciava, supunha que, quando se tratasse de sua partida, ela me daria previamente seus motivos, deixando-me combatê-los e liquidá-los.

Sentia que minha vida com Albertine não era, por um lado, quando não estava enciumado, senão aborrecimento; por outro, quando me enciumava, era apenas sofrer. Supondo que existisse felicidade, esta não poderia durar. No mesmo espírito de sensatez que me inspirava em Balbec na noite em que tínhamos sido felizes após a visita da Sra. de Cambremer, eu queria deixá-la porque não ganharia nada em prolongar aquela situação. Apenas, ainda agora, imaginava que a lembrança que guardaria dela seria como uma espécie de vibração prolongada por um pedal do último minuto da nossa separação. Assim, fazia questão de escolher um minuto suave, para que fosse ele quem continuasse a vibrar em mim. Não convinha ser muito exigente, esperar muito; era preciso ser ajuizado. E, todavia, tendo esperado tanto, seria loucura não saber aguardar alguns dias a mais, até que se oferecesse um minuto aceitável, em vez de me arriscar a vê-la partir com essa mesma revolta que eu tinha outrora quando mamãe se afastava da minha cama sem me dar boa-noite de novo, ou quando me dizia adeus na estação. Multiplicava ao acaso as gentilezas que podia lhe fazer. Quanto aos chambres de Fortuny, nós nos decidíramos afinal por um azul e dourado com forro cor-de-rosa, terminado há pouco. E mesmo assim eu encomendara aos outros cinco a que ela havia renunciado com pesar, por dar preferência àquele.

No entanto, com a chegada da primavera, passados dois meses do que me dissera a sua tia, certa noite deixei-me levar pela cólera. Foi exatamente quando Albertine pusera pela primeira vez o chambre azul e dourado de Fortuny, o qual, recordando-me Veneza, fazia-me sentir mais ainda o que eu sacrificava por ela, que não se mostrava agradecida de modo algum. Se nunca fora a Veneza, sonhava com ela sem cessar desde aquelas férias da Páscoa, quando, ainda criança, deveria ter passado lá, e desde antes ainda, através das gravuras de Ticiano e das fotos de Giotto que Swann me dera outrora em Combray. O chambre de Fortuny que Albertine usava naquela noite me parecia como a sombra tentadora dessa Veneza invisível. Era todo cheio de ornamentação árabe como Veneza, como os palácios de Veneza dissimulados à maneira de sultanas por detrás de um véu de pedra com lavores abertos, como as encadernações da Biblioteca Ambrosiana, como as colunas cujos pássaros orientais que significam alternativamente morte e vida se repetiam na cintilação do tecido, de um azul profundo que, à medida que meu olhar nele avançava, transmudava-se em ouro maleável por essas mesmas transmutações que, diante da gôndola que avança, mudam em metal flamejante o azul do Grande Canal. E as mangas eram forradas de um róseo cereja que é tão particularmente veneziano que se denominava rosa Tiepolo.[63]

De dia, Françoise deixara escapar diante de mim que Albertine estava descontente de tudo; que, quando eu lhe mandava dizer que sairia com ela, ou que não sairia, que o automóvel viria buscá-la, ou não viria, ela quase que dava de ombros e mal respondia com polidez. Àquela noite, em que a sentia de mau humor e os primeiros calores me haviam enervado, não pude sofrear minha cólera e censurei-lhe a ingratidão: – Sim, você pode perguntar a todo mundo – berrei com todas as minhas forças, fora de mim –, pode perguntar a Françoise, é do conhecimento geral. – Mas logo me lembrei que certa vez Albertine me dissera o quanto me achava terrível nos momentos de cólera, e aplicara a mim os versos de *Esther*:

Jugez combien ce front irrité contre moi
Dans non âme troublée a dû jeter d´émoi...
Hélas! Sans frissonner quel coeur audacieux
Soutiendrait les éclair qui partent de vos yeux?[64]

Envergonhei-me da minha violência. E, para desfazer o que fizera, sem contudo me dar por vencido, de forma que minha paz fosse uma paz armada e

[63] Referência ao pintor veneziano Giambattista Tiepolo (1696-1770). (N. do T.)

[64] "Pensei o quanto essa fronte irritada contra mim / Deve ter lançado o medo em minha alma assustada... / Ai de mim! Que coração animoso / sustentaria sem tremer os raios despedidos pelo vosso olhar?" (*Esther*, ato II, cena VII, com pequenas alterações). (N. do T.)

temível ao mesmo tempo que me parecia útil mostrar que eu não receava um rompimento, a fim de que ela não tivesse tal idéia: – Perdoe-me, minha querida Albertine, estou envergonhado da minha violência, estou desesperado. Se já não podemos nos entender, se devemos nos separar, não é preciso ser deste modo, isso não seria digno de nós. Nós nos separaremos, se for necessário, mas antes de tudo, faço questão de lhe pedir humildemente que me perdoe, de todo o meu coração. – Imagine que, para reparar aquilo e me assegurar de seus projetos de se ir embora nos dias próximos e pelo menos até que Andrée partisse, o que se daria dentro de três semanas, seria bom que logo no dia seguinte eu procurasse algum prazer que os que ela tivera até agora, e de bem remota realização. Assim, já que eu ia desfazer o aborrecimento que lhe causara, talvez procedesse acertadamente em aproveitar aquela ocasião para lhe mostrar que conhecia sua vida melhor do que ela pensava. O mau humor que ela sentisse se desfaria amanhã diante das minhas amabilidades, mas o aviso permaneceria em seu espírito. – Sim, minha pequena Albertine, perdoe-me se fui violento. Não sou inteiramente culpado como pensa. Há pessoas malvadas que procuram nos intrigar, eu jamais quis falar nisso para não atormentá-la e às vezes acabo ficando desatinado com algumas denúncias. – E, querendo me valer do fato de que ia poder mostrar como estava ciente do que respeitava à partida de Balbec: – Escute, você sabia que a Srta. Vinteuil devia ir à casa da Sra. Verdurin na tarde em que você tinha ido ao Trocadero. – Ela enrubesceu. – Sim, sabia. – Pode me jurar que não era para reatar relações com ela? – Mas é claro que posso lhe jurar. Por que "reatar"? Nunca tive relações com ela, juro-lhe. – Eu me sentia magoado por ouvir Albertine mentir-me desse modo, negar-me a evidência que seu rubor já confessara demais. Sua falsidade me afligia. E no entanto, como abrangia um protesto de inocência no qual, sem o perceber, estava prestes a acreditar, fez-me menos mal que sua sinceridade quando, tendo-lhe perguntado: – Pode ao menos me jurar que o prazer de rever a Srta. Vinteuil não pesaria em nada no seu desejo de ir àquela vesperal na casa da Sra. Verdurin? – ela respondeu: – Não, isso eu não posso jurar. Eu tinha grande prazer em rever a Srta. Vinteuil. – Um momento antes, eu lhe queria mal por dissimular suas relações com a Srta. Vinteuil; e agora, a confissão do prazer que ela teria em vê-la me partia braços e pernas. Sem dúvida, quando Albertine me dissera, logo que eu regressara da casa dos Verdurin: – Não deveriam receber a Srta. Vinteuil? – fizera renascer todo o meu sofrimento ao me provar que sabia da sua vinda. Mas é claro que desde então eu raciocinara assim: "Ela sabia da sua vinda, que não lhe dava nenhum tipo de prazer, mas como deve ter compreendido de imediato que fora a revelação de que ela conhecia uma pessoa de tão má reputação como a Srta. Vinteuil o que de tal modo me havia desesperado em Balbec, a ponto de me fazer pensar em suicídio, não quis me falar dela." E depois, eis que ela era obrigada a me confessar que aquela vinda lhe dava prazer. Além disso, o seu jeito misterioso de querer ir aos Verdurin deveria ter sido prova bastante para mim. Mas eu não pensara muito mais naquilo. Assim, conquanto dissesse a mim mesmo agora: "Por que será que ela só confessa pela metade? Isso é ainda mais idiota do que mau ou triste", sentia-me de tal maneira esmagado que não tive coragem de insistir no assunto, no qual não me saíra bem, pois não dispunha de nenhum documento revelador e, para recuperar minha ascendência sobre ela, apressei-me a passar ao tema de Andrée, que me permitiria leva Albertine à parede mediante a esmagadora revelação do telegrama de Andrée. – Escute – disse eu –, agora mesmo me atormentam e me perseguem falando de novo de suas relações, mas com Andrée. – Com Andrée?! – exclamou ela. O mau humor lhe avermelhava o rosto. E o espanto, ou a vontade de parecer espantada, lhe esbugalhava os olhos. – Essa é ótima! E pode-se saber quem lhe disse estas belas coisas? Poderei falar com tais pessoas, saber em que baseiam suas infâmias? – Minha pequena Albertine, não sei, são cartas anônimas, mas de pessoas que você talvez descubra facilmente (para lhe mostrar que não receava que ela procurasse), pois devem conhecê-la muito bem. Confesso-lhe que a última (cito-lhe essa justamente porque se trata de uma ninharia e por não conter nada de penoso para dizer), apesar de tudo, deixou-me exasperado. Dizia que, se no dia em que deixamos Balbec você primeiro quis ficar e logo desejou partir, foi porque nesse intervalo havia recebido uma carta de Andrée dizendo que não ia a Balbec. – Sei muito bem que Andrée me escreveu que não ia, chegou mesmo a telegrafar; não posso lhe mostrar o telegrama pois não o guardei, mas não era naquele dia; aliás, mesmo que tivesse sido nesse dia, que interesse você queria que houvesse para mim que Andrée fosse ou não a Balbec? – Aquele "que interesse você queria que houvesse" era uma demonstração de cólera e de que "havia interesse", mas não necessariamente uma prova de que Albertine voltara unicamente movida pelo desejo de rever Andrée. Todas as vezes que Albertine via que um dos motivos reais ou pretensos de um de seus atos era descoberto por uma pessoa a quem dera um motivo diverso para esse ato, ela se encolerizava, ainda que a pessoa fosse aquela para a qual na verdade fizera tal ato. Que Albertine acreditasse que essas informações sobre o que ela fazia não provinham de anônimos que as enviavam por conta própria, mas que eu mesmo as solicitava com avidez, isso não se poderia de forma alguma deduzir das palavras que me disse em seguida, em que parecia aceitar minha versão das cartas anônimas, mas de seu ar de cólera contra mim, cólera que só parecia ser a explosão de seus maus humores precedentes, exatamente como a espionagem que ela, em tal hipótese, teria acreditado que eu praticara, só teria sido a conseqüência de uma vigilância de todos os seus atos, vigilância de que já devia ter certeza havia muito tempo. Sua cólera chegou a estender-se a Andrée, e sem dúvida pensando que agora eu não mais ficaria tranqüilo mesmo quando ela saísse com Andrée: – Aliás, Andrée me exaspera. É cansativa. Ela volta amanhã. Não quero mais sair com ela. Pode anunciar às pessoas que lhe disseram ter eu voltado a Paris por causa dela. Se eu lhe dissesse que faz tantos anos que conheço Andrée, e não saberia lhe dizer como é a cara dela, tão poucas vezes que a tenho olhado! – Ora, em Balbec, no primeiro ano, ela me dissera:– Andrée é encantadora. – É verdade que isto não queria dizer que Albertine tivesse relações amorosas com Andrée, e eu até, naquele tempo, nunca a ouvira falar a não ser com indignação de todas as relações desse tipo. Mas não poderia ela ter mudado, mesmo sem perceber que mudara, não considerando que seus brinquedos com uma amiga fossem a mesma coisa que as relações imorais, bem pouco precisas em seu espírito, que ela condenava nos outros? Não seria possível tal coisa, visto que essa mesma mudança e a mesma inconsciência da mudança se haviam produzido em suas relações comigo, cujos beijos ela repelira com tanta indignação, beijos que ela própria devia me dar em seguida, diariamente, e que, conforme eu esperava, dar-me-ia ainda por muito tempo, bem como iria dar-me dentro de alguns instantes? – Mas, minha querida, como quer que lhes anuncie, já que não os conheço? – Esta resposta era tão decisiva que deveria ter dissipado as dúvidas e objeções que eu via cristalizadas nas pupilas de Albertine. Porém deixou-as intactas; eu me calara e, no entanto, ela continuava a me encarar com essa atenção persistente que prestamos a alguém que não acabou de falar. Pedi-lhe perdão de novo. Respondeu que nada tinha a me perdoar. Voltara a mostrar-se muito meiga. Mas, sob a sua fisionomia triste e abatida, pareceu-me que se formara um segredo. Sabia muito bem que ela não podia abandonar-me sem aviso; além do mais, não podia sequer desejá-lo (dentro de oito dias deveria experimentar os novos vestidos do Fortuny), nem fazê-lo com decência, pois minha mãe regressaria no fim de semana, e a tia de Albertine também. Por que, visto ser impossível a sua partida, repeti-lhe várias vezes que sairíamos juntos no dia seguinte para ir ver uns cristais de Veneza que eu queria lhe dar, e fiquei aliviado ao ouvi-la dizer que sim, que estava combinado? Quando ela veio me dar boa-noite e a beijei, ela não fez como de hábito, virou a cara e – foi apenas alguns instantes depois do momento em que pensei naquela doçura que ela me dava todas as noites o que havia recusado em Balbec – não retribuiu o meu beijo. Dir-se-ia que, zangada comigo, não queria me dar um sinal de ternura que mais tarde pudesse me parecer uma falsidade que desmentisse aquela zanga. Dir-se-ia que adequava seus atos a essa zanga e contudo com cautela, seja para não proclamá-la, seja porque, rompendo as relações carnais comigo, desejasse todavia continuar minha amiga. Beijei-a então pela segunda vez, apertando de encontro ao coração o azul faiscante e dourado do Grande Canal e os pássaros acasalados, símbolos de morte e ressurreição. Mas uma segunda vez, em lugar de me conceder um beijo, ela se afastou com o tipo de obstinação instintiva e nefasta dos animais que pressentem a morte. Tal pressentimento que ela parecia traduzir também me atingiu, enchendo-me de um temor tão angustiado que, quando Albertine chegou à porta, não tive coragem de deixá-la ir-se e a chamei de volta: – Albertine – disse –, não tenho sono. Se você também não tiver vontade de dormir, poderia ficar ainda um pouco, se quiser, mas não insisto, e principalmente não quero que se canse. – Julgava que se pudesse fazê-la despir-se e tê-la em sua camisola branca, na qual ela parecia mais rósea, mais quente, em que irritava mais os meus sentidos, a reconciliação teria sido mais completa. Porém vacilei um momento, pois a orla azul do chambre acrescentava-lhe ao rosto uma beleza, uma iluminação, um céu, sem os quais teria me parecido mais duro. Ela voltou lentamente e me disse com muita doçura e sempre com o mesmo rosto triste e abatido: – Posso ficar o tempo que você quiser, não estou com sono. – Sua resposta me acalmou, pois, enquanto ela estivesse ali, eu sentia poder refletir sobre o futuro e nela havia também amizade e obediência, mas de uma certa natureza, e que me parecia ter por limite aquele segredo que eu sentia por trás do seu olhar tristonho, de suas maneiras mudadas, um tanto sem ela querer, um tanto, sem dúvida, para pô-los previamente de harmonia com alguma coisa que eu ignorava. Ainda assim, pareceu-me que só tendo-a toda de branco, o colo nu, diante de mim, como a tinha visto em Balbec em seu leito, me sentiria com suficiente audácia para obrigá-la a ceder. – Já que você é tão gentil em ficar mais um pouco para me consolar, deveria tirar a roupa, ela é muito quente, muito retesada, não me animo a chegar mais perto para não amarrotar este belo tecido; e há entre nós esses pássaros fatídicos. Dispa-se, minha querida. – Não, não seria cômodo tirar a roupa aqui. Vou despir-me no meu quarto, daqui a pouco. – Então nem mesmo quer sentar-se na minha cama? – Claro que sim. – Mas ela permaneceu um pouco distante, junto a meus pés. Conversamos. De repente ouvimos a cadência regular de um chamado queixoso. Eram os pombos que principiavam a arrulhar. – Isto prova que já é dia – disse Albertine; e de cenho franzido, como se deixasse de lado, vivendo em minha casa, os prazeres da bela estação: – A primavera começou, já que os pombos voltaram. – A semelhança entre aquele arrulho e o canto do galo era tão profunda e tão obscura quanto, no septeto de Vinteuil, a existente entre o tema do adágio, erguido sobre o mesmo tema-chave do primeiro e do último trecho, mas de tal modo transformado pelas diferenças de tonalidade, de medida, etc., que o público profano, se por acaso abre uma obra acerca de Vinteuil, fica espantado ao ver que todos os três são erguidos sobre as mesmas quatro notas, que aliás pode tocar com um só dedo ao piano sem topar com nenhum dos três trechos. Assim, esse trecho melancólico executado pelos pombos era uma espécie de canto de galo em tom menor, que não subia para o céu nem se erguia verticalmente, mas, regular como o zurro do asno, envolto em doçura, ia de um pombo a outro numa mesma linha horizontal, e jamais se aprumava, não mudava o seu queixume lateral naquele radioso apelo que tantas vezes o *allegro* da introdução e o *finale* haviam impulsionado. Sei que na ocasião pronunciei a palavra "morte", como se Albertine fosse morrer. Parece que os acontecimentos são mais vastos do que o momento em que ocorrem, não podendo caber completamente nele. Certo, transbordam para o futuro devido à memória que deles guardamos, mas também pedem um espaço ao tempo que os antecede. Certo, dir-se-á que não os vemos então como virão a ser, mas não são eles igualmente modificados na lembrança?

Quando vi que por si mesma ela não me beijaria, compreendendo que tudo aquilo era tempo perdido e que somente a partir do beijo é que principiariam os minutos calmantes e verdadeiros, disse-lhe: – Boa-noite, é bem tarde –, pois isso a faria beijar-me e continuaríamos juntos a seguir. Mas depois de me ter dito: – Boa-noite, trate de dormir bem – exatamente como das duas primeiras vezes, ela se contentou com um beijo no rosto. Desta vez não me animei a chamá-la. Mas meu coração batia com tanta força que não pude deitar de novo. Como um pássaro que vai de uma extremidade a outra da gaiola, eu passava incessantemente da inquietação que Albertine pudesse partir a uma relativa calma. Essa calma era produzida pelo raciocínio que eu recomeçava diversas vezes por minuto: "Em todo caso, ela não pode partir sem me avisar, de maneira nenhuma ela me disse que partiria", e me sentia mais ou menos sossegado. Mas logo me repetia: "Contudo, e se amanhã descobrir que ela foi embora? Minha inquietação é causada por alguma coisa; por que será que ela não me beijou?" Aí sentia o coração horrivelmente apertado. Depois, ele sossegava um pouco por causa do raciocínio que eu recomeçava, mas eu acabava por ter dor de cabeça, pois esse vai-e-vem do pensamento era por demais incessante e monótono. Assim, há certos estados morais, notadamente a inquietação, que, apresentando-nos apenas duas alternativas, têm algo de tão atrozmente limitado quanto um simples sofrimento físico. Eu refazia perpetuamente o raciocínio que dava razão à minha inquietude e também aquele que não lhe dava e me tranqüilizava, como o doente que, num espaço tão exíguo, apalpa sem cessar, com um movimento interno, o órgão que o faz sofrer, afasta-se por um instante do ponto doloroso para voltar a ele um momento após. De súbito, no silêncio da noite, feriu-me um ruído de aparência insignificante mas que me encheu de terror, o ruído da janela de Albertine que se abria violentamente. Quando não ouvi mais nada, indaguei a mim mesmo por que esse ruído me causara tanto pavor. Em si mesmo, nada tinha de tão extraordinário; mas provavelmente eu lhe atribuía dois sentidos que igualmente me aterrorizavam. Primeiro, era uma convenção de nossa vida comum, já que eu receava as correntes de ar, que jamais se abrisse a janela à noite. Tinham-no explicado a Albertine quando ela veio morar em nossa casa, e, embora estivesse convencida que aquilo era uma mania de minha parte, mania aliás malsã, prometera-me que nunca haveria de infringir essa defesa. E ela se mostrava tão receosa com todas essas minhas vontades, conquanto as censurasse, que seria mais fácil que dormisse com o cheiro do fogo na lareira do que abrisse a janela, assim como mesmo para o fato mais importante não teria me mandado acordar de manhã. Não passava aquilo de uma das pequenas convenções da nossa vida, mas, no momento em que ela violava aquela sem me haver prevenido, não quereria isto dizer que ela nada mais trataria com deferência a meu respeito e violaria todas as outras da mesma forma? Além disso, o ruído fora violento, quase mal-educado, como se ela, rubra de cólera, tivesse aberto e dito: "Esta vida me sufoca, tanto pior, preciso de ar!" Não disse comigo exatamente tudo isto, mas continuei a pensar, como num presságio mais misterioso e mais fúnebre que um pio de coruja, naquele ruído da janela que Albertine abrira. Numa agitação como talvez não tivera desde aquela noite em Combray, quando Swann jantara em nossa casa, caminhei a noite inteira pelo corredor, esperando, pelo barulho que fazia, atrair a atenção de Albertine, para que ela tivesse pena de mim e me chamasse, mas não ouvia rumor algum vindo de seu quarto. Em Combray, pedira a minha mãe que voltasse. Mas, no caso de minha mãe eu só temia a sua cólera, sabia que seu afeto não diminuiria se lhe testemunhasse o meu. Isto me fez demorar a chamar Albertine. Pouco a pouco senti que estava ficando tarde demais. Ela devia estar dormindo há muito. Voltei a deitar-me. No dia seguinte, logo que acordei, como nunca entravam no meu quarto, houvesse o que houvesse, sem que eu tivesse chamado, toquei a campainha chamando Françoise. E ao mesmo tempo, pensei: "Vou falar a Albertine de um iate que desejo encomendar para ela." Apanhando minhas cartas, disse a Françoise sem encará-la: – Daqui a pouco tenho uma coisa a dizer à Srta. Albertine; ela já se levantou? – Sim, levantou cedo. – Senti erguerem-se em mim, como num vendaval, mil inquietações que eu não podia sufocar no peito. O tumulto era nele tão grande que eu estava a ponto de perder o fôlego como numa tempestade. – Ah, mas onde está ela neste momento? – Deve estar no quarto. – Muito bem; vou vê-la daqui a pouco. – Respirei, ela estava em casa, minha agitação cessou. Era-me quase indiferente que estivesse. Além disso, não fora absurdo supor que poderia não estar? Adormeci, mas, apesar da minha certeza de que ela não me deixaria, com um sono leve e de uma leveza somente a ela relativa. Pois os ruídos que só se podiam atribuir a trabalhos no pátio, ouvindo-os vagamente enquanto dormia, deixavam-me tranqüilo; ao passo que o mais leve frêmito que proviesse do seu quarto ou quando ela saía à rua ou voltava sem ruído, apertando tão de leve o botão da campainha, sobressaltava-me, fazia-me estremecer da cabeça aos pés, deixava-me o coração batendo, embora o tivesse ouvido numa sonolência profunda, assim como a minha avó nos últimos dias que precederam a sua morte, quando, estando ela mergulhada numa imobilidade a que nada perturbava e que os médicos denominam coma, punha-se, pelo que me disseram, a tremer por um instante como uma folha ao ouvir os três toques de campainha com que eu me acostumara a chamar Françoise, e que, mesmo fazendo-o mais de leve naquela semana, para não perturbar o silêncio da câmara mortuária, ninguém, afirmava Françoise, podia confundir – devido a um modo que eu tinha, e ignorava, de apertar a campainha – com os toques de qualquer outra pessoa. Teria eu também entrado em agonia? Seria isso a aproximação da morte?

Nesse dia e no dia seguinte saímos juntos, visto que Albertine já não queria sair com Andrée. Não cheguei sequer a lhe falar do iate; aqueles passeios haviam me tranqüilizado inteiramente. Porém ela continuara à noite a me beijar da mesma forma nova, de modo que eu andava furioso. Só podia ver nisso uma forma de mostrar que estava amuada comigo, o que me parecia extremamente ridículo depois das amabilidades que eu não cessava de lhe fazer. Assim, não tendo dela nem mesmo as satisfações carnais de que fazia tanto empenho, achando-a feia no seu mau humor, senti mais vivamente a privação de todas as mulheres e das viagens, cujo desejo aqueles primeiros dias de primavera despertavam em mim. Sem dúvida, graças às recordações esparsas de encontros esquecidos que tivera, ainda no colégio, com mulheres, sob a folhagem já espessa, aquela zona da primavera em que a viagem de nossa morada errante através das estações acabara por se interromper havia três dias, sob um céu clemente, e cujas estradas fugiam todas para almoços no campo, passeios de bote, excursões de recreio, parecia-me o país das mulheres tanto quanto era o das árvores, e onde o prazer ofertado em todas as partes se tornava permitido às minhas forças convalescentes. A resignação à preguiça, a resignação à castidade, a conhecer o gozo unicamente com uma mulher que eu não amava, a resignação de permanecer no meu quarto, de não viajar, tudo isso era possível no mundo antigo, onde ainda estávamos na véspera, no mundo vazio do inverno, porém não mais naquele universo novo, cheio de folhagens, onde eu havia despertado como um novo Adão para o qual se coloca pela primeira vez a questão da existência, da felicidade, e sobre quem não pesa a acumulação das soluções negativas anteriores. A presença de Albertine era um peso; eu a olhava, doce e enfadonha, sentindo que era uma pena que não tivéssemos rompido. Desejava ir a Veneza, desejava, enquanto isso, ir ao Louvre para ver quadros venezianos e ao Luxemburgo para ver os dois Elstirs que, conforme acabava de saber, a princesa de Guermantes vendera recentemente àquele museu, os dois que eu tanto admirara na casa da duquesa de Guermantes: *Os prazeres da dança* e *Retrato da família X*. Mas receava que, no primeiro, certas poses lascivas dessem a Albertine um desejo, uma nostalgia de festividades populares, fazendo-a dizer consigo que talvez uma certa vida que não levara, uma vida de fogos de artifício e de tabernas, tivesse os seus encantos. Já de antemão, receava eu que no dia 14 de julho ela me pedisse para ir a um baile popular e sonhava com um acontecimento impossível que suprimisse tal festa. E depois, havia também nos Elstirs nudezas de mulheres nas paisagens frondosas do Sul que podiam fazer Albertine pensar em certos prazeres, se bem que Elstir (mas não rebaixaria Albertine a obra?) pretendesse apenas a beleza escultural, ou melhor, a beleza de brancos monumentos que assumem os corpos de mulheres quando sentados na relva.

Assim, resignei-me a desistir de tudo isso e senti vontade de ir a Versalhes. Albertine, que não quisera sair com Andrée, ficara lendo no quarto, vestida com um *peignoir* de Fortuny. Perguntei se queria ir a Versalhes. Ela tinha isto de encantador: estava sempre disposta a tudo, talvez devido ao seu hábito antigo de viver metade do tempo na casa dos outros, e, como em dois minutos resolvera voltar conosco a Paris, disse: – Posso ir deste jeito se não descermos do carro. – Hesitou um instante entre dois casacos de Fortuny para pôr sobre o *peignoir* – como teria feito entre dois amigos diversos a levar –, escolheu um azul-escuro, admirável, pregou um alfinete no chapéu. Aprontou-se num minuto, antes que eu tivesse tido tempo de pôr o paletó, e fomos para Versalhes. Essa mesma rapidez, essa docilidade absoluta, não me deixaram mais tranqüilo, como se eu, sem ter nenhum motivo preciso de inquietação, necessitasse ficar preocupado. "Afinal não tenho nada a temer, ela faz tudo o que lhe peço, apesar do barulho da janela a noite passada. Logo que falei em sair, ela colocou esse casaco azul sobre o *peignoir* e veio, não é o que teria feito uma revoltada, uma pessoa que não se sentisse bem comigo" – era o que dizia a mim mesmo enquanto íamos a caminho de Versalhes. Ficamos por lá muito tempo; o céu inteiro mostrava o azul radioso e um tanto pálido, como o vê por vezes, acima de sua cabeça, o passeante deitado no campo, mas de tal modo uniforme, de tal modo profundo, que se sente que o azul que o compõe foi empregado sem nenhuma mistura e com tão inesgotável riqueza que seria possível lhe aprofundar cada vez mais a substância sem encontrar um só átomo de outra coisa que não fosse aquele mesmo azul. Eu pensava em minha avó, que, na arte humana, na natureza, apreciava a grandiosidade e se comprazia em contemplar, naquele mesmo céu azul, a subida do campanário de Saint-Hilaire. De repente, senti de novo a nostalgia de minha liberdade perdida ao ouvir um rumor que a princípio não reconheci e que minha avó teria apreciado tanto. Era como o zumbido de uma vespa. – Veja – disse Albertine –, é um aeroplano, está muito alto, bem alto. – Eu olhava a meu redor, mas, como o passeante deitado num campo, só via a palidez intacta do azul sem mistura, sem qualquer mancha preta. Contudo ouvia sempre o zumbido de asas que de súbito entraram no meu campo de visão. Lá no alto, minúsculas e brilhantes asas castanhas franziam o azul uniforme do céu inalterável. Por fim consegui ligar o zumbido à sua causa, àquele pequeno inseto que trepidava lá em cima, sem dúvida a uns bons dois mil metros de altura; via-o zunir. Talvez quando as distâncias sobre a terra, não havia muito tempo, ainda não estavam encurtadas pela velocidade como estão agora, o silvo de um trem que passasse a dois quilômetros fosse dotado da beleza que hoje, e por algum tempo ainda, emociona-nos no zumbido de um aeroplano a dois mil metros de altura, à idéia de que as distâncias percorridas nessa viagem vertical são as mesmas que sobre o solo, e que nesta nova direção, onde as medidas nos parecem diferentes porque o acesso se nos afigurava inacessível, um aeroplano a dois mil metros não está mais longe que um trem a dois quilômetros, está mais perto até, pois o trajeto idêntico se efetua num meio mais puro, sem separação entre o viajante e seu ponto de partida, do mesmo modo que sobre o mar ou nas planícies, num tempo calmo, a esteira de um navio já distante ou o sopro de uma só brisa riscam o oceano das águas e dos trigais.

Eu tinha vontade de merendar. Paramos numa grande confeitaria situada quase fora da cidade e que, àquela época, gozava de certa fama. Ia sair uma senhora que fizera suas encomendas à pasteleira. E, logo que a tal senhora partiu, Albertine olhou a pasteleira diversas vezes como se quisesse atrair a sua atenção, enquanto a pasteleira arrumava taças, pratos e sequilhos, pois já era tarde. A moça só chegava à nossa mesa quando eu pedia alguma coisa. E acontecia então que, como ela era muito alta, ficava de pé para nos servir e Albertine, sentada ao meu lado, cada vez que, para tentar atrair a atenção da moça, erguia verticalmente para ela um olhar que era forçado a elevar tanto mais alto a pupila quanto, estando a pasteleira juntinho de nós, não tinha o recurso de suavizar o declive pela obliqüidade do olhar. Era obrigada, sem erguer demais a cabeça, a fazer seus olhares subirem até àquela altura desmesurada onde ficavam os olhos da pasteleira. Por amabilidade para comigo, Albertine voltava a abaixar vivamente os olhares e, não tendo a pasteleira prestado nenhuma atenção nela, recomeçava. Isto resultava numa série de inúteis elevações implorativas para uma divindade inacessível. Depois, a moça só precisou arrumar uma grande mesa vizinha. Para lá, bastava o olhar de Albertine ser apenas lateral. Mas nenhuma vez o olhar da pasteleira pousou sobre a minha amiga. Aquilo não me espantava, pois sabia que essa moça, a quem conhecia um pouco, tinha amantes, embora fosse casada, mas ocultava perfeitamente os seus casos, o que me assombrava bastante devido à sua enorme estupidez. Observei-a enquanto acabávamos de comer. Ocupada com seus arranjos, ela se tornava quase descortês para com Albertine de tanto não ter um olhar que correspondesse aos olhares de minha amiga, os quais, de resto, nada tinham de inconvenientes. A outra arrumava, arrumava sem cessar, sem qualquer distração. Se a colocação em ordem das colherinhas, das facas de frutas, fosse confiada, não a essa mulher alta e bonita, mas, por economia de trabalho humano, a uma simples máquina, não se poderia ter visto isolamento tão completo em relação à atenção de Albertine; e no entanto ela não baixava os olhos, não se absorvia, deixava brilhar seus olhos, seus encantos, prestando atenção apenas ao seu trabalho. É verdade que se essa moça não fosse uma mulher tão particularmente estúpida (não só era essa a sua reputação, como eu o sabia por experiência própria), aquele desprendimento poderia ser tido como o cúmulo da habilidade. E eu bem sabia que a criatura mais estúpida, se estiver em jogo o seu desejo ou interesse, pode, neste caso único, em meio à nulidade de sua vida nada inteligente, adaptar-se de imediato às rodas da mais complicada engrenagem; de qualquer modo, seria uma suposição por demais sutil para uma mulher tão néscia como a pasteleira. Tal necedade assumia até um contorno incrível de grosseria! Nem uma só vez olhou para Albertine, a quem no entanto não podia deixar de ver. Era pouco amável para minha amiga, mas no fundo fiquei encantado que Albertine recebesse aquela liçãozinha e visse que muitas vezes as mulheres não lhe prestavam atenção. Deixamos a confeitaria, subimos para o carro e já tínhamos retomado o caminho de casa quando de súbito percebi que me esquecera de chamar à parte aquela moça e pedir-lhe, como que por acaso, que não dissesse à senhora que havia saído quando chegáramos, o meu nome e endereço, que a pasteleira, devido às constantes encomendas que lhe fazia, deveria conhecer perfeitamente. De fato, era dispensável que, desse modo, a senhora soubesse indiretamente do endereço de Albertine. Porém, achei que seria demora demais para coisa tão pequena, e que isso pareceria lhe dar excessiva importância aos olhos da pasteleira mentirosa e imbecil. Pensei apenas que seria necessário merendar ali passada uma semana, a fim de fazer essa recomendação, e como é bem aborrecido esquecermos sempre a metade das coisas que temos a dizer, assim como não fazer as coisas mais simples de uma só vez.

Chegamos em casa bem tarde, numa noite onde, aqui e ali, à beira do caminho, uma calça rubra ao lado de uma saia revelava casais de namorados. Nosso carro passou pela porta Maillot para entrar na cidade. Aos monumentos de Paris se substituíra, puro, linear, sem espessura, o desenho dos monumentos de Paris, como se teria feito para uma cidade destruída cuja planta se quisesse levantar; mas em torno dela se erguia com tanta suavidade a orla azul pálido sobre a qual ela se destacava, que os olhos sequiosos buscavam ainda por todos os lados um pouco daquele matiz delicioso que lhes era mui avaramente medido: fazia luar. Albertine o admirou. Não me animei a dizer-lhe que o teria desfrutado melhor se estivesse sozinho ou à procura de uma desconhecida. Recitei-lhe versos ou frases em prosa sobre o luar, mostrando-lhe como, de prateado que fora antigamente, ficara azul com Chateaubriand, com o Victor Hugo de *Éviradnus* e de *A festa em casa de Thérèse*, para tornar-se amarelo e metálico em Baudelaire e Leconte de Lisle. Depois, recordando-lhe a imagem que representa o crescente lunar no fim de *Boaz adormecido*, recitei-lhe todo o poema.

Quando volto a pensar nisso, não sei dizer o quanto a vida de Albertine era recoberta de desejos alternados, fugidios, muitas vezes contraditórios. Sem dúvida a mentira complicava-a ainda mais, pois não mais se lembrando com exatidão de nossas conversas, quando me dizia: – Ah, ali está uma bonita moça e que jogava golfe muito bem – e eu lhe perguntava o nome da moça, ela respondia com esse ar distraído, universal, superior, que, é claro, sempre tem partes disponíveis, pois cada mentiroso dessa categoria o toma de empréstimo por um instante todas as vezes que não deseja responder a uma pergunta, e nunca lhe faz falta: – Ah, não sei (lamentando não poder informar-me), nunca soube o seu nome, via-a no golfe mas não sabia como se chamava –; se um mês depois eu lhe dizia: – Albertine, sabes aquela moça de que me falaste, que jogava golfe tão bem. – Ah, sim – respondia-me sem refletir –, Émilie Daltier, não sei que fim levou. – E a mentira, como uma fortificação de campanha, passava da defesa do nome, agora conquistado, para as possibilidades de tornar a encontrá-la. – Ah, não sei, nunca soube do seu endereço. Não vejo ninguém que pudesse lhe informar. Oh não, Andrée não a conheceu. Ela não era do nosso pequeno grupo, hoje tão dividido. – De outras vezes, a mentira era feito uma confissão vil: – Ah, se eu tivesse trezentos mil francos de renda... – Mordia os lábios. – Muito bem, o que farias? – Pediria licença – dizia ela beijando-me – para ficar em tua casa. Onde poderia ser mais feliz? – Porém, mesmo levando em conta as mentiras, era incrível a que ponto sua vida era sucessiva, e fugidios os seus maiores desejos. Mostrava-se louca por uma pessoa e, três dias depois, não queria mais receber sua visita. Era incapaz de esperar uma hora que eu mandasse lhe comprar telas e tintas, pois desejava recomeçar a pintar. Durante dois dias ficava impaciente, chegava às lágrimas, logo enxutas, de criança a quem tiraram a ama. E essa instabilidade de sentimentos em relação às pessoas, às coisas, às ocupações, às artes e às regiões, era na verdade tão universal que, se ela amou o dinheiro, o que não acredito, não pôde amá-lo por mais tempo que o resto. Quando dizia: – Ah, se eu tivesse trezentos mil francos de renda! –, mesmo que expressasse um pensamento mau, mas bem pouco duradouro, não teria podido persistir nele por mais tempo que no desejo de ir aos Rochers, cuja imagem lhe fora mostrada numa edição da Sra. de Sévigné que pertencera à minha avó, no de reencontrar uma amiga do golfe, de subir num aeroplano, de ir passar o Natal com a tia, ou de recomeçar a pintar.

– No fundo, nenhum de nós tem fome, poderíamos passar na casa dos Verdurin – propôs Albertine. – É a hora e o dia deles. – Mas você não anda zangada com eles? – Oh, fazem muita intriga contra eles, mas no fundo não são tão maus assim. A Sra. Verdurin sempre foi muito gentil comigo. E além disso, a gente não pode estar brigada sempre com todo mundo. Eles têm defeitos, mas quem é que não têm? – Você não está bem vestida. Precisa chegar em casa para se vestir, ficaria muito tarde. – Sim, tem razão, voltemos simplesmente para casa – respondeu Albertine, com aquela admirável docilidade que me assombrava sempre.

O bom tempo, nessa noite, deu um salto para diante, como um termômetro que sobe com o calor. Quando acordei, de minha cama, nessas manhãs de primavera cedo nascidas, ouvia os bondes andando, através dos odores, no ar em que o calor se misturava cada vez mais até atingir a solidificação e a densidade do meio-dia. Mais fresco, ao contrário, no meu quarto, quando o ar untuoso acabara de nele envernizar e isolar o cheiro do lavabo, o cheiro do armário, o cheiro do canapé, à simples nitidez com que, verticais e aprumados, todos esses cheiros se mantinham em camadas justapostas e distintas, num claro-escuro nacarado que acrescentava um polimento mais suave ao reflexo das cortinas e das poltronas de cetim azul, eu me via, não por um simples capricho de minha imaginação, mas porque era de fato possível, seguindo em algum bairro novo do arrabalde, igual àquele onde em Balbec morava Bloch, as ruas ofuscadas pelo sol, e vendo não os açougues sem graça e a branca pedra de cantaria, mas a sala de jantar do campo onde poderia chegar em breve, e os odores que iria encontrar ali, o odor da compoteira de cerejas e damascos, da sidra, do queijo *gruyère*, mantidos em suspensão na luminosa congelação da sombra que eles delicadamente cobriam de veios, como o interior de uma ágata, ao passo que os descansa-talheres de vidro prismático matizam nela arco-íris ou põem aqui e ali, no oleado da toalha de mesa, ocelos de pavão.

Como o vento que refresca em progressão regular, ouvi com alegria o ronco de um automóvel debaixo da minha janela. Senti seu cheiro de gasolina. Cheiro que pode parecer lastimável aos delicados (que são sempre materialistas e para quem ele estraga o campo) e a certos pensadores, também materialistas à sua maneira, que, acreditando na importância do fato, imaginam que o homem seria mais feliz, capaz de mais elevada poesia, se seus olhos fossem suscetíveis de ver mais cores, suas narinas de identificar mais aroma, travesti filosófico da idéia ingênua daqueles que crêem que a vida era mais bela quando se usava, em vez da casaca preta, roupas suntuosas. Mas para mim (assim como um cheiro de naftalina ou de vetiver, talvez desagradável em si mesmo, ter-me-ia exalado por me devolver a azul pureza do mar no dia de minha chegada a Balbec), esse cheiro de gasolina que, com a fumaça que se escapava da máquina, tantas vezes se dissipara no pálido azul do céu, nesses dias ardentes em que eu ia de Saint-Jean-de-la-Haise a Gourville, assim como me acompanhara nos meus passeios enquanto Albertine ficava pintando, fazia florir agora, pelos meus dois lados, embora eu estivesse no meu quarto em penumbra, os acianos, as papoulas e os trevos vermelhos, embriagava-me como um aroma campestre, não circunscrito e fixo, como o que sentimos diante dos espinheiros-alvares e, retido por seus elementos untuosos e densos, flutua com certa estabilidade diante da sebe, mas um cheiro em cuja presença fugiam as estradas, mudava o aspecto do solo, acorriam os castelos, empalidecia o céu, multiplicavam-se as forças, um cheiro que era como um símbolo de vigor e elasticidade, e que renovava o desejo que eu tivera em Balbec de subir à jaula de cristal e de aço, mas desta vez não para fazer visitas em casas familiares com uma mulher a quem conhecia demais, mas de fazer amor em lugares novos com uma mulher desconhecida. Cheiro que a todo instante acompanhava o apelo das buzinas de automóveis que passavam, ao qual eu adaptava palavras com um toque militar: "Parisiense, ergue-te, ergue-te, vem almoçar no campo e passear de bote no rio, à sombra das árvores, com uma jovem bonita; ergue-te, ergue-te." E todos esses devaneios eram-me tão agradáveis que me felicitei pela "lei severa" que fazia com que, enquanto eu não apertasse o botão da campainha, nenhum "tímido mortal", fosse Françoise, fosse Albertine, se lembraria de vir perturbar-me "no fundo desse palácio", onde

une majesté terrible
Affecte à mes sujets de me rendre invisible.[65]

Mas de repente o cenário mudou; não foi mais a lembrança de impressões antigas, mas de um velho desejo, recentemente desperto de novo pelo chambre azul e dourado de Fortuny, que estendeu à minha frente uma outra primavera, uma primavera já de modo algum folhuda mas subitamente despojada, ao contrário de suas árvores e de suas flores, por aquele nome que eu acabava de dizer para mim mesmo: "Veneza", uma primavera decantada, reduzida à sua essência, e traduzindo o alongamento, o aquecimento e o desabrochar de seus dias pela fermentação progressiva, não mais de uma terra impura mas de uma água azul e virgem, primaveril sem trazer corolas, e que não poderia responder ao mês de maio senão por reflexos, trabalhada por ele, concordando exatamente com ele na nudez radiosa e fixa de sua safira escura. Afinal, assim como as estações de braços de mar infloresciveis, os anos modernos não trazem qualquer mudança à cidade gótica; eu o sabia, não podia imaginá-lo, ou, imaginando-o, eis o que eu queria com o mesmo desejo que outrora, quando era criança, no próprio ardor da partida, quebrara em mim a força de partir: encontrar-me face a face com minhas imaginações venezianas, contemplar de que modo aquele mar dividido estreitava nos seus meandros, como as ondulações do rio Oceano, uma civilização urbana e requintada, mas que, isolada por sua cinta cerúlea, desenvolvera-se à parte, tivera à parte suas escolas de pintura e de arquitetura – fabuloso jardim de frutas e pássaros de pedra de cor, florescido em meio ao mar que vinha refrescá-lo, batia com seu fluxo no fuste das colunas e, sobre o vigoroso relevo dos capitéis, como um olhar de azul profundo que vigia na sombra, pousava que nem manchas e fazia revolver perpetuamente a luz. Sim, era necessário partir, era aquele o momento. Desde que Albertine já não parecia zangada comigo, sua posse não mais se me afigurava um bem em troca do qual estamos a ponto de doar todos os outros. Talvez porque o teríamos feito para livrar-nos de uma pena, de uma ansiedade, que agora já se acalmaram. Conseguimos transpor o arco de pano através do qual tínhamos pensado por um instante jamais poder passar. Aclaramos a tempestade, restauramos a serenidade do sorriso. O mistério angustiante de um ódio sem causa conhecida, e talvez sem fim, já se dissipou. Daí então nos encontramos face a face com o problema, provisoriamente afastado, de uma felicidade que sabemos impossível. Agora que a vida com Albertine voltara a ser possível, senti que dela só me poderiam vir aborrecimentos, pois Albertine não me amava; seria preferível abandoná-la com a doçura do seu consen-

[65] *Esther*, de Racine: ato I, cena III (uma terrível majestade / impressiona meus súditos para me tornar invisível.) (N. do T.)

timento, que eu haveria de prolongar nas recordações. Sim, era o momento; precisava informar-me com exatidão sobre a data em que Andrée deixaria Paris, proceder energicamente com a Sra. Bontemps de modo a ficar bem certo de que nessa ocasião Albertine não poderia ir nem à Holanda nem a Montjouvain. Se soubéssemos analisar melhor os nossos amores, veríamos que muitas vezes as mulheres nos agradam por causa da concorrência de homens com quem tivemos de disputá-las; suprimida essa concorrência, decai o encanto da mulher. Tem-se disto um exemplo doloroso e prévio na predileção dos homens pelas mulheres que, antes de conhecê-los, cometeram faltas, pelas mulheres que eles sentem que estão à beira do perigo e que lhes é necessário reconquistar por todo o tempo que lhes dura o amor; ou, ao contrário, o exemplo posterior e de modo algum dramático de um homem que, sentindo diminuir seu afeto pela mulher amada, aplica espontaneamente as regras que descobriu e, para se assegurar de que não deixa de amar a mulher, a introduz num ambiente perigoso onde é necessário protegê-la todos os dias. (O contrário dos homens que exigem que uma mulher renuncie ao teatro, conquanto fosse por ter ela trabalhado no teatro que vieram a amá-la.)

E quando, desse modo, a partida de Albertine já não oferecesse inconvenientes, convinha escolher um dia bonito como este – íamos ter muitos – em que ela me seria indiferente, em que eu ficaria tentado por mil desejos; seria preciso deixá-la partir sem vê-la, e depois, levantando-me e vestindo-me depressa, escrever-lhe um bilhete, aproveitando-me do fato de que, não podendo ela por essa época ir a nenhum lugar me preocupasse, poderia eu conseguir, durante a viagem, não imaginar os maus atos que pudesse cometer, e que nesse momento me pareciam aliás bem indiferentes e, sem tornar a vê-la, partir para Veneza. Toquei a campainha chamando Françoise, para lhe pedir que me fosse comprar um guia e um indicador, como fizera em criança quando já desejara preparar uma viagem a Veneza, realização de um desejo tão violento como o que tinha naquele instante; esquecia que, desde então, havia um desejo que satisfizera sem nenhum prazer, o desejo de ir a Balbec, e que Veneza, sendo também um fenômeno visível, provavelmente não poderia realizar, mais que Balbec, um sonho inefável, o do tempo gótico atualizado de um mar primaveril e que a todo instante vinha roçar o meu espírito com uma imagem encantada, acariciante, inapreensível, misteriosa e confusa. Tendo ouvido o meu toque, Françoise entrou, bastante inquieta de como eu receberia suas palavras e atitude. – Estava muito preocupada – disse ela – porque o senhor me chamou tão tarde hoje. Não sabia o que deveria fazer. Esta manhã, às oito horas, a Srta. Albertine me pediu suas malas, não ousei recusar, tive medo de que o senhor brigasse comigo se fosse acordá-lo. Tentei catequizá-la, dizer que esperasse uma hora, pois pensava sempre que o senhor ia me chamar. Ela não quis, deixou-me esta carta para o senhor, e às nove horas foi embora. – E então (de tanto que podemos ignorar o que se passa em nós, pois estava persuadido de minha indiferença por

Albertine) perdi o fôlego, apertei o coração com ambas as mãos, subitamente umedecidas com um certo suor que jamais tivera desde a revelação que minha amiga me fizera no trenzinho quanto à amiga da Srta. Vinteuil, sem poder dizer mais que: – Ah, pois bem, Françoise, obrigado; é claro que fez bem em não me acordar, deixe-me por um momento, daqui a pouco tocarei a campainha.

A FUGITIVA

marcel proust

EM BUSCA DO TEMPO PERDIDO

PREFÁCIO | por Fernando Py

A Fugitiva

Sexto romance da série *Em busca do tempo perdido*, este *A Fugitiva* completa o chamado "ciclo de Albertine", iniciado em *A Prisioneira*. Contrapõe-se, aqui, à Albertine presente do volume anterior, a Albertine ausente, primeiro pela fuga e depois pela morte. No primeiro dos quatro capítulos do livro, vemos o Narrador sofrer, a princípio, pelo abandono, tentando de todas as maneiras obter o regresso de Albertine. Mas ao sofrimento pelo abandono somam-se a mágoa e o desespero pela morte dela. Sofrimento intenso, mas que o tempo afinal acaba curando.

E o tempo não cura apenas a mágoa pela morte de Albertine, através do esquecimento. É também responsável pela devastação de todos os amores, amizades, recordações. *A Fugitiva*, assim, descreve uma espécie de "fuga" geral de todos os sentimentos, bons ou maus, que a passagem do Tempo se encarrega de destruir, de fazer esquecer. Extingue-se a beleza da cidade-museu italiana, e a antiga Combray, revisitada, já não interessa mais ao Narrador.

Aliás, a visita a Combray é importante para a estrutura de *A Fugitiva,* pois forma o eixo em que se articulam as noções do "tempo perdido" e do "tempo recuperado". A estada do Narrador em Tansonville é uma fronteira: não só nele se encerra *A Fugitiva*, no estado em que Proust nos legou seu texto, mas nela igualmente se abre *O tempo recuperado*.

Assim *A Fugitiva*, com sua ausência de jantares e festas, seu ambiente opressivo e tenebroso – onde apenas o episódio de Veneza lança alguma claridade –, sua atmosfera obsessiva de suspeitas, vazios e ausências, forma um romance de composição simples e vigorosa, descrevendo o mergulho progressivo do Narrador nos abismos da mágoa, de onde se recupera pelo também progressivo esquecimento.

CAPÍTULO PRIMEIRO

Mágoa e Esquecimento

"A Senhorita Albertine foi-se embora!" Como, em psicologia, o sofrimento vai mais longe que a psicologia! Um momento antes, analisando-me, eu imaginara que tal separação sem que nos víssemos de novo era justamente o que havia desejado, e, comparando a mediocridade dos prazeres que me dava Albertine à riqueza daqueles de cuja realização ela me privava, julgara-me sutil, concluíra que não queria mais vê-la, que já não a amava. Mas estas palavras: "A Senhorita Albertine foi-se embora" acabavam de provocar no meu peito uma dor tal que seu sentia não poder suportá-la por muito tempo. Assim, o que pensara não ser nada para mim era simplesmente toda a minha vida. Como a gente se desconhece! Era necessário fazer cessar de imediato o meu sofrimento; carinhoso comigo mesmo, como a minha mãe para com minha avó agonizante, eu me dizia, com aquela mesma boa vontade que se tem de não deixar sofrer a pessoa amada: "Tem um pouquinho de paciência, vamos achar um remédio para ti, fica tranqüilo, não vamos te deixar sofrer desse jeito." Foi nessa ordem de idéias que meu instinto de conservação procurou os primeiros calmantes para pôr sobre a ferida aberta: "Tudo isso não tem importância nenhuma porque vou mandar trazê-la de volta imediatamente. Vou examinar os meios, mas de qualquer forma ela estará aqui esta noite. Portanto, é inútil atormentar-me." "Tudo isso não tem importância nenhuma" – não me contentava em dizê-lo, procurava dar essa impressão a Françoise sem deixar que um sofrimento transparecesse, porque, no próprio momento em que o sentia com tamanha violência, meu amor não se esquecia que era importante aparentar-lhe um amor feliz, um amor compartilhado, sobretudo aos olhos de Françoise que, não gostando de Albertine, sempre duvidara de sua sinceridade. Sim, ainda há pouco, antes da chegada de Françoise, pensara que já não amava Albertine e que não teria de renunciar a nada; como analista rigoroso, imaginara conhecer muito bem o fundo do meu coração. Mas nossa inteligência, por maior que seja, não pode perceber os elementos de que ele se compõe e que permanecem insuspeitados, enquanto, do estado volátil em que subsistem a maior parte do tempo, um fenômeno capaz de isolá-los não os faça sofrer um princípio de solidificação. Eu me enganara julgando ver claramente no meu coração. Mas esse conhecimento, que as mais finas percepções do espírito não me haviam conferido, acabava de me ser proporcionado, duro, brilhante, estranho, como um sal cristalizado, pela brusca reação da dor. Tanto me habituara a ter Albertine junto a mim, e de súbito via um novo rosto do Hábito. Até aqui, considerava-o principalmente um poder aniquilador que suprime a originalidade e até mesmo a consciência das percepções; agora, via-o como uma divindade temível, tão presa a nós, seu rosto insignificante tão incrustado em nosso coração, que, ao se afastar ou se desviar de nós, esse deus que quase não distinguimos nos inflige tormentos mais terríveis que quaisquer outros, mostrando-se tão cruel como a morte.

O mais urgente era ler a carta de Albertine, visto que pretendia ter meios de fazê-la voltar. Sentia-os em meu poder, pois, como o futuro ainda só existe em nosso pensamento, parece-nos então modificável pela intervenção *in extremis* de nossa vontade. Mas ao mesmo tempo lembrava-me que vira agir sobre ele outras forças além das minhas, e contra as quais, ainda quando me fosse dado mais tempo, eu nada teria podido. De que adianta não ter soado ainda a hora, se nada podemos diante do que vai acontecer? Quando Albertine estava em minha casa, eu me decidira a manter a iniciativa de nossa separação. E depois ela fora embora. Abri a carta de Albertine. Estava concebida nestes termos:

Meu amigo, perdoe-me por não ter lhe dito de viva voz as poucas palavras que se seguem, mas estou de tal modo cansada, sempre tive tanto medo diante de você, que, mesmo me esforçando, não me animei a fazê-lo. Eis o que lhe teria dito: "Entre nós a vida se tornou impossível; aliás você viu, pelo seu destempero daquela noite, que alguma coisa havia mudado no nosso relacionamento. O que se pôde ajeitar nessa noite iria tornar-se irreparável dentro de poucos dias. Assim, é preferível, visto termos tido a oportunidade da reconciliação, separarmo-nos como bons amigos"; é por isso, meu querido, que lhe deixo este bilhete, e peço-lhe que seja bastante bom para me perdoar se lhe causo algum desgosto, e que pense no enorme desgosto que sentirei. Meu amor, não quero me tornar sua inimiga; já será bem duro para mim tornar-me aos poucos, e bem depressa, indiferente a você; por isso, sendo irrevogável a minha decisão, antes de lhe mandar esta carta por intermédio de Françoise, já lhe terei pedido as minhas malas. Adeus, deixo-lhe o melhor de mim mesma. Albertine.

Tudo isto não significa nada, disse comigo; é até melhor do que eu pensava, pois, como ela não pensa nada de tudo isto, evidentemente o escreveu apenas para causar um grande impacto, a fim de que eu me apavore e não seja mais insuportável com ela. É necessário cuidar do mais urgente; fazer com que Albertine esteja de volta ainda esta noite. É triste pensar que os Bontemps sejam pessoas indignas que se aproveitam da sobrinha para me extorquir dinheiro. Mas que importa? Ainda que tivesse de dar metade da minha fortuna à Sra. Bontemps para que Albertine esteja aqui esta noite, mesmo assim sobraria bastante para que nós dois vivêssemos agradavelmente. E ao mesmo tempo calculava se teria tempo de ir, àquela manhã, encomendar o iate e o Rolls-Royce que ela deseja, nem mais pensando, visto se haver dissipado toda hesitação, que me parecera muito pouco avisado dá-los de presente a ela. Mesmo que o apoio da Sra. Bontemps não seja suficiente, se Albertine não quiser obedecer à tia e imponha como condição de seu regresso o fato de ter plena independência de agora em diante, pois bem! Mesmo que isso me cause desgosto, eu a deixarei sair; ela sairá sozinha, como quiser; é preciso saber consentir em sacrifícios, por mais dolorosos que sejam, para se ter aquilo que mais se deseja e que, apesar do que eu julgava esta manhã conforme meus raciocínios exatos e absurdos, é que Albertine viva aqui. Aliás, posso me dizer que deixar-lhe essa liberdade me seria bem doloroso? Estaria mentindo. Já muitas vezes havia sentido que a dor de a deixar livre para praticar o mal longe das minhas vistas era talvez menor que esse tipo de tristeza que me acontecia experimentar ao senti-la entediar-se na minha companhia, na minha casa. Sem dúvida, no momento mesmo em que me tivesse pedido para ir a algum lugar, deixar que o fizesse, com a idéia de que em algum local haveria orgias programadas, teria sido horrível para mim. Porém dizer-lhe: "Tome o nosso barco, ou o trem, e fique por um mês em um país que eu não conheça, onde nada saberei do que você fizer", me agradaria muitas vezes pela idéia de que, por comparação, longe de mim, ela haveria de preferir-me e se sentiria feliz ao regressar. Além disso, ela certamente assim o deseja; de modo algum exige essa liberdade para a qual, aliás, oferecendo-lhe todos os dias prazeres novos, chegaria facilmente a obter, dia após dia, algumas limitações. Não, o que Albertine desejou é que não fosse mais insuportável com ela, e sobretudo – como outrora Odette em relação a Swann – que me decidisse a desposá-la. Uma vez casada, não faria mais questão de independência; ambos ficaríamos aqui, e seríamos tão felizes! Claro, isto significava renunciar a Veneza. Mas como as cidades mais desejadas, feito Veneza – e com maior razão as donas de casa, como a duquesa de Guermantes, ou as distrações, como o teatro –, tornam-se pálidas, indiferentes, mortas, quando estamos unidos a outro coração por um laço tão doloroso que impede que nos afastemos! De resto, Albertine tem toda razão nesse caso de matrimônio. Até mamãe achava ridículas essa delongas. Desposá-la, eis o que deveria ter feito há muito tempo, é o que será preciso que faça, foi isto que a levou a escrever a carta, onde não existe uma só palavra verdadeira; foi para conseguir isso que ela renunciou por algumas horas ao que deve desejar tanto quanto eu: voltar para cá. Sim, foi isto que ela quis, essa é a intenção do seu ato, dizia-me a razão, compadecida; mas eu sentia que, dizendo-me aquilo, a razão se colocava sempre na mesma hipótese que havia adotado desde começo. Ora, eu percebia perfeitamente que a outra hipótese é que jamais deixara de verificar-se. É claro, que esta segunda hipótese nunca teria sido bastante ousada para admitir expressamente que Albertine pudesse ter tido relações íntimas com a Srta. Vinteuil e a amiga desta. E, no entanto, quando eu fora submerso na torrente dessa terrível notícia, no momento em que entrávamos na estação de Incarville, era a segunda hipótese a que se verificara. Esta, a seguir, nunca imaginara que Albertine pudesse abandonar-me por sua própria vontade, desse modo, sem me prevenir nem me dar tempo de impedi-lo. Mas ainda assim, se, após o salto imenso e novo que a vida acabava de me fazer dar, a realidade que se me impunha era tão nova como aquela com que nos defrontamos ante a descoberta de um físico, os inquéritos de um juiz ou os achados de um historiador sobre os segredos de um crime ou de uma revolução, tal realidade ultrapassava as acanhadas previsões de minha segunda hipótese; e, no entanto, as cumpria. Esta segunda hipótese não provinha da inteligência, e o medo pânico que eu tivera na noite em que Albertine não me beijara, na noite em que ouvira o ruído da janela, esse medo não era racional. Mas – e a continuação o mostrará melhor, como diversos episódios já puderam indicá-lo – o fato de que essa inteligência não é o instrumento mais sutil, mais poderoso, mais apropriado para se obter a verdade, é motivo a mais para começar por ela, e não por um intuitivismo do inconsciente, por uma fé alicerçada nos pressentimentos. É a vida que, aos poucos, caso a caso, nos permite assinalar que o mais importante para o nosso coração, ou para o nosso espírito, não nos é ensinado através do raciocínio, mas por outras forças. E então é a própria inteligência que, percebendo a sua superioridade, abdica pelo raciocínio diante deles, aceitando tornar-se sua colaboradora e severa. É a fé experimental. A desgraça imprevista que me abatera, parecia-me já tê-la conhecido igualmente (como a amizade de Albertine por duas lésbicas), visto a ter lido em tantos sinais onde – apesar das afirmativas em contrário de minha razão, que se apoiava nos ditos da própria Albertine – discernira o cansaço, o horror que ela sentia em viver desse modo como escrava, sinais traçados como que a uma tinta invisível, bem no fundo das pupilas tristes e submissas de Albertine, em suas faces súbito inflamadas por um rubor inexplicável, no ruído de uma janela bruscamente aberta! Sem dúvida eu não havia ousado interpretá-los até o fim e formar expressamente a idéia de sua partida repentina. Só pensara, com uma alma equilibrada pela presença de Albertine, numa partida organizada por mim numa data incerta, quer dizer, situada num tempo inexistente; em resultado, tivera somente a ilusão de pensar numa partida, como essas pessoas que, estando bem dispostas, pensam na morte e imaginam não temê-la, na verdade nada mais fazendo que introduzir uma idéia puramente negativa no íntimo de uma boa saúde que precisamente a aproximação da morte viria alterar. Além disso, a idéia da partida de Albertine como desejada por ela própria teria podido vir mil vezes ao meu espírito, o mais clara e nitidamente possível, que nem por isso eu teria imaginado o que para mim seria essa partida, ou seja, na realidade: que coisa original, atroz, desconhecida, que mal inteiramente novo. Se a tivesse previsto, poderia ter pensado nela sem cessar durante anos, sem que, reunidos, todos esses pensamentos tivessem tido a menor relação, não só de intensidade mas de semelhança, com o inimaginável inferno cujo véu Françoise me havia erguido ao dizer: "A Srta. Albertine foi-se embora." Para representar uma situação desconhecida, a imaginação toma emprestados elementos conhecidos e, por causa disso, não consegue representá-la. Porém a sensibilidade, até a mais física, recebe como vestígio do raio a assinatura original e por muito tempo indelével do novo acontecimento. E eu mal ousava dizer a mim mesmo que, se houvesse previsto aquela partida, talvez fosse incapaz de me representá-la em seu horror, e até mesmo de impedi-la entre súplicas e ameaças, caso Albertine ma anunciasse! Como estava longe de mim, agora, o desejo de ir a Veneza! Como antigamente, em Combray, o desejo de conhecer a Sra. de Guermantes, ao chegar a hora em que eu só pensava numa coisa: ter mamãe no meu quarto. E, de fato, eram todas as inquietações experimentadas desde a infância que, ao apelo da angústia nova, tinham ocorrido para reforçá-la, amalgamar-se a ela numa massa homogênea que me sufocava.

Certo, esse golpe físico no coração, que uma tal separação produz, e que, por esse terrível poder registrador que o corpo tem, transforma a dor em algo contemporâneo a todas as épocas da nossa vida em que temos sofrido – certo, esse golpe no coração sobre o qual se especula talvez um tanto (de tal maneira que pouco nos preocupamos com a dor alheia) – a mulher que deseja dar à saudade um máximo de intensidade, seja porque, esboçando apenas uma falsa partida, deseja unicamente pedir melhores condições, seja porque, partindo para sempre – para sempre! – deseja ferir, quer para vingar-se ou para continuar a ser amada, ou no interesse da qualidade da lembrança que deixará, ao quebrar violentamente essa rede de aborrecimentos e indiferenças que sentira tecer-se – certo, esse golpe no coração, tínhamos nos prometido evitá-lo, resolvendo que nos separaríamos bem. Mas, afinal, é na verdade muito raro que a gente se separe bem, pois, se estivéssemos bem, não nos separaríamos. E depois, a mulher com quem nos mostramos mais indiferentes, apesar de tudo percebe obscuramente que, cansando-nos dela, nós nos ligamos cada vez mais a ela em virtude de um mesmo hábito, e ela pensa que um dos elementos essenciais para se separar bem é partir prevenindo o outro. Ora, ela teme que, prevenindo-o, seja impedida de partir. Toda mulher sente que, se for grande o seu poder sobre um homem, o único meio de ir embora é fugir. Fugitiva porque é rainha, aí está. Certo, existe um intervalo incrível entre esse aborrecimento que ela inspirava há um momento e, porque ela partiu, essa necessidade furiosa de recuperá-la. Mas para isso, além dos oferecidos no decurso desta obra, e de outros que o serão mais adiante, há uns quantos motivos. Primeiro, a partida ocorre muitas vezes no momento em que a indiferença – real ou imaginada – é a maior, no ponto extremo da oscilação do pêndulo. A mulher pensa: "Não, isto não pode mais continuar assim", justamente porque o homem passa o tempo todo falando em deixá-la, ou pensa nisso; e é ela quem o deixa. Então, voltando o pêndulo ao seu extremo oposto, há um intervalo máximo. Num segundo ele retorna a esse ponto;

mais uma vez, apesar de todas as razões dadas, é tão natural! O coração bate; e de resto a mulher que se foi embora já não é a mesma que aqui estava. Sua vida a nosso lado, por demais conhecida, se vê subitamente acrescentada das vidas às quais ela irá inevitavelmente unir-se, e foi talvez para unir-se a elas que a mulher nos deixou. De forma que essa nova riqueza da vida, da mulher que se vai, retroage sobre a mulher que estava ao nosso lado e que talvez premeditasse ir-se embora. À série de fatos psicológicos que podemos deduzir e que fazem parte de sua vida conosco, de nosso tédio excessivamente acentuado para com ela, do nosso ciúme também (e que faz com que os homens que foram abandonados por várias mulheres o tenham sido quase sempre do mesmo modo, por causa de seu caráter e das reações sempre idênticas que se podem calcular: cada um tem sua maneira própria de ser traído, como tem sua própria maneira de gripar-se), a esta série não muito misteriosa para nós correspondia sem dúvida uma série de fatos que ignorávamos. Ela devia, desde algum tempo, manter relações escritas, ou verbais, através de mensageiros, com tal homem ou tal mulher, esperando certo sinal que talvez nós mesmos tenhamos dado sem saber, ao lhe dizermos: "O Sr. X veio me ver ontem", se ela houvesse combinado com o Sr. X que, na véspera do dia em que deveria juntar-se a ela, o Sr. X viesse nos ver. Quantas hipóteses possíveis! Possíveis apenas. Eu construía tão bem a verdade, mas somente dentro do possível, que, tendo um dia aberto por engano uma carta para uma de minhas amantes, carta escrita em estilo combinado e que dizia: *Espero sempre sinal para ir à casa do marquês de Saint-Loup; avise amanhã por telefone*, reconstituí uma espécie de fuga projetada; o nome do marquês de Saint-Loup só estava ali para significar outra coisa, pois minha amante não conhecia Saint-Loup mas me ouvira falar dele, e, além disso, a assinatura era uma espécie de pseudônimo sem qualquer sentido compreensível. Ora, a carta não estava endereçada à minha amante, mas a uma pessoa da casa que usava nome diverso e que fora mal lido. Não era escrita em sinais combinados, porém num mau francês, porque era de uma norte-americana, efetivamente amiga de Saint-Loup, como este me declarou. E o modo estranho com que essa norte-americana formava certas letras dera o aspecto de pseudônimo a um nome perfeitamente real, mas estrangeiro. Portanto, naquele dia eu me enganara totalmente em minhas suspeitas. Mas a urdidura intelectual que dentro de mim ligara esses fatos, todos falsos, ela própria assumia a forma tão justa e tão inflexível da verdade que, quando, três meses depois, a minha amante (que então imaginava passar toda a sua vida comigo) me deixou, foi de um modo absolutamente idêntico ao que eu havia imaginado da primeira vez. Chegou uma carta, com as mesmas particularidades que eu falsamente atribuíra à anterior, mas desta vez tendo de fato o significado de um sinal; assim, Albertine havia muito tempo premeditara a sua fuga. Essa foi a maior infelicidade da minha vida. E, apesar de tudo, o sofrimento que me causava talvez ainda fosse ultrapassado pela curiosidade de conhecer os motivos dessa infelicidade, saber quem Albertine desejara e com quem se reencontrara. Mas as origens desses grandes acontecimentos são como as dos rios, por mais que percorramos a superfície da terra não as encontramos. Eu não disse (porque então aquilo me parecera apenas afetação, mau humor, o que Françoise denominava "cara amarrada") que, no dia em que ela deixara de me beijar, tinha o ar carrancudo, estava dura, fria, com uma voz triste nas coisas mais simples, vagarosa em seus movimentos, e não sorriu nunca mais. Não posso afirmar que algum fato provasse alguma conivência com o exterior. Françoise me contou bem depois que, tendo entrado no quarto dela na antevéspera da partida, não achara ninguém ali; as cortinas estavam fechadas, mas, pelo cheiro do ar e pelo rumor, sentiu que a janela estava aberta. E, de fato, encontrara Albertine na varanda. Mas não se percebe com quem ela poderia ter se comunicado dali, e além disso as cortinas fechadas sobre a janela aberta se explicavam, sem dúvida, porque ela sabia que eu receava as correntes de ar e que, mesmo que as cortinas pouco me servissem de proteção, teriam impedido Françoise de ver do corredor que os postigos estavam abertos tão cedo. Não, não vejo mais que um pequeno fato que prova apenas que na véspera ela sabia que ia partir. Com efeito, na véspera ela havia pegado em meu quarto, sem que eu o percebesse, uma grande quantidade de papel e de pano de embalagem, que ali se achava, e com os quais embrulhou seus inumeráveis *peignoirs* e roupões a noite inteira, a fim de partir pela manhã. É o único fato, e foi tudo. Não posso dar importância ao fato de que ela me devolveu naquela noite, quase à força, os mil francos que me devia. O que nada tem de especial, pois ela era extremamente escrupulosa em matéria de dinheiro.

Sim, ela pegou o papel de embalagem na véspera, mas não era só na véspera que ela sabia que haveria de partir! Pois não foi o desgosto que a fez ir embora, mas a resolução tomada de partir, de renunciar à vida com que sonhara, é que lhe deu aquele ar de mágoa. Mágoa quase solenemente fria em relação a mim, exceto na última noite, quando, depois de ter ficado em meu quarto mais tempo do que desejara, ela me disse da porta – o que me espantou, vindo de quem sempre queria demorar mais: – Adeus, meu bem, adeus. – Mas, naquele momento, não prestei atenção nisso. Françoise me disse que na manhã seguinte, quando Albertine lhe dissera que ia embora (aliás, isto se explica igualmente pelo cansaço, pois ela não se despira e havia passado a noite inteira a fazer embrulhos, salvo as coisas que teria de pedir a Françoise e que não se encontravam no seu quarto nem no de toalete), ela ainda estava de tal modo triste, e se mostrava tão mais dura e gelada que nos dias anteriores, que Françoise acreditou que ia cair quando ela disse: – Adeus, Françoise. – Quando ficamos sabendo dessas coisas, compreendemos que a mulher que nos agradava bem menos do que todas as outras encontradas tão facilmente nos mais simples passeios, e de quem tínhamos raiva por sermos obrigados a sacrificá-las por ela, seja, pelo contrário, aquela a quem agora preferiríamos mil vezes mais. Pois a questão já não se coloca entre um certo prazer – tornado quase nulo pelo uso e talvez pela mediocridade do objeto – e outros prazeres, estes tentadores, deslumbrantes; mas entre estes e algo bem mais intenso que eles, a piedade pela mágoa que nos provoca.

Prometendo a mim mesmo que Albertine estaria de volta naquela noite, eu recorrera ao mais urgente e pusera o curativo de uma crença nova em lugar daquela com que vivera até então. Mas, por mais rápido que tivesse agido o meu instinto de conservação, fiquei por um instante sem socorro, quando Françoise me falou, e, conquanto soubesse agora que Albertine estaria de volta à noite, a dor que eu sentira durante o momento em que ainda não me informara a mim mesmo sobre sua volta (o momento que se seguira às palavras: "A Senhorita Albertine pediu suas malas, a Senhorita Albertine foi-se embora") renascia por si mesma dentro de mim, semelhante ao que havia sido, ou seja, como se eu ignorasse ainda o próximo regresso de Albertine. Além do mais, era necessário que ela voltasse, mas por vontade própria. Em qualquer hipótese, parecer que lhe sugeria essa atitude, pedir que regressasse, iria ao encontro do objetivo. Certamente eu já não tinha forças para renunciar a ela como tivera no caso de Gilberte. Mais até do que rever Albertine, o que eu desejava era pôr fim à angústia física que meu coração, mais fraco do que outrora, já não podia tolerar. Depois, à força de me acostumar a não querer, seja tratando-se do trabalho ou de outra coisa, eu me tornava mais negligente. Mas sobretudo essa angústia era incomparavelmente mais intensa por muitos motivos, o principal deles não sendo talvez o fato de que eu jamais desfrutara de prazer sensual com a Sra. de Guermantes ou com Gilberte, mas sim que, não as vendo todos os dias, a toda hora, não tendo a possibilidade e, por conseqüência, a necessidade disso, faltaria, no meu amor por elas, a força imensa do Hábito. Talvez, agora que meu coração, incapaz de querer e de suportar de bom grado o sofrimento, só achava uma solução possível, o regresso de Albertine custasse o que custasse, talvez a solução contrária (a renúncia voluntária, a resignação progressiva) me houvesse parecido uma solução para romance, inverossímil na vida, se eu próprio antigamente não tivesse optado por ela quando se tratara de Gilberte. Portanto, sabia que esta outra solução também podia ser aceita, e pelo mesmo homem, pois eu continuava a ser mais ou menos o mesmo. Unicamente, o tempo representara o seu papel, o tempo que me envelhecera, o tempo que também pusera Albertine permanentemente a meu lado quando levávamos a nossa vida em comum. Mas pelo menos, sem renunciar a ela, o que me restava daquilo que sentira por Gilberte era o orgulho de não mais querer ser para Albertine um brinquedo enfadonho, a lhe pedir que voltasse; queria que ela voltasse sem que eu parecesse fazer questão. Levantei-me para não perder tempo, mas o sofrimento me fez parar: era a primeira vez que me levantava da cama desde que Albertine se fora. Todavia, era preciso vestir-me rápido para tomar informações com o seu porteiro.

O sofrimento, evolução de um abalo moral imposto, aspira a mudar de forma; esperamos que se desvaneça, fazendo projetos, pedindo informações; desejamos que passe por suas inumeráveis metamorfoses; isso exige menos coragem do que suportar sem disfarce o sofrimento; parece tão fria, tão dura e tão estreita essa cama, onde nos deitamos com a nossa dor! Ergui-me novamente; andei pelo quarto com infinita prudência, coloquei-me de modo a não avistar a cadeira de Albertine, a pianola sobre cujos pedais ela apoiava seus chinelos dourados, um único dos objetos que ela havia usado e que, todos, na linguagem particular que lhes tinham ensinado as minhas recordações, pareciam querer dar-me uma tradução, uma versão diferente, anunciar-me uma segunda vez a notícia de sua partida. Mas sem olhá-los, eu os via; as forças me abandonaram, caí sentado numa dessas poltronas de cetim azul cujo verniz, uma hora antes, no claro-escuro do quarto anestesiado por um raio de luz, havia-me inspirado sonhos apaixonadamente acariciados então, tão distantes agora! Ai de mim! Só me sentara ali, antes daquele minuto, quando Albertine ainda se achava presente. Assim, não pude permanecer, levantei-me; e assim, a cada instante, algum dos inúmeros e humildes "eus" que nos compõem, ignorava ainda a partida de Albertine e era preciso notificá-lo; era preciso – o que se fazia mais cruel ainda do que se eles fossem estranhos e não se utilizassem da minha sensibilidade para sofrer – anunciar a desgraça que acabava de ocorrer a todas essas criaturas, a todos esses "eus" que ainda a ignoravam; era preciso que cada qual por seu turno ouvisse pela primeira vez aquelas palavras: "Albertine pediu suas malas" – aquelas malas em forma de caixão fúnebre que eu vira serem carregadas em Balbec ao lado das de minha mãe – "Albertine foi-se embora." Precisava informar a cada um a minha mágoa, a mágoa que de modo algum é conclusão pessimista livremente extraída de um conjunto de circunstâncias funestas, mas a revivescência intermitente e involuntária de uma impressão específica, vindo do exterior, e que não escolhemos. Alguns desses "eus", já não os revia desde muito. Por exemplo (não me lembrara que era o dia do barbeiro), aquele que eu era quando cortava o cabelo. Havia esquecido aquele "eu", a sua chegada me fez rebentar em soluços como, num enterro, a de um velho servidor aposentado que conheceu a falecida. Depois, lembrei-me subitamente que já fazia oito dias que eu era tomado por momentos de temores pânicos que nem a mim confessava. Nesses momentos, contudo, discutia comigo mesmo, dizendo: "Não acha que é inútil admitir a hipótese de que ela partiria bruscamente? É absurdo. Se eu submetesse tal hipótese a um homem sensato e inteligente (e assim procederia, para me tranqüilizar, se o ciúme não me impedisse de fazer confidências), com certeza ele me responderia: 'Mas você está louco. É impossível.' E com efeito nesses últimos dias não tínhamos tido uma só discussão. Nós todos vamos embora por algum motivo. Dizemos qual é. Damos direito de resposta. Ninguém vai embora desse jeito. Não, é uma infantilidade. É a única hipótese absurda." E, no entanto, todos os dias, encontrando-a ali de manhã, quando tocava a campainha, soltava um imenso suspiro de alívio. E, quando Françoise me entregara a carta de Albertine, eu imediatamente tivera certeza de que se tratava da coisa que não podia ser, daquela partida de certo modo adivinhada com vários dias de antecedência, apesar das razões lógicas para estar sossegado. Quase o confessara a mim mesmo, com a satisfação pela perspicácia, em meu desespero, como um assassino que sabe não poder ser descoberto, mas que teme e, de súbito, vê o nome de sua vítima escrito na capa de um processo diante do juiz de instrução que mandou chamá-lo. Toda a minha esperança era que Albertine tivesse partido para a Touraine, para a casa da tia, onde afinal seria bem vigiada e não poderia fazer muita coisa até que eu a trouxesse de volta. Meu maior temor era que ela permanecesse em Paris, partisse para Amsterdã ou para Montjouvain, isto é, que ela fugisse para se dedicar a algum namoro cujos preliminares me escapassem. Mas na realidade, dizendo para mim mesmo Paris, Amsterdã, Montjouvain, ou seja, vários lugares, pensava naqueles que eram apenas possíveis. Assim, quando o porteiro de Albertine me informou que ela partira para a Touraine, essa residência que eu supunha desejar me pareceu a mais horrenda de todas, por ser real, e porque, pela primeira vez, torturado pela certeza do presente e pela incerteza do futuro, eu imaginava Albertine começando uma vida que ela quisera separada de mim, talvez por muito tempo, talvez para sempre, e na qual realizaria esse desconhecido que outrora tantas vezes me perturbara, porém justo quando eu tinha a ventura de possuir e de acariciar aquilo que era o seu lado exterior, o suave rosto cativo e impenetrável. Era esse desconhecido que formava o fundo do meu amor.

Diante da porta de Albertine, encontrei uma menina pobre que me fitava de olhos bem abertos e com ar tão doce que lhe perguntei se não queria vir à minha casa, como o teria feito a um cão de olhar fiel. Ela pareceu contente. Em casa, embalei-a por algum tempo sobre meus joelhos, mas em breve a sua presença, fazendo-me sentir demais a ausência de Albertine, me foi insuportável. E lhe pedi que fosse embora, depois de lhe ter dado uma nota de quinhentos francos. E todavia, logo depois, a idéia de ter uma outra menina a meu lado, e de jamais ficar sozinho sem o apoio de uma presença inocente, foi a única fantasia que me permitiu suportar a idéia de que Albertine talvez demorasse algum tempo a regressar. Quanto à própria Albertine, ela existia em mim quase que sob a forma de seu nome, o qual, a não ser alguma breve trégua ao despertar, vinha se inscrever em meu cérebro e não deixava mais de ocupá-lo. Se pensasse alto, repetiria esse nome sem cessar e meu palavreado seria tão monótono e tão limitado como se eu tivesse sido transformado em pássaro, num pássaro semelhante ao da fábula, cujo canto repetia interminavelmente o nome daquela a quem havia amado, quando homem. Dizemos a nós próprios esse nome, e, quando o calamos, parece que o escrevemos em nós mesmos, que ele deixa o seu traço em nosso cérebro e que este deve acabar por ser, como uma parede que alguém se diverte a rabiscar, inteiramente recoberto pelo nome, mil vezes reescrito, daquela a quem amamos. Repetimo-lo o tempo todo em pensamento, quando estamos felizes, e muito mais ainda quando nos sentimos infelizes. E de tanto repetir esse nome que não nos diz mais do que já sabemos, sentimos o desejo, sempre renovado, mas, com o tempo, algum cansaço. Naquele momento, eu nem pensava no prazer carnal; nem mesmo via, no meu pensamento, a imagem daquela Albertine, todavia causa de um tal transtorno em meu ser, não me apercebia de seu corpo, e, se quisesse isolar a idéia que estava ligada ao meu sofrimento – pois sempre existe alguma –, seria sucessivamente, por um lado, a dúvida acerca das disposições em que ela havia partido, com ou sem espírito de regresso; por outro lado, os meios de trazê-la de volta. Talvez haja um símbolo e uma verdade no espaço ínfimo ocupado em nossa ansiedade por aquela a quem a atribuímos. É que, de fato, a própria pessoa tem pouco a ver com quase todo o processo de emoções e angústias que certos acasos nos fizeram sentir outrora a seu respeito e que o hábito ligou à sua pessoa. Isto é bem provado (mais ainda que o tédio que sentimos na felicidade) pelo quanto nos é indiferente ver ou não ver essa mesma pessoa, ser ou não estimado por ela, tê-la ou não ao nosso dispor, quando só tivermos de nos propor o problema (tão ocioso que nem sequer o proporemos) relativamente à própria pessoa já estando esquecido o processo de emoções e angústias, ao menos no que se refira a ela, pois conseguiu desenvolver-se de novo, porém transferido a outra. Antes disso, quando tal processo ainda estava ligado a ela, achávamos que nossa felicidade dependia de sua pessoa: dependia exclusivamente do fim da nossa ansiedade. Portanto, o nosso inconsciente era mais perspicaz que nós mesmos naquela ocasião, fazendo tão insignificante o rosto da mulher amada, rosto que talvez tivéssemos olvidado, que podíamos conhecer imperfeitamente e julgar medíocre, no terrível drama de onde encontrá-la para não esperá-la mais, de que poderia depender até a nossa própria vida. Proporções minúsculas do rosto da mulher, efeito lógico e necessário do modo pelo qual o amor se desenvolve, nítida alegoria da natureza subjetiva desse amor.

Sem dúvida, o estado de espírito com que Albertine partira era semelhante ao dos povos que mandam preparar com uma demonstração de seus exércitos os caminhos de sua diplomacia. Ela só deve ter partido para obter de mim melhores condições, mais liberdade, mais luxo. Nesse caso, de nós dois quem sairia vencedor era eu, se tivesse força de esperar – esperar o momento em que, vendo que não alcançava nada, ela voltasse por si mesma. Mas, se, no baralho ou na guerra, onde só é importante vencer, pode-se resistir ao blefe, as condições já não são as mesmas quando se trata do amor e do ciúme, sem falar no sofrimento. Se, para esperar, para "durar", eu deixava Albertine ficar longe de mim por vários dias, talvez várias semanas, arruinaria o que tinha sido o meu objetivo por mais de um ano, não deixá-la em liberdade por uma hora sequer. Todas as minhas precauções se tornariam inúteis se lhe desse tempo e facilidades para me enganar tanto quanto quisesse; e se afinal ela se rendesse, eu já não poderia esquecer o tempo em que ela teria estado sozinha; e mesmo que no fim a vencesse, apesar de tudo, no passado, isto é, irreparavelmente, seria eu o vencido.

Quanto aos meios de trazer Albertine de volta, havia tanto maior possibilidade de êxito quanto a hipótese de que ela só fora embora na esperança de ser chamada sob melhores condições parecia mais plausível. E, sem dúvida, para as pessoas que não acreditavam na sinceridade de Albertine, certamente para Françoise, por exemplo, tal hipótese o era. Mas para a minha razão, a quem a única explicação de certos movimentos de mau humor, de certas atitudes, havia parecido, antes que eu soubesse de alguma coisa, o projeto que ela formara de partir para sempre, era difícil acreditar que, agora que essa partida ocorrera, não se tratasse de uma simulação. Digo-o para a minha razão, não para mim. A hipótese da simulação se me tornava tanto mais necessária quanto era mais improvável e ganhava em força o que perdia em verossimilhança. Quando nos vemos à beira do abismo e parece que Deus nos abandonou, não vacilamos mais em esperar um milagre Dele. Eu reconhecia que em tudo aquilo fui o mais apático, embora o mais doloroso dos policiais. Mas sua fuga não me devolvera as qualidades que o hábito de mandá-la vigiar por outras pessoas me havia roubado. Eu só pensava numa coisa: encarregar um outro dessa busca. Esse outro foi Saint-Loup, que concordou. A ansiedade de tantos dias, aplicada a outro, deu-me alegria e, certo do êxito, esfreguei as mãos, subitamente tornadas secas como outrora, e sem mais aquele suor que as havia umedecido quando Françoise me dissera: "A Senhorita Albertine foi-se embora." Estão lembrados que, quando decidi viver com Albertine e até casar-me com ela, foi para guardá-la, saber o que ela fazia, impedi-la de retomar seus hábitos com a Srta. Vinteuil. Foi por ocasião do atroz dilaceramento de sua revelação em Balbec, quando ela me havia dito, como coisa muito natural, e que, embora fosse o maior desgosto da minha vida, consegui fingir que era mesmo natural, aquilo que nas minhas piores suposições eu jamais teria sido tão audacioso para imaginar. (É espantoso como o ciúme, que passa o tempo inteiro a fazer pequeninas suposições sobre o falso, tem tão pouca imaginação quando se trata de descobrir a verdade.) Ora, esse amor, nascido principalmente de uma necessidade de impedir que Albertine praticasse o mal, esse amor conservara a seguir o sinal de sua origem. Estar com Albertine importava-me pouco, desde que pudesse impedir "o ser de fuga" de ir para cá ou para lá. Para impedi-lo, eu recorria aos olhos e à companhia dos que saíam com ela, e era bastante que estes me fizessem à noite um pequeno relatório confortativo para que minhas inquietudes se dissipassem em bom humor.

Tendo afirmado a mim mesmo que, fossem quais fossem meus esforços, Albertine voltaria para casa naquela mesma noite, suspendi a dor que Françoise me causara ao me dizer que Albertine havia partido (porque então o meu ser, pegado de surpresa, imaginara por um instante que a partida era definitiva). Mas após uma interrupção, quando, por um impulso de sua vida independente, o sofrimento inicial me voltava por si mesmo, era sempre e da mesma forma atroz, porque anterior à promessa consoladora que eu me fizera de trazer Albertine de volta naquela mesma noite. Esta frase, que o teria acalmado, meu sofrimento a ignorava. A fim de preparar os meios de obter essa volta, mais uma vez – não que tal atitude desse algum dia bons resultados, mas porque sempre a tomara desde que amava Albertine – estava eu condenado a proceder como se não a amasse, como se não sofresse com a sua partida, estava condenado a continuar a lhe mentir. Poderia ser tanto mais enérgico nos meios de fazê-la voltar quanto, pessoalmente, parecesse ter renunciado a ela. Propunha-me a escrever a Albertine uma carta de despedidas, onde consideraria sua partida como definitiva, ao passo que enviaria Saint-Loup para exercer sobre a Sra. Bontemps, e como que contra minha vontade, a mais brutal pressão para que Albertine voltasse o mais rápido possível. Sem dúvida, eu havia experimentado com Gilberte o perigo das cartas de uma indiferença que, fingida a princípio, acaba por tornar-se verdadeira. E essa experiência deveria ter me impedido de escrever a Albertine cartas do mesmo gênero das escritas antes a Gilberte. Mas aquilo a que se chama experiência não passa da revelação, a nossos próprios olhos, de um traço do nosso caráter, que reaparece naturalmente, e reaparece com tanto mais força quanto o havíamos revelado a nós mesmos uma vez, de modo que o movimento espontâneo que nos guiara da primeira vez se encontra reforçado por todas as sugestões da lembrança. O plágio humano a que os indivíduos mais dificilmente escapam (e mesmo aos povos que persistem em seus erros e os vão agravando) é o plágio de si mesmos.

Saint-Loup, que eu sabia estar em Paris, fora chamado por mim no mesmo instante; acorreu, rápido e eficaz como o era antigamente em Doncières, e concordou em partir logo para a Touraine. Submeti-lhe a seguinte combinação: ele desceria em Châtellerault, pediria que lhe indicassem a casa da Sra. Bontemps, esperaria que Albertine saísse, pois ela poderia reconhecê-lo. – Mas então a moça de quem falas me conhece? – perguntou-me ele. Disse-lhe que achava que não. O projeto me encheu de alegria infinda. Todavia, estava em absoluta contradição com aquilo que eu me prometera no começo: cuidar de não parecer que mandara procurar Albertine; e isto, inevitavelmente, acabava por ter esse ar; mas tinha também, *sobre o que convinha fazer*, a vantagem inestimável de que me permitia dizer a mim mesmo que alguém, enviado por mim, ia ver Albertine e, sem dúvida, trazê-la de volta. E se no começo eu soubesse ter visto claro em meu coração, teria podido prever que tal solução, escondida na sombra, e que eu achava deplorável, é que levaria de vencida as soluções de paciência, e era ela que eu decidira querer por falta de vontade. Como Saint-Loup já se mostrasse surpreso de que uma moça tivesse morado comigo um inverno sem que eu lhe houvesse dito nada, como, por outro lado, ele me voltasse a falar muitas vezes da moça de Balbec sem que eu jamais lhe dissesse: – Mas ela mora aqui –, ele poderia ter-se melindrado com minha falta de confiança. É verdade que a Sra. Bontemps talvez lhe falasse de Balbec. Mas eu me sentia por demais impaciente quanto à sua partida, à sua chegada, para querer ou para poder pensar nas possíveis conseqüências dessa viagem. Quanto a reconhecer Albertine (que aliás ele havia sistematicamente evitado olhar quando a encontrara em Doncières), ela havia, conforme a opinião de todos, mudado e engordado tanto que isso era pouco provável. Ele me perguntou se eu não tinha um retrato de Albertine. Primeiro respondi que não, para que ele não pudesse, através da fotografia, tirada mais ou menos na época de Balbec, reconhecer Albertine, a quem no entanto mal entrevira no vagão. Mas refleti que, no último retrato, ela já estaria tão diferente da Albertine de Balbec quanto o estava hoje a Albertine viva, que ele não a reconheceria no retrato nem na realidade. Enquanto eu procurava a foto, ele me passava docemente a mão pela testa, como para me consolar. Eu me sentia emocionado pela mágoa que lhe causava a dor que adivinhava em mim. Em primeiro lugar, embora se tivesse separado de Rachel, o que ele então sentira ainda não estava tão distante que ele não nutrisse uma simpatia, uma piedade especial por esse tipo de sofrimento, como nos sentimos mais próximos de alguém que sofre da mesma doença que nós. Depois, era tão afetuoso comigo que não suportava a simples idéia de meus sofrimentos. Desse modo, concebia por aquele que os causava um misto de rancor e admiração. Achava que eu era um ser tão superior que imaginava ser preciso, para que eu me submetesse a outra criatura, que esta fosse simplesmente extraordinária. Eu pensava que ele acharia bonita a foto de Albertine, mas, como ainda assim considerasse que ela não lhe produziria a mesma impressão que Helena sobre os velhos troianos, disse-lhe modestamente, sempre em busca do retrato: – Oh, sabes, não fiques esperando grande coisa: primeiro a foto é ruim, e depois ela não é extraordinária, não é uma beleza; sobretudo é muito gentil. – Oh, sim, ela deve ser maravilhosa – respondeu ele com um entusiasmo ingênuo e sincero, tentando imaginar a criatura que podia lançar-me em semelhante desespero e agitação. – Tenho raiva dela, porque te fez tanto mal; mas também, era de se supor que um artista até a ponta dos dedos, como tu, que amas em tudo a beleza com tamanho amor, estaria predestinado a sofrer mais que qualquer outro quando a encontrasse em alguma mulher. – Por fim, encontrei a fotografia. – Com certeza ela é maravilhosa – continuou a dizer Robert, que não tinha visto que eu lhe estendia a foto. De repente a viu, segurou-a nas mãos por um momento. Seu rosto exprimiu um espanto que chegou às raias da estupidez. – É esta a moça a quem amas? – acabou por me dizer com um tom em que a estupefação era matizada pelo receio de me aborrecer. Não fez nenhuma observação, assumira o ar sensato, cauteloso, forçosamente um tanto altivo, que temos diante de um enfermo – ainda que tenha sido um homem notável e nosso amigo –, mas que não é mais nada disso, pois, acometido de loucura furiosa, fala-nos de uma criatura celeste que lhe surgiu e continua a vê-la no local em que nós, pessoas saudáveis, só avistamos um edredom. Compreendi imediatamente o espanto de Robert, e que era o mesmo em que me lançara à vista de sua amante, com a única diferença de que eu encontrara nela uma mulher que já conhecia, ao passo que ele julgava nunca ter visto Albertine. Mas é claro que a diferença entre o que nós dois víamos acerca de uma mesma pessoa era bem grande. Ia longe o tempo em que eu, bem parcamente, começara em Balbec a acrescentar às sensações visuais, quando contemplava Albertine, sensações de gosto, de cheiro e de tato. Desde então se haviam acrescentado sensações mais profundas, mais doces, mais indefiníveis, e, depois, sensações dolorosas. Numa palavra, Albertine era apenas, como uma pedra a cujo redor nevou, o centro gerador de uma construção enorme que passava pelo plano do meu coração. Robert, para quem toda essa estratificação de sensações era invisível, só apanhava um resíduo que ela, ao contrário, impedia-me de perceber. O que havia perturbado Robert, ao ver a fotografia de Albertine, não fora a comoção dos velhos troianos vendo passar Helena e dizendo:

Notre mal ne vaut pas un seul de ses regards, [1]

mas exatamente a oposta e que faz dizer: "Como, foi por causa *disso* que ele se incomodou tanto, teve tantos aborrecimentos, praticou tantas loucuras!" É preciso confessar que esse tipo de reação à vista da pessoa que causou os sofrimentos, transtornou a vida, às vezes acarretando a morte de alguém que nós amamos, é infinitamente mais comum do que o dos velhos troianos e, para dizer tudo, habitual. O motivo não é apenas porque o amor é individual, nem porque, quando já não o sentimos, torna-se natural que o achemos evitável e nos ponhamos a filosofar sobre a loucura dos outros. Não, é porque, quando ele atinge o grau em que nos causa tais males, a construção das sensações interpostas entre o rosto da mulher e os olhos do amante – esse enorme ovo doloroso que o envolve e dissimula, tanto quanto uma camada de neve a uma fonte – já se estendeu para bem longe para que o ponto onde se fixa o olhar do amante, o ponto em que ele encontra o seu prazer e suas dores, esteja igualmente longe do ponto em que as outras pessoas o vêem, como o sol verdadeiro está longe do ponto em que a sua luz condensada nos deixa percebê-lo no céu. E além do mais, durante esse tempo, sob a crisálida de dores e carinhos que torna invisível ao amante as piores metamorfoses da criatura amada, o rosto teve tempo de envelhecer e mudar. De forma que, se o rosto que o amante viu da primeira vez está bem distante do outro que ele vê desde que ama e sofre, está, em sentido inverso, igualmente distante daquele que o espectador indiferente pode ver agora. (Que teria acontecido se, em vez da fotografia desta que

[1] Ronsard, *Sonetos para Helena*. Livro II, LXVII, verso 4: "Nosso mal não vale um só de seus olhares."(N. do T.)

era uma moça, Robert tivesse visto o retrato de uma velha amante?) E até não temos necessidade de ver pela primeira vez aquela que causou tantos danos para sentirmos esse espanto. Muitas vezes a conhecíamos, como o meu tio-avô conhecia Odette. Então a diferença de ótica se estende não só ao aspecto físico, mas ao caráter, à importância individual. Há muitas probabilidades de que a mulher que faz sofrer aquele que a ama tenha sido sempre boa moça para com alguém que não se preocupava com ela, como Odette, tão cruel com Swann, fora a delicada "dama cor-de-rosa" de meu tio-avô; ou então a criatura de quem toda decisão é antecipadamente calculada, com tanto medo quanto a de uma divindade, por aquele que a ama, surge como uma pessoa inconseqüente, muito feliz por fazer sempre a vontade alheia, aos olhos de quem não a ama, como a amante de Saint-Loup em relação a mim, que nela só enxergava a "Rachel-quando-do-Senhor" que tantas vezes me haviam oferecido. Lembrava-me, na primeira vez em que a tinha visto com Saint-Loup, de minha estupefação diante da idéia de que alguém pudesse torturar-se por não saber o que uma tal mulher faria em tal noite, o que ela poderia ter dito baixinho a alguém, e por quem desejaria romper. Ora, eu sentia que todo esse passado, mas de Albertine, para o qual toda fibra de meu coração, de minha vida, dirigia-se com um sofrimento vibrátil e desajeitado, devia parecer tão insignificante a Saint-Loup como talvez a mim mesmo, um dia; que aos poucos eu passaria talvez, no tocante à gravidade ou à insignificância do passado de Albertine, do estado de espírito em que me encontrava naquele momento ao de Saint-Loup, pois não me iludia sobre o que Saint-Loup pudesse pensar, sobre o que pensaria todo aquele que não o amante. E não sofria muito com isso. Deixemos as belas mulheres aos homens sem imaginação. Lembrava-me dessa trágica explicação de tantas vidas que é um retrato genial, e nada parecido, como o de Odette por Elstir, e que é menos o retrato de uma amante que do amor que deforma. Nele só faltava – o que tantos retratos possuem – ser a um tempo de um grande pintor e de um amante (e ainda assim, diziam que Elstir o fora de Odette). Essa dissemelhança, prova-a a vida inteira de um amante de quem ninguém compreende as loucuras, a vida inteira de um Swann. Mas quando um amante se desdobra num pintor e então é proferida a palavra que resolve o enigma, temos enfim diante dos olhos esses lábios que o vulgo jamais percebeu nessa mulher, esse nariz que ninguém lhe concedeu, esse porte insuspeitado. O retrato diz: "O que amei, o que me fez sofrer, o que vi sem cessar, é *isto*." Por uma ginástica oposta, eu que havia tentado, pelo pensamento, acrescentar a Rachel tudo o que Saint-Loup lhe acrescentara por conta própria, procurava retirar minha contribuição cardíaca e mental à composição de Albertine, e representá-la para mim tal e qual deveria aparecer a Saint-Loup, como Rachel a mim. Essas diferenças, mesmo que as percebêssemos, que importância lhes daríamos? E, quando antigamente, em Balbec, Albertine me esperava sob as arcadas de Incarville, saltando para o meu carro, não somente ela ainda não "engordara", como, em conseqüência de excessos de exercício, emagrecera demais; seca, mais desfigurada ainda por causa de um chapéu horrível que só deixava aparecer a pontinha do nariz feio e duas faces brancas feito neve, era bem pouco o que eu enxergava nela, mas o bastante para que, pelo salto que ela dava para dentro do carro, eu soubesse que era ela, que ela comparecera pontualmente ao encontro e não fora a outro lugar; e isso basta; o que amamos está por demais no passado, consiste por demais no tempo que perdemos juntos para que tenhamos necessidade da mulher toda; desejamos apenas ter certeza de que se trata dela, de que não nos enganamos quanto à identidade, mais importante que a beleza para aqueles que amam; as faces podem ficar encovadas, o corpo emagrecer, mesmo para aqueles que, a princípio, mais se orgulhavam diante do próximo de seu domínio sobre uma beldade: esse palminho de cara, esse sinal em que se resume a personalidade permanente de uma mulher, essa fórmula algébrica, essa constante, basta isso para que um homem solicitado na mais alta sociedade, e que a estima, não possa dispor de uma só de suas noites porque passa o tempo a pentear e despentear a mulher amada, até a hora de dormir, ou simplesmente a ficar junto dela, para estar com ela, ou para que ela esteja em sua compainha, ou apenas para que ela não esteja na companhia de outros.

– Tens certeza – perguntou Robert – de que posso oferecer uns trinta mil francos a essa mulher para o comitê eleitoral do marido? Ela é desonesta a esse ponto? Se não te enganas, três mil francos bastarão. – Não, peço-te, não economizes numa coisa que tanto me fala ao coração. Deves dizer isto, no que aliás há um fundo de verdade: "Meu amigo tinha pedido estes trinta mil francos a um parente para o comitê do tio de sua noiva. Foi por causa desse noivado que obteve o dinheiro. E me pediu que o entregasse à senhora para que Albertine não soubesse de nada. Aí então, Albertine o abandona. Ele já não sabe o que fazer. Tem obrigação de devolver os trinta mil francos se não casar com Albertine. E, se casar, seria preciso, ao menos para manter as aparências, que ela voltasse logo, pois se a fuga se prolongasse daria muito má impressão." Achas que parece inventado? – Absolutamente – respondeu Saint-Loup por bondade, por discrição e, além disso, porque sabia que as circunstâncias são freqüentemente mais estranhas do que julgamos. Afinal de contas, havia alguma possibilidade de que, nessa história de trinta mil francos, houvesse, conforme eu lhe dizia, uma boa dose de verdade. Era possível, mas não era verdadeiro, e essa parte de verdade era precisamente uma mentira. Porém nós nos mentíamos, Robert e eu, como em todas as conversas em que um amigo deseja sinceramente auxiliar o outro, que se acha entregue a um desespero amoroso. O amigo conselheiro, apoio, consolo, pode lastimar a aflição do outro, mas não experimentá-la, e, quanto melhor for para o outro, mais lhe mentirá. E o outro lhe confessa o que for necessário para ser ajudado, mas, talvez justamente para ser ajudado, oculta muitas coisas. E o feliz, afinal, é aquele que faz o trabalho, que realiza uma viagem, cumpre uma missão, mas que não sofre interiormente. Eu era naquele momento o que havia sido Robert, em Doncières, quando se julgara abandonado por Rachel. – Enfim, seja como quiseres; se receber um insulto, aceito-o de antemão por ti. E depois, não interessa que isto me pareça um tanto divertido, esse comércio tão pouco disfarçado, sei perfeitamente que no nosso mundo existem duquesas, e até das mais beatas, que, por trinta mil francos, fariam coisas mais complicadas do que dizer às sobrinhas que não fiquem na Touraine. Enfim, estou duplamente satisfeito por te prestar um serviço, já que é necessário isto para que consintas em me ver. Se eu me casar – acrescentou –, será que não nos veremos mais, será que não farás da minha casa um pouco a tua?... – Interrompeu-se de súbito, tendo pensado, conforme supus então, que, seu eu também me casasse, Albertine não poderia ser, para a sua mulher, uma relação muito chegada. E lembrei-me que os Cambremer me haviam falado sobre o seu provável casamento com a filha do príncipe de Guermantes.[2]

Tendo consultado o indicador, vi que Robert só poderia partir à noite. Françoise me perguntou: – É preciso tirar a cama da Srta. Albertine do gabinete de trabalho? – Pelo contrário – retorqui –, é preciso fazê-la. – Eu esperava que Albertine voltasse a qualquer momento e, além disso, não desejava que Françoise pensasse haver alguma dúvida a respeito. Era preciso que a partida de Albertine parecesse uma coisa combinada entre nós dois, coisa que de modo algum significasse que ela me amava menos. Mas Françoise me olhou com um ar, se não de incredulidade, pelo menos de dúvida. Ela também tinha suas duas hipóteses. Suas narinas se dilatavam, ela farejava a briga, devia senti-la há muito tempo. E, se não estava absolutamente segura disso, era talvez só porque, como eu, evitava crer inteiramente naquilo que lhe teria dado imenso prazer. Agora, o peso do assunto já não repousava no meu espírito esgotado, mas em Saint-Loup. Uma alegria me penetrava porque tomara uma decisão, porque dizia comigo: "respondi taco a taco, fui enérgico."

Saint-Loup mal teria entrado no trem quando cruzei na minha antecâmara com Bloch, a quem não ouvira tocar a campainha, de modo que fui obrigado a recebê-lo por um instante. Ultimamente, ele me havia encontrado com Albertine (a quem conhecia de Balbec), num dia em que ela estava de mau humor. – Jantei com o Sr. Bontemps – falou-me – e, como exerço uma certa influência sobre ele, demonstrei-lhe minha tristeza pelo fato de sua sobrinha não ser mais amável contigo, e disse que era necessário que ele intercedesse nesse sentido. – Eu sufocava de cólera: tais pedidos e queixas destruíam todo o efeito das diligências de Saint-Loup e punham-me diretamente em contato com Albertine, a quem eu pareceria estar implorando. Para cúmulo da infelicidade, Françoise, que ficara na antecâmara, ou-

[2] Engano de Proust: trata-se da sobrinha e não da filha do príncipe de Guermantes. Consultar *Sodoma e Gomorra*. pp. 762 e 894. (N. do T.)

via tudo aquilo. Fiz todas as censuras possíveis a Bloch, dizendo-lhe que de maneira alguma o havia encarregado de semelhante missão, e que aliás o caso era falso. A partir daquele momento, Bloch não mais deixou de sorrir, menos, creio, de alegria que de constrangimento por me haver contrariado. Rindo, ele se surpreendia de causar semelhante raiva. Talvez dissesse isso para diminuir a meus olhos a importância de sua ação indiscreta, talvez porque era de natureza covarde, e vivia alegre e perigosamente nas mentiras, como as medusas à flor das águas, talvez porque, mesmo pertencendo a outra raça de homens, os outros, não podendo jamais colocar-se no mesmo ponto de vista que nós, não compreendem a importância do mal que suas palavras ditas ao acaso podem nos fazer. Acabava de acompanhá-lo até a porta, não encontrando nada que pudesse remediar o que ele fizera, quando tocaram de novo e Françoise me entregou uma intimação para comparecer à presença do chefe de polícia. Os pais da menina que eu trouxera para casa tinham apresentado uma queixa contra mim por corrupção de menor. Há momentos na vida em que uma espécie de beleza nasce da multiplicidade de aborrecimentos que nos assaltam, entrecruzados como motivos wagnerianos, e também da noção, que aí aparece, de que os acontecimentos não se situam no conjunto dos reflexos representados no pobre espelhinho que a inteligência leva à sua frente e a que denomina futuro, mas estão fora deles e surgem tão bruscamente como alguém que vai testemunhar o flagrante de um crime. Entregue a si mesmo, um acontecimento já se modifica, seja porque o fracasso o aumente a nossos olhos, seja porque a satisfação o reduza. Mas raramente ele está sozinho. Os sentimentos excitados por cada um deles se contradizem, e, em certa medida, como pude comprová-lo indo à delegacia de polícia, isso constitui, ao menos momentaneamente, um revulsivo tão eficaz contra as tristezas sentimentais quanto o medo. Na Polícia, encontrei os pais da menina, que me insultaram, e dizendo: – Não comemos desse pão –; devolveram-me os quinhentos francos (que eu não queria aceitar); o delegado, adotando como exemplo inimitável a facilidade de réplica dos juízes criminais, pegava uma palavra de cada frase que eu dizia e com ela formava uma resposta espirituosa e acabrunhadora. Nem sequer se cuidou de minha inocência no caso, pois foi a única hipótese que ninguém quis admitir um só momento. Não obstante, as dificuldades de incriminação fizeram com que me livrasse à custa de um *sabão* violentíssimo, na presença dos pais. Porém, logo que estes se retiraram, o delegado, que gostava de meninas, mudou de tom e me censurou como a um camarada: – De outra vez, precisa ser mais hábil. Droga, não se faz uma abordagem tão súbita, que estraga o negócio. Além do mais, o senhor pode encontrar em toda parte meninas melhores que esta, e bem mais baratas. O preço era loucamente exagerado... – Senti de maneira tão viva que ele não me entenderia, caso eu tentasse lhe explicar a verdade, que, sem dizer palavra, aproveitei a licença que me deu para me retirar. Até chegar em casa, todos os passantes me pareceram inspetores encarregados de vigiar meus atos e meus gestos. Mas todos esses *leitmotivs*, bem como o da cólera contra Bloch, extinguiram-se para deixar espaço unicamente ao da partida de Albertine. Ora, este motivo retornara, mas de um modo quase alegre, depois da partida de Saint-Loup. Desde que ele se encarregara de ir ver a Sra. Bontemps, meus sofrimentos se haviam dispersado. Eu achava que era pelo fato de ter agido, e o achava de boa-fé, pois nunca sabemos o que se oculta em nossa alma. No fundo, o que me fazia feliz não era, como pensava, o ter descarregado as minhas indecisões sobre Saint-Loup; aliás, eu não me enganava absolutamente. O remédio próprio para curar um acontecimento infeliz (três quartas partes dos acontecimentos o são) é uma decisão; pois ela tem como efeito, devido a uma brusca reviravolta das nossas idéias, interromper o fluxo das que provêm do acontecimento passado e prolongam sua vibração, de quebrá-lo por um fluxo inverso de idéias, vindo de fora, do futuro. Mas essas novas idéias são principalmente benéficas (e era o caso das que me assaltavam naquele momento) quando, do cerne desse futuro, o que nos trazem é uma esperança. O que no fundo me tornava tão feliz era a certeza secreta de que, não podendo fracassar a missão de Saint-Loup, Albertine não podia deixar de voltar. Compreendi-o, pois, não tendo recebido desde o primeiro dia nenhuma resposta de Saint-Loup, recomecei a sofrer. Minha decisão e a transferência para ele de meus plenos poderes não eram então a causa de minha alegria, que mesmo sem isso teria durado, mas "o êxito é garantido" que eu havia pensado quando dizia: "Aconteça o que acontecer." E a idéia, sugerida pela sua demora, de que de fato podia ocorrer coisa diversa do êxito, era-me tão odiosa que eu perdera a minha alegria. Na realidade, é a nossa previsão, nossa esperança de acontecimentos felizes, que nos enche de uma alegria que atribuímos a outras causas, e que cessa para nos deixar recair no desgosto, se já não temos tanta certeza de que se realizará aquilo que desejamos. É sempre esta crença invisível que sustenta o edifício de nosso mundo sensitivo e sem a qual ele oscilaria. Já vimos que ela constituía para nós o valor ou a nulidade das criaturas, o entusiasmo ou o tédio de vê-las. Da mesma forma, dá-nos a possibilidade de suportar um desgosto que nos parece medíocre sobretudo porque estamos convencidos de que vai findar – ou o seu brusco aumento até que uma nova presença valha tanto quanto a nossa vida, e às vezes mais do que ela. De resto, uma coisa acabou tornando a dor de meu coração tão aguda como o fora no primeiro instante quando, é força confessá-lo, já não o era mais. Aconteceu ao reler uma frase da carta de Albertine. Debalde amamos as criaturas; quando, isolados, só nos defrontamos com o sofrimento de perdê-las, a que o nosso espírito dá em certa medida a forma por ele desejada, tal sofrimento é suportável e diverso daquele outro, menos humano, menos nosso, tão esquisito e inesperado como um acidente no mundo moral e na zona do coração – que tem como causa menos diretamente as próprias criaturas do que a maneira como ficamos sabendo que não mais as veríamos. Albertine, eu podia pensar nela, chorando suavemente, aceitando não vê-la esta noite, como já não a vira ontem; porém reler *minha decisão é irrevogável*, era outra coisa, era como tomar um remédio perigoso, que me provocaria uma crise cardíaca à qual não se pode sobreviver. Existe nas coisas, nos fatos, nas cartas de rompimento, um perigo particular que amplia e desnatura a própria dor que as pessoas podem nos causar. Mas esse sofrimento dura pouco. Apesar de tudo, sentia-se tão seguro do sucesso da habilidade de Saint-Loup, a volta de Albertine me parecia uma coisa tão certa, que me indaguei se tivera razão para desejá-la. Todavia, rejubilava-me por isso. Infelizmente para mim, que julgava terminado o incidente com a Polícia, Françoise me informou que um inspetor viera saber se eu tinha o hábito de receber moças em casa, e que o porteiro, pensando que ele se referia a Albertine, dissera que sim; e que, a partir desse momento, a casa parecia estar sendo vigiada. Desde então, seria para sempre impossível mandar vir uma menina para me consolar dos meus desgostos, sem me arriscar a sofrer o vexame, diante dela, que um inspetor aparecesse, e ela me tomasse por um malfeitor. E ao mesmo tempo, compreendi como vivemos mais em função de certos sonhos do que imaginamos, pois essa impossibilidade de embalar jamais uma criança me pareceu tirar todo o valor da vida; mas percebi também o quanto é compreensível que as pessoas facilmente recusem a fortuna e se arrisquem à morte, ainda que imaginemos que o interesse e o medo de morrer dominem o mundo. Pois, se eu tivesse imaginado que até uma menina desconhecida pudesse formar, por causa da chegada de um policial, uma idéia vergonhosa de mim, como seria preferível que me matasse! Nem sequer havia ponto de comparação possível entre os dois sofrimentos. Ora, na vida, as pessoas nunca refletem que aqueles a quem dão dinheiro, ou ameaçam de morte, podem ter uma amante, ou até simplesmente um companheiro, a cuja estima dão grande valor, mesmo quando não se estimam a si próprios. Mas, de repente, devido a uma confusão de que não me dei conta (de fato, não pensei que Albertine, sendo maior, poderia morar em minha casa e até ser minha amante), pareceu-me que a corrupção de menores podia também se aplicar a Albertine. Então a vida se me afigurou cerceada por todos os lados. E, pensando que não vivera castamente com ela, encontrei na punição que me era infligida por ter acalentado uma menina ignorada, essa relação que existe quase sempre nos castigos humanos e que faz com que não haja quase nunca, nem condenação justa nem erro judiciário, mas uma espécie de harmonia entre a idéia falsa que o juiz forma acerca de um ato inocente e os fatos culposos que ignorou. Mas então, pensando que o regresso de Albertine podia me acarretar uma condenação infamante que me degradaria a seus olhos, e talvez causasse a ela mesma um prejuízo de que jamais me perdoaria, deixei de desejar esse regresso, que me apavorava. Gostaria de lhe telegrafar para que não voltasse. E imediatamente, sufocando tudo o mais, invadiu-me o desejo apaixonado de que ela regressasse. Assim é que, tendo considerado por um instante a possibilidade de lhe dizer que não voltasse e de viver sem ela, vi-me de súbito, pelo contrário, prestes a sacrificar todos os prazeres, todas as viagens, todos os trabalhos, para que Albertine regressasse! Ah, como o meu amor por Albertine, cujo destino eu achava que podia prever conforme o amor que tivera por Gilberte, desenvolvera-se em perfeito contraste com este último! A que ponto era-me impossível ficar sem vê-la! E para cada ato, por mínimo que fosse, porém antes envolto na feliz atmosfera da presença de Albertine, era-me preciso, de cada vez, com novos esforços, com a mesma dor, recomeçar a aprendizagem da separação. Depois, a concorrência das outras formas de vida devolvia à sombra essa nova dor, e, durante esses dias, os primeiros da primavera, cheguei até, enquanto esperava que Saint-Loup visse a Sra. Bontemps, ao imaginar Veneza e belas mulheres desconhecidas, a passar alguns momentos de calma agradável. Logo que me apercebi disso, senti um terror pânico. Esta calma que eu acabara de desfrutar era a primeira aparição daquela grande força intermitente, que ia lutar em mim contra a dor, contra o amor, e acabaria por triunfar sobre eles. Aquilo de que eu acabava de ter o antegosto e de conhecer o presságio era, por um instante apenas, o que mais tarde seria em mim um estado permanente, uma vida em que eu não poderia mais sofrer por Albertine, em que já não a amaria. E meu amor, que acabava de reconhecer o único inimigo pelo qual poderia ser derrotado, o esquecimento, pôs-se a tremer, como um leão que, na jaula onde o trancaram, avista de súbito a serpente píton que há de devorá-lo.

Eu pensava o tempo todo em Albertine, e nunca, ao entrar no meu quarto, Françoise me dizia bastante depressa: "Não há cartas", para abreviar a angústia. Mas, de tempos em tempos, eu conseguia, fazendo passar esta ou aquela corrente de idéias através do meu desgosto, renovar, purificar um pouco a atmosfera viciada do meu coração. Porém à noite, se conseguia adormecer, então era como se a lembrança de Albertine fosse o medicamento que me trouxesse o sono, e cuja influência, ao cessar, me despertaria. Pensava o tempo todo em Albertine, ao dormir. Era um sono especial, seu, que ela me dava e onde, aliás, eu não teria estado mais livre para pensar em outra coisa, como durante a vigília. O sono e sua lembrança eram essas duas substâncias misturadas que nos dão a tomar ao mesmo tempo para dormir. De resto, acordado, minha mágoa ia aumentando a cada dia em vez de diminuir. Não que o esquecimento não cumprisse a sua tarefa, mas porque, por isso mesmo, favorecia a idealização da imagem saudosa e, desse modo, a assimilação de meu sofrimento inicial a outros sofrimentos análogos, que o reforçavam. Todavia, essa imagem era suportável. Mas se, de repente, eu pensava no quarto dela, no quarto onde a cama permanecia desocupada, no seu piano, seu automóvel, perdia todas as forças, fechava os olhos, inclinava a cabeça sobre o ombro esquerdo como as pessoas que vão desmaiar. O ruído das portas me fazia quase tanto mal, porque não era Albertine quem as abria.

Quando foi possível a chegada de um telegrama de Saint-Loup, não tive coragem de perguntar: "Chegou um telegrama?" Por fim veio um, mas apenas adiando tudo, pois dizia: SENHORAS PARTIRAM POR TRÊS DIAS. Sem dúvida, se eu havia suportado os quatro dias já transcorridos desde que Albertine se fora, era porque dizia comigo mesmo: "É só uma questão de tempo, antes do fim da semana ela estará aqui." Mas essa razão não impedia que para o meu coração, para o meu corpo, o ato a ser cumprido fosse o mesmo: viver sem ela, chegar em casa sem encontrá-la, passar diante da porta do seu quarto – ainda não tinha coragem de abri-la – sabendo que ela não se achava ali, deitar-me sem lhe haver dito boa-noite, eis as coisas que meu coração devia cumprir em sua terrível integralidade e como se eu não devesse voltar a ver Albertine. Ora, que ele as tenha cumprido já quatro vezes provava que agora seria capaz de continuar a cumpri-las. E dentro em breve, talvez, essa razão que me ajudava a continuar a viver assim – o próximo regresso de Albertine –, essa razão, eu deixaria de precisar dela – poderia dizer comigo mesmo: "Ela não voltará nunca mais", e ainda assim viver como já o fizera durante quatro dias –, como um ferido que retomou o hábito de caminhar e pode andar sem muletas. Sem dúvida, à noite, voltando para casa, eu ainda encontrava, tirando-me a respiração, sufocando-me com o vazio da solitude, as lembranças, justapostas numa série interminável, de todas as noites em que Albertine me esperava; mas já encontrava igualmente a lembrança da véspera, da antevéspera e das duas noites precedentes, ou seja, a lembrança das quatro noites transcorridas desde a fuga de Albertine, durante as quais eu ficara sem ela, sozinho, e onde contudo vivera, quatro noites que já formavam uma faixa de lembranças, bem delgada ao lado da outra, mas que a cada dia transcorrido ia talvez se encorpando. Não direi coisa alguma sobre a carta, recebida por essa época, em que se declarava a mim uma sobrinha da Sra. de Guermantes que era tida como a mais bonita moça de Paris, nem das diligências que junto a mim fez o duque de Guermantes por parte dos pais, resignados, pela felicidade da filha, à desigualdade social do partido e a uma aliança imprópria. Tais incidentes, que poderiam ser sensíveis ao amor-próprio, são dolorosos demais quando amamos. Gostaríamos, mas não cometeríamos essa indelicadeza, de os revelar àquela que tem a nosso respeito um juízo menos favorável, que aliás não se modificaria se soubesse que podemos ser objeto de outro juízo bem diverso. O que me escreveu a sobrinha do duque só poderia impacientar Albertine.

Desde o momento em que despertava e que retomava a minha mágoa no ponto em que me encontrava ao adormecer, como um livro por um instante fechado e que não me abandonaria mais até a noite, eu nunca podia ter senão um pensamento relativo a Albertine, e a esse pensamento é que podia ligar-se para mim toda sensação, viesse de fora ou de dentro. Tocavam a campainha: é uma carta dela, talvez seja ela própria! Se me achava bem disposto, não infeliz demais, não estava mais ciumento, não tinha mais queixas dela, gostaria de revê-la depressa, beijá-la, passar alegremente o resto da vida em sua companhia. Telegrafar-lhe: VENHA DEPRESSA parecia-me tornar-se uma coisa muito simples, como se o meu novo ânimo tivesse não apenas mudado as minhas disposições, mas tornado mais fáceis as coisas fora de mim. Se o meu ânimo era sombrio, todas as minhas cóleras contra ela renasciam, já não tinha vontade de beijá-la, sentia a impossibilidade de vir a ser feliz por meio dela, só queria lhe fazer mal, impedi-la de pertencer a outros. Mas desses dois estados de espírito opostos era idêntico o resultado: era preciso que Albertine voltasse o mais cedo possível. E no entanto, apesar de uma certa alegria que pudesse ter no momento mesmo desse regresso, sentia eu que em breve se apresentariam as mesmas dificuldades e que a busca da felicidade na satisfação do desejo moral era algo tão ingênuo como a tentativa de alcançar o horizonte caminhando para a frente. Quanto mais aumenta o desejo, mais se afasta a posse verdadeira. De modo que, se a felicidade ou, pelo menos, a ausência de sofrimento pode ser encontrada, não é a satisfação mas a redução progressiva e a extinção final do desejo o que se deve buscar. Procura-se ver a pessoa amada, deveria-se procurar não vê-la, só o esquecimento consegue nos dar a extinção do desejo. E imagino que, se um escritor proferisse verdades desse gênero, dedicaria o livro que as contivesse a uma mulher, da qual se comprazeria em aproximar-se desse modo, dizendo-lhe: – Este é o teu livro. – E assim, dizendo verdades em seu livro, mentiria na dedicatória, pois só lhe importa que o livro seja dessa mulher como lhe importa a pedra preciosa que dela recebeu e que só lhe será preciosa enquanto amar a essa mulher. Só em nosso pensamento é que existem os liames a unir uma criatura a nós. A memória, enfraquecendo, afrouxa-os e, apesar da ilusão com que gostaríamos de nos enganar, e com a qual, por amor, por amizade, por delicadeza, por respeito humano, por dever, enganamos os outros, existimos sozinhos. O homem é o ser que não pode sair de si mesmo, que só conhece os outros dentro de si, e, afirmando o contrário, mente. E eu teria tido tanto medo, se houvesse alguém capaz de fazê-lo, que me tirassem essa necessidade dela, esse amor por Albertine, que me persuadia ser ele precioso para a minha vida. Poder ouvir pronunciar sem fascínio e sem sofrimento os nomes das estações por onde o trem passava para ir à Touraine me teria parecido uma diminuição de mim mesmo (simplesmente, no fundo, porque isso provaria que Albertine se tornava indiferente para mim). Tudo estaria bem, dizia comigo, se, ao me perguntar incessantemente o que ela podia estar fazendo, pensando, desejando a cada instante, se ela esperava e se ia voltar, eu mantivesse aberta essa porta de comunicação que o amor abrira em mim e sentisse a vida de outra pessoa inundar, pelas represas abertas, o reservatório que não desejaria ficar de novo estagnado. Em breve, prolongando-se o silêncio de Saint-Loup, uma ansiedade secundária – a espera por um telegrama ou um telefonema de Saint-Loup – mascarou a primeira, a inquietação quanto ao resultado, saber se Albertine voltaria. Vigiar cada ruído, à espera do telegrama, tornou-se tão intolerável que, segundo me parecia, a chegada do telegrama, fosse qual fosse, pois era a única coisa em que eu pensava agora, poria fim às minhas mágoas. Mas, quando recebi finalmente um telegrama de Robert, em que ele me dizia que estivera com a

Sra. Bontemps, mas, apesar de todas as precauções, fora visto por Albertine, e que isso estragara tudo, tive um acesso de fúria e desespero, pois acima de tudo era aquilo o que eu desejara evitar. Conhecida de Albertine, a viagem de Saint-Loup parecia mostrar-me submisso a ela, o que a levaria a não voltar; aliás, o horror a essa submissão era tudo o que eu conservara da altivez do meu amor no tempo de Gilberte, e que havia perdido. Amaldiçoei Robert, mas depois pensei que, se aquele meio fracassara, arrumaria outro. Visto que o homem pode agir sobre o mundo exterior, como é que, empregando a astúcia, a inteligência, o interesse, a afeição, não chegaria eu a suprimir essa coisa atroz: a ausência de Albertine? Julgamos que, segundo o nosso desejo, podemos mudar as coisas que nos rodeiam; julgamo-lo porque, fora daí, não vemos nenhuma solução favorável. Não pensamos no que ocorre muitas vezes e que também é favorável: não chegamos a mudar as coisas conforme o nosso desejo, mas aos poucos o nosso desejo muda. A situação que esperávamos mudar por ser-nos insuportável, se nos torna indiferentes. Não pudemos superar o obstáculo, como o queríamos de qualquer maneira, porém a vida nos fez contorná-lo e transpô-lo, e então, se nos virarmos para o passado longínquo, mal podemos avistá-lo, de tal modo se tornou imperceptível. No andar acima do nosso, ouvi árias da *Manon*, tocadas por uma vizinha. Apliquei seus versos, que conhecia, a Albertine e a mim, e fui penetrado de uma sensação tão profunda que me pus a chorar. Era:

Hélas, l'oiseau qui fuit ce qu'il croit l'esclavage,
Le plus souvent, la nuit d'un vol désespéré revient battre au vitrage[3]

e a morte de Manon:

Manon, réponds-moi donc! – Seul amour de mon âme,
Je n'ai su qu'aujourd'hui la bonté de ton coeur.[4]

Já que Manon voltava a Des Grieux, parecia-me que eu era para Albertine o único amor de sua vida. Ai de mim! É provável que, se ouvisse naquele momento a mesma ária, não fosse a mim que ela teria agraciado sob o nome de Des Grieux e, ainda que pensasse nisso, a minha lembrança a teria impedido de se enternecer ao escutar essa música, que todavia era exatamente do gênero das que ela apreciava.

Quanto a mim, não tive coragem de me entregar à doçura de imaginar que Albertine me chamasse "único amor da minha alma", reconhecendo que se equivocara sobre o que "julgara ser prisão". Eu sabia ser possível ler um romance sem se

[3] "Ai de mim, o pássaro que foge ao que julga ser prisão, / Muitas vezes, à noite, em desespero, volta a chocar-se com a vidraça." (*Manon*, ópera de Massenet, ato III, quadro II). (N. do T.)

[4] "Responde, pois, Manon! Único amor da minha alma, / Só hoje conheci a bondade do teu coração." (Manon, dueto final do ato V.) (N. do T.)

dar à heroína as feições da mulher amada. Mas, ao terminar o livro, é inútil que o desfecho seja feliz, pois o nosso amor não progrediu em nada e, quando fechamos o livro, aquela a quem amamos e que finalmente nos veio no romance, nem por isso gosta mais de nós na vida. Furioso, telegrafei a Saint-Loup que regressasse o mais rápido possível a Paris, para ao menos evitar o aspecto de uma insistência agravante na missão que eu tanto quisera ocultar. Mas antes mesmo que ele voltasse conforme as minhas instruções, foi da própria Albertine que recebi este telegrama: MEU CARO, VOCÊ ENVIOU SEU AMIGO SAINT-LOUP À MINHA TIA, O QUE FOI INSENSATO. MEU CARO AMIGO, SE TEM NECESSIDADE DE MIM, POR QUE NÃO ME ESCREVEU DIRETAMENTE? TERIA FICADO MUITO FELIZ POR VOLTAR; NÃO RECOMECE OUTRA VEZ ESSAS MEDIDAS ABSURDAS. "Teria ficado muito feliz por voltar!" Se ela dizia isto, era portanto por lamentar o ter ido embora, e que só procurava um pretexto para regressar. Assim, bastava-me fazer o que ela pedia, escrever-lhe que tinha necessidade dela, e ela voltaria. Portanto, ia tornar a vê-la, a Albertine de Balbec (pois desde a sua partida, voltara a sê-lo para mim. Como um caramujo do mar, ao qual não prestamos atenção quando o temos sempre sobre nossa cômoda, e no qual, uma vez que nos separamos dele porque o demos ou perdemos, ficamos pensando, o que antes já não fazíamos, ela me recordava toda a jovial beleza das montanhas azuis do mar). E não era apenas ela que se tornara um ser de imaginação, isto é, desejável, mas a vida com ela é que passara a ser uma vida imaginária, ou seja, livre de todas as dificuldades, de modo que eu dizia comigo: "Como vamos ser felizes!" Porém, no momento em que eu estava seguro desse regresso, não era preciso dar a impressão de apressá-lo, mas, pelo contrário, apagar o mau efeito causado pela missão de Saint-Loup, que mais tarde eu ainda poderia renegar, dizendo que ele agira por conta própria, pois sempre se mostrara favorável ao nosso casamento.

Entretanto, eu relia a sua carta e, apesar de tudo, sentia-me desapontado com o pouco que, numa carta, existe de pessoal. Sem dúvida, os caracteres traçados exprimem o nosso pensamento, o mesmo que acontece com as nossas feições; é sempre em presença de um pensamento que nós nos encontramos. Mas, ainda assim, na pessoa, o pensamento só nos aparece após ter se difundido nessa corola da fisionomia desabrochada como um nenúfar. Isso, afinal, o modifica muito. E talvez uma das causas de nossas permanentes decepções no amor sejam esses permanentes desvios que fazem que, à espera da criatura ideal a quem amamos, todo encontro nos traga uma pessoa de carne que já existe bem pouco em nosso sonho. E depois, quando reclamamos alguma coisa dessa pessoa, dela recebemos uma carta em que da própria pessoa fica muito pouco, como nas letras da álgebra já não existe a determinação das cifras da aritmética, que, por sua vez, já não contêm as qualidades dos frutos ou das flores adicionados. E todavia o amor, a criatura amada, suas cartas, são talvez, enfim, traduções – por menos satisfatório que seja passar de uma a outra – da mesma realidade, visto que a carta só nos parece insuficiente quando a lemos, pois suamos frio enquanto não chega, bastando para acalmar a nossa angústia quando não para encher, como seus sinaizinhos negros, o nosso desejo, que sente que ali afinal só existe o equivalente de uma palavra, de um sorriso, de um beijo, e não essas mesmas coisas.

Escrevi a Albertine:

Minha amiga, ia justamente lhe escrever e agradeço-lhe o ter dito que, se eu tivesse necessidade de você, teria voltado logo; é bem do seu feitio compreender de forma tão elevada o devotamento a um velho amigo e minha estima por você só pode ter aumentado. Mas não, eu não o pedira e não o pedirei; voltar a ver-nos, ao menos daqui a muito tempo, talvez não lhe fosse penoso, moça insensível. Para mim, que às vezes você julgara tão indiferente, seria muito. A vida nos separou. Você tomou uma decisão que acho muito sensata e que ocorreu no momento adequado, com um pressentimento maravilhoso, pois você partiu no dia seguinte àquele em que eu acabava de receber o consentimento de minha mãe para pedir a sua mão. Eu o teria dito quando despertasse, quando recebi a carta dela (ao mesmo tempo que a sua!). Talvez você tivesse receado me fazer sofrer, indo embora nessa ocasião. E talvez tivéssemos unido as nossas vidas pelo que seria, quem sabe?, uma desgraça para nós. Se isso era o que havia de acontecer, bendita a sua sabedoria. Perderíamos todos os seus frutos se nos tornássemos a ver. Não que isso não fosse tentador. Mas é pequeno o meu mérito em resistir. Você conhece a criatura inconstante que sou, e como esqueço depressa. Assim, não tenho de que me queixar. Você me disse isto várias vezes, sou principalmente um homem de hábitos. Os que começo a adquirir sem você ainda não são muito arraigados. É claro que, neste momento, os que possuía com você e que sua partida transtornou são ainda os mais fortes. Não o serão por muito tempo. Justo por esse motivo, eu havia pensado em aproveitar esses últimos dias em que ver você ainda não seria para mim o que será daqui a duas semanas, talvez menos (desculpe a franqueza): um incômodo – pensei em aproveitá-los, antes do esquecimento final, para que resolvêssemos juntos pequenas questões materiais em que você poderia, boa e encantadora amiga, prestar um serviço àquele que se julgou, por cinco minutos, o seu noivo. Como não duvidava da aprovação de minha mãe, como, por outro lado, desejava que cada um de nós tivesse toda essa liberdade da qual você me fez, muito gentil e abundantemente, um sacrifício que se podia admitir para uma vida em comum de algumas semanas, mas que se tornaria tão odiosa para você quanto para mim, agora que devíamos passar a vida inteira juntos (quase me magoa, ao lhe escrever neste momento, pensar que isso esteve a ponto de ocorrer, esteve por um triz); tinha pensado em organizar nossa existência da maneira mais independente possível e, para começar, quisera que você possuísse aquele iate, no qual poderia viajar, enquanto eu, por demais enfermo, ficaria esperando no porto; tinha escrito a

Elstir para pedir conselho, já que você aprecia o seu gosto. Em terra, eu desejava que você tivesse um automóvel só para seu uso particular, no qual sairia, viajaria, a seu bel-prazer. O iate já estava quase pronto e se chama, conforme seu desejo *expresso em Balbec,* o Cisne. *E, lembrando-me que você preferiria os carros Rolls-Royce a todos os demais, havia encomendado um destes. Pois bem, agora que não nos veremos nunca mais, e como não espero fazê-la aceitar o barco nem o carro (para mim, eles não teriam utilidade nenhuma), tinha pensado que – como os encomendara a um intermediário mas dando o seu nome – você talvez pudesse, cancelando a encomenda, evitar-me esse iate e esse carro inúteis. Mas para isto, e para muitas outras coisas, precisamos conversar. Ora, parece-me que, enquanto eu for suscetível de amá-la novamente (o que não deverá durar muito tempo), seria insensato, por causa de um barco a vela e de um Rolls-Royce, que nos víssemos de novo, arriscando a felicidade da sua vida, pois você julga que ela consista em viver longe de mim. Não, prefiro conservar o Rolls-Royce e até o iate. E, como não me utilizarei deles e ambos certamente ficarão, sempre, um desarmado no porto, o outro na garagem, mandarei gravar no... (meu Deus, não ouso escrever um nome inexato de peça e cometer uma heresia que a deixaria chocada) do iate estes versos de Mallarmé de que você gosta:*

Un cygne, d'autrefois se souvient que c'est lui
Magnifique mais qui sans espoir se délivre
Pour n'avoir pas chanté la région où vivre
Quand du stérile hiver a resplendi l'ennui.[5]

Você se lembra, é a poesia que assim começa: Le vierge, le vivace et le bel aujourd'hui.[6] *Infelizmente o dia de hoje já não é virgem nem belo. Porém aqueles que, como eu, sabem que irão logo formar desse "hoje" um "amanhã" suportável, também são quase insuportáveis. Quanto ao Rolls-Royce, mereceria antes estes outros versos do mesmo poeta, que você dizia não poder compreender:*

Dis si je ne suis pas joyeux
Tonnerre et rubis aux moyeux
De voir en l'air que ce feu troue

Avec des royaumes épars
Comme mourir pourpre la roue
Du seul vésperal de mes chars.[7]

[5] "Um cisne de outrora se recorda que é magnífico, mas sem esperanças se desprende, por não ter cantado a região onde viveu quando resplandeceu o tédio do estéril inverno." (N. do T.)

[6] "O virgem, o vivaz, o belo dia de hoje."(N. do T.)

[7] "Diga se não sou feliz / Nos eixos corisco e rubis / Por ver no ar que este fogo fura // E com os reinos esparsos / Como acabar púrpura a roda / De uma só vesperal de meus carros." (N. do T.)

Adeus para sempre, minha pequena Albertine, e obrigado ainda pelo bom passeio que fizemos juntos na véspera de nossa separação. Guardo uma lembrança muito boa dele.

P.S. – *Não respondo ao que você me diz das pretensas proposições que Saint-Loup (que de modo algum creio que esteja na Touraine) teria feito à sua tia. Isso é coisa de Sherlock Holmes. Que idéia você faz de mim?*

Sem dúvida, da mesma forma que antigamente eu dissera a Albertine: "Não amo a você", para que ela me passasse a amar; "esqueço as pessoas quando fico sem vê-las", a fim de que ela me visse bem mais vezes; "decidi abandoná-la", para prevenir toda idéia de separação – agora, porque desejava absolutamente que ela voltasse dali a uma semana, é que eu dizia: "Adeus para sempre;" é porque desejava revê-la, que lhe dizia: "Acho perigoso que nos voltemos a ver"; porque viver separado dela me parecia pior que morrer, é que lhe escrevia: "Você tem razão, seríamos infelizes juntos." Ai de mim, esta carta fingida, que escrevi para dar a impressão de não me importar com ela (único orgulho que restou de meu antigo amor por Gilberte no meu amor por Albertine) e também pela doçura de dizer certas coisas que só podiam emocionar a mim e não a ela, deveria eu ter previsto logo ser possível que ela tivesse como resultado uma resposta negativa, ou seja, que consagrasse o que eu dizia; que era até provável que tal ocorresse, pois, ainda que Albertine fosse menos inteligente do que era, não teria duvidado um só instante do que o que eu dizia era falso. Com efeito, sem deter-se nas intenções que eu enunciava nessa carta, só o fato de escrevê-la, mesmo que não se seguisse à missão de Saint-Loup, já lhe bastava para provar o meu desejo de que ela voltasse e para aconselhá-la a me deixar cada vez mais fisgado no anzol. Depois, tendo previsto a possibilidade de uma resposta negativa, deveria prever igualmente que essa resposta de súbito me restituiria, em sua mais extrema vivacidade, o meu amor por Albertine. E deveria ter indagado a mim mesmo, antes de enviar a carta, se, no caso de Albertine responder no mesmo tom e não querer voltar, eu seria suficientemente senhor de minhas mágoas para me forçar a permanecer em silêncio, para não lhe telegrafar: VOLTE, ou não lhe enviar outro emissário, o que, depois de lhe haver escrito que não mais nos veríamos, seria mostrar-lhe, até a última evidência, que não podia passar sem ela, e teria como resultado que ela recusasse ainda mais energicamente, e que, não podendo mais suportar a minha angústia, partisse ao seu encontro, talvez para não ser recebido. E, sem dúvida, esta teria sido, após três enormes atitudes desastradas, a pior de todas, depois do que só me restaria o suicídio diante da sua casa. Mas a forma caótica com que se constrói o universo psicopatológico obriga a que o ato desastrado, o ato que acima de tudo seria preciso evitar, seja justamente o ato acalmante, o ato que, abrindo-nos outras perspectivas de esperança até que lhe saibamos o resultado, desembarace-nos momentaneamente da dor intolerável que a recusa faz nascer em nós. De modo que, quando a dor é excessivamente forte, precipitamo-nos na falta de jeito que consiste em escrever, em implorar através de outrem, em ir ver, em provar que não podemos passar sem a mulher amada.

Mas não previ nada disso. Parecia-me, ao contrário, que o resultado dessa carta era o de fazer Albertine voltar o mais rápido possível. Assim, pensando nessa conseqüência, sentira uma grande doçura ao escrever a carta. Mas, ao mesmo tempo, não deixara de chorar enquanto escrevia; primeiro, um pouco da mesma forma como no dia em que havia representado a separação falsa, porque estas palavras, configurando-me a idéia que me expressavam, embora tendessem a um objetivo oposto (pronunciadas mentirosamente para, por orgulho, não confessar que eu amava), traziam nelas a sua tristeza; mas também porque eu sentia que essa idéia tinha o seu tanto de verdade.

Parecendo-me seguro o resultado dessa carta, lamentei tê-la enviado. Pois, ao imaginar a volta de Albertine, em suma tão fácil, bruscamente as razões que tornavam o nosso casamento uma coisa má para mim regressaram com todas as suas forças. Esperava que ela se recusasse a voltar. Estava me ocupando em calcular que minha liberdade, todo o futuro da minha vida achavam-se na dependência de sua recusa; que fizera uma loucura ao escrever-lhe; que deveria ter pegado de volta a carta, infelizmente já enviada, quando Françoise, ao entregar-me igualmente o jornal que acabava de chegar, a trouxera de novo, pois não sabia quantos selos devia pôr no envelope. Porém logo mudei de opinião; desejava que Albertine não regressasse, mas queria que essa decisão partisse dela para acabar com a minha ansiedade, e decidi restituir a carta a Françoise. Abri o jornal. Anunciava a morte da Berma. Então lembrei-me das duas maneiras diferentes como tinha ouvido a *Fedra*, e foi agora de uma terceira forma diversa que pensei na cena da declaração. Tinha a impressão de que aquilo que recitara tantas vezes para mim mesmo, escutara no teatro, era o enunciado de leis que deveria experimentar na vida. Em nossa alma há coisas às quais não sabemos o quanto nos ligamos. Ou então, se as não largamos, é porque vivemos adiando, com medo de fracassar ou de sofrer, o momento de tomar posse delas. Foi o que me acontecera no caso de Gilberte, quando havia julgado renunciar a ela. Se, antes do momento em que estamos totalmente desligados dessas coisas, momento bem posterior àquele em que nos julgamos absolutamente desligados delas, a moça a quem amamos, por exemplo, fica noiva, então enlouquecemos; não mais podemos suportar a vida que nos parecia tão melancolicamente sossegada. Ou então, se a coisa está em nossa posse, achamos que é um fardo, que de bom grado a cederíamos; é o que me havia acontecido com relação a Albertine. Mas, se uma viagem nos tira a criatura desprezada, já não podemos viver. Pois bem, não é certo que o "argumento" da *Fedra* reunia os dois casos? Hipólito vai partir. Fedra, que até então cuidara de oferecer-se à sua inimizade – por escrúpulo, diz ela, ou melhor, como a faz dizer o poeta – pois não vê saída e porque não se sente amada, Fedra não se contém. Vai confessar-lhe o seu amor, e ocorre então a cena que eu tantas vezes recitara para mim mesmo:

On dit qu'un prompt départ vous éloigne de nous.[8]

Claro que esse motivo da partida de Hipólito é acessório, podemos pensar, junto do outro, a morte de Teseu. E da mesma forma, quando, alguns versos adiante, Fedra, por um momento, faz cara de que foi mal compreendida:

... Aurais-je perdu tout le soin de ma gloire?[9]

– pode-se pensar que é porque Hipólito repeliu sua declaração:

Madame, oubliez-vous
Que Thésée est mon père, et qu'il est votre époux?[10]

Todavia, mesmo que ele não manifestasse tal indignação, Fedra poderia sentir do mesmo modo, diante da felicidade, que esta valia muito pouco. Vendo, porém, que não alcançava a felicidade, e que Hipólito julga ter entendido mal e se desculpa, então – assim como eu, querendo devolver a minha carta a Françoise – ela deseja que a recusa venha dele, deseja arriscar a sorte até o fim:

Ah! cruel, tu m'as trop entendue.[11]

E até mesmo as grosserias, segundo me contaram de Swann para com Odette, ou as minhas para com Albertine, grosserias que substituem o amor anterior por um novo, feito de piedade, de enternecimento e de necessidade de efusão, e que apenas representam uma variante do antigo, também se encontram nesta cena:

Tu me haïssais plus, je ne t'aimais pas moins.
Tes malheurs te prêtaient encor de nouveaux charmes.[12]

A prova que o *zelo pela sua honra* não é o que mais importa para Fedra, está em que ela perdoaria Hipólito e recusaria os conselhos de Oenone, caso não soubesse, naquela instante, que Hipólito gosta de Arícia. De tal forma o ciúme, que em amor equivale à perda completa da felicidade, é mais sensível que a perda da reputação. É então que ela deixa Oenone (que é somente o nome da pior parte dela mesma) caluniar Hipólito sem se encarregar do *cuidado de defendê-lo* e, assim, envia este que não quer saber dela a um destino cujas calamidades, aliás, não a consolam de maneira alguma, já que sua morte voluntária segue-se logo à morte de Hipólito. Pelo menos, foi assim, reduzindo a parte de todos os escrúpulos "jansenistas", como teria dito Bergotte, que Racine atribuiu a Fedra para fazê-la parecer menos culpada, que me surgia aquela cena, espécie de profecia dos epi-

[8] "Dizem que breve ireis para longe de nós." (Racine, *Phèdre*, ato II, cena V, verso 584). (N. do T.)

[9] "Teria eu perdido todo o zelo pela minha honra?" (Id., *ibid.,* verso 666). (N. do T.)

[10] "Senhora, acaso esqueceis / Que Teseu é meu pai e que é vosso marido?" (Id., *ibid*, versos 663-664) (N. do T.)

[11] "Ah, cruel, entendeste-me até demais." (Id., *ibid.,* verso 670) (N. do T.)

[12] "Pois que mais me odiavas, eu não te amava menos. / Tuas desgraças ainda te davam novos encantos." (Id., *ibid.*, versos 688-689). (N. do T.)

sódios amorosos da minha própria existência. Essas reflexões, aliás, nada haviam mudado em minha determinação, e estendi a carta para Françoise para que ela enfim a pusesse no correio, tencionando realizar junto a Albertine aquela tentativa que me parecia indispensável desde que soubera não ter sido feita. E, sem dúvida, erramos ao pensar que a satisfação do nosso desejo tenha pouca importância, pois, desde que supomos que ele não pode se realizar, novamente nos aferramos a ele, e só admitimos que não valia a pena persegui-lo quando estamos seguros de alcançá-lo. E, no entanto, temos razão. Pois, se tal satisfação e tal felicidade só nos parecem mesquinhas devido à certeza, são, todavia, algo de instável de onde só podem sair desgostos. E estes serão tanto mais intensos quanto mais completa for a realização do desejo, e mais impossíveis de suportar se, contra a lei da natureza, a felicidade tiver sido prolongada por algum tempo, recebendo a consagração do hábito. Também num outro sentido, as duas tendências – na espécie, a que me fazia ter empenho em que a carta seguisse, e aquela de, ao julgá-la remetida, arrepender-me – contêm ambas a sua verdade. Quanto à primeira, é perfeitamente compreensível que corramos atrás da nossa felicidade – ou da nossa desgraça – e que, ao mesmo tempo, aspiremos a pôr diante de nós, através desse ato novo que vai começar a desenvolver suas conseqüências, uma espera que não nos deixa em desespero absoluto – numa palavra: que procuremos fazer passar por outras formas, que imaginamos nos devem ser talvez menos cruéis, o mal de que sofremos. Mas a outra tendência não é menos importante, pois, nascida da crença no êxito da nossa tentativa, é pura e simplesmente o começo, o começo antecipado da desilusão que em breve sentiríamos em presença da satisfação do desejo, ou a pena de termos fixado para nós, em detrimento das outras que se acham excluídas, essa forma de felicidade. Eu dera a carta a Françoise dizendo-lhe que a fosse pôr depressa no correio. Logo que a carta partiu, concebi de novo o regresso de Albertine como coisa iminente. Tal regresso não deixava de pôr em meu pensamento graciosas imagens que neutralizavam bastante, um pouco por sua doçura, os perigos que eu via nesse retorno. A doçura, perdida há tanto tempo, de tê-la junto a mim embriagava-me.

Passa o tempo, e, aos poucos, tudo o que dizíamos mentirosamente se transforma em verdade; já o experimentara bastante com Gilberte. A indiferença que eu fingira, quando não parava de soluçar, acabara por cumprir-se; pouco a pouco, como eu dizia a Gilberte numa fórmula mentirosa e que, retrospectivamente, tornara-se verdadeira, a vida nos havia separado. Lembrava-me disso e dizia comigo: "Se Albertine deixa correr alguns meses, minhas mentiras se transformarão em verdade. E agora que o mais duro já passou, não seria o caso de desejar que ela deixasse correr este mês? Se ela voltar, renunciarei à vida verdadeira que certamente ainda não estou em condições de desfrutar, mas que progressivamente poderá começar a me apresentar encantos, ao passo que a lembrança de Albertine irá enfraquecendo." Não digo que o esquecimento não começasse a cumprir sua tarefa. Mas um dos efeitos do esquecimento – fazendo com que muitos dos aspectos desagradáveis de Albertine, das horas aborrecidas que eu passava com ela, já não se reproduzissem na minha memória, e deixassem portanto de ser motivos para desejar que ela não estivesse ali, como era o meu desejo quando ela ainda estava aqui – era precisamente o de me fornecer dela uma imagem sumária, embelezada de todo o amor que eu sentira por outras. Sob essa forma particular, o esquecimento, que no entanto trabalhava para me habituar à separação, fazia-me, ao mostrar-me Albertine mais doce, mais bonita, desejar ainda mais a sua volta.

Desde que ela se fora, muitas vezes, quando me parecia que não podiam perceber que eu estivera chorando, tocava a campainha chamando Françoise, e lhe dizia: – Precisa ver se a Srta. Albertine esqueceu alguma coisa. Cuide para fazer a sua cama, de modo que esteja pronta quando ela chegar. – Ou simplesmente: – Ainda outro dia, a Senhorita Albertine me dizia... Olhe, justamente na véspera de sua partida... – Com isso, queria diminuir em Françoise o detestável prazer que lhe causava a partida de Albertine, dando-lhe a entender que sua ausência seria curta; e também queria mostrar a Françoise que não temia falar dessa partida, mostrá-la – como o fazem certos generais que chamam de recuos forçados a uma retirada estratégica e realizada segundo um plano preestabelecido – como sendo intencional, como constituindo um episódio cujo verdadeiro significado eu escondia momentaneamente, mas de modo algum como o fim da minha amizade com Albertine. Nomeando Albertine sem cessar, desejava por fim entrar de novo, como um pouco de ar, algo dela neste quarto onde a sua partida deixara o vazio e onde eu já não respirava mais. E buscamos diminuir as proporções de nossa dor, fazendo-a tomar parte da linguagem falada, entre a encomenda de um terno e as ordens para o jantar.

Ao arrumar o quarto de Albertine, Françoise, curiosa, abriu a gaveta de uma mesinha de madeira rosada, onde minha amiga punha os objetos íntimos que tirava ao deitar. – Oh, Senhor, a Senhorita Albertine se esqueceu de pegar os anéis! Ficaram na gaveta. – Meu primeiro impulso foi dizer: – É necessário enviá-los. – Mas isso daria a impressão de ser incerta a sua volta. – Bem – respondi após um instante de silêncio –, quase não vale a pena mandá-los, pelo pouco tempo que ela deve ficar ausente. Dê-mos, vou cuidar disso. – Françoise os entregou com uma certa desconfiança. Detestava Albertine mas, julgando-me por si mesma, pensava que não me podiam confiar uma carta escrita por minha amiga sem receio de que eu a abrisse. Peguei os anéis. – Tenha cuidado para não perdê-los, senhor – disse Françoise –, são verdadeiramente bonitos! Não sei quem os deu, se foi o senhor ou outra pessoa, mas sei perfeitamente que é alguém muito rico e de bom-gosto! – Não fui eu – respondi a Françoise – e além disso não foram os dois presentes da mesma pessoa; um lhe foi dado pela sua tia e o outro ela comprou. – Não foram da mesma pessoa! – exclamou Françoise –; o senhor está brincando; são iguaizinhos, menos o rubi, que foi acrescentado num deles. Em ambos existe a mesma figura de uma águia, as mesmas iniciais no lado de dentro. – Não sei se Françoise percebia o mal que estava me fazendo, mas começou a esboçar um sorriso que não mais abandonou seus lábios. – Como, a mesma águia? Você está louca. Neste que não tem rubi há uma águia, mas no outro está cinzelada uma espécie de cabeça de homem. – Cabeça de homem? Onde o senhor viu isso? Com o meu *lorgnon* eu vi logo que se tratava de uma das asas da águia; o senhor deve pegar sua lente; verá a outra asa do outro lado, a cabeça e o bico no meio. Vêem-se até as penas, uma a uma. Ah, é um belo trabalho. – A necessidade ansiosa de saber se Albertine me havia mentido fez-me esquecer que eu deveria manter alguma dignidade na presença de Françoise e recusar-lhe o maldoso prazer que ela sentia, se não em me torturar, ao menos em difamar a minha amiga. Eu arquejava, enquanto Françoise ia buscar minha lente; peguei-a, pedi a Françoise que me mostrasse a águia no anel com rubi, e ela não teve dificuldade em me fazer reconhecer as asas, estilizadas do mesmo modo que no outro anel, o relevo de cada pena, a cabeça. Assinalou-me também inscrições parecidas, às quais, é verdade, acrescentavam-se outras no anel com rubi. E no lado de dentro o monograma de Albertine. – Mas espanta-me que o senhor tenha tido necessidade de tudo isto para ver que se tratava do mesmo anel – disse Françoise. – Mesmo sem os olharmos de perto, sente-se muito bem o mesmo jeito, a mesma forma de preguear o ouro, a mesma maneira. Só com uma olhadela eu seria capaz de jurar que teriam vindo do mesmo local. Isto se reconhece como a cozinha de uma boa cozinheira. – E, de fato, à sua curiosidade de doméstica, atiçada pelo ódio e habituada a reparar em detalhes com espantosa precisão, juntara-se, para auxiliá-la nessa vistoria, o gosto que ela possuía, esse mesmo gosto, efetivamente, que mostrava na cozinha e que, talvez, fora aguçado, como eu percebera ao seguir para Balbec, em seu modo de vestir, sua faceirice de mulher que tinha sido bonita, que havia reparado nas jóias e vestidos das outras mulheres. Se me enganasse com a caixinha de remédio e, em vez de tomar alguns comprimidos de veronal, num dia em que reparasse ter bebido taças de chá em excesso, engolisse outros tantos comprimidos de cafeína, meu coração não teria batido com mais violência. Pedi a Françoise que saísse do quarto. Gostaria de ver Albertine imediatamente. Ao horror à sua mentira, ao ciúme pelo desconhecido, acrescentava-se a dor de que ela se tivesse deixado presentear daquela maneira. Mais presentes lhe dava eu, é verdade, mas uma mulher a quem sustentamos não nos parece uma mulher sustentada enquanto não sabemos que o é pelos outros. E, todavia, já que gastara continuamente tanto dinheiro com ela, eu a aceitara apesar dessa baixeza moral; baixeza que eu mantivera nela, que aumentara talvez, ou talvez criara. Depois, como temos o dom de inventar histórias para embalar a nossa dor, como chegamos, estando quase a morrer de fome, a nos convencer que um desconhecido vai nos deixar uma fortuna de cem milhões, imaginei Albertine em meus braços, explicando-me com uma palavra que era por causa da semelhança de fabricação que ela havia comprado o outro anel, e que fora ela mesma quem mandara gravar seu monograma nele. Mas tal explicação ainda era frágil, ainda não tivera tempo de penetrar profundamente em meu espírito suas raízes benfazejas; minha dor, assim, não podia ser acalmada tão depressa. E imaginava que tantos homens, que contam aos outros que sua amante é muito dedicada, sofrem de torturas semelhantes. É desse modo que mentem aos outros e a si mesmos. Não mentem de todo, aliás; desfrutam com essas mulheres de momentos verdadeiramente doces; mas pensemos em tudo o que essa gentileza que elas têm para com eles diante dos amigos, e que os leva a se vangloriarem, e em tudo o que essa gentileza que têm quando estão sozinhas com seus amantes desconhecidos, e que permite a estes abençoá-las, recobre de horas ignoradas em que o amante sofreu, duvidou, fez em toda parte buscas inúteis para conhecer a verdade! É a tais sofrimentos que se liga a doçura de amar, de se encantar com as frases mais insignificantes de uma mulher, frases que sabemos ser insignificantes, mas que perfumamos com o seu cheiro. Naquele momento, eu já não podia deleitar-me em respirar, pela recordação, o de Albertine. Aterrado, com os dois anéis na mão, olhava aquela águia impiedosa, cujo bico me atormentava o coração, cujas asas de plumas em relevo tinham arrebatado a confiança que eu conservava em minha amiga, e sob cujas garras o meu espírito dilacerado não podia escapar um só instante às perguntas feitas sem cessar em relação àquele desconhecido, de quem a águia sem dúvida simbolizava o nome, sem todavia torná-lo legível, desconhecido que ela certamente amara outrora e que sem dúvida havia reencontrado há pouco tempo pois fora no dia tão suave, tão familial, do passeio que fizemos juntos no Bois, que eu tinha visto pela primeira vez o segundo anel, aquele em que a águia parecia mergulhar o bico na toalha de sangue claro do rubi.

De resto se, da manhã à noite, eu não cessava de sofrer pela partida de Albertine, isto não significava que só pensasse nela. Por um lado, como o seu encanto, tendo desde muito tempo atingido aos poucos até os objetos mais afastados dela, e que não eram menos eletrizados pela mesma emoção que ela me causava, se algo me fazia pensar em Incarville, ou nos Verdurin, ou em um novo papel de Léa, um fluxo de sofrimento vinha me ferir. Por outro lado, o que eu mesmo chamava pensar em Albertine era pensar nos meios de fazê-la voltar, de juntar-me a ela, de saber o que andava fazendo. De modo que, se, durante essas horas de martírio incessante, um gráfico pudesse representar as imagens que acompanhavam o meu sofrimento, nele se veriam a estação de Orsay, as cédulas oferecidas à Sra. Bontemps, Saint-Loup debruçado à escrivaninha inclinada de uma agência de telégrafo, onde preenchia um formulário de telegrama para mim, e nunca a imagem de Albertine. Da mesma forma que, no decurso de toda a nossa vida, o nosso egoísmo vê o tempo inteiro à sua frente os objetivos preciosos para o nosso eu, mas jamais encara esse mesmo *eu* que não deixa de considerá-los, assim também o desejo, que dirige nossos atos, desce até eles mas não remonta a si mesmo, ou porque, excessivamente utilitário, se precipita na ação e desdenha o conhecimento, ou porque procuramos o futuro para corrigir as decepções do presente, ou finalmente porque a preguiça do espírito o impele a deslizar pela vertente fácil da imaginação em vez de fazê-lo subir a rampa abrupta da introspecção. Na realidade, nessas horas de crise em que jogaríamos toda a nossa vida, à medida que a criatura de quem ela depende revela melhor a imensidade do lugar que ocupa para nós, não deixando nada no mundo que não seja transtornado por ela, proporcionalmente a imagem dessa criatura diminui a ponto de se tornar imperceptível. Em todas as coisas encontramos o efeito de sua presença devido à emoção que sentimos; ela própria, a causa, não a encontramos em parte alguma. Durante aqueles dias, fui tão incapaz de imaginar Albertine que quase poderia crer que a não amasse, exatamente como minha mãe, nos momentos de desespero em que nunca lhe foi possível imaginar minha avó (salvo uma vez, no encontro fortuito de um sonho, cujo valor prezou de tal modo, mesmo dormindo, que se esforçou, com o que lhe restava de ânimo no sono, para prolongá-lo), teria podido acusar-se, e de fato se acusava, de não sentir a perda de sua mãe, cuja morte no entanto a matava, mas cujas feições lhe fugiam da lembrança.

Por que teria eu de acreditar que Albertine não gostava das mulheres? Porque dissera não gostar delas, principalmente nos últimos tempos; mas não repousava a nossa vida numa perpétua mentira? Ela nunca me indagara uma vez sequer: "Por que não posso sair livremente? Por que pergunta aos outros o que ando fazendo?" Mas era de fato uma vida bastante singular para que ela me deixasse de perguntar essas coisas, caso não lhes tivesse compreendido o motivo. E, ao meu silêncio acerca dos motivos de sua clausura, não era compreensível que correspondesse de sua parte um mesmo e constante silêncio acerca de seus perpétuos desejos, suas numerosas recordações, seus inumeráveis anseios e esperanças? Françoise dava a impressão de saber que eu mentia quando me referi ao próximo regresso de Albertine. E sua crença parecia basear-se sobre um pouco mais do que aquela verdade que de costume guiava a nossa criada: que os patrões não gostam de ser humilhados em face dos serviçais e só lhes dão a conhecer da realidade apenas o que não se afaste muito de uma ficção lisonjeira, própria para manter o respeito. Desta vez, a crença de Françoise se baseara em outra coisa, como se ela própria já houvesse despertado e mantido a desconfiança no espírito de Albertine, sobreexcitado a sua cólera, em suma, a tivesse levado ao ponto em que poderia prever como inevitável a sua partida. Se isso fosse verdade, a minha versão de uma partida temporária, conhecida e aprovada por mim, só poderia encontrar incredulidade por parte de Françoise. Mas a idéia que ela fazia do caráter interesseiro de Albertine, o exagero com que, no seu ódio, aumentava o "lucro" que Albertine presumivelmente tirava de mim, podiam em certa medida falsear sua certeza. Assim, quando diante dela eu aludia ao próximo regresso de Albertine como sendo uma coisa muito natural, Françoise me encarava, para ver se não estava inventando, do mesmo modo que, quando o mordomo, para aborrecê-la, trocando as palavras, lia a respeito de uma nova política em que ela custava a acreditar, como, por exemplo, o fechamento das igrejas e a deportação dos padres, lá do fundo da cozinha e sem poder ler, Françoise fixava instintiva e avidamente o jornal, como se pudesse ver se aquilo estava escrito de verdade.

Mas, quando ela viu que, após ter escrito uma longa carta, eu punha no envelope o endereço da Sra. Bontemps, esse terror, até então bem vago, de que Albertine regressasse, aumentou em Françoise. Expandiu-se em verdadeira consternação quando, certa manhã, teve de me entregar, no meio da correspondência, uma carta em cujo envelope havia reconhecido a caligrafia de Albertine. Indagava a si mesma se a partida de Albertine não fora uma simples comédia, suposição que duplamente a consternava, por assegurar definitivamente para o futuro a vida de Albertine em nossa casa, e por constituir para mim, isto é, para ela mesma, na medida em que eu era o patrão de Françoise, a humilhação de ter sido enganado por Albertine. Apesar da impaciência que eu tinha em ler a carta, não pude evitar contemplar por um instante o olhar de Françoise, de onde todas as esperanças haviam fugido, deduzindo desse presságio a iminência do retorno de Albertine, como um amador de esportes de inverno conclui alegremente que o tempo frio está próximo ao observar a partida das andorinhas. Por fim Françoise saiu, e, quando me assegurei de que ela havia fechado a porta, abri sem rumor, para não mostrar que estava ansioso, a carta seguinte:

Meu amigo, obrigada por todas as boas coisas que me diz, estou às suas ordens para cancelar a encomenda do Rolls-Royce, se acha que poderei lhe ser útil nisso, como creio. Basta que você me escreva o nome de seu intermediário. Você se deixaria lograr por essa gente que só procura uma coisa: vender, e que faria você com um carro, você que nunca sai? Estou muito comovida pelo fato de você haver conservado uma boa recordação do nosso último passeio. Creia que, de minha parte, não esquecerei esse passeio duas vezes crepuscular (pois a noite caía e nós íamos nos abandonar) e que ele só se apagará do meu espírito com a noite fechada.

Senti perfeitamente que a última frase não passava de uma frase e que Albertine não poderia conservar até a morte uma lembrança tão doce desse passeio em que certamente não sentira nenhum prazer, visto que estava impaciente por me deixar. Mas admirei também como era bem dotada a ciclista, a golfista de Balbec, que antes de me conhecer só havia lido *Esther*, e como tivera eu razão em achar que ela, na minha casa, enriquecera-se de qualidades novas que a tornavam diferente e mais completa. E assim, a frase que lhe tinha dito em Balbec: "Creio que a minha amizade lhe será preciosa, que sou justamente a pessoa que poderia lhe trazer aquilo que lhe falta" – escrevera-a como dedicatória numa fotografia: *Com a certeza de ser providencial* –, essa frase que dizia sem nela acreditar e unicamente para lhe fazer achar benéfico o estar comigo e reprimir o tédio que pudesse achar em minha companhia, essa frase também poderia ser verdadeira; da mesma forma, em suma, quando eu lhe dissera que não queria vê-la, de medo de amá-la. Havido dito aquilo porque, ao contrário, sabia que no convívio constante o meu amor se atenuaria e que a separação só faria exaltá-lo; mas, na realidade, o convívio constante fizera nascer uma necessidade dela, infinitamente mais forte que o amor dos primeiros tempos em Balbec.

Mas, afinal, a carta de Albertine não adiantava em nada as coisas. Ela só me falava para escrever ao intermediário. Era preciso sair dessa situação, precipitar as coisas, e tive a seguinte idéia: mandei levar imediatamente uma carta a Andrée, na qual lhe dizia que Albertine estava na casa da tia, que me sentia muito sozinho, que ela me daria prazer imenso se viesse instalar-se em minha casa por alguns dias e que, como eu não queria fazer segredinhos, pedia-lhe que desse conta disso a Albertine. E, ao mesmo tempo, escrevi a Albertine como se ainda não tivesse recebido a sua carta:

Minha amiga, perdoe-me o que você compreende muito bem; detesto tanto os segredinhos que desejei que você fosse avisada por ela e por mim. Por ter tido você tão docemente em minha casa, adquiri o mau hábito de não ficar sozinho. Já que decidimos que você não voltaria, pensei que a pessoa que melhor a poderia substituir, por ser a que me mudaria menos, a que mais me lembraria você, seria Andrée, e lhe pedi que viesse. Para que tudo isto não pareça muito brusco, só lhe falei em alguns dias; mas, aqui entre nós, penso que desta vez será para sempre. Não acha que tenho razão? Você sabe que o seu pequeno grupo de moças de Balbec sempre foi a célula social que teve para mim o maior prestígio, e ao qual me senti extremamente feliz de ser agregado um dia. Sem dúvida, é esse prestígio que ainda hoje se faz sentir. Já que a fatalidade de nossos temperamentos e a má sorte da vida não quiseram que a minha pequena Albertine fosse minha mulher, imagino que ainda assim terei uma mulher – menos encantadora que ela, mas a quem as maiores afinidades de temperamento permitirão talvez ser mais feliz comigo – em Andrée.

Mas, depois de ter mandado essa carta, veio-me de súbito a suspeita de que, quando Albertine me escrevera: *Eu teria ficado muito feliz por voltar se você me tivesse escrito diretamente*, só o fizera porque eu não lhe escrevera diretamente e que, mesmo que eu o tivesse feito, ainda assim ela não teria voltado; que ficaria contente por saber que Andrée estava em minha casa, e depois seria minha mulher, contanto que ela, Albertine, ficasse livre, pois agora podia, há oito dias já, eliminando as precauções de cada dia que eu havia tomado durante mais de seis meses em Paris, entregar-se a seus vícios e fazer aquilo que, minuto após minuto, eu tinha impedido. Eu dizia comigo que provavelmente, lá longe, ela empregava mal sua liberdade, e é claro que essa idéia que eu formava me parecia triste, mas continuava geral, nada me mostrando de particular e, pelo número indefinido das amantes possíveis que ela me fazia supor, sem me deixar fixar-me em nenhuma, arrastava o meu espírito numa espécie de movimento perpétuo não isento de dor, porém de uma dor que, pela ausência da imagem concreta, tornava-se suportável. Mas deixou de sê-lo e se tornou atroz à chegada de Saint-Loup. Antes de contar por que as suas palavras me fizeram tão infeliz, devo narrar um incidente que se coloca imediatamente antes de sua visita e cuja recordação a seguir me perturbou de tal modo que enfraqueceu, se não a impressão penosa que me causou a conversa com Saint-Loup, ao menos o alcance prático dessa conversa. Tal incidente consistiu no que se segue. Ardendo de impaciência por ver Saint-Loup, eu o esperava na escada (o que não teria podido fazer se minha mãe estivesse presente, pois isso era o que ela mais detestava no mundo depois de "falar da janela"), quando ouvi as seguintes palavras: – Como, não sabe despedir alguém que lhe desagrada? Não é difícil. Por exemplo, não tem mais que esconder os objetos que ele deve levar; então, no momento em que seus patrões o chamam, e estão com pressa, ele não acha nada e perde a cabeça; minha tia dirá a você, furiosa: "Mas o que é que ele está fazendo?" Quando ele chegar atrasado, todos estarão enfurecidos, e ele não trará o que é preciso. Depois de quatro ou cinco vezes, pode ficar certo de que ele será despedido, principalmente se você tiver o cuidado de sujar às escondidas o que ele deve manter limpo; e mil outros ardis desse tipo... – Eu permanecia mudo de espanto, pois essas palavras maquiavélicas e cruéis eram pronunciadas pela voz de Saint-Loup. Ora, eu sempre o considerara como um sujeito tão bom, tão piedoso para com os desgraçados, que aquilo me causava o efeito de que ele estivesse representando o papel de Satanás; mas não podia estar falando no seu próprio nome. – Mas sempre é necessário que todos ganhem a sua vida – disse o seu interlocutor, que então avistei e que era um dos lacaios da duquesa de Guermantes. – Que lhe importa, desde que você se saia bem? – respondeu maldosamente Saint-Loup. – Você, além disso, terá o prazer de arranjar um bode expiatório. Poderá muito bem derramar-lhe o tinteiro na libré, quando ele estiver servindo um jantar de gala, enfim, não lhe dar um minuto de trégua, de tal modo que ele acabará preferindo ir embora. De resto, vou lhe dar uma mãozinha: direi a minha tia que admiro a paciência de você em servir com um moleirão daqueles e tão mal vestido. – Apresentei-me, Saint-Loup veio ao meu encontro, porém minha confiança nele estava abalada desde que o acabara de ouvir, tão diferente daquele que eu conhecia. E me perguntava se alguém capaz de agir tão cruelmente com um infeliz não havia representado o papel de traidor a meu respeito, em sua missão junto à Sra. Bontemps. Essa reflexão serviu, sobretudo, para não me fazer considerar o seu fracasso como prova de que eu não podia ter êxito, se ele me deixasse. Mas, enquanto ele estava a meu lado, era todavia no Saint-Loup de outrora e principalmente ao amigo que acabava de deixar a Sra. Bontemps, que eu pensava. Primeiro, ele me disse: – Achas que deveria ter te telefonado mais vezes, mas diziam sempre que não estavas livre. – Mas onde meu sofrimento se tornou insuportável, foi quando ele me disse: – Para começar por onde o meu último despacho te deixou, depois de ter passado por uma espécie de galpão, entrei na casa e, no fim de um longo corredor, fizeram-me entrar numa sala. – A essas palavras de *galpão, corredor* e *sala*, e antes mesmo que acabassem de ser pronunciadas, meu coração foi atravessado com mais rapidez do que se estivesse em contato com uma corrente elétrica, pois a força que na maioria das vezes dá volta à Terra em um segundo não é a eletricidade, mas a dor. Como repeti, renovando com prazer o choque, essas palavras de *galpão, corredor* e *sala*, depois que Saint-Loup foi embora! Num galpão a gente pode se esconder com uma amiga. E, naquela sala, quem sabe o que Albertine fazia quando a tia se ausentava? Mas como? Eu então me havia representado a casa em que morava Albertine como não podendo ter galpão nem sala? Não, eu absolutamente não a representara para mim, a não ser como um lugar vago. Tinha sofrido uma primeira vez quando se individualizara geograficamente o lugar em que ela estava, quando soubera que, em vez de estar em dois ou três locais possíveis, ela se achava na Touraine; as palavras da porteira de seu apartamento haviam marcado em meu coração, como num mapa, o lugar onde enfim era preciso sofrer. Mas uma vez habituado à idéia de que ela se encontrava numa casa da Touraine, eu não tinha visto essa casa; nunca me viera à imaginação esta horrível idéia de sala, de galpão e de corredor, os quais agora pareciam estar à minha frente, na retina de Saint-Loup que os vira, a esses cômodos em que Albertine passava, andava, vivia, esses cômodos em particular e não uma infinidade de cômodos possíveis que se haviam destruído uns aos outros. A essas palavras de *galpão, corredor* e *sala*, pareceu-me loucura ter deixado Albertine oito dias nesse lugar maldito cuja *existência* (e não a simples possibilidade) acabava de me ser revelada. Ai de mim! Quando Saint-Loup me disse igualmente que naquela sala ouvira cantarem a meia voz num aposento ao lado, e que era Albertine quem cantava, compreendi desesperado que, livre de mim, afinal, ela era feliz! Havia reconquistado a sua liberdade. E eu, que pensava que ela viria tomar o lugar de Andrée! Minha dor se transformou em cólera contra Saint-Loup. – Foi tudo o que pedi que evitasses, que ela soubesse que ias! – Se achas que era fácil! Tinham-me assegurado que ela não se achava lá. Oh, sei muito bem que não estás contente comigo, senti-o perfeitamente nos teus telegramas. Porém és injusto; fiz o que pude. – Solta de novo, tendo deixado a jaula de onde, em minha casa, eu ficava dias inteiros sem chamá-la ao meu quarto, ela retomara para mim todo o seu valor, tornara-se outra vez aquela que todos seguiam, o pássaro maravilhoso dos primeiros dias. – Enfim, resumamos. Quanto ao dinheiro, não sei o que te dizer. Falei a uma senhora que me pareceu tão delicada que receei ofendê-la. Ora, ela não exclamou "Oh!" quando falei em dinheiro. E até, um pouco depois, disse-me que estava comovida por ver que nos compreendíamos tão bem. No entanto, tudo o que ela disse a seguir era tão delicado, tão sublime, que me parecia impossível que ela tivesse dito, quanto ao dinheiro que lhe oferecia: "Nós nos compreendemos tão bem", pois no fundo eu agia como um patife. – Mas talvez ela não tenha te compreendido, talvez não haja escutado, deverias ter repetido, pois certamente isto é que daria certo. – Mas como queres que ela não tenha escutado? Falei-lhe como te falo agora, ela não era surda nem louca. – E ela não fez nenhuma observação? – Nenhuma. – Deverias ter-lhe dito mais uma vez. – Como querias que eu lhe dissesse mais uma vez? Logo ao entrar, vendo a fisionomia dela, disse comigo que te havias enganado, que me mandavas fazer uma tremenda gafe, e era extremamente difícil oferecer-lhe dinheiro assim. Fi-lo todavia para te obedecer, convencido de que me poria porta a fora. – Mas ela não o fez. Portanto, ou não tinha ouvido e seria necessário recomeçar, ou poderias continuar a esse respeito. – Dizes: "Ela não tinha ouvido" porque estás aqui, mas, repito, se tivesses assistido à nossa conversa... Não havia nenhum rumor. E eu falei brutalmente. Não é possível que ela não tenha compreendido. – Mas afinal, ela está bem persuadida de que sempre quis desposar a sua sobrinha? – Não; quanto a isso, se queres a minha opinião, ela não acreditava que tivesses em absoluto a intenção de casar. Disse-me que tu mesmo havias confessado à sobrinha que desejavas abandoná-la. Não sei nem mesmo se agora ela esteja bem convencida de que desejas casar. – Isto me tranqüilizava um pouco, mostrando que eu estava menos humilhado, logo, capaz de ser amado ainda, mais livre para tentar um passo decisivo. Contudo, sentia-me atormentado. – Estou aborrecido, pois vejo que não estás satisfeito. – Sim, estou comovido, reconhecido pela tua gentileza, mas me parece que terias podido... – Fiz o melhor que pude. Outro qualquer não poderia ter feito mais, nem mesmo o que fiz. Experimenta outra pessoa. – Não, de jeito nenhum. Mas, se soubesse, não teria te enviado, mas o fracasso de tua providência não me impede de tentar outra. – Fazia-lhe censuras: ele tentara prestar-me um serviço e não lograra êxito. Ao sair, Saint-Loup tinha cruzado com algumas moças que entravam. Eu já havia suposto muitas vezes que Albertine conhecia moças naquele lugar, mas era a primeira vez que isso me torturava. É preciso crer de fato que a Natureza concede ao nosso espírito a secreção de um contraveneno natural que aniquila as suposições que fazemos a um tempo sem trégua e sem perigo; porém coisa alguma me imunizava contra aquelas moças que Saint-Loup tinha encontrado. Mas todos esses detalhes, não era justamente isso o que eu procurara obter de cada pessoa a respeito de Albertine? Não fora eu quem, para conhecê-los mais precisamente, pedira a Saint-Loup, chamado de volta pelo seu coronel, que passasse de qualquer jeito em minha casa? Então não fora eu que os desejara, eu, ou melhor, a minha dor ansiosa, ávida por aumentar e alimentar-se deles? Por fim Saint-Loup me dissera ter tido a boa surpresa de encontrar, bem perto dali, uma única pessoa conhecida e que lhe recordara o passado, uma antiga amiga de Rachel, uma bela atriz que passava as férias nas redondezas. E o nome dessa atriz bastou para que eu dissesse para mim mesmo: "Talvez seja com essa"; aquilo bastava para que eu visse, nos próprios braços de uma mulher a quem não conhecia, Albertine risonha e rubra de prazer. E, no fundo, por que não teria sido assim? Teria eu deixado de pensar em mulheres desde que conhecia Albertine? Na noite em que estivera pela primeira vez na casa da princesa de Guermantes, ao regressar, não pensava eu muito menos nesta última que na moça de que me falara Saint-Loup e que freqüentava os bordéis, e na camareira da Sra. Putbus? Não fora por causa desta última que eu tinha voltado a Balbec? Mais recentemente, tivera eu vontade de ir a Veneza; por que não poderia Albertine ter vontade de ir à Touraine? Apenas, no fundo – percebia agora –, eu não a teria deixado, não iria a Veneza. Até no fundo de mim mesmo, dizendo sempre: "Em breve a deixarei", sabia que não a deixaria mais, tão bem quanto sabia que não principiaria mais a trabalhar nem a viver uma vida higiênica, enfim, tudo aquilo que diariamente me prometia para o dia seguinte. Apenas, no fundo, fosse o que fosse aquilo em que eu acreditava, havia julgado mais hábil deixá-la viver sob a ameaça de uma perpétua separação. E, sem dúvida, graças à minha detestável habilidade, eu a convencera demais. Em todo caso, aquilo agora não podia continuar desse jeito, eu não podia deixá-la na Touraine com essas moças, com semelhante atriz; não podia suportar a idéia de que aquela vida me fugia. Esperaria a sua resposta à minha carta; se ela praticava o mal, pobre de mim, um dia a mais ou a menos não fazia diferença (e talvez eu me dissesse isto porque, não mais tendo o hábito de tomar conta de cada um de seus minutos, dos quais um só que ela tivesse passado em liberdade me transtornava, meu ciúme já não tinha a mesma divisão do tempo). Mas, logo que chegasse a sua resposta, se ela não voltasse eu iria buscá-la; por bem ou por mal, iria arrancá-la de suas amigas. Além disso, não era preferível que eu mesmo fosse, agora que havia descoberto a maldade de Saint-Loup, até então insuspeitada de mim? Quem sabe se ele não havia organizado todo um complô para me separar de Albertine? Seria porque eu tinha mudado, seria porque não pudera supor então que causas naturais me levariam um dia a esta situação excepcional; mas como teria mentido agora se lhe escrevesse, como lhe dizia em Paris que não desejava lhe acontecesse algum acidente! Ah, se acontecesse algum, minha vida, em vez de ser envenenada para sempre por este ciúme incessante, teria logo recuperado, se não a felicidade, ao menos a calma, pela supressão do sofrimento.

A supressão do sofrimento? Pude jamais acreditar nisso, acreditar que a morte não faz mais que riscar o que existe e deixar o resto intacto, que ela arrebata a dor ao coração daquele para quem a existência do outro não é mais que fonte de mágoas, que ela arrebata a dor e não põe nada em seu lugar? A supressão da dor! Percorrendo o noticiário dos jornais, eu lamentava não ter a coragem de enunciar o mesmo desejo de Swann. Se Albertine pudesse ser vítima de um acidente, viva, eu teria tido um pretexto para correr junto a ela; morta, teria recuperado, como dizia Swann, a liberdade de viver. Acreditava eu nisso? Ele o acreditara, aquele homem tão fino e que julgava conhecer-se bem. Como sabemos pouco do que nos vai pelo coração! Como, um pouco mais tarde, se ele ainda fosse vivo, eu teria podido lhe dizer que seu desejo, além de criminoso, era absurdo, que a morte daquela a quem amava não o teria livrado de coisa alguma!

Deixei de lado todo o orgulho diante de Albertine, e mandei-lhe um telegrama desesperado, pedindo-lhe que voltasse sob quaisquer condições, que ela faria tudo o que quisesse; pedia-lhe somente que me deixasse beijá-la por um minuto, três vezes por semana, antes que se deitasse. E, mesmo que ela dissesse: "Uma vez apenas", eu teria aceitado. Ela não voltou nunca mais. Meu telegrama acabava de ser expedido quando recebi outro. Era da Sra. Bontemps. O mundo não é criado de uma vez por todas para cada um de nós. Ele vai se acrescentando, no decurso da vida, de coisas de que nem suspeitávamos. Ah! Não foi a supressão do sofrimento o que produziram em mim as duas primeiras linhas do telegrama: MEU POBRE AMIGO, NOSSA PEQUENA ALBERTINE JÁ NÃO EXISTE, PERDOE-ME POR DIZER ESTA COISA HORRÍVEL AO SENHOR QUE A AMAVA TANTO. ELA FOI LANÇADA PELO SEU CAVALO CONTRA UMA ÁRVORE DURANTE UM PASSEIO. TODOS OS NOSSOS ESFORÇOS NÃO PUDERAM REANIMÁ-LA. ANTES TIVESSE EU MORRIDO EM SEU LUGAR! Não, não a supressão do sofrimento, mas um sofrimento desconhecido, o de saber que ela não voltaria mais. Mas não me dissera eu diversas vezes que ela talvez não voltasse mais? Dissera-o de fato a mim mesmo, mas agora percebia que não o acreditara por um instante sequer. Visto necessitar de sua presença, de seus beijos, para suportar o mal que me causavam as minhas suspeitas, adquirira, desde Balbec, o hábito de estar sempre com ela. Mesmo quando ela havia saído, quando me encontrava sozinho, eu ainda a beijava. E continuara assim desde que ela fora para a Touraine. Precisava menos da sua fidelidade que do seu regresso. E, se a minha razão podia impunemente duvidar disso, a imaginação não cessava por um instante de figurá-lo. Instintivamente, passei a mão pelo pescoço e pelos lábios, que se sentiam beijados por ela desde que partira, e que nunca mais o seriam; passei a mão por eles, como mamãe me havia acariciado quando da morte de minha avó, dizendo-me: – Meu pobre pequeno, tua avó que te amava tanto não vai te beijar mais. – Toda a minha vida vindoura se achava arrancada de meu coração. Minha vida vindoura? Então não pensara eu por vezes em vivê-la sem Albertine? Não! Desde muito tempo então eu não lhe havia dedicado todos os minutos de minha vida até a morte? Mas é claro! Esse futuro inseparável dela, eu não soubera percebê-lo, mas agora que acabava de descerrar-se, bem sentia o lugar que ele ocupava em meu coração aberto. Françoise, que ainda não sabia de nada, entrou em meu quarto; furiosamente, gritei-lhe: – O que é que há? – Então (existem às vezes palavras que põem uma realidade diferente no mesmo lugar da que está junto a nós, e nos aturdem tanto quanto uma vertigem) ela me disse: – O senhor não precisa ficar zangado. Pelo contrário, vai ficar bem contente. São duas cartas da senhorita Albertine. – Percebi depois que deveria ter o olhar de alguém cujo espírito perde o equilíbrio. Não fiquei feliz nem incrédulo. Sentia-me como alguém que enxerga o mesmo lugar de seu quarto ocupado por um canapé e por uma gruta. Nada mais lhe parecendo real, ele cai por terra. As duas cartas de Albertine deviam ter sido escritas pouco tempo antes do passeio em que ela morrera. A primeira dizia:

Meu amigo, agradeço-lhe a prova de confiança que me dá ao me dizer de sua intenção de trazer Andrée para sua casa. Estou certa de que ela aceitará com alegria e creio que isto será muito feliz para ela. Bem dotada como é, saberá aproveitar a companhia de um homem como você e a admirável influência que você sabe exercer sobre uma pessoa. Acho que teve uma idéia da qual pode nascer tanto benefício para você como para ela. Assim, se ela opuser alguma dificuldade (no que não creio), passe-me um telegrama que me encarregarei de convencê-la.

A segunda estada datada de um dia depois. Na verdade, Albertine deve tê-las escrito com poucos instantes de intervalo, talvez ao mesmo tempo, e deve ter pré-datado a primeira. Pois o tempo todo eu imaginara absurdamente as suas intenções, que só consistiam em voltar para junto de mim e que alguém desinteressado no assunto, um homem sem imaginação, o negociador de um tratado de paz, o comerciante que examina uma transação, teria julgado melhor do que eu. Continha apenas estas palavras:

Será tarde demais para que eu volte para sua casa? Se ainda não escreveu a Andrée, consentiria em me aceitar de volta? Eu me inclinarei diante de sua decisão; peço-lhe que não tarde a me comunicá-la; imagina com que impaciência a espero. Se for para que eu volte, tomarei o trem imediatamente. De todo o coração, sua Albertine.

Para que a morte de Albertine pudesse suprimir meus sofrimentos, seria necessário que o choque a tivesse matado não apenas na Touraine mas dentro de mim. Ela nunca aí estivera mais viva. Para entrar em nós, uma criatura foi obrigada a assumir a forma, a submeter-se ao quadro do tempo; só nos aparecendo em minutos sucessivos, ela nunca pôde nos entregar, de sua pessoa, senão um só aspecto de cada vez, fornecer de si mesma apenas uma única fotografia. Grande fraqueza, sem dúvida, para uma criatura, o consistir numa simples coleção de momentos; grande força também; depende da memória, e a memória de um momento não é informada acerca de tudo o que se passou desde então. Esse momento que ela registrou dura ainda, vive ainda, e com ele a criatura que aí se perfilava. E, além disso, esse esmigalhamento não faz apenas viver a pessoa morta, multiplica-a. Para me consolar, não era uma, eram inumeráveis Albertines que eu deveria esquecer. Quando chegasse a suportar o desgosto de ter perdido esta, era o caso de ter de recomeçar com uma outra, com cem outras.

Então a minha vida mudou completamente. Aquilo que, e não por causa de Albertine, mas paralelamente a ela, quando eu estava sozinho, formara-lhe a doçura, era justamente, ao apelo de momentos idênticos, o perpétuo renascer de momentos antigos. Pelo ruído da chuva era-me restituído o cheiro dos lilases de Combray; pela passagem do sol sobre o balcão, os pombos dos Champs-Élysées; pelo amortecimento dos ruídos no calor da manhã, a frescura das cerejas; o desejo da Bretanha ou de Veneza pelo rumor do vento e pela volta da Páscoa. Aproximava-se o verão, os dias se encompridavam, fazia calor. Era o tempo em que, de manhã bem cedo, alunos e professores vão para os jardins públicos preparar os últimos concursos debaixo das árvores, a fim de recolher a única gota de frescura deixada cair por um céu menos flamejante que no ardor do dia, porém já também esterilmente puro. Do meu quarto ensombrado, com um poder de evocação igual ao de outrora, mas que só me dava sofrimento, eu sentia que lá fora, na lentidão do ar, o sol poente punha na verticalidade das casas e das igrejas um fulvo tom de ocre. E se Françoise, ao voltar, desarrumava sem querer as pregas das grandes cortinas, eu sufocava um grito diante do rasgão que acabava de fazer dentro de mim esse raio de sol antigo que me fizera parecer bela a fachada nova de Bricqueville l'Orgueilleuse, quando Albertine me dissera: – Ela está restaurada. – Não sabendo como explicar o meu suspiro a Françoise, dizia-lhe: – Ah, tenho sede. – Ela saía, voltava, mas eu me desviava com violência, sob o influxo doloroso de uma das mil recordações invisíveis que a todo instante estalavam a meu redor na sombra: acabava de ver que ela trouxera a sidra e as cerejas, as mesmas que um empregado da granja nos levara ao carro, em Balbec, espécies sob as quais eu mais perfeitamente teria comungado, outrora, com o arco-íris das salas de jantar escuras, nos dias escaldantes. Então pensei pela primeira vez na granja dos Ecorres, e disse comigo que, em certos dias, quando Albertine me dizia, em Balbec, não estar livre, ser obrigada a sair com a tia, talvez estivesse na companhia de uma de suas amigas numa granja aonde ela sabia que eu não costumava ir e, enquanto eu casualmente me demorava em Marie-Antoinette, onde me haviam dito: – Não a vimos hoje –, ela empregava com a amiga as mesmas palavras que usava para comigo quando saíamos juntos: – Ele não terá idéia de nos procurar aqui e assim não seremos incomodadas. – Eu dizia a Françoise que cerrasse as cortinas para não ver mais aquele raio de sol. Mas ele continuava a filtrar-se, igualmente corrosivo, na minha memória. – Não gosto, foi restaurada, mas amanhã iremos a Saint-Martin-le-Vêtu, depois de amanhã a ... – Amanhã, depois de amanhã, era um futuro de vida em comum, talvez para sempre, que principia, meu coração se arremessava para ele, mas ele já não estava ali, Albertine havia morrido.

Perguntei as horas a Françoise: seis horas. Enfim, graças a Deus, ia desaparecer aquele calor pesado de que antes eu me queixava a Albertine e que tanto apreciávamos. O dia chegava ao fim. Mas o que ganhava eu com isso? Erguia-se o frescor da noite, era o pôr-do-sol; em minha memória, ao fim de uma estrada que tomávamos juntos para regressar, eu percebia, mais além da última aldeia, uma espécie de estação distante, inacessível àquela noite em que nos deteríamos em Balbec, sempre juntos. Juntos então, era preciso agora parar de repente diante desse mesmo abismo, ela havia morrido. Já não era bastante cerrar as cortinas; eu procurava tapar os olhos e os ouvidos de minha memória, para não rever aquela faixa alaranjada do poente, para não ouvir aqueles pássaros invisíveis que se respondiam de uma árvore à outra, a cada lado de mim, enquanto eu beijava tão ternamente aquela que agora estava morta. Tentava evitar as sensações que me davam a umidade das folhas à tardinha, a subida e a descida das estradas em lombo de burro. Mas essas sensações já tinham se apoderado outra vez de mim, levando-me para bem longe do momento presente, para que a idéia de que Albertine havia morrido adquirisse todo o recuo, todo o impulso necessário para me ferir de novo. Ah, eu nunca mais entraria numa floresta, não passearia mais entre as árvores. Mas seriam as grandes planícies menos cruéis para mim? Quantas vezes, para ir buscar Albertine, havia eu atravessado a grande planície de Cricqueville, e quantas vezes a recruzara de volta com ela, ora nos tempos brumosos, em que a inundação do nevoeiro nos dava a ilusão de estarmos rodeados por um lago imenso, ora nas noites límpidas em que o luar, desmaterializando a terra, fazendo-a parecer celeste a dois passos de nós, como só o é, durante o dia, nas lonjuras, encerrava os campos, os bosques, com o firmamento a que os assimilara, na ágata arborizada de um único azul!

Françoise devia estar feliz com a morte de Albertine, e é preciso fazer-lhe justiça: por uma espécie de decência e de tato, ela não simulava tristeza. Mas as leis não escritas de seu código antigo, e sua tradição de camponesa medieval que chora como nas canções de gesta, eram mais velhas que seu ódio por Albertine e até por Eulalie. Assim, num daqueles fins de tarde, como eu não escondesse bem depressa o sofrimento, ela percebeu minhas lágrimas, ajudada pelo instinto de antiga camponesinha, que naquela época a levava a capturar e fazer sofrer os animais, sentir apenas alegria em torcer o pescoço dos frangos e a cozinhar vivas as lagostas, e, quando eu estava doente, a observar o meu aspecto como se fossem feridas que ela houvesse causado a uma coruja e, a seguir, anunciá-lo em tom fúnebre e como um presságio de infelicidade. Mas o seu "costumário" de Combray não lhe permitia tomar de modo leviano as lágrimas, o desgosto, coisas que ela julgava tão funestas como tirar a roupa de flanela ou comer contra a vontade. – Oh, não, senhor, não deve chorar dessa maneira, isto vai lhe fazer mal! – E, querendo estancar minhas lágrimas, mostrava-se tão inquieta como se se tratasse de ondas de sangue. Infelizmente assumi um ar frio, que cortou de imediato as efusões que ela esperava e que, de resto, talvez teriam sido sinceras. Talvez Albertine lhe importasse tão pouco quanto Eulalie e, agora que minha amiga não podia tirar mais nenhum proveito de mim, Françoise deixara de odiá-la. Entretanto, fez questão de me mostrar que percebia perfeitamente que eu estava chorando e que, seguindo apenas o funesto exemplo dos meus parentes, não queria "mostrar". – Não é preciso chorar, senhor – disse-me ela num tom desta vez calmo, e antes para me mostrar a sua clarividência do que para testemunhar piedade. E acrescentou: – Isso deveria acontecer; ela era feliz demais, a pobrezinha, e não soube reconhecer sua felicidade.

Como o dia custa a morrer nessas tardes desmesuradas de verão! Um pálido fantasma da casa fronteira continuava indefinidamente a aquarelar sua brancura persistente no céu. Por fim se fazia noite no apartamento, eu esbarrava nos móveis do vestíbulo, mas na porta da escada, em meio ao negror que eu julgava total, a parte envidraçada estava translúcida e azul, de um azul de flor, de asa de inseto, de um azul que teria me parecido belo se eu não tivesse percebido que era um derradeiro reflexo, cortante como a lâmina do aço, um golpe supremo que o dia me assestava ainda em sua crueldade infatigável.

No entanto, a escuridão completa acabava por chegar, mas então bastava uma estrela vista ao lado da árvore do pátio para me recordar nossas partidas de carro, depois do jantar, em direção aos bosques de Chantepie, alcatifados de luar. E, mesmo nas ruas, acontecia-me isolar no encosto de um banco, recolher a pureza natural de um raio de lua em meio às luzes artificiais de Paris – dessa Paris sobre a qual, fazendo regressar um momento, pela imaginação, a cidade à natureza, ele obtinha que reinasse, com o silêncio infinito dos campos evocados, a lembrança dolorosa dos passeios que eu ali fizera com Albertine. Ah, quando acabaria a noite? Mas, à primeira brisa da aurora, eu estremecia, pois ela me trouxera de novo a doçura daquele verão no qual, de Balbec a Incarville, de Incarville a Balbec, tantas vezes nos tínhamos acompanhado um ao outro até o amanhecer. Só me restava uma esperança para o futuro – esperança bem mais dilacerante que o temor –; era a de esquecer Albertine. Sabia que iria esquecê-la mais cedo ou mais tarde, pois esquecera Gilberte e a Sra. de Guermantes, esquecera de todo a minha avó. E o nosso mais justo e mais cruel castigo, diante do esquecimento completo, pacífico igual ao dos cemitérios, pelo qual somos desligados daqueles que não mais amamos, é que vislumbramos esse mesmo esquecimento como inevitável em relação àqueles a quem amamos ainda. Para falar a verdade, sabemos que é um estado indolor, um estado de indiferença. Mas, não podendo pensar ao mesmo tempo no que eu era e no que seria, pensava com desespero em todo esse tegumento de carícias, de beijos e de sonos amigos, do qual era preciso em breve despojar-me para nunca mais. O impulso dessas lembranças tão ternas, vindo quebrar-se de encontro à idéia de que Albertine havia morrido, oprimia-me pelo entrechoque de fluxos tão contrários que eu não podia permanecer imóvel; erguia-me, mas de súbito estacava, apavorado; a mesma madrugada que eu via no momento em que acabava de deixar Albertine, ainda radioso e quente de seus beijos, vinha lançar por sobre as cortinas a sua lâmina, agora sinistra, cuja brancura fria, implacável e compacta, entrava dando-me uma espécie de punhalada.

Dali a pouco os ruídos da rua iam recomeçar, permitindo ler na escala qualitativa de suas sonoridades o grau de calor, aumentado sem cessar, em que repercutiriam. Mas, nesse calor que horas mais tarde haveria de embeber-se do cheiro das cerejas, o que eu achava – como num remédio em que a substituição de uma das partes componentes por outra basta para torná-lo, de eufórico e excitante, um depressivo – não era mais o desejo das mulheres, mas a angústia da partida de Albertine. Aliás, a lembrança de todos os meus desejos se impregnara tanto dela, e de sofrimento, quanto a lembrança dos prazeres. Essa Veneza onde eu julgara que sua presença me seria importuna (sem dúvida porque sentia confusamente que ela me seria necessária ali), agora que Albertine já não existia, preferia eu não ir até lá. Albertine me parecera um obstáculo interposto entre mim e todas as coisas, porque para mim era ela quem as continha todas, e era dela, como de um vaso, que eu podia recebê-las. Agora que esse vaso estava destruído, eu já não sentia coragem para agarrá-las; não havia mais uma só de que eu não me afastasse, abatido, preferindo não desfrutá-la. De modo que minha separação dela não me abria de jeito nenhum o campo dos prazeres possíveis, que eu supusera fechado pela sua presença. Além do mais, o obstáculo que sua presença talvez houvesse de fato sido para mim, no que diz respeito a viajar e gozar a vida, somente disfarçara, como sempre acontece, os outros obstáculos, que reapareciam intatos agora que esse havia desaparecido. Desse modo é que, antes, quando alguma visita amável me impedia de trabalhar, se no dia seguinte eu ficava sozinho, nem por isso trabalhava. Quando uma doença, um duelo, um cavalo arrebatado, nos fazem ver a morte de perto, como teríamos gozado imensamente a vida, a volúpia e os países desconhecidos de que iremos ser privados. E, uma vez que o perigo passa, o que descobrimos é a mesma vida morna onde nada disso existia para nós.

É claro que essas noites tão curtas duram pouco. O inverno acabaria voltando, e então eu não mais precisaria temer a lembrança dos passeios que fizera com ela até a aurora bem cedinho. Mas as primeiras geadas, não me devolveriam elas, conservado em seu gelo, o gérmen de meus primeiros desejos, quando à meia-noite eu mandava buscá-la, e tão longo me parecia o tempo até o seu toque de campainha, que agora eu poderia esperar eternamente em vão? Não me devolveriam o gérmen de minhas primeiras inquietações, quando por duas vezes achei que ela não viria? Naquele tempo eu só a via raramente; mas até esses intervalos então existentes entre suas visitas, que a faziam aparecer ao fim de várias semanas do seio de uma vida ignorada que eu não tentava possuir, asseguravam-me a tranqüilidade, impedindo que se aglomerassem, e formassem um bloco em meu coração, as veleidades constantemente interrompidas de meu ciúme. Esses intervalos, tão acalmantes, podiam ter sido naquele tempo, quanto, retrospectivamente, eram impregnados de sofrimento desde que o que ela pudera fazer de desconhecido, durante eles, deixara de me ser indiferente, sobretudo agora que nenhuma visita dela viria nunca mais; de modo que essas noites de janeiro em que ela vinha e que por isso me foram tão suaves, insuflaram-me agora, em sua nortada acerba, uma inquietude que à época eu não conhecia, e me devolveriam, porém tornado pernicioso, o primeiro gérmen do meu amor. E pensando que veria recomeçar aquele tempo frio que, desde Gilberte e meus jogos nos Champs-Élysées, havia-me parecido tão triste; e pensando que voltariam noites de nevada iguais àquela, em que eu havia esperado Albertine em vão durante muito tempo, então, como um enfermo que se coloca bem, no ponto de vista do corpo, para os seus pulmões, eu, moralmente, naqueles instantes, o que temia acima de tudo, para o meu sofrimento, para o meu coração, era a volta das grandes friagens, e dizia comigo que o mais duro de passar seria talvez o inverno. Ligada como estava a todas as estações a lembrança de Albertine, para que eu a perdesse seria preciso esquecê-las todas, arriscando-me a recomeçar a conhecê-las, como um velho hemiplégico precisa reaprender a ler; seria preciso que renunciasse a todo o universo. Apenas, dizia comigo, uma verdadeira morte de mim mesmo seria capaz (mas ela é impossível) de me consolar da sua. Eu não pensava que a morte de nós mesmos não fosse impossível nem extraordinária; ela se consuma à nossa revelia, se necessário contra a nossa vontade, todos os dias, e eu sofreria com a repetição de toda espécie de dias que não só a natureza, mas também circunstâncias factícias ou uma ordem mais convencional, introduzem numa estação. Em breve, retornaria a data em que eu fora a Balbec, no outro verão, e onde o meu amor, que ainda não era inseparável do ciúme e que não se incomodava com o que Albertine fazia o dia inteiro, deveria sofrer tantas mudanças antes de se tornar aquele amor tão diverso dos últimos tempos, tão particular, que esse ano final, em que principiara a mudar e onde havia terminado o destino de Albertine, me aparecia pleno, diferente, vasto como um século. Depois, seria a lembrança dos dias mais tardios, mas nos anos anteriores; os domingos de mau tempo, onde contudo o mundo inteiro saíra, no vazio da tarde, em que o ruído do vento e da chuva teria me convidado antigamente a ficar como o "filósofo nas águas-furtadas"; com que ansiedade eu veria aproximar-se a hora em que Albertine, tão pouco esperada, viera visitar-me, beijara-me pela primeira vez, interrompendo-se por causa de Françoise que tinha vindo trazer a lâmpada, naquele tempo duplamente morto em que Albertine é que estava curiosa de mim, em que a minha ternura por ela podia legitimamente manter tantas esperanças! Mesmo numa estação mais avançada, aquelas noites gloriosas em que as copas e os pensionatos, entreabertos como capelas, banhados numa poeira de ouro, deixam a rua coroar-se com essas semideusas que, conversando não longe de nós com suas iguais, causam-nos a febre de penetrar em sua existência mitológica, só me recordavam a ternura de Albertine que, a meu lado, constituía um empecilho para me aproximar delas.

Aliás, à recordação das horas, mesmo puramente naturais, ajuntaria-se forçosamente a paisagem moral que as transformava em algo único. Quando, mais tarde, eu ouvisse a corneta do cabreiro, num começo de bom tempo, quase italiano, esse mesmo dia haveria de misturar alternadamente à sua luz a ansiedade de saber que Albertine estava no Trocadero, talvez com Léa e as duas moças, depois a doçura doméstica e familial, quase comum, de uma esposa que então me parecia um estorvo e que Françoise me traria de volta. Eu julgara envaidecer-me com aquele recado telefônico de Françoise, que me transmitira a homenagem obediente de Albertine voltando com ela. Enganara-me. Se ele me havia embriagado, fora porque me fizera sentir que aquela que eu amava me pertencia, só vivia para mim, e mesmo à distância, sem que dela precisasse me ocupar, considerava-me o seu esposo e seu amo, regressando a um sinal meu. E, assim, esse recado telefônico tinha sido uma parcela de doçura, vinda de longe, emitida daquele quarteirão do Trocadero, onde acontecia haver para mim fontes de felicidade que me dirigiam calmantes moléculas, bálsamos apaziguadores que me devolviam enfim uma tão doce liberdade de espírito, que eu – entregando-me sem a restrição de um só cuidado à música de Wagner – não precisava mais que esperar a chegada certa de Albertine, sem febre, com inteira falta de impaciência, em que eu não soubera reconhecer a felicidade. E essa felicidade de que ela voltaria, de que me obedecia e me pertencia, era causada pelo amor e não pelo orgulho. Pois agora me seria indiferente ter à minha disposição cinqüenta mulheres que voltassem a um sinal meu, não do Trocadero mas das Índias. Porém, naquele dia, ao perceber Albertine que, enquanto eu estava sozinho no quarto tocando música, vinha docilmente para junto de mim, respirei, disseminada como poeira solar, uma dessas substâncias que, assim como outras são salutares ao corpo, fazem bem à alma. Depois, meia hora mais tarde, houve a chegada de Albertine; depois, o passeio com Albertine, chegada e passeio que eu julgara tediosos porque, para mim, estavam acompanhados de certeza, mas que, devido a essa mesma certeza, a partir do momento em que Françoise me telefonara dizendo que a traria, tinham feito escorrer uma calma dourada sobre as horas seguintes, convertendo-se numa espécie de segundo dia, bem diverso do primeiro, porque tinha um fundo moral bem diferente, um fundo moral que dele fazia um dia original, que vinha acrescentar-se à variedade daqueles que eu conhecera até então, dia que eu jamais poderia imaginar – como não poderíamos imaginar o repouso de um dia de verão, se tais dias não existissem na série daqueles que já vivemos –, dia de que eu não podia absolutamente dizer que me recordava, pois àquela calma se ajuntava agora um sofrimento que eu não havia sentido naquela época. Bem mais tarde, porém, quando aos poucos atravessei, em sentido inverso, os tempos pelos quais passara antes de amar tanto Albertine, quando meu coração cicatrizado pôde se separar sem mágoa da Albertine morta, então, quando afinal pude me lembrar sem sofrer daquele dia em que Albertine fora com Françoise fazer compras, em vez de ficar no Trocadero – lembrei-me com prazer daquele dia como pertencendo a uma estação moral que eu não havia conhecido até então; lembrei-me dele, por fim, exatamente como nos lembramos de certos dias de verão que achamos quentes demais quando os vivemos, e dos quais afinal de contas extraímos o valor sem mistura de ouro fino e azul indestrutível.

De modo que esses poucos anos não impunham somente à lembrança de Albertine, que os tornava tão dolorosos, as cores sucessivas, as modalidades diversas, a cinza de suas estações ou de suas horas, dos fins de tarde de junho às noites de inverno, dos luares sobre o mar à aurora ao voltar para casa, da neve de Paris às folhas secas de Saint-Cloud, mas também a idéia particular que eu me fazia sucessivamente de Albertine, do aspecto físico sob o qual a imaginara em cada um desses momentos, da maior ou menor freqüência com que a vira naquela estação, que assim se tornava mais dispersa ou mais compactada, das ansiedades que ela então pudera causar-me devido à espera, do desejo que eu sentia em tal momento por ela, de esperanças formuladas e depois perdidas; tudo isso modificava o caráter da minha tristeza retrospectiva, tanto quanto as impressões de luz ou de perfumes que lhes estavam associadas, e completava cada um dos anos solares que eu tinha vivido, e que, só pelas suas primaveras, seus outonos, seus invernos, eram já tão tristes por causa da recordação inseparável dela, duplicando-a com uma espécie de ano sentimental em que as horas não eram definidas pela posição do sol mas pela espera de um encontro marcado; em que o comprimento dos dias ou os progressos da temperatura eram medidos pelo vôo de minhas esperanças, pelo progresso de nossa intimidade, pela transformação gradativa de seu rosto, pelas viagens que ela fizera, pela freqüência e pelo estilo das cartas que me escrevera durante certa ausência, sua maior ou menor precipitação em me ver, ao voltar. E, por fim, essas mudanças de tempo, esses dias diferentes, se cada um deles me trazia uma outra Albertine, não era apenas pela evocação de momentos semelhantes. Lembrem-se que desde sempre, antes mesmo que eu a amasse, cada dia fizera de mim um homem diferente, tendo outros desejos porque possuía outras percepções, e que, só por ter sonhado na véspera com rochedos e tempestades, se o dia indiscreto de primavera insinuara um odor de rosas na clausura mal fechada de seu sono entreaberto, eu despertava de partida para a Itália. E até no amor, o estado mutável de minha atmosfera moral, a pressão modificada de minhas crenças não tinham, em certo dia, diminuído a visibilidade de meu próprio amor, aumentando-a indefinidamente em outro, embelezando-a num dia até o sorriso, em outro contraindo-a até a tempestade? Somos apenas aquilo que possuímos, não possuímos senão o que nos está de fato presente, e tantas de nossas lembranças, de nossos humores, de nossas idéias, partem para viagens longe de nós mesmos, onde os perdemos de vista! Então não mais podemos levá-los em consideração nesse total que é o nosso ser. Mas eles têm caminhos secretos para voltar a entrar em nós. E em certas noites, tendo eu adormecido sem quase mais lamentar Albertine – só podemos lamentar aquilo de que nos lembramos –, encontrava, ao acordar, toda uma frota de recordações que tinham vindo cruzar em mim, na minha mais clara consciência, e que eu distinguia esplendidamente bem. Então, eu lastimava aquilo que via tão bem e que na véspera não era coisa alguma para mim. O nome de Albertine e sua morte haviam mudado de sentido; suas traições tinham readquirido subitamente toda a sua importância.

Como é que ela me pudera parecer morta, quando agora, para pensar nela, eu só tinha à minha disposição as mesmas imagens que, quando ela vivia, eu via e revia alternadamente? Rápida e inclinada sobre as rodas mitológicas de sua bicicleta, apertada, nos dias de chuva, na túnica guerreira de borracha que lhe ressaltava os seios, a cabeça envolta num turbante e coberta de serpentes, ela semeava o terror nas ruas de Balbec; nas noites em que tínhamos levado champanha para os bosques de Chantepie, com a voz provocante e mudada, e no rosto aquele calor atenuado, rubro apenas nas bochechas que, mal o distinguindo na escuridão do carro, aproximava-me da faixa enluarada para a ver melhor, e que agora debalde tentava lembrar e rever numa escuridão que jamais terminaria. Pequena estatueta no passeio em direção à ilha, tranqüilo rosto gordinho e granuloso junto à pianola, ela era assim, alternadamente pluviosa e rápida, provocante e diáfana, imóvel e risonha, anjo da música. Cada uma delas estava assim ligada a um momento, à data a que eu me sentia reposto ao tornar a vê-la. E esses momentos do passado não são imóveis; conservam em nossa memória o movimento que os arrastava para o futuro – um futuro que também se tornou passado –, arrastando-nos igualmente a nós mesmos. Eu jamais havia acariciado a Albertine encapotada dos dias de chuva, queria lhe pedir que tirasse aquela armadura, o que seria conhecer com ela o amor dos campos, a fraternidade da viagem. Mas já não era possível, ela havia morrido. Jamais, também, por medo de depravá-la, eu mostrara compreender, nas noites em que parecera me oferecer prazeres que, não fosse isto, ela talvez não houvesse pedido a outros e que agora excitavam em mim um desejo furioso. Não os teria sentido iguais junto a outra, porém aquela que mos teria proporcionado, eu podia correr o mundo inteiro sem encontrá-la, pois Albertine havia morrido. Parecia que eu devia escolher entre dois fatos, decidir qual era o verdadeiro, tanto o da morte de Albertine – que me viera de uma realidade que eu não havia conhecido, a sua vida na Touraine – estava em contradição com todas as minhas idéias relativas a ela, meus desejos, minhas saudades, meu enternecimento, minha fúria, meu ciúme. Uma tal riqueza de lembranças tomadas ao repertório de sua vida, uma tal profusão de sentimentos evocando, implicando sua vida, pareciam tornar inacreditável que Albertine estivesse morta. Uma tal profusão de sentimentos, pois minha memória, conservando-me a ternura, deixava-lhe toda a sua variedade. Não era apenas Albertine que não passava de uma sucessão de momentos, era também eu próprio. Meu amor por ela não fora simples: à curiosidade pelo desconhecido acrescentara-se um desejo sensual, e, ao sentimento de uma doçura quase familial, ora a indiferença, ora um ciúme furioso. Eu não era somente um único homem, mas o desfilar, hora a hora, de um exército compósito onde havia, conforme o instante, sujeitos apaixonados, indiferentes, ciumentos – ciumentos dos quais nem um só o era da mesma mulher. E, sem dúvida, era dali que um dia viria a cura que eu não desejava. Numa multidão, os elementos podem, um a um, ser substituídos por outros sem que o percebamos, que outros mais, por seu turno, eliminam ou reforçam, de modo que por fim se consumou uma mudança, inconcebível se se tratasse de uma só pessoa. A complexidade do meu amor, de minha pessoa, multiplicava e diversificava meus sofrimentos. Entretanto, eles todos podiam se classificar sempre nos dois grupos cuja alternância formara toda a vida de meu amor por Albertine, sucessivamente entregue à confiança e à suspeição ciumenta.

Se eu tinha dificuldade em imaginar que Albertine, tão viva em mim (revestindo como eu o duplo arnês do presente e do passado), estava morta, talvez também fosse contraditório que essa suspeita de faltas que ela, hoje despojada da carne que com elas gozara, e da alma que pudera desejá-las, não era mais capaz nem responsável, essa suspeita excitasse em mim tanto sofrimento, que teria simplesmente bendito se pudesse ver nele a garantia da realidade moral de uma pessoa materialmente inexistente, em lugar do reflexo, destinado a extinguir-se, das impressões que ela me causara outrora. Uma mulher que já não podia experimentar prazeres com outras não deveria mais excitar o meu ciúme, se ao menos a minha ternura pudesse atualizar-se. Mas isso era impossível, pois ela não poderia encontrar o seu objeto, Albertine, senão nas lembranças em que esta permanecia viva. Visto que somente por pensar nela eu a ressuscitava, suas traições jamais poderiam ser as de uma morta, tornando-se atual o momento em que as cometera, não só para Albertine, mas para aquele dos meus "eus", subitamente evocado, que as contemplava. De forma que nenhum anacronismo podia separar jamais o par indissolúvel em que, a cada nova culpada, de imediato se acasalava um ciumento lamentável e sempre contemporâneo. Nos últimos meses, eu a mantivera trancada em minha casa. Mas agora, na minha imaginação, Albertine estava livre; ela empregava mal essa liberdade, prostituía-se a umas e outras. Outrora eu pensava sem cessar num futuro incerto que se desdobrava à nossa frente, buscava decifrá-lo. E agora, o que estava diante de mim como um duplo do futuro – tão preocupante como o futuro, pois também era incerto, tão difícil de decifrar, tão misterioso, mais cruel ainda, porque eu não tinha, como frente ao futuro, a possibilidade, ou a ilusão, de agir sobre ele, e também porque se desenrolava tão longe que minha própria vida, sem que minha companheira lá estivesse para acalmar os sofrimentos que ele me causava –, não era mais o futuro de Albertine, era o seu passado. Seu passado? Digo mal, pois para o ciúme não existe nem passado nem futuro e aquilo que ele imagina sempre está no presente.

As mudanças da atmosfera causam outras tantas no homem interior, despertam "eus" esquecidos, contrariam o torpor do hábito, devolvem forças a certas lembranças e a certos sofrimentos. Quantos mais ainda para mim, se o tempo que fazia lembrava-me aquele em que Albertine, em Balbec, sob a chuva ameaçadora, por exemplo, fora dar – sabe Deus por quê – longos passeios sob a malha colante de seu impermeável! Se ela tivesse vivido, sem dúvida hoje, num tempo semelhante, sairia para fazer uma excursão análoga na Touraine. Desde que já não o podia, eu não deveria sofrer ante essa idéia; mas, como no caso das pessoas amputadas, a menor mudança de temperatura renovava minhas dores no membro que já não existia.

De súbito, era uma lembrança que não me ocorria há muito tempo, pois ficara dissolvida na fluida e invisível extensão da memória, e que se cristalizava. Assim, havia já muitos anos, como alguém falasse do seu *peignoir* para duchas, Albertine enrubescera. Naquela época, não sentia ciúmes dela. Mas desde então eu quisera lhe perguntar se podia recordar aquela conversa e me dizer por que havia enrubescido. Isto me preocupava tanto mais porque me haviam dito que as duas moças amigas de Léa freqüentavam aquele estabelecimento balneário do hotel e, dizia-se, não só para tomar duchas. Mas, com receio de aborrecer Albertine, ou esperando uma ocasião mais propícia, sempre evitara falar naquilo, e depois deixara de pensar no assunto. E, de repente, algum tempo após a morte de Albertine, percebi essa lembrança, impregnada desse caráter a um tempo irritante e solene dos enigmas que ficam insolúveis para sempre devido à morte da única pessoa que poderia esclarecê-los. Não poderia eu pelo menos tentar saber se Albertine fizera alguma coisa de mal ou que somente parecesse suspeito naquela casa de banhos? Enviando alguém a Balbec, talvez conseguisse sabê-lo. Fosse ela viva, sem dúvida eu não obteria nada. Porém as línguas estranhamente se soltam, revelando com facilidade uma falta quando já não têm a temer o rancor da culpada. Como a natureza da imaginação, que permanece rudimentar e simplista (não tem passado pelas inumeráveis transformações que melhoram os modelos primitivos das invenções humanas, mal reconhecíveis, quer se trate de um barômetro, do balão, do telefone etc., nos seus aperfeiçoamentos ulteriores), não nos permite ver senão muito poucas coisas ao mesmo tempo, essa recordação do estabelecimento das duchas ocupava todo o espaço de minha visão interior.

Às vezes eu me esbarrava, nas ruas escuras do sono, com um desses maus sonhos que não são muito graves por uma primeira razão: é que a tristeza que eles engendram não se prolonga mais que uma hora após o despertar, análoga a esse mal-estar provocado por uma forma artificial de dormir; e também por outra razão: é que só raramente os temos, com dois ou três anos de intervalo. Ainda assim, duvidamos já os ter experimentado, e que não tenham antes esse aspecto de coisas vistas pela primeira vez e que projeta sobre eles uma ilusão, uma subdivisão (pois "desdobramento" não seria dizer o suficiente).

Decerto, pois eu tinha dúvidas sobre a vida e a morte de Albertine, desde há muito tempo eu deveria entregar-me a indagações. Mas a própria fadiga, a própria covardia que me fizeram submeter-me a Albertine quando ela estava em minha companhia, impediam-me de tomar qualquer iniciativa desde o momento em que não a via mais. E, todavia, da fraqueza arrastada durante anos, surge por vezes um lampejo de energia. Decidi-me a essa indagação, ao menos inteiramente parcial. Dir-se-ia que não houvera nada de mais em toda a vida de Albertine. Eu me perguntava sobre quem poderia enviar para tentar uma investigação *in loco* em Balbec. Aimé pareceu-me bem escolhido. Além de conhecer admiravelmente bem o lugar, pertencia àquela categoria de pessoas do povo ciosas de seus interesses, fiéis a quem servem, indiferentes a qualquer tipo de moral, e das quais dizemos – porque, se os pagamos bem, em sua obediência à nossa vontade suprimem tudo o que a estorvasse, pois mostram-se tão incapazes de indiscrição, de moleza ou de improbidade, como destituídos de escrúpulos –: são excelentes pessoas. Neles podemos ter confiança absoluta. Quando Aimé partiu, pensei como teria sido melhor que isso que ele ia tentar descobrir lá longe, eu pudesse perguntar agora à própria Albertine. E logo senti a impossibilidade dessa pergunta que eu teria desejado, que me parecia que ia lhe fazer, tendo trazido Albertine para junto de mim, não graças a um esforço de ressurreição, mas como pelo acaso de um desses encontros que – como ocorre nas fotografias sem pose, nos instantâneos – deixam sempre a pessoa mais viva, ao mesmo tempo que imaginava a nossa conversação; acabava de abordar por uma faceta nova aquela idéia de que Albertine havia morrido, Albertine que me inspirava essa ternura que sentimos pelos ausentes cuja vista não vem retificar a imagem embelezada, inspirando também a tristeza de que essa ausência fosse eterna e que a pobrezinha estivesse privada para sempre da doçura de viver. E de imediato, por um deslocamento brusco, passei da tortura do ciúme para o desespero da separação.

O que enchia agora o meu coração era, em vez de suspeitas odiosas, a lembrança emocionada das horas de ternura confiante passadas com a irmã que sua morte me fizera realmente perder, visto que minha mágoa se relacionava, não ao que Albertine fora para mim, mas ao que meu coração, desejoso de participar das emoções mais gerais do amor, convencera-me pouco a pouco que ela era; então dava-me conta de que aquela vida que tanto me enfadara – pelo menos assim o julgava – tinha ao contrário sido deliciosa; nos menores instantes que passara a conversar com ela sobre coisas até mesmo insignificantes, eu sentia agora que se acrescentara, amalgamara-se uma volúpia, que então, de fato, não fora percebida por mim, mas que já era causa de que, tais momentos, eu os havia procurado sempre com tanta perseverança e com exclusão de todo o resto; os menores incidentes de que me lembrava, um movimento que ela fizera no carro junto a mim, ou para se sentar à mesa à minha frente em seu quarto, propagavam em minha alma um remoinho de doçura e de tristeza que os poucos a conquistava totalmente.

Aquele quarto em que jantávamos jamais me parecera bonito; dizia que o era a Albertine apenas para que minha amiga ficasse contente por viver ali. Agora as cortinas, as cadeiras e os livros tinham deixado de me ser indiferentes. Não é somente a arte que dá encanto e mistério às coisas mais insignificantes; esse mesmo poder de relacioná-las intimamente conosco também é atribuído à dor. Na própria ocasião, eu não prestara atenção nenhuma naquele jantar que havíamos comido juntos de volta do Bois, antes que eu fosse à casa dos Verdurin, e nem na beleza, na grave doçura para a qual eu agora voltava os olhos cheios de lágrimas. Uma impressão de amor está desproporcionada em relação às outras impressões da vida, mas não podemos percebê-la quando está perdida no meio delas. Não é lá de baixo, no tumulto da rua e na balbúrdia das casas circundantes, é quando nos afastamos, e das encostas de um morro próximo, a uma distância em que toda a cidade desapareceu ou forma apenas ao nível da terra um montão confuso, que podemos, no recolhimento da solidão e da noite, avaliar, única, persistente e pura, a altura de uma catedral. Eu tentava abraçar a imagem de Albertine através das minhas lágrimas, pensando em todas as coisas sérias e judiciosas que ela me havia dito àquela noite. Certa manhã, julguei ver a forma oblonga de uma colina no nevoeiro, sentir o calor de uma taça de chocolate, enquanto me apertava horrivelmente o coração a lembrança da tarde em que Albertine viera me visitar e eu a beijara pela primeira vez: é que eu acabava de ouvir o soluço do calorífero à água que tinham acendido. E joguei fora, com raiva, um convite da Sra. Verdurin que Françoise trouxera. A impressão que eu tivera, indo jantar pela primeira vez na Raspelière, de que a morte não fere todas as pessoas na mesma idade, como se impunha a mim com mais força agora que Albertine estava morta, tão jovem, e que Brichot continuava a jantar na casa da Sra. Verdurin, que recebia sempre e receberia talvez durante muitos anos ainda! E logo esse nome de Brichot recordou-me o fim daquele mesmo sarau, em que ele me levara em casa, e em que eu vira, de baixo, a luz da lâmpada de Albertine. Já pensara nisso outras vezes, porém nunca abordara essa lembrança sob o mesmo ângulo. Pois, se nossas lembranças são bem nossas, são-no à maneira dessas propriedades que possuem pequenas portas ocultas que nós mesmos com freqüência desconhecemos, e que alguém da vizinhança nos abre, de modo que, ao menos por um lado, em que isso ainda não nos ocorrera, sucede que nos achamos de volta em casa. Então, pensando no vazio que agora haveria de encontrar voltando para casa, que não mais veria cá de baixo o quarto de Albertine de onde a luz se extinguira para sempre, compreendi o quanto, naquela noite em que, deixando Brichot, julgara sentir tédio e pesar, lamentando não poder passear e fazer amor por aí afora, compreendi o quanto me enganara, e era apenas porque julgara totalmente segura a posse daquele tesouro, cujos reflexos vinham do alto até mim, que havia negligenciado calcular-lhe o valor, o que fazia com que me parecesse obrigatoriamente inferior aos prazeres, mas que, procurando imaginá-los, eu avaliava. Compreendi o quanto essa luz, que me parecia vir de uma prisão, continha para mim de plenitude de vida e de doçura, e que era somente a realização do que me inebriara por um momento e depois parecera para sempre impossível na noite em que Albertine dormira sob o mesmo teto que eu em Balbec; compreendia que essa vida que eu levara em Paris, num lar que também era o seu, era justamente a realização daquela paz profunda com que havia sonhado.

A conversa que havia tido com Albertine ao voltar do Bois, antes daquele último sarau em casa da Sra. Verdurin, não me consolaria se ela não houvesse acontecido, aquela conversação que misturara Albertine um pouco à vida de minha inteligência e, em certas parcelas, fizera-nos idênticos um ao outro. Pois, sem dúvida, a sua inteligência e sua amabilidade comigo, se agora voltava eu a elas com enternecimento, não é que fossem maiores que as de outras pessoas que eu conhecera; pois a Sra. de Cambremer não me havia dito em Balbec: – Como? O senhor poderia passar os dias com Elstir, que é um homem de gênio, e os passa com a sua prima?! – A inteligência de Albertine me agradava porque, por associação, despertava em mim o que eu denominava a sua doçura, como chamamos doçura de um fruto uma certa sensação que só existe em nosso paladar. E, de fato, quando eu pensava na inteligência de Albertine, meus lábios instintivamente se estendiam e saboreavam uma lembrança cuja realidade eu preferia fosse externa a mim e consistia na superioridade objetiva de uma criatura. É certo que eu havia conhecido pessoas de maior inteligência. Porém o infinito do amor, ou o seu egoísmo, faz com que as criaturas a quem amamos sejam aquelas cuja fisionomia intelectual e moral se torne para nós o menos objetivamente definida; nós a retocamos sem cessar ao sabor dos nossos desejos e dos nossos temores; não as separamos de nós; são apenas um lugar imenso e vago onde exteriorizamos nossas ternuras. Não temos de nosso próprio corpo, aonde afluem perpetuamente tantas perturbações e tantos prazeres, uma silhueta assim tão nítida como a de uma árvore, de uma casa ou de um transeunte. E meu erro talvez fora não procurar conhecer melhor Albertine em si mesma. Assim como, do ponto de vista de seu encanto, eu, durante muito tempo, só havia considerado as posições diversas que ela ocupava na minha lembrança no plano dos anos, e ficara surpreso de ver que ela se enriquecera espontaneamente de modificações causadas somente pela diferença de perspectivas, assim também deveria ter procurado compreender o seu caráter como o de uma pessoa qualquer e, talvez, explicando-me então por que ela se obstinava em me ocultar o seu segredo, teria evitado prolongar, entre nós, com aquele encarniçamento estranho, esse conflito que provocara a morte de Albertine. E eu tinha então, com uma grande piedade por ela, vergonha de lhe sobreviver. E, de fato, parecia-me, nas horas em que menos sofria, que de alguma forma me beneficiava pela sua morte, pois uma mulher é de maior utilidade em nossa vida se constitui, em vez de um elemento de felicidade, um elemento de desgosto, e não existe uma só cuja posse mostre-se tão preciosa como a das verdades que ela nos descobre ao nos fazer sofrer. Nesses momentos, aproximando a morte de minha avó à de Albertine, tinha a impressão de que minha vida estava manchada por um duplo assassinato que somente a covardia da sociedade poderia me perdoar. Sonhara eu ser compreendido por Albertine, não ser mal conhecido por ela, acreditando que era uma grande felicidade ser compreendido, não ser mal conhecido, quando tantos outros poderiam fazê-lo melhor. Desejamos ser compreendidos porque desejamos ser amados, e desejamos ser amados porque amamos. A compreensão dos outros é indiferente e seu amor importuno. Minha alegria de ter possuído um pouco da inteligência e do coração de Albertine não provinha de seu valor intrínseco, mas de que essa posse era um grau a mais na posse total de Albertine, posse que fora o meu objetivo e minha quimera desde o primeiro dia em que a tinha visto. Quando falamos da "amabilidade" de uma mulher, talvez não façamos mais do que projetar para fora de nós o prazer que sentimos ao vê-la, como as crianças quando dizem: "minha querida caminha, meu querido travesseirinho, meus queridos espinheirinhos." O que aliás explica por que os homens nunca dizem a propósito de uma mulher que não os engana: "Ela é tão amável", dizendo-o com freqüência de uma mulher por quem são enganados. A Sra. de Cambremer achava, com razão, que o encanto espiritual de Elstir era maior. Mas não podemos julgar do mesmo modo o de uma pessoa que é, como todas as outras, exterior a nós, pintada no horizonte de nosso pensamento, e o de uma outra que, devido a um erro de localização consecutiva a certos acidentes, porém tenaz, alojou-se em nosso próprio corpo, a ponto de que perguntarmo-nos retrospectivamente se ela não olhou para uma mulher, em certo dia no corredor de um trenzinho à beira-mar, faz-nos sentir os mesmos sofrimentos que um cirurgião que procurasse uma bala em nosso peito. Um simples *croissant*, que comemos, faz-nos sentir mais prazer que todos os verdelhões, coelhos e perdizes vermelhas que foram servidos a Luís XV, e a extremidade da grama fremindo a poucos centímetros do nosso olho, enquanto estamos deitados na montanha, pode nos ocultar a vertiginosa agulha de um cimo, caso este fique a várias léguas de distância. Além disso, o nosso erro não está em valorizar a inteligência e a amabilidade de uma mulher a quem amamos, por ínfimas que sejam. Nosso erro é o de permanecermos indiferentes à amabilidade e à inteligência alheia. A mentira só recomeça a nos causar indignação, e a bondade o reconhecimento, que ambos deveriam sempre excitar em nós, quando vêm da mulher amada, e o desejo físico tem esse poder maravilhoso de atribuir valor à inteligência e bases sólidas à vida moral. Jamais voltaria eu a encontrar essa coisa divina: uma criatura com quem eu pudesse conversar sobre tudo, a quem pudesse confiar-me. Confiar-me? E outras pessoas não me haviam mostrado mais confiança que Albertine? Não tivera eu com outras pessoas conversas mais extensas? É que confiança e conversa, coisas medíocres, que importa sejam mais ou menos imperfeitas, se a elas se mistura o amor, o único sentimento divino? Eu revia Albertine sentando-se à pianola, rósea sob os cabelos pretos; sentia em meus lábios, que ela tentava abrir, sua língua, sua língua materna, incomestível, nutritiva e santa, cuja chama e orvalho secretos faziam com que, mesmo que Albertine a fizesse deslizar apenas pela superfície de meu pescoço, de meu ventre, essas carícias superficiais, mas de qualquer modo feitas pelo interior de sua carne, exteriorizado como um tecido que mostrasse o avesso, assumissem, mesmo nos contatos mais externos, como que a misteriosa doçura de uma penetração.

Todos esses momentos tão doces, que coisa alguma me devolveria nunca mais, não posso nem sequer dizer que fosse desespero o que sentia ao perdê-los. Para que alguém esteja desesperado, é preciso ter apego ainda a esta vida, que só poderá ser desgraçada. Sentia-me desesperado em Balbec quando vira erguer-se o dia e compreendera que nem mais um só poderia ser feliz para mim. Permanecera tão egoísta desde então, porém o "eu" a que me ligava agora, o "eu" que constituía essas vivas reservas que põem em jogo o instinto de conservação, esse "eu" já não estava entre os vivos; quando pensava em minhas forças, em minha potência vital, no que tinha de melhor, pensava em certo tesouro que possuíra (e que fora o único a possuir, visto que os outros não podiam conhecer com exatidão o sentimento, oculto em mim, que ele me havia inspirado) e que já ninguém poderia me subtrair, pois que não o possuía mais. E, para falar a verdade, eu jamais o possuíra senão porque quisera convencer-me de sua posse. Não apenas cometera a imprudência, ao olhar Albertine com os lábios e ao alojá-la em meu coração, de fazê-la viver dentro de mim, nem essa outra imprudência de misturar um amor familial com o prazer dos sentidos. Quisera também convencer-me de que nossas relações eram o amor, porque ela me devolvia tão docilmente os beijos que eu lhe dava. E, por ter adquirido o hábito de acreditá-lo, não perdera somente uma mulher que eu amava, mas a mulher que me amava, minha irmã, minha menina, minha terna amante. E, em suma, tivera uma felicidade e uma desgraça que Swann não havia conhecido, pois justamente, o tempo todo em que ele amara Odette e fora tão ciumento dela, mal conseguira vê-la, e só dificilmente, em certos dias em que ela se desmarcava à última hora, podia ir à sua casa. Mas depois tivera-a para si, como sua esposa, até morrer. Eu, pelo contrário, enquanto sentia tanto ciúme por Albertine, mais feliz que Swann, tivera-a em casa. Na verdade, havia realizado aquilo com que Swann sonhara tantas vezes e que só realizara quando já se lhe tornara indiferente. Mas, enfim, eu não guardara Albertine como ele havia guardado Odette. Ela fugira e estava morta. Pois nada jamais se repete exatamente, e as mais análogas existências, que graças ao parentesco dos caracteres e à similitude das circunstâncias, podemos escolher para apresentá-las como simétricas uma à outra, permanecem opostas em muitos pontos. Se perdesse a vida, eu não teria perdido grande coisa; não perderia mais que uma forma oca, o quadro vazio de uma obra-prima. Indiferente ao que, de agora em diante, pudesse introduzir aí, porém feliz e orgulhoso em pensar no que esse quadro contivera, apoiava-me na lembrança daquelas horas tão doces, e esse sustentáculo moral me transmitia um bem-estar que até a aproximação da morte não teria desfeito.

Como ela acorria depressa, em Balbec, para me ver, quando eu mandava buscá-la, demorando-se apenas para perfumar os cabelos a fim de agradar-me! Estas imagens de Balbec e de Paris, que desse modo eu gostava de rever, eram as páginas ainda tão recentes e tão rapidamente viradas de sua curta vida. Tudo isso que para mim era apenas lembrança, fora para ela ação, ação precipitada, como a de uma tragédia, para uma morte rápida. As pessoas têm um desenvolvimento em nós, mas outro fora de nós (eu bem o sentira naquelas noites em que notava em Albertine um enriquecimento de qualidades, que se devia somente à minha memória), e os dois não deixam de produzir reações um sobre o outro. Por mais que procurasse conhecer Albertine, para depois possuí-la inteiramente, não deixava de obedecer à necessidade de reduzir, pela experiência, aos elementos mesquinhamente parecidos com os do nosso eu, o mistério de toda criatura e não pudera fazê-lo sem, por minha vez, influir na vida de Albertine. Talvez a minha fortuna, as perspectivas de um casamento brilhante a houvessem atraído; o meu ciúme a retivera; sua bondade ou sua inteligência, ou o sentimento de sua culpa, ou as habilidades de sua astúcia, haviam-lhe feito aceitar, e me levaram a tornar cada vez mais duro um cativeiro forjado unicamente pelo desenvolvimento interno de meu trabalho mental, mas que nem assim deixara de ter repercussões sobre a vida de Albertine, repercussões destinadas a criar, por um choque de retorno, problemas novos e cada vez mais dolorosos para a minha psicologia, pois ela se evadira de minha prisão para ir matar-se sobre um cavalo que, sem mim, ela não teria possuído, e me deixando, mesmo morta, suspeitas cuja verificação, se acontecesse, ser-me-ia talvez mais cruel que a descoberta, em Balbec, de que Albertine havia conhecido a Srta. Vinteuil, pois Albertine já não estaria ali para sossegar-me. De forma que este longo queixume da alma que julga viver fechada em si mesma só em aparência é um monólogo, visto que os ecos da realidade a fazem desviar-se, e essa vida é como um ensaio de psicologia subjetiva espontaneamente desenvolvido, mas que, a todo momento, fornece a sua "ação" ao romance puramente realista, de uma outra realidade, de uma outra existência, cujas peripécias, por seu turno, vêm infletir a curva e mudar a direção do ensaio psicológico. Como fora apertada a engrenagem, como fora rápida a evolução do nosso amor, e, apesar de algumas demoras, interrupções e hesitações do começo, feito certos romances de Balzac ou algumas baladas de Schumann, como fora precipitado o desenlace! No decurso deste último ano, longo para mim como um século, de tanto que Albertine havia mudado de posições em relação a meu pensamento, desde Balbec até sua partida de Paris, e tão independente de mim e freqüentemente contra a minha vontade, mudara em si mesma, é que seria preciso colocar toda aquela boa vida de ternura que durara tão pouco e que, entretanto, surgia-me com uma plenitude, quase uma imensidão, para sempre impossível e que todavia me era indispensável. Indispensável sem talvez ter sido em si, e logo no começo algo necessário, pois eu não teria conhecido Albertine se não tivesse lido num tratado de arqueologia a descrição da igreja de Balbec; se Swann, ao me dizer que essa igreja era quase persa, não tivesse orientado meus desejos para o normando bizantino; se uma sociedade de hotéis de luxo, construindo em Balbec um hotel confortável e higiênico, não tivesse levado meus pais a atenderem meu desejo e me enviarem a Balbec. Decerto, nessa Balbec há tanto tempo desejada, eu não havia encontrado a igreja persa que imaginava, nem os eternos nevoeiros. O próprio e famoso trem de uma e trinta e cinco não correspondera ao que eu pensara. Mas, em troca do que a imaginação deixa esperar e que nós fazemos, inutilmente, tanto esforço para tentar descobrir, a vida nos oferece algo que estávamos bem longe de supor. Quem me diria, em Combray, quando eu esperava o boa-noite de minha mãe com tanta tristeza, que tais ansiedades seriam curadas e depois haveriam de renascer um dia, não por minha mãe, mas por uma jovem que a princípio, no horizonte do mar, seria apenas uma flor que meus olhos eram, todos os dias, convidados a contemplar, mas uma flor pensante e em cujo espírito eu desejava tão puerilmente ocupar um espaço, que sofria só porque ela ignorava que eu conhecesse a Sra. de Villeparisis? Sim, é pelo boa-noite, pelo beijo dessa tal estranha que, ao fim de alguns anos, eu deveria sofrer tanto como em criança, quando mamãe não podia ir ver-me. Ora, essa Albertine tão necessária, de cujo amor a minha alma era agora quase exclusivamente composta, se Swann não me houvesse falado de Balbec eu jamais a teria conhecido. Sua vida talvez fosse mais longa, a minha teria sido desprovida do que agora formava o seu martírio. E assim, parecia-me que, devido à minha ternura apenas egoísta, eu havia deixado que Albertine morresse, como havia assassinado a minha avó. Mesmo mais tarde, mesmo já tendo-a conhecido em Balbec, poderia não amá-la como fiz em seguida. Pois, quando renunciei a Gilberte e sabia poder amar um dia outra mulher, mal ousava ter dúvidas sobre se, no passado, teria podido amar alguém que não Gilberte. Ora, quanto a Albertine, já não alimentava dúvida alguma; estava seguro de que poderia não ser ela que eu tivesse amado, poderia ser outra. Para tanto, bastaria que a Srta. de Stermaria, na noite em que deveria jantar comigo na ilha do Bois, não tivesse desmarcado o encontro. Ainda era tempo então, e teria sido pela Srta. de Stermaria que se exerceria aquela atividade da imaginação que nos faz extrair de uma mulher uma tal noção do individual que nos parece única em si e, para nós, predestinada e necessária. Quando muito, colocando-me num ponto de vista quase fisiológico, ser-me-ia lícito afirmar que poderia ter sentido esse mesmo amor exclusivo por uma outra mulher, mas não por qualquer outra. Pois Albertine, gorda e morena, não se parecia com Gilberte, delgada e ruiva, e todavia ambas tinham a mesma aparência de saúde e, no mesmo rosto sensual, um olhar cujo significado dificilmente se alcançaria. Eram dessas mulheres para as quais não olhariam homens que, por seu turno, teriam feito loucuras por outras que "não me diziam nada". Eu quase podia acreditar que a personalidade sensual e obstinada de Gilberte havia emigrado para o corpo de Albertine, um tanto diversa na verdade, mas apresentando, agora que eu pensava nisso *a posteriori*, analogias profundas. Um homem possui quase sempre a mesma maneira de resfriar-se, de ficar doente, isto é, precisa para isso de um certo concurso de circunstâncias; é natural que, quando se apaixona, o seja a respeito de um certo gênero de mulheres, gênero aliás muito amplo. Os primeiros olhares de Albertine que me fizeram devanear não eram absolutamente diversos dos primeiros olhares de Gilberte. Eu quase podia acreditar que a personalidade obscura e a natureza voluntariosa e matreira de Gilberte tinham retornado para me tentar, desta vez encarnadas no corpo de Albertine, completamente diverso e contudo não sem apresentar analogias. Quanto a Albertine, graças a uma vida em comum toda diferente, e onde não pudera deslizar-se nenhuma fissura de distração e de esquecimento, num bloco de pensamentos onde uma dolorosa preocupação mantinha uma coesão permanente, não deixei um dia sequer de encontrar em seu corpo vivo, ao contrário que no de Gilberte, o que eu reconhecia afinal como sendo para mim (e que o não seria para os outros) os encantos femininos. Mas ela estava morta. Eu a esqueceria. Quem sabe se então as mesmas qualidades de sangue rico, de meditação inquieta, não voltariam acaso para perturbar-me? Mas dessa vez encarnadas em que forma feminina, não poderia prevê-lo. Com a ajuda de Gilberte, teria tanta dificuldade em imaginar Albertine, e que haveria de amá-la, como a lembrança da sonata de Vinteuil não me teria permitido imaginar o seu septeto. Mais ainda, desde as primeiras vezes em que vira Albertine, pudera acreditar que era a outras que eu amaria. Além disso, ela até me poderia ter parecido, se a conhecesse um ano antes, tão baça como um céu cinzento em que a aurora ainda não apontou. Se eu havia mudado a seu respeito, ela própria também mudara, e a moça que fora para a minha cama no dia em que eu havia escrito à Srta. Stermaria não era mais a mesma que eu conhecera em Balbec, ou por simples explosão da mulher que aparece no momento da puberdade, ou em decorrência de circunstâncias que eu jamais pude conhecer. Em todo caso, mesmo se aquela a quem haveria de amar um dia devesse, em certa medida, se lhe assemelhar, isto é, se a minha escolha de uma mulher não era inteiramente livre, isso afinal resultava em que, dirigida de uma forma talvez necessária, ela o era sobre algo mais vasto que um indivíduo, sobre um gênero de mulheres, o que tirava toda necessidade a meu amor por Albertine. A mulher cujo rosto temos diante de nós mais constantemente do que a própria luz, pois mesmo de olhos fechados não deixamos um só instante de adorar seus belos olhos, seu lindo nariz, de usar de todos os meios para revê-los, essa mulher única, bem sabemos que outra a encarnaria para nós, se tivéssemos estado numa cidade diversa daquela em que a encontramos, se fôssemos passear em outros bairros, se freqüentássemos outro salão. Única, julgamos nós? Ela é inumerável. E, no entanto, está compacta e indestrutível diante de nossos olhos que a amam, insubstituível por outra durante muito tempo. É que essa mulher não fez mais que suscitar em nós, por uma espécie de apelo mágico, mil elementos de ternura existentes em nós em estado fragmentário e que ela ajuntou, uniu, eliminando qualquer lacuna entre eles; fomos nós mesmos que, dando-lhe seus traços, fornecemos toda a matéria sólida da pessoa amada. Daí decorre que, mesmo que sejamos apenas um entre mil para ela, e talvez o último de todos, para nós ela é a única e toda a nossa vida se inclina em sua direção. É certo que eu até já sentira muito bem que esse amor não era necessário, não só porque poderia formar-se pela Srta. de Stermaria, como, afora isso, porque o conhecia diretamente, por descobri-lo muito semelhante ao que havia sido para outras, e também por senti-lo mais vasto que Albertine, envolvendo-a, não a conhecendo, como a maré em torno a um rochedo esguio. Mas, pouco a pouco, à força de viver com Albertine, as cadeias que eu próprio havia forjado impediram que me desprendesse; o hábito de associar a pessoa de Albertine ao sentimento que ela não inspirara fazia-me, contudo, acreditar que ele lhe era próprio, como o hábito confere à simples associação de idéias entre dois fenômenos, segundo o que pretende uma certa escola filosófica, a força e a necessidade ilusórias de uma lei de causalidade. Julgara eu que minhas relações, minha fortuna, dispensariam-me de sofrer, e talvez muito eficazmente, pois isso me parecia dispensar-me de sentir, de amar e de imaginar; invejava uma pobre camponesinha a quem a ausência de relações, e até de telégrafo, proporciona vários meses de sonho após um desgosto que ela não pode amortecer artificialmente. Pois bem, agora percebia que, se, no tocante à Sra. de Guermantes, repleta de tudo aquilo que podia tornar infinita a distância entre nós, eu vira essa distância bruscamente supressa pela opinião, pela idéia de que as vantagens sociais não passam de matéria inerte e transformável, de maneira idêntica, embora inversa, minhas relações, minha fortuna e todos os meios materiais de que tanto a minha situação como a civilização da minha época me faziam desfrutar, não tinham feito mais que adiar o desfecho da luta corporal com a vontade contrária, inflexível, de Albertine, sobre a qual não se exercera pressão nenhuma. Sem dúvida, eu pudera trocar despachos e comunicações telefônicas com Saint-Loup, estar em relações constantes com o escritório de Tours; mas não fora inútil a espera deles e nulo o seu resultado? E as camponesas, sem vantagens sociais, sem relações, ou os seres humanos antes desses aperfeiçoamentos da civilização – por acaso não sofrem menos, porque desejam menos, porque se lamentam menos o que sempre souberam, ser inacessível e que, por isso, permaneceu como que irreal? Deseja-se mais a pessoa que vai dar-se, a esperança antecipa a posse; mas o lamento é também um amplificador do desejo. A recusa da Srta. de Stermaria em vir jantar comigo na ilha do Bois foi o que impediu fosse ela quem eu amasse. Teria bastado isso também para que ela me amasse, se logo depois eu tivesse voltado a vê-la a tempo. Logo que soubera que ela não viria, admitindo a hipótese inverossímil – mas que se realizara – de que talvez alguém se mostrasse enciumado dela e a afastasse dos outros e, sendo assim, eu não a veria mais, sofrera tanto que daria tudo para vê-la; esta foi uma das maiores angústias que senti, e que a chegada de Saint-Loup conseguira acalmar. Ora, a partir de uma certa idade, os nossos amores e nossas amantes são filhos da nossa angústia; nosso passado e as lesões físicas em que ele está inscrito determinam o nosso futuro. Quanto a Albertine em particular, o fato de não ser necessário fosse ela quem eu amasse estava, mesmo sem esses amores vizinhos, inscrito na história de meu amor por ela, ou seja, por ela e suas amigas. Pois nem era um amor como aquele por Gilberte, e sim criado pela divisão entre várias moças. Era bem possível que fosse por sua causa e porque me pareciam um tanto análogas a ela, que suas amigas tinham me agradado tanto. O caso é que, durante muito tempo, foi possível a hesitação entre todas, e minha escolha passeava de uma a outra e, quando eu julgava preferir esta, bastava que esta me deixasse esperando, recusasse ver-me, para que eu sentisse por ela um princípio de amor. Muitas vezes, naquele tempo, se acontecia que Andrée devesse vir visitar-me em Balbec e se, um pouco antes da sua visita, Albertine me faltara com a palavra, meu coração batia sem cessar, pensava que jamais tornaria a vê-la e que era ela quem eu amava. E, quando Andrée chegava, era com sinceridade que lhe dizia (como lhe disse em Paris, depois que soube que Albertine conhecera a Srta. Venteuil) o que ela podia julgar dito de propósito, falsamente, e que eu poderia verdadeiramente ter dito, e nos mesmos termos, se na véspera eu tivesse sido feliz com Albertine: "Que pena, se você tivesse vindo mais cedo... Mas agora estou amando outra." Ainda nesse caso de Andrée substituída por Albertine quando eu soubera que esta havia conhecido a Srta. Vinteuil, o amor fora alternativo, e por conseguinte, em suma, só tinha havido um de cada vez. Mas ocorreram antes certos casos em que eu estivera meio brigado com duas das moças. Aquela que desse os primeiros passos me devolveria a calma, e seria a outra a quem eu amaria se ela continuasse zangada, o que não quer dizer que fosse com a primeira que eu me ligaria em definitivo, pois ela me consolaria, embora canhestramente, da dureza da segunda, da segunda que eu acabaria por esquecer caso não voltasse. Ora, convencido de que uma ou outra, pelo menos, voltaria para mim, durante algum tempo nenhuma das duas o fazia. Logo, minha angústia era dupla, e duplo o meu amor, e eu me reservara para deixar de amar aquela que voltasse, mas até lá sofria por ambas. É quinhão de uma certa idade, que pode chegar bem cedo, que sejamos menos amorosos por uma criatura do que por um abandono, e onde acabamos por saber apenas uma coisa sobre essa criatura, pois seu rosto se tornou obscurecido, sua alma inexistente, em nossa preferência totalmente recente e inexplicada: é que, para não sofrer mais, precisaríamos que ela nos mandasse dizer: "Você pode receber-me?" Minha separação de Albertine, no dia em que Françoise me dissera: – A Senhorita Albertine foi-se embora – era como uma alegoria de tantas outras separações. Pois muitas vezes, para descobrir que estamos apaixonados, talvez mesmo para que o fiquemos, é preciso que chegue o dia da separação.

Nesses casos, quando a espera é baldada, uma palavra de recusa que fixa uma escolha, a imaginação, instigada pelo sofrimento, apressa tanto o seu trabalho, elabora com tão louca rapidez um amor mal começado e que permanecia informe, destinado há meses a ficar em estado de esboço, que a inteligência, por um momento, sem conseguir agarrar o coração, espanta-se e grita: "Mas estás louco, em que novos pensamentos vives assim tão dolorosamente? Nada disso é a vida real." E de fato, nesse instante, se não fôssemos impelidos pela devoção à infiel, algumas boas distrações que nos sossegassem fisicamente o coração bastariam para fazer abortar o amor. Em todo caso, se essa vida com Albertine não era necessária em sua essência, ela se me tornara indispensável. Eu tremia ao amar a Sra. de Guermantes porque dizia para mim mesmo que, com seus grandes meios de sedução, não só quanto à beleza mas pela situação social e pela fortuna, ela seria muito mais livre para entregar-se a um bom número de pessoas, e eu teria muito pouco domínio sobre ela. Albertine era pobre, obscura, devia ter desejos de casar comigo. E, no entanto, eu não pudera tê-la só para mim. Seja devido às condições sociais, ou às previsões do bom senso, na verdade não temos domínio sobre uma criatura. Por que não me dissera ela: "Tenho tais e tais gostos"? Eu teria cedido, teria permitido que os satisfizesse. Num romance que eu lera, havia uma mulher a quem nenhuma acusação do homem que a amava podia decidir a falar. Lendo-o, achara absurda tal situação; quanto a mim, pensava eu, teria primeiro obrigado a mulher a falar, e depois nos entenderíamos. Para que esses inúteis sofrimentos? Porém agora via que não somos livres para deixar de forjá-los e que, por mais que conheçamos a nossa vontade, os outros não nos obedecem. E, todavia, essas verdades inelutáveis e dolorosas, que nos dominavam e para as quais estávamos cegos, verdade dos nossos sentimentos, verdade do nosso destino, quantas vezes sem o saber, sem o querer, nós as dissemos em palavras que sem dúvida achávamos mentirosas, mas às quais o acontecimento dera depois um valor profético! Eu bem me lembrava de palavras que um e outro havíamos pronunciado sem saber então a verdade que continham, mesmo que as tivéssemos dito julgando representar uma comédia, e cuja falsidade era bem tênue, bem pouco interessante, totalmente confinada em nossa lastimável insinceridade, em comparação com o que elas continham sem que o suspeitássemos. Mentiras e erros, do lado de cá da profunda realidade que não percebíamos; verdade do lado de lá, verdade dos nossos caracteres, cujas leis essenciais nos escapavam e precisam de tempo para se revelarem, também verdade dos nossos destinos. Eu acreditara mentir, quando lhe dissera, em Balbec: "Quanto mais nos virmos, mais gostarei de você" (e, contudo, era aquela intimidade de todos os instantes que, por meio do ciúme, tanto me ligara a ela); "sinto que poderia ser útil ao seu espírito"; em Paris: "Procure ser prudente. Pense que, se lhe acontecesse um acidente, eu não me consolaria" (e ela: "Mas pode me acontecer um acidente"); em Paris, na noite em que eu fingira querer abandoná-la: "Deixe-me olhar para você ainda um pouco, pois em breve não a verei mais, e será para sempre"; e ela, quando naquela mesma noite olhara a seu redor: "E dizer que não verei mais este quarto, estes livros, a pianola, toda esta casa; não posso acreditar nisso e contudo é verdade;" por fim, em suas últimas cartas, quando escrevera, provavelmente dizendo consigo: "Estou fazendo *chiqué. Deixo-lhe o melhor de mim mesma* (e, na verdade, não era agora à fidelidade e às forças, ai de mim!, também frágeis, da minha memória, que se confiavam a sua inteligência, sua bondade, sua beleza?) e: *Este momento, duas vezes crepuscular pois que o dia terminava e nós nos separaríamos, só se desvanecerá de meu espírito quando ele for invadido pela noite completa*, essa frase, escrita na véspera do dia em que de fato o seu espírito fora invadido pela noite completa e onde talvez, nesses últimos clarões tão rápidos mas que a ansiedade do momento pulveriza até o infinito, ela tornasse a ver o nosso último passeio, e, nesse instante em que tudo nos abandona e em que se cria uma fé, como os ateus se tornam cristãos no campo de batalha, talvez tivesse chamado em seu socorro o amigo tantas vezes amaldiçoado, mas tão respeitado por ela, que ele próprio – pois todas as religiões se parecem – tinha a crueldade de aspirar a que ela também houvesse tido tempo de se reconhecer, de lhe consagrar seu último pensamento, de confessar-se por fim a ele, de morrer nele. Mas, para quê, pois mesmo se então ela houvesse tido tempo de se reconhecer, nenhum de nós compreendera onde estava a nossa felicidade, e o que deveríamos ter feito, senão quando essa felicidade não era mais possível, quando já não podíamos realizá-la. Enquanto as coisas são possíveis, adiamo-las, e elas só podem conseguir esse poder de atração e essa aparente facilidade de realização quando, projetadas no vazio ideal da imaginação, subtraem-se ao mergulho entorpecente e desfigurador no meio vital. A idéia de que temos de morrer é mais cruel do que morrer, porém menos que a idéia de que outra pessoa está morta, e que, aplanando-se depois de ter engolido uma criatura, estende-se, sem um redemoinho sequer nesse local, uma realidade de onde essa criatura está excluída, onde não existe mais nenhuma vontade, nenhum conhecimento, e da qual é tão difícil remontar à idéia de que essa criatura já viveu, como é difícil, no que tange à lembrança bem recente de sua vida, pensar que é assimilável às imagens sem consistência, às lembranças deixadas pelas personagens de um romance que lemos.

Pelo menos sentia-me feliz pelo fato de que, antes de morrer, ela me escrevera essa carta, e, principalmente, mandara um último telegrama que provava que regressaria caso tivesse vivido. Parecia-me que assim era não apenas mais doce, porém mais belo, que o caso teria ficado incompleto sem aquele telegrama, teria menos jeito de arte e de destino. Na realidade, ele a teria da mesma maneira se tivesse sido outro, pois todo acontecimento é uma espécie de molde de uma forma particular e, seja qual for, impõe à série de fatos que ele veio interromper, e parece dela concluir, um desenho que julgamos ser o único possível porque não conhecemos aquele que poderia substituí-lo. Repetia a mim mesmo: “Por que não me disse ela: ‘Tenho tais e tais gostos’? Eu teria cedido, teria permitido que os satisfizesse, e mesmo naquele instante a beijaria.” Que tristeza de ter de me lembrar que ela me havia mentido assim, ao jurar-me, três dias antes de me abandonar, que jamais tivera com a amiga da Srta. Vinteuil essas relações que, no momento em que me fazia tal juramento, o seu rubor me confessara! Pobre pequena, pelo menos tivera a honestidade de não pretender jurar que o gosto de rever a Srta. Vinteuil e sua amiga de modo algum contribuíra para o seu desejo de ir naquele dia à casa dos Verdurin. Por que não fora até o fim da confissão e inventara então aquele romance inimaginável? Talvez fosse, afinal, um tanto por minha culpa se ela, apesar de todas as minhas rogativas, que vinham quebrar-se diante de suas negações, jamais quisera me dizer: “Tenho esses gostos.” Talvez fosse um tanto por minha culpa porque, em Balbec, no dia em que, após a visita da Sra. de Cambremer, eu tivera a primeira explicação com Albertine, e quando estava tão longe de acreditar que ela em todo caso pudesse sentir por Andrée outra coisa que não uma amizade excessivamente apaixonada, expressara com muita violência o meu aborrecimento por esse tipo de costumes, e os condenara de forma bastante categórica. Não podia recordar-me se Albertine enrubescera quando eu havia ingenuamente proclamado o meu horror àquilo; não podia recordar, pois às vezes é só muito tempo depois que desejamos saber qual a atitude de certa pessoa em dado momento no qual não prestamos nenhuma atenção a isso, e que, mais tarde, quando voltamos a pensar na nossa conversa, esclareceria uma dúvida pungente. Mas existe uma lacuna na nossa memória, não há qualquer traço disto. E muitas vezes não prestamos atenção suficiente, no próprio momento, nas coisas que já podiam nos parecer importantes, não ouvimos direito uma frase, não reparamos num gesto, ou então os esquecemos. E quando, posteriormente, ávidos por descobrir uma verdade, remontamos de dedução em dedução, folheando nossa memória como uma recolha de testemunhos, quando chegamos a essa frase, a esse gesto, impossível de recordar, recomeçamos vinte vezes o mesmo trajeto, porém inutilmente; o caminho não vai mais além. Terá ela enrubescido? Não sei se enrubesceu, mas não podia deixar de ter ouvido, e a lembrança dessas palavras a fizera interromper-se, mais tarde, talvez quando estava a ponto de confessar-se a mim. E agora, ela não estava mais em parte alguma, eu poderia percorrer a Terra de um pólo a outro sem voltar a encontrá-la; a realidade que se fechara sobre ela tornara a espessar-se, apagara até o vestígio da criatura que nela soçobrara. Ela não passava de um nome, como aquela Sra. de Charlus, de quem diziam com indiferença: "Ela era deliciosa" – aqueles que a tinham conhecido. Mas eu não podia conceber por mais que um instante a existência dessa realidade de que Albertine não tinha consciência, pois a minha amiga existia bastante em mim, em mim onde todos os sentimentos, todas as reflexões se relacionavam à sua vida. Talvez se ela tivesse noção disto, se comoveria ao ver que seu amigo não a olvidava, agora que sua vida estava finda, e teria sido sensível às coisas que antes a deixariam indiferente. Mas como desejaríamos abster-nos de infidelidades, por mais secretas que sejam, de tal forma tememos que aquela a quem amamos não se abstenha delas, aterrorizava-me pensar que, se os mortos vivem em alguma parte, minha avó conhecia tão bem o meu esquecimento como Albertine a minha recordação. E afinal, mesmo com relação a uma só e determinada morta, estaremos seguros de que a alegria que sentiríamos em saber que ela conhece algumas coisas compensaria o terror de imaginar que ela as conhece *todas*? E, por mais sangrento que seja o sacrifício, não renunciaríamos por vezes a conservar como amigos, após terem morrido, aqueles a quem amávamos, de medo de os ter igualmente como juizes?

Eram infinitas as minhas curiosidades ciumentas sobre o que poderia fazer Albertine. Subornei grande número de mulheres, que não me contaram nada. Se essas curiosidades eram vivas, é que a criatura não morre imediatamente para nós, permanece banhada numa espécie de aura de vida que nada tem de uma verdadeira imortalidade, mas que faz com que ela continue a ocupar nossos pensamentos da mesma maneira como quando vivia. É como se estivesse viajando. Trata-se de uma sobrevivência muito pagã. Opostamente, quando deixamos de amar, as curiosidades que a criatura excita morrem antes que ela própria tenha morrido. Assim, eu não moveria mais uma palha para saber com quem Gilberte passeava certa noite nos Champs-Élysées. Ora, percebia muito bem que tais curiosidades eram absolutamente idênticas, sem valor em si mesmas, sem possibilidade de duração. Mas continuava a sacrificar tudo à cruel satisfação dessas curiosidades passageiras, embora soubesse previamente que minha separação forçada de Albertine, em conseqüência de sua morte, me levaria à mesma indiferença causada pela separação voluntária de Gilberte. Se Albertine pudesse ter sabido o que iria ocorrer, teria ficado em minha companhia. Mas isso equivalia a dizer que, uma vez que se visse morta, teria preferido continuar viva, comigo. Pela própria contradição que implicava, uma tal suposição era absurda. Mas não inócua, pois, imaginando o quanto Albertine, caso pudesse saber, caso pudesse retrospectivamente compreender, ficaria feliz por voltar para junto de mim, eu a via comigo e queria beijá-la; ai de mim, era impossível, ela jamais voltaria, estava morta. Minha imaginação a procurava no céu, pelas noites em que ainda o tínhamos contemplado juntos; para além desse luar de que ela gostava, eu tentava erguer até ela a minha ternura, a fim de que lhe servisse de consolo por não mais viver, e esse amor por uma criatura que se tornara tão distante era como uma religião; meus pensamentos subiam para ela como preces. O desejo é bem forte, engendra a fé; eu havia acreditado que Albertine não partiria porque assim o desejava; porque o desejava, acreditei que ela não estava morta; pus-me a ler livros a respeito de mesas giratórias, comecei a crer possível a imortalidade da alma. Mas ela não me bastava. Era preciso que, após a minha morte, eu a reencontrasse com o seu corpo, como se a eternidade se assemelhasse à vida. Que digo: à vida? Eu era ainda mais exigente. Gostaria de não ser privado para sempre, pela morte, dos prazeres que todavia ela não é a única a nos tirar. Pois, sem ela, eles acabariam por embotar-se; já tinham principiado a embotar-se pela ação do hábito antigo e das novas curiosidades. Depois, na vida, Albertine pouco a pouco, mesmo fisicamente, teria mudado, dia após dia eu me adaptaria a essa mudança. Porém minha recordação, não evocando dela senão alguns momentos, pedia para tornar a vê-la exatamente como ela já não seria se tivesse vivido; o que minha recordação desejava era um milagre que contentasse os limites naturais e arbitrários da memória, a qual não pode sair do passado. No entanto, essa criatura viva, imaginava-a eu com a ingenuidade dos teólogos antigos, dando-me explicações, não as que poderia dar-me, mas, por uma última contradição, aquelas que sempre me recusara enquanto vivera. E assim a sua morte, sendo uma espécie de sonho, meu amor lhe pareceria uma ventura inesperada; eu não retinha da morte senão a comodidade e o otimismo de um desenlace que simplifica e resolve tudo.

Às vezes não era tão longe, não era em outro mundo que eu imaginava a nossa reunião. Assim como outrora, quando só conhecia Gilberte por brincar com ela nos Champs-Élysées, em casa, de noite, imaginava que ia receber uma carta dela, na qual me confessaria o seu amor, que iria regressar – numa mesma força de desejo, que também não se embaraçava com as leis físicas que o contrariavam, como da primeira vez, a respeito de Gilberte (onde, afinal, não errara, pois tivera a última palavra), que agora me fazia pensar que ia receber um bilhete de Albertine, informando-me que de fato sofrera uma queda de cavalo, mas que por motivos romanescos (e como, enfim, acontece às vezes com pessoas que durante muito tempo consideramos mortas) ela não quisera que eu soubesse que estava curada e agora, arrependida, pedia para voltar a viver comigo para sempre. E, fazendo-me compreender perfeitamente o quanto podem certas loucuras mansas de pessoas que de outro modo parecem razoáveis, sentia coexistirem em mim a certeza de que ela estava morta e a incessante esperança de vê-la regressar.

Ainda não recebera notícias de Aimé, que no entanto já devia ter chegado a Balbec. Sem dúvida, a minha investigação objetivava um ponto secundário e arbitrariamente escolhido. Se a vida de Albertine fora verdadeiramente culposa, devia conter coisas bem mais importantes, em que o acaso não me permitiria tocar, como o fizera quanto àquela conversa a respeito do *peignoir*, graças ao rubor de Albertine. Exatamente essas coisas, porém, já não existem para mim, visto que não as via. Era de modo inteiramente arbitrário que eu sorteara aquele dia que muitos anos depois tentava reconstituir. Se Albertine havia amado as mulheres, existiam milhares de outros dias em sua vida cujo emprego eu ignorava e cujo reconhecimento poderia ser igualmente de interesse para mim; poderia enviar Aimé para muitos outros locais de Balbec, para muitas outras cidades além desta. Mas precisamente esses dias, porque não lhes conhecia o emprego, não se ofereciam à minha imaginação, não tinham existência. As coisas e as criaturas só começavam a existir para mim quando assumiam uma existência individual na minha imaginação. Se havia milhares de outras iguais, tornavam-se para mim representativas do resto. Se desde há muito tempo eu desejava saber, em matéria de suspeitas acerca de Albertine, o que se passara nas duchas, era da mesma forma que, em matéria de desejo de mulheres, e embora eu soubesse que havia um grande número de moças e de camareiras que podiam lhes equivaler e de que, graças ao acaso, eu poderia igualmente ouvir falar, queria conhecer – pois era delas que Saint-Loup me falara, essas que existiam individualmente para mim – a moça que ia aos bordéis e a camareira da Sra. Putbus. As dificuldades que minha saúde, minha indecisão, minha "procrastinação", como dizia Saint-Loup,[13] opunham a que realizasse qualquer coisa, haviam-me feito adiar dia após dia, mês após mês, ano após ano, o esclarecimento de certas suspeitas bem como a satisfação de certos desejos. Mas eu os conservava na memória, prometendo a mim mesmo não esquecer de conhecer-lhes a realidade, pois somente eles me obcecavam (visto que os outros não possuíam forma a meus olhos, não existiam), e também porque o próprio acaso que os escolhera em meio à realidade era para mim uma garantia de que de fato neles é que eu entraria em contato com um pouco da realidade, da vida verdadeira e cobiçada. E depois, um único fato, se for bem escolhido, não basta ao experimentador para deduzir uma lei geral que dará a conhecer a verdade acerca de milhares de fatos análogos? Era em vão que Albertine existia na minha memória apenas no estado em que me surgira sucessivamente, durante a sua vida, isto é, subdividida conforme uma série de frações de tempo; meu pensamento restabelecendo-lhe a unidade, refazia uma criatura e era sobre essa criatura que eu queria lançar um julgamento

[13] Em *A Prisioneira*, p. 67, é o Sr. de Charlus que censura esse adiamento constante, a que dá o nome de "procrastinação". (N. do T.)

geral, saber se ela me havia mentido, se amava as mulheres, se era para conviver livremente com elas que me havia abandonado. O que dissesse a encarregada das duchas poderia desfazer para sempre as minhas dúvidas sobre os costumes de Albertine.

Minhas dúvidas! Ai de mim, eu acreditara que me seria indiferente, até mesmo agradável, não ver mais Albertine, quando a sua partida patenteou o meu erro. Da mesma maneira a sua morte me mostrou o quanto me enganava ao julgar desejar às vezes essa morte e supor que ela seria a minha libertação. Assim também, ao receber a carta de Aimé, compreendi que, se até então não havia sofrido muito cruelmente com minhas dúvidas sobre a virtude de Albertine, é que na realidade não eram absolutamente dúvidas. Minha felicidade e minha vida tinham necessidade de que Albertine fosse virtuosa, tinham decidido de uma vez por todas que ela o era. Munido dessa crença preservadora, podia sem perigo deixar meu espírito brincar tristemente com suposições, às quais ele dava uma forma porém não acrescentava fé. Dizia comigo: "Ela talvez ame as mulheres", como dizemos: "Posso morrer esta noite"; dizemos, mas não acreditamos, fazemos projetos para o dia seguinte. É o que explica que, julgando-me erradamente incerto se Albertine amava ou não as mulheres, e, por conseguinte, crendo que um fato culposo, no seu ativo, não me diria nada que eu já não houvesse imaginado, eu tenha podido experimentar diante das imagens, insignificantes para outros, que me evocava a carta de Aimé, um sofrimento inesperado, o mais cruel que já sentira, e que formava com essas imagens, com a imagem, ai de mim!, da própria Albertine, uma espécie de precipitado, como se diz em química, onde tudo era indivisível e do qual absolutamente não pode dar idéia o texto da carta de Aimé, que separei de modo bem convencional, pois cada uma das palavras que o compõem era logo transformada e colorida para sempre devido ao sofrimento que ele acabava de provocar.

Senhor,

Vossa Senhoria há de me perdoar se não escrevi mais cedo a Vossa Senhoria. A pessoa que Vossa Senhoria me encarregou de ver esteve ausente por dois dias e, desejoso de corresponder à confiança que Vossa Senhoria depositara em mim, não queria voltar de mãos vazias. Por fim, acabo de conversar com essa pessoa, que se recorda muito bem (Srta. A).

Aimé, que possuía um certo princípio de cultura, desejava pôr Srta. A em itálico ou entre aspas. Mas, quando queria colocar aspas, traçava um parênteses e, quando queria pôr alguma coisa entre parênteses, punha-a entre aspas. Era assim que Françoise dizia que alguém *permanecia* na minha rua, para indicar que alguém vivia nela, e que se podia *viver* dois minutos, em vez de *permanecer* – pois os erros das pessoas do povo muitas vezes consistem apenas em intercambiar vocábulos (como de resto fez a língua francesa) que no correr dos séculos ocuparam reciprocamente o lugar um do outro.

Segundo ela, a coisa que Vossa Senhoria supunha era absolutamente certa. Primeiro, era ela quem cuidava da (Srta. A) cada vez que esta ia aos banhos. (Srta. A) vinha muitas vezes tomar ducha com uma mulher alta, mais velha que ela, sempre vestida de gris, e que a encarregada das duchas, sem lhe saber o nome, já conhecia por tê-la visto várias vezes procurando moças. Mas ela não dava mais atenção às outras desde que conhecera (Srta. A). Ela e *(Srta. A) sempre se fechavam na cabine, ficavam muito tempo, e a dama de gris dava pelo menos dez francos de gorjeta à pessoa com quem falei. Como me disse esta pessoa, "V.S. há de perceber que, se elas ficavam apenas enfiando pérolas, não me teriam dado dez francos de gorjeta". (Srta. A) também às vezes aparecia com uma mulher de pele bem escura, que usava* lorgnon. *Mas (Srta. A) vinha mais freqüentes vezes com moças mais jovens do que ela, sobretudo uma bem ruiva. A não ser a dama de gris, as pessoas que (Srta. A) costumava trazer não eram de Balbec e muitas vezes deviam vir até de muito longe. Jamais entravam juntas, mas (Srta. A) entrava, dizendo para deixar a porta da cabine aberta, pois ela esperava uma amiga, e a pessoa com quem falei sabia o que aquilo significava. Essa pessoa não pôde me dar outros detalhes, não se lembrando muito bem, "o que é fácil de compreender depois de passado tanto tempo". Aliás, tal pessoa não procurava saber, porque é muito discreta e porque era de seu interesse, pois a (Srta. A) lhe dava um bom dinheiro. Ficou sinceramente entristecida ao saber que ela havia morrido. É verdade que tão moça é uma grande infelicidade para ela e para os seus. Espero as ordens de Vossa Senhoria para saber se posso deixar Balbec, onde creio que não descobrirei mais nada. Agradeço também a Vossa Senhoria a pequena viagem que me proporcionou e que foi bastante agradável, tanto mais que o tempo está como ninguém imagina de tão favorável. A estação promete ser boa este ano. Espera-se que Vossa Senhoria nos honre com o seu aparessimento.*[14]

Nada mais de interessante para dizer a Vossa Senhoria etc.

Para compreender a que profundidade essas palavras me penetravam, é preciso lembrar que as perguntas que eu me fazia acerca de Albertine não eram questões acessórias, indiferentes, questões de detalhes, únicas na realidade que formulamos a respeito de todos os seres que não são nós mesmos, o que nos permite caminhar, revestidos de um pensamento impermeável, em meio ao sofrimento, à mentira, ao vício e à morte. Não. Quanto a Albertine, era uma questão de essência: no fundo, quem era ela, em que pensava, a quem amava? Mentia-me?

[14] *Aparessimento:* Aimé escreve "apparission" em vez de "apparition". Procuramos criar um erro ortográfico equivalente. (N. do T.)

Minha vida com ela fora tão lastimável como a de Swann com Odette? Por isso, o que a resposta de Aimé atingia, conquanto não fosse uma resposta geral, mas particular – e justamente por causa disso – era de fato, em mim e em Albertine, a profundidade.

Afinal eu via, diante de mim, naquela chegada de Albertine às duchas pela ruazinha, em companhia da dama de gris, um fragmento desse passado que não me parecia menos misterioso, menos assustador do que o que eu temia, ao imaginá-lo encerrado na lembrança e no olhar de Albertine. Sem dúvida, qualquer outro que não eu poderia achar insignificantes esses pormenores, aos quais a impossibilidade em que me encontrava, agora que Albertine estava morta, de fazê-los refutar por ela, conferia o equivalente de uma espécie de probabilidade. E até provável que, para Albertine, mesmo que fossem verdadeiras, caso as confessasse, suas próprias faltas, ou porque sua consciência as achasse inocentes ou censuráveis, ou porque sua sensualidade as achasse deliciosas ou insossas, seriam destituídas dessa inexprimível essência de horror, de que eu não as separava. Eu mesmo, ajudado pelo meu amor às mulheres, e embora elas não devessem ter sido a mesma coisa para Albertine, podia sentir um pouco o que ela experimentava. E decerto era já um princípio de sofrimento o fato de imaginá-la desejando, como eu tantas vezes desejara, mentindo-me como tantas vezes eu lhe mentira, preocupada com esta ou aquela moça, fazendo despesas com ela, como eu com a Srta. de Stermaria, com tantas outras ou com as camponesas que encontrava na roça. Sim, todos os meus desejos me ajudavam em certa medida a compreender os seus; era já um grande sofrimento, onde todos os desejos, quanto mais vivos tinham sido, transformavam-se em tormentos tanto mais cruéis, como se nessa álgebra da sensibilidade eles reaparecessem com o mesmo coeficiente porém com o sinal de *menos* em lugar do sinal de *mais*. No caso de Albertine, tanto quanto podia julgar por mim mesmo, seus erros, por mais vontade que tivesse de ocultá-los de mim – o que fazia supor que se considerava culpada ou temia desgostar-me –, seus erros, porque os preparara a seu gosto, à luz clara da imaginação em que se agita o desejo, ainda assim lhe pareciam coisas da mesma natureza que o restante de sua vida, prazeres, para ela, a que não tivera coragem de recusar-se, penas, para mim, que ela tentara evitar causar-me, ocultando-as, mas prazeres e penas que podiam figurar em meio a outros prazeres e penas da vida. Mas para mim, era de fora, sem que eu fosse prevenido, sem que eu mesmo pudesse elaborá-las, era da carta de Aimé que tinham vindo essas imagens de Albertine chegando às duchas e reservando a sua gorjeta.

Sem dúvida, porque, nessa chegada silenciosa e deliberada de Albertine com a mulher de gris, eu lia o encontro que elas tinham tido, e essa convenção de fazer amor num salão de duchas, que implicava uma experiência da corrupção, a organização bem dissimulada de toda uma dupla existência, porque essas imagens me traziam a terrível notícia da culpabilidade de Albertine é que elas me haviam causado de imediato uma dor física, de que não se separariam nunca mais. Porém logo a dor reagira contra elas; um fato objetivo, feito uma imagem, é diferente conforme o estado interior com que o abordamos. E a dor é um tão poderoso transformador da realidade como a embriaguez. Combinado com essas imagens, o sofrimento logo fizera delas algo absolutamente diverso do que podem ser para qualquer outra pessoa uma dama de gris, uma gorjeta, uma ducha e a ruela em que ocorrera a chegada intencional de Albertine com a dama de gris. Todas essas imagens – perspectiva aberta sobre uma vida de mentiras e de faltas que eu jamais havia imaginado – meu sofrimento as modificara de imediato em sua própria matéria, eu não as via à luz que ilumina os espetáculos da terra; era o fragmento de um outro mundo, de um planeta desconhecido e amaldiçoado, uma visão do inferno. O inferno era toda essa Balbec, todas as regiões circunvizinhas de onde, segundo a carta de Aimé, Albertine fazia vir muitas vezes as moças mais jovens, para levá-las às duchas. Esse mistério, que eu imaginara antigamente na região de Balbec e que se havia dissipado quando ali vivi, que a seguir esperara recuperar ao conhecer Albertine porque, quando a via passar pela praia, quando era bastante louco para desejar que não fosse virtuosa, pensava eu que ela devia encarná-lo – como agora tudo o que se referisse a Balbec se impregnava horrivelmente dele! Os nomes dessas estações, Toutainville, Épreville, Incarville, tornados tão familiares, tão tranqüilizantes, quando os ouvia à noite ao voltar da casa dos Verdurin, agora, pensando que Albertine havia morado em uma delas, saíra de passeio até a outra e muitas vezes pudera ir de bicicleta à terceira, despertavam em mim uma ansiedade mais cruel que da primeira vez, quando eu as via tão perturbado do trenzinho local, com minha avó, antes de chegar à Balbec ainda desconhecida.

Uma das forças do ciúme é revelar-nos o quanto a realidade dos fatos exteriores e os sentimentos da alma são algo desconhecido, que se presta a mil suposições. Julgamos saber exatamente as coisas e o que pensam as pessoas, pela simples razão de que não nos preocupamos com isso. Mas, logo que manifestamos o desejo de saber, como o ciumento, então é tudo um caleidoscópio vertiginoso onde nada mais distinguimos. Albertine me enganara? Com quem? Em que casa? Em que dia? Naquele em que me dissera tal coisa? Em que eu me lembrava de ter dito isso ou aquilo? Eu não sabia de nada. Já nem sabia quais eram seus sentimentos para comigo, se eram inspirados pelo interesse ou pela ternura. E de súbito lembrava-me de certo incidente insignificante; por exemplo, que Albertine quisera ir a Saint-Martin-le-Vêtu,[15] dizendo que este nome a interessava, e talvez apenas porque havia conhecido alguma camponesa que lá morava. Mas de nada valia que Aimé tivesse sabido de tudo isso para mim pela encarregada das duchas, pois Albertine devia ignorar para sempre que ele me dera essa informação, e a

[15] Confusão com o nome de Saint-Mars-le-Vêtu. Ver *Sodoma e Gomorra*, p. 832 (N. do T.)

necessidade de saber sempre fora superada, em meu amor por Albertine, pela necessidade de lhe mostrar que eu sabia; porque isso fazia cair entre nós a separação de ilusões diferentes, tudo jamais dando como resultado que eu me fizesse mais amado por ela, muito pelo contrário. Ora, eis que desde a sua morte a segunda dessas necessidades se amalgamara ao efeito da primeira: eu buscava imaginar a conversa em que lhe desejaria comunicar aquilo que soubera, tão vivamente como a conversa em que lhe teria indagado o que desconhecia; ou seja, vê-la perto de mim, ouvi-la a responder-me com bondade, ver suas bochechas se incharem, os olhos perderem a malícia e ficarem tristes, isto é, amá-la ainda e esquecer a fúria do meu ciúme no desespero do meu isolamento. O mistério doloroso dessa impossibilidade de lhe fazer saber o que eu havia conhecido, e de estabelecer nossas relações sobre a verdade do que eu simplesmente acabara de descobrir (e que talvez só descobrira porque ela estava morta) substituía com sua tristeza o mistério mais doloroso de sua conduta. Como? Ter desejado tanto que Albertine soubesse que eu me informara acerca da história do salão de duchas, e Albertine não era mais nada! Aí estava ainda uma das conseqüências dessa impossibilidade em que nos encontramos, quando temos de raciocinar sobre a morte, de imaginarmos outra coisa que não a vida. Albertine não era mais nada; mas, para mim, era a pessoa que me ocultara ter tido encontros com mulheres em Balbec, que achava ter tido êxito em me fazer ignorá-los. Quando raciocinamos sobre o que ocorrerá após a nossa própria morte, não será ainda a nossa pessoa viva que, por engano, projetamos nesse momento? E, afinal, não é muito mais ridículo deplorar que uma mulher que já não é nada, ignore que tenhamos sabido o que ela fazia há seis anos, do que desejar que de nós mesmos, que estaremos mortos, o público ainda fale favoravelmente daqui a um século? Se há mais fundamento real no segundo caso que no primeiro, as lamentações do meu ciúme retrospectivo nem por isso provinham menos do mesmo erro de ótica que, nos outros homens, insinua o desejo de glória póstuma. Entretanto, essa impressão do que havia de solenemente definitivo em minha separação de Albertine, se por um momento substituíra a idéia de suas faltas, não fazia mais que agravá-las ao lhes conferir um caráter irremediável. Via-me perdido na vida, como numa praia ilimitada em que estivesse sozinho e onde, em qualquer sentido que caminhasse, não a encontraria jamais. Felizmente, achei bem a calhar em minha memória – como há sempre todo tipo de coisas, umas perigosas, outras salutares, nessas camadas onde as recordações só se iluminam de uma em uma –, descobri, como um operário, o objeto que poderá servir para o que deseja fazer, uma palavra de minha avó. Ela me dissera, a respeito de uma história inverossímil que a encarregada das duchas havia contado à Sra. de Villeparisis: "É uma mulher que deve ter a doença da mentira." Essa lembrança me foi de grande auxílio. Que alcance podia ter o que a encarregada das duchas dissera a Aimé? Tanto mais que, afinal, ela nada vira. Uma pessoa pode tomar duchas com suas amigas sem por isso pensar em alguma coisa má. Talvez, para gabar-se, a encarregada das duchas exagerasse a gorjeta. Bem que eu ouvira Françoise sustentar certa vez que minha tia Léonie dissera, na sua frente, possuir "um milhão de francos para esbanjar por mês", o que era absurdo; de outra vez, que vira minha tia Léonie dar a Eulalie quatro notas de mil francos, ainda que uma nota de cinqüenta francos, dobrada em quatro, já me parecesse pouco verossímil. E assim eu procurava, e o consegui aos poucos, desfazer-me da certeza dolorosa que tanto mal me fizera adquirir, dividido como estava sempre entre o desejo de saber e o medo de sofrer. Então pôde renascer a minha ternura, mas logo, com ela, a tristeza de estar separado de Albertine, sob a qual eu era talvez mais infeliz do que nas horas recentes em que o ciúme é que me torturava. Porém este renasceu, de súbito, quando pensei em Balbec, por causa da imagem repentinamente reaparecida (e que até então nunca me fizera sofrer, parecendo-me até uma das mais inofensivas de minha memória), a imagem, reaparecida por acaso, da sala de jantar de Balbec, à noite, tendo, do outro lado da vidraça, toda aquela população, amontoada na sombra como diante do vidro luminoso de um aquário, fazendo roçar (nunca pensara eu nisso), em sua aglomeração, as pescadoras e moças do povo contra as pequeno-burguesas enciumadas daquele novo luxo em Balbec, esse luxo que, se não a fortuna, ao menos a avareza e a tradição interditavam a seus pais, pequeno-burguesas entre as quais certamente estava todas as noites Albertine, a quem ainda não conhecia e que sem dúvida ali recrutava alguma garota, com quem se encontrava, minutos depois, de noite, na areia ou numa cabine abandonada, aos pés do rochedo. A seguir, era a minha tristeza que renascia, eu acabava de ouvir, como uma condenação ao exílio, o barulho do elevador que, em vez de parar no meu pavimento, subia além. No entanto, a única pessoa cuja visita eu poderia desejar não mais viria, estava morta. E apesar disso, quando o elevador parava no meu andar, o meu coração batia, eu dizia comigo por um instante: "E se tudo não passasse de um sonho? Talvez seja ela, vai tocar a campainha, vai entrar, Françoise virá dizer-me, mais com espanto do que raiva, pois é ainda mais supersticiosa que vingativa, e recearia menos uma pessoa viva do que o que talvez julgue ser uma alma penada: 'Patrão, nunca vai adivinhar quem está aí." Eu tentava não pensar em coisa alguma, pegar um jornal. Mas era-me insuportável a leitura daqueles artigos escritos por pessoas que não sentiam dor de verdade. De uma canção insignificante, um dizia: "É de fazer *chorar*", ao passo que eu a teria escutado com tanta alegria se Albertine estivesse viva. Um outro, contudo grande escritor, por ter sido aclamado à descida de um trem, dizia que ali recebera testemunhos *inolvidáveis*, enquanto que eu, se os recebesse agora, nem sequer por um instante pensaria neles. E um terceiro afirmava que, sem a odiosa política, a vida de Paris seria "completamente deliciosa", ao passo que eu sabia que, mesmo sem política, esta vida só podia ser atroz, e me teria parecido deliciosa, mesmo com política, se tivesse recuperado Albertine. O cronista de caçadas dizia (estávamos no mês de maio): "Esta época é verdadeiramente dolorosa, digamos até sinistra, para o verdadeiro caçador, pois ele não tem nada, absolutamente nada, em que atirar", e o cronista do *Salão*: "Diante desse modo de organizar uma exposição, a gente se vê tomado de um grande desânimo, de uma tristeza infinita..." Se a força daquilo que eu sentia, fazia-me parecer pálidas e falsas as expressões dos que não eram verdadeiramente felizes ou infelizes, em compensação as linhas mais insignificantes que, mesmo remotamente, podiam ligar-se à Normandia ou a Nice, ou aos estabelecimentos hidroterápicos, ou à Berma, à princesa de Guermantes ou ao amor, à ausência ou à infidelidade, repunham bruscamente diante de mim, sem que tivesse tempo de me desviar, a imagem de Albertine, e eu chorava de novo. Aliás, eu nem sequer podia ler esses jornais habitualmente, pois o simples gesto de abrir um deles me recordava, ao mesmo tempo, que realizara outros semelhantes quando Albertine era viva e que ela já não vivia; deixava-os cair, sem ânimo para desdobrá-los por inteiro. Cada impressão evocava uma impressão idêntica, porém destruída, porque dela fora retirada a existência de Albertine, de modo que eu jamais tinha a coragem de viver até o fim esses minutos mutilados. Mesmo quando, aos poucos, ela deixou de estar presente em meu pensamento e todo-poderosa no meu coração, eu sofria de súbito se me fosse preciso entrar em seu quarto, como no tempo em que ela morava ali, procurar luz, sentar-me junto da pianola. Dividida em pequenos deuses familiares, ela habitou por muito tempo a chama da vela, a maçaneta da porta, o espaldar de uma cadeira, e outros domínios menos imateriais, como uma noite de insônia ou a emoção que me dava a primeira visita de uma mulher que me agradara. Apesar disso, as poucas frases que meus olhos liam durante o dia ou que meu pensamento recordava haver lido, freqüentemente excitavam em mim um ciúme cruel. Por isso, tais frases precisavam menos me fornecer um argumento válido em favor da imoralidade das mulheres do que me restituir uma impressão antiga ligada à existência de Albertine. Transportadas então para um momento esquecido, cuja força não me fora atenuada pelo hábito de pensar nele, e onde Albertine ainda vivia, suas faltas assumiam algo de mais próximo, mais angustiante, mais atroz. Então eu voltava a me perguntar se era certo que as revelações da encarregada das duchas fossem falsas. Uma boa maneira de conhecer a verdade seria enviar Aimé à Touraine, para que passasse alguns dias nas vizinhanças da vivenda da Sra. Bontemps. Se Albertine amava os prazeres que uma mulher tem com outras, se fora para não ficar muito mais tempo privada deles que me abandonara, deveria, logo que se visse livre, tentar entregar-se a eles e satisfazê-los, numa região que conhecia e para onde não teria escolhido retirar-se caso não tivesse pensado em encontrar ali mais facilidades do que em minha casa. Sem dúvida, não havia nada de extraordinário no fato de que a morte de Albertine tivesse mudado tão pouco as minhas preocupações. Quando a nossa amante está viva, uma grande parte dos pensamentos que formam aquilo a que chamamos "nosso amor" nos ocorre durante as horas em que ela não está ao nosso lado. Assim, adquirimos o hábito de ter por objeto de nossos devaneios um ser ausente, e que, mesmo se não se ausenta por mais que poucas horas, não passa, nessas horas, de uma lembrança. A morte igualmente não muda grande coisa. Quando Aimé voltou, pedi-lhe que partisse para Châtellerault, e assim, não só pelos meus pensamentos e minhas tristezas, a emoção que me dava um nome, ligado, ainda que remotamente, a uma certa criatura, mas também por todos os meus atos, pelas investigações que levava a efeito, pelo emprego que fazia do meu dinheiro, inteiramente destinado a conhecer as ações de Albertine, posso dizer que todo esse ano minha vida ficou repleta de um amor, de uma verdadeira ligação. E essa que era objeto de semelhante amor estava morta. Diz-se, às vezes, que pode subsistir alguma coisa de uma criatura após a morte, se essa criatura foi artista e colocou um pouco de si mesma em sua obra. Talvez seja da mesma forma que uma espécie de muda, retirada de uma criatura e enxertada no coração de outra, aí continua a desenvolver-se, mesmo depois de morta a criatura da qual foi destacada.

Aimé foi instalar-se ao lado da vivenda da Sra. Bontemps; travou conhecimento com uma camareira e com um locador de carros em cuja firma Albertine ia com freqüência alugar um pelo dia todo. Tais pessoas nada haviam observado. Numa segunda carta, Aimé dizia ter sabido, por uma lavadeirinha da cidade, que Albertine possuía um jeito particular de lhe apertar o braço, quando a outra lhe entregava a roupa. *Mas, dizia ela, esta senhorita nunca lhe fizera outra coisa.* Mandei a Aimé o dinheiro que lhe pagava a viagem, que pagava o mal que ele me causava com sua carta, e todavia eu me esforçava para curá-lo, dizendo comigo que isso era uma familiaridade que não provava qualquer desejo vicioso, quando recebi um telegrama de Aimé: SOUBE COISAS BEM INTERESSANTES. ESTOU CHEIO NOVIDADES PARA O SENHOR. SEGUE CARTA. No dia seguinte, veio uma carta cujo sobrescrito bastou para me fazer estremecer; reconhecera que era de Aimé, pois toda criatura, mesmo a mais humilde, tem sob seu domínio esses pequenos seres familiares, a um tempo vivos e deitados numa espécie de entorpecimento sobre o papel, os caracteres de sua escrita, que só ela possui.

A princípio, a lavadeirinha não quis me dizer nada, afirmava que a Srta. Albertine nunca lhe fizera senão apertar-lhe o braço. Mas, para fazê-la falar, levei-a para jantar, fi-la beber. Então, ela me contou que a Srta. Albertine a encontrava muitas vezes à beira do Loire quando ela ia tomar banho; que a Srta. Albertine, que tinha o hábito de levantar bem cedinho para tomar banho, costumava encontrar-se com ela à beira do rio, num local em que as árvores são tão espessas que ninguém pode ver a gente, e aliás não há ninguém que possa ver a gente àquela hora. Depois a lavadeirinha levava suas amiguinhas e elas se banhavam, e depois, como já fazia muito calor por lá e até debaixo das árvores parecia que pegava fogo, ficavam a secar-se na grama, acariciando-se, fazendo cócegas, brincando. A lavadeirinha me confessou que apreciava muito divertir-se com as amiguinhas e que, vendo a Srta. Albertine sempre se esfregando nela com seu peignoir, *fazia com que se despisse e, com a língua, ia lhe acariciando o pescoço e os braços, e até a sola dos pés que a Srta. Albertine lhe estendia. A lavadeirinha também se despia, e elas brincavam de se empurrarem n'água. Nessa noite ela não me disse mais nada. Mas inteiramente devotado às ordens de Vossa Senhoria e querendo fazer tudo para agradar ao senhor, levei a lavadeirinha para dormir comigo. Ela me perguntou se eu queria que fizesse o mesmo que havia feito para a Srta. Albertine, quando esta tirava a roupa de banho. E me disse: (Se visse como aquela moça se retorcia, ela me dizia: (Ah! você me deixa louca) e ficava tão nervosa que não podia evitar morder-me). Ainda vi o sinal no braço da lavadeirinha. E compreendi o prazer da Srta. Albertine, pois essa garota é de fato muito habilidosa.*

Eu sofrera bastante em Balbec, quando Albertine me falara de sua amizade pela Srta. Vinteuil. Mas Albertine estava lá para me consolar. Depois, quando, por ter procurado conhecer demais os atos de Albertine, conseguira fazer que fosse embora de minha casa; quando Françoise me anunciara que ela já não estava presente e que me achei sozinho, sofrera mais ainda. Mas pelo menos a Albertine que eu havia amado permanecia em meu coração. Agora, em seu lugar – como punição por ter levado tão longe uma curiosidade à qual, contrariamente ao que havia suposto, a morte não pusera termo –, o que eu encontrava era uma moça diferente, multiplicando as mentiras e as traições bem onde a outra me tranqüilizara, com tanta doçura, jurando que jamais conhecera esses prazeres, os quais, na embriaguez da liberdade reconquistada, fora gozar até o espasmo, até o ponto de morder aquela pequena lavadeira com quem se encontrava ao despontar do sol, à beira do Loire, e a quem dizia: "Você me deixa louca." Uma Albertine diferente, não só no sentido em que entendemos a palavra diferente quando se trata dos outros. Se os outros são diferentes do que pensávamos, tal diferença, não nos atingindo profundamente, e não podendo o pêndulo da intuição projetar para fora de si mais que uma oscilação igual à que executou no sentido interior, é somente nas regiões superficiais deles mesmos que situamos essas diferenças. Outrora, quando eu ficava sabendo que uma mulher gostava de mulheres, nem por isso ela me parecia diferente, de uma essência particular. Mas se se trata de uma mulher a quem amamos, para nos livrarmos da dor que sentimos à idéia de que isso pode ser verdade, procuramos saber não apenas o que ela fez, mas aquilo que sentia ao fazê-lo, que idéia tinha daquilo que fazia; então, descendo cada vez mais às profundezas da dor, atingimos o mistério, a essência. Eu sofria até no fundo de mim mesmo, até no meu corpo, no meu coração, bem mais do que me teria feito sofrer o medo de perder a vida, com essa curiosidade com a qual colaboravam todas as forças da minha inteligência e do meu inconsciente; e, assim, era nas próprias profundezas de Albertine que eu projetava agora tudo o que soubera a seu respeito. E a dor que desse modo fizera penetrar em mim, a uma tal profundidade, a realidade do vício de Albertine, muito mais tarde me prestou um último serviço. Da mesma forma que o mal que eu havia feito a minha avó, o mal que me fizera Albertine foi um último laço entre ela e mim, sobrevivendo até a recordação, pois, com a conservação de energia que possui tudo o que é físico, o sofrimento nem sequer precisa das lições da memória; assim, um homem que se esqueceu das belas noites de luar passadas nos bosques, sofre ainda dos reumatismos que neles apanhou.

Esses gostos que ela possuía, mas negava, esses gostos cuja descoberta me viera, não envoltos em frio raciocínio, mas no ardente sofrimento sentido à leitura destas palavras: "Você me deixa louca", sofrimento que lhes conferia uma particularidade qualitativa, esses gostos não se ajustavam apenas à imagem de Albertine, como se ajusta ao bernardo-eremita a nova concha que ele arrasta consigo, mas antes como um sal que entra em contato com outro sal, muda-lhe a cor, e, mais ainda, a Natureza. Quando a lavadeirinha dissera à amigas: "Imaginem, eu não teria acreditado, a senhorita também é", para mim, não era somente um vício, de que a princípio não suspeitavam, o que elas acrescentavam à pessoa de Albertine, e sim a descoberta de que ela era uma outra pessoa, uma pessoa como elas, que falava a mesma língua, o que, fazendo-a compatriota das outras, tornava-a ainda mais estranha a mim, provava que o que eu tivera dela, e levava em meu coração, era apenas um pouquinho dela, e que o resto, que adquiria tamanha extensão por não ser unicamente essa coisa já de tão misteriosa importância, um desejo individual, mas por lhe ser comum com as outras, ela sempre me escondera, mantendo-me afastado dele, como uma mulher que me tivesse ocultado ser de um país inimigo e espiã, e que ainda teria agido de modo mais traiçoeiro que uma espiã, pois esta só engana quanto à sua nacionalidade, ao passo que Albertine o fazia quanto à sua humanidade mais profunda, quanto ao fato de que não pertencia à humanidade comum, mas a uma raça estranha que com ela se mistura, nela se esconde e não se funde jamais. Eu justamente acabara de ver dois quadros de Elstir onde, numa paisagem densa, há mulheres nuas. Num deles, uma das moças ergue o pé como o devia fazer Albertine quando o ofertava à lavadeira. Com o outro, empurra para a água a outra moça, que resiste alegremente, a coxa levantada, o pé mal mergulhado na água azul. Lembrava-me agora que o levantar da perna, com o ângulo do joelho, compunha o mesmo feitio sinuoso de pescoço de cisne, formado pela inclinação da coxa de Albertine quando estava a meu lado na cama, e muitas vezes quisera lhe dizer que ela me lembrava essas pinturas, mas não o fizera para não despertar nela a imagem de corpos nus de mulheres. Agora eu a via ao lado da lavadeira e das amigas desta, recompondo o grupo de que eu tanto gostara quando estava sentado no meio das amigas de Albertine, em Balbec. E, se eu fosse um amador sensível apenas à beleza, teria reconhecido que Albertine o recompunha mil vezes mais belo, agora que os seus elementos eram as estátuas nuas de deusas, como as que os grandes escultores espalharam em Versalhes, entre as moitas, ou rodeavam de fontes, para que as lavassem e polissem as carícias da água corrente. Agora, eu a via ao lado da lavadeira, moças à beira d'água, em sua dupla nudez de mármores femininos, no meio dos tufos de vegetação e mergulhando n'água como baixos-relevos náuticos. Lembrando-me do que era Albertine em minha cama, acreditava ver a sua coxa recurva, via-a, era um pescoço de cisne, e procurava a boca da outra moça. Então, já não via sequer uma coxa, mas o colo ousado de um cisne, como aquele que, num esforço fremente, procura a boca de uma Leda, vista em toda a palpitação específica do prazer feminino, porque só existe um cisne, e ela parece mais sozinha, da mesma forma que descobrimos ao telefone as inflexões de uma voz que não distinguimos enquanto não se dissocia de um rosto onde se objetiva a sua expressão. Nesse escorço, o prazer, em vez de ir em direção à mulher que o inspira, e que está ausente, substituída por um cisne inerte, concentra-se naquela que o sente. Por instantes, a comunicação ficava interrompida entre o meu coração e minha memória. O que Albertine havia feito com a lavadeira era-me representado apenas pelas abreviaturas quase algébricas que não me configuravam mais nada; mas cem vezes por hora a corrente interrompida se restabelecia, e meu coração queimava sem piedade num fogo infernal, enquanto via Albertine ressuscitada pelo meu ciúme, verdadeiramente viva, retesar-se sob as carícias da lavadeirinha, a quem dizia: "Você me deixa louca." Como vivia no momento em que cometia a sua falta, isto é, no momento em que eu próprio me encontrava, não me bastava conhecer essa falta, gostaria que ela soubesse que eu a conhecia. Assim, se nesses momentos lamentava pensar que nunca mais a veria de novo, esse lamento trazia a marca do meu ciúme e, bem diverso do lamento dilacerante dos momentos em que a amava, não passava de lástima de não poder dizer-lhe: "Achavas que eu jamais saberia do que fizeste depois de me deixares; pois bem, sei de tudo, sei da lavadeira à beira do Loire, tu lhe dizias: 'Você me deixa louca', vi a mordida." Sem dúvida, dizia comigo: "Por que me atormentar? Essa que gozou com a lavadeira já não é nada, logo era uma pessoa cujas ações não têm mais valor. Ela não sabe que eu sei. Mas também não sabe que eu não sei, porque não sabe coisa alguma." Porém este raciocínio me convencia menos que a visão de seu gozo, que me devolvia ao momento em que ela o havia experimentado. O que sentimos só existe para nós e nós o projetamos no passado, no futuro, sem nos deixarmos deter pelas barreiras fictícias da morte. Se, nesses instantes, o meu lamento pela sua morte sofria a influência de meu ciúme e assumia aquela forma tão particular, essa influência se estendeu naturalmente aos meus devaneios de ocultismo e de imortalidade, que não eram senão um esforço para tentar realizar o que eu desejava. Assim, nesses instantes, se conseguisse evocá-la fazendo girar uma mesa, como outrora Bergotte julgava ser possível, ou em reencontrá-la em outra vida, como o imaginava o abade X***, não teria desejado isso senão para lhe repetir: "Sei através da lavadeira. Tu dizias: 'Você me deixa louca'; vi a mordida." O que veio em meu socorro, contra a imagem da lavadeira, foi – certamente depois de ter durado um pouco – essa imagem mesma, pois só conhecemos de fato o que é novo, o que bruscamente introduz na nossa sensibilidade uma alteração de tom que fere fundo, coisa a que o hábito ainda não substituiu por seus pálidos fac-símiles. Mas sobretudo foi esse fracionamento de Albertine em numerosas partes, em numerosas Albertines, que se transformou no seu único modo de existência em mim. Voltaram os momentos em que ela fora apenas bondosa, ou inteligente, ou séria, ou mesmo gostava dos esportes acima de tudo. E esse fracionamento, no fundo não era justo que ele me acalmasse? Pois, se não fosse em si mesmo algo de real, se dependesse da forma sucessiva das horas em que ela me aparecera, forma que permanecia sendo a da minha memória, como a da curvatura das projeções da minha lanterna mágica dependia da curvatura dos vidros coloridos, não representaria à sua maneira uma verdade, e bem objetiva, a saber, que cada um de nós não é um, mas contém numerosas pessoas, nem todas com o mesmo valor moral, e que, se existira a Albertine viciosa, isto não impedia que tivesse havido outras Albertines: a que gostava de conversar sobre Saint-Simon comigo, em seu quarto; a que, na noite em que lhe dissera que era preciso que nos separássemos, comentara com tristeza: "Esta pianola, este quarto, pensar que nunca mais voltarei a ver tudo isto"; e, quando vira a emoção que minha mentira acabara por me comunicar, exclamara com uma piedade tão sincera: "Oh, não! Tudo menos fazer você sofrer. Está combinado, não tentarei vê-lo de novo." Então, não estive mais sozinho; senti desaparecer aquele muro que nos separava. A partir do momento em que essa generosa Albertine voltara, eu havia reencontrado a única pessoa a quem poderia pedir o antídoto para os sofrimentos que Albertine me causava. Certo, eu sempre desejaria lhe falar acerca da história da lavadeira, mas já não seria como um cruel triunfo nem para lhe mostrar, maldosamente, que a conhecia. Como teria feito, se Albertine estivesse viva, perguntei-lhe com ternura se era verdade a história da lavadeira. Ela me jurou que não, que Aimé não era muito verídico e que, desejando parecer que ganhara bem o dinheiro que eu lhe dera, não tinha querido voltar de mãos abanando, e fizera a lavadeira dizer tudo o que ele pretendia. Sem dúvida, Albertine continuava a me mentir. No entanto, no fluxo e refluxo de suas contradições, eu sentia haver uma certa progressão devida a mim. Que ela no começo me houvesse feito confidências (talvez, é certo, involuntárias, como numa frase que se escapa), eu não teria jurado: não me lembrava mais. E, além disso, ela possuía modos tão esquisitos de se referir a certas coisas, que isso podia ou não significar tal coisa. Mas o entendimento que tivera do meu ciúme a levara em seguida a retratar-se, com horror, daquilo que a princípio admitira complacentemente. De resto, Albertine não precisava sequer de me dizer tudo isso. Para me convencer de sua inocência, bastava-me beijá-la, e o podia, agora que caíra o muro que nos separava, semelhante ao tapume, impalpável e resistente, que se ergue entre dois amantes após uma briga, e contra o qual se espedaçariam os beijos. Não, ela não precisava me dizer nada. Fizesse o que quisesse a coitadinha, havia sentimentos nos quais, por cima daquilo que nos separava, podíamos unir-nos. Se a história era verdadeira, e se Albertine me ocultara os seus gostos, fora para não me aborrecer. Tive a doçura de ouvi-lo dizer por essa outra Albertine. Além disso, havia eu alguma vez conhecido outra? As duas maiores causas de erros em nossas relações com outra criatura consistem em termos bom coração e amarmos a essa criatura. Amamos por um sorriso, por um olhar, por um ombro. Isso basta; então, nas compridas horas de esperança ou de tristeza, fabricamos uma pessoa, compomos um caráter. E quando, mais tarde, freqüentamos a pessoa amada, já não podemos, diante da realidade cruel que divisamos, arrancar esse caráter bom, essa natureza de mulher que nos ama, àquela criatura que possui tal olhar e tais ombros, da mesma forma que não podemos arrancar seu rosto primitivo a uma pessoa que conhecemos desde a juventude, quando envelhece. Evoquei o olhar belo, piedoso e bom daquela Albertine, suas faces gordas, seu pescoço de amplas granulações. Era a imagem de uma morta, mas, como essa morta vivia, foi simples fazer logo o que infalivelmente teria feito se ela tivesse viva junto a mim (o que faria caso a encontrasse de novo em outra vida): perdoei-lhe.

Os momentos que vivera junto dessa Albertine eram-me de tal modo preciosos que não gostaria de deixar escapar nenhum deles. Ora, por vezes, como recuperamos os restos de uma fortuna dissipada, tornava a encontrar alguns que pareciam perdidos: atando um lenço por trás do meu pescoço, e não na frente, lembrei-me de um passeio no qual nunca voltara a pensar e onde, para que o ar frio não me afetasse a garganta, Albertine me atara o lenço dessa forma, depois de me haver beijado. Esse passeio tão simples, restituído à minha memória por um gesto tão humilde, deu-me o prazer desses objetos íntimos, pertencentes a uma pessoa morta e querida, que a velha camareira nos vem trazer, e aos quais damos tanto valor; minha mágoa achou-se enriquecida com essa lembrança, principalmente porque eu jamais voltara a pensar nesse lenço.

Agora Albertine, novamente solta, retomara o seu vôo; homens e mulheres a seguiam. Ela vivia em mim. Eu percebia que esse amor prolongado por Albertine era como a sombra do sentimento que tivera por ela, reproduzindo-lhe as diversas etapas, e obedecia às mesmas leis da realidade sentimental que ele refletia para além da morte. Pois eu sentia muito bem que, se podia pôr alguns intervalos entre meus pensamentos dedicados a Albertine, por outro lado, se pusesse demais, já não a teria amado; devido a essas fendas, ela ia se tornando indiferente para mim, como já o era a minha avó. Demasiado tempo sem pensar nela teria rompido em minha lembrança a continuidade que é o princípio mesmo da vida, que todavia pode ser recuperado após um certo espaço de tempo. Não fora desse modo o meu amor por Albertine quando ela vivia, e que pudera renovar-se depois de um intervalo bastante longo, durante o qual eu permanecera sem pensar nela? Ora, a minha recordação deveria obedecer às mesmas leis, sem poder suportar intervalos muito longos, pois não fazia mais do que, como as auroras boreais, refletir, após a morte de Albertine, o sentimento que lhe consagrara; era como a sombra do meu amor.

De outras vezes, a minha mágoa assumia tantas formas que, de quando em quando, eu não a reconhecia; sonhava em ter um grande amor, queria procurar uma pessoa que vivesse junto a mim, e isso me parecia um sinal de que já não amava Albertine, quando era indício de que a amava sempre; pois essa necessidade de viver um grande amor era apenas, tanto quanto o desejo de beijar as faces rechonchudas de Albertine, uma parte da minha saudade. Só quando a tivesse esquecido, é que eu poderia achar mais sábio e mais feliz viver sem amor. Assim, a saudade de Albertine, porque era ela quem fazia nascer em mim a necessidade de uma irmã, tornava-a insaciável. E, à medida que se enfraquecesse a minha saudade por ela, a necessidade de uma irmã, que não passava de uma forma inconsciente dessa saudade, se tornaria menos imperiosa. E contudo esses dois resquícios do meu amor não seguiram, em seu decréscimo, um ritmo igualmente rápido. Havia momentos em que eu estava decidido a casar-me, de tanto que o primeiro sofria um eclipse profundo, ao passo que o segundo, ao contrário, ganhava muita força. E, em compensação, estando posteriormente extintas as minhas recordações ciumentas, às vezes, de súbito, subia-me ao coração uma ternura por Albertine; e então, pensando em meus amores por outras mulheres, dizia comigo que ela os teria compreendido e partilhado – e seu vício tornava-se como que uma causa de amor. Por vezes, renascia o meu ciúme nos momentos em que já não me lembrava de Albertine, embora fosse dela que me enciumava. Supunha tê-los de Andrée, a propósito de quem me narraram então uma aventura. Mas Andrée, para mim, era apenas um testa-de-ferro, uma estrada de ligação, uma tomada de corrente que indiretamente me unia a Albertine. É assim que, em sonho, damos outro rosto e outro nome a uma pessoa, sobre cuja identidade profunda todavia não nos enganamos. Em suma, apesar dos fluxos e refluxos que nesses casos particulares contrariavam a lei geral, os sentimentos que Albertine me deixara tiveram mais dificuldade em morrer do que a lembrança de sua causa primeira. Não só os sentimentos, mas as sensações. Diferente nisto de Swann que, quando começara a deixar de amar Odette, nem sequer pudera recriar nele mesmo a sensação de seu amor, eu me sentia ainda a reviver um passado que não era mais que a história de um outro; meu eu, de certa forma partido em dois, enquanto a sua extremidade superior já estava dura e resfriada, queimava ainda na base cada vez que uma centelha fazia passar por ela a antiga corrente, mesmo quando desde há muito o meu espírito deixara de imaginar Albertine. E, visto que imagem nenhuma dela acompanhava as palpitações cruéis que a supriam, nem as lágrimas trazidas a meus olhos por um vento que soprava, como em Balbec, sobre as macieiras já róseas, eu chegava a me perguntar se o renascimento de minha dor não seria devido a causas puramente patológicas e se o que eu tomava por revivescência de uma lembrança e o derradeiro período de um amor, não era antes o princípio de uma moléstia do coração.

Há, em certas afecções, acidentes secundários que o enfermo é freqüentemente levado a confundir com a própria doença. Quando eles cessam, o doente se espanta por achar-se menos afastado da cura do que havia imaginado. Tal fora o sofrimento causado – a "complicação" trazida – pelas cartas de Aimé relativamente ao estabelecimento de duchas e às lavadeiras. Mas, quanto ao resto, um médico de almas que me tivesse visitado julgaria que meu próprio desgosto ia melhor. Está claro que, em mim, como eu era homem, uma dessas criaturas anfíbias que, ao mesmo tempo, estão mergulhadas no passado e na realidade atual, existia sempre uma contradição entre a lembrança viva de Albertine e o conhecimento que eu tinha de sua morte. Essa contradição, porém, de qualquer modo era o inverso do que fora antigamente. A idéia de que Albertine estava morta, essa idéia que, nos primeiros tempos, vinha combater tão furiosamente em mim a idéia de que ela vivia, de que eu estava obrigado a fugir dela como as crianças à aproximação da onda, essa idéia de sua morte, em virtude mesmo desses ataques incessantes, acabara afinal conquistando em mim o lugar ocupado, ainda recentemente, pela idéia de sua vida. Sem que eu percebesse, era agora essa idéia da morte de Albertine – e não mais a recordação atual da sua vida – que, em sua maior parte, constituía o fundo de minhas cismas inconscientes, de modo que, se as interrompia de súbito para refletir sobre mim mesmo, o que me provocava espanto não era, como nos primeiros dias, que Albertine, tão viva em mim, pudesse não mais existir sobre a terra, pudesse estar morta, mas que Albertine, que já não existia sobre a terra, que estava morta, tivesse permanecido tão viva em mim. Construído pela contigüidade de lembranças, que se seguem umas às outras, o negro túnel, sob o qual meu pensamento já devaneava há tanto tempo que eu nem reparava nele, interrompia-se bruscamente com um intervalo de sol, ninando ao longe um universo sorridente e azul, onde Albertine não era mais que uma recordação indiferente e cheia de encanto. Será esta, dizia para mim mesmo, a verdadeira, ou então a criatura que, na escuridão em que eu há tanto errava, parecia-me a realidade única? Essa personagem que eu fora ainda há tão pouco tempo, e que só vivia na pérpetua espera do momento em que Albertine viesse lhe dar boa-noite e beijá-la, uma espécie de multiplicação de mim mesmo me fazia essa personagem como sendo apenas uma parte frágil e semidespojada de meu ser, e, como uma flor que se entreabre, eu experimentava o frescor revigorante de uma esfoliação. Ademais, estas breves iluminações só me faziam talvez tomar maior consciência de meu amor por Albertine, como acontece com todas as idéias demasiado constantes, que precisam de uma oposição para se afirmarem. Aqueles que viveram durante a guerra de 1870, por exemplo, dizem que a idéia da guerra acabara por lhes parecer natural, não porque não pensassem muito nela, mas porque pensavam nela sempre. E, para compreender o quanto a guerra é um fato estranho e considerável, era necessário que, arrancadas à sua obsessão permanente, esquecessem por um instante que a guerra imperava, e voltassem a sentir-se como eram em tempo de paz, até que, de repente, nesse branco momentâneo, se destacasse, afinal distinta, a realidade monstruosa que desde há muito eles tinham deixado de ver, por não verem outra coisa senão ela.

Se, dentro de mim, essa contração das diversas lembranças de Albertine ainda fosse feita, ao menos, não por escalões, mas de modo igual e simultâneo, de frente, em toda a linha da memória, as lembranças de suas traições se distanciando ao mesmo tempo que as de sua ternura, o esquecimento teria me trazido a paz. Mas não era assim. Como numa praia onde a maré vem bater irregularmente, eu era assaltado pela mordida de uma de minhas suspeitas, quando a imagem de sua doce presença já se retirara para tão longe que não podia mais trazer-me seu alívio. Quanto às traições, havia sofrido com elas, porque, por mais distante fosse o ano em que houvessem ocorrido, não eram antigas para mim; mas sofri menos quando assim se tornaram, isto é, quando passei a figurá-las menos vivamente, pois o distanciamento de uma coisa é antes proporcional à potência visual da memória que observa do que à distância real dos dias transcorridos, assim como a lembrança de um sonho da noite passada pode nos parecer mais longínquo, em sua imprecisão e apagamento, que uma ocorrência que data de vários anos. Mas, embora a idéia da morte de Albertine fizesse progressos em mim, o refluxo da sensação de que ela vivia, se não os detinha, contudo se lhes opunha, impedindo que tais progressos fossem regulares. E agora eu me dava conta de que, durante esse período (sem dúvida por causa do esquecimento das horas em que ela estivera enclausurada em minha casa, e que, à força de apagar em mim o sofrimento pelas faltas que me pareciam quase indiferentes, porque sabia que ela não as cometia, se tinham tornado como que outras tantas provas de sua inocência), martirizara-me por viver habitualmente com uma idéia também tão nova como a de que Albertine morrera (até então, eu sempre partia da idéia de que Albertine vivia), com uma idéia que teria considerado igualmente impossível de suportar e que, sem que me apercebesse, formando aos poucos o fundo da minha consciência, substituía nela a idéia de que Albertine era inocente: era a idéia de que ela era culpada. Quando acreditava duvidar dela, ao contrário acreditava; da mesma forma, tomei como ponto de partida de minhas outras idéias a certeza – muitas vezes desmentida, como o fora a idéia contrária – a certeza de sua culpabilidade, sempre imaginando duvidar ainda. Devo ter sofrido muito nesse período, mas percebo que precisava ser assim. Ninguém sara de um sofrimento sem antes experimentá-lo integralmente. Protegendo Albertine de qualquer contato, forjando para mim mesmo a ilusão de que ela era inocente, bem como depois, tomando por base de meu raciocínio a idéia de que ela vivia, nada mais fazia que retardar o momento da cura, pois retardava as longas horas que deveriam desenrolar-se antes de chegar ao fim dos sofrimentos necessários. Ora, acerca dessas idéias da culpabilidade de Albertine, o hábito, quando se exercesse, o faria segundo as mesmas leis que eu já sentira no decurso da minha vida. Da mesma forma que o nome de Guermantes perdera o significado e o encanto de um caminho margeado de ninféias e do vitral de Gilberto, o Mau, a presença de Albertine a dos vales azuis do mar, os nomes de Swann, do ascensorista, da princesa de Guermantes e de tantos outros, tudo o que eles tinham significado para mim – e como esse encanto e significado me deixassem uma simples palavra que julgavam suficientemente crescida para viver sozinha, como alguém que chega para orientar seu empregado, o instrui e, após algumas semanas, se retira –, da mesma forma a força dolorosa da culpabilidade de Albertine seria expulsa de mim pelo hábito. Aliás, daqui até lá, como no decurso de um ataque simultâneo por dois lados, nesta ação do hábito dois aliados se dariam mutuamente mão forte. Pois essa idéia da culpabilidade de Albertine se tornaria para mim uma idéia mais provável, mais habitual, e, por isso é que se faria menos dolorosa. Mas, por outro lado, porque seria menos dolorosa, as objeções feitas à certeza dessa culpabilidade, e que só eram inspiradas à minha inteligência pelo desejo de não sofrer demais, cairiam uma após a outra; e, cada ação precipitando outra, eu passaria rapidamente da certeza da inocência de Albertine à certeza de sua culpa. Era preciso que eu convivesse com a idéia da morte de Albertine, com a idéia de suas faltas, para que essas idéias se me tornassem habituais, ou seja, para que eu pudesse esquecer essas idéias e, por fim, a própria Albertine.

Eu ainda não havia chegado a esse ponto. Era por vezes a memória, tornada mais nítida por uma excitação intelectual, como a leitura, que renovava a minha mágoa; de outras vezes, ao contrário, era essa mágoa causada, por exemplo, pela angústia de um dia de tempestade, que erguia mais alto, mais para perto da luz, alguma recordação do nosso amor. Aliás, essas retomadas de meu amor por Albertine morta podiam ocorrer após um intervalo de indiferença semeado de curiosidades outras, como, após o longo intervalo que principiara depois do beijo recusado em Balbec, e durante o qual eu me ocupara bem mais da Sra. de Guermantes, de Andrée e da Srta. de Stermaria, havia recomeçado quando voltei a vê-la com freqüência. Contudo, mesmo agora, preocupações diferentes podiam realizar uma separação – desta vez relativamente a uma pessoa morta – em que ela se tornaria mais indiferente. Tudo isso pelo mesmo motivo: ela era viva para mim. E, mesmo mais tarde, quando passei a amá-la menos, isso continuou entretanto como um desses desejos que nos cansam depressa, mas que retornam quando os deixamos repousar por algum tempo. Eu perseguia uma pessoa viva, depois uma outra, e depois voltava à minha morta. Muitas vezes era nas partes mais obscuras de mim mesmo, quando já não me podia formar nenhuma idéia nítida de Albertine, que um nome vinha por acaso excitar reações dolorosas em mim, reações que eu não mais julgava possíveis, como se dá com esses agonizantes cujo cérebro já não raciocina e de quem se faz contrair um membro, ao enfiar-se-lhe uma agulha. E, durante esses longos períodos, tais excitações aconteciam tão raramente que eu buscava por mim mesmo as ocasiões para um desgosto ou uma crise de ciúme, para tentar ligar-me ao passado, e me lembrar melhor dela. Pois, como a saudade de uma mulher não passa de amor revivescente por ela e está submetida às mesmas leis que ele, a força da minha saudade era acrescida pelas mesmas causas que, enquanto Albertine vivia, teriam aumentado o meu amor por ela, e em cuja primeira fila sempre haviam figurado o ciúme e a dor. Porém, na maioria das vezes, tais ocasiões – pois uma doença ou uma guerra podem durar muito além do calculado pela sabedoria mais previdente – nasciam contra a minha vontade e me causavam choques tão violentos que eu pensava bem mais em me proteger contra o sofrimento do que em pedir uma lembrança a tais ocasiões.

Além disso, nem era preciso que uma palavra, como Chaumont[16] (e até uma sílaba comum a dois nomes diversos bastava à minha memória – como a um eletricista que se contenta com o menor corpo que seja bom condutor – para restabelecer o contato entre Albertine e meu coração), se relacionasse a uma suspeita para que a despertasse, para se transformar na palavra de senha, a mágica Sésamo que entreabria a porta de um passado de que já não nos apercebíamos porque, fartos de vê-lo, literalmente não o possuímos mais; tínhamos sido diminuídos dele, e julgávamos, devido a essa ablação, ter a nossa própria personalidade mudada em sua forma, como uma figura que perdesse um lado, com um ângulo; certas frases, por exemplo, em que ocorria o nome de uma rua ou de uma estrada em que Albertine pudesse ter estado, bastavam para encarnar um ciúme virtual, inexistente, em busca de um corpo, de uma casa, de alguma fixação material, de alguma realização particular. Muitas vezes era simplesmente durante o sono que essas "retomadas", esses *da capo* do sonho, virando de uma só vez várias páginas da memória, várias folhas do calendário, reconduziam-me, faziam-me retroceder a uma impressão dolorosa, porém antiga, que havia muito já cedera seu lugar a outras e que se tornava presente. De hábito, vinha acompanhada de todo um cenário desajeitado, mas impressionante, que, iludindo-me, punha diante de meus olhos, fazia meus ouvidos escutarem aquilo que daí em frente datava daquela noite. De resto, na história de um amor e de suas lutas contra o esquecimento, por acaso não ocupa o sonho um lugar maior ainda que a vigília, ele que não dá importância às divisões infinitesimais do tempo, suprime as transições, opõe os grandes contrastes, desfaz em um instante o trabalho de consolo, tão lentamente urdido durante o

[16] Chaumont: ver *A prisioneira*, p. 292 (N. do T.)

dia, e nos proporciona, à noite, um encontro com aquela que afinal teríamos acabado por esquecer, sob a condição, todavia, de não voltar a vê-la? Pois digam o que disserem, podemos perfeitamente, em sonhos, ter a impressão de que o que neles se passa é real. Isto só não seria possível devido a razões extraídas de nossa experiência da vigília, experiência que nesse momento nos é ocultada, de modo que essa vida inverossímil nos parece verdadeira. Às vezes, por um defeito de iluminação interior, que, viciosa, fazia falhar uma peça, e minhas lembranças, bem encenadas, davam ilusão de vida, eu julgava de fato ter marcado um encontro com Albertine e reencontrá-la; mas então sentia-me incapaz de ir a seu encontro, de proferir as palavras que queria dizer-lhe, de acender novamente, para vê-la, o castiçal que se apagara: impossibilidades que eram simplesmente, em meu sonho, a imobilidade, o mutismo e a cegueira de quem dorme, como se vê, bruscamente, na projeção falha de uma lanterna mágica, uma grande sombra, que deveria estar oculta, apagar a silhueta das personagens e que é a da própria lanterna, ou a do operador. De outras vezes, Albertine se encontrava em meu sonho e desejava abandonar-me de novo, sem que sua resolução conseguisse me comover. É que da minha memória pudera filtrar-se na escuridão de meu sono um raio de advertência; e o que, aninhado em Albertine, tirava toda a importância a seus atos futuros e à partida que ela anunciava, era a idéia de que ela estava morta. Porém muitas vezes, mais nítida, a lembrança de que Albertine estava morta se combinava, sem destruí-la, com a sensação de que ela vivia. Eu conversava com ela e, enquanto eu falava, minha avó ia e vinha no fundo do quarto. Um pedaço de seu queixo caíra em pedacinhos como um mármore corroído, mas aquilo não me parecia nada de extraordinário. Dizia a Albertine que teria perguntas a lhe fazer, relativas ao estabelecimento de duchas de Balbec e a uma certa lavadeira da Touraine, mas deixava aquilo para mais tarde, visto dispormos de todo o tempo e que nada nos apressava. Ela me garantia que nada fazia de mal e que, na véspera, apenas beijara os lábios da Srta. Vinteuil. "Como? Ela está aqui? – Sim, já é mesmo hora de deixar você, pois devo ir visitá-la daqui a pouco." E como, desde que Albertine estava morta, eu já não a mantinha prisioneira em minha casa como nos últimos tempos de sua vida, inquietava-me a sua visita à Srta. Vinteuil. Eu não queria deixar que ela a visse, Albertine dizia que não fizera mais que beijá-la, mas devia recomeçar a mentir como no tempo em que negava tudo. Em breve, provavelmente, não se contentaria em beijar a Srta. Vinteuil. Sem dúvida, de um certo ponto de vista, eu estava errado em inquietar-me desse jeito, pois, como dizem, os mortos não podem sentir nem fazer nada. Diz-se, mas isto não impedia a minha avó, que estava morta, de continuar a viver, todavia, há vários anos e, nesse momento, ela ia e vinha pelo quarto. Sem dúvida, quando eu despertasse, a idéia de uma morta que continua a viver deveria parecer-me tão impossível de compreender como o é de explicar. Mas eu já a havia formulado tantas vezes, no decorrer desses períodos passageiros de loucura que são os nossos sonhos, que terminara por me familiarizar com ela; a memória dos sonhos pode se tornar durável caso eles se repitam com muita freqüência. E imagino que, mesmo se hoje está curado e recuperou a razão, aquele homem deve compreender, um tanto melhor que os outros, o que queria dizer durante um período já terminado de sua vida mental, quando, desejando explicar aos visitantes de um hospital de alienados que não era uma pessoa destituída de razão, apesar do que pretendia o médico, comparava a sua mentalidade sã com as loucas quimeras de cada um dos doentes, concluindo: "Assim, aquele que se parece a todos, os senhores não o julgariam doido; pois bem, ele o é, pois julga ser Jesus Cristo, e isto não pode ser porque Jesus Cristo sou eu!"[17] E durante muito tempo, após findo o sonho, eu continuava atormentado com aquele beijo que Albertine dissera ter dado, em palavras que eu pensava escutar ainda. E de fato devem ter passado bem próximo ao meu ouvido, pois eu mesmo é que as pronunciara. O dia inteiro continuei a conversar com Albertine; interrogava-a, perdoava-lhe, remediava o esquecimento de coisas que sempre quisera dizer-lhe enquanto vivia. E, de repente, impressionava-me pensar que à criatura evocada pela memória, à qual se dirigiam todas essas frases, já não correspondia realidade alguma, que estavam destruídas as diferentes partes do rosto, às quais somente o impulso contínuo da vontade de viver, hoje aniquilado, dera a unidade de uma pessoa. Outras vezes, sem ter sonhado, logo ao despertar eu sentia que o vento mudara em mim; soprava de modo gelado e contínuo de outra direção, vindo do fundo do passado, trazendo-me o ressoar de horas longínquas, silvos de partida que de hábito eu não ouvia. Um dia, tentei pegar um livro, um romance de Bergotte de que especialmente gostara. Os personagens, simpáticos, agradavam-me bastante e, bem depressa tomado pelo encanto do livro, pus-me a desejar, como a um prazer pessoal, que a mulher malvada fosse punida; meus olhos se umedeceram quando ficou assegurada a felicidade dos noivos. "Mas então", gritei com desespero, "pelo fato de atribuir tanta importância ao que Albertine poderia ter feito, não posso concluir daí que sua personalidade seja algo real, impossível de ser abolido, que a tornarei a encontrar um dia, igualzinha, no céu, uma vez que apelo com tantos votos, espero com tanta impaciência, e acolho com lágrimas o sucesso de uma pessoa que nunca existiu senão na imaginação de Bergotte, pessoa a quem jamais vi, e cujo rosto sou livre de o imaginar à minha vontade!" Além do mais, nesse romance havia moças sedutoras, correspondências amorosas, aléias desertas onde a gente se encontrava; isso me lembrava que podemos amar clandestinamente e despertava o meu ciúme, como se Albertine ainda pudesse passear nas aléias desertas. Também se mencionava um homem que,

[17] O episódio do louco repete a anedota já narrada em *A Prisioneira*. Ver p. 155. (N. do T.)

depois de cinqüenta anos, revê uma mulher a quem amou na juventude, não a reconhece e se entedia a seu lado. E isso me lembrava que o amor não dura sempre, e me deixava perturbado, como se eu estivesse destinado a estar separado de Albertine e a reencontrá-la com indiferença na velhice. Se via um mapa da França, meu olhos assustados cuidavam para não achar a Touraine, a fim de que não me enciumasse, e, para que não me sentisse infeliz, a Normandia, onde estavam assinaladas Balbec e Doncières, entre as quais eu situava todos aqueles caminhos que tantas vezes tínhamos percorrido juntos. No meio de outros nomes de cidades e aldeias da França, nomes que mal eram visíveis ou audíveis, o nome de Tours, por exemplo, parecia diversamente composto, não mais de imagens imateriais, mas de substâncias venenosas que agiam imediatamente sobre meu coração, cujas batidas aceleravam e se faziam dolorosas. E se esta força se estendia até certos nomes, por ela tornados tão diferentes dos outros, de que modo, permanecendo mais perto de mim, restringindo-me à própria Albertine, poderia eu assombrar-me que essa força irresistível sobre mim, e para cuja produção qualquer outra mulher serviria, tivesse sido o resultado de uma confusão, da tomada de contato entre sonhos, desejos, hábitos, ternuras, com a exigida interferência de sofrimentos e prazeres alternados? E isso continuava após a sua morte, sendo suficiente a memória para entreter a vida real, que é mental. Eu me lembrava de Albertine descendo do vagão e dizendo que gostaria de ir a Saint-Martin-le-Vêtu, e logo a via de novo com a boina bem abaixada sobre o rosto; reencontrava possibilidades de ventura, em cujo encalço me lançava, dizendo comigo: "Poderíamos ir juntos até Infreville, até Doncières." Não havia estação próxima a Balbec em que não a revisse, de forma que essa terra, como uma região mitológica preservada, tornava para mim vivas e cruéis as lendas mais antigas, mais encantadoras e apagadas, pelo que se seguira de meu amor. Ah que sofrimento, se me fosse preciso alguma vez dormir de novo naquela cama de Balbec, em torno de cuja moldura de cobre, como ao redor de um eixo imutável, de barras fixas, deslocara-se e evoluíra toda a minha vida, apoiando nele, sucessivamente, alegres conversas com minha avó, o horror de sua morte, as doces carícias de Albertine, a descoberta de seu vício, e, agora, uma vida nova, onde, avistando as estantes envidraçadas em que se refletia o oceano, eu sabia que Albertine nunca mais haveria de entrar! Não era aquele hotel de Balbec como esse cenário único da casa, nos teatros de província, onde se representam há muitos anos as peças mais diversas, que serviu para uma comédia, para uma primeira tragédia, para uma segunda, para uma peça puramente poética, aquele hotel que já se perdia bem longe no meu passado? O fato de que essa única parte sempre continuasse a mesma, com suas paredes, suas estantes, seu espelho, no decorrer de novas épocas da minha vida, fazia-me perceber melhor que, no conjunto, era o resto, era eu mesmo que havia mudado, e, assim, dava-me a impressão de que os mistérios da vida, do amor, da morte, dos quais as crianças, no seu otimismo, crêem não participar, não são partes reservadas; porém percebemos, com doloroso orgulho, que se integraram, no decurso dos anos, em nossa própria vida.

Às vezes eu tentava ler os jornais. Mas a sua leitura era-me odiosa e, além do mais, não era inofensiva. Com efeito, em nós, de cada idéia, como de uma encruzilhada na floresta, partem tantas estradas diferentes que, no momento em que menos esperava, achava-me diante de uma nova lembrança. O título da melodia de Fauré, *O segredo*, me conduzira ao *Segredo do rei*, do duque de Broglie, e o nome de Broglie ao de Chaumont; ou então a expressão *Sexta-feira santa* me fizera pensar no Gólgota, e o Gólgota na etimologia dessa palavra, que parece equivaler a *Calvus mons*, Chaumont. Mas, fosse qual fosse o caminho pelo qual eu tivesse chegado a Chaumont, naquele momento eu era atingido por um choque tão cruel que desde então pensava muito mais em me proteger contra a dor que lhe pedir recordações. Alguns instantes após o choque, a inteligência que, como o barulho do trovão, viaja menos depressa, trazia-me a razão. Chaumont fizera-me pensar nos Buttes-Chaumont, onde a Sra. Bontemps me havia dito que Andrée ia muitas vezes com Albertine, ao passo que Albertine me dissera jamais ter visto os Buttes-Chaumont. A partir de uma certa idade, as nossas lembranças ficam de tal modo entrecruzadas umas às outras, que a coisa em que pensamos, o livro que lemos, quase não têm importância nenhuma. Pusemos tanto de nós mesmos em toda parte, tudo é fecundo, tudo é perigoso, e também podemos fazer preciosas descobertas tanto nos *Pensamentos* de Pascal como num anúncio de sabonete.

Sem dúvida um fato como este dos Buttes-Chaumont, que à época me havia parecido fútil, era em si mesmo, contra Albertine, bem menos grave e menos decisivo que a história da encarregada das duchas ou da lavadeira. Mas, primeiro, uma lembrança que nos ocorre fortuitamente encontra em nós uma capacidade intacta de imaginar, isto é, neste caso, de sofrer, que em parte gastamos quando somos nós, ao contrário, que voluntariamente aplicamos o nosso espírito em recriar uma lembrança. E, depois, a essas últimas (a encarregada das duchas e a lavadeira), sempre presentes em minha memória conquanto obscurecidas, como esses móveis colocados na penumbra de uma galeria e nos quais, embora sem distingui-los, procuramos não esbarrar, eu me havia acostumado. Pelo contrário, fazia muito tempo que eu não pensava nos Buttes-Chaumont, ou, por exemplo, no olhar de Albertine ao espelho no cassino de Balbec, ou na sua demora inexplicável na noite em que a esperei tanto depois da reunião na casa dos Guermantes, todas essas porções de sua vida que permaneciam fora do meu coração e que eu gostaria de conhecer para que pudessem assimilar-se, anexar-se a ele, reencontrar nele as lembranças mais doces que ali formavam uma Albertine interior e verdadeiramente conquistada. Erguendo uma ponta do pesado véu do hábito (o hábito embrutecedor que, durante toda a nossa vida, nos oculta aproximadamente todo o universo e, numa noite profunda, sob sua etiqueta inalterada, substitui os mais perigosos e inebriantes venenos da vida por algo de anódino, que não confere delícias), tais lembranças me voltavam como no primeiro dia, com essa novidade aguda e fresca de uma estação que reaparece, de uma mudança na rotina de nossas horas, que, também no domínio dos prazeres, se saímos de carro num primeiro dia lindo de primavera, ou deixamos nossa casa ao romper do sol, fazem-nos reparar em nossos atos mais insignificantes com uma exaltação lúcida que faz prevalecer esse intenso minuto sobre a totalidade dos dias anteriores. Pouco a pouco, os dias antigos recobrem aqueles que os precederam, e eles mesmos são sepultados sob os que os seguem. Porém cada dia antigo permanece depositado em nós como, numa imensa biblioteca, onde existem livros mais antigos, um exemplar que, sem dúvida, ninguém nunca irá consultar. No entanto, basta que esse dia antigo, atravessando a transparência das épocas seguintes, remonte à superfície e se estenda sobre nós, cobrindo-nos inteiramente, para que, durante um momento, os nomes recuperem o seu antigo significado, as criaturas o seu rosto antigo, nós a nossa alma dessa época, e sintamos, com um sofrimento vago, porém suportável e de pouca duração, os problemas de há muito tornados insolúveis, que tanto nos angustiavam então. Nosso eu é formado pela superposição de nossos estados sucessivos. Mas essa superposição não é imutável como a estratificação de uma montanha. As transformações geológicas fazem aflorar à superfície, perpetuamente, camadas mais antigas. Depois da reunião na casa da princesa de Guermantes, encontrava-me à espera da chegada de Albertine. Que teria feito ela nessa noite? Enganara-me? Com quem? As revelações de Aimé, ainda que eu as aceitasse, não diminuíam em nada, para mim, o interesse ansioso, desolado, dessa questão inesperada, como se cada Albertine diversa, cada nova lembrança, apresentasse um problema de ciúme particular ao qual as soluções dos outros não podiam aplicar-se.

Mas eu não desejaria saber apenas com que mulher ela havia passado essa noite, mas que tipo de prazer especial aquilo lhe dava, o que se passava naquele momento dentro dela. Às vezes, em Balbec, Françoise, indo procurá-la, dissera-me tê-la encontrado debruçada à janela, o ar inquieto, perscrutador, como se esperasse alguém. Suponhamos que eu soubesse que a moça esperada fosse Andrée; qual seria o estado de espírito de Albertine enquanto a esperava, esse estado de espírito por detrás do olhar inquieto e indagador? Aquele gosto, que importância teria para Albertine, que lugar ocuparia em suas preocupações? Ai de mim! Recordando minhas próprias agitações a cada vez que havia reparado numa moça que me agradava, às vezes até quando apenas ouvira falar a seu respeito, sem a ter visto, minha preocupação em parecer bonito, em valorizar-me, meus suores frios, eu não precisava, para me torturar, senão imaginar essa mesma voluptuosa emoção em Albertine, como, graças ao aparelho que, após a visita de um certo prático que se mostrara descrente diante da realidade de seu mal, minha tia Léonie desejara fosse inventado, e que permitiria ao médico ensaiar, para averiguar melhor, todos os sofrimentos de sua doença. E já era bastante para me torturar, para me indicar que, ao lado disso, as conversas mais sérias que tivera comigo acerca de Stendhal e Victor Hugo deveriam pesar bem pouco em seu espírito, e para sentir seu coração atraído para outras criaturas, desligar-se do meu, encarnar-se alhures. Mas, a própria importância que esse desejo deveria ter para ela, e as reservas que se formavam a seu redor, não podiam me revelar o que, qualitativamente, ele era, e muito menos a maneira como ela o qualificava ao pensar nisso. Pelo menos, no sofrimento físico não precisamos escolher nós próprios a nossa dor. A doença a determina e no-la impõe. Mas no ciúme, de alguma forma, precisamos ensaiar sofrimentos de todo gênero e de toda grandeza, antes de nos determos no que nos parece conveniente. E como é maior a dificuldade, quando se trata de um sofrimento como esse, o de saber que a criatura amada, gozando com pessoas diferentes de nós, dando-lhes sensações que não somos capazes de lhe proporcionar, ou que, pelo menos, por sua configuração, seu aspecto, suas maneiras, representam para ela algo bem diverso de nós! Ah, por que Albertine não amara a Saint-Loup? Parece-me que eu teria sofrido menos!

Certamente ignoramos a sensibilidade particular de cada criatura, mas de hábito não sabemos sequer que a ignoramos, pois essa sensibilidade dos outros nos é indiferente. No que se referia a Albertine, minha desgraça (ou minha felicidade) teria dependido do que era essa sensibilidade; eu sabia muito bem que ela me era desconhecida, e o fato de que me fosse desconhecida já era uma dor. Os desejos e prazeres desconhecidos que Albertine sentia, tive certa vez a ilusão de vê-los, uma outra vez de ouvi-los. Vê-los quando, algum tempo depois da morte de Albertine, Andrée veio à minha casa. Pela primeira vez ela me pareceu bonita; pensei comigo que aqueles cabelos quase crespos, aqueles olhos sombrios e pisados eram, sem dúvida, o que Albertine amara tanto, a materialização, diante de mim, do que levava consigo em seu devaneio amoroso, do que ela via pelos olhares antecipadores do desejo, no dia em que, tão precipitadamente, quisera regressar de Balbec. Como a uma ignorada flor escura que me fosse trazida de além-túmulo por uma criatura na qual eu não soubera descobri-la, parecia-me ver à minha frente, exumação inesperada de uma relíquia inestimável, o Desejo encarnado de Albertine que Andrée constituía para mim, como Vênus era o desejo de Júpiter. Andrée lastimava Albertine, mas de imediato senti que sua amiga não lhe fazia falta. Afastada à força da amiga pela morte, parecia ter assumido facilmente uma separação definitiva que eu não teria coragem de lhe pedir enquanto Albertine vivia, tamanho era o meu receio de não obter o consentimento de Andrée. Ao contrário, ela parecia aceitar sem dificuldade essa renúncia, mas justo no momento em que de nada mais me valeria. Andrée abandonava-me Albertine, porém morta, e tendo perdido para mim não só a sua vida, mas, retrospectivamente, um pouco de sua realidade, pois eu percebia que ela não era indispensável, única, para Andrée, que pudera substituí-la por outras.

Enquanto Albertine vivia, eu não teria ousado pedir a Andrée confidências sobre a natureza da amizade entre elas e com a amiga da Srta. Vinteuil, não estando certo de que, afinal, Andrée não fosse repetir a Albertine tudo o que eu lhe dizia. Agora, semelhante interrogatório, mesmo que se revelasse sem frutos, pelo menos seria sem perigo. Falei a Andrée, não em tom interrogativo, mas como se soubesse o tempo todo, talvez por Albertine, do gosto que ela mesma, Andrée, sentia pelas mulheres, e de suas próprias relações com a Srta. Vinteuil. Andrée confessou tudo isso sem qualquer dificuldade, sorrindo. Dessa confissão eu podia extrair conseqüências cruéis; primeiro, porque Andrée, tão afetuosa e faceira como tantas moças em Balbec, não levaria ninguém à suposição de hábitos que ela de modo algum negava, de forma que, por analogia, descobrindo essa nova Andrée, podia pensar que Albertine os teria confessado com a mesma facilidade a qualquer outra pessoa que não a mim, pois sabia que eu era ciumento. Mas, por outro lado, tendo sido Andrée a melhor amiga de Albertine, e sendo provavelmente por sua causa que Albertine voltara expressamente de Balbec, agora, que Andrée confessava esses gostos, a conclusão que devia impor-se ao meu espírito era que Albertine e Andrée sempre haviam tido relações conjuntas. Decerto, como em presença de uma pessoa estranha, nem sempre ousamos tomar conhecimento do presente que ela nos oferta, e cujo embrulho só desfazemos quando o ofertante já foi embora, enquanto Andrée estava por perto, eu não mergulhei em mim mesmo para examinar a dor que ela me causava e que eu já bem sentia trazer a meus criados físicos, os nervos, o coração, grandes tumultos, de que fingia não me aperceber por boa educação; ao contrário, conversava o mais graciosamente possível com a moça, a quem recebia, sem desviar meus olhos para estes incidentes internos. Foi-me especialmente penoso ouvir Andrée dizer, falando de Albertine: – Ah, sim; ela gostava muito que fôssemos passear no vale de Chevreuse. – Ao universo vago e inexistente em que ocorriam os passeios de Albertine e de Andrée, pareceu-me que esta, numa criação posterior e diabólica, acabava de acrescentar um vale maldito. Percebi que Andrée ia me contar tudo o que fazia com Albertine e, enquanto procurava, por polidez, por habilidade, por amor-próprio, talvez por gratidão, mostrar-me cada vez mais afetuoso, enquanto o espaço que ainda pudera conceder à inocência de Albertine se estreitava mais e mais, pareceu-me sentir que, apesar de meus esforços, eu conservava o aspecto entorpecido de um animal a cujo redor um círculo, progressivamente mais estreito, é lentamente descrito pelo pássaro sedutor, que não se apressa porque está certo de alcançar a vítima quando quiser, pois ela não mais lhe escapará. Contudo eu a encarava, e, com o que resta de jovialidade, de ar natural e de segurança às pessoas que desejam parecer não recear serem hipnotizadas com um olhar fixo, disse a Andrée esta frase acidental: – Nunca lhe falei por medo de aborrecê-la, mas agora que nos é doce falar dela, bem posso lhe dizer que havia muito tempo que eu sabia das relações desse gênero, que você tinha com Albertine; aliás, isso lhe dará prazer, embora já o saiba: Albertine a adorava. – Também disse a Andrée que ela me satisfaria uma grande curiosidade se me deixasse vê-la – mesmo que se limitasse apenas às carícias que não a constrangessem muito diante de mim – fazer isso com as amigas de Albertine que tinham tais gostos; e citei (para saber) Rosemonde, Berthe, todas as amigas de Albertine. – Por nada neste mundo eu faria isso que você diz na sua frente – respondeu Andrée –; e não creio que nenhuma dessas que você acabou de citar possua tais gostos. – Aproximando-me, a meu pesar, do monstro que me atraía, retruquei: – Como! Não vai me fazer acreditar que, de todo o seu grupo, era só com Albertine que você fazia isso! – Mas eu nunca fiz isso com Albertine. – Ora, minha cara Andrée, por que negar coisas que já conheço há pelo menos três anos? Não vejo nada de mal nisso, pelo contrário. Justamente a propósito da noite em que ela queria tanto ir, no dia seguinte, à casa dos Verdurin, talvez você se lembre... – Antes que continuasse a frase, vi passar nos olhos de Andrée, fazendo-os pontiagudos como essas pedras a que, por causa disso, os joalheiros têm dificuldade de se aplicar, um olhar preocupado, como o dessas cabeças de privilegiados que levantam uma ponta da cortina antes que a peça principie e que logo se esquivam, para não serem percebidos. Esse olhar inquieto desapareceu, tudo regressou à ordem, mas eu sentia que o que visse agora seria apenas artificialmente arranjado para mim. Nesse momento, avistei-me ao espelho; impressionou-me uma certa semelhança entre mim e Andrée. Se desde há muito tempo não tivesse deixado de raspar o bigode, dele não usasse mais que uma sombra, tal semelhança teria sido quase completa. Talvez fosse ao olhar, em Balbec, o meu bigode, que mal repontava ainda, que Albertine tivera de súbito aquele desejo impaciente e furioso de regressar a Paris. – Todavia, não posso dizer o que não é verdade, pela simples razão de que você não acharia nenhum mal nisso. Juro que nunca fiz nada com Albertine e tenho a convicção de que ela detestava essas coisas. As pessoas que lhe contaram isto mentiram, talvez com um objetivo interessado – disse ela com ar indagativo e suspeitoso. – Enfim, está bem, já que você não quer me dizer – respondi, preferindo fingir não querer dar uma prova que não possuía. No entanto, pronunciei vagamente, e como que por acaso, o nome dos Buttes-Chaumont. – Posso ter ido aos Buttes-Chaumont com Albertine, mas existe algo de especialmente ruim nesse lugar? – Perguntei-lhe se não poderia falar sobre o assunto a Gisèle, que em certa época conhecera particularmente Albertine. Mas Andrée afirmou que, após uma infâmia que lhe fizera Gisèle ultimamente, pedir-lhe um favor era a única coisa que sempre se negaria a fazer por mim. – Se a encontrar – acrescentou –, não lhe diga o que contei sobre ela; é inútil fazer dela uma inimiga. Ela sabe o que penso a seu respeito, mas sempre achei melhor evitar, com ela, brigas violentas que só trazem reconciliações. Além disso, ela é perigosa. Mas você compreende que, quando se lê uma carta como a que tive diante de meus olhos há oito dias, e onde ela me mentia com tanta perfídia, nada, nem as mais belas ações do mundo, pode apagar a lembrança disso. – Em suma, tendo Andrée esses gostos a ponto de não ocultá-los de maneira nenhuma, e tendo Albertine por ela a grande afeição que certamente lhe dedicara, se, apesar disso, Andrée jamais tivera relações carnais com Albertine e sempre desconhecera que Albertine tivesse tais gostos, então é que Albertine não os tivera, e nem tivera com ninguém as relações que, mais do que com qualquer outra, teria tido com Andrée. Assim, quando Andrée saiu, dei-me conta de que sua afirmação tão nítida me havia trazido sossego. Mas talvez essa afirmação fosse ditada pelo dever a que Andrée se julgasse obrigada para com a morta, cuja lembrança ainda existia nela, de não deixar que acreditassem naquilo que Albertine, sem dúvida, quando viva, lhe pedira que negasse.

Esses prazeres de Albertine que eu, depois de haver tantas vezes procurado imaginá-los, julgara por um momento ver ao contemplar Andrée, uma outra vez pensei surpreender a presença deles não apenas pelos olhos, julguei ouvi-los. Num bordel, eu mandara vir duas lavadeirinhas de um bairro onde Albertine ia muitas vezes. Sob as carícias de uma, a outra começou de repente a fazer ouvir o que não pude distinguir a princípio de que se tratava, pois não compreendemos nunca exatamente o significado de um ruído original, que expressa uma sensação que jamais experimentamos. Se o ouvimos de um aposento contíguo e sem nada ver, podemos tomar por um riso louco aquilo que o sofrimento arranca de um enfermo que está sendo operado sem que o tenham feito adormecer; e, quanto ao ruído que escapa de uma mãe a quem informam que seu filho acaba de morrer, pode nos parecer, se não sabemos de que se trata, tão difícil de lhe aplicar uma tradução humana, como ao ruído que se escapa de um animal selvagem ou de uma harpa. É necessário algum tempo para compreender que esses dois ruídos exprimem o que, por analogia com o que nós mesmos, no entanto, pudemos sentir de bem diverso, chamamos sofrimento; e também me foi necessário algum tempo para compreender que esse ruído exprimia o que, igualmente por analogia com o que eu mesmo havia sentido de bem diferente, chamei de prazer; e este devia ser muito intenso para transtornar a esse ponto a criatura que o sentia e tirar dela essa linguagem desconhecida que parece designar e comentar todas as fases do drama delicioso que a mulherzinha vivia, e que a cortina abaixada escondia a meus olhos, como a própria mulher oculta para sempre aos outros o que se passa no mistério íntimo de cada criatura. Essas duas lavadeirinhas não puderam, aliás, dizer-me coisa alguma, pois não sabiam quem era Albertine.

Os romancistas muitas vezes pretendem, num prefácio, ter viajado por uma região onde encontraram alguém que lhes contou a vida de uma pessoa. Cedem, então, a palavra a esse amigo encontrado, e a narrativa que este lhes faz é precisamente o seu romance. Assim, a vida de Fabrice del Dongo foi contada a Stendhal por um cônego de Pádua. Como desejaríamos, quando estamos apaixonados, ou seja, quando a existência de uma outra pessoa nos parece misteriosa, encontrar semelhante narrador informado! E decerto ele existe. Nós mesmos muitas vezes não contamos, sem nenhuma paixão, a vida desta ou daquela mulher a um de nossos amigos ou a um estranho que nada conhecem de seus amores e nos ouvem com curiosidade? O homem que eu era quando falava a Bloch da princesa de Guermantes e da Sra. Swann, esse homem existia e poderia me falar de Albertine, esse homem existe sempre... mas nós jamais o encontramos. Parecia-me que, se pudesse encontrar mulheres que a tivessem conhecido, ficaria sabendo tudo o que ignorava. Entretanto, a estranhos deveria parecer que ninguém melhor que eu podia conhecer a sua vida. E até não conhecia a sua melhor amiga, Andrée? É assim que se julga que o amigo de um ministro deve saber a verdade sobre certos assuntos, ou não poderá ser implicado num processo. Apenas, ao fazê-lo, o amigo observou que toda vez que falava de política ao ministro, este permanecia nas generalidades e, quando muito, dizia-lhe o que estava nos jornais; ou, se lhe acontecia algum transtorno, suas múltiplas solicitações ao ministro sempre resultavam num "não está em meu poder", contra o qual o próprio amigo não tinha poder. Dizia comigo: "Se pudesse conhecer tais testemunhas!" – das quais, se as conhecesse, não teria podido obter mais do que de Andrée, ela mesma depositária de um segredo que não queria desvendar. Ainda nisto diferente de Swann que, quando deixou de ser ciumento, não sentiu mais curiosidade pelo que Odette pudesse ter feito com Forcheville, conhecer, mesmo depois de passado meu ciúme, a lavadeira de Albertine, pessoas do seu bairro, reconstituir aí a sua vida e suas aventuras, apenas isto possuía encanto para mim. E, como o desejo provém sempre de um prestígio anterior, como ocorrera no caso de Gilberte e da duquesa de Guermantes, nos bairros em que antigamente Albertine vivera, as mulheres do seu meio foram as únicas que procurei e cuja presença poderia desejar. Mesmo sem que nada pudessem informar-me, eram as únicas mulheres para as quais eu me sentia atraído, por serem as que Albertine conhecera, ou que teria podido conhecer, mulheres do seu meio ou dos meios que ela gostava de freqüentar; numa palavra, aquelas que tinham para mim o prestígio de se assemelharem a ela, ou de serem aquelas que lhe teriam agradado. Assim, lembrando-me, ou da própria Albertine, ou do tipo pelo qual ela sem dúvida mostrara preferência, essas mulheres despertavam-me um sentimento cruel, de ciúme ou de mágoa, que mais tarde, quando se acalmou o meu desgosto, transformou-se numa curiosidade não isenta de encanto. E, entre essas últimas, sobretudo as mocinhas do povo, por causa dessa vida tão diversa da que eu conhecia e que é a delas. Sem dúvida, é unicamente através do pensamento que a gente possui as coisas, e não possuímos um quadro porque o temos na sala de jantar, se não soubermos compreendê-lo, nem uma região por nela residirmos, se nem sequer a contemplamos. Mas, afinal, outrora eu tinha a ilusão de rever Balbec quando, em Paris, Albertine vinha visitar-me, e eu a apertava em meus braços; da mesma forma, tomava contato, aliás bastante estreito e furtivo, com a vida de Albertine, a atmosfera nas oficinas, uma conversa de balcão e a alma dos pardieiros, quando beijava uma operária. Andrée e essas outras mulheres, tudo isso em relação a Albertine – como Albertine mesma o fora em relação a Balbec – eram desses substitutivos do prazer, sucedendo-se uns aos outros em degradação continuada, que nos permitem passar por aquilo que já não podemos atingir, viagem a Balbec ou amor de Albertine, eram desses prazeres (como o fato de ir ver no Louvre um quadro de Ticiano que já esteve em Veneza, nos consola de não poder ir a Veneza), que, separados uns dos outros por matizes indistingüíveis, fazem de nossa vida como que uma seqüência de zonas concêntricas, contíguas, harmônicas, degradadas, em torno de um desejo primeiro que deu o tom e eliminou o que não se funde com ele, espalhando a tinta dominante (como me havia acontecido igualmente no caso, por exemplo, da duquesa de Guermantes e de Gilberte). Andrée e essas mulheres eram para o desejo, que eu sabia não poder mais satisfazer, de ter Albertine junto a mim, o que, numa tardinha, antes de conhecer Albertine senão de vista, fora o ensolarado e tortuoso frescor de um cacho de uvas.

Associadas agora à recordação de seu amor, as particularidades físicas e sociais de Albertine, a despeito das quais eu a tinha amado, orientavam o meu desejo, pelo contrário, àquilo que antes ele menos naturalmente teria escolhido: as morenas da pequena burguesia. Decerto, o que principiava em parte a renascer em mim era esse imenso desejo que meu amor por Albertine não conseguira satisfazer, esse imenso desejo de conhecer a vida, que eu antes havia experimentado nas estradas de Balbec e nas ruas de Paris, esse desejo que tanto me fizera sofrer quando, supondo que existia também no coração de Albertine, eu quisera privá-la dos meios de satisfazê-lo com outros além de mim. Agora que eu podia suportar a idéia de seu desejo, como essa idéia era logo despertada pelo meu, esses dois imensos apetites coincidiam, eu gostaria que pudéssemos nos entregar livremente a eles, e dizia comigo: "Esta garota lhe agradaria", e, por esse brusco desvio, pensando nela e na sua morte, sentia-me triste demais para levar adiante o meu desejo. Como outrora o lado de Méséglise e o lado de Guermantes haviam estabelecido os alicerces do meu gosto pelo campo, impedindo-me de achar um encanto profundo num lugar onde não existisse uma velha igreja, centáureas e botões-de-ouro, era da mesma forma que, ligando-as em mim a um passado cheio de encantos, meu amor por Albertine me fazia procurar exclusivamente um certo gênero de mulheres; como antes de amá-la, recomecei a precisar de coisas que se harmonizassem com ela e que fossem intercambiáveis com a minha lembrança, que pouco a pouco se tornava menos exclusiva. Agora não teria podido sentir-me bem junto a uma loura e altiva duquesa, porque ela não teria despertado em mim nenhuma das emoções que partiam de Albertine, do meu desejo dela, do ciúme que eu tivera de seus amores e de meus sofrimentos devidos à sua morte. Pois as nossas sensações, para serem fortes, precisam desencadear em nós algo de diferente delas, um sentimento que não poderá encontrar sua satisfação no prazer, mas que se ajunta ao desejo, infla-o, fazendo-o agarrar-se desesperadamente ao prazer. À medida que o amor que Albertine pudesse ter tido por certas mulheres já não me fazia mais sofrer, ele prendia essas mulheres ao meu passado, dava-lhes algo de mais real, como a recordação de Combray conferia mais realidade aos botões-de-ouro, aos espinheiros-alvares do que às flores novas. Mesmo sobre Andrée eu já não me dizia com raiva: "Albertine gostava dela", mas, ao contrário, para explicar a mim mesmo o meu desejo, e com ternura: "Albertine gostava tanto dela." Entendia agora os viúvos que julgamos consolados e que, pelo contrário, provam que são inconsoláveis porque se casam com a cunhada.

Assim, meu amor agonizante parecia tornar possíveis para mim novos amores, e Albertine, como essas mulheres amadas durante muito tempo em si mesmas, e que, mais tarde, sentindo diminuir o prazer do amante, conservam seu prestígio ao se contentarem com o papel de alcoviteiras, adornava para mim, como a Pompadour para Luís XV, novas garotas. Antigamente, meu tempo era dividido em períodos em que eu desejava determinada mulher, ou uma outra. Quando se acalmavam os prazeres violentos proporcionados por uma, eu desejava aquela que me oferecia uma ternura quase inocente, até que a necessidade de mais engenhosas carícias restituísse o desejo pela primeira. Agora, tinham acabado essas alternâncias, ou, pelo menos, um dos períodos se prolongava indefinidamente. Gostaria de que a recém-chegada viesse morar comigo e me desse à noite antes de recolher-se, um beijo familial de irmã. De modo que eu pudesse acreditar – se já não tivesse experimentado antes a presença insuportável de uma outra – que lastimava mais a ausência de um beijo que de certos lábios, de um prazer que de um amor, de um hábito que de uma pessoa. Gostaria igualmente que a recém-chegada pudesse me tocar Vinteuil como Albertine, conversar comigo sobre Elstir como ela o fazia. Tudo era impossível. O amor dessas moças não valeria o seu – pensava –, seja porque um amor a que se anexavam todos esses episódios: visitas aos museus, noites de concerto, toda uma vida complicada que permite correspondências, conversações, um namoro preliminar às próprias relações, uma grave amizade após, possui mais recursos que o amor por uma mulher que não sabe senão entregar-se, como uma orquestra os tem mais que um piano; seja porque, mais profundamente, minha necessidade do mesmo gênero de ternura que me proporcionava Albertine, a ternura de uma moça bastante cultivada e que, ao mesmo tempo, fosse uma irmã, não passasse – como o desejo por mulheres do mesmo meio de Albertine – de uma revivescência da recordação de Albertine, da lembrança do meu amor por ela. E mais uma vez sentia, primeiro, que a lembrança não é inventiva, é impotente para desejar qualquer outra coisa, até mesmo algo melhor do que o que já possuímos; a seguir, que é espiritual, de modo que a realidade não pode lhe fornecer o estado que ela procura; enfim, que, derivando de uma pessoa morta, o renascimento que ela encarna é menos o da necessidade de amar, no qual nos leva a crer, do que o da necessidade da ausente. De maneira que, mesmo a semelhança, com Albertine, da mulher que eu havia escolhido, a semelhança, se conseguisse obtê-la, de sua ternura com a de Albertine, apenas me faziam sentir melhor a ausência daquilo que, sem o saber, eu havia procurado e que me era indispensável para que minha felicidade renascesse; o que eu havia procurado, ou seja, a própria Albertine, o tempo que tínhamos vivido juntos, o passado, em cuja busca andava eu sem o saber. Certamente, nos dias lindos, Paris me surgia inumeravelmente florida de todas as mocinhas, não que as desejasse, mas que mergulhavam suas raízes na escuridão do desejo e das noites ignoradas de Albertine. De uma, ela me dissera logo no começo, quando ainda não desconfiava de mim: "É encantadora essa menina, que lindos cabelos!" Todas as curiosidades que eu tivera outrora sobre sua vida, quando só de vista a conhecia, e, por outro lado, todos os meus desejos de vida, confundiam-se nessa curiosidade única: a maneira como Albertine experimentava o gozo, vê-la com outras mulheres – talvez porque assim, ausentes elas, eu ficaria sozinho com Albertine, sendo o último e o senhor. E, vendo suas hesitações sobre se valia a pena passar a noite com esta ou aquela, sua saciedade quando a outra houvesse ido embora, talvez sua decepção, eu teria esclarecido, teria reduzido às suas justas proporções o ciúme que Albertine me inspirava, porque, vendo-a desse modo experimentá-los, tomaria a medida e descobriria o limite de seus prazeres.

De quantos prazeres, de que doce vida ela nos privou – dizia comigo – devido a essa indomável teimosia de negar seus gostos! E como, mais uma vez, eu procurasse descobrir qual poderia ter sido o motivo de sua obstinação, veio-me, de súbito, a lembrança de uma frase que lhe dissera em Balbec, no dia em que ela me dera um lápis. Como a censurasse por não me ter deixado beijá-la, dissera-lhe que achava isso tão natural como achava ignóbil que uma mulher tivesse relações com outra. Ai de mim, Albertine jamais a esquecera talvez.

Eu levava para casa as mocinhas que menos me agradavam, alisava-lhes as tranças virginais, admirava um narizinho bem modelado, uma palidez espanhola. Antigamente, é claro, mesmo por uma mulher a quem apenas avistava numa estrada de Balbec, numa rua de Paris, eu sentira o que o meu desejo possuía de individual, e que seria falseá-lo procurar satisfazê-lo com outro objeto. Mas a vida, revelando-me aos poucos a permanência de nossas necessidades, ensinara-me que, à falta de uma criatura, é forçoso contentarmo-nos com outra, e eu sentia que aquilo que havia pedido a Albertine, uma outra, a Srta. de Stermaria, poderia ter dado. Mas tinha sido Albertine; e entre a satisfação de minhas necessidades de ternura e as particularidades de seu corpo, um entrelaçamento de recordações se fizera, de tal modo inextricável que eu não podia mais arrancar a um desejo de carinho todo esse bordado das lembranças do corpo de Albertine. Somente ela poderia me conceder essa felicidade. A idéia de sua unicidade não era mais um *a priori* metafísico esgotado naquilo que Albertine possuía de individual, como antes o fora no caso das transeuntes, mas um *a posteriori* constituído pela imbricação contigente, porém indissolúvel, de minhas lembranças. Eu já não podia desejar um carinho sem ter necessidades dela, sem sofrer pela sua ausência. Além disso, a própria semelhança da mulher escolhida, da ternura que pedira, com a felicidade que conhecera, só me fazia sentir melhor tudo o que lhes faltava para que essa felicidade pudesse renascer. Esse mesmo vazio que sentia em meu quarto desde que Albertine partira e que pensara preencher apertando mulheres contra o peito, voltava a encontrar nelas. Estas nunca me haviam falado da música de Vinteuil, das *Memórias* de Saint-Simon; não tinham posto um perfume excessivamente forte para me visitar, não tinham brincado de juntar seus cílios aos meus, coisas importantes porque permitem, ao que parece, devanear em torno ao próprio ato sexual e proporcionar a ilusão do amor, mas, na verdade, porque faziam parte da recordação de Albertine e era esta quem eu queria ter encontrado. O que essas mulheres tinham de Albertine me fazia sentir melhor o que dela lhes faltava, e que era tudo, e que não seria jamais, pois Albertine estava morta. E assim, o meu amor por Albertine, que me atraíra para essas mulheres, tornava-as indiferentes para mim, e a saudade de Albertine e a persistência do meu ciúme, que já haviam ultrapassado, pela duração, minhas previsões mais pessimistas, não teriam sem dúvida mudado muito, se a existência do ciúme e da saudade, isolada do resto da minha vida, fosse apenas submetida ao jogo de minhas lembranças, às ações e reações de uma psicologia aplicável aos estados imóveis, e não arrastada para um mais vasto sistema, em que as almas se movem no tempo como os corpos no espaço. Assim como existe uma geometria no espaço, existe uma psicologia no tempo, onde os cálculos de uma psicologia plana já não seriam exatos, porque neles não se haveria feito conta do Tempo, e de uma das formas de que ele se reveste: o esquecimento; o esquecimento, de que eu já começava a sentir a força e que é um tão poderoso instrumento de adaptação à realidade, pois ele destrói aos pouquinhos o passado que sobrevive em nós, em constante contradição com ela. E, de fato, eu poderia ter adivinhado mais cedo que um dia deixaria de amar Albertine. Quando compreendi, pela diferença existente entre o que a importância de sua pessoa e de seus atos representara para mim e para os outros, que meu amor era menos um amor por ela do que em mim, poderia ter deduzido várias conseqüências desse caráter subjetivo do meu amor, e que, sendo um estado mental, podia notadamente sobreviver por muito tempo à pessoa, mas também que, não tendo com essa pessoa nenhum laço verdadeiro, nenhum sustentáculo fora de si mesmo, deveria, como todo estado mental, mesmo os mais duradouros, achar-se um dia fora de uso, ser "substituído" e que, nesse dia, tudo aquilo que parecia ligar-me tão doce e indissoluvelmente à recordação de Albertine, já não existiria para mim. A infelicidade das criaturas é não serem, para nós, mais que pranchas de coleções por demais perecíveis em nosso pensamento. Justamente por isso, baseamos nelas projetos que possuem o ardor do pensamento; porém este se fatiga, arruína-se a lembrança: e viria a hora em que, de bom grado, eu daria à primeira mulher que chegasse o quarto de Albertine, como, sem pesar, dera a Albertine a bolinha de ágata e outros presentes de Gilberte.

CAPÍTULO SEGUNDO

A Senhorita de Forcheville

Não é que eu já não amasse Albertine; porém não mais como nos últimos tempos; não, era à maneira dos tempos mais antigos, quando tudo o que se relacionava a ela, lugares e pessoas, fazia-me sentir uma curiosidade onde havia mais encanto que sofrimento. E, de fato, eu bem percebia agora que, antes de esquecê-la inteiramente, como um viajante que volta pela mesma estrada ao ponto de onde partiu, era-me preciso, antes de atingir a indiferença inicial, atravessar em sentido contrário todos os sentimentos pelos quais passara antes de chegar ao meu grande amor. Porém essas etapas, esses momentos do passado, não são imóveis; conservaram a força terrível, a ignorância feliz da esperança, que então se lançava no encalço de um tempo hoje convertido em passado, mas que uma alucinação nos faz tomar retrospectivamente pelo futuro. Eu lia uma carta de Albertine em que ela me anunciara a sua visita à noite, e senti por um segundo a alegria da espera. Nessas voltas pela mesma linha férrea de uma região aonde não retornaremos, reconhecemos o seu nome, o aspecto de todas as estações por onde já passamos na ida, e ocorre que, enquanto estamos parados na gare de uma delas, temos, por um instante, a ilusão de que partimos, mas na direção de onde viemos, como fizemos da primeira vez. Imediatamente cessa a ilusão, mas por um segundo nos sentimos transportados: tal é a crueldade da lembrança.

Contudo, se não podemos, antes de retornar à indiferença de onde partimos, evitar cobrir em sentido inverso as distâncias que vencemos para atingir o amor, o trajeto e a linha que seguimos não são forçosamente os mesmos. Têm em comum o não serem diretos, pois o esquecimento, bem como o amor, não progride de forma regular. Mas ambos não utilizam obrigatoriamente as mesmas rotas. E nessa que eu segui de volta houve, já bem perto da chegada, quatro etapas de que especialmente me recordo, certamente porque nelas percebi coisas que não faziam parte de meu amor por Albertine, ou, pelo menos, que a ele se ligavam só na medida em que aquilo que já estava em nossa alma antes de um grande amor, associa-se a ele, seja alimentando-o ou dando-lhe combate, seja fazendo com ele, para a nossa inteligência que analisa, contraste e imagem.

A primeira dessas etapas se iniciou no começo do inverno, num belo Domingo de Todos os Santos em que eu havia saído. Aproximando-me do Bois, lembrava-me com tristeza da volta de Albertine que viera buscar-me no Trocadero, pois era o mesmo dia, mas sem Albertine. Com tristeza, e no entanto não sem prazer, pois a retomada em tom menor, e desolado, do mesmo motivo que enchera o meu dia antigamente, a própria ausência daquele telefonema de Françoise e da chegada de Albertine – que não eram algo de negativo mas, pela supressão, na realidade, daquilo de que me lembrava, davam ao dia um teor doloroso – fazia dele algo de mais belo que um dia liso e simples, porque o que nele não havia mais, o que lhe fora arrancado, aí permanecia impresso como no vazio. No Bois, eu cantarolava trechos da sonata de Vinteuil. Já não sofria muito ao pensar que Albertine a tocara tantas vezes para mim, pois quase todas as minhas recordações a seu respeito haviam entrado naquele segundo estado químico em que já não causam uma ânsia opressiva ao coração, e sim doçura. Por alguns instantes, nas passagens que ela tocava com mais freqüência, onde se habituara a fazer esta ou aquela reflexão que à época me parecia encantadora, ou a sugerir determinada reminiscência, eu murmurava comigo: "Coitadinha", mas sem tristeza, acrescentando apenas à passagem musical um valor a mais, um valor de algum modo histórico e curioso, como aquele que o quadro de Carlos I por Van Dyck, já belo em si mesmo, adquiri e pelo fato de ter entrado nas coleções nacionais graças ao desejo de impressionar o rei, manifestado pela Sra. Du Barry. Quando o pequeno trecho, antes de sumir completamente, desfez-se em seus diversos elementos, onde flutuou ainda por um momento, disseminado, não foi por mim, como para Swann, o mensageiro de Albertine, que desaparecia. Ele não despertava em mim, de modo algum, as mesmas associações de idéias que em Swann. Eu fora sensível sobretudo à elaboração, aos ensaios, às repetições, ao "devir" de uma frase que se formava durante a sonata, como aquele amor se tornara durante a minha vida. E agora, sabendo que cada dia um novo elemento do meu amor se ia embora – o aspecto ciúme, depois um outro –, voltando, em suma, pouco a pouco, numa vaga lembrança à frágil sedução do começo, parecia-me que era o meu amor que eu via desagregar-se à minha frente no pequenino trecho disperso.

Como caminhasse pelas aléias isoladas em meio à vegetação rasteira, aléias recobertas por uma gaze a cada dia mais fina, senti a recordação de um passeio (em que Albertine estava a meu lado no carro, em que regressara comigo, e em que eu percebera que ela envolvia toda a minha vida) flutuar agora em torno a mim, na bruma incerta dos ramos ensombrados, em meio aos quais o sol poente fazia brilhar, como que suspensa no vazio, a dispersa horizontalidade das folhagens de ouro. Aliás, eu estremecia de momento a momento, como todos aqueles que, por uma idéia fixa, atribuem a toda mulher parada na esquina de uma alameda, a semelhança, a identidade possível com aquela em quem estão pensando. "Talvez seja ela!" Voltamo-nos por um momento, o carro continua a avançar e não o fazemos retroceder. Eu não me contentava em ver essas folhagens com os olhos da memória; elas me interessavam, emocionavam-me como as páginas puramente descritivas em meio às quais o artista, para torná-las mais completas, introduz uma ficção, um romance inteiro; e essa natureza ganhava desse modo o único encanto de melancolia que podia atingir meu coração. A razão desse encanto pareceu-me ser que continuava a amar Albertine do mesmo modo, ao passo que a verdadeira razão, pelo contrário, era que o esquecimento continuava a progredir em mim, que a lembrança de Albertine já não era cruel, isto é, havia mudado; mas, por mais que vejamos claramente as nossas impressões, como então julguei ver claro o motivo da minha melancolia, não sabemos retroceder ao seu sentido mais remoto; como esses incômodos cuja história o médico ouve o seu doente contar, e com auxílio dos quais remonta a uma causa mais profunda, que o paciente ignora, da mesma forma as nossas impressões e nossas idéias têm apenas o valor de sintomas. Posto de lado o ciúme, devido à impressão de encanto e de suave tristeza que eu sentia, meus sentidos despertavam. Uma vez mais, como quando eu deixara de ver Gilberte, o amor à mulher se erguia em mim, desembaraçado de toda associação exclusiva com uma certa mulher já amada, flutuando como essas essências liberadas por destruições anteriores e que erram em suspensão no ar primaveril, desejando apenas unir-se a uma nova criatura. Em parte alguma germinam tantas flores, mesmo que se chamem saudades, como num cemitério. Eu olhava as moças de que era imensamente florido aquele dia lindo, como o fizera outrora do cavalo da Sra. de Villeparisis ou daquele outro em que, num domingo assim, havia saído com Albertine. Ao olhar que eu acabava de lançar a essa ou aquela dentre todas, acasalava-se de imediato o olhar curioso, furtivo, empreendedor, refletindo insondáveis pensamentos, que lhe teria lançado Albertine às escondidas, e que, geminando-se ao meu com sua asa misteriosa, rápida e azulada, fazia passar por aquelas alamedas, até aí tão naturais, o frêmito de algo desconhecido, que meu próprio desejo não teria bastado para renovar, caso lá permanecesse sozinho, pois ele, para mim, nada tinha de estranho. E por vezes a leitura de um romance meio triste me fazia voltar para trás, pois certos romances são como grandes lutos momentâneos, abolem o hábito, repõem-nos em contato com a realidade da vida, mas apenas por algumas horas, como um pesadelo, já que as forças do hábito, e o esquecimento que estas provocam, a alegria que trazem devido à impotência do cérebro em lutar contra elas e recriar a verdade, infinitamente levam de vencida a sugestão quase hipnótica de um bom livro, e que, como quase todas as sugestões, tem efeitos bem curtos. De resto, em Balbec, quando eu desejara conhecer Albertine pela primeira vez não foi porque ela me havia parecido representativa dessas moças a cuja vista tantas vezes eu me detivera nas ruas, nas estradas, e que, para mim ela podia resumir suas vidas? E não seria natural que agora a estrela agonizante do meu amor, na qual estavam condensadas, se dispersasse de novo nessa poeira esparsa de nebulosas? Todas me pareciam Albertines, a imagem que eu levava dentro de mim fazia-me encontrá-la em toda parte; e até, ao dobrar uma alameda, uma que subia num automóvel lembrou-me Albertine de tal maneira, possuía tão exatamente o mesmo corpo, que me perguntei por um momento se não seria ela quem acabava de ver, se não me haviam enganado ao fazer-me o relato de sua morte. Eu a revia desse modo, num ângulo da alameda, talvez em Balbec, subindo ao carro da mesma maneira, quando depositava tanta confiança na vida. E o gesto dessa jovem para subir no automóvel, não o constatei apenas com meus olhos, feito a aparência superficial que tão prontamente se esquiva no decurso de um passeio: tornado uma espécie de ato duradouro, ele me parecia estender-se também no passado, devido a esse elemento que lhe acabava de ser acrescentado e que se apoiava tão voluptuosamente, tão tristemente, contra o meu coração.

Mas a moça já desaparecera. Um pouco além, vi um grupo de três moças um pouco mais velhas, talvez jovens senhoras, cujo passo elegante e enérgico estava em tamanha correspondência com o que me seduzira no primeiro dia em que avistara Albertine e suas amigas, que ajustei meu passo ao dessas três novas moças e, no momento em que elas tomaram um carro, procurei desesperadamente outro em todas as direções, e o encontrei, mas demasiado tarde. Não pude reencontrá-las. Porém, alguns dias depois, quando entrava em casa, avistei, saindo do pórtico da nossa casa, as três moças que havia seguido no Bois. Eram exatamente, sobretudo as morenas, e apenas um tanto mais velhas, dessas moças da sociedade que muitas vezes, vistas da minha janela ou encontradas na rua, tinham-me feito fazer mil projetos, amar a vida, e que eu não pudera conhecer. A loura apresentava um aspecto um pouco mais delicado, quase doentio, que me agradou menos. Todavia foi ela o motivo pelo qual não me contentei em considerá-las por um momento e, firmando raízes, contemplei-as com esse olhar que, por sua fixidez impossível de distrair-se, como se estivesse aplicado a um problema, parece ter consciência de que se trata de ir muito além do que se vê. Sem dúvida as teria deixado desaparecer, como tantas outras; mas, no momento em que passaram por mim, a loura – seria por isso que as contemplava com essa atenção? – lançou-me furtivamente um primeiro olhar e, depois, tendo-me ultrapassado, e voltando a cabeça para mim, um segundo, que acabou de me inflamar. Entretanto, como deixasse de se ocupar de mim e voltasse a conversar com as amigas, meu ardor é claro que terminaria por findar se não o houvesse centuplicado o seguinte fato. Tendo eu perguntado ao porteiro quem eram elas, respondeu-me: – Perguntaram pela senhora duquesa. Creio que só uma delas a conhece e que as outras só a acompanharam até a porta. Eis o nome, não sei se escrevi corretamente. – E eu li: *Srta. Déporcheville*, que facilmente reconstituí: d'Éporcheville, ou seja, mais ou menos o nome, tanto quanto me lembrava, da moça de excelente família, e vagamente aparentada aos Guermantes, de quem Robert me havia falado por tê-la visto num bordel, e com a qual tivera relações sexuais. Compreendia agora o sentido de seus olhares, o motivo pelo qual se voltara, escondendo-o de suas companheiras.

Quantas vezes pensara eu nela, imaginando-o de acordo com o nome que me dissera Robert! E eis que acabava de vê-la, de modo algum diferente de suas amigas, a não ser por aquele olhar dissimulado que estabelecia entre mim e ela uma entrada secreta nas partes de sua vida que evidentemente eram ocultas às suas amigas, e que a tornavam mais acessível – quase meio minha –, mais suave que de hábito são as moças da aristocracia. No espírito desta, entre ela e mim, havia em comum, antecipadamente, as horas que poderíamos passar juntos, se ela tivesse a liberdade de marcar um encontro comigo. Não era isso o que o seu olhar quisera exprimir, com uma eloqüência que só para mim foi clara? Meu coração batia fortemente, e eu não poderia dizer com exatidão qual o jeito da Srta. d'Éporcheville; refazia vagamente uma cabeça loura vista de lado, mas estava loucamente apaixonado por ela. De súbito, dei-me conta de que raciocinava como se entre as três a Srta. d'Éporcheville fosse precisamente a loura que se voltara e me olhara duas vezes. Ora, o porteiro não me dissera isso. Voltei à portaria, interroguei-o de novo, e ele disse que não poderia informar-me a tal respeito, porque elas tinham vindo hoje pela primeira vez e enquanto ele não se achava presente. Mas ia perguntar à sua mulher que as vira já uma vez. Ela estava lavando a escada de serviço. Quem, durante sua vida, não teve suas incertezas, mais ou menos parecidas a essas, e deliciosas? O amigo generoso a quem descrevemos uma jovem avistada num baile, chega à conclusão de que se trata de uma de suas amigas, e nos convida em companhia dela. Mas, entre tantas outras, e diante de um simples retrato falado, não se cometerá um erro? A moça que iremos ver em breve não será uma outra, em vez daquela que desejaríamos? Ou, ao contrário, não veremos estender-nos a mão, sorrindo, exatamente aquela que sonhávamos que fosse? Esta última hipótese é bem freqüente, e, sem estar sempre justificada por um raciocínio tão comprovante como o que se referia à Srta. d'Éporcheville, resulta de uma espécie de intuição e, também, desse bafejo da sorte que nos favorece de vez em quando. Então, ao vê-la, dizemos conosco: "É exatamente ela." Lembrei-me de que, no pequeno grupo de moças que passeavam à beira-mar, eu adivinhara justamente aquela que se chamava Albertine Simonet. Tal recordação me causou uma dor aguda, porém breve, e, enquanto o porteiro ia em busca da mulher, eu imaginava principalmente – pensando na Srta. d'Éporcheville e como, nesses minutos de espera, em que um nome, uma informação que, por motivos que desconhecemos, colamos a um rosto, encontra-se por um instante livre, flutuando entre vários, pronto, adere-se a um novo rosto, a tornar o primeiro, sobre o qual nos havia informado, retrospectivamente desconhecido, inocente e inalcançável – que o porteiro ia me informar, talvez, que a Srta. d'Éporcheville, ao contrário, era uma das morenas. Neste caso, dissipava-se a criatura em cuja existência eu acreditava, aquela a quem já estava amando, e que só aspirava a possuir, essa loura e manhosa Srta. d'Éporcheville, que a resposta fatal ia então dissociar em dois elementos distintos, que eu arbitrariamente havia unido, como um romancista que funde num só diversos elementos extraídos da realidade para criar um personagem imaginário e que, tomado cada um à parte – sem corroborar o nome a intenção do olhar – perdiam todo significado. Neste caso, seus argumentos estariam destruídos; porém quanto, ao contrário, ter-se-iam fortificado caso o porteiro voltasse para dizer que a Srta. d'Éporcheville era exatamente a loura!

Daí então eu já não podia acreditar numa homonímia. Seria excessivo acaso que dessas três moças uma se chamasse Srta. d'Éporcheville, e que esta fosse justamente (o que era uma primeira verificação tópica de minha suposição) a que me olhara daquela maneira, quase a me sorrir, e não aquela que freqüentava bordéis.

Principiou então um dia de grande agitação. Antes mesmo de ir comprar tudo o que julgava próprio para me enfeitar e, assim, produzir uma impressão mais favorável no dia seguinte, quando iria visitar a Sra. de Guermantes, em cuja residência acharia desse modo uma jovem fácil e com quem marcaria um encontro (pois certamente descobriria um meio de entretê-la por um momento, a um canto do salão), fui, para maior segurança, telegrafar a Robert, pedindo-lhe o nome exato e a descrição da moça, esperando ter a resposta dentro de dois dias, quando, nas palavras do porteiro, ela deveria voltar a ver a Sra. de Guermantes; e (não pensava um minuto sequer em outra coisa, nem mesmo em Albertine) estava resolvido, houvesse o que houvesse comigo daqui até lá, mesmo que, doente, tivesse de andar de liteira, a fazer uma visita à duquesa à mesma hora. Se telegrafava a Saint-Loup não era porque me restassem dúvidas sobre a identidade da pessoa, e que a moça vista e aquela de quem ele me falara ainda fossem distintas para mim. Tinha certeza de que eram uma só. Mas, na minha impaciência de esperar por esses dois dias, era-me doce, era para mim já como que um poder secreto sobre ela, receber um despacho que lhe dizia respeito, cheio de detalhes. No telégrafo, redigindo o telegrama com a animação de um homem a quem a esperança aquece, observei o quanto eu agora estava menos desarmado diante da Srta. d'Éporcheville do que estivera diante de Gilberte na infância. A partir do momento em que apenas tivera o trabalho de redigir o telegrama, o funcionário dos telégrafos nada mais que recebê-lo e as mais rápidas redes de comunicação elétrica o de transmiti-lo por toda a França e o Mediterrâneo, todo o passado boêmio de Robert seria aplicado em identificar a pessoa que eu acabara de encontrar, iria estar a serviço do romance que principiava a esboçar, e no qual eu nem sequer precisava estar pensando, pois a resposta se encarregaria de concluí-lo, num ou noutro sentido, antes de se escoarem as próximas vinte e quatro horas. Ao passo que antigamente, reconduzido dos Champs-Élysées por Françoise, alimentando desejos impotentes sozinho em casa, não podendo dispor dos meios práticos da civilização, eu amava como um selvagem, ou até, pois não tinha liberdade para me mexer, como uma flor. A partir desse momento, meu tempo se passou em febre; uma viagem de quarenta e oito horas que meu pai me pediu para fazer com ele, o que me impediria de visitar a duquesa, me deu tamanha raiva e desespero que minha mãe interveio e obteve que meu pai me deixasse em Paris. Mas durante muitas horas a minha cólera não pôde se acalmar, enquanto que o meu desejo pela Srta. d'Éporcheville fora centuplicado pelo obstáculo que se interpusera entre nós, pelo temor, que eu sentira por um instante, de que não se realizassem essas horas de visita à Sra. de Guermantes, às quais eu de antemão sorria sem parar, como a um bem seguro que pessoa alguma poderia arrebatar-me. Certos filósofos dizem que o mundo exterior não existe, e que é dentro de nós mesmos que desenvolvemos a nossa vida. Seja como for, o amor, mesmo em seus mais humildes começos, é um exemplo impressionante do pouco valor que atribuímos à realidade. Se me fosse preciso desenhar de memória um retrato da Srta. d'Éporcheville, dar a sua descrição, sinais que a identificassem, tal tarefa me teria sido impossível, e até reconhecê-la na rua. Eu a vira de perfil, em movimento, ela me havia parecido bonita, simples, alta, loura. Não poderia dizer mais. Mas todas as reações do desejo, da ansiedade, do golpe mortal vibrado pelo medo de não vê-la se meu pai me levasse de viagem, tudo isto, associado a uma imagem que afinal eu não conhecia e que me bastava sabê-la agradável, já constituía uma forma de amor. Enfim, na manhã seguinte, depois de uma noite de insônia feliz, recebi o telegrama de Saint-Loup: DE L'ORGEVILLE; *DE* PARTÍCULA; *ORGE* GRAMÍNEA, COMO CENTEIO; *VILLE*, COMO UMA CIDADE. PEQUENA, MORENA, GORDUCHA. NESTE MOMENTO ESTÁ NA SUÍÇA. Não era ela!

Minha mãe, entrando no quarto com a correspondência, colocou-a na cama, negligente, parecendo pensar em outra coisa. E, retirando-se logo para me deixar sozinho, sorria ao sair. E eu, conhecendo as astúcias de minha querida mamãe e sabendo que era sempre possível ler em sua fisionomia, sem receio de engano, tomando-se por base o seu desejo de dar prazer aos outros, sorri e pensei: "Existe algo de interessante para mim no correio, e mamãe fingiu esse ar de indiferença e distração para que minha surpresa seja completa e para não proceder como as pessoas que nos tiram metade do prazer, anunciando-o. E ela não ficou aqui por recear que eu dissimule, por amor-próprio, o prazer que teria, e, desse modo, sinta-o menos vivamente." Entretanto, indo até a porta para sair, encontrara-se com Françoise, que entrava em meu quarto com o telegrama na mão. Logo que o recebi, mamãe obrigou Françoise a voltar, arrastando-a para fora, assustada, ofendida e surpresa. Pois Françoise achava que suas funções comportavam o privilégio de penetrar a qualquer hora no meu quarto e de ficar nele se lhe agradasse. Mas em seu rosto, o espanto e a cólera já tinham desaparecido sob o sorriso sombrio e viscoso de uma piedade transcendente e de uma ironia filosófica, licor pegajoso que seu amor-próprio lesado segregava para curar sua ferida. Para não se sentir desprezada, ela nos desprezava. Assim, sabia perfeitamente que éramos os patrões, criaturas caprichosas que não brilham pela inteligência e que sentem prazer em impor, pelo medo, a pessoas espirituosas, a criados, para deixar bem claro que são os patrões, deveres absurdos como mandar ferver a água em tempo de epidemia, esfregar o chão do meu quarto com uma toalha molhada, e de sair dele justamente quando tinha vontade de ficar ali. Minha mãe pusera a correspondência bem perto de mim, para que não pudesse me passar despercebida. Mas verifiquei que se trata apenas de jornais. Sem dúvida, haveria ali algum artigo de um escritor que eu apreciava e que, escrevendo raramente, seria uma surpresa para mim. Fui até a janela, afastei as grandes cortinas. Acima da claridade lívida e nevoenta, o céu que estava róseo como o estão a estas horas, nas cozinhas, os fogões que se acendem, encheu-me de esperança e do desejo de passar a noite e despertar na estaçãozinha montanhesa onde eu avistara a vendedora de leite de faces cor-de-rosa. Abri o *Figaro*. Que aborrecimento! Justamente o artigo principal ostentava o mesmo título daquele que eu enviara e que não fora publicado. E não só o mesmo título; eis que aí estavam algumas palavras absolutamente idênticas. Isto era demais. Eu mandaria uma carta, protestando. E ouvia Françoise que, indignada por ter sido expulsa do meu quarto, onde achava ter feito grandes entradas, resmungava: – Onde é que já se viu? Uma criança que a gente viu nascer. Não o vi quando sua mãe o fazia, é claro. Mas, quando o conheci, fazia apenas cinco anos que tinha nascido! – Mas não eram só algumas palavras, era tudo, era a minha assinatura... Era o meu artigo que finalmente fora publicado! Porém meu pensamento que, talvez, já a essa época, começara a envelhecer e a se cansar um pouco, continuou por um instante ainda a raciocinar como se não houvesse compreendido que se tratava de meu artigo, assim como esses velhos que são obrigados a terminar até o fim um movimento começado, mesmo se este se tornou inútil, mesmo se um obstáculo imprevisto, diante do qual seria preciso que se retirassem imediatamente, o torne perigoso. Depois, considerei o pão espiritual que era um jornal, ainda quente e úmido da impressão recente e das névoas da manhã em que é distribuído, desde a aurora, às criadas que o levam ao patrão com o café com leite, pão miraculoso, multiplicável, que é ao mesmo tempo um e dez mil, e permanece o mesmo para cada um, penetrando a um tempo, inumerável, em todas as casas.

O que eu tinha em mãos não era um certo exemplar do jornal, era um qualquer dentre os dez mil; e não somente o que fora escrito por mim, mas o que fora escrito por mim e lido por todos. Para apreciar exatamente o fenômeno que se realiza neste momento em outras casas, é preciso que eu leia este artigo, não como autor, mas como um dos outros leitores do jornal; o que eu tinha em mãos não era simplesmente o que havia escrito, era o símbolo da encarnação em tantos espíritos. Assim, para lê-lo, era necessário que eu cessasse um momento de ser o autor, e fosse um qualquer dentre os leitores do jornal. Mas, a princípio, uma primeira inquietação. O leitor não avisado verá este artigo? Desdobro distraidamente o jornal como faria esse leitor desprevenido, tendo até no rosto o aspecto que tomo de ignorar o que está nesse jornal hoje e de ter pressa de ver as novidades mundanas ou a política. Mas meu artigo é tão comprido que o meu olhar, que o evita (para manter a exatidão e não inclinar a sorte para o meu lado, como alguém que, à espera, conta de propósito bem devagar), é atraído por um trecho de passagem. Porém muitos desses que vêem o artigo principal, e até os que o lêem, não olham para a assinatura. Eu próprio seria bem incapaz de dizer qual o autor do artigo principal da véspera. E prometo-me agora lê-los sempre, bem como o nome do autor; mas, como um amante ciumento que não engana a amante para poder acreditar em sua fidelidade, imagino tristemente que minha atenção futura não há de forçar, de volta, a dos outros. E depois, existem aqueles que saíram para caçar, aqueles que saíram cedo demais de casa; enfim, alguns que ainda assim o lerão. Faço como esses, e começo. Por mais que saiba que diversas pessoas, leitoras deste artigo, o acharão detestável, no momento em que o leio, o que vejo em cada palavra me parece estar no papel, e não consigo acreditar que cada pessoa, abrindo os olhos, não perceba diretamente essas imagens que eu vejo, crendo que o pensamento do autor seja diretamente apanhado pelo leitor, ao passo que, na verdade, é um outro pensamento que se forja em seu espírito, com a mesma ingenuidade dos que acham que é a própria palavra que pronunciaram que caminha tal e qual ao longo do fio telefônico; no momento mesmo em que desejo ser um leitor qualquer, meu espírito repete [18] lendo o meu artigo. Se o Sr. de Guermantes não compreendia certa frase de que Bloch haveria de gostar, em compensação poderia divertir-se com determinada reflexão que Bloch desdenharia. Assim, para cada parte que o leitor precedente parecesse abandonar, apresentando-se um novo amador, o conjunto do artigo se acharia levado às nuvens por uma multidão e se imporia à minha própria desconfiança de mim mesmo, que já não tinha necessidade de sustentá-la. É que, na realidade, ocorre com o valor de um artigo, por mais notável que seja, o mesmo que com essas frases do noticiário da Câmara, onde as palavras "É o que veremos", pronunciadas pelo ministro, só adquirem toda a sua importância quando assim enquadradas: O PRESIDENTE DO CONSELHO, MINISTRO DO INTERIOR E DOS CULTOS: É o que veremos. *(Vivas exclamações à extrema esquerda. "Muito bem! Muito bem!" em algumas bancadas à esquerda e ao centro)* (fim mais belo que seu meio, digno do seu começo) – uma parte de sua beleza reside na impressão que produz sobre os leitores. E é o pecado original desse gênero de literatura, de que não se excluem as célebres *Segundas-feiras* [19]. É como uma Vênus coletiva, da qual só possuímos um membro mutilado se nos restringirmos ao pensamento

[18] Entre "repete" e "lendo", deixou-se um espaço em branco no original. Espaço que não pode ser preenchido; portanto, a frase permanece incompleta. (N. do T.)

[19] Alusão às *Causeries du Lundi* ('Conversas das Segundas-feiras'), série de artigos de Sainte-Beuve, publicados a partir de 1851, e que são considerados o começo da moderna crítica literária. (N. do T.)

do autor, pois ela só se realiza completamente no espírito de seus leitores, tendo aí o seu acabamento. E como uma multidão, ainda que seja uma elite, não tem senso artístico, este último toque, que ela lhe atribui, conserva sempre um traço um tanto vulgar. Assim, Sainte-Beuve, às segundas-feiras, podia imaginar a Sra. de Boigne em sua cama de altas colunas, lendo o seu artigo no *Constitutionnel*, apreciando certa frase brilhante em que ele por muito tempo se deleitara e que talvez jamais houvesse brotado de seu espírito, se não tivesse julgado a propósito rechear com ela o seu folhetim, para que o golpe atingisse mais longe. Sem dúvida o chanceler, lendo-o por seu turno, falaria dele à sua velha amiga na visita que lhe faria um pouco depois. E levando-o essa noite em seu carro, o duque de Noailles, vestindo calças cinzentas, lhe contaria o que haviam pensado a respeito do artigo na sociedade, se o chanceler já não houvesse sabido disso por intermédio da Sra. d'Arbouville. E apoiando a minha própria autodesconfiança nessas dez mil aprovações que me sustentavam, eu extraía tanta sensação de minha força e de esperança de talento na leitura que fazia nesse instante, quanto me mostrara desconfiado quando o que havia escrito se dirigia somente a mim. Eu via assim, à mesma hora, para tantas pessoas, o meu pensamento, ou até a falta dele para os que não podiam compreendê-lo, a repetição de meu nome e como que uma evocação embelezada de minha pessoa brilhar acima de todos, colorir suas idéias em uma aurora que me inspirava mais força e alegria triunfante do que a aurora inumerável que, ao mesmo tempo, mostrava-se, rósea, em todas as janelas. Eu via Bloch, os Guermantes, Legrandin e Andrée extraírem de cada frase as imagens que o artigo enfeixava; e, no momento mesmo em que procuro ser um leitor qualquer, leio como leitor, mas não como leitor apenas. Para que a criatura impossível que tento ser reúna todos os contrários que me possam ser mais favoráveis, se leio como autor, julgo-me como leitor, sem nenhuma das exigências que possa ter para com um escrito aquele que aí confronta o ideal que desejou expressar. Essas frases do meu artigo, quando as escrevi, eram tão débeis em face ao meu pensamento, tão complicadas e opacas diante de minha visão harmoniosa e transparente, tão cheias de lacunas que eu não conseguira preencher, que sua leitura era um sofrimento para mim; elas não tinham feito mais que acentuar em mim o sentimento de minha impotência e de minha incurável ausência de talento. Mas agora, esforçando-me por ser leitor, descarregava-se sobre os outros o doloroso dever de me julgar, alcançava ao menos fazer tábua rasa do que desejara fazer ao ler o que havia feito. Eu lia o artigo esforçando-me para me convencer que era de outra pessoa. Então todas as minhas imagens, todas as minhas reflexões, todos os meus epítetos, tomados em si mesmos e sem a lembrança do fracasso que representavam para meus desígnios, encantavam-me pelo brilho, pelo imprevisto, pela profundeza. E, quando eu sentia um desfalecimento excessivo, refugiando-me na alma do leitor qualquer, que se maravilhava, dizia para mim mesmo: "Ora, que leitor terá condições de perceber isto? Falta alguma coisa aqui, é bem possível. Diabos os levem, se não estão satisfeitos! Aí existem muitas coisas bonitas a que eles não estão habituados."

Assim, mal terminei esta leitura reconfortante, eu, que não tinha coragem de reler o manuscrito, desejei recomeçá-la imediatamente, pois não há nada como um velho artigo nosso de que possamos dizer que "quando o lemos, podemos relê-lo". Prometi a mim mesmo mandar Françoise comprar outros exemplares, para dá-los a amigos – lhe diria –, mas na verdade para tocar com o dedo o milagre da multiplicação do meu pensamento e ler as mesmas frases, como se eu fosse um outro senhor que acabasse de abrir o *Fígaro*, em outro número. Justamente nesse dia eu tinha de ir, para encontrar a Srta. d'Éporcheville, visitar os Guermantes, a quem não via há um tempo infinito; e, fazendo-lhes essa visita, ficaria sabendo por eles da opinião que formavam a respeito do meu artigo.

Pensava em certa leitora em cujo quarto gostaria tanto de entrar, e a quem o jornal levaria, se não meu pensamento, que ela não poderia compreender, ao menos o meu nome, como um louvor a mim. Mas os louvores concedidos à pessoa de quem não gostamos já não comovem o coração, assim como os pensamentos de um cérebro em que não podemos penetrar não alcançam o espírito. Quanto a outros amigos, dizia a mim mesmo que, se o meu estado de saúde continuasse a agravar-se, e se eu não mais pudesse vê-los, seria agradável continuar a escrever para, desse modo, ainda ter acesso a eles, para lhes falar nas entrelinhas, fazê-los pensar segundo a minha opinião, agradar-lhes, ser recebido no coração deles. Eu me dizia isso porque, tendo as relações mundanas ocupado até agora um lugar em minha vida cotidiana, assustava-me um futuro em que elas não figurassem, e consolava-me este expediente que permitiria que a atenção de meus amigos se detivesse em mim, talvez excitando-lhes a admiração, até o dia em que eu estivesse suficientemente bom para recomeçar a vê-los; eu me dizia isso mas sentia perfeitamente não ser verdade, pois, se gostava de pensar na atenção deles como o objeto do meu prazer, esse prazer era um prazer interior, espiritual, decisivo, [20] que eles não podiam me dar e que eu tinha condições de achar, não conversando com eles mas escrevendo longe de suas vistas; e que, se começava a escrever para vê-los indiretamente, para que eles fizessem melhor idéia de mim, para conseguir-me uma situação melhor na sociedade, talvez o ato de escrever me tirasse a vontade de vê-los, e a situação que a literatura poderia talvez granjear-me na sociedade não mais me interessaria, pois o meu prazer já não estaria na sociedade, e sim na literatura.

[20] No original manuscrito de Proust há uma palavra dificilmente legível, que foi substituída por "ultime" (último). Preferimos vertê-la por *decisivo.* (N. do T.)

Assim, depois do almoço, quando fui à casa da Sra. de Guermantes, era menos pela Srta. d'Éporcheville, que perdera o melhor de sua personalidade por causa do telegrama de Saint-Loup, que para ver na própria duquesa uma dessas leitoras de meu artigo que me permitiriam imaginar o que pudera pensar o público – assinantes e compradores – do *Figaro*. Aliás, não era sem prazer que eu ia à casa da Sra. de Guermantes. Era escusado que me dissesse que o que para mim diferenciava este salão dos outros fora o longo estágio que ele fizera em minha imaginação – mesmo conhecendo as causas dessa diferença eu não a abolia. Além disso, existiam para mim vários nomes de Guermantes. Se aquele que estava inscrito na memória apenas como numa caderneta de endereços não era acompanhado de poesia alguma, outros mais antigos, os que remontavam ao tempo em que ainda não conhecia a Sra. de Guermantes, eram suscetíveis de se renovar em mim, sobretudo quando eu deixava de vê-la por muito tempo, e a claridade crua da pessoa de rosto humano não extinguia a radiação misteriosa do nome. Então eu me punha a pensar na casa da Sra. de Guermantes como em algo que estivesse além da realidade, da mesma forma que me punha a pensar na Balbec brumosa dos meus primeiros sonhos, e como se desde então eu não tivesse feito a viagem pelo trem de 1h50, como se o não tivesse tomado. Por um instante eu esquecia o meu conhecimento de que tudo aquilo não existia, como por vezes pensamos numa criatura amada, esquecendo por um instante que ela está morta. Depois, a idéia da realidade voltou quando entrei na antecâmara da duquesa. Consolei-me, porém, dizendo comigo que, apesar de tudo, ela era para mim o verdadeiro ponto de interseção entre a realidade e o sonho.

Ao entrar no salão, vi a moça loura que, durante vinte e quatro horas, havia julgado ser aquela de quem me falara Saint-Loup. Foi ela mesma quem pediu à duquesa que eu lhe fosse "apresentado". E, de fato, desde que havia entrado, tivera a impressão de conhecê-la muito bem, impressão que a duquesa desfez ao dizer-me: – Ah, o senhor já conhecia a Srta. de Forcheville? – Ora, pelo contrário, eu estava certo de nunca ter sido apresentado a uma moça desse nome, o que seguramente me impressionaria, tanto ele se fizera familiar à minha memória desde que me haviam feito um relato retrospectivo dos amores de Odette e do ciúme de Swann. Em si, o meu duplo erro – lembrar-me de L'Orgeville como sendo d'Éporcheville, e ter recomposto em Éporcheville o que na verdade era Forcheville – nada tinha de extraordinário. Nosso erro é admitir que as coisas se apresentem, de hábito, tais como são na realidade, os nomes tais como são escritos, as pessoas tais como a fotografia e a psicologia delas fornecem uma noção imóvel. Mas, na verdade, não é absolutamente isto o que em geral percebemos. Vemos, ouvimos e concebemos o mundo inteiramente às avessas. Repetimos um nome tal como o escutamos, até que a experiência tenha retificado o nosso erro, o que nem sempre acontece. Todo mundo, em Combray, falou durante vinte e cinco anos a Françoise na Sra. Sazerat, e Françoise continuou dizendo Sra. Sazerin,[21] não por essa voluntária e orgulhosa perseverança nos erros que lhe era habitual, e se fortalecia com a nossa tradição, sendo tudo o que ela havia acrescentado à França de Saint-André-des-Champs dos princípios igualitários de 1789 (reclamava apenas um direito do cidadão, o de não pronunciar como nós e afirmar que *hôtel, été* e *air* eram do gênero feminino), mas porque de fato continuou sempre a ouvir Sazerin. Esse erro perpétuo que é precisamente a "vida" não atribui suas mil formas apenas ao universo visível e ao universo audível, mas também ao universo social, ao universo sentimental, ao universo histórico etc. Aos olhos da mulher do primeiro magistrado, a princesa de Luxemburgo não passava de uma cocote, o que aliás não tem muita importância; o que já importa um pouco mais é ser Odette uma mulher difícil para Swann, devido a que ele constrói todo um romance que se torna mais doloroso quando compreende o seu erro; e o que tem mais importância ainda é que os franceses, aos olhos dos alemães, só pensam na desforra. Nós temos, do universo, apenas visões informes, fragmentárias, as quais completamos por associações de idéias arbitrárias, criadoras de perigosas sugestões. Eu não teria, pois, razão para espantar-me ao ouvir o nome de Forcheville (e já me perguntava se era uma parenta de Forcheville de quem tanto ouvira falar) se a jovem loura não se dissesse logo, desejando sem dúvida evitar, com delicadeza, perguntas que lhe seriam desagradáveis: – Não se lembra que me conheceu muito antigamente? O senhor ia lá em casa... Sua amiga Gilberte. Percebi perfeitamente que não estava me reconhecendo. Quanto a mim, reconheci logo o senhor. – (Ela dizia isto como se me houvesse reconhecido de imediato no salão, quando na verdade é que me reconhecera na rua e me cumprimentara; e mais tarde a Sra. de Guermantes me falou que ela lhe contara, como uma coisa muito engraçada e extraordinária, que eu a tinha seguido e abordado, como se ela fosse uma cocote.) Só depois de sua partida é que eu soube por que se chamava Srta. de Forcheville. Após a morte de Swann, Odette, que assombrou a todos com um pesar profundo, prolongado e sincero, viu-se na condição de uma viúva riquíssima. Forcheville a desposou, depois de ter empreendido uma longa jornada pelos castelos e de se assegurar que sua família receberia a esposa. (A família opôs algumas dificuldades, mas cedeu diante da conveniência de não ter mais de subvencionar as despesas de um parente necessitado, que passaria da quase-miséria à opulência.) Pouco depois, faleceu um tio de Swann, em cujas mãos o desaparecimento sucessivo de numerosos parentes havia acumulado uma enorme herança, deixando toda essa fortuna a Gilberte, que assim tornou-se uma das mais ricas herdeiras da França. Mas era a ocasião em que, das conseqüências do Caso Dreyfus, havia nascido

[21] Em *No Caminho de Swann,* o erro quanto ao nome da Sra. Sazerat é atribuído a Eulalie. Ver *No Caminho de Swann.* p. 70. (N. do T.)

um movimento anti-semita paralelo a um movimento mais intenso, de penetração dos judeus na sociedade. Não se enganaram os políticos pensando que a descoberta do erro judiciário aplicaria um golpe no anti-semitismo. Mas, ao menos provisoriamente, um anti-semitismo mundano crescera e se exasperara. Forcheville, que, como os fidalgos menores, extraíra das conversas da família a certeza de que seu nome era mais antigo que o de La Rochefoucauld, considerava que, ao se casar com a viúva de um judeu, havia cumprido o mesmo ato de caridade de um milionário que apanha uma prostituta na rua e a salva da miséria e da lama. Estava pronto a estender sua bondade à pessoa de Gilberte, da qual tantos milhões ajudariam, mas a quem o absurdo nome de Swann dificultaria o casamento. Declarou que a adotava. Sabe-se que a Sra. de Guermantes, para assombro da sociedade – que, de resto, ela possuía o gosto e o hábito de provocar – recusara-se, quando do casamento de Swann, a receber sua filha bem como a mãe desta. Tal recusa, aparentemente, fora tanto mais cruel quanto aquilo que, por muito tempo, significara para Swann o seu possível casamento com Odette era a apresentação de sua filha à Sra. de Guermantes. Sem dúvida ele deveria saber, pois já vivera tanto, que as cenas que imaginamos nunca se realizam, por diversos motivos; entre outros, houve um que fez com que ele pensasse pouco em lastimar a falta dessa apresentação. O motivo foi o seguinte: seja qual for a imagem, desde a truta que comemos ao entardecer, e que decide um homem sedentário a tomar o trem, até a ambição de poder surpreender uma noite a orgulhosa caixeira, parando à sua frente num carro suntuoso, que decide o homem sem escrúpulos a cometer um homicídio ou a desejar a morte e a herança dos seus, conforme seja mais valente ou preguiçoso, quer ele vá mais longe na corrente de suas idéias ou continue a acariciar o primeiro elo – o ato destinado a permitir que alcancemos essa imagem, quer esse ato seja a viagem, o casamento ou o crime etc., esse ato nos modifica demasiado profundamente para que atribuamos importância maior ao motivo que nos levou a praticá-lo. Pode até acontecer que não nos volte mais uma única vez ao espírito a imagem idealizada por aquele que ainda não era um viajante, um marido, um criminoso ou um solitário (que se entregou ao trabalho em função da glória, e com isso libertou-se do desejo da glória) etc. Além do mais, se teimássemos em não querer agir debalde, é provável que o efeito de sol não se repetisse; que, tendo frio nesse momento, desejássemos uma sopa junto à lareira e não uma truta ao ar livre; que nosso carro deixasse indiferente a caixeira, a qual, talvez sentindo por nós uma grande consideração por motivos outros, mostrar-se-ia desconfiada com essa brusca opulência. Em suma, vimos Swann, depois de casado, atribuir grande importância às relações da mulher e da filha com a Sra. Bontemps etc.

A todos os motivos, extraídos do modo Guermantes de compreender a vida mundana, que haviam feito a duquesa decidir jamais deixar-se apresentar à Sra. e à Srta. Swann, pode-se acrescentar igualmente essa segurança ditosa com que as pessoas que não amam se mantêm à parte daquilo que censuram nos amorosos, e que o amor destes explica. – Ah, eu não me meto nisso; se o pobre Swann se diverte em fazer bobagens e arruinar sua vida, isto é lá com ele. Mas a gente nunca sabe como são estas coisas. Isso pode acabar mal, e o melhor é que eles se arrumem... – É o *suave mari magno*[22] que o próprio Swann me aconselhava a propósito dos Verdurin, quando há muito deixara de estar enamorado de Odette e já não ligava para o "pequeno clã". É isto o que torna tão sábios os juizes de terceiros sobre as paixões que não sentem, e sobre as complicações de comportamento que elas acarretam. A Sra. de Guermantes chegara a pôr na exclusão da Sra. e da Srta. Swann uma perseverança que havia assombrado. Quando a Sra. Molé e a Sra. de Marsantes tinham principiado a relacionar-se com a Sra. Swann e levar à casa dela um grande número de mulheres da sociedade, a Sra. de Guermantes não só permanecera intratável, mas manobrara de modo a cortar as possibilidades, convencendo sua prima, a Sra. de Marsantes, a imitá-la. Num dos dias mais graves da crise em que, durante o ministério Rouvier, todos pensavam que rebentaria a guerra entre a França e a Alemanha, como eu estivesse jantando em casa da Sra. de Guermantes com o Sr. de Bréauté, achei a duquesa com ar de preocupação. Como ela muitas vezes se metia na política, julguei que desse modo ela desejava mostrar seu temor pela guerra – como em certo dia, quando comparecera à mesa tão preocupada, mal respondendo por monossílabos a alguém que a interrogava timidamente acerca do objeto de sua preocupação, respondera com ar grave: "A China me inquieta." Ora, ao fim de um momento, a Sra. de Guermantes, explicando por si mesma o ar preocupado que eu atribuíra ao medo de uma declaração de guerra, havia dito ao Sr. de Bréauté: – Dizem que Marie-Aynard quer estabelecer uma posição para os Swann. É absolutamente necessário que eu vá me encontrar amanhã de manhã com Marie-Gilbert, para que ela me ajude a impedir uma coisa dessas. Não sendo assim, não existe mais sociedade. É muito bonito o Caso Dreyfus. Mas então basta que a tendeira da esquina se diga nacionalista e queira em troca ser recebida em nossa casa. – Diante dessa frase, tão frívola em comparação com a que eu esperava, senti o espanto do leitor que, procurando no *Figaro*, no local de costume, as últimas notícias da guerra russo-japonesa, em vez disso depara-se com a lista das pessoas que deram presentes de núpcias à Srta. de Mortemart, pois a importância de um casamento aristocrático fizera recuar para o fim do jornal a notícia das batalhas em terra e mar. Aliás, a duquesa acabava por experimentar, em sua perseverança sustentada além de todo limite, uma satisfação de orgulho que não perdia ocasião para se exprimir. – Babal – dizia ela – pretende que somos as duas pessoas mais elegantes de Paris, porque só nós dois é que não nos deixamos cumprimentar pela Sra. e a Srta. Swann. Ora, ele afirma que a elegância está em não conhecer a Sra. Swann. – E a duquesa ria com todo o gosto.

[22] Ver *Sodoma e Gomorra*. p. 571, nota 10. (N. do T.)

Todavia, quando Swann morreu, acontece que a decisão de não receber sua filha acabara por proporcionar à Sra. de Guermantes todas as satisfações de orgulho, de independência, de *self-government* e de perseguição que ela era suscetível de extrair, e às quais pusera fim o desaparecimento do homem que lhe dera a sensação deliciosa de que ela lhe resistia, que ele não conseguia fazê-la revogar seus decretos. Então a duquesa passara à promulgação de outros decretos que, aplicando-se aos vivos, pudessem fazer-lhe sentir que ela era senhora de fazer o que bem entendesse. Não pensava na pequena Swann, mas, quando lhe falaram nela, a duquesa sentiu uma curiosidade que, como em face de um endereço novo, o desejo de resistir às pretensões de Swann já não vinha disfarçar aos próprios olhos. Além do mais, tantos sentimentos diferentes podem contribuir para formar um só, que não se saberia mais dizer se havia algo de afetuoso para com Swann nesse interesse. É claro – pois, em todos os estágios da sociedade, uma vida mundana e frívola paralisa a sensibilidade e retira o poder de ressuscitar os mortos –, a duquesa era dessas que têm necessidade da presença – dessa presença que, como verdadeira Guermantes, excelia em prolongar – para amar de fato, mas também, coisa mais rara, para detestar um pouco. De forma que, amiúde, os seus bons sentimentos para com as outras pessoas, suspensos, estando elas vivas, pela irritação que tais ou quais de seus atos lhe causavam, renasciam após a morte delas. Experimentava, então, quase que um desejo de reparação, porque só podia imaginá-los, de resto bem vagamente, com suas qualidades, e destituídos das pequenas satisfações e das pequenas pretensões que a irritavam neles quando viviam. Apesar da frivolidade da Sra. de Guermantes, tal atitude conferia às vezes algo de bastante nobre – mesclado a muita baixeza – à sua conduta. Pois, enquanto três quartas partes dos seres humanos lisonjeiam os vivos e já não se importam em nada com os mortos, ela muitas vezes fazia, após a morte deles, o que teriam desejado aqueles a quem maltratara enquanto vivos.

Quanto a Gilberte, todas as pessoas que gostavam dela e estimavam-lhe a dignidade, só poderiam rejubilar-se com a mudança de disposições da duquesa a seu respeito, pensando que Gilberte, repelindo com desdém essas gentilezas que vinham depois de vinte e cinco anos de ultrajes, pudesse afinal vingá-los. Infelizmente os reflexos morais não são sempre idênticos ao que o bom senso imagina. Alguém que, devido a uma injúria descabida, julgou perder para sempre as suas ambições junto a uma pessoa a quem lhe interessa cortejar, ao contrário salva-as justo por isso. Gilberte, muito indiferente às pessoas que lhe eram gentis, não cessava de pensar com admiração na insolente Sra. de Guermantes, perguntando a si mesma pelos motivos dessa insolência; certa vez, até – o que teria feito morrerem de vergonha, por causa dela, as pessoas que lhe tributavam um pouco de amizade –, quisera escrever à duquesa para lhe perguntar o que tinha contra uma moça que não lhe fizera mal nenhum. Os Guermantes haviam assumido a seus olhos proporções que a nobreza deles seria incapaz de lhes conferir. Ela os punha acima não só de toda a nobreza, mas até de todas as famílias reais.

Antigas amigas de Swann ocupavam-se muito de Gilberte. Na aristocracia, soube-se da última herança que ela acabava de receber. Repararam como era bem educada, e que mulher encantadora daria ela. Dizia-se que uma prima da Sra. de Guermantes, a princesa de Nièvre, pensava em Gilberte para seu filho. A Sra. de Guermantes detestava a Sra. de Nièvre. Disse em toda parte que tal matrimônio seria um escândalo. A Sra. de Nièvre, assustada, assegurou que jamais pensara nisso. Um dia, após o almoço, como fizesse bom tempo e o Sr. de Guermantes devesse passear com a mulher, a Sra. de Guermantes arrumava o chapéu diante do espelho, e seus olhos azuis fitavam-se a si mesmos e miravam seus cabelos, ainda louros, enquanto a camareira trazia várias sombrinhas dentre as quais a patroa escolheria uma. O sol entrava a flux pela janela, e os Guermantes haviam decidido aproveitar o dia lindo para fazer uma visita a Saint-Cloud. O Sr. de Guermantes, já pronto, com luvas de cor cinzento-pérola e cartola na cabeça, dizia consigo: "Oriane é realmente espantosa. Acho-a uma delícia." E, vendo que a mulher parecia bem disposta: – A propósito – disse ele –, tenho um recado da Sra. de Virelef para você. Ela queria pedir-lhe um lugar na Ópera, segunda-feira. Mas, como vai com a pequena Swann, não tinha coragem e me pediu para sondar o terreno. Não dou opinião nenhuma, apenas transmito o recado. Meu Deus, parece-me que poderíamos... – acrescentou de modo evasivo, pois, sendo a disposição de ambos em relação a qualquer pessoa uma disposição coletiva, e surgindo idêntica em cada um deles, sabia por si mesmo que a hostilidade de sua mulher quanto à Srta. Swann havia diminuído e que ela estava curiosa para conhecer a moça. A Sra. de Guermandes acabou de ajeitar o véu e escolheu uma sombrinha. – Como quiser; que quer que eu faça? Não vejo nenhum inconveniente em conhecermos essa pequena. Sabe muito bem que nunca tive nada *contra* ela. Simplesmente, não queria que déssemos a impressão de receber as ligações clandestinas de nossos amigos. Eis tudo. – E você tem toda a razão – respondeu o duque. – É a sabedoria em pessoa, minha senhora, e, além do mais, está deslumbrante com esse chapéu. – Você é muitíssimo amável – disse a Sra. de Guermantes sorrindo para seu marido e encaminhando-se para a porta. Mas, antes de subir para o carro, fez questão de lhe dar algumas explicações: – Muitas pessoas, agora, recebem a mãe dessa moça. Aliás, ela tem o bom senso de estar doente três quartas partes do ano. Parece que a menina é muito gentil. Todo mundo sabe que nós gostávamos muito de Swann. Acharão isso bastante natural. – E foram juntos para Saint-Cloud.

Um mês depois, a pequena Swann, que ainda não se chamava Forcheville, almoçava em casa dos Guermantes. Falou-se de mil coisas; no fim do almoço, disse Gilberte com timidez: – Suponho que conheceram muito o meu pai. – Creio que sim – disse a Sra. de Guermantes, num tom melancólico que provava compreender ela a mágoa da filha e, com um excesso intencional de intensidade que a fazia parecer dissimular não estar segura de recordar exatamente o pai: – Nós o conhecemos bastante, lembro-me *perfeitamente* dele. – (E, de fato, ela podia recordá-lo, pois Swann fora visitá-la quase todos os dias durante vinte e cinco anos.) – Sei muito bem quem era ele, vou dizer-lhe – acrescentou, como se quisesse explicar à filha que pessoa ela tivera por pai, e dar a essa moça informações a respeito dele: – Era um grande amigo da minha sogra e também muito ligado ao meu cunhado Palamède. Vinha muito aqui, almoçava bem aqui – acrescentou o Sr. de Guermantes, por ostentação de modéstia e escrúpulo de exatidão. – Você se lembra, Oriane. Que homem de bem era o seu pai! Como se percebia que deveria pertencer a uma família honesta! Aliás, vi antigamente o pai e a mãe dele. Tanto os dois como ele, que gente boa! – Sentia-se que, se os pais e o filho ainda fossem vivos, o duque de Guermantes não hesitaria em recomendá-los para lugares de jardineiro. E eis como o *faubourg* Saint-Germain fala a qualquer burguês dos outros burgueses, seja para lisonjeá-lo pela exceção feita – durante o tempo da conversa – em favor do interlocutor ou interlocutora, seja antes, ao mesmo tempo, para humilhá-lo. Assim é que um anti-semita, no mesmo instante em que envolve a um judeu com sua afabilidade, fala mal dos judeus de um modo genérico, o que lhe permite ser ferino sem ser grosseiro.

Mas sabendo verdadeiramente nos atrair, quando nos via, e não podendo resignar-se então a nos deixar partir, a Sra. de Guermantes era igualmente escrava dessa necessidade da presença. Swann pudera, às vezes, na embriaguez da conversa, dar à duquesa a ilusão de que ela lhe tinha amizade; mas agora, já não o podia. – Ele era encantador – disse a duquesa com um sorriso triste, pousando em Gilberte um olhar muito doce que, pelo menos, se a jovem fosse sensível, lhe mostraria que estava sendo compreendida, e que a Sra. de Guermantes, se as duas estivessem a sós e caso as circunstâncias o permitissem, gostaria de revelar-lhe toda a profundeza de sua sensibilidade. Porém o Sr. de Guermantes, ou por pensar que justamente as circunstâncias se opunham a tais efusões, ou por achar que todo exagero de sentimentos era coisa de mulheres e que os homens tinham tanto a ver com isso quanto com suas demais atribuições, salvo a cozinha e os vinhos, que ele se reservava por ser bem mais entendido no assunto que a duquesa, julgou melhor não se intrometer, para não alimentar essa conversa que escutava com visível impaciência. De resto, a Sra. de Guermantes, assim que passou este assomo de sensibilidade, acrescentou com frivolidade mundana, dirigindo-se a Gilberte: – Olhe, vou lhe dizer, era um *grande* amigo do meu cunhado Charlus; também tinha muito boas relações com Voisenon (o castelo do príncipe de Guermantes) – não apenas como se o fato de conhecer o Sr. de Charlus e o príncipe fosse um mero acaso para Swann, ou como se o cunhado e o primo da duquesa tivessem sido dois homens a quem Swann se achara ligado em determinada circunstância, quando Swann se relacionara com todas as pessoas dessa mesma sociedade – mas ainda como se a Sra. de Guermantes quisesse fazer Gilberte compreender aproximadamente quem era o seu pai, "situá-lo" para ela por meio de um desses traços característicos, com ajuda dos quais, como se deseja explicar como entramos em relações com alguém que não teríamos vontade de conhecer, ou para realçar a narrativa, invocamos o apadrinhamento particular de uma certa pessoa. Quanto a Gilberte, foi tanto maior a sua satisfação em ver declinar a conversa, quanto ela procurava precisamente mudar-lhe o rumo, tendo herdado de Swann aquele tato requintado e um modo encantador de inteligência que o duque e a duquesa logo reconheceram e apreciaram; pediram a Gilberte que voltasse em breve. Além disso, com a minúcia das pessoas cuja vida não tem finalidade, percebiam eles, alternadamente, nas pessoas a quem se ligavam, as mais simples qualidades, exclamando diante delas com o ingênuo deslumbramento de um homem da cidade que descobre no campo um talo de relva, ou, pelo contrário, aumentando, como sob as lentes de um microscópio, comentando interminavelmente e embirrando com os menores defeitos, e muitas vezes, alternadamente, na mesma pessoa. No caso de Gilberte, foram antes de tudo os seus encantos o que atraiu a ociosa perspicácia do Sr. e da Sra. de Guermantes: – Reparou a maneira como ela pronuncia certas palavras? – disse a duquesa ao marido depois que Gilberte saíra. – É bem como Swann, parecia que eu o estava escutando. – Ia fazer a mesma observação que você, Oriane. – É espirituosa, e completamente do jeito do pai. – Acho até que é bem superior a ele. Lembra-se como contou muito bem aquela história dos banhos de mar? Tem uma vivacidade que faltava ao pai. – Oh, e ele no entanto era bem inteligente. – Mas não digo que não fosse inteligente, digo que lhe faltava vivacidade – retorquiu o duque em tom gemente, pois a gota o enervava, e, quando não tinha outra pessoa em quem descarregar sua irritação, a duquesa é que pagava o pato. Mas, incapaz de bem compreender-lhe as causas, preferia assumir um ar de incompreendido.

Essas boas disposições do duque e da duquesa fizeram com que, daí em diante, quando necessário, se falasse às vezes a Gilberte em "seu pobre pai", o que aliás não adiantava nada, pois justamente por aquela época Forcheville adotara a moça. Ela dizia "Meu pai" a Forcheville, encantava a senhoras idosas por sua cortesia e distinção, e todos reconheciam que, se Forcheville se portara de modo admirável com ela, a pequena, por sua vez, era de coração bastante nobre e sabia recompensá-lo por isso. Sem dúvida, porque às vezes podia e desejava mostrar muito desembaraço, forçara-me a reconhecê-la, e falara de seu verdadeiro pai diante de mim. Mas aquilo era uma exceção, e ninguém mais tinha coragem de pronunciar à sua frente o nome de Swann. Eu acabava exatamente de reparar, entrando no salão, em dois desenhos de Elstir que antes eram relegados a um aposento lá de cima, onde os vira apenas casualmente. Elstir estava na moda, agora. A Sra. de Guermantes não se consolava de ter dado tantos quadros dele à prima, não porque estivessem na moda, mas porque agora os apreciava. De fato, a moda é constituída pelo capricho de uma série de pessoas de que os Guermantes são os tipos representativos. Todavia a duquesa não podia pensar em comprar outros quadros de Elstir, pois eles, desde algum tempo, haviam subido a preços astronômicos. Mas ela desejava ao menos ter algo de Elstir em seu salão, e mandara descer esses dois desenhos que declarava "preferir à sua pintura". Gilberte reconheceu-lhes a feitura. – Dir-se-iam Elstirs – comentou. – Claro que sim – retrucou estouvadamente a duquesa –, foi precisamente seu... foram nossos amigos que nos fizeram comprá-los. É admirável. Na minha opinião, são superiores à sua pintura. – Eu, que não ouvira esse diálogo, fui olhar o desenho. – Ora, mas é aquele Elstir que... – Vi os sinais desesperados da Sra. de Guermantes. – Ah, sim. O Elstir que eu admirava lá em cima. Fica bem melhor do que no corredor. A propósito de Elstir, citei-o ontem num artigo publicado no *Figaro*. Já o leram? – O senhor publicou um artigo no *Figaro*? – gritou o Sr. de Guermantes, com a mesma violência com que teria exclamado: "Mas é a minha prima" – Sim, ontem. – No *Figaro*? Tem certeza? Isso me deixaria muito espantado. Pois cada um de nós tem o seu *Figaro*, e, se a publicação houvesse escapado a um, o outro a teria visto. Não havia nada, não é, Oriane? – O duque mandou buscar o *Figaro* e só então se rendeu à evidência, como se até aí ainda houvesse possibilidade de que eu estivesse enganado quanto ao jornal em que escrevera. – O quê? Não compreendo. Então o senhor publicou um artigo no *Figaro*? – perguntou a duquesa, esforçando-se para falar de uma coisa que não a interessava. – Mas olhe, Basin, você lerá isso mais tarde. – Não, não, o duque está muito bem assim, com sua grande barba sobre o jornal – disse Gilberte. – Vou ler isso logo, quando chegar em casa. – Sim, ele usa barba, agora que todo mundo anda de cara rapada – disse a duquesa –, ele nunca faz as coisas como os outros. Quando nos casamos, ele raspava não só a barba, mas o bigode. Os camponios que o não conheciam, pensavam que ele não fosse francês. Naquele tempo, chamava-se príncipe des Laumes. – Existe ainda um príncipe des Laumes? – indagou Gilberte, que se interessava por tudo o que se referisse às pessoas que não tinham querido cumprimentá-la durante tanto tempo. – Não – respondeu a duquesa com olhar acariciante e melancólico. – Um título tão lindo! Um dos mais belos títulos da França! – comentou Gilberte, pois um certo gênero de banalidades vem inevitavelmente, como o relógio dá as horas, à boca de certas pessoas inteligentes. – É verdade, e eu também lamento. Basin queria que o filho da irmã dele o usasse, mas não é a mesma coisa; no fundo, isto poderia ser assim, pois não é obrigatoriamente o filho mais velho quem herda o título, pode passar do mais velho ao caçula. Eu lhe dizia que Basin, por essa época, andava inteiramente barbeado; um dia, você se lembra, meu querido? – disse ela ao marido –, daquela peregrinação até Paray-le-Monial, meu cunhado Charlus, que aprecia muito conversar com os camponeses, dizia a um e a outro: "De onde és?" e como é bastante generoso dava-lhe alguma coisa, levava-os para beber. Pois ninguém é, a um tempo, tão altivo e tão simples como Mémé. Você o verá não querendo cumprimentar uma duquesa, a quem não considera bem duquesa, e cumular de atenções um guardador de cães. Então eu disse a Basin: "Olhe, Basin, converse também um pouco com eles." Meu marido, que nem sempre é muito inventivo... – Obrigado, Oriane – disse o duque, sem interromper a leitura do meu artigo em que estava mergulhado – ...avistou um campônio e lhe repetiu textualmente a pergunta do irmão: "E tu, de onde és? – Sou dos Laumes. – Tu és dos Laumes? Pois bem, sou o teu príncipe." Então o camponês encarou o rosto glabro de Basin e respondeu: "Não é verdade. O senhor é um *English*. – Percebia-se, desse modo, nessas pequenas anedotas da duquesa, surgirem títulos eminentes, como o de príncipe dos Laumes, em seu verdadeiro lugar, no seu estado antigo e na cor local, como em certos livros de horas reconhecemos, em meio à multidão da época, a flecha de Bourges. Trouxeram cartões que um lacaio acabara de deixar. – Não sei que idéia foi essa, não a conheço. É a você que devo isto, Basin. Todavia esse gênero de relações não lhe foi muito proveitoso, meu amigo – e, voltando-se para Gilberte: – Não saberia sequer lhe explicar de quem se trata, certamente você não a conhece: chama-se Lady Rufus Israel. – Gilberte enrubesceu vivamente: – Não a conheço – disse (o que era tanto mais falso quando Lady Israel, dois anos antes da morte de Swann, reconciliara-se com ele e chamava Gilberte pelo seu prenome) –, mas sei muito bem, por outras pessoas, quem é essa pessoa de quem a senhora está falando. – É que Gilberte se tornara muito esnobe. Assim, perguntando-lhe certo dia uma jovem, por maldade ou falta de tato, qual era o nome de seu pai, não o adotivo mas o verdadeiro, ela, perturbada, e para desfigurar um pouco o que tinha a dizer, pronunciara, em vez de Suann, Svann, mudança que logo após percebeu ser pejorativa, porquanto fazia desse nome de origem inglesa um nome alemão. E até acrescentou, aviltando-se para se realçar: – Contaram muitas coisas bem diferentes sobre o meu nascimento, mas prefiro ignorar tudo.

Por mais envergonhada que Gilberte devesse ficar em certos instantes ao pensar nos pais (pois até a Sra. Swann representava para ela – e era – uma boa mãe), infelizmente devemos deduzir dessa maneira de encarar a vida, que seus elementos provinham sem dúvida dos pais, pois nós não nos fazemos a nós mesmos com todas as peças. Porém, a uma certa soma de egoísmo existente na mãe, vem acrescentar-se um egoísmo diverso, inerente à família do pai, o que nem sempre quer dizer adicionar-se, nem mesmo apenas servir de múltiplo, mas criar um egoísmo novo, infinitamente mais poderoso e temível. Desde que o mundo existe, e famílias em que há determinado defeito sob uma forma se aliam a famílias em que o mesmo defeito existe sob outra forma, o que dá origem a uma variedade particularmente complexa e detestável na criança, os egoísmos acumulados (falando aqui apenas do egoísmo) assumiriam um tal poder que a humanidade inteira seria destruída, se desse mal não nascessem, capazes de reduzi-lo a proporções justas, restrições naturais análogas às que impedem que a proliferação infinita dos infusórios aniquile o nosso planeta, ou que a fecundação assexuada das plantas acarrete a extinção do reino vegetal etc. De vez em quando, uma virtude vem compor com esse egoísmo uma potência nova e desinteressada. As combinações pelas quais, no correr das gerações, a química moral fixa dessa maneira, e torna inofensivos, os elementos que se faziam excessivamente perigosos, são infinitas e dariam uma variedade apaixonante à história das famílias. Além disso, com esses egoísmos acumulados, como os deveria haver em Gilberte, coexiste determinada virtude encantadora dos pais; por alguns momentos, ela vem realizar sozinha um intermédio, desempenhando seu papel tocante com uma sinceridade completa. Sem dúvida, Gilberte não ia sempre assim tão longe, como ao insinuar que talvez fosse a filha natural de uma grande personalidade; mas em geral dissimulava suas origens. Talvez, simplesmente, fosse-lhe muito desagradável confessá-las, preferindo que as soubessem por terceiros. Talvez julgasse de fato escondê-las, com essa crença incerta, que entretanto não é dúvida, com que reservamos uma possibilidade àquilo que desejamos, e da qual Musset nos dá um exemplo quando fala da esperança em Deus.

– Não a conheço pessoalmente – repetiu Gilberte. Teria ela, no entanto, ao passar a chamar-se Srta. de Forcheville, a esperança de que ignorassem que era filha de Swann? Talvez relativamente a certas pessoas, que, com o tempo, ela esperava se tornassem toda a sociedade. Não devia ter grandes ilusões sobre o número atual dessas pessoas, e é claro que sabia que muita gente deveria sussurrar: "É a filha de Swann." Mas sabia-o apenas com a mesma ciência que nos fala das pessoas que se matam por miséria enquanto comparecemos a um baile, isto é, uma ciência vaga e longínqua, que não nos interessa substituir por um conhecimento mais preciso, resultado de uma impressão direta. Como o afastamento nos torna as coisas menores, mais incertas e menos perigosas, Gilberte achava inútil que a descoberta de que ela havia nascido Swann ocorresse em sua presença. Ela pertencia, ou ao menos pertenceu esses anos, à variedade mais difundida dos avestruzes humanos, os que ocultam a cabeça na esperança, não de não serem vistos, o que julgam pouco verossímil, mas de não verem a quem os vê, o que já lhes parece muito e lhes permite se entregarem ao acaso quanto ao resto. Gilberte preferia não estar perto das pessoas no momento em que estas descobrissem que ela havia nascido Swann. E, como estamos perto das pessoas a quem imaginamos, assim como podemos imaginar as pessoas lendo o jornal, Gilberte preferia que os jornais a chamassem de Srta. de Forcheville. É verdade que nos escritos de sua própria responsabilidade (suas cartas), prolongou por algum tempo a transição, assinando-se G. S. Forcheville. A verdadeira hipocrisia dessa assinatura se manifestava pela supressão, menos das outras letras do nome de Swann, que das do nome de Gilberte. Com efeito, reduzindo o prenome inocente a um simples G, a Srta. de

Forcheville parecia insinuar aos amigos que a mesma amputação, aplicada ao nome de Swann, também se devia apenas a razões de abreviatura. Chegava a dar importância ao S, dele fazendo uma espécie de cauda comprida que vinha cortar o G, mas que se sentia transitória e destinada a desaparecer, como aquela que, ainda longa no macaco, já não existe no homem.

Apesar disso, havia em seu esnobismo a inteligente curiosidade de Swann. Lembro-me naquela tarde ela perguntou à Sra. de Guermantes se não poderia conhecer o Sr. du Lau; e, tendo a duquesa respondido que ele andava doente e não saía de casa, indagou Gilberte como estava passando, pois, acrescentou, enrubescendo de leve, ouvira falar muito a seu respeito. (O marquês du Lau, com efeito, fora um dos amigos mais íntimos de Swann antes do casamento deste, e talvez mesmo Gilberte o houvesse avistado, mas num momento em que não se interessava por semelhantes relações sociais.) – Será que o Sr. de Bréauté ou o príncipe de Agrigento podem me dar uma idéia dele? – perguntou. – Oh, de forma alguma! – exclamou a duquesa, que possuía um sentimento muito vivo acerca dessas diferenças provinciais e fazia retratos sóbrios, mas coloridos por sua voz dourada e rouca, sob a doce florescência de seus olhos cor de violeta. – Não, absolutamente. Du Lau era o gentil-homem do Périgord, encantador, com todas as suas belas maneiras e a sem-cerimônia de sua província. Em Guermantes, quando lá estava o rei da Inglaterra, de quem du Lau era muito amigo, havia repasto depois da caçada; era o momento em que du Lau costumava tirar as botas e pôr grossas pantufas de lã. Pois bem, a presença do rei Eduardo e de todos os grão-duques absolutamente não o constrangia. E ele descia para o salão de baile de Guermantes com suas pantufas de lã. Achava que, sendo o marquês du Lau d'Allemans, não tinha de se constranger diante do rei da Inglaterra. Ele e esse encantador Quasimodo de Breteuil eram os dois de quem eu mais gostava. Aliás, eram grandes amigos de... – (Ela ia dizer "seu pai", mas interrompeu-se depressa). – Não, nada tem a ver com Gri-Gri nem com Bréauté. É o verdadeiro grão-senhor do Périgord. De resto, Mémé cita uma página de Saint-Simon sobre um marquês d'Allemans, é exatamente isso. – Citei as primeiras palavras do retrato: "O Sr. d'Allemans, que era um homem muito distinto entre a nobreza do Périgord, pela sua origem e pelo seu mérito, e considerado, por tudo que lá vivia, um árbitro geral a quem todos recorriam devido à sua probidade, sua capacidade e à doçura de seus modos, e como que um galo de província..." – Sim, é isso – disse a Sra. de Guermantes –, tanto mais que du Lau sempre foi vermelho como um galo. – Sim, lembro-me de ter ouvido falar nesse retrato – disse Gilberte, sem acrescentar que o fora por seu pai, o qual, de fato, era grande admirador de Saint-Simon.

Ela também gostava de se referir ao príncipe de Agrigento e ao Sr. de Bréauté por outro motivo. O primeiro devia o título por herança da casa de Aragão, mas a sua senhoria era proveniente de Poitou. Quanto a seu castelo, pelo menos aquele em que morava, não era um castelo de sua família, e sim da família do primeiro marido de sua mãe, situado mais ou menos a distância igual de Martinville e de Guermantes. Assim, Gilberte falava dele e do Sr. de Bréauté como de vizinhos do campo que lhe recordavam sua velha província. Materialmente, havia uma dose de mentira nessas palavras, visto que só em Paris, por meio da condessa Molé, é que ela conhecera o Sr. de Bréauté, aliás velho amigo de seu pai. Quanto ao prazer de referir-se aos arredores de Tansonville, podia ser sincero. Para certas pessoas, o esnobismo é análogo a essas beberagens agradáveis a que elas misturam substâncias úteis. Gilberte se interessava por certa mulher elegante porque possuía livros esplêndidos e alguns Nattiers que minha velha amiga sem dúvida não veria na Biblioteca Nacional e no Louvre, e imagino que, apesar da proximidade ainda maior, em Gilberte a influência magnética de Tansonville teria se exercido menos com relação à Sra. Sazerat ou à Sra. Goupil que em relação ao Sr. d'Agrigento. – Oh, pobre Babal e pobre Gri-Gri – disse a Sra. de Guermantes –, estão bem mais doentes que du Lau; receio que ambos não tenham vida por muito tempo.

Quando o Sr. de Guermantes acabou a leitura do meu artigo, dirigiu-me cumprimentos aliás moderados. Lamentou a forma um tanto convencional de um estilo em que havia "afetação e metáforas, como na prosa antiquada de Chateaubriand"; em compensação, felicitou-se sem reservas por eu estar "me ocupando": – Aprecio que façam alguma coisa com os dez dedos. Não gosto dos inúteis que são sempre metidos a importantes ou uns agitados. Raça de imbecis! – Gilberte, que assumia com prodigiosa rapidez as maneiras da sociedade, declarou o quanto estava orgulhosa de dizer que era amiga de um escritor. – Imagine o prazer, *a honra*, que vou ter em falar que o conheço. – Não quer ir conosco à Ópera Cômica, amanhã? – convidou a duquesa, e eu pensei que era naquele mesmo camarote, sem dúvida, em que a vira pela primeira vez e que então me parecera inacessível como o reino submarino das nereidas. Mas respondi com voz triste: – Não, não estou indo ao teatro; perdi uma amiga a quem muito amava. – Estava quase em lágrimas ao dizer isso, mas, pela primeira vez, sentia um certo prazer em falar naquilo. Foi a partir desse momento que comecei a escrever a todo mundo que acabava de ter um grande desgosto e a deixar de senti-lo.

Quando Gilberte foi embora, a duquesa me disse: – O senhor não compreendeu meus sinais... Era para que não falasse em Swann. – E como lhe pedisse desculpas: – Mas eu o compreendo muito bem; eu mesma quase que pronunciei o nome dele. Mal tive tempo de me interromper, é incrível; felizmente, detive-me a tempo. Você sabe, é muito constrangedor – disse ela ao marido para diminuir um pouco a minha falta, parecendo acreditar que eu obedecera a uma tendência comum a todos e à qual era difícil resistir. – Que quer que eu faça? – respondeu o duque. – Bastará você recomendar que levem esses desenhos para cima, já que eles a fazem pensar em Swann. Se você não pensar em Swann, não falará nele.

No dia seguinte recebi duas cartas de felicitações que muito me espantaram: uma era da Sra. Goupil, senhora de Combray a quem não via há tantos anos e a quem, mesmo em Combray, não dirigira a palavra três vezes sequer. Um gabinete de leitura a fizera ler o *Figaro*. Assim, quando nos acontece na vida algo que obtém uma certa repercussão, chegam-nos notícias de pessoas tão distantes de nossas relações, e cuja lembrança já é tão remota, que tais pessoas parecem estar situadas a grande distância, principalmente no sentido da profundidade. Uma amizade de colégio esquecida, e que tivera vinte ocasiões de se fazer lembrada, nos dá sinal de vida, aliás não sem compensações. Foi assim que Bloch, de quem eu tanto gostaria de saber o que pensava de meu artigo, não me escreveu. É verdade que havia lido o artigo, e devia me confessá-lo depois, mas por uma espécie de contrachoque. De fato, ele próprio escreveu um artigo no *Figaro* alguns anos mais tarde, e desejou assinalar-me esse acontecimento. Como já deixara de sentir ciúme pelo que considerava um privilégio, pois também lhe havia tocado a ele, a inveja, que o fizera fingir ignorar o meu artigo, havia passado, como um compressor se reergue; falou-me dele, mas de forma inteiramente diversa daquela com que desejaria ouvir-me falar do seu: – Soube que tu também fizeste um artigo – disse-me ele. – Porém achei que não devia te falar a esse respeito, receando ser desagradável, pois não devemos falar aos amigos sobre coisas humilhantes que lhes acontecessem. E, evidentemente, uma delas é escrever no jornal do sabre e do aspersório, dos *five o'clock*, sem esquecer a água benta. – Seu caráter permanecia o mesmo, mas o estilo tornara-se menos precioso, como acontece com certos escritores que abandonam o maneirismo quando, já não fazendo poemas simbolistas, dedicam-se a romances-folhetins.

Para me consolar com seu silêncio, reli a carta da Sra. Goupil; mas ela não possuía calor, pois, se a aristocracia tem certas fórmulas que erguem paliçadas entre si, entre o *Senhor* do princípio e o *muito cordialmente* do fim, gritos de alegria e de admiração podem brotar como flores, e ramos podem inclinar, por cima da paliçada, o seu perfume aromático.[23] Mas o convencionalismo burguês encerra o próprio interior das cartas numa rede que vai de *seu sucesso tão legítimo* até o extremo de *seu belo sucesso*. Cunhadas, fiéis à educação recebida e apropriadamente reservadas em seus corpetes, julgam que se expandiram na desgraça ou no entusiasmo se escreveram *meus melhores pensamentos*. E *Mamãe se associa às minhas palavras* é um superlativo com que raramente somos mimoseados. Recebi uma outra carta além da Sra. Goupil, mas a assinatura, Sautton,[24] era-me desconhe-

[23] *Aromático*. No original francês, tanto na edição de Jean-Yves Tadié como na de Pierre Clarac e André Ferré, está "adorant", o que não faz sentido. Preferimos considerar ter havido má leitura do manuscrito de Proust, por "odorant". (N. do T.)

[24] O nome Sautton é de leitura incerta no manuscrito (talvez Sanilon?). Na primeira versão datilográfica está *Saullon*, corrigido para *Sautton*. (N. do T.)

cida. Vinha numa caligrafia popular, de uma linguagem encantadora. Fiquei aborrecido por não poder descobrir quem me escrevera.

Dois dias depois, de manhã, alegrei-me que Bergotte fosse um grande admirador do meu artigo, o qual não pudera ler sem uma ponta de inveja. Todavia, minha alegria cessou ao cabo de um instante. De fato, Bergotte não me escrevera coisa alguma. Eu simplesmente me perguntava se ele havia gostado ou não do artigo, receando que não. A esta pergunta que eu me fazia, a Sra. de Forcheville me respondera que ele o admirava infinitamente, achava-o digno de um grande escritor. Mas ela dissera tais palavras enquanto eu dormia: era um sonho. Quase todos respondem às perguntas que nos fazemos por meio de afirmações complexas, representadas com diversas personagens, mas sem futuro.

Quanto à Srta. de Forcheville, eu não podia evitar pensar nela com mágoa. O quê? Filha de Swann, que tanto teria gostado de vê-la em casa dos Guermantes, estes haviam recusado a seu grande amigo o prazer de recebê-la, e depois a tinham procurado espontaneamente, pois o tempo havia passado, o tempo que para nós renova tudo, e insufla uma outra personalidade, segundo o que sobre elas se diga, as pessoas que há muito tempo não víamos, desde que nós mesmos mudamos de pele e adquirimos novos gostos. Mas, quando Swann dizia a essa filha às vezes, apertando-a nos braços e beijando-a: "É bom, queridinha, ter uma filha como tu; um dia, quando eu já não estiver aqui, se falarem ainda do teu pobre papai, será apenas contigo e por tua causa", Swann, depositando assim na filha, para após a sua morte, uma tímida e ansiosa esperança de sobrevivência, enganava-se tanto quanto o velho banqueiro que, tendo feito um testamento para uma dançarina, a quem mantém e que ostenta uma aparência muito digna, diz consigo que para ela é apenas um grande amigo, mas que ela permanecerá fiel à sua memória. De fato, o aspecto dela era muito digno, enquanto roçava com o pé, debaixo da mesa, os amigos do velho banqueiro que lhe agradavam, mas tudo isso bem às escondidas, no maior decoro. Usará luto pelo excelente homem, sentir-se-á desimpedida, desfrutará não apenas do dinheiro líquido mas das propriedades e dos automóveis que ele lhe deixou, e em toda parte se empenhará em apagar o monograma do antigo proprietário, que lhe causa uma certa vergonha, e ao gozo da doação jamais associará a tristeza pelo doador. As ilusões do amor paterno não são menores que as do outro; muitas filhas só consideram o pai como o velho que lhes deixou sua fortuna. A presença de Gilberte num salão, em vez de ser uma oportunidade a que ainda falassem às vezes de seu pai, era um obstáculo a que fossem aproveitadas as ocasiões, cada vez mais raras, que ainda pudessem ocorrer para fazê-lo. Mesmo a propósito das frases que ele havia dito, ou de objetos que oferecera, as pessoas adquiriram o hábito de não mais citá-lo, e aquela que poderia rejuvenescer, caso não perpetuasse a sua memória, era exatamente quem apressava e consumava a obra da morte e do esquecimento.

E não era somente em relação a Swann que Gilberte consumava aos poucos a obra do esquecimento: ela a apressara em mim também quanto a Albertine. Sob a ação do desejo, e como conseqüência do desejo de felicidade, que Gilberte estimulara em mim durante as horas em que eu a julgara uma pessoa diversa, um certo número de sofrimentos e de preocupações dolorosas que ainda há pouco obcecavam meu pensamento, escapavam-se de mim, arrastando, com minhas idéias, todo um conjunto de lembranças precárias, provavelmente esfarinhadas há muito, relativas a Albertine. Pois se muitas das lembranças ligadas a ela tinham, a princípio, contribuído para manter em mim a mágoa pela sua morte, em troca essa própria mágoa havia fixado as lembranças. De forma que a modificação de meu estado sentimental, sem dúvida obscuramente preparada dia a dia pelas contínuas desagregações do esquecimento, mas bruscamente realizada em conjunto, deu-me essa impressão, que me recordo de haver experimentado pela primeira vez naquele dia, do vazio, da supressão em mim de toda uma porção de associações de idéias, sentida por um homem de quem rebenta uma artéria cerebral já gasta há muito tempo, e no qual toda uma parte da memória é abolida ou fica paralisada. Eu já não amava Albertine. Quando muito em certos dias, fazendo um desses tempos em que, modificando e despertando nossa sensibilidade, nos pomos em relação com a realidade, eu sentia uma tristeza cruel ao pensar nela. Sofria por um amor já inexistente. Da mesma forma os amputados, diante de certas mudanças de tempo, sentem dor na perna que já não possuem.

O desaparecimento de minha dor, e de tudo o que ela acarretava, deixava-me diminuído como freqüentemente a cura de uma doença que ocupava um grande lugar em nossa vida. Sem dúvida, porque as lembranças não permanecem sempre verdadeiras, é que o amor não é eterno e porque a vida é feita da perpétua renovação das células. Porém, essa renovação por meio das lembranças é ainda assim retardada pela atenção que detém, que fixa um momento fadado a mudar. E visto que com a dor sucede o mesmo que com o nosso desejo das mulheres, aumentado se pensamos nelas, ter muito o que fazer contribuiria bastante para tornar mais fácil não só a castidade, mas o esquecimento.

Por uma reação diferente, embora fosse a distração (o desejo que sentia pela Srta. d'Éporcheville) que, de súbito, tornara-me efetivo e sensível o esquecimento, se é o tempo que nos traz progressivamente o esquecimento, este não deixa de alterar profundamente a noção do tempo. Existem erros ópticos no tempo, assim como os há no espaço. A persistência, em mim, de uma antiga veleidade de trabalhar, de recuperar o tempo perdido, de mudar de vida, ou melhor, de começar a viver, dava-me a ilusão de que eu era sempre muito jovem; entretanto, a recordação de todos os acontecimentos que haviam decorrido em minha vida – e também aqueles que se haviam sucedido em meu coração, pois, quando mudamos muito somos induzidos a supor que vivemos longo tempo – no decurso dos últimos meses da existência de Albertine, levara-me a julgá-los bem mais compridos que um ano, e, agora, esse esquecimento de tantas coisas, separando-me, por espaços vazios, de acontecimentos bem recentes que assim me pareciam antigos, pois eu, como se diz, "tivera tempo" de esquecê-los pela sua interpolação fragmentária e irregular na minha memória – feito uma bruma espessa sobre o oceano, e que suprime os pontos de referência das coisas – perturbava e deslocava o meu sentimento das distâncias no tempo, comprimidas aqui, distendidas além, fazendo com que me julgasse ora muito mais longe, ora muito mais perto das coisas do que o estava na realidade. E como nos novos espaços, ainda não percorridos, que se estendiam à minha frente, não haveria mais vestígios de meu amor por Albertine, como não os houvera de meu amor por minha avó nos tempos perdidos que eu acabava de atravessar, a minha vida, oferecendo uma sucessão de períodos nos quais, depois de um certo intervalo, já não subsistia no seguinte nada do que sustentava o precedente, apareceu-me como algo tão destituído do apoio de meu eu individual, idêntico e permanente, algo tão inútil no futuro, tão comprido no passado, algo que a morte bem poderia interromper aqui ou ali, sem de modo algum concluir, como esses cursos de história da França que em retórica são suspensos indiferentemente, conforme a fantasia dos programas ou dos professores, na Revolução de 1830, na de 1848, ou no fim do Segundo Império.

Talvez, então, o cansaço e a tristeza que eu sentia proviessem menos de ter amado inutilmente a quem eu já esquecia, do que de principiar a distrair-me com novas pessoas vivas, pessoas puramente da sociedade, simples amigos dos Guermantes, de tão pouco interesse em si mesmas. Talvez me consolasse mais facilmente ao verificar que aquela a quem havia amado já não era, ao fim de algum tempo, mais que uma pálida lembrança, do que ao verificar de novo em mim essa vã atividade que nos faz perder tempo em revestir nossa vida com uma vegetação humana, viçosa mas parasitária, que igualmente se tornará coisa alguma ao morrer, que já é estranha a tudo que conhecemos, e à qual, no entanto, procura agradar a nossa senilidade indiscreta, galante e melancólica. A nova criatura, que facilmente suportaria viver sem Albertine, fizera sua aparição dentro de mim, pois eu pudera falar de Albertine na casa da Sra. de Guermantes, em palavras aflitas, mas sem profundo sofrimento. A possível chegada desses novos "eus", que deveriam usar um nome diverso do precedente, sempre me assustara, pois eram indiferentes ao objeto do meu amor: outrora, a respeito de Gilberte, quando seu pai me dizia que, se eu fosse viver na Oceania, não haveria de querer voltar mais; e recentemente, quando lera com tamanho aperto no coração as memórias de um escritor medíocre que, separado pela vida de uma mulher a quem adorava quando jovem, reencontrava-a na velhice, sem prazer, sem vontade alguma de revê-la. Ora, pelo contrário, ocorria-me com o olvido uma supressão quase completa do sofrimento, uma possibilidade de bem-estar, e isso eu o ficava devendo a um ser tão temível, tão benfazejo e que não era outro senão um desses "eus" de reserva, que o destino mantém de prontidão para nós, e com o que, sem ouvir nossos rogos, ao jeito de um médico esclarecido e por isso mesmo autoritário, substitui, contra nossa vontade, por uma intervenção oportuna, o nosso eu na verdade muito ferido. Substituição, aliás, realizada de tempos em tempos, como o desgaste e a recomposição dos tecidos, mas à qual só prestamos atenção se o antigo "eu" carregava uma grande dor, um corpo estranho e pungente, e que nos surpreendemos de não encontrar mais, no deslumbramento de nos termos transformado em outra criatura, uma criatura para a qual o sofrimento de sua predecessora não passa do sofrimento de outrem, do qual poderá falar com piedade, porque não o sente. Mesmo isso pouco nos importa – haver passado por tantos sofrimentos –, pois só confusamente nos lembramos de os haver sentido. É possível que, da mesma forma, nossos pesadelos à noite sejam pavorosos. Mas, quando acordamos, somos uma outra pessoa, que mal se preocupa com aquela a quem sucedeu, e que, dormindo, era perseguida por assassinos.

Sem dúvida, este "eu" ainda mantinha algum contato com o anterior, como um amigo, indiferente a um luto, conversa todavia a seu respeito com as pessoas presentes, num tom adequado de tristeza, e, de vez em quando, volta para o aposento onde o viúvo, que o havia encarregado de receber as visitas, continua a fazer ouvir seus soluços. Eu soluçava ainda, quando voltava a ser por um momento o antigo amigo de Albertine. Porém minha tendência era passar inteiramente a um novo personagem. Nossa afeição pelos outros não diminui porque estão mortos, mas porque nós próprios morremos. Albertine não tinha coisa alguma a censurar em seu amigo. Quem usurpara o nome deste era apenas um herdeiro. Só podemos ser fiéis àquilo de que nos lembramos, e a gente só se lembra daquilo que conheceu. Meu novo "eu", enquanto crescia à sombra do antigo, ouvia-o falar muitas vezes de Albertine; através dele, através dos relatos que recolhia, julgava conhecê-la, ela lhe era simpática, amava-a; mas não passava de uma ternura de segunda mão.

Outra pessoa em quem a obra do esquecimento, no que se referia a Albertine, provavelmente se tornou mais rápida por essa época, e, por tabela, permitiu-me notar, um pouco mais tarde, num novo progresso alcançado por essa obra em mim (e essa é a minha lembrança de uma segunda etapa, antes do esquecimento definitivo), foi Andrée. Mal posso não considerar, de fato, o esquecimento de Albertine como causa, se não única ou principal, pelo menos causa condicionante e necessária, de uma conversa que Andrée teve comigo mais ou menos seis meses após aquela que narrei, conversa na qual suas palavras foram bem diversas das que me havia dito da primeira vez. Lembro-me de que era em meu quarto, porque naquele tempo eu sentia prazer em manter relações semicarnais com ela, devido ao aspecto coletivo que aparentava a princípio, e que agora voltaria a expressar o meu amor pelas moças do pequeno grupo, por muito tempo indiviso entre elas, e apenas por um momento associado à pessoa de Albertine, durante os últimos meses que haviam precedido e seguido à sua morte.

Estávamos em meu quarto por outro motivo ainda, que me permite situar bem exatamente essa conversa. É que eu fora expulso do restante do apartamento, pois era dia de recepção de mamãe. Era um dia em que mamãe fora almoçar em casa da Sra. Sazerat. Mas, como fosse dia de recepção, ela hesitara em ir à casa da Sra. Sazerat; porém, como até em Combray, a Sra. Sazerat sabia sempre nos convidar juntamente com pessoas enfadonhas, mamãe, certa de não se divertir, achara que podia voltar cedo para casa sem perder nenhum prazer. De fato, voltara a tempo e sem pena, pois a Sra. Sazerat só tinha em casa gente muito cacete, já estarrecida com a voz particular que ela usava ao receber, e que mamãe denominava "voz de quarta-feira". Mamãe, aliás, gostava muito dela, penalizava-se com a sua pobreza – resultado das dissipações do pai, arruinado pela duquesa de X*** –, infortúnio que a forçava a viver, quase o ano inteiro, em Combray, com algumas semanas em casa da prima, em Paris, e uma grande "viagem de recreio" a cada dez anos. Lembro-me que na véspera, a meu insistente pedido durante meses, e porque a princesa a convidava sempre, mamãe fora visitar a princesa de Parma, que não fazia visitas, e em cuja casa as pessoas normalmente se contentavam em deixar seus cartões, mas que insistira para que minha mãe fosse vê-la, já que o protocolo impedia que ela nos visitasse. Minha mãe voltara muito descontente: – Tu me fizeste praticar uma asneira – disse ela. – A princesa mal me cumprimentou; virou-se para as demais com quem conversava, sem se ocupar de minha pessoa, e, ao fim de dez minutos, como não me dirigia a palavra, fui embora sem que ela nem mesmo me estendesse a mão. Eu estava muito aborrecida; em compensação, ao ir embora, encontrei diante da porta a duquesa de Guermantes, que foi muito amável e falou um bocado de ti. Que idéia esquisita tiveste de lhe falar acerca de Albertine! Ela me contou que lhe havias dito ter ficado muito desgostoso com sua morte. – (De fato, eu o dissera à duquesa, mas não me lembrava disso e mal insistira. Mas as pessoas mais distraídas prestam uma atenção estranha às palavras que deixamos escapar, palavras que no parecem perfeitamente naturais, e que excitam profundamente a sua curiosidade.) – Nunca mais voltarei à casa da princesa de Parma. Tu me fizeste praticar uma asneira.

Ora, no dia seguinte, dia em que mamãe recebia, Andrée veio me visitar. Não dispunha de muito tempo, pois devia encontrar-se com Gisèle, com quem fazia questão de jantar. – Conheço os seus defeitos, mas ainda assim é a minha melhor amiga, a pessoa pela qual sinto o maior afeto possível – disse-me ela. E pareceu mesmo sentir algum terror à idéia de que eu lhe pudesse pedir para jantar com elas. Tinha avidez pelas criaturas, e um terceiro que a conhecesse bem, como eu, impedindo-a de se abandonar, a impediria também de gozar junto delas um prazer completo.

É verdade que, quando ela veio, eu não me achava presente; ela me esperava, e eu ia passar pela minha saleta para ir ao seu encontro, quando percebi, ao ouvir uma voz, que havia outra visita para mim. Com pressa de ver Andrée, que estava no meu quarto, não sabendo quem era essa outra pessoa, que certamente não a conhecia, pois fora encaminhada para outro aposento, fiquei escutando por um instante à porta da saleta, pois o visitante falava, não estava só. Falava a uma mulher: *Oh, minha querida, está no meu coração!* – cantarolava, citando os versos de Armand Silvestre. – Sim, serás sempre a minha querida, apesar de tudo o que me possas fazer:

Le morts dorment en paix dans le sein de la terre.
Ainsi doivent dormir nos sentiments éteints.
Ces reliques du coeur ont aussi leur poussière;
Sur leurs restes sacrés ne portons pas les mains.[25]

É um tanto batido, mas como é belo! E também o que te poderia ter dito desde o primeiro dia:

Tu les feras pleurer, enfant belle er chérie...[26]

Como, então não conheces isto?

...Tous ces bambins, hommes futurs,
Qui suspendent dejà leur jeune rêverie
Aux cils câlins de tes yeux purs.[27]

Ah! Eu julgava poder dizer-me por um instante:

Le premier soir qu'il vint ici
De fierté je n'eus plus souci.
Je lui disais: "Tu m'aimeras
Aussi longtemps que tu pourras."
Je me dormais bien qu'en ses bras.[28]

---

[25] "Os mortos dormem em paz no seio da terra. / Assim devem dormir nossos sentimentos extintos. / Essas relíquias do coração têm também o seu pó; / sobre seus restos sagrados não ergamos as mãos." – Alfred de Musset, "La Nuit d'Octobre" (A Noite de Outubro). (N. do T.)

[26] "Tu os farás chorar, bela e querida criança..." – Sully Prudhomme, "Aux Tuileries" (Nas Tulherias). (N. do T.)

[27] "Todos esses meninos, futuros homens, / que já suspendem suas jovens fantasias / aos cílios carinhosos de teus olhos puros." (Sully Prudhomme, *id.*; o segundo verso foi levemente alterado por Proust.) (N. do T.)

[28] "Na primeira noite em que ele veio aqui / não me preocupei mais com o orgulho. / Disse-lhe: 'Tu hás de amar-me / todo o tempo que puderes.' / Eu só dormia bem nos seus braços." (Charles Cros, *Nocturne* – Noturno). (N. do T.)

Curioso, ainda que devesse atrasar por um momento a minha urgente entrevista com Andrée, queria saber a que mulher se dirigia esse dilúvio de poemas, e abri a porta. Os versos eram recitados pelo Sr. de Charlus a um militar, em que logo reconheci Morel, o qual estava de partida para cumprir o seu período de reservista. Já não andava em boas relações com o Sr. de Charlus, porém via-o de vez em quando para lhe pedir serviço. O Sr. de Charlus, que habitualmente dava ao amor um aspecto mais viril, tinha também os seus langores. De resto, na infância, para poder compreender e sentir os versos dos poetas, fora obrigado a supô-los dirigidos não a uma bela infiel, mas a um rapaz. Deixei-os o mais rápido que pude, embora sentisse que fazer visitas em companhia de Morel era uma satisfação imensa para o Sr. de Charlus, a quem este fato dava por um instante a ilusão de ter casado de novo. Aliás, ele unia em sua pessoa o esnobismo das rainhas ao dos criados.

A lembrança de Albertine tornara-se em mim de tal modo fragmentária que já não me causava tristeza, não passando de uma transição para novos desejos, como um acorde que prepara mudanças de harmonia. E até, estando afastada toda idéia de capricho sensual e passageiro, enquanto eu ainda era fiel à recordação de Albertine, sentia-me mais feliz, tendo Andrée a meu lado, do que se, milagrosamente, recuperasse Albertine. Pois Andrée poderia me dizer mais coisas acerca de Albertine do que a própria Albertine me dissera. Ora, os problemas relativos a Albertine ainda permaneciam em meu espírito, ao passo que minha ternura por ela, tanto física quanto moral, já desaparecera. E meu desejo de conhecer sua vida, porque diminuíra menos, era agora comparativamente maior que a necessidade de sua presença. Por outro lado, a idéia de que uma mulher talvez tivesse tido relações sexuais com Albertine só me provocava o desejo de tê-las também com essa mulher. Foi o que eu disse a Andrée, acariciando-a. Então, sem tentar de forma alguma pôr suas palavras em acordo com as que havia dito meses antes, Andrée me falou, meio sorrindo: – Ah, sim, mas você é homem. De modo que não podemos fazer juntos as mesmas coisas que eu fazia com Albertine. – E, fosse porque ela pensava que isto aumentaria o meu desejo (na esperança de ouvir confidências, eu lhe dissera antigamente que gostaria de ter relações sexuais com uma mulher que as tivesse tido com Albertine), ou o meu desgosto, ou talvez destruísse um sentimento de superioridade, que ela acaso julgasse que eu possuía, por ter sido o único a relacionar-se sexualmente com Albertine: – Ah, nós duas passamos horas bem boas; ela era tão carinhosa, tão apaixonada. Aliás, não era só comigo que ela gostava de sentir prazer. Conhecera na casa da Sra. Verdurin um belo rapaz, chamado Morel. E logo eles se entenderam. Ele se encarregava – obtendo dela permissão para também desfrutar o seu prazer, pois gostava das garotas novatas, e logo que as punha no mau caminho, largava-as –, encarregava-se de agradar jovens pescadoras de uma praia afastada, pequenas lavadeiras, que se enamorariam de um rapaz mas não teriam correspondido às seduções de uma moça. Quando a garota estava bem sob sua dominação, ele a levava para um local seguro, onde a entregava a Albertine. Com medo de perder esse Morel, que aliás também participava do negócio, a garota obedecia sempre e ainda assim o perdia, pois, temendo as conseqüências, e também porque uma ou duas vezes lhe bastavam, Morel sumia deixando um endereço falso. Certa vez, Morel teve a coragem de levar uma delas, junto com Albertine, a uma casa de mulheres em Couliville, onde quatro ou cinco a possuíram juntas ou sucessivamente. Era a sua paixão, como também a de Albertine. Porém esta sentia remorsos horríveis depois. Creio que, vivendo com você, ela dominou essa paixão, e adiava, dia após dia, o momento de satisfazê-la. E depois, a amizade que tinha a você era tão grande que sentia escrúpulos. Mas certamente, se um dia ela o deixasse, haveria de recomeçar. Ela esperava que você a salvasse, que a desposasse. No fundo, sentia que aquilo era uma espécie de loucura criminosa, e muitas vezes fiquei imaginando se não teria sido depois de uma coisa dessas, que provocasse um suicídio numa família, que ela própria se matou. Devo confessar que, bem no começo de sua vida aqui em sua casa, ela ainda não havia renunciado inteiramente a fazer essas coisas comigo. Havia dias em que ela parecia ter necessidade disso, de tal modo que uma vez, quando teria sido tão fácil lá fora, ela só se resignou a me dizer adeus depois de termos ficado juntas, aqui em sua casa. Não tivemos sorte, quase fomos surpreendidas. Ela aproveitou que Françoise tinha descido para ir à rua, e que você ainda não voltara. Então, apagou as luzes para que vocês, quando abrissem a porta, perdessem um bocado de tempo antes de achar o interruptor; e ela não fechou a porta do quarto. Ouvimos você subir, e mal tive tempo de me arrumar e descer. Precipitação bem inútil, pois, por um acaso incrível, você havia esquecido a chave e fora obrigado a tocar a campainha. Mas, seja como for, perdemos a cabeça, de modo que, para disfarçar o embaraço, sem nos consultarmos, tivemos a mesma idéia: dar a impressão de que odiávamos o cheiro da silindra, que pelo contrário adorávamos. Você trazia um grande ramo desse arbusto, o que me permitiu desviar a cabeça e ocultar a perturbação. Isto não me impediu de lhe dizer, numa absurda falta de jeito, que talvez Françoise já houvesse subido e teria podido abrir a porta, ao passo que, um momento antes, eu mentira dizendo que estávamos acabando de voltar do passeio e que, ao chegarmos, Françoise ainda não descera (o que era verdade). Porém o azar foi ter apagado a luz, pensando que você estava com a chave, pois receávamos que, ao subir, você a visse acender-se de novo; ao menos, hesitamos bastante. E durante três noites Albertine não pôde pregar olho, pois andava com medo que você desconfiasse e perguntasse a Françoise por que não acendera a luz antes de sair. Pois Albertine sentia muito medo de você, e de vez em quando falava que você era tratante, maldoso, e no fundo a detestava. Depois de três dias, ela acabou compreendendo, pela sua calma, que você não perguntara coisa alguma a Françoise, e pôde conciliar o sono. Mas não retomou as relações comigo, ou por medo, ou por remorso, pois afirmava gostar muito de você, ou talvez porque gostasse de outra pessoa. Em todo caso, jamais pudemos falar sobre a silindra diante dela sem que ficasse escarlate e passasse a mão pelo rosto, para ocultar a vermelhidão.

Como certas venturas, há determinadas desgraças que chegam demasiado tarde e não assumem em nós toda a grandeza que teriam tido algum tempo antes. Assim foi a desgraça, para mim, dessa terrível revelação de Andrée. Sem dúvida, mesmo quando más notícias devem nos entristecer, acontece que, no divertimento, no jogo equilibrado da conversa, elas passam por nós sem se deter, e nós, preocupados com mil coisas a responder, transformados em outra criatura pelo desejo de agradar às pessoas presentes, criatura momentaneamente protegida neste ciclo novo contra as doenças e sofrimentos que deixara para ali entrar, e que voltará a encontrar ao ser quebrado o curto encantamento, não temos tempo de acolhê-las. Entretanto, se essas doenças e sofrimentos são excessivamente intensos, nós só entramos distraídos na zona de um mundo novo e momentâneo, onde, por demais fiéis ao sofrimento, não podemos nos transformar em outros; então as palavras se relacionam imediatamente com nosso coração, que não ficou fora do jogo. Porém desde algum tempo as palavras referentes a Albertine, como um veneno evaporado, haviam perdido seu poder tóxico. A distância já era por demais longínqua; como um passeante que, vendo à tarde um crescente nebuloso no céu, diz consigo: "Então é isso, a imensa lua", eu me dizia: "Como! Esta verdade que tanto busquei e temi, está somente nessas poucas palavras ditas numa conversa, palavras em que nem posso pensar completamente, pois não estou sozinho!" E depois, ela de fato me pegara desprevenido, e eu me sentia muito cansado com Andrée. Na realidade, uma verdade dessas exigiria de mim mais forças para que pudesse me dedicar a ela; ela permanecia exterior a mim, mas é que eu ainda não lhe encontrara um lugar no meu coração. Gostaríamos que a verdade nos fosse revelada por sinais novos, não por uma frase, uma frase semelhante às que eram ditas tantas vezes. O hábito de pensar às vezes impede que sintamos o real, imuniza-nos contra ele, fá-lo também parecer pensamento. Não existe idéia que não traga consigo a sua refutação possível, ou uma palavra sem o seu contrário.

Em todo caso, se aquilo era verdadeiro, tratava-se agora de uma inútil verdade sobre a vida de uma amante já morta, a remontar das profundezas, surgindo quando já nada se podia fazer com ela. Então (sem dúvida pensando em alguma outra a quem amamos agora, e a respeito de quem a mesma coisa poderia ocorrer, pois não nos preocupamos mais com aquela que já esquecemos), ficamos desolados. Dizemos a nós mesmos: "Se ela estivesse viva!" e: "Se esta que vive pudesse compreender tudo isso, quando ela morrer ficarei sabendo de tudo o que me escondel!" Mas é um círculo vicioso. Se eu pudesse fazer com que Albertine vivesse, igualmente faria com que Andrée não me revelasse coisa alguma. É a mesma coisa que o eterno "você vai ver quando eu deixar de amá-lo", tão verdadeiro e tão absurdo, pois de fato conseguiríamos muito se já não amássemos porém não nos preocuparíamos em consegui-lo. É exatamente a mesma coisa. Pois, se a mulher, a quem revemos quando já deixamos de a amar, nos diz tudo, é que de fato já não é mais ela, ou nós não somos nós: a criatura que amava não existe mais. Por aí também passou a morte, tornando tudo fácil e inútil. Eu fazia essas reflexões, na hipótese de que Andrée fosse verdadeira – o que era possível – e se sentisse impelida à sinceridade precisamente por ter agora relações sexuais comigo, por esse lado Saint-André-des-Champs que a princípio Albertine alimentara a meu respeito. Nesse caso, era favorecida pelo fato de que já não receava Albertine, pois a realidade das criaturas sobrevive para nós apenas por breve tempo após a sua morte, e depois de alguns anos são como esses deuses das religiões abolidas que a gente ofende sem medo porque deixa de crer em sua existência. Mas o fato de Andrée já não acreditar na realidade de Albertine podia ter como efeito que ela não recearia mais (bem como não recearia revelar uma verdade que prometera ocultar) inventar uma mentira que retrospectivamente caluniasse a sua antiga cúmplice. Essa ausência de temor permitia-lhe afinal, ao dizer aquilo, revelar a verdade, ou então inventar uma mentira, se, por algum motivo, me julgasse muito feliz e orgulhoso, e quisesse me afligir? Talvez estivesse irritada comigo (irritação suspensa enquanto me vira infeliz e desconsolado), porque eu havia tido relações com Albertine e ela, quem sabe, me invejava – achando que, devido a isso, eu me julgasse mais favorecido que ela – uma vantagem que talvez ela não tivesse obtido, nem sequer desejado. Assim é que, muitas vezes, a ouvira dizer que tinham ar doentio as pessoas cuja boa aparência, e sobretudo a consciência que possuíam dessa boa aparência, a exasperava, e acrescentar, na esperança de aborrecê-las, que ela própria ia muito bem, o que não deixou de proclamar mesmo quando estava muito mal, até o dia em que, no desapego à morte, não mais lhe preocupou que os felizes andassem bem e soubessem que ela própria estava morrendo. Mas esse dia ainda estava longe. Talvez estivesse irada contra mim, não sei por que motivo, como outrora se enraivecera contra um rapaz, tão sábio em coisas do esporte e tão ignorante do resto, que havíamos encontrado em Balbec e que, depois, passara a viver com Rachel; a seu respeito, Andrée se expandia em frases difamatórias, desejando ser processada por calúnia a fim de articular contra o pai dele fatos desonrosos, cuja falsidade o rapaz não poderia provar. Ora, essa raiva contra mim talvez simplesmente a possuísse de novo, tendo sem dúvida a abandonado quando ela me vira tão triste. De fato, aqueles mesmos a quem ela, com os olhos cintilantes de raiva, quisera desonrar, matar, fazer condenar, mesmo sob falso testemunho, bastava sabê-los tristes e humilhados e já não lhes queria nenhum mal, estava pronta a cumulá-los de benefícios. Pois não era fundamentalmente má e, se a sua natureza não aparente, um tanto profunda, não demonstrava a gentileza que a princípio imaginavam em face de suas atenções delicadas, mas sim orgulho e inveja, sua terceira natureza, mais profunda ainda, a verdadeira, porém não inteiramente realizada, inclinava-se para a bondade e o amor ao próximo. Apenas, como todas as criaturas que, num certo estado, desejam outro melhor, mas, não o conhecendo senão pelo desejo, não compreendem que a primeira condição para atingi-lo é a de romper com o primeiro – como os neurastênicos ou os morfinômanos, que desejariam ser curados, desde que não os privassem de suas manias ou da morfina; como os corações religiosos ou os temperamentos de artista habituados à vida social, que desejam a solidão mas querem imaginá-la todavia como não implicando uma renúncia absoluta à sua vida anterior –, Andrée estava pronta para amar todas as criaturas, sob a condição, porém, de conseguir ela mesma não imaginá-las triunfantes, e, para isso, de tê-las previamente humilhado. Não compreendia ser preciso amar até os orgulhosos e vencer o orgulho deles por meio do amor e não por um orgulho mais poderoso. Mas ela era como esses enfermos que desejam a cura através dos próprios meios que mantêm a doença, a que amam e a que logo deixariam de amar se a eles renunciassem. Pois queremos aprender a nadar mantendo um pé em terra.

No que se refere ao rapaz esportivo, sobrinho dos Verdurin, que eu encontrara nas minhas duas temporadas em Balbec, é preciso dizer, acessoriamente, e por antecipação, que, pouco depois da visita de Andrée, visita cuja narrativa será retomada dentro de um instante, ocorreram fatos que causaram grande impressão. Primeiro, esse rapaz (talvez como lembrança de Albertine, a quem então eu ignorava que ele houvesse amado) ficou noivo de Andrée e a desposou, malgrado o desespero de Rachel, desespero a que não deu a menor importância. Andrée já não dizia então (ou seja, poucos meses depois da visita a que me refiro) que ele era um miserável, e mais tarde percebi que ela o dissera apenas porque estava louca por ele, julgando que o rapaz não queria saber dela. Um outro fato, porém, me impressionou muito mais. Esse rapaz fez representar pequenos *sketches*, com cenários e figurinos de sua criação, que trouxeram à arte contemporânea uma revolução no mínimo igual à alcançada pelos Balés Russos. Em suma, os críticos mais abalizados consideraram suas obras como algo de capital, quase obras de um gênio; aliás, penso como eles, ratificando desse modo, para meu próprio espanto, a antiga opinião de Rachel. As pessoas que o tinham conhecido em Balbec, preocupado apenas em saber se o corte das roupas das pessoas que ele iria freqüentar era elegante ou não, e a passar o tempo todo no bacará, nas corridas, jogando golfe ou pólo, que sabiam que em seus estudos sempre fora um preguiçoso, e chegara mesmo a ser expulso do liceu (para enfezar os pais, tinha ido morar, durante dois meses, na grande casa de mulheres onde o Sr. de Charlus julgara surpreender Morel) – pensaram que suas obras talvez fossem escritas por Andrée, a qual, por amor, queria atribuir-lhe a glória, ou, mais provavelmente, que ele a pagava, com a imensa fortuna pessoal que suas loucuras mal haviam desfalcado, algum profissional de gênio, necessitado, para fazê-las. (Esse gênero de sociedade rica, não polida pelo contato com a aristocracia e sem ter nenhuma idéia do que seja um artista, que para ela é somente o ator a quem contratam para recitar monólogos, na festa de noivado da filha, entregando-lhe discreta e imediatamente o *cachet* na sala ao lado, ou o pintor em cujo ateliê a fazem posar logo depois de casada, antes de ter filhos e quando ainda está em boa forma, julga naturalmente que todas as pessoas da sociedade que escrevem, compõem ou pintam, mandam fazer suas obras e pagam para ter uma reputação de autor, como outros para alcançar uma cadeira de deputados.) Mas tudo isso era falso; e o rapaz era mesmo o autor dessas obras admiráveis. Quando eu o soube, fui obrigado a vacilar entre diversas suposições. Ou ele tinha sido, na verdade, durante longos anos, a "besta quadrada" que parecia, e algum cataclismo fisiológico lhe despertara o gênio adormecido, como a Bela no bosque; ou então, à época de sua retórica tempestuosa, de suas reprovações no curso de bacharelado, de suas grandes perdas no jogo em Balbec, de seu medo de subir no bonde com os fiéis de sua tia Verdurin por causa de seus trajes plebeus, ele já era um homem de gênio, talvez distraído quanto a seu gênio, tendo-o deixado com a chave debaixo da porta, na efervescência de suas paixões juvenis; ou, ainda, homem genial já consciente, e último da classe, pois, enquanto o professor dizia banalidades sobre Cícero, ele ficava lendo Rimbaud ou Goethe. Claro que nada fazia suspeitar essa hipótese quando o encontrei em Balbec, onde suas preocupações me pareceram ligar-se apenas às parelhas de cavalos ou à preparação de coquetéis. Mas não se trata de uma objeção irrefutável. Ele podia ser muito vaidoso, o que pode aliar-se ao gênio, e procurar brilhar da maneira que sabia ser própria para deslumbrar a sociedade em que vivia e que de modo algum consistia em provar um conhecimento aprofundado das *Afinidades eletivas*,[29] mas, preferivelmente, de guiar a quatro rédeas. Aliás, não estou certo de que, mesmo quando se tornou o autor dessas belas obras tão originais, ele gostasse muito, longe dos teatros onde era conhecido, de cumprimentar alguém que não estivesse de *smoking*, como os fiéis na sua maneira inicial, o que nele provaria não estupidez, mas vaidade, e até um certo senso prático, uma certa perspicácia em adaptar sua vaidade à mentalidade dos imbecis, a cuja estima se aferrava e para os quais o *smoking* talvez brilhe com mais vivo clarão do que o olhar de um filósofo. Quem sabe se, visto de fora, um homem de talento – ou até sem talento –, mas apreciando as coisas do espírito, por exemplo, eu, não produzisse, em quem o encontrasse em Rivebelle, no Hotel de Balbec, ou no molhe de Balbec, o efeito do mais rematado e pretensioso dos imbecis? Sem contar que, para Octave, as coisas de arte deveriam ser algo de tão íntimo e vivo nos mais secretos refolhos de si mesmo que, sem dúvida, não lhe passaria pela cabeça a idéia de falar nisso como o teria feito Saint-Loup, por exemplo, para quem as artes possuíam o prestígio das parelhas de cavalos atribuído a Octave. Ademais, ele podia ter paixão pelo jogo, e dizem que a conservou. Ainda

[29] *Afinidades eletivas*, romance de J. W. Goethe (1749-1832). (N. do T.)

assim, se a piedade que fez reviver a obra ignorada de Vinteuil brotou de um ambiente tão perturbador como o de Montjouvain, não fiquei menos impressionado ao pensar que talvez as mais extraordinárias obras-primas de nossa época tenham brotado não dos meios universitários, de uma educação modelar, acadêmica, ao modo de Broglie, mas do convívio com as "pesagens" e os grandes bares. Em todo caso, naquela época, em Balbec, os motivos que me faziam desejar conhecê-lo, e a Albertine e suas amigas que eu o não conhecesse, eram igualmente estranhos ao seu valor, e teriam feito apenas aflorar o eterno mal-entendido de um "intelectual" (representado por mim) e as pessoas da sociedade (representadas pelo pequeno grupo) a respeito de uma pessoa mundana (o jovem jogador de golfe). Eu de modo algum pressentia o seu talento, e, a meus olhos, o seu prestígio – do mesmo tipo que outrora o da Sra. Blatin – era o de ser – fosse o que fosse o que elas pretendiam – o amigo de minhas amigas, e mais pertencente ao pequeno grupo do que eu. Por outro lado, Albertine e Andrée, simbolizando nisso a incapacidade mundana de formular uma opinião válida sobre as coisas do espírito e a propensão das pessoas da sociedade a se deixarem levar nesse assunto por falsas aparências, não só pareciam julgar-me estúpido porque me sentia curioso em relação a tamanho imbecil, como, principalmente, espantavam-se de que, golfista por golfista, minha escolha justo recaísse sobre o mais insignificante. Se ao menos eu quisesse travar relações com o jovem Gilbert de Belloeuvre, que, fora do golfe, era um rapaz que sabia conversar, que passara nos exames e fazia versos agradáveis (ora, na realidade era mais imbecil que os outros); ou então, se meu objetivo fosse "fazer um estudo para um livro", Guy Saumoy, que era completamente louco, raptara duas moças, era ao menos um tipo curioso que podia me "interessar". Esses dois, elas me teriam "permitido" freqüentá-los. Mas o outro, que interesse podia eu achar nele? Era o tipo do ignorantão, da "besta quadrada".

Voltando à visita de Andrée, após a revelação que me acabava de fazer sobre suas relações com Albertine, ela acrescentou que o principal motivo que levara Albertine a me abandonar fora o receio pelo que podiam pensar as suas amigas do pequeno grupo, e ainda outras, ao vê-la assim morar na casa de um rapaz com quem não era casada: – Sei perfeitamente que era na casa de sua mãe. Mas isso não quer dizer nada. Você não sabe o que é essa multidão de moças, o que elas ocultam umas às outras, como têm medo das opiniões alheias. Vi algumas que eram de uma tremenda severidade para com os rapazes, simplesmente porque eles conheciam suas amigas, e elas temiam que certas coisas fossem espalhadas – e essas mesmas, quis o acaso que eu as visse sob luz muito diversa, bem contra a vontade delas. – Alguns meses antes, esta ciência que Andrée parecia possuir acerca dos motivos aos quais obedecem as moças do pequeno grupo me seria a mais preciosa do mundo. Talvez o que ela dizia bastasse para explicar por que razão Albertine, que logo se entregara a mim em Paris, recusara-se em Balbec, onde eu via constantemente as suas amigas, o que julgara absurdamente ser uma vantagem para mim, por me permitir estar com ela naquele meio. Talvez fora mesmo por observar certos movimentos de confiança de minha parte com Andrée, ou porque eu tivesse imprudentemente dito a esta que Albertine ia dormir no Grande Hotel, que Albertine, uma hora antes disposta a me conceder certos prazeres como se fosse a coisa mais simples do mundo, mudara inteiramente de idéia, ameaçando tocar a campainha. Mas então, ela devia ter sido "fácil" com muitos outros. Tal pensamento me despertou o ciúme e falei a Andrée que havia uma coisa que desejava perguntar-lhe. – Vocês faziam isso no apartamento desocupado de sua avó? – Oh, não; nunca. Ali teríamos sido importunadas. – Ora, eu pensei, parecia-me... – Aliás, Albertine gostava de fazer isso no campo. – Onde? – Antigamente, quando ela não tinha tempo de ir muito longe, íamos aos Buttes-Chaumont, onde ela conhecia uma casa, ou então debaixo das árvores, pois não há ninguém ali; e também na gruta do Petit Trianon. – Olhe, como vou acreditar em você? Há coisa de um ano jurou não ter feito nada nos Buttes-Chaumont. – Receava fazê-lo sofrer. – Como já disse, só muito depois é que pensei que, ao contrário, desta segunda vez, no dia das confissões, é que Andrée procurara me fazer sofrer. Essa idéia me ocorreria logo, enquanto ela falava, porque sentiria necessidade dela, se ainda amasse muito Albertine. Mas as palavras de Andrée não me faziam mal suficiente para que me fosse indispensável julgá-las de imediato mentirosas. Em suma, se era verdade o que dizia Andrée, e eu a princípio não duvidei, a Albertine real que eu descobria, depois de ter conhecido tantas aparências diversas de Albertine, era bem pouco diferente da moça licenciosa, surgida e adivinhada, no primeiro dia, no molhe de Balbec, e que me havia oferecido sucessivamente tantos aspectos, como se modifica alternadamente a disposição dos edifícios até esmagar e anular o monumento principal que se via sozinho ao longe, na cidade da qual nos aproximamos, mas cujas verdadeiras proporções, enfim, quando já a conhecemos bem, e a julgamos com exatidão, eram as mesmas que a perspectiva do primeiro golpe de vista nos indicara, pois o resto, por onde havíamos passado, era aquela série sucessiva de linhas de defesa que toda criatura ergue contra nossa visão e que é necessário transpor uma a uma, à custa de tantos sofrimentos, antes de chegarmos ao coração. Além disso, se não precisava crer absolutamente na inocência de Albertine, pois meu sofrimento diminuíra, posso dizer que reciprocamente, se não sofri muito com essa revelação, é porque, desde algum tempo, a crença que eu me forjara, na inocência de Albertine fora substituída aos poucos, sem que me apercebesse, pela crença, presente sempre em mim, na sua culpabilidade. Ora, se eu já não cria na inocência de Albertine, é porque não tinha mais aquela necessidade, aquele desejo passional de acreditar nela. É o desejo que engendra a crença e, se em geral não notamos isso, é que a maioria dos desejos criadores de crenças não termina – ao contrário daquele que me convencera que Albertine era inocente – senão com nós mesmos. A tantas provas que corroboravam minha primeira versão, eu estupidamente havia preferido simples afirmações de Albertine. Por que acreditar nela? A mentira é essencial à humanidade. Ela desempenha entre os homens um papel tão grande talvez como a busca do prazer e, além do mais, é comandada por essa busca. As pessoas mentem para proteger seu prazer, ou sua honra, se a divulgação desse prazer é contrária à honra. Mentimos a vida inteira, e até, principalmente, e talvez apenas, às pessoas que nos amam. De fato, só estas nos fazem recear pelo nosso prazer e desejar a sua estima. A princípio, eu julgara Albertine culpada, e somente o meu desejo, empregando numa obra de dúvida as forças de minha inteligência, fizera-me seguir um caminho errado. Talvez vivamos cercados de indicações elétricas, sísmicas, que precisamos interpretar de boa-fé para conhecer a verdade acerca dos caracteres. Se é necessário dizê-lo, por mais triste que me tivessem deixado as palavras de Andrée, achava melhor que a realidade afinal concordasse com o que meu instinto já pressentira, em vez de coonestar o miserável otimismo ao qual eu depois cedera covardemente. Preferiria que a vida estivesse à altura de minhas intuições. Aliás, estas, que eu sentira no primeiro dia na praia, quando pensara que aquelas moças encarnavam o frenesi do prazer, o vício, e também na noite em que vira a professora de Albertine mandar para casa aquela jovem exaltada, como se empurra para jaula uma fera que, apesar das aparências, nada mais tarde poderá domesticar, não concordavam elas com o que me dissera Bloch quando me mostrara a universalidade do desejo, fazendo-me estremecer em cada encontro, em todos os passeios, tornando-me a Terra tão bela? Apesar de tudo, talvez fora melhor que só agora eu reencontrasse e verificasse aquelas intuições primeiras. Enquanto durava o meu amor por Albertine, elas me teriam feito sofrer demais e teria sido melhor que só restasse delas um traço – minha perpétua suspeita de coisas que eu não via e que no entanto ocorriam continuamente tão perto de mim – e talvez um outro ainda, anterior, mais amplo, que era o *meu próprio amor*. De fato, escolher, amar Albertine não era, apesar de todas as negativas de minha razão, conhecê-la em toda a sua hediondez? E mesmo nas ocasiões em que a desconfiança adormece, não é amor sua persistência e transformação, não é uma prova de clarividência – ininteligível ao próprio amante –, visto que o desejo, indo sempre em direção ao que nos é mais oposto, força-nos a amar o que nos há de fazer sofrer? Certamente compõem o encanto de uma criatura, a atração de seus olhos, de sua boca, do seu talhe, os elementos, por nós ignorados, suscetíveis de nos fazer grandemente infelizes, de modo que o fato de nos sentirmos atraídos por essa criatura, começarmos a amá-la, já é, por mais inocente que nos pareça, ler, numa versão diferente, todas as suas culpas e traições.

E esses encantos que, para me atrair, assim materializavam as partes novatas, [30] perigosas, mortais, de uma criatura, não teriam acaso uma relação de causa

[30] Em francês, tanto na edição de Clarac e Ferré, como na de Jean-Yves Tadié, a palavra é *novice* (novato, noviço). Embora pareça lapso da grafia de Proust, por *nocive* (nocivo), mantivemos a lição do original. (N. do T.)

e efeito mais direta do que a existente entre a exuberância sedutora e o suco envenenado de certas flores peçonhentas? Talvez, pensava eu, o próprio vício de Albertine, causa de meus futuros sofrimentos, tivesse produzido nela essas maneiras bondosas e francas, dando a ilusão de ser possível ter com ela a mesma camaradagem leal e sem restrições que temos com um homem, assim como um vício paralelo produzira no Sr. de Charlus uma finura feminina de espírito e sensibilidade. Em meio à mais completa cegueira, subsiste a perspicácia mesmo sob a forma da predileção e da ternura, de modo que é um erro falar em má escolha do amor, pois, desde que houve uma escolha, só pode ser má. – Esses passeios aos Buttes-Chaumont ocorriam quando você vinha buscar Albertine? – perguntei a Andrée – Oh, não; desde o dia em que ela voltou de Balbec com você, a não ser o que lhe contei, ela nunca mais fez nada comigo. Não permitia sequer que lhe falasse nessas coisas. – Mas, minha queridinha, por que mentir ainda? Pela maior das casualidades, pois eu nunca procuro saber de nada, fiquei conhecendo, nos mais exatos pormenores, coisas desse tipo que Albertine fazia, posso até precisar-lhe, à beira-mar, com uma lavadeira, poucos dias antes de sua morte. – Ah, talvez, depois de ter largado você, não sei. Ela sentia que não pudera, não poderia jamais obter de novo a sua confiança. – Essas últimas palavras me acabrunharam. Depois, voltei a pensar na noite do ramo de silindra; lembrei-me que, cerca de quinze dias depois, como o meu ciúme sucessivamente mudava de objeto, eu havia perguntado a Albertine se ela jamais tivera relações sexuais com Andrée, e ela me respondera: "Oh, jamais; é claro que adoro Andrée. Tenho por ela um afeto profundo, como por uma irmã; e até se eu tivesse os gostos que você parece me atribuir, ela seria a última pessoa em quem eu teria pensado para essas coisas. Posso jurar-lhe por tudo o que quiser, por minha tia, pelo túmulo de minha pobre mãe." – Eu acreditara nela. E no entanto, mesmo se eu não tivesse despertado a minha desconfiança pela contradição entre suas meias-confissões de antigamente, relativas a certas coisas, e o jeito como logo as negara quando vira que aquilo não me era indiferente, eu deveria ter me lembrado de Swann, convencido do platonismo das amizades do Sr. de Charlus, afirmando-o na noite daquele mesmo dia em que eu avistara o barão e o coleteiro no pátio;[31] deveria ter pensado que existem dois mundos, um diante do outro, e que um deles é constituído pelas coisas que dizem as pessoas melhores e mais sinceras, e, por trás dele, o mundo composto pela sucessão daquilo que essas mesmas pessoas fazem; de forma que, quando uma mulher casada nos diz de um rapaz: "Oh, é bem verdade que tenho por ele uma amizade enorme, mas é uma coisa tão inocente, tão pura; poderia jurá-lo pela recordação de meus pais", deveríamos, isto sim, jurar, sem qualquer hesitação, que ela provavelmente está saindo do quar-

[31] Ver *Sodoma e Gomorra*, p. 501 e seguintes. (N. do T.)

to de toalete, para onde se precipita após cada encontro com esse rapaz, a fim de evitar filhos. O ramo de silindra me dava uma tristeza mortal, e também o fato de Albertine me julgar e proclamar que eu era astucioso e a detestava; e, mais que tudo, quem sabe, essas mentiras, tão inesperadas que eu sentia dificuldade em assimilá-las ao meu pensamento. Um dia, ela me contara que fora a um campo de aviação, que era amiga do aviador (sem dúvida para desviar minhas suspeitas das mulheres, pensando que eu seria menos ciumento dos homens); que era divertido ver como Andrée ficava maravilhada diante do aviador, diante de todas as homenagens que ele fazia a Albertine, a ponto de Andrée ter querido fazer um passeio de avião com ele. Ora, isso era totalmente inventado, Andrée nunca fora a esse campo de aviação, etc.

Quando Andrée foi embora, já havia chegado a hora de jantar. – Nem podes adivinhar quem me fez uma visita de pelo menos três horas – disse minha mãe. – Digo três horas, talvez tenha sido mais. Chegou quase ao mesmo tempo que a primeira visita, que era a Sra. Cottard; viu sucessivamente, sem se mover, entrarem e saírem as minhas diferentes visitas – e foram mais de trinta – e só me deixou há um quarto de hora. Se não estivesses com tua amiga Andrée, teria mandado que te chamassem. – Mas, afinal, quem era? – Uma pessoa que nunca faz visitas. – A princesa de Parma? – Decididamente, tenho um filho mais inteligente que imaginava. Não tem graça te fazer adivinhar um nome, pois descobres logo. – Ela não se desculpou pela frieza de ontem? – Não, seria bobagem, sua visita era justamente a desculpa; tua pobre avó teria achado isso perfeito. Parece que ela mandou perguntar por um lacaio, lá pelas duas, se eu tinha um dia para receber. Disseram que era exatamente hoje, e ela subiu. – Minha primeira idéia, que não tive coragem para externar a mamãe, fora que a princesa de Parma, cercada na véspera de pessoas brilhantes, com as quais muito se dava e com quem gostava de conversar, sentira, ao ver entrar minha mãe, uma irritação que não procurara dissimular. E essa arrogância era bem do tipo das grandes damas alemãs, que aliás os Guermantes tinham adotado muito bem, arrogância que julgavam compensar com uma escrupulosa amabilidade. Porém mamãe julgou, e eu logo julguei também, que muito simplesmente a princesa de Parma não a reconhecera, não achara dever ocupar-se dela, que só após a partida de minha mãe é que fora informada de quem se tratava, seja pela duquesa de Guermantes, que minha mãe tinha encontrado no andar térreo, seja pela lista de visitantes, aos quais os porteiros, antes que eles entrassem, haviam pedido o nome para inscrevê-lo num registro. Ela pensara ser pouco amável mandar dizer, ou dizer à minha mãe: "Não a reconheci", mas, o que não era menos conforme à polidez das cortes alemãs e às maneiras Guermantes da minha primeira versão, havia pensado que uma visita, coisa excepcional por parte da Alteza, e sobretudo uma visita de várias horas, forneceria a minha mãe, sob uma forma indireta e igualmente persuasiva, essa explicação, o que de fato ocorreu. Mas não me demorei em pedir a minha mãe um relato da visita da princesa, pois acabava de me lembrar de vários fatos relativos a Albertine sobre os quais desejava e esquecera de interrogar Andrée. Quão pouco, aliás, sabia eu e saberia jamais dessa história de Albertine, a única história que me interessaria particularmente, ao menos que recomeçava a interessar-me em certos momentos! Pois o homem é esta criatura sem idade fixa, esta criatura que possui a faculdade de tornar-se, em alguns segundos, muitos anos mais jovem, e que, cercado pelas paredes do tempo em que viveu, flutua nele, mas como num tanque cujo nível mudasse constantemente e o pusesse em condições de alcançar ora uma, ora outra época. Escrevi a Andrée para que voltasse. Ela só pôde fazê-lo uma semana depois. Logo que chegou, indaguei-lhe: – Afinal, já que você afirma que Albertine não fazia mais esse tipo de coisas quando vivia aqui, conforme diz, foi para fazê-las com maior liberdade que ela me abandonou; mas com que amiga? – De jeito nenhum. Não houve nada disso. – Então, seria porque eu era desagradável demais? – Não, não o creio. Acho que ela foi obrigada a deixá-lo por causa da tia, que estava de olho, para ela, naquele canalha, você sabe, aquele rapaz que você chamava "Estou-em-apuros", aquele rapaz que amava Albertine e a pedira em casamento. Vendo que você não se casaria com ela, tiveram medo que a permanência chocante de Albertine em sua casa fizesse o tal rapaz desistir do casamento. A Sra. Bontemps, em quem ele não deixava de influir, chamou Albertine. Esta, no fundo, dependia dos tios e, quando soube que eles punham-lhe a faca no peito, abandonou você. – Nunca no meu ciúme eu havia pensado em tal explicação, mas somente nos desejos de Albertine pelas mulheres e na minha vigilância; esquecera que também existia a Sra. Bontemps, que podia achar estranho, um pouco depois, o que havia chocado minha mãe desde o começo. Pelo menos a Sra. Bontemps receava que aquilo chocasse o possível noivo, que ela mantinha para o que desse e viesse, se eu não desposasse a sobrinha. Pois Albertine, ao contrário do que outrora havia pensado a mãe de Andrée, encontrara afinal um belo partido burguês. E quando quisera ver a Sra. Verdurin, quando lhe falara em segredo, quando ficara tão aborrecida por eu ter ido à reunião dos Verdurin sem antes preveni-la, a combinação que havia entre ela e a Sra. Verdurin visava fazê-la encontrar, não a Srta. Vinteuil, mas o sobrinho que amava Albertine e por quem intercedia a Sra. Verdurin, com aquela satisfação de trabalhar pela realização de um desses casamentos que surpreendem da parte de certas famílias, cuja mentalidade não apreendemos inteiramente, supondo que batalham por um casamento rico. Ora, eu jamais voltara a pensar naquele sobrinho, que talvez fosse o desbravador graças ao qual Albertine me beijara pela primeira vez. E todo aquele sistema das inquietações por Albertine, que eu havia construído, era forçoso substituí-lo por um outro, ou então superpô-lo; talvez não se excluíssem, pois o gosto pelas mulheres não a impedia de se casar. Seria esse casamento o verdadeiro motivo da partida de Albertine? E, por amor-próprio, para não parecer que precisava da tia, ou que me forçava a desposá-la, é que não me quisera dizê-lo? Eu começava a perceber que o sistema de causas numerosas de uma só ação, de que Albertine era adepta em suas ligações com as suas amigas, quando fazia crer a cada uma que tinha vindo por sua causa, não passava de uma espécie de símbolo artificial, propositado, dos diversos aspectos que adquire uma ação conforme o ponto de vista em que nos colocamos. O espanto e uma espécie de vergonha que eu sentia, por não me ter dito uma única vez que Albertine estava numa posição falsa em minha casa, o que podia aborrecer a sua tia, esse espanto, não era a primeira vez, e nem seria a última, que o experimentava. Quantas vezes me aconteceu, depois de ter procurado entender as relações de duas pessoas e as crises que elas acarretam, ouvir de súbito um terceiro falar-me a respeito conforme o ponto de vista dele, pois tem relações mais íntimas com uma das pessoas, ponto de vista que talvez tenha sido a causa da crise! E se, desse modo, os atos continuam incertos, como não o ficariam as próprias pessoas? Ao ouvir as pessoas para quem Albertine era uma espertalhona que procurara fisgar fulano ou sicrano, não é difícil imaginar como teriam definido sua vida comigo. E todavia, na minha opinião, ela fora uma vítima, talvez não inteiramente pura, mas culpada, neste caso, por outros motivos, em decorrência de vícios sobre os quais não se dizia nada.

Mas é preciso, acima de tudo, que se diga o seguinte: por um lado, a mentira é muitas vezes um traço do caráter; por outro lado, nas mulheres que sem isso não seriam mentirosas, é uma defesa natural, improvisada, e depois cada vez mais bem organizada, contra esse perigo repentino e que seria capaz de destruir toda vida: o amor. De outra parte, não é obra do acaso se os homens intelectuais e sensíveis se dão sempre a mulheres insensíveis e inferiores, apegando-se contudo a elas de tal maneira, que a prova de que não são amados não os cura absolutamente do hábito de sacrificar tudo para conservar junto a eles uma tal mulher. Se afirmo que tais homens sentem necessidade de sofrer, afirmo uma coisa exata, suprimindo as verdades preliminares que fazem dessa necessidade de sofrer – num certo sentido involuntária – uma conseqüência perfeitamente compreensível dessas verdades. Sem levar em conta que, sendo raras as naturezas completas, uma criatura muito intelectual e sensível terá geralmente pouca força de vontade, será joguete do hábito e desse medo de sofrer no minuto seguinte, que leva aos sofrimentos perpétuos – e, nessas condições, jamais há de querer repudiar a mulher que não o ama. Ficaremos espantados que se contente com tão pouco amor, mas precisaremos antes imaginar a dor que pode lhe causar o amor que ele sente. Dor que não se deve lamentar muito, pois acontece com essas terríveis comoções que nos conferem o amor infeliz, a partida ou a morte de uma amante, o mesmo que com esses ataques de paralisia, que primeiro nos fulminam, mas após os quais os músculos tendem aos poucos a retomar sua elasticidade e energia vitais. Além disso, tal dor não deixa de ter sua compensação. Essas criaturas intelectuais e sensíveis em geral são pouco inclinadas à mentira. Esta os apanha tanto mais desprevenidos quanto, mesmo sendo muito inteligentes, vivem no mundo dos possíveis, reagem pouco, vivem na dor que uma mulher acaba de infligir-lhes, antes que na clara percepção do que ele desejava, do que ela fazia, do homem a quem ela amava, percepção atribuída sobretudo às naturezas voluntariosas e que disso necessitam para preparar o futuro em vez de chorar o passado. Assim, essas criaturas se sentem traídas sem nem saber como. Desse modo, a mulher medíocre, que nos espantamos de ver preferida por eles, enriquece-lhes o universo bem mais do que o teria feito uma mulher inteligente. Atrás de cada uma de suas palavras eles sentem uma mentira; atrás de cada casa aonde ela diz ter ido, uma outra casa; atrás de cada ação, cada criatura, uma outra ação, uma outra criatura. Sem dúvida não sabem quais, não têm a energia e talvez não tivessem a possibilidade de chegar a sabê-lo. Uma mulher mentirosa, empregando um ardil extremamente simples, pode lograr, sem se dar ao trabalho de mudá-lo, uma grande quantidade de homens, e, o que é mais, aquele que deveria descobri-lo. Tudo isto cria, em face do intelectual sensível, um universo todo em profundezas que o seu ciúme gostaria de sondar e que não deixa de interessar-lhe a inteligência.

Sem ser exatamente um desses, eu ia talvez, agora que Albertine estava morta, conhecer o segredo de sua vida. Isto, porém, essas indiscrições que só ocorrem depois de finda a vida terrestre de uma criatura, não provam elas que, no fundo, ninguém crê numa vida futura? Se tais indiscrições são verdadeiras, deveríamos temer o ressentimento da pessoa cujos atos são desvelados, no dia em que a encontrarmos no céu, tanto quanto o temíamos quando estava viva e nos julgávamos forçados a guardar segredo. E, se essas indiscrições são falsas, inventadas porque ela não está mais aqui para desmenti-las, deveríamos temer ainda mais a cólera da morta, se acreditamos no céu. Mas ninguém crê. De modo que era possível que um longo drama se realizasse no coração de Albertine entre ficar e me deixar, mas que o ato de me deixar fosse causado por sua tia, ou por aquele rapaz, e não por mulheres em quem talvez ela nunca houvesse pensado. Para mim, o mais grave foi que Andrée, que todavia não tinha mais nada a esconder acerca dos costumes de Albertine, jurou-me que não houvera nada desse gênero entre Albertine, por um lado, e a Srta. Vinteuil e sua amiga, por outro. (Albertine ignorava seus próprios gostos quando as conhecera, e elas, com esse medo de nos enganarmos no sentido que desejamos que engendra tantos erros como o próprio desejo, consideravam-na muito hostil a essas coisas. Talvez, mais tarde, tivessem percebido sua conformidade de gosto com elas, mas então já conheciam muito bem Albertine, e Albertine as conhecia muito bem para sequer sonhar em fazerem isso juntas.) Em suma, eu continuava compreendendo cada vez menos os motivos por que Albertine me deixara. Se o rosto de uma mulher dificilmente é interpretado pelos nossos olhos, os quais não podem se aplicar a toda essa superfície movente, aos lábios, e mais ainda, à memória; se nuvens a modificam segundo sua posição social, segundo a altura em que estamos situados, que cortina ainda mais espessa está corrida entre as ações dela, que vemos, e seus motivos! Os motivos jazem num plano mais profundo, que não percebemos, e aliás engendram outras ações diversas das que conhecemos e muitas vezes em total contradição com estas. Em que época deixou de haver um homem público, tido como santo por seus amigos, e que se descobriu ter feito falsificações, roubado o Estado, traído sua pátria? Quantas vezes um grão-senhor é roubado todos os anos por um intendente a quem ele educou, e do qual teria jurado que é um homem de bem, e que talvez o fosse! Ora, essa cortina cerrada sobre os motivos de outrem, torna-se ainda mais impenetrável se sentimos amor por essa pessoa! Pois o amor obscurece o nosso julgamento, e também os atos daquela que, sentindo-se amada, bruscamente deixa de dar valor àquilo que, em situação contrária, valeria muito para ela, por exemplo, a fortuna. Talvez, também, ela seja levada a fingir em parte esse desdém pela fortuna na esperança de obter mais, fazendo sofrer. O instinto de negociar também pode misturar-se ao resto; e até fatos positivos de sua vida, uma intriga que ela não confiou a ninguém de medo que nos fosse revelado, e que muitos, apesar disso, talvez houvessem conhecido se tivessem tido, para conhecê-la, o mesmo desejo apaixonado que nós, embora conservando mais liberdade de espírito, despertando menos suspeitas na interessada – uma intriga que outros talvez não ignoram, porém outros que não conhecemos e que não saberíamos onde encontrar. E entre todos os motivos de ter para conosco uma atitude inexplicável, é preciso incluir essas singularidades de caráter que impelem uma criatura, seja por negligência de seu interesse, seja por ódio, seja pelo amor à liberdade, seja por súbitos impulsos de cólera ou temor do que haveriam de pensar determinadas pessoas, a fazer o contrário daquilo que pensamos. E, além disso, há as diferenças de meio, de educação, nas quais não queremos acreditar, porque, quando estamos conversando um com o outro, nós as apagamos nas palavras – diferenças, porém, que voltamos a encontrar quando, sozinhos, dirigimos os atos de cada um de um ponto de vista de tal modo contrário que não é possível um verdadeiro encontro.

– Mas, querida Andrée, você ainda está mentindo. Lembre-se (você mesma o confessou; telefonei-lhe na véspera, está lembrada?) que Albertine queria tanto (ocultando o seu desejo como algo que eu não devia saber) ir à vesperal da Sra. Verdurin, à qual devia comparecer a Srta. Vinteuil. – Sim, mas Albertine ignorava absolutamente que a Srta. Vinteuil iria. – Como? Você mesma me disse que, alguns dias antes, ela se encontrara com a Sra. Verdurin. Além disso, Andrée, é inútil que nos enganemos um ao outro. Encontrei um bilhete certa manhã no quarto de Albertine; era da Sra. Verdurin, insistindo para que ela fosse à vesperal. – E mostrei-lhe o bilhete, que de fato Françoise colocara de modo que eu pudesse vê-lo, bem sobre os objetos de Albertine, alguns dias antes de sua partida, e receio, deixando-o ali para fazer com que Albertine acreditasse que eu andara mexendo nas suas coisas; em todo caso, fazê-la saber que eu vira esse papel. E muitas vezes me perguntei se essa artimanha de Françoise não contribuíra em muito para a partida de Albertine, que via não poder nada mais ocultar-me e se sentia desanimada, vencida. Mostrei-lhe o papel: *Não tenho nenhum remorso, estou desculpada de tudo devido a este sentimento tão familial.* – Você bem sabe, Andrée, que Albertine dissera sempre que a amiga da Srta. Vinteuil era de fato, para ela, como uma mãe, uma irmã. – Mas você compreendeu mal esse bilhete. A pessoa que a Sra. Verdurin queria pôr em contato com Albertine não era de modo algum a amiga da Srta. Vinteuil; era o noivo, o "estou-em-apuros", e o sentimento familial é o que a Sra. Verdurin manifestava por esse crápula, que de fato era o seu sobrinho. No entanto, acho que Albertine logo soube que a Srta. Vinteuil deveria ir, pois a Sra. Verdurin pode lhe ter contado isso de passagem; certamente a idéia de que tornaria a ver a sua amiga lhe agradou, recordou-lhe um passado aprazível. Mas da mesma forma que você ficaria contente, se tivesse de ir a um certo lugar, ao saber que Elstir ali se achava. Não mais do que isso, talvez nem tanto. Não, se Albertine não queria lhe dizer por que motivo desejava ir à casa da Sra. Verdurin, era porque lá haveria um ensaio para o qual a Sra. Verdurin convidara muito pouca gente, e entre elas o sobrinho, que você conheceu em Balbec, e que a Sra. Bontemps queria que desposasse Albertine e com quem Albertine desejava conversar. É um belo canalha. E, depois, não há necessidade de procurar tantas explicações – acrescentou Andrée. – Deus sabe como eu gostava de Albertine e que boa criatura ela era, mas, principalmente desde que teve febre tifóide (um ano antes que você conhecesse todas nós), era uma cabeça-de-vento. De repente se aborrecia com o que estava fazendo, precisava mudar e no mesmo instante, e ela sem dúvida não sabia a razão. Lembra-se do primeiro ano em que você foi a Balbec, o ano em que nos conheceu? Um belo dia, inventou um telegrama que a chamava a Paris, e mal houve tempo de fazer as malas. Pois bem, não tinha motivo algum para partir. Todos os pretextos que ela deu eram falsos. Naquele momento, Paris era uma chateação para ela. Nós todas ainda estávamos em Balbec. O golfe continuava e até as provas para o grande prêmio, que ela tanto desejava, ainda não tinham acabado. Certamente ela iria ganhar. Só precisava esperar oito dias. Pois bem, partiu correndo! Muitas vezes, depois, voltei a lhe falar nisso. Ela mesma dizia não saber por que havia ido embora, que tinha sido saudade (saudade de Paris, veja se é possível), que ela se desagradava em Balbec, achava que lá zombavam dela. – E eu me dizia que havia algo de verdadeiro no que Andrée contava, que tantas diferenças entre os espíritos explicam as impressões diferentes produzidas sobre esta ou aquela pessoa por uma mesma obra, as diferenças de sentimento, a impossibilidade de persuadir uma pessoa que não nos ama; há igualmente as diferenças entre os temperamentos, as particularidades de um caráter, que também constituem causa de ação. Depois, deixei de pensar nessa explicação e dizia comigo quanto é difícil saber a verdade da vida. Havia reparado muito bem no desejo e na dissimulação de Albertine de ir à casa da Sra. Verdurin, e não me enganara. Mas então, quando estabelecemos assim um fato, os outros, de que nunca temos senão as aparências – como o avesso da tapeçaria, o avesso real da ação, do enredo, tanto como o da inteligência do coração –, ocultam-se, e nós só vemos desfilar silhuetas chatas, de que dizemos: é isto, é aquilo; é por causa desta, ou daquela. A revelação de que a Srta. Vinteuil deveria estar presente me parecera a explicação, tanto mais que Albertine, antecipando-se, me falara nisso. E, mais tarde, não se recusara ela jurar-me que a presença da Srta. Vinteuil não lhe dava nenhum prazer? E aqui, a propósito desse rapaz, lembrei-me de algo que havia esquecido. Pouco tempo antes, enquanto Albertine habitava em minha casa, eu o tinha encontrado e, ao contrário de sua atitude em Balbec, ele fora excessivamente amável e até afetuoso comigo. Pedira que o deixasse visitar-me, o que eu recusara por muitas razões. Pois agora eu compreendia que certamente, sabendo que Albertine morava em minha casa, quisera andar em bons termos comigo para dispor de todas as facilidades para vê-la e roubá-la de mim; concluí que era um miserável. Ora, quando, algum tempo depois, assisti às representações das primeiras obras desse rapaz, é claro que continuei a pensar que, se ele tinha querido tanto vir à minha casa, fora por causa de Albertine; e, embora achasse aquilo censurável, lembrei-me que, se outrora eu tinha ido a Doncières, para ver Saint-Loup, fora na verdade porque amava a Sra. de Guermantes. Na realidade, o caso não era o mesmo; Saint-Loup não amava a Sra. de Guermantes; assim, talvez houvesse na minha ternura um pouco de ambigüidade, porém nenhuma traição. E logo pensei que essa ternura, que experimentamos em relação a uma pessoa que detém algo por nós cobiçado, experimentamo-la igualmente mesmo se essa pessoa deseja para si própria a coisa ambicionada. Sem dúvida, então, é necessário lutar contra uma amizade que levará diretamente à traição. E creio que foi o que sempre fiz. Mas, relativamente aos que não têm forças para tanto, não se pode dizer que, neles, a amizade que demonstram para com o detentor seja pura astúcia; sentem-na sinceramente e, por isso, a manifestam com um ardor que, tão logo a traição se cumpra, faz com que o marido ou o amante enganado possa dizer com indignação estupefata: – Se ouvissem os protestos de afeição que me dedicava esse miserável! Compreendo que venham roubar o tesouro de um homem. Mas, quando se experimenta a necessidade diabólica de obter primeiro a sua amizade, chega-se a um grau de ignomínia e de perversidade impossível de imaginar. – Ora, não existe nisso o prazer da perversidade, nem sequer mentira inteiramente lúcida. A afeição desse gênero, que naquele dia me havia manifestado o pseudo noivo de Albertine, tinha uma outra desculpa ainda, sendo mais complexa que um simples derivado do amor por Albertine. Só há pouco tempo é que ele se sabia, confessava-se e queria ser proclamado intelectual. Pela primeira vez, valores outros que não os desportivos ou boêmios passavam a existir para ele. O fato de eu ser estimado por Elstir e Bergotte, e que Albertine talvez lhe falasse da maneira como eu julgava os escritores, e que eu mesmo, em sua opinião, podia tornar-me um deles, faziam com que subitamente me tornasse para ele (para o novo homem que ele afinal percebia que era) alguém interessante, a quem teria prazer em se ligar, e ao qual gostaria de confiar os seus projetos, talvez mesmo solicitar que o apresentasse a Elstir. De modo que estava sendo sincero quando pedia para vir à minha casa, quando expressava uma simpatia à qual as razões intelectuais, ao mesmo tempo que um reflexo de Albertine, conferiam sinceridade. Sem dúvida, não era *por isso* que fazia tanta questão de vir à minha casa, largando tudo por isso. Mas esta última razão, que só fazia elevar a uma espécie de paroxismo apaixonado as duas primeiras, talvez ele próprio a ignorasse, e as outras duas existiam de fato, como de fato pudera existir em Albertine, quando ela quisera ir à casa da Sra. Verdurin, na tarde do ensaio, o prazer perfeitamente honesto que teria tido em rever amigas de infância, que não eram, a seu ver, mais viciosas do que ela própria o seria para elas, de conversar com tais amigas, de lhes mostrar, só pela sua presença na casa da Sra. Verdurin, que a pobre menina que elas haviam conhecido era recebida agora num salão distinto; e também o prazer que ela talvez poderia sentir ouvindo a música de Vinteuil. Se tudo isto era verdade, o rubor que subira às faces de Albertine quando eu falara na Srta. Vinteuil decorria de que eu o fizera a propósito dessa vesperal, que ela quisera ocultar-me devido ao projeto de casamento que eu deveria ignorar. A recusa de Albertine em me jurar que não teria tido prazer algum em rever a Srta. Vinteuil naquela reunião, tinha naquele instante aumentado o meu tormento, fortalecido minhas suspeitas, mas me provava retrospectivamente que ela fizera questão de ser sincera, ainda que se tratasse de uma coisa inocente, talvez justo por ser inocente. No entanto, restava o que Andrée me dissera sobre suas relações com Albertine. Todavia, embora sem ir a ponto de acreditar que Andrée as inventasse completamente, a fim de que não me sentisse feliz e não pudesse me julgar superior a ela, eu ainda podia supor que ela exagerara um pouco as coisas que fazia com Albertine e que esta, por restrição mental, diminuísse também um tanto o que fizera com Andrée, servindo-se astuciosamente de certas definições que eu estupidamente havia formulado sobre o assunto, achando que suas relações com Andrée não entravam na lista do que ela devia me confessar, e que podia negá-las sem mentir. Mas por que acreditar que era antes ela quem mentia, e não Andrée? A verdade e a vida são bem árduas, e delas me restava, sem que em suma as conhecesse, uma impressão em que a tristeza ainda fosse talvez inferior ao cansaço.

CAPÍTULO TERCEIRO

Temporada em Veneza

Minha mãe levara-me a passar algumas semanas em Veneza e – como pode haver beleza, tanto nas coisas mais humildes como nas mais preciosas – gozei ali impressões análogas às que tantas vezes sentira outrora em Combray, porém transportadas a um meio inteiramente diverso e mais rico. Quando, às dez da manhã, vinham abrir as janelas, eu via flamejar, em vez do mármore preto em que, resplandecendo, se tornavam os telhados de Saint-Hilaire, o anjo de ouro do campanário de São Marcos. Rutilando devido ao sol que o tornava quase impossível de ser fixado pelo olhar, com seus braços bem abertos ele me acenava, para quando, meia hora depois, eu estivesse na *Piazzetta*, com uma promessa de alegria mais certa do que aquela que, outrora, teria ele se encarregado de anunciar aos homens de boa vontade. Somente a ele eu podia avistar, quando deitado, mas como este mundo não passa de um vasto quadrante solar, onde apenas um segmento ensolarado é o bastante para indicar as horas, desde manhãzinha pensei nas lojas de Combray da praça da igreja, que no domingo estavam prestes a fechar quando eu chegava para a missa, enquanto a palha no mercado tinha um cheiro intenso, ao sol já quente. Mas desde o segundo dia, o que vi ao acordar, o que me fez levantar (porque se havia substituído, na minha memória e no meu desejo, às lembranças de Combray), foram as impressões da primeira saída em Veneza, essa Veneza onde a vida cotidiana não era menos real do que em Combray, onde, como em Combray, no domingo de manhã tinha-se de fato o prazer de descer por uma rua em festa, mas onde essa rua era toda uma safira líquida, refrescada por uma brisa leve, e de uma cor tão resistente que meus olhos fatigados nela podiam repousar, sem medo de que se enfraquecesse. Como em Combray a boa gente da rua de l'Oiseau, também nesta nova cidade os habitantes saíam de fato de casas alinhadas lado a lado na rua principal; mas esse papel de casas a projetarem um pouco de sombra a seus pés era, em Veneza, confiado a palácios de pórfiro e de jaspe, por cima de cuja porta abobadada a cabeça de um deus barbudo (ultrapassando o alinhamento, como a aldrava de uma porta em Combray) tinha como resultado tornar mais intenso, pelo reflexo, não o castanho escuro do sol, mas o esplêndido azul da água. Na *Piazza*, a sombra – que, em Combray, teriam espalhado o toldo da loja e de novidades e a tabuleta do cabelereiro –, era formada pelas florzinhas azuis que semeia a seus pés, sobre o deserto do calçamento ensolarado, o relevo de uma fachada renascentista

– não que fosse possível, quando o sol dava com força, em Veneza como em Combray, evitar baixar as cortinas à beira do canal. Mas é que elas baixavam entre os quadrilóbulos e folhagens das janelas góticas. Direi o mesmo daquele do nosso hotel, diante de cujos balaústres mamãe me esperava, contemplando o canal com uma paciência que não havia mostrado antigamente, em Combray, na ocasião em que, depositando em mim esperanças que desde então não foram realizadas, não queria que eu percebesse o quanto me amava. Agora via bem que sua frieza aparente não teria mudado nada, e a ternura que me prodigalizava era como esses alimentos proibidos que já não recusamos aos doentes, quando é evidente que eles não podem curar-se. Decerto, as humildes particularidades que tornavam individual a janela do quarto de minha tia Léonie, na rua de l'Oiseau, sua assimetria motivada pela distância desigual entre as duas janelas vizinhas, a excessiva altura do peitoril de madeira, e a alavanca articulada que servia para abrir os postigos, as duas cortinas de lustroso cetim azul que uma fita separava e mantinha afastadas – o equivalente disso tudo existia nesse hotel de Veneza, onde eu também ouvia essas palavras tão particulares, tão eloqüentes, que de longe nos fazem reconhecer a casa aonde voltamos para almoçar, e mais tarde permanecem em nossa recordação como um testemunho de que, durante algum tempo, essa foi a nossa casa; mas, em Veneza, o cuidado de proferi-las era reservado, não como em Combray e um pouco em toda parte, às coisas mais simples, e até as mais feias, mas à ogiva ainda semi-árabe de uma fachada que é reproduzida em todos os museus de moldagens e em todos os livros de arte ilustrados, como uma das obras-primas da arquitetura doméstica da Idade Média; de bem longe, e quando eu mal havia passado por São Jorge Maior, avistava essa ogiva que me tinha visto, e o impulso de seus arcos quebrados ajuntava a seu sorriso de boas-vindas a distinção de um olhar mais altaneiro, quase incompreendido. E porque, atrás dos balaústres de mármore de várias cores, mamãe estivesse lendo à minha espera, o rosto coberto por um veuzinho de tule, de um alvor tão pungente quanto o de seus cabelos, para mim, que sentia que mamãe o acrescentara, escondendo as lágrimas, a seu chapéu de palha, um tanto a fim de se mostrar "preparada" às pessoas do hotel, mas sobretudo para me parecer menos enlutada, menos triste, quase consolada pela morte de minha avó; porque, não tendo me reconhecido imediatamente, enquanto eu a chamava da gôndola, mandava para mim, do fundo do coração, o seu amor que só se detinha onde já não havia o que o sustentasse, à superfície de seu olhar apaixonado, que ela aproximava de mim o mais possível, que procurava alçar, pelo avanço dos lábios, a um sorriso que parecia beijar-me, na moldura e sob o dossel do sorriso mais discreto da ogiva iluminada pelo sol do meio-dia – por causa disso, essa janela assumiu, na minha memória, a doçura das coisas, que, ao mesmo tempo que nós, ao nosso lado, tomaram parte em certa hora que soava, a mesma para nós e para elas; e por mais cheias de formas admiráveis que sejam as suas travessas, essa janela conserva para mim o aspecto íntimo de um homem de gênio em cuja companhia tivéssemos vivido um mês de férias, e que passasse a nutrir um pouco de amizade por nós; e se, depois, toda vez que vejo a moldagem dessa janela num museu, sou obrigado a conter as lágrimas, é simplesmente porque ela só diz aquilo que mais pode me comover: "Eu me lembro muito bem de sua mãe."

E, para ir buscar mamãe, que deixara a janela, eu sentia muito bem, ao deixar o calor do céu aberto, aquela sensação de frescor que outrora havia experimentado em Combray quando subia para o quarto; mas em Veneza era uma corrente de ar marinho que a sustentava, não mais numa pequena escada de madeira, de degraus estreitos, mas nas nobres superfícies de degraus de mármore, a todo momento salpicados de um raio de sol glauco, e que à lição útil de Chardin, outrora recebida, acrescentavam-se as de Veronese. E já que em Veneza são as obras de arte, as coisas magníficas, que se encarregam de nos dar as impressões familiares da vida, seria deixar incompleto o caráter da cidade, ao pretexto de que a Veneza de certos pintores é friamente estética em sua parte mais célebre (excetuemos os soberbos estudos de Maxime Dethomas), reproduzir somente seus aspectos miseráveis, nos pontos onde se dilui aquilo que faz o seu esplendor, e, para tornar Veneza mais íntima e verdadeira, dar-lhe uma certa semelhança com Aubervilliers. Foi este o erro de bem grandes artistas, por uma reação muito natural contra a Veneza artificial de maus pintores, o fato de se terem apegado exclusivamente à Veneza, que eles achavam mais realista, dos humildes *campi*, dos pequenos *rii*[32] abandonados. Era ela que eu explorava muitas vezes à tarde, se não saía com mamãe. De fato, nela encontrava mais facilmente essas mulheres do povo, vendedoras de fósforos, enfiadeiras de pérolas, trabalhadoras em vidro e rendeiras, pequenas operárias de grandes xales negros franjados que nada me impedia de amar (pois eu já esquecera em grande parte Albertine), e que me pareciam mais desejáveis que outras, pois lembrava-me ainda um pouco dela. Aliás, quem me poderia dizer exatamente, nessa busca apaixonada pelas moças venezianas, o que havia delas mesmas ou de Albertine daquele meu antigo desejo de outrora de viajar a Veneza? Nosso menor desejo, posto que único feito um acorde, admite em si mesmo as notas fundamentais que estão na base de toda a nossa vida. E, às vezes, se suprimíssemos uma delas, que todavia não ouvimos e de que não temos consciência, que não se liga em nada ao objeto que perseguimos, veríamos entretanto desvanecer-se todo o nosso desejo por esse objeto. Havia muitas coisas que eu não procurava distinguir na emoção que sentia ao correr em busca das moças venezianas. Minha gôndola seguia pelos pequenos canais; como a misteriosa mão de um gênio, que teria me

[32] *Campi* (pl. de *campo*, pal. ital.) e *rii* (pl. de *rio,* id.). Esta última significa, em italiano, "curso d'água de menor importância", ou, no caso de Veneza, trecho de canal de pouca extensão. (N. do T.)

conduzido pelos meandros de uma cidade do Oriente, eles pareciam, à medida que eu avançava, abrir-me um caminho, cavado em pleno coração de um bairro que cortavam, mal afastando, com um fino sulco arbitrariamente traçado, as altas casas de janelinhas mouriscas; e, como se o guia mágico segurasse uma vela entre os dedos e me iluminasse a passagem, faziam brilhar à sua frente um raio de sol, franqueando-lhe o caminho. Sentia-se que, entre as pobres casas que o pequeno canal acabava de separar, e que, sem isso, teriam formado um todo compacto, nenhum lugar fora reservado. De modo que o *campanile*[33] da igreja ou as latadas dos jardins pendiam sobre o canal, como numa cidade inundada. Mas para as igrejas como para os jardins, graças à mesma transposição do Canal Grande, o mar tão bem se prestava a desempenhar o papel de via de rua grande ou pequena, que, de cada lado do *canaletto*, as igrejas subiam da água nesse velho bairro pobre e populoso, transformando-se em paróquias humildes e freqüentadas, levando consigo o selo de suas necessidades, da freqüência de numerosos pobres; os jardins, atravessados pela passagem do canal, deixavam arrastar até a água suas folhas ou frutos espantados; e, no rebordo da casa cujo grés, grosseiramente fendido, ainda estava rugoso como se acabasse de ser bruscamente serrado, garotos surpresos, porém mantendo o equilíbrio, deixavam as pernas penduradas a prumo, à moda dos marinheiros sentados na ponte móvel cujas duas metades acabam de se afastar, permitindo que o mar passe entre elas. Às vezes surgia um monumento mais belo, que ali se encontrava feito uma surpresa numa caixa que acabássemos de abrir, um pequeno templo de marfim, com suas ordens coríntias e sua estátua alegórica no frontão, um tanto deslocado entre as coisas de costume, em meio às quais ia se arrastando, pois, por mais que nos afastássemos para deixá-lo passar, o peristilo que lhe reservara o canal mantinha um aspecto de cais de desembarque para verdureiros. Eu tinha a impressão, que aumentava ainda mais o meu desejo, de não estar do lado de fora, mas de penetrar cada vez mais no fundo de algo secreto, pois a cada instante encontrava alguma coisa nova, que vinha colocar-se a meu lado, pequeno monumento ou *campo* imprevisto, conservando o ar espantadiço das coisas belas que se vêem pela primeira vez, e de que ainda não compreendemos bem o objetivo e a utilidade. Eu voltava a pé pelas pequenas *calli*[34] e abordava moças do povo, como o pudesse talvez ter feito Albertine, e gostaria que ela estivesse comigo. Entretanto, aquelas não podiam ser as mesmas; na época em que Albertine estivera em Veneza, deveriam ser crianças ainda. Mas, depois de ter sido outrora, num primeiro sentido e covardemente, infiel a cada um de meus desejos concebidos como um só, já que fora em busca de um objetivo análogo, e não o

[33] *Campanile*. "Campanário." Em italiano no original (N. do T.)

[34] *Calli* (pl. de *calle*): caminho, estrada. Em italiano no original. (N. do T.)

mesmo que não esperava reencontrar, era sistematicamente, agora, que eu procurava mulheres que Albertine não conhecera, ainda que já não buscasse aquelas que havia desejado antigamente. Certo, muitas vezes me ocorria lembrar-me, com violência incrível de desejo, determinada menina de Méséglise ou de Paris, a vendedora de leite que vira ao pé de uma colina, de manhã, em minha primeira viagem a Balbec. Mas, infelizmente, lembrava-me delas como eram então, ou seja, como certamente já não o seriam. De modo que, se outrora eu fora levado a submeter minha impressão sobre a unicidade de um desejo, buscando no lugar de um modesto convento que perdera de vista um conventinho análogo, agora, para reencontrar as meninas que haviam perturbado minha adolescência ou a de Albertine, eu devia consentir numa anulação a mais do princípio da individualidade do desejo: o que eu devia procurar não eram as que tinham dezesseis anos naquela época, mas as que andavam pelos dezesseis anos hoje, pois agora, à falta do que havia de mais particular numa pessoa, e que me escapara, o que eu amava era a juventude. Sabia que a juventude daquelas que eu conhecera só existia na minha lembrança ardente, e que não eram elas, por mais desejoso que fosse de alcançá-las quando a minha memória as imaginava, que eu deveria colher se de fato quisesse apanhar a juventude e a flor da idade.

O sol ainda estava alto no céu quando fui encontrar minha mãe na *Piazzetta*. Chamamos uma gôndola. – Como tua avó teria gostado desta grandeza tão simples! – dizia mamãe ao mostrar o palácio ducal que ponderava o mar com o pensamento que lhe confiara o seu arquiteto e que ele mantinha fielmente na muda espera pelos doges desaparecidos. – Ela teria gostado mesmo da doçura dessas tintas cor-de-rosa, pois não era afetada. Como teria amado Veneza a tua avó, e que familiaridade, que pode rivalizar com a da natureza, ela teria achado em todas essas belezas tão cheias de coisas que não precisam de nenhum arranjo, que se apresentam tais e quais, o palácio ducal em sua forma cúbica, as colunas que dizes serem as do palácio de Herodes, em plena *Piazzetta*, e, ainda menos dispostos, ali arrumados como à falta de outro local, os pilares de São João d'Acre e aqueles cavalos no balcão de São Marcos! Tua avó teria mais prazer em ver o sol se pôr sobre o palácio dos doges do que por trás de uma montanha. – E de fato havia um pouco de verdade no que minha mãe dizia, pois, enquanto a gôndola, para nos levar de volta, subia o Grande Canal, nós contemplávamos a fila dos palácios, entre os quais íamos passando, refletirem a luz e a hora sobre seus flancos rosados, e mudar com elas, menos à maneira de residências privadas e de monumentos célebres, do que feito uma cadeia de falésias de mármore, ao pé da qual vamos passear de barco num canal, para ver o sol se pôr. Assim, as casas dispostas dos dois lados do canal lembravam sítios naturais, mas de uma natureza que houvesse criado suas obras com imaginação humana. Mas ao mesmo tempo (devido ao caráter das impressões sempre urbanas que Veneza oferece quase em alto mar, sobre as ondas em que o fluxo e o refluxo se fazem sentir duas vezes por dia e que, alternadamente, recobrem na maré cheia e desvelam, na maré baixa, as magníficas escadarias exteriores dos palácios), como, em Paris, o faríamos nos bulevares, nos Champs-Élysées, no Bois, em toda ampla avenida da moda, cruzávamos, à luz pulverizada do anoitecer, mulheres elegantíssimas, quase todas estrangeiras, que, molemente reclinadas nas almofadas de seus carros flutuantes, faziam fila, paravam diante de um palácio onde tinham uma amiga para visitar, mandavam perguntar se estava em casa; e, enquanto esperavam a resposta, preparavam o cartão de visitas para deixá-lo como o teriam feito à porta do palacete dos Guermantes, procuravam saber no guia de que época e de que estilo era o palácio, não sem serem sacudidas, como na crista de uma onda azul, pelo redemoinho da água cintilante e empinada, que se assustava por estar assim comprimida entre a gôndola dançante e o mármore sonoro. E assim os passeios, mesmo apenas para fazer visitas ou dar recados, eram triplos e únicos nessa Veneza onde as simples idas e vindas mundanas assumem, ao mesmo tempo, a forma e o encanto da visita a um museu e de um bordejo no mar.

Diversos palácios do Grande Canal estavam transformados em hotéis e, pelo prazer da mudança ou por amabilidade com a Sra. Sazerat, a quem havíamos encontrado – esse conhecimento imprevisto e inoportuno com que sempre topamos numa viagem – e que mamãe convidara, procuramos certa noite jantar num hotel que não fosse o nosso e onde se afirmava que a cozinha era melhor. Enquanto mamãe pagava o gondoleiro e entrava com a Sra. Sazerat no salão, eu quis dar uma olhada na grande sala do restaurante, de belas colunas de mármore, outrora coberta de afrescos, desde então mal restaurados. Dois garçons conversavam num italiano, que traduzo:

– Então os velhos comem no quarto? Nunca avisam a gente. É chato, nunca sei se devo reservar a mesa deles (*non so se bisogna conservar loro la tavola*). E, além disso, tanto pior se eles descem e a encontram ocupada! Não compreendo como se recebem *forestieri* desse jeito num hotel tão elegante. Não é gente para vir aqui.

Apesar do seu desdém, o garçom gostaria de saber o que deveria decidir a respeito da mesa, e ia mandar o ascensorista subir para informar-se, quando, antes de ter tido tempo para fazê-lo, a resposta lhe foi dada: acabava de avistar a velha senhora que entrava. Não tive dificuldade, apesar do ar de tristeza e de fadiga que o peso dos anos confere e sem embargo de uma espécie de eczema, de lepra rubra, que lhe cobria o rosto, em reconhecer sob a sua touca, na jaqueta negra feita na casa W*, mas, para os profanos, semelhante às de uma velha porteira, a marquesa de Villeparisis. Fez o acaso que o local onde eu me encontrava, de pé, no ato de examinar os vestígios de um afresco, se achasse, ao longo das belas paredes de mármore, exatamente por detrás da mesa onde acabava de sentar-se a Sra. de Villeparisis.

– Então o Sr. de Villeparisis não deve demorar a descer. Faz um mês que eles estão aqui, e só uma vez comeram separadamente – disse o garçom.

Eu perguntava a mim mesmo quem seria, dos seus parentes, aquele com quem ela viajava, e a quem chamavam Sr. de Villeparisis, quando vi ao cabo de alguns momentos avançar para a mesa e sentar-se ao lado dela o seu velho amante, Sr. de Norpois.

A idade avançada lhe enfraquecera a sonoridade da voz, mas, em compensação, conferira à sua linguagem, então tão reservada, uma verdadeira intemperança. Talvez se devesse buscar sua causa nas ambições que ele sentia já não ter muito tempo de satisfazer o que, por isso mesmo, tanto mais o enchiam de veemência e entusiasmo; ou talvez no fato de que, deixado de parte numa política à qual ardia por retornar, acreditava, na ingenuidade do desejo, levar ao ostracismo, pelas críticas atrozes que lhes dirigia, aqueles a quem se empenhava em substituir. Assim, vemos políticos seguros de que o gabinete de que não fazem parte não durará três dias. Aliás, seria exagerado crer que o Sr. de Norpois tivesse perdido inteiramente as tradições da linguagem diplomática. Quando se tratava de "assuntos importantes", ele voltava a ser o homem que conhecemos, como se verá, mas no resto do tempo atacava este ou aquele, com essa violência senil de certos octogenários, que os leva a se atirarem sobre mulheres, a quem já não podem fazer muito mal.

Durante alguns minutos, a Sra. de Villeparisis conservou o silêncio de uma velha a quem o cansaço da velhice tornou difícil emergir das lembranças do passado ao presente. Depois, numa dessas perguntas totalmente práticas, onde se mostra o prolongamento de um amor mútuo:

– Passou na casa dos Salviatti?

– Sim.

– Eles entregam amanhã?

– Eu mesmo trouxe a taça. Vou lhe mostrar depois do jantar. Vejamos o cardápio.

– Instruiu a Bolsa quanto às minhas ações de Suez?

– Não; neste momento, a atenção da Bolsa está toda voltada para títulos do petróleo. Mas não é o caso de nos apressarmos, dadas as excelentes disposições do mercado. Eis o cardápio. Como entrada, há salmonetes. Vamos pedir?

– Eu vou, mas você está proibido. Em vez disso, peça risoto, embora não saibam fazê-lo.

– Não tem importância. Garçom, traga primeiro uns salmonetes para Madame e um risoto para mim.

Um novo e longo silêncio.

– Olhe, estou lhe trazendo os jornais: o *Corriere della Sera*, a *Gazzetta del Popolo* etc. Sabe que se cogita seriamente de um movimento diplomático cujo bode expiatório seria Paléologue,[35] notoriamente inepto na Sérvia? Talvez ele seja substituído por Lozé[36] e este concorra ao posto de Constantinopla. Porém – apressou-se a acrescentar o Sr. de Norpois com azedume –, para uma embaixada de tal envergadura e onde é evidente que a Grã-Bretanha deverá sempre, haja o que houver, ter a primazia na mesa de negociações, seria prudente que chamassem homens de experiência, mais bem aparelhados para resistir às emboscadas dos inimigos de nossa aliada britânica, em vez de diplomatas da escola nova, que cairiam na esparrela como uns patinhos. – A volubilidade irritada com que o Sr. de Norpois pronunciou estas últimas palavras provinha sobretudo de que os jornais, em vez de falarem no seu nome, como ele lhes pedira, davam como "grande favorito" um jovem ministro das Relações Exteriores. – Deus sabe se não estará longe o tempo em que os homens de idade, em resultado de não sei quais manobras tortuosas, irão falar em nome desses recrutas mais ou menos incapazes! Conheci muito bem todos esses pretensos diplomatas do método empírico, que punham toda a sua esperança num balão de ensaio que eu não tardava a murchar. É fora de dúvida: se o governo não tem juízo e põe as rédeas do estado em mãos turbulentas, ao apelo do dever um conscrito sempre responderá: Presente! Mas quem sabe (e o Sr. de Norpois parecia saber muito bem do que estava falando) se não daria o mesmo no dia em que se fosse buscar algum veterano cheio de destreza e saber? A meu ver, cada um pode ter o seu modo de enxergar as coisas; o posto de Constantinopla só deveria ser preenchido após um acerto de nossas dificuldades pendentes com a Alemanha. Não devemos nada a ninguém e é inadmissível que de seis em seis meses nos venham reclamar, por manobras dolosas e contra a nossa vontade, não sei que recibo de pagamento, sempre alardeado por uma imprensa venal. É preciso que isto acabe e, naturalmente, um homem de grande valor, e que já tenha mostrado seus dotes, um homem que, se assim posso me expressar, dê tapinhas no Imperador, desfrutaria de muito mais autoridade do que qualquer outro para pôr um ponto final nesse conflito.

Um senhor que terminava de jantar cumprimentou o Sr. de Norpois.

– Ah, é o príncipe Foggi – disse o marquês.

– Oh, não sei bem de quem você está falando – suspirou a Sra. de Villeparisis.

– Claro que sabe. É o príncipe Odon, cunhado de sua prima Doudeauville. Lembra-se de que cacei com ele em Bonnétable?

– Ah, Odon, era ele quem pintava?

– De jeito nenhum. Este é o que se casou com a irmã do grão-duque N***.

[35] Maurice Paléologue (1859-1944) foi diplomata e escritor. Representou a França na Rússia até 1917, e foi secretário-geral dos Negócios Estrangeiros. (N. do T.)

[36] Henri Lozé (1850-1915), embaixador em Viena (1893-1895), desligou-se do corpo diplomático em 1906. (N. do T.)

O Sr. de Norpois dizia tudo isto no tom bastante desagradável de um professor descontente com seu aluno, e seus olhos azuis encaravam fixamente a Sra. de Villeparisis.

Quando o príncipe acabou de tomar o cafezinho e deixou a mesa, o Sr. de Norpois ergueu-se, caminhou rapidamente para ele e, com um gesto majestoso, afastando-se para apagar-se a si próprio, apresentou-o à Sra. de Villeparisis. E, durante os poucos minutos em que o príncipe ficou de pé junto deles, o Sr. de Norpois não cessou um só instante de vigiar a Sra. de Villeparisis com suas pupilas azuis, por complacência ou severidade de velho amante e, sobretudo, receando que ela se entregasse a um desses excessos de linguagem que ele apreciava, porém temia. Quando ela falava algo inexato ao príncipe, ele retificava a frase e fixava os olhos nos da marquesa, dócil e abatida, com a intensidade contínua de um magnetizador.

Um garçom veio dizer-me que mamãe me esperava. Fui ao seu encontro e me desculpei com a Sra. Sazerat, dizendo que me dera muito prazer o ter visto a Sra. de Villeparisis. A esse nome, a Sra. Sazerat empalideceu, parecendo que ia desmaiar. Buscando recobrar-se:

– A Sra. de Villeparisis, anteriormente Srta. de Bouillon? – perguntou-me.

– Sim.

– Será que eu poderia avistá-la por um instante? É o sonho da minha vida.

– Então não perca tempo, senhora, pois ela não demora a terminar de jantar. Mas como é que ela pode interessá-la tanto?

– Mas a Sra. de Villeparisis era em primeiras núpcias a duquesa de Havré; bela como um anjo, malvada como um demônio, deixou louco o meu pai, arruinou-o e o abandonou logo depois. Pois bem, embora tenha agido com ele como a última das meretrizes, e que por sua culpa eu e os meus tenhamos de viver pobremente em Combray, agora, que meu pai está morto, o meu consolo seria que ele tivesse amado a mais linda mulher do seu tempo; e, como jamais a vi, apesar de tudo seria um regalo para mim...

Levei a Sra. Sazerat, trêmula de emoção, até o restaurante e lhe mostrei a Sra. de Villeparisis.

Mas, como os cegos, que dirigem os olhos para um ponto diverso do que deveriam, a Sra. Sazerat não pousou o olhar na mesa onde jantava a Sra. de Villeparisis e, procurando outro ponto da sala:

– Mas ela deve ter partido, não a vejo onde o senhor me diz que está.

E procurava sempre, perseguindo a visão detestada, adorada, que habitava sua imaginação há tanto tempo.

– Mas sim, na segunda mesa.

– É que não contamos a partir do mesmo ponto. Para mim, a segunda mesa é uma onde somente está, ao lado de um senhor idoso, uma mulher baixinha, corcunda, corada, horrível.

– É essa mesma!

Entretanto, havendo a Sra. de Villeparisis pedido ao Sr. de Norpois que oferecesse um lugar ao príncipe Foggi, seguiu-se uma amável conversa entre os três; falaram de política, o príncipe declarou ser indiferente ao destino do gabinete, e que ainda ficaria uma boa semana em Veneza. Esperava que até lá fosse evitada qualquer crise ministerial. No primeiro momento, o príncipe Foggi imaginou que esses assuntos políticos não interessavam ao Sr. de Norpois, já que este, até então se expressando com tanta veemência, passara de repente a manter um silêncio quase angélico, que parecia não poder expandir-se, caso lhe voltasse a voz, senão num canto inocente e melodioso de Mendelssohn ou de César Franck. O príncipe também julgava que tal silêncio era devido à reserva de um francês que, diante de um italiano, não deseja falar dos negócios da Itália. Ora, o engano do príncipe era completo. O silêncio e o ar de indiferença tinham permanecido no Sr. de Norpois não como o sinal de reserva, mas o prelúdio habitual de uma ingerência em negócios importantes. Como vimos, o marquês ambicionava nada menos que Constantinopla, com um acerto prévio dos negócios alemães, e para alcançar isto contava influir no gabinete de Roma. De fato, o marquês julgava que, de sua parte, um ato de repercussão internacional podia ser o digno coroamento de sua carreira, talvez até o começo de novas honrarias, de funções difíceis, às quais não havia renunciado. Pois a velhice nos torna primeiro incapazes de empreender, mas não de desejar. Só num terceiro período é que aqueles que vivem até uma idade muito avançada renunciam ao desejo, como já tiveram de abandonar a ação. Já não se apresentam mais às eleições fúteis, em que muitas vezes tentaram obter sucesso, como a de presidente da República.[37] Limitam-se a sair de casa, a comer, a ler os jornais, sobrevivem a si mesmos.

O príncipe, para deixar o marquês à vontade e mostrar-lhe que o considerava um compatriota, pôs-se a falar dos possíveis sucessores do presidente do Conselho atual. Sucessores cuja tarefa seria difícil. Quando o príncipe Foggi citara já mais de vinte nomes de políticos que lhe pareciam ministeriáveis, nomes que o antigo embaixador escutou de pálpebras semicerradas sobre os olhos azuis e sem fazer um só movimento, o Sr. de Norpois rompeu enfim o silêncio para pronunciar estas palavras que, durante vinte anos, deviam alimentar a conversação dos chanceleres e, a seguir, quando fossem esquecidas, ser exumadas por alguma personalidade que se assinasse "Um bem-informado" ou "Testis" ou "Maquiavel", num jornal onde o próprio esquecimento em que houvessem caído lhes valesse o benefício de causarem nova sensação. Pois o príncipe Foggi acabava de citar mais de vinte nomes diante do diplomata imóvel e mudo como um homem surdo,

[37] Na França, onde o regime é parlamentarista, o chefe de Governo não é o Presidente, e sim o Primeiro-Ministro. (N. do T.)

quando o Sr. de Norpois ergueu levemente a cabeça e, na forma em que foram redigidas suas intervenções diplomáticas mais cheias de conseqüência, embora desta vez com uma audácia maior e uma brevidade menor, perguntou com finura: – Ninguém pronunciou o nome do Sr. Giolitti?[38] – A essas palavras, caiu a venda dos olhos do príncipe; ele ouviu um murmúrio celeste. E em seguida o Sr. de Norpois se pôs a falar de uma coisa ou outra, não temendo fazer um pouco de ruído, como, quando terminada a última nota de uma sublime ária de Bach, já não tememos falar em voz alta, ir buscar nossas coisas no vestiário. Chegou a tornar mais nítida a fratura, pedindo ao príncipe que depositasse suas homenagens aos pés de Suas Majestades, o rei e a rainha, quando tivesse oportunidade de vê-los, frase de despedida que correspondia a estas palavras uivadas ao fim de um concerto: "Cocheiro Auguste, da rua de Belloy!" Ignoramos quais foram exatamente as impressões do príncipe Foggi. Certamente estava encantado por ter ouvido esta obra-prima: "E o Sr. Giolitti, será que ninguém pronunciou o seu nome?" Pois o Sr. de Norpois, em quem a idade havia extinto ou desorganizado as mais belas qualidades, em compensação aperfeiçoara, envelhecendo, as "árias de bravura", como certos músicos idosos, em declínio para tudo o mais, adquirem para a música de câmara, até seus derradeiros dias, um virtuosismo perfeito que até então não possuíam.

O caso é que o príncipe Foggi, que esperava passar quinze dias em Veneza, voltou para Roma naquele mesmo dia e foi recebido em audiência pelo rei a propósito de algumas propriedades que, conforme cremos já tê-lo dito, o príncipe possuía na Sicília. O gabinete vegetou por mais tempo do que se esperava. Quando caiu, o rei consultou vários homens de estado sobre o chefe que convinha dar ao novo gabinete. Depois mandou chamar o Sr. Giolitti, que aceitou. Passados três meses, um jornal contou a entrevista do príncipe Foggi com o Sr. de Norpois. A conversação era relatada como o fizemos, com a diferença que, em lugar de dizer: "O Sr. de Norpois perguntou com finura", lia-se: "disse com o fino e encantador sorriso que se lhe conhece." O Sr. de Norpois achou que "com finura" tinha já força explosiva suficiente para um diplomata, e que esse acréscimo era no mínimo intempestivo. Chegou a pedir ao Quai d'Orsay[39] que o desmentisse oficialmente, mas o Quai d'Orsay não sabia para que lado se voltar. De fato, desde que a entrevista fora divulgada, o Sr. Barrère[40] telegrafara diversas vezes por hora a Paris, para se

[38] Giovanni Giolitti (1842-1928), político italiano. Foi várias vezes primeiro-ministro, de tendência centro-esquerda. Esboçou as bases de uma legislação social e introduziu o sufrágio universal na Itália. (N. do T.)

[39] *Quai d' Orsay*. Nome dado na França ao Ministério dos Negócios Estrangeiros, situado à margem esquerda do rio Sena, em Paris. (N. do T.)

[40] Camille Barrère (1851-1940), diplomata francês, foi embaixador em Roma de 1897 a 1924. Serviu de modelo para a figura de Norpois. (N. do T.)

queixar de que havia um embaixador oficioso no Quirinal e para se referir ao descontentamento que tal fato produzira em toda a Europa. Tal descontentamento não existia, mas os diversos embaixadores eram por demais polidos para desmentir o Sr. Barrère, e estes lhes assegurava que certamente o mundo inteiro estava revoltado. O Sr. Barrère, ouvindo apenas o seu pensamento, tomava esse silêncio cortês como adesão. Imediatamente telegrafou a Paris: ENTREVISTEI-ME DURANTE UMA HORA COM MARQUÊS VISCONTI-VENOSTA etc. Seus secretários estavam exaustos.

No entanto o Sr. de Norpois tinha às suas ordens um antiqüíssimo jornal francês e que, já em 1870, quando ele era ministro da França num país alemão, prestara-lhe um grande serviço. Esse jornal (principalmente o artigo de fundo, não assinado) era admiravelmente bem redigido. Mas interessava mil vezes quando esse artigo (chamado *"premier Paris"* naqueles tempos distantes e hoje, não se sabe por quê, denominado "editorial") era mal delineado, com infinitas repetições de palavras. Todos, então, sentiam que o artigo fora "inspirado". Talvez pelo Sr. de Norpois, talvez por outro grande ministro do tempo. Para dar uma idéia antecipada dos acontecimentos da Itália, mostremos como o Sr. de Norpois se serviu desse jornal em 1870, inutilmente dirão, pois a guerra veio mesmo assim; muito eficazmente, pensava o Sr. de Norpois, cujo axioma era que, antes de tudo, precisava-se preparar a opinião. Seus artigos, onde cada palavra era pesada, assemelhavam-se a essas notas otimistas a que se segue imediatamente a morte do enfermo. Por exemplo, na véspera da declaração de guerra, em 1870, quando a mobilização estava quase concluída, o Sr. de Norpois (naturalmente permanecendo na sombra) julgara dever enviar a esse jornal famoso o seguinte editorial:

"Parece prevalecer nos círculos autorizados a opinião de que, desde ontem, no meio da tarde, a situação, sem adquirir é claro um caráter alarmante, poderia ser encarada como séria e até, por certos aspectos, como suscetível de ser considerada crítica. O Sr. marquês de Norpois teria tido vários entendimentos com o ministro da Prússia, a fim de examinar, com espírito de firmeza e de conciliação, e de maneira bem concreta, os diferentes motivos de atrito existentes, se se pode falar assim. Infelizmente, não foi recebida por nós, até a hora de entrar no prelo, a notícia de que Suas Excelências tenham podido se pôr de acordo sobre uma fórmula que pudesse servir de base para um instrumento diplomático.

"Última hora: soube-se com satisfação, nos círculos bem informados, que um ligeiro alívio parece ter ocorrido nas relações franco-prussianas. Dar-se-ia uma importância toda especial ao fato de que o Sr. de Norpois teria encontrado *unter den Linden*[41] o ministro da Inglaterra, com quem se entrevistou por uns vinte

[41] *Unter den Linden*. Avenida de Berlim, que principia na Porta de Brandeburgo e é toda orlada de tílias (*Linde*, em alemão). (N. do T.)

minutos. Esta notícia é considerada satisfatória pelos círculos bem informados." (Tinham acrescentado entre parênteses, depois de "satisfatória", a palavra alemã correspondente: *befriedigend.)* E, no dia seguinte, lia-se no editorial: "Dir-se-ia que, apesar de toda a habilidade do Sr. de Norpois, a quem todo mundo se compraz em homenagear a sagaz energia com que soube defender os direitos imprescritíveis da França, que uma ruptura já não tem quase nenhuma chance de ser evitada."

O jornal não podia se dispensar de fazer acompanhar semelhante editorial de alguns comentários, enviados, é claro, pelo Sr. de Norpois. Talvez se tenha observado, nas páginas precedentes, que o "condicional" era uma das formas gramaticais preferidas do embaixador, na literatura diplomática. ("Dar-se-ia uma importância toda especial", em vez de "Parece que se dá uma importância toda especial".) Mas o presente do indicativo, não no seu sentido usual, mas no antigo sentido optativo, não era menos caro ao Sr. de Norpois. Os comentários que se seguiam ao editorial eram estes:

"Jamais o público deu provas de uma calma tão admirável. (O Sr. de Norpois gostaria muito que isso fosse verdade, mas receava exatamente o contrário.) Está cansado de agitações estéreis e soube, com satisfação, que o governo de Sua Majestade assumiria suas responsabilidades conforme os acontecimentos que poderiam ocorrer. O público não pede (optativo) mais do que isso. A seu belo sangue-frio, que é já um indício de sucesso, acrescentaremos ainda uma notícia apropriada para tranqüilizar a opinião pública, se for necessário. De fato, assegura-se que o Sr. de Norpois, que por motivos de saúde devia há muito fazer em Paris um período de tratamento, teria deixado Berlim, onde não mais julgava útil a sua presença. *Última hora*: Sua Majestade o imperador deixou esta manhã Compiègne rumo a Paris, a fim de conferenciar com o marquês de Norpois, o ministro da Guerra e o marechal Bazaine, no qual a opinião pública deposita uma particular confiança. S. M. o Imperador cancelou o jantar que devia oferecer à sua cunhada, a duquesa d'Alba. Esta medida causou em toda parte, desde que foi conhecida, uma impressão particularmente favorável. O imperador passou em revista as tropas, cujo entusiasmo é indescritível. Alguns corpos, diante de uma ordem de mobilização feita logo após a chegada dos soberanos a Paris, estão, para toda eventualidade, prontos a partir para o Reno."

Às vezes, ao crepúsculo, voltando para o hotel, eu sentia que a Albertine de antigamente, invisível para mim mesmo, estava no entanto encerrada no fundo de mim como nas masmorras de uma Veneza interior de que, por vezes, um incidente fazia deslizar a tampa endurecida até me proporcionar uma abertura para esse passado.

Assim, por exemplo, uma carta do meu corretor na Bolsa me reabriu, por um instante, as portas da prisão em que Albertine vivia em mim, porém tão longínqua e profundamente, que se mantinha inacessível. Desde sua morte, eu não mais me ocupara das especulações que havia feito para ter mais dinheiro que gastar com ela. Ora, o tempo havia passado; grandes demonstrações de cautela da época anterior eram desmentidas por esta, como ocorrera outrora com o Sr. Thiers dizendo que as estradas de ferro jamais poderiam obter êxito; e os títulos de que o Sr. de Norpois nos dissera: "seu rendimento não é muito elevado, é claro, mas pelo menos o capital nunca ficará depreciado", muitas vezes eram os que mais baixavam. Só para os títulos ingleses e as Refinarias Say, eu precisava pagar aos corretores diferenças tão consideráveis, ao mesmo tempo que juros e prazos, que, irrefletidamente, decidi vender tudo, e de súbito verifiquei que mal possuía a quinta parte do que herdara de minha avó, soma de que dispunha ainda quando Albertine era viva. Aliás, soube-se do caso em Combray, entre o que restava de minha família e nossos parentes, e, como todos sabiam que eu freqüentava o marquês de Saint-Loup e os Guermantes, disseram: "Eis a que levam as idéias de grandeza." Teriam todos ficado muito espantados se soubessem que fora por uma moça de condição tão modesta como Albertine, quase uma protegida do antigo professor de piano de minha avó, Vinteuil, que eu fizera semelhantes especulações. Além disso, naquela vida de Combray em que todos eram para sempre classificados conforme os rendimentos que lhes conheciam, como numa casta hindu, não se poderia fazer idéia dessa grande liberdade que reinava no mundo dos Guermantes, onde não se dava importância alguma à fortuna, em que a pobreza podia ser considerada desagradável, mas de modo nenhum mais depreciativa, como se não afetasse a posição social mais do que uma simples dor de estômago. Sem dúvida, e pelo contrário, imaginava-se em Combray que Saint-Loup e o Sr. de Guermantes deviam ser nobres arruinados, vivendo em castelos sob hipoteca, a quem eu emprestava dinheiro, ao passo que, se eu estivesse arruinado, eles teriam sido os primeiros a me oferecerem ajuda em vão. Quanto à minha relativa ruína, incomodava-me tanto mais quanto minhas curiosidades venezianas se tinham concentrado numa jovem vendedora de cristais, de carnação em flor, que ofertava ao encanto dos olhos toda uma gama de tons alaranjados e me dava um tal desejo de revê-la todos os dias que, sentindo que em breve mamãe e eu deixaríamos Veneza, estava tentado a lhe dar uma situação qualquer em Paris que me permitisse não me separar dela. A beleza de seus dezessete anos era tão nobre, tão radiosa, que constituía um verdadeiro Ticiano a adquirir antes de ir embora. E o pouco de minha fortuna que restava seria suficiente para tentá-la a ponto de deixar sua terra e ir viver em Paris só para mim? Mas como eu terminasse a carta do corretor, uma frase em que ele dizia: *Cuidarei de seus interesses*, lembrou-me uma expressão quase tão hipocritamente profissional, que a encarregada dos banhos, em Balbec, havia empregado, falando a Aimé a respeito de Albertine: "Eu é quem cuidava dela", dissera. E tais palavras, que nunca me tinham voltado ao espírito, fizeram, como um Sésamo, girar os gonzos do calabouço. Mas ao fim de um instante tornaram a fechar-se sobre a enclausurada – que eu não tinha culpa de não querer reencontrar, pois não conseguia mais vê-la, nem lembrar-me dela, e as criaturas só existem para nós pela idéia que delas temos – mas que por um momento me tornara mais tocante o abandono, que ela todavia ignorava: no espaço de um relâmpago eu invejara o tempo, já bem distante, em que sofria dia e noite no convívio de sua lembrança. Uma outra ocasião, em San Giorgio dei Schiavoni, uma águia ao lado de um dos apóstolos, e da mesma forma estilizada, despertou a lembrança e quase o sofrimento causado pelos dois anéis de que Françoise me havia revelado a semelhança, e que eu nunca soube quem dera a Albertine. Enfim, uma noite, produziu-se uma circunstância tal que pareceu que meu amor deveria renascer. No momento em que nossa gôndola estacionou junto aos degraus do hotel, o porteiro entregou-me um telegrama que o empregado dos correios já viera três vezes para me trazer, pois, devido à inexatidão do nome do destinatário (que todavia, através das deformações dos funcionários italianos, compreendi ser o meu), pedia-se uma acusação de recebimento certificando que o telegrama era de fato para mim. Abri-o logo que cheguei ao meu quarto e, lançando um olhar sobre o despacho coberto de palavras mal escritas, pude ler, no entanto: MEU AMIGO VOCÊ ME JULGAVA MORTA, PERDOE-ME, ESTOU BEM VIVA, GOSTARIA DE VÊ-LO, FALAR-LHE DE CASAMENTO, QUANDO VAI VOLTAR? CARINHOSAMENTE, ALBERTINE. Então, passou-se comigo, de modo inverso, a mesma coisa que ocorrera em relação a minha avó: quando soube de fato que ela havia morrido, a princípio não senti mágoa nenhuma. E só havia sofrido efetivamente a sua morte quando as lembranças involuntárias a tornaram viva para mim. Agora que Albertine, em meu pensamento, já não vivia para mim, a notícia de que ela estava viva não me causou a alegria que eu teria imaginado. Albertine fora para mim apenas um feixe de pensamentos, sobrevivendo à sua morte física enquanto esses pensamentos viviam em mim; em compensação, agora que esses pensamentos estavam mortos, Albertine de modo algum ressuscitava para mim com seu corpo. E, ao perceber que não me sentia alegre por saber que ela vivia, que já não a amava, deveria ficar mais transtornado que alguém que, olhando-se num espelho, depois de meses de viagem ou de doença, percebe que tem cabelos brancos e uma nova fisionomia, de homem maduro ou de velho. Isso transtorna porque significa: o homem que eu era, aquele rapaz louro, já não existe, eu sou outra pessoa. Ora, não é uma mudança igualmente profunda, uma morte tão absoluta do "eu" que eu era, essa substituição tão completa de um "eu" novo a esse "eu" tão antigo, quanto a visão de um rosto enrugado, coberto por uma peruca branca, substituindo o rosto de antigamente? Mas não nos afligimos de nos termos tornado um outro, devido à passagem do tempo e na ordem natural das coisas, mais do que nos afligiríamos, em certa época, por termos sido, alternativamente, indivíduos contraditórios, o malvado, o sensível, o delicado, o patife, o desinteressado, o ambicioso, como, alternativamente, o somos a todo dia. E o motivo pelo qual não nos afligimos com isso é o mesmo: o "eu" eclipsado – momentaneamente, no último caso, quando se trata do caráter, ou para sempre, no primeiro caso, quando se trata de paixões – não está presente para lastimar o outro, o outro que é, naquele momento ou daí em diante, todos nós; o patife sorri de sua patifaria, porque é patife, e o esquecido não se entristece com sua falta de memória, precisamente porque esquece.

Eu teria sido incapaz de ressuscitar Albertine porque era incapaz de ressuscitar a mim mesmo, de ressuscitar o meu eu de antigamente. A vida, segundo seu hábito, que consiste em trabalhos incessantes e infinitamente pequenos para mudar a face da terra, não me dissera no dia seguinte à morte de Albertine: "És outra pessoa", mas, através de mudanças demasiado imperceptíveis para que eu me desse conta dessa mudança, renovara quase tudo em mim, de modo que meu pensamento já estava habituado a seu novo senhor – meu novo "eu" – ao perceber que esse havia mudado; era a este que se apegara. Como vimos, minha ternura por Albertine e o meu ciúme se apegavam à irradiação, por associação de idéias, de certos núcleos de impressões doces ou dolorosas, à lembrança da Srta. Vinteuil em Montjouvain, aos suaves beijos noturnos que Albertine me dava no pescoço. Porém, à medida que tais impressões se haviam enfraquecido, o imenso campo de impressões, que elas coloriam de um matiz angustiado ou terno, readquirira tons neutros. Uma vez que o esquecimento se apoderou de alguns pontos culminantes do sofrimento e do prazer, a resistência do meu amor estava derrotada: eu já não amaria a Albertine. Tentava lembrar-me dela. Tivera um pressentimento exato, dois dias depois da partida de Albertine, quando ficara assombrado por ter podido viver quarenta e oito horas sem ela. O mesmo havia sucedido quando eu outrora escrevera a Gilberte, dizendo a mim mesmo: se isto continua por dois anos, deixarei de amá-la. E se, quando Swann me pedira para rever Gilberte, aquilo me parecera tão incômodo quanto rever uma pessoa morta, no caso de Albertine, a morte – ou o que eu julgara ser a morte – fizera o mesmo trabalho que, quanto a Gilberte, o longo rompimento. A morte age da mesma forma que a ausência. O monstro a cuja aparição o meu amor estremecera – o esquecimento – de fato, como eu imaginava, acabara por devorá-lo. Não só essa notícia de que ela vivia não despertou o meu amor, não só ela me permitiu constatar o quanto já estava adiantado o meu regresso à indiferença, mas, instantaneamente, provocou nessa indiferença uma aceleração tão brusca que indaguei a mim mesmo, retrospectivamente, se outrora a notícia oposta, a da morte de Albertine, rematando a obra de sua partida, não havia, inversamente, exaltado o meu amor e retardado o seu declínio. Sim, agora que sabê-la viva, e poder juntar-me a ela, tornavam-na de súbito tão pouco preciosa, eu me indagava se as insinuações de Françoise, a própria ruptura, e até a morte (imaginária, porém acreditada real) não tinham prolongado o meu amor, de tal modo os esforços de terceiros e mesmo do destino, para nos separar de uma mulher, não fazem mais que nos prender a ela. Agora, ocorria o contrário. Além do mais, tentei lembrar-me dela e, talvez por precisar fazer apenas um sinal para tê-la junto a mim, a lembrança que me veio foi a de uma garota já bem gorda, machona, em cujo rosto murcho já aflorava, como um germe, o perfil da Sra. Bontemps. O que ela pudera ter feito com Andrée ou com outras já não me interessava. Eu não sofria mais do mal que, durante tanto tempo, julgara incurável, o que, no fundo, poderia ter previsto. Decerto, a mágoa por uma amante e o ciúme sobrevivente são doenças físicas, da mesma forma que a tuberculose ou a leucemia. Contudo, entre os males físicos, convém distinguir aqueles causados por um agente puramente físico e os que só agem sobre o corpo através de um intermediário, a inteligência. Especialmente se a parte da inteligência que serve de fio transmissor é a memória – ou seja, se a causa é aniquilada ou se acha distante –, por mais cruel que seja o sofrimento, por mais profundo que pareça o transtorno trazido ao organismo, é bem raro, pois o pensamento é dotado de um poder de renovação, que os tecidos não possuem, que o prognóstico não seja favorável. Ao término de um mesmo tempo necessário para que um doente, atacado de câncer, acabe morrendo, é bem raro que um viúvo ou um pai inconsoláveis não estejam curados. Eu estava. Era então por essa moça, que eu revia naquele momento tão balofa, e que certamente envelhecera, como tinham envelhecido as mocinhas que ela amara, era por essa que eu deveria renunciar à deslumbrante jovem que consistia a minha recordação de ontem, minha esperança de amanhã (e a quem eu não poderia dar mais coisa alguma, como tampouco a qualquer outra, se me casasse com Albertine), renunciar a essa "nova Albertine", "não tal como a viram os Infernos", "porém fiel, orgulhosa e até um pouco feroz"?[42] Era ela quem me representava agora o que Albertine fora antigamente: meu amor por Albertine não tinha sido mais que a forma passageira de minha devoção à juventude. Julgamos amar a uma jovem e, ai de nós, amamos em sua pessoa apenas aquela aurora cujo rubor o seu rosto reflete momentaneamente. Passou-se a noite. De manhã, devolvi o telegrama ao porteiro do hotel dizendo que me fora entregue por engano e que não era para mim. Respondeu-me que, agora que o telegrama estava aberto, ele teria dificuldades, era melhor que eu o guardasse; voltei a pô-lo no bolso, mas prometi a mim mesmo agir como se jamais o tivesse recebido. Deixara em definitivo de amar a Albertine. De modo que esse amor, depois de se afastar de tal modo do que eu previra, de acordo com meu amor por Gilberte; depois de me ter feito dar um desvio tão longo e tão doloroso, acabava também, ele que fora uma exceção, por ingressar, bem como o meu amor por Gilberte, na lei geral do esquecimento.

[42] As duas últimas expressões entre aspas remetem a versos da tragédia *Fedra*, de Jean Racine (ato II, cena V). (N. do T.)

Mas então pensei: interessava-me por Albertine mais que por mim mesmo; agora, não ligo mais a ela porque deixei de vê-la durante algum tempo. Porém meu desejo de não estar separado de mim mesmo pela morte, de ressuscitar após a morte, esse desejo, todavia, não era como o desejo de nunca estar separado de Albertine, pois durava sempre. Decorreria isto do fato de eu me julgar mais precioso do que ela, do fato de que, quando a amava, amava mais a mim mesmo? Não, decorria antes de que, deixando de vê-la, tinha deixado de amá-la, porque meus laços cotidianos comigo mesmo não foram rompidos como o tinham sido os que me uniam a Albertine. Mas, se os laços com meu corpo, comigo mesmo, o fossem também...? Certo, seria a mesma coisa. Nosso amor pela vida é apenas uma velha ligação da qual não sabemos nos desvencilhar. Sua força está na sua permanência. Mas a morte, que rompeu tal ligação, nos há de curar do desejo da imortalidade.

Depois do almoço, quando não ia vaguear sozinho em Veneza, preparava-me para sair com mamãe; e, para pegar os cadernos onde tomaria apontamentos relativos a um trabalho que estava redigindo sobre Ruskin, subia para o quarto. Na brusca mudança de direção das quinas da parede, fazendo-a dobrar os ângulos, eu sentia as restrições ditadas pelo mar, e a parcimônia do solo. E descendo para me reunir a mamãe, que me esperava, àquela hora em que, em Combray, era tão bom gozar o sol bem pertinho, na escuridão mantida pelos postigos cerrados, e, aqui, de alto a baixo da escadaria de mármore, da qual, como se estivesse presente numa pintura do Renascimento, não se podia saber se estava presa a um palácio ou a uma galera, o mesmo frescor, a mesma sensação de esplendor externo eram proporcionados pelo toldo que se movia diante das janelas perpetuamente abertas, e pelas quais, numa incessante corrente de ar, a sombra morna e o sol esverdeado corriam, como sobre uma superfície flutuante, e evocavam a vizinhança móvel, a iluminação e a espelhante instabilidade das ondas. Com mais freqüência era para ir a São Marcos que eu saía, e com tanto mais prazer quanto, visto ser preciso primeiro tomar uma gôndola para chegar até lá, a igreja não mais representava para mim um simples monumento, e sim o termo de um trajeto sobre a água marinha e primaveril, com a qual São Marcos me formava um todo vivo e indivisível. Minha mãe e eu entrávamos no batistério, ambos pisando os mosaicos de mármore e de vidro do pavimento, tendo diante dos olhos as amplas arcadas, cujas superfícies dilatadas e róseas o tempo infletiu de leve, o que dá à igreja, nos pontos em que respeitou o frescor desse colorido, o ar de ter sido construída de uma substância tenra e maleável como a cera de alvéolos gigantes; ao contrário, nos pontos em que endureceu a matéria, e onde os artistas a perfuraram e a valorizaram com ouro, a igreja tem o ar de ser a preciosa encadernação de Veneza. Vendo que eu precisava ficar muito tempo diante dos mosaicos que representam o batismo de Cristo, minha mãe, sentindo o frio gelado que percorria o batistério, colocou-me um xale nos ombros. Quando eu estava com Albertine em Balbec, achava que ela descobria uma dessas ilusões inconsistentes que ocupam o espírito de tantas pessoas que não pensam com clareza, quando ela me falava do prazer – na minha opinião, com base em coisa nenhuma – que sentiria em ver determinada pintura em minha companhia. Hoje, ao menos tenho certeza de que existe o prazer, se não de ver, o de ter visto uma coisa bela com certa pessoa. Chega-me o instante em que, quando me lembro do batistério, diante das ondas do rio Jordão em que São João imerge o Cristo, enquanto uma gôndola nos esperava diante da *Piazzetta*, não me é indiferente que, nessa fresca penumbra, houvesse a meu lado uma mulher coberta com seu luto, com o fervor respeitoso e entusiasta da mulher idosa que se vê em Veneza na *Santa Úrsula* de Carpaccio, e que essa mulher de faces avermelhadas, olhos tristes, com seus véus negros, e que nada poderá jamais, para mim, fazer sair daquele santuário suavemente iluminado de São Marcos, onde estou certo de reencontrá-la, pois ela tem seu lugar reservado e imutável como um mosaico, seja a minha mãe. Carpaccio, a quem acabo de citar e que era o pintor ao qual, quando eu não trabalhava em São Marcos, fazíamos visitas com mais freqüência, precisou um dia reanimar o meu amor por Albertine. Eu via pela primeira vez *O Patriarca de Grado Exorcizando um Possesso*. Olhava o admirável céu encarnado e violáceo, no qual se destacavam essas altas chaminés incrustadas, cujo amplo formato e o rubro desabrochar de tulipas faz pensar em tantas Venezas de Whistler. Depois meus olhos iam do velho Rialto em madeira àquela Ponte Vecchio do século XV, de palácios de mármores ornados de dourados capitéis, voltavam ao Grande Canal, onde as barcas são conduzidas por adolescentes vestidos de rosa, de gorros encimados por *aigrettes*, semelhantes, a ponto de enganar, a um tal que de fato recorda Carpaccio nessa deslumbrante *Lenda de José* de Sert, Strauss e Kessler. Enfim, antes de deixar o quadro, meus olhos regressaram à margem, onde formigam cenas da vida veneziana da época. Olhava o barbeiro enxugando sua navalha, o negro carregando o seu tonel, as conversas dos muçulmanos, nobres senhores venezianos em amplos brocados, em damascos, com gorros de veludo cor de cereja, quando senti, de repente, como que um leve aperto no coração. Às costas de um dos companheiros da Calza, reconhecível pelos bordados de ouro e pérolas que inscrevem em suas mangas ou coletes o emblema da risonha confraria à qual eram filiados, eu acabava de identificar o casaco que Albertine usava quando fora comigo a Versalhes em carro descoberto, na noite em que eu estava longe de pensar que apenas quinze dias me separavam do momento em que ela iria embora de minha casa. Sempre disposta a tudo, quando lhe pedira que partisse, naquele triste dia que ela deveria chamar, em sua última carta, *duas vezes crepuscular, visto que a noite caía e nós íamos nos separar*, ela atirava aos ombros um casaco de Fortuny que levara consigo no dia seguinte e que, desde então, eu jamais tornara a ver em minhas lembranças. Ora, era neste quadro de Carpaccio que o genial filho de Veneza o utilizara, fora nas costas desse membro da Calza que o havia assinalado, a fim de lançá-lo sobre tantas parisienses que decerto ignoravam, como eu até agora, que o modelo existia num grupo de cavalheiros, no primeiro plano do *Patriarca de Grado*, num salão da Academia de Veneza. Eu reconhecera tudo e, tendo o esquecido casaco me devolvido, ao vê-lo, os olhos e o coração daquele que ia, naquela noite, partir para Versalhes com Albertine, fui invadido, durante alguns instantes, por um sentimento perturbador, logo dissipado, de desejo e de melancolia.

Enfim, havia dias em que não nos contentávamos, mamãe e eu, com as igrejas e museus de Veneza; assim, certa vez quando o tempo estava excepcionalmente lindo, fomos até Pádua para rever aqueles Vícios e Virtudes de que o Sr. Swann me fornecera reproduções, provavelmente ainda empilhadas no quarto de estudos de Combray; depois de ter atravessado, em pleno sol, o jardim da Arena, entrei na capela dos Giotto, onde a abóbada inteira e o fundo dos afrescos são tão azuis que parece que o dia radioso também transpôs o limiar em companhia do visitante e veio, por um momento, descansar seu firmamento puro na sombra e no frescor; céu puro, apenas um pouquinho mais carregado por se ver livre das dourações da luz, como nesses breves intervalos com que se interrompem os mais belos dias, quando, sem que se tenha visto qualquer nuvem, tendo o sol desviado, por um instante, o olhar para outra parte, o azul mais suave ainda, se ensombrece. Neste céu transposto para a pedra azulada, voavam anjos que eu via pela primeira vez, pois o Sr. Swann só me dera reproduções dos Vícios e Virtudes, e não dos afrescos que recompõem a história de Cristo e da Virgem Maria. Pois bem, no vôo dos anjos reencontrei a mesma impressão de ação efetiva, literalmente real, que me haviam dado os gestos da Caridade ou da Inveja. Com todo o fervor celeste ou, pelo menos, na sabedoria e aplicação infantis com que juntam as mãozinhas, os anjos são representados na Arena, porém como voláteis de uma espécie particular que de fato haja existido, devendo ter figurado na história natural dos tempos bíblicos e evangélicos. São criaturinhas que não cessam de voltear diante dos santos quando estes passeiam; sempre existem alguns largados acima deles, e, como são criaturas reais e efetivamente voadoras, vemo-las se elevar, descrever curvas, executar *loopings* com a maior facilidade, arremessando-se contra o solo de cabeça para baixo, a poder de asas que lhes permitem manterem-se em posições contrárias às leis da gravidade; e lembram muito mais uma variedade extinta de pássaros, ou jovem alunos de Garros [43] exercitando-se em vôo planado, do que anjos da arte da Renascença e das épocas seguintes, cujas asas não são mais que emblemas e cuja atitude em geral é a mesma das personagens celestes que não voam.

[43] Roland Garros, oficial e aviador francês (1888-1918). Seu nome hoje é dado a um torneio de tênis na França. (N. do T.)

Voltando ao hotel, eu encontrava mulheres jovens que, sobretudo oriundas da Áustria, vinham a Veneza passar os primeiros dias bonitos daquela primavera sem flores. Entre elas havia uma, cujas feições não se pareciam com as de Albertine, mas que me agradava pela mesma frescura de tez, pelo mesmo olhar risonho e fácil. Em breve senti que principiava a lhe dizer as mesmas coisas que dizia no começo a Albertine, que fingia a mesma contrariedade quando ela dizia não poder ver-me no dia seguinte, pois ia a Verona, e imediatamente, sentia também vontade de ir a Verona. Aquilo não durou; ela devia voltar para a Áustria, e eu não a veria nunca mais, mas, já vagamente ciumento, como somos quando principiamos a ficar apaixonados, ao contemplar seu rosto enigmático e encantador, eu me indagava se ela igualmente gostava de mulheres, se o que possuía em comum com Albertine, essa claridade de pele e de olhares, esse ar de franqueza amável que seduzia todo mundo e que se referia mais ao fato de ela não procurar de modo algum conhecer os atos das pessoas que absolutamente não a interessavam, do que à confissão dos seus, que ela ao contrário dissimulava debaixo das mentiras mais pueris; perguntava-me se tudo isso constituía o caráter morfológico da mulher que ama as mulheres. Seria isto que, nela, sem que eu pudesse entender racionalmente por quê, exercia atração sobre mim, provocava minhas inquietações (talvez causa mais profunda de minha atração pelo que carrega em direção ao que fará sofrer), dava-me, quando a via, tanta satisfação e tristeza, como esses elementos magnéticos que não enxergamos e que, presentes na atmosfera de certas regiões, fazem-nos sentir tanto incômodos? Ai de mim, nunca o saberei. Quando tentava ler em seu rosto, gostaria de lhe falar: "Deveria dizer-mo, isto me interessaria para que eu ficasse conhecendo uma lei de história natural humana", mas ela jamais o diria; ao que parecia, professava por esse vício um horror especial, e mostrava uma grande frieza para com as amigas mulheres. Talvez isso fosse mesmo a prova de que ela tinha algo a esconder, talvez lhe fizessem gracejos ou a envergonhassem por causa disso, e que o ar que assumia para evitar que achassem aquilo dela era como o afastamento revelador que os animais adotam em relação às pessoas que lhes batem. Quanto a me informar acerca de sua vida, era impossível; mesmo no caso de Albertine, quanto tempo levei para saber alguma coisa! Fora necessária a sua morte para que as línguas se soltassem, de tal modo Albertine conservava prudente circunspecção em seu comportamento, exatamente como essa jovem mulher! E, mesmo acerca de Albertine, estaria eu seguro de saber alguma coisa? E depois, ainda que as condições de vida que mais desejamos se tornem indiferentes para nós, caso deixemos de amar a pessoa que, contra a nossa vontade, fazia que as desejássemos visto que permitiam que vivêssemos perto dela, que lhe agradássemos dentro do possível, dá-se o mesmo com certas curiosidades intelectuais. A importância científica que eu via em saber o tipo de desejo que se escondia sob as pétalas debilmente rosadas daquelas faces, na claridade brilhante sem sol como a antemanhã daqueles olhos pálidos, naquelas jornadas jamais referidas se desvaneceria sem dúvida quando eu deixasse completamente de amar Albertine, ou quando deixasse de amar de todo aquela jovem mulher.

À noite eu saía sozinho, no meio da cidade encantada, onde me achava entre quarteirões novos como um personagem das *Mil e uma noites*. Era bem raro que não descobrisse, ao acaso de meus passeios, algum lugar desconhecido e espaçoso do qual nenhum guia ou viajante me havia falado. Estava metido numa rede de pequenas ruelas, de *calli*. A noite, com suas altas chaminés dilatadas às quais o sol confere os mais vivos tons róseos, os vermelhos mais brilhantes, é todo um jardim que floresce acima das casas, com matizes tão variados que se diria, plantado sobre a cidade, o jardim de um amador de tulipas de Delft ou de Haarlem. E, além disso, a extrema proximidade das casas fazia de cada janela o quadro onde devaneava uma cozinheira que por ele olhava, ou o de uma moça, que, sentada, mandava que penteasse os seus cabelos uma velha cujo rosto, adivinhado na sombra, era o de uma feiticeira. Tal proximidade fazia como que uma exposição de cem quadros holandeses justapostos, de cada residência pobre e silenciosa, muito próxima devido à grande estreiteza desses *calli*. Comprimidos uns contra os outros, esses *calli* dividiam em todos os sentidos, com suas ranhuras, o pedaço de Veneza recortado entre um canal e a laguna, como se esse pedaço estivesse cristalizado segundo essas fórmulas inumeráveis, tênues e minuciosas. De repente, na extremidade de uma dessas ruelas, parece que se produziu uma distensão nessa matéria cristalizada. Um vasto e suntuoso *campo*, cuja importância certamente eu não poderia adivinhar no meio desse emaranhado de pequenas ruas, nem mesmo localizá-lo, estendia-se à minha frente, cercado de fascinantes palácios, pálido à luz do luar. Era um desses conjuntos arquitetônicos para os quais, em outra cidade, as ruas convergem, conduzem-nos e os designam. Aqui, parecia escondido de propósito num cruzamento de ruelas, como esses palácios dos contos orientais aonde é conduzido, à noite, alguém que, transportado de volta para casa ao amanhecer, não deve poder reencontrar a morada mágica, na qual acaba por crer que esteve apenas em sonhos. No dia seguinte eu partia em busca da minha bela praça noturna; seguia os *calli*, todos semelhantes, e que se recusavam a dar a menor informação, salvo para melhor me extraviar. Por vezes, um vago indício que eu julgava reconhecer, fazia-me supor que veria aparecer, em sua clausura, silêncio e solidão, a bela praça exilada. Nesse momento, algum gênio mau, que assumira a aparência de uma nova *calle*, fazia-me arrepiar caminho contra a vontade, e eu subitamente me achava reconduzido ao Grande Canal. E, como não há grandes diferenças entre a lembrança de um sonho e a de uma realidade, acabava por indagar-me se não fora durante o sono que se produzira, num bloco sombrio de cristalização veneziana, aquela estranha flutuação oferecida por uma vasta praça, rodeada de palácios românticos, à prolongada meditação do luar.

Mas o desejo de não perder para sempre certas mulheres, bem mais do que certas praças, sustentava em mim, em Veneza, uma agitação que se tornou febril no dia em que minha mãe decidiu que partiríamos, quando, no fim do dia, ocasião em que nossas malas já tinham sido expedidas em gôndola para a gare, li num registro de estrangeiros aguardados no hotel: *Baronesa Putbus e comitiva*. Imediatamente, a idéia de todas as horas de prazer carnal, que a nossa partida me faria perder, fez elevar esse desejo que existia em mim em estado crônico, à altura de um sentimento, mergulhando-o em incerteza e melancolia; pedi a mamãe que adiássemos a partida por alguns dias; e o modo como ela nem por um instante sequer levou em consideração, e nem mesmo a sério, o meu pedido, despertou em meus nervos, excitados pela primavera veneziana, aquele antigo desejo de resistência a um complô imaginário, tramado contra mim por meus pais que pensavam seria eu afinal obrigado a obedecê-los – essa vontade de lutar que me impelia outrora a impor brutalmente a minha vontade àqueles a quem mais amava, arriscando-me a me conformar com a deles, após tentar fazer com que cedessem. Disse a mamãe que não partiria, mas ela, achando mais hábil não dar impressão de pensar que eu dizia aquilo a sério, sequer me respondeu. Retruquei que ela veria se eu falava a sério ou não. O porteiro trouxe três cartas, duas para ela e uma para mim, que coloquei na carteira, em meio a todas as outras, sem mesmo olhar o envelope. E quando chegou a hora em que, seguida de toda a minha bagagem, ela partiu para a estação, mandei vir uma bebida ao terraço, e ali me instalei contemplando o pôr-do-sol, enquanto, numa barca parada diante do hotel, um músico entoava o *Sole mio*.[44] O sol continuava a baixar. Agora, minha mãe não devia estar muito longe da estação. Em breve partiria, eu ficaria sozinho em Veneza, a sós com a tristeza de sabê-la magoada por minha culpa, e sem a presença para me consolar. Aproximava-se a hora da partida do trem. Minha solidão irrevogável estava tão próxima que já me parecia principiada e total. Pois eu não me sentia sozinho, as coisas se me tinham tornado estranhas, já não dispunha de calma suficiente para sair do meu coração palpitante e introduzir nelas um pouco de estabilidade. A cidade que estava à minha frente deixara de ser Veneza. Sua personalidade, seu nome, pareciam-me ficções mentirosas que eu já não tinha coragem de inculcar às pedras. Os palácios surgiam-me reduzidos às suas meras partes e quantidades de mármore semelhantes a todas as outras, e a água era uma combinação de hidrogênio e azoto,[45] eterna, cega, anterior e exterior a Veneza, ignorante dos doges e de Turner. E todavia esse

[44] *O Sole mio*: célebre canção napolitana, composta em 1898 por Edoardo di Capua, com letra de Giovanni Capurro. (N. do T.)

[45] Evidentemente, a água é formada por hidrogênio e oxigênio. Mas como Proust escreveu "azoto", sem corrigir, convém respeitar seu erro. Azoto é o antigo nome do "nitrogênio" (N). (N. do T.)

lugar era estranho como um lugar ao qual acabássemos de chegar, que ainda não nos conhece, como um lugar de onde partimos e que já nos esqueceu. Eu não podia dizer-lhe mais nada a meu respeito, não podia deixar mais nada de mim pousar nele, ele me contraía sobre mim mesmo, eu não era mais que um coração batendo e uma atenção que se seguia ansiosamente o desenrolar do *Sole mio*. Por mais que eu desesperadamente prendesse minhas idéias à bela curva característica da ponte do Rialto, ela me surgia com a mediocridade da evidência, como um ponto não só inferior mas tão estranho à idéia que formava dele, como um ator que, apesar da peruca loura e da roupa negra, sabemos perfeitamente que, em sua essência, não é Hamlet. Desse modo, os palácios, o Canal, o Rialto se achavam desprovidos da idéia que compunha a sua individualidade, e dissolvidos em seus vulgares elementos materiais. Mas, ao mesmo tempo, esse lugar medíocre me parecia longínquo. No lago do Arsenal, também devido a um elemento científico, a latitude, existia a singularidade das coisas que, mesmo aparentemente semelhantes às do nosso país, revelam-se estranhas, exiladas sob outros céus; eu sentia que esse horizonte, tão próximo que poderia atingi-lo em uma hora, era uma curvatura da Terra completamente diversa da dos mares da França, uma curvatura distante que se encontrava, pelo artifício da viagem, atracada perto de mim; de modo que esse lago do Arsenal, a um tempo insignificante e longínquo, enchia-me daquela mistura de mágoa e de terror que eu havia experimentado bem criança, da primeira vez em que acompanhei minha mãe aos banhos Deligny;[46] de fato, no local fantástico formado por uma água escura que nem o céu nem o sol recobriam, e que, no entanto, comprimida em cabines, sentíamos comunicar-se com invisíveis profundezas cobertas de corpos humanos de calção, eu me perguntava se essas profundezas, ocultas aos mortais pelas barracas, que nem mesmo permitiam que as adivinhássemos da rua, não seriam a entrada dos mares glaciais que ali principiavam; se os pólos não estariam ali compreendidos; e se aquele estreito espaço não era precisamente o mar livre do pólo. Essa Veneza sem simpatia por mim, onde eu ia ficar sozinho, não me parecia menos isolada, menos irreal, e era a minha aflição que o canto do *Sole mio*, elevando-se como um lamento da Veneza que eu havia conhecido, parecia tomar como testemunha. Sem dúvida, seria preciso deixar de ouvi-lo se eu quisesse ainda juntar-me a mamãe e tomar o trem com ela, seria preciso decidir, sem perda de tempo, que eu partiria, mas era isso justamente o que eu não podia; permanecia imóvel, sem ser capaz não só de erguer-me, porém até de resolver se o faria. Meu pensamento, sem dúvida para não ter de tomar uma resolução, ocupava-se inteiramente em seguir o fraseado sucessivo dos versos de *Sole mio*, em acompanhar mentalmente a voz do cantor, em prever o impulso que ia

[46]. Banhos Deligny: piscinas públicas instaladas à margem do rio Sena, em Paris. (N. do T.)

arrebatá-la, em deixar-me também seguir com ela; para com ela depois igualmente recair. Sem dúvida, esse canto insignificante, ouvido cem vezes, de modo algum me interessava. Eu não podia agradar a ninguém, nem a mim mesmo, ouvindo-o religiosamente até o fim. Afinal, nenhum dos motivos dessa canção vulgar, que antecipadamente já conhecia, era capaz de me fornecer a resolução de que eu precisava; mais ainda, cada uma dessas frases melódicas, ao passar por sua vez, tornava-se um obstáculo a que eu tomasse eficazmente essa resolução, ou melhor, obrigava-me à resolução contrária de não partir, pois me fazia perder a hora. Por isso, essa ocupação de ouvir o *Sole mio*, sem prazer em si mesma, carregava-se de uma tristeza profunda, quase desesperada. Eu bem sentia que, na realidade, era a resolução de ficar ali sem me mexer; porém, dizer comigo: "Não parto", o que não me era possível sob esta forma direta, já o era sob esta outra: "Vou ouvir ainda uma frase do *Sole mio*"; mas o significado prático dessa linguagem figurada não me escapava; e, sempre repetindo para mim mesmo: "Afinal, não faço outra coisa senão escutar uma frase a mais", sabia que isto queria dizer: "Ficarei sozinho em Veneza." E talvez fosse essa tristeza, como uma espécie de frio entorpecedor, que formava o encanto desesperado, porém fascinante, daquela canção. Cada nota soltada pela voz do cantor, com uma força e uma ostentação quase musculares, vinha ferir-me em cheio o coração. Quando a frase se consumava em tom grave e o trecho parecia terminado, o cantor não se dava por satisfeito, e recomeçava em tom agudo, como se necessitasse proclamar, uma vez mais, a minha solidão e o meu desespero. Minha mãe já devia ter chegado à estação. Em breve partiria. Eu me sentia oprimido pela angústia que me causava, com a vista do canal tornado pequenino desde que a alma de Veneza dele se evolara, e do Rialto banal que já não era o Rialto, esse canto de desespero em que se tornara o *Sole mio* e que, clamando assim diante de palácios inconsistentes, acabava por esmigalhá-los, consumando a ruína de Veneza; eu assistia à lenta realização de minha desgraça artisticamente construída, sem pressa, nota por nota, pelo cantor que olhava com espanto o sol parado diante de São Jorge Maior, de forma que essa luz crepuscular devia fazer para sempre, em minha memória, com o frêmito de minha emoção e a voz de bronze do cantor, um amálgama equívoco, imutável e pungente.

Assim, permanecia imóvel, com a vontade dissoluta, sem aparente decisão; sem dúvida, nesses momentos, a decisão já está tomada; nossos próprios amigos podem muitas vezes prevê-la. Porém nós de modo algum o podemos e, a não ser isso, tantos sofrimentos nos seriam poupados.

Mas enfim, de abismos mais obscuros do que esses de onde se lança o cometa que podemos prever – graças à inesperada potência defensiva do hábito inveterado, graças às reservas ocultas que, num súbito impulso, ele atira à luta à última hora –, surgia minha ação: desatei a correr e cheguei com as portinholas já cerradas, mas a tempo de encontrar minha mãe, rubra de emoção, contendo-se para não chorar, pois achava que eu já não viria. Depois o trem partiu e vimos Pádua e, a seguir, Verona se aproximarem do trem, despedirem-se de nós quase da estação e, enquanto nos afastávamos, recuperarem – elas que não partiam e iam retomar sua vida –, uma, seus campos, e a outra, a sua colina.

As horas passavam. Minha mãe não se apressou a ler as duas cartas que apenas abrira e procurava também evitar que eu pegasse logo a carteira para abrir aquela que o porteiro do hotel me entregara. Continuava receando que eu achasse as viagens muito longas e cansativas, e adiava para o mais tarde possível, a fim de me ocupar durante as últimas horas, o momento em que desembrulharia os ovos cozidos, me passaria os jornais, abriria o pacote de livros que comprara sem me dizer nada. Primeiro, olhei minha mãe: lia a sua carta com espanto, depois ergueu a cabeça, e seus olhos pareciam pousar, alternadamente, em lembranças distintas, incompatíveis, e que ela não conseguia conciliar. Entretanto, eu havia reconhecido a caligrafia de Gilberte em meu envelope. Abri-o. Gilberte me anunciava o seu casamento com Robert de Saint-Loup. Dizia que me havia telegrafado a respeito para Veneza, e não obtivera resposta. Lembrei-me como me haviam dito que o serviço telegráfico de lá era ruim. Jamais recebera o seu telegrama. Talvez não acreditasse nisso. De repente, senti em meu cérebro um fato, que aí instalado sob forma de lembrança, deixava seu lugar e o cedia a outro. O telegrama que eu ultimamente recebera, e que julgara ser de Albertine, era de Gilberte. Como a originalidade bastante artificial da escrita de Gilberte consistia principalmente, quando ela escrevia uma linha, fazer figurar, na linha superior, as barras do *t* que davam a impressão de sublinhar as palavras ou os pingos dos *ii* que pareciam interromper as frases da linha de cima e, em compensação, intercalar, na linha de baixo, as caudas e arabescos das palavras que lhe estavam superpostas – fora bem natural que o empregado dos telégrafos tivesse lido os caracóis dos *ss* ou dos *yy* da linha superior como um "ine" que terminasse o nome de Gilberte. O pingo sobre o *i* de Gilberte subira para formar reticências. Quanto ao *G*, tinha o ar de um *A* gótico. Que, afora isso, duas ou três palavras tivessem sido mal lidas, tomadas umas pelas outras (algumas, aliás, me haviam parecido incompreensíveis), isso era o bastante para explicar os pormenores do meu erro, e nem mesmo isso era necessário. Quantas letras não lê, em uma palavra, uma pessoa distraída e sobretudo predisposta, que parte da idéia de que a carta é de uma certa pessoa? Quantas palavras na frase? Adivinha-se ao ler, cria-se; tudo parte de um erro inicial. Os erros que se seguem (e não é apenas na leitura de cartas e de telegramas, ou em toda leitura), por mais extraordinários que possam parecer àquele que não adota o mesmo ponto de partida, são perfeitamente naturais. Uma boa parte daquilo em que acreditamos (e o mesmo ocorre até nas conclusões extremas), com teimosia e boa-fé idênticas, decorre de um engano inicial quanto às premissas.

CAPÍTULO QUARTO

Novo Aspecto de Robert de Saint-Loup

– Oh, é incrível – disse mamãe. – Escuta, a gente já não se espanta de nada na minha idade, mas eu te afirmo que não existe mais inesperado que a notícia que esta carta me anuncia. – Ouve bem – respondi –, não sei do que se trata, mas por mais espantoso que possa ser isso, não pode sê-lo tanto quanto a notícia que me dá a minha carta. É um casamento. Trata-se de Robert de Saint-Loup que se casa com Gilberte Swann. – Ah! – disse mamãe. – Então é o que me anuncia, sem dúvida, a outra carta, a que ainda não abri, pois reconheci a escrita do teu amigo. – E mamãe me sorriu com essa leve emoção de que desde que perdera a mãe, revestia-se todo acontecimento, por insignificante que fosse, que interessasse criaturas humanas capazes de dor, de recordação, e que também tivessem seus mortos. Assim, mamãe me sorriu, e falou com voz doce, como se receasse, comentando de forma ligeira esse casamento, omitir o que ele pudesse despertar, de impressões melancólicas, na filha e na viúva de Swann, e na mãe de Robert, prestes a separar-se de seu filho, e às quais, por bondade, por simpatia diante da bondade delas para comigo, emprestava sua própria emotividade filial, conjugal e materna. – Não tinha razão em te dizer que não acharias nada mais espantoso? – disse-lhe eu. – Pois bem, achei sim! – respondeu ela com voz doce. – Eu é que tenho a notícia mais extraordinária, não direi "a maior, a menor", pois esta citação de Sévigné, feita por todas as pessoas que dela só conhecem isso, desgostava a tua avó tanto quanto "a bela coisa que é perder o viço". Não nos dignemos a recolher este Sévigné de todo o mundo. Esta carta me anuncia o casamento do jovem Cambremer. – Ora – disse eu com indiferença – e com quem? Mas, em todo caso, a personalidade do noivo já retira todo o caráter sensacional a esse casamento. – A menos que a da noiva não lhe assegure esse caráter. – E quem é a noiva? – Ah, se te digo imediatamente, não há mérito algum; ora, vamos, pensa um pouco – disse mamãe, que, vendo que ainda não tínhamos chegado a Turim, desejava deixar-me como que um pouco de pão para roer e de licor de pêra a fim de matar a sede. – Mas como queres que eu saiba? Será alguém brilhante? Se Legrandin e a irmã estão satisfeitos, podemos estar certos de que se trata de um casamento brilhante. – Quanto a Legrandin, não sei, mas a pessoa que me anuncia casamento diz que a Sra. de Cambremer está deslumbrada. Não sei se chamarias a isso um casamento brilhante. A mim, causa-me o efeito de um casamento dos tempos em que os reis desposavam as pastoras, e no caso a pastora é ainda menos que isso, apesar de encantadora. Isso teria deixado estupefata a tua avó e não lhe agradaria nada. – Mas, afinal, quem é essa noiva? – É a Srta. d'Oloron. – Isso me parece grandioso e nada pastoril, mas não adivinho quem possa ser. É um título que pertence à família dos Guermantes. – Justamente, e o Sr. de Charlus o doou à sobrinha de Jupien, ao adotá-la. É ela quem se casa com o jovem Cambremer. – A sobrinha de Jupien! Não é possível! – É a recompensa da virtude. É um casamento como no final de um romance da Sra. Sand – disse mamãe. "É o prêmio do vício, é um casamento como no final de um romance de Balzac", pensei. – Afinal de contas – disse eu à minha mãe – pensando bem, é muito natural. Aí estão os Cambremer ancorados nesse clã dos Guermantes, onde não esperavam poder jamais assentar acampamento; além do mais, a pequena, adotada pelo Sr. de Charlus, terá muito dinheiro, o que será indispensável, visto que os Cambremer perderam o seu; enfim, é filha adotiva e, segundo os Cambremer, provavelmente filha verdadeira – filha natural – de alguém que eles consideravam como príncipe de sangue. Um bastardo de casa quase real; isto sempre foi considerado como uma aliança lisonjeira pelos nobres da França e do exterior. Sem precisar ir tão longe; pertinho de nós, há seis meses apenas entre os Lucinge, lembras-te?, o casamento do amigo de Robert com aquela moça cuja única razão social era que a supunham, certo ou erroneamente, filha natural de um príncipe soberano. – Mamãe, sem deixar de lado esse sentido de castas de Combray, que faria com que minha avó se escandalizasse com tal casamento, querendo acima de tudo mostrar o julgamento de sua própria mãe, acrescentou: – Aliás, a menina é perfeita e tua querida avó nem precisaria de sua imensa bondade, de sua indulgência infinita, para não ser severa com a escolha do jovem Cambremer. Lembras-te o quanto ele havia achado distinta essa pequena, faz muito tempo, no dia em que entrou na casa de Jupien para coser a saia?[47] Não passava de uma criança, à época. E agora, apesar de bem mais madura e até solteirona, é outra mulher, mil vezes mais perfeita. Mas a tua avó, num relance, discernira tudo isso. Achara a pequena sobrinha do coleteiro mais "nobre" que o duque de Guermantes. – Mais ainda que louvar a minha avó, era preciso à minha mãe achar "melhor" para ela já não estar presente a tudo isso. Era a suprema finalidade de sua ternura, e como se lhe poupasse com isso um último desgosto. – E todavia – disse mamãe – imagina se o velho Swann (que não conheceste, é verdade) seria capaz de adivinhar que um dia haveria de ter um bisneto ou uma bisneta em que se misturasse o sangue da tia Moser, que dizia: "Pom tia, zenhorres" com o sangue do duque de Guise! – Mas olhe, mamãe, é muito mais espantoso do que pensas. Pois os Swann eram pessoas muito simpáticas e,

[47] Ver *No Caminho de Swann* p. 33. (N. do T.)

com a situação que tinha o filho, se tivesse feito um bom casamento, sua filha poderia ter feito um ótimo. Mas tudo deu em nada, visto que ele se casou com uma cocote. – Oh! Uma cocote, sabes, as pessoas podem ser maldosas. Jamais acreditei muito nisso. – Sim, uma cocote, outro dia até posso te fazer revelações... de família. – Perdida em seu devaneio, mamãe dizia: – A filha de uma mulher que teu pai jamais teria permitido que eu cumprimentasse, desposando o sobrinho da Sra. de Villeparisis, que teu pai, a princípio, não permitia que eu visitasse, porque a julgava pertencente a uma sociedade brilhante demais para nós! – E depois: – O filho da Sra. de Cambremer, para quem Legrandin tanto receava ter de nos dar uma recomendação porque nos considerava pouco chiques, desposando a sobrinha de um homem que nunca teria ousado subir à nossa casa senão pela escada de serviço!... Ainda assim, tua pobre avó tinha razão, tu te lembras, quando dizia que a grande aristocracia fazia coisas que haveriam de chocar os pequeno-burgueses, e que a rainha Maria Amélia, na sua opinião, se rebaixara, interessando-se junto à amante do príncipe de Condé, para que ela o fizesse testar em favor do duque de d'Aumale. Tu te lembras, tua avó também se sentia chocada pelo fato de que, durante séculos, as moças da família Gramont, que foram verdadeiras santas, tenham usado o nome de Corisande em memória da ligação de uma de suas avós com Henrique IV. São coisas que talvez também se façam na burguesia, porém mais escondido. Achas que isso teria divertido a tua pobre avó? – dizia mamãe com tristeza, pois as alegrias que lamentávamos não estarem mais ao alcance de minha avó eram as mais simples da vida, uma notícia, uma peça, menos que isso, uma "imitação" que a teria divertido. – Achas que ela teria ficado espantada? No entanto, estou certa de que isso teria chocado a tua avó, esses casamentos, tudo isso lhe teria sido penoso. Acho que mais vale não tenha sabido de nada – repetiu minha mãe, pois, diante de qualquer acontecimento, gostava de imaginar que minha avó tivesse dele uma impressão muito particular, devido à maravilhosa singularidade de sua natureza, e que tinha uma importância extraordinária. Em face a qualquer acontecimento triste, que antigamente não teria sido possível prever, alguma calamidade pública, uma epidemia, uma guerra, uma revolução, minha mãe dizia consigo que talvez fosse preferível que minha avó não tivesse visto nada daquilo, que aquilo a deixaria muito aflita e que talvez ela não pudesse suportá-lo. E, quando se tratava de uma coisa chocante como essa, minha mãe, por um movimento de coração inverso ao dos malvados que se comprazem em imaginar que seus inimigos sofreram mais do que se pensa, não queria, em sua ternura por minha avó, admitir que nada que fosse triste, ou que a diminuísse, pudesse atingi-la. Imaginava sempre minha avó como estando acima de qualquer mal que ocorresse, dizia consigo que a morte de minha avó, afinal, talvez houvesse sido um bem, poupando o espetáculo demasiadamente feio do tempo atual a essa natureza tão nobre que não teria se resignado a tanto. Pois o otimismo é a filosofia do passado. Como, entre todos os possíveis, os acontecimentos ocorridos eram os únicos que conhecíamos, o mal que nos causaram parece-nos inevitável, e o pequeno benefício que não puderam deixar de trazer consigo, atribuímo-lo a eles, pensando que sem eles não se teriam produzido. Ela procurava adivinhar melhor o que teria sentido minha avó ao saber dessas notícias e, ao mesmo tempo, julgava que tal adivinhação era impossível para os nossos espíritos menos elevados que o dela. – Imagina – disse logo mamãe – como tua pobre avó teria ficado espantada! – E eu sentia o sofrimento de minha mãe por não poder contar-lhe nada, lastimando que minha avó não o pudesse conhecer, e achando um tanto injusto que a vida trouxesse à luz do dia fatos em que minha avó não teria podido acreditar, tornando assim, retrospectivamente, falso e incompleto o conhecimento que ela levara das pessoas e da sociedade, pois o casamento da sobrinha de Jupen com o sobrinho de Legrandin era de natureza a modificar as noções gerais de minha avó, tanto quanto a notícia – caso minha mãe pudesse transmiti-la – de que se conseguira resolver o problema, que minha avó julgara insolúvel, da navegação aérea e do telégrafo sem fio. Mas veremos que esse desejo de fazer minha avó partilhar os benefícios de nossa ciência logo pareceu extremamente egoísta a minha mãe. O que fiquei sabendo – pois não pudera assistir a tudo isso de Veneza – é que a Srta. de Forcheville tinha sido pedida em casamento pelo duque de Châtellerault e pelo príncipe de Silistrie, ao passo que Saint-Loup tentava casar-se com a Srta. d'Entragues, filha do duque de Luxemburgo. Eis o que se passara. Tendo a Srta. de Forcheville uma fortuna de cem milhões, a Sra. de Marsantes pensara que seria um bom casamento para seu filho. Cometeu o erro de dizer que se tratava de uma jovem encantadora, que ignorava totalmente se ela era rica a pobre, e nem queria sabê-lo; mas que, mesmo sem dote, seria uma sorte para o rapaz mais exigente alcançar uma mulher assim. Era muita audácia para uma mulher tentada apenas pelos cem milhões, que lhe fechavam os olhos quanto ao resto. Logo se percebeu que ela pensava no dinheiro para o filho. A princesa de Silistrie reclamou em altos brados por toda parte, divulgou as excelências de Saint-Loup, e proclamou que, se Saint-Loup desposasse a filha de Odette e de um judeu, não haveria mais o *faubourg* Saint-Germain. Por muito segura de si mesma que estivesse, a Sra. de Marsantes não ousou ir além e se retirou ante os gritos da princesa, a qual imediatamente fez o pedido para o seu próprio filho. Gritara apenas para reservar Gilberte para si própria. Entretanto, a Sra. de Marsantes, não querendo ser derrotada, logo se voltou para a Srta. d'Entragues, filha do duque de Luxemburgo. Tendo apenas vinte milhões, esta convinha-lhe menos; ela, porém, disse a todos que um Saint-Loup não podia casar-se com uma Swann (já nem se tratava de uma Forcheville). Algum tempo depois, quando alguém falou, estouvadamente, que o duque de Châtellerault pensava em desposar a Srta. d'Entragues, a Srta. de Marsantes, que era suscetível como ninguém, mudou suas baterias, retornou a Gilberte, mandou pedi-la em casamento para Saint-Loup e o noivado celebrou-se imediatamente.

Esse noivado despertou vivos comentários nas mais diferentes rodas. Várias amigas de minha mãe, que tinham visto Saint-Loup em nossa casa, compareceram no seu "dia" para se informar se o noivado era justo aquele amigo meu. Certas pessoas chegavam a afirmar, no caso do outro casamento, que não se tratava dos Cambremer-Legrandin. Sabia-se de boa fonte, pois a marquesa, Legrandin de nascimento, o desmentira na própria véspera do dia em que o noivado se publicara. De minha parte, eu indagava a mim mesmo por que o Sr. de Charlus, por um lado, e Saint-Loup, por outro, que tinham tido ocasião de me escrever pouco antes, haviam-me falado de projetos tão amistosos de viagens e cuja realização deveria excluir a possibilidade de tais cerimônias, sem se referirem a tais casamentos. Concluía eu daí, sem sonhar com o segredo que se guarda até o fim sobre esse tipo de coisas, que era menos chegado a eles do que imaginava, o que, no tocante a Saint-Loup, me entristecia. Também, tendo reparado que a amabilidade, o jeito franco, "de igual para igual", da aristocracia era uma comédia, por que me espantava o ser excluído? Na casa de mulheres – onde cada vez mais se procuravam homens – onde o Sr. de Charlus surpreendera Morel e onde a "subdiretora", que lia muito o *Gaulois*, comentava as notícias mundanas, ela, falando a um cavalheiro gordo, que ali vinha beber continuamente champanha na companhia de rapazes, porque, já muito obeso, queria se tornar bastante obeso para estar certo de não ser "pego" em caso de guerra, declarou: – Parece que o pequeno Saint-Loup também é *desse jeito*, e o jovem Cambremer igualmente. Pobres esposas! Em todo caso, se o senhor conhece esses noivos, precisa trazê-los aqui; pois aqui eles encontrarão tudo o que quiserem, e há muito dinheiro a ganhar com eles. – Ao que o senhor gordo, embora ele próprio fosse *desse jeito*, protestou, retrucando, um tanto esnobe, que muitas vezes tinha encontrado Saint-Loup e Cambremer na casa de seus primos d'Ardonvillers, e que eles eram grandes apreciadores de mulheres e bem o oposto *desse jeito*. – Ah – concluiu a subdiretora em tom cético, mas sem possuir nenhuma prova e convencida de que, no nosso século, a perversidade dos costumes vai de par com o absurdo calunioso dos mexericos. Certas pessoas com quem não estive me escreveram indagando o que é que eu pensava acerca dos dois casamentos, exatamente como se tivessem iniciado uma enquete sobre o tamanho dos chapéus das mulheres no teatro ou sobre o romance psicológico. Não tive coragem de responder a essas cartas. Dos dois casamentos eu não pensava nada, mas sentia uma imensa tristeza, como ocorre quando duas partes de nossa existência antiga, atracadas junto a nós, e sobre as quais depositáramos no dia-a-dia, preguiçosamente talvez, alguma esperança inconfessa, se afastam em definitivo, num alegre estalar de flâmulas, para destinos estranhos, como dois navios. Quanto aos próprios interessados, tiveram a respeito de seus casamentos uma opinião bem natural, pois tratava-se deles e não dos outros. Jamais tinham escarnecido bastante acerca desses "grandes casamentos" fundados numa tara secreta. E até os Cambremer, de casa tão antiga e de pretensões tão modestas, teriam sido os primeiros a esquecer Jupien e a se lembrar apenas das grandezas inauditas da casa de Oloron, caso não ocorresse uma exceção na pessoa que mais deveria sentir-se lisonjeada com esse casamento, a marquesa de Cambremer-Lengrandin. Porém, malvada por natureza, punha o prazer de humilhar os seus acima da glorificação de si mesma. Assim, não amando o filho e tendo logo embirrado com a futura nora, declarou que era uma desgraça para um Cambremer casar-se com uma pessoa saída não se sabia de onde e que, afinal de contas, tinha os dentes tão mal enfileirados. Quanto à tendência do jovem Crambemer de freqüentar homens de letras como Bergotte, por exemplo, e até Bloch, vê-se bem que uma tão brilhante aliança não teve por efeito fazê-lo mais esnobe, mas que, sentindo-se agora o sucessor dos duques de Oloron, "príncipes soberanos" como diziam os jornais, estava bastante persuadido de sua grandeza para poder conviver com qualquer pessoa. E abandonou a pequena nobreza pela burguesia inteligente, nos dias em que não se dedicava às altezas. Essas notas dos jornais, sobretudo no que se referia a Saint-Loup, deram ao meu amigo, cujos antepassados reais eram enumerados, uma grandeza nova mas que só fez me entristecer, como se ele se tivesse transformado em outra pessoa, o descendente de Roberto, o Forte, em vez do amigo que se havia colocado, algum tempo antes, no assento móvel do carro para que eu ficasse melhor atrás; o fato de não ter suspeitado antes de seu casamento com Gilberte, cuja verdade me aparecera de súbito naquela carta, tão diferente de tudo o que eu podia pensar deles na véspera, inopinado como um precipitado químico, me fazia sofrer, quando eu deveria imaginar que ele tinha muito que fazer, e que, além disso, os casamentos, na sociedade, muitas vezes se fazem assim de golpe, não raro para substituir uma combinação diversa que fracassou. E a tristeza, deprimente como uma mudança de casa, amarga como o ciúme, que me causaram pela sua brusquidão, pelo seu choque acidental, esses dois casamentos, foi tão profunda, que mais tarde houve quem a lembrasse, gabando-se absurdamente por isso, como tendo sido exatamente o oposto do que foi naquele momento: um duplo e mesmo um triplo e quádruplo pressentimento.

Pessoas da sociedade, que não tinham prestado a mínima atenção em Gilberte, disseram-me com um ar de grave interesse: – Ah, é aquela que se casa com o marquês de Saint-Loup – e lançavam-lhe olhares atentos de pessoas não apenas ávidas por acontecimentos da vida parisiense, mas que também buscam instruir-se e acreditam na acuidade do próprio olhar. Ao contrário, as que só haviam conhecido Gilberte encararam Saint-Loup com extrema atenção, me pediram (em geral pessoas que mal me conheciam) para lhe ser apresentadas e, voltando da apresentação ao noivo adornadas com as alegrias do regozijo, diziam-me: – É muito bem parecido. – Gilberte estava convencida de que o nome de marquês de Saint-Loup era mil vezes maior que o do duque de Orléans, mas como, antes de mais nada, ela pertencia à sua geração (ou melhor, identidade) espiritual, não quis parecer possuir menos espírito que os outros, e agradava-lhe dizer *mater semita*,[48] ao que acrescentava, para se mostrar bem espirituosa: – Quanto a mim, em compensação, é meu *pater*.

– Parece que foi a princesa de Parma quem fez o casamento do pequeno Cambremer – me disse mamãe. E era verdade. A princesa de Parma, devido a suas obras, conhecia, por um lado, o Sr. Legrandin, a quem considerava um homem distinto, e, por outro, a Sra. de Cambremer, que mudava os rumos da conversa sempre que a princesa lhe perguntava se ela era mesmo irmã de Legrandin. Conhecia o desgosto da Sra. de Cambremer por ter ficado à porta da alta aristocracia, onde ninguém a recebia. Quando a princesa de Parma, que se encarregara de achar um partido para a Srta. de Oloron, indagou ao Sr. de Charlus se sabia quem era um homem amável e instruído que se chamava Legrandin de Méséglise (era assim que Legrandin se fazia chamar agora), o barão primeiro disse que não; depois, de repente, ocorreu-lhe a lembrança de um viajante que havia conhecido uma noite num vagão, e que lhe deixara seu cartão de visitas. Tive um breve sorriso. "Talvez seja o mesmo", disse consigo. Quando soube que se tratava do filho da irmã de Legrandin, exclamou: – Vejam só! Seria de fato extraordinário. Se saiu ao tio, afinal eu não teria de me espantar. Eu sempre disse que dariam ótimos maridos. – Eles, quem? – perguntou a princesa. – Oh, minha senhora, eu bem lhe explicaria se nos víssemos amiúde. Com a senhora as pessoas podem conversar. Vossa Alteza é tão inteligente – disse Charlus, tomado de uma necessidade de confidências que todavia não foi muito longe. O nome de Cambremer lhe agradou, embora não gostasse dos parentes; mas sabia que era um dos quatro baronatos da Bretanha, e tudo o que podia esperar de melhor para a filha adotiva era um nome antigo, respeitado, com sólidas alianças na sua província. Um príncipe teria sido impossível e, aliás, indesejável. O que precisava era daquilo. A seguir, a princesa mandou que chamassem Legrandin. Este, fisicamente, mudara muito, e para melhor, desde algum tempo. Como as mulheres que sacrificam resolutamente o rosto à esbeltez do talhe e já não deixam Marienbad, Legrandin assumira o aspecto desenvolto de um oficial de cavalaria. À medida que o Sr. de Charlus se tornava pesadão e entorpecido, Legrandin se fizera mais rápido e elegante, efeito contrário de uma mesma causa. Aliás, essa velocidade possuía motivos psicológicos. Tinha o hábito de freqüentar certos lugares de má fama, onde não gostava que o vissem entrar nem sair: abismava-se neles. Quando a princesa de Parma lhe falou dos Guermantes e de Saint-Loup, ele declarou que sempre os conhecera, fazendo uma espécie de mistura entre o fato de ter sempre conhecido *de nome* os castelões de Guermantes e o de ter encontrado, *em pessoa*, na casa da minha tia, a Swann, pai da futura Sra. de Saint-Loup, Swann, de

[48] Ver *O Caminho de Guermantes*. p. 151. (N. do T.)

quem aliás, em Combray, não queria freqüentar nem a mulher nem a filha. – Ultimamente, cheguei até a viajar com o irmão do duque de Guermantes, o Sr. de Charlus. Ele espontaneamente puxou conversa, o que sempre é um bom sinal, pois prova que não se trata de um idiota nem de um presumido. Oh, sei de tudo o que se diz a seu respeito. Mas não acredito nunca nessas coisas. Além do mais, a vida privada dos outros não me interessa. Ele me deu a impressão de uma pessoa sensível, de um espírito fino. – Então a princesa de Parma falou da Srta. de Oloron. No meio dos Guermantes, todos se enterneceram com a nobreza de coração do Sr. de Charlus que, bondoso como sempre fora, fazia a felicidade de uma jovem pobre e encantadora. E o duque de Guermantes, sofrendo com a fama do irmão, dava a entender que, por mais bonito que fosse o gesto, era uma coisa natural. – Não sei se me faço entender bem, tudo é natural neste negócio – dizia desastradamente, à força de habilidade. Mas o seu objetivo era indicar que a moça era filha de seu irmão, o qual a reconhecia. Do mesmo golpe, isto explicava Jupien. A princesa de Parma insinuou essa versão para mostrar a Legrandin que afinal o jovem Cambremer desposaria alguém como a Srta. de Nantes, uma dessas bastardas de Luís XIV que não foram desdenhadas nem pelo duque de Orléans nem pelo príncipe de Conti.

Esses dois casamentos, de que falávamos, minha mãe e eu, no trem que nos levava de volta a Paris, tiveram efeitos bastante notáveis sobre certas pessoas que apareceram até aqui nesta narrativa. Primeiro sobre Legrandin; é inútil dizer que ele entrou como um furacão no palacete do Sr. de Charlus, exatamente como numa casa mal-afamada, onde não convém que sejamos vistos, e também para, ao mesmo tempo, mostrar sua coragem e ocultar a idade, pois aos nossos hábitos nos seguem mesmo onde não nos servem para nada – e quase ninguém observou que, dizendo-lhe bom-dia, o Sr. de Charlus lhe dirigiu um sorriso difícil de perceber e, mais ainda, de interpretar; tal sorriso era semelhante, na aparência – e no fundo exatamente o inverso – daquele que dois homens, que têm o hábito de se visitarem na melhor sociedade, trocam quando por acaso se encontram num lugar impróprio (por exemplo, l'Élysée, onde o general de Froberville, quando outrora ali encontrava Swann, tinha, ao avistá-lo, o olhar de irônica e misteriosa cumplicidade de dois convivas da princesa des Laumes que se expõem indo à casa do Sr. Grévy). Porém, o mais notável foi a verdadeira melhora da sua natureza. Legrandin cultivava obscuramente, havia já muito tempo – desde o tempo em que eu, criança, ia passar as férias em Combray – relações aristocráticas capazes, no máximo, de render um convite isolado para um feriado infrutífero. Subitamente, o casamento de seu sobrinho viera juntar entre si esses fragmentos distantes, e Legrandin adquiriu uma situação mundana à qual, retroativamente, suas antigas relações com pessoas que só o haviam freqüentado em caráter particular, mas intimamente, deram uma espécie de solidez. Senhoras a quem pretendiam apresentá-lo contavam que fazia vinte anos ele passava quinze dias no campo em casa delas, e que fora ele quem dera o belo barômetro antigo da saleta. Surpreenderam-no, por acaso, em "grupos" onde figuravam duques que agora lhe eram aparentados. Pois bem, desde que obteve essa situação mundana não deixou de se aproveitar dela. Não foi apenas porque, agora que o sabiam recebido, já não sentisse prazer em ser convidado. É que, dos dois vícios que por muito tempo o haviam disputado, o menos natural, o esnobismo, cedia lugar a um outro menos artificial, pois ao menos assinalava uma espécie de volta à natureza, ainda que deturpada. Sem dúvida, tais vícios não são incompatíveis, e a exploração de um *faubourg* pode-se praticar deixando-se a reunião de uma duquesa. Mas o arrefecimento da idade afastava Legrandin da acumulação de tantos prazeres e das saídas casuais, e também lhe restituía os de natureza bastante platônica, que consistiam sobretudo em amizades, em conversações que demoraram, e, fazendo-o passar quase todo o seu tempo no meio do povo, deixavam-lhe pouco para a vida na sociedade. A própria Sra. de Cambremer tornou-se muito indiferente à amabilidade da duquesa de Guermantes. Esta, obrigada a freqüentar a marquesa, descobrira, como sucede toda vez que se convive mais com seres humanos, isto é, com essa mistura de qualidade que acabamos por perceber e de defeitos aos quais nos habituamos, que a Sra. de Cambremer era mulher dotada de uma inteligência e de uma cultura que, por mim, eu pouco apreciava, mas que pareceram notáveis à duquesa. Assim, ia muitas vezes à tardinha visitar a Sra. de Cambremer e se demorava bastante. Mas o maravilhoso encanto que a Sra. de Cambremer imaginava existir na duquesa de Guermantes logo se desvaneceu quando se viu procurada por ela; e a recebia mais por polidez que por prazer. Uma reviravolta mais impressionante se manifestou em Gilberte, a um tempo simétrica e diversa da que ocorrera em Swann depois de casado. É claro que, nos primeiros meses, Gilberte sentira-se feliz por receber em sua casa a sociedade mais escolhida. Sem dúvida, era apenas por causa da herança que se convidavam as amigas íntimas de que sua mãe fazia tanta questão, mas somente em certos dias em que apenas elas se achavam presentes, fechadas à parte, longe das pessoas elegantes, e como se o contato da Sra. Bontemps ou da Sra. Cottard com a princesa de Guermantes ou a princesa de Parma pudesse, como o de dois pós instáveis, causar catástrofes irremediáveis. Não obstante, os Bontemps, os Cottard e os demais, embora decepcionados por jantarem entre si, estavam orgulhosos de poder dizer: "Jantamos em casa da marquesa de Saint-Loup", tanto mais quanto às vezes se levava a audácia a ponto de convidar com eles a Sra. de Marsantes, que se mostrava de fato uma grande dama com seu leque de tartaruga e plumas, sempre de olho na herança. Apenas, de vez em quando, ela tomava o cuidado de fazer o elogio de pessoas discretas, que só vemos quando lhes fazemos um sinal, advertência mediante a qual dirigia aos bons entendedores do tipo Cottard, Bontemps etc., a sua saudação mais altiva e graciosa. Talvez por causa da minha "amiguinha de Balbec", da tia dela a quem eu gostava de ver naquele meio, eu preferisse fazer parte destas séries. Porém Gilberte, para quem eu era agora principalmente um amigo do marido e dos Guermantes (e que, talvez desde Combray, onde meus pais não freqüentavam a mãe dela, havia-me dotado, na idade em que não acrescentamos apenas essa ou aquela qualidade às coisas mas as classificamos por espécies, desse prestígio que não mais perdemos), considerava essas reuniões como indignas de mim e, quando eu me despedia, comentava: – Fiquei muito contente em vê-lo, mas é melhor que venha depois de amanhã, pois verá minha tia Guermantes e a Sra. de Poix; hoje eram só amigas de mamãe, para agradar a mamãe. – Mas isto só durou alguns meses, e bem depressa tudo foi mudado de alto a baixo. Seria porque a vida social de Gilberte deveria apresentar os mesmos contrastes que a de Swann? Em todo caso, Gilberte era só há tão poucos meses marquesa de Saint-Loup (e logo depois, como se verá, duquesa de Guermantes),[49] que, tendo alcançado o que havia de mais brilhante e difícil, julgando que o nome de Guermantes agora se havia incorporado a ela como um esmalte vistoso, achava que, fosse quem fosse que passasse a freqüentar, ficaria sendo para todos duquesa de Guermantes (o que era um erro, pois o valor de um título de nobreza, como na Bolsa, sobe quando é procurado e baixa quando é oferecido. Tudo o que nos parece imperecível tende à destruição; uma situação mundana, como qualquer outra coisa, não é criada de uma vez para todas, mas exatamente como o poderio de um império, se reconstrói a cada instante por uma espécie de criação perpetuamente contínua, o que explica as aparentes anomalias da história mundana ou política no curso de um meio século. A criação do mundo não teve lugar no começo; ela ocorre todos os dias. A marquesa de Saint-Loup dizia consigo: "Sou a marquesa de Saint-Loup"; sabia que recusara na véspera três jantares em casa de duquesas. Mas se, em certa medida, seu nome valorizava o meio tão pouco aristocrático que ela recebia, por um movimento inverso o meio que recebia a marquesa depreciava o nome que ela trazia. Nada resiste a tais movimentos, os maiores nomes acabam por sucumbir. Não conhecera Swann uma princesa da casa de França cujo salão, onde qualquer um era recebido, baixara ao último nível? Um dia em que a princesa des Laumes fora por obrigação passar um momento na casa dessa Alteza, onde só encontrara gente sem expressão, ao chegar depois à casa da Sra. Leroi comentara com Swann e com o marquês de Modena: "Enfim, encontro-me em país amigo. Venho da casa da senhora condessa de X e lá não havia três pessoas conhecidas.") Em uma palavra, compartilhando à opinião daquele personagem de opereta, que declara: "Meu nome dispensa-me, creio eu, de dizer mais nada", Gilberte pôs-se a ostentar desprezo pelo que tanto desejara, a afirmar que todas as pessoas do *faubourg* Saint-Germain eram idiotas,

[49] A afirmação de que Gilberte será duquesa de Guermantes permanece inexplicada no estado atual do texto, pois em parte alguma há qualquer referência à morte ou ao divórcio de Oriane de Guermantes. (N. do T.)

impossíveis de freqüentar e, passando das palavras à ação, deixou de freqüentá-las. Pessoas que só a conheceram depois dessa época e, dele os primeiros contatos, ouviram-na, feito uma duquesa de Guermantes, zombar alegremente da sociedade com que lhe seria tão fácil conviver, e, como não a vissem receber uma só pessoa dessa sociedade, pois se apenas uma, até mesmo a mais brilhante, aventurava-se a ir à sua casa, era recebida com um bocejo – enrubesciam retrospectivamente de vergonha por terem podido achar algum fascínio na alta roda, e jamais teriam coragem de confessar esse segredo humilhante de suas fraquezas passadas a uma mulher a quem julgavam, por uma elevação essencial de sua natureza, ter sido sempre incapaz de compreendê-las. Ouvem-na troçar com tanto espírito dos duques, e a vêem, coisa ainda mais significativa, harmonizar sua conduta tão inteiramente com tais zombarias! Sem dúvida, não pensem em indagar os motivos do acidente que transformou a Srta. Swann na Srta. de Forcheville, e esta na marquesa de Saint-Loup e depois na duquesa de Guermantes. Talvez igualmente não pensem que esse acidente serviria, mais pelas causas que pelos efeitos, para explicar a atitude posterior de Gilberte, pois o convívio com plebeus não é concebido da mesma maneira como o faria a Srta. Swann, por uma dama a quem todos chamam "senhora duquesa", e as duquesas, que a entediam, "minha prima". Desdenha-se de bom grado um objetivo que não se pôde atingir, ou que se atingiu definitivamente. E esse desdém nos parece fazer parte de pessoas que ainda não conhecemos. Talvez, se pudéssemos retroceder no curso dos anos, víssemos tais pessoas dilaceradas, mais freneticamente que quaisquer outras, por esses mesmos defeitos que elas conseguiram mascarar ou vencer de forma tão completa que as julgamos incapazes não só de algum dia terem sido atingidas por eles, como até mesmo de sequer desculpá-los nos outros, por não serem capazes de concebê-los. Aliás, o salão da nova marquesa de Saint-Loup em breve assumiu o seu aspecto definitivo (ao menos do ponto de vista mundano, pois veremos as perturbações que deveriam atingi-lo por outros meios). Ora, tal aspecto era surpreendente por isso: as pessoas recordavam ainda que as recepções mais pomposas e mais requintadas de Paris, tão brilhantes como as da princesa de Guermantes, eram as da Sra. de Marsantes, mãe de Saint-Loup. Por outro lado, nos últimos tempos, o salão de Odette, infinitamente menos bem cotado, não tinha sido menos borbulhante de luxo e de elegância. Ora, Saint-Loup, feliz por possuir, graças à grande fortuna da esposa, tudo o que podia desejar em matéria de conforto, só pensava em ficar tranqüilo depois de um bom jantar, quando os artistas vinham tocar-lhe boa música. E esse rapaz, que em certa época havia parecido tão altivo, tão ambicioso, considerava, para partilhar o seu luxo, camaradas que sua mãe não teria recebido. Por seu turno, Gilberte punha em prática as palavras de Swann: "A qualidade me importa pouco, mas eu temo a quantidade." E Saint-Loup, tão de joelhos diante de sua mulher, e porque a amava, e lhe devia precisamente esse luxo externo, não tinha como contrair esses gostos tão semelhantes aos seus. De modo que as grandes recepções da Sra. de Marsantes e da Sra. de Forcheville, dadas durante anos, sobretudo com vistas a uma situação brilhante para seus filhos, não deram lugar a nenhuma recepção do Sr. e da Sra. de Saint-Loup. Eles possuíam os mais belos cavalos para montarem juntos, o mais belo iate para fazer cruzeiros – mas, quando muito, levavam dois convidados. Em Paris, tinham todas as noites três ou quatro amigos para jantar, não mais: de modo que, por uma regressão imprevista, e todavia natural, cada um dos dois aviários imensos das mães fora substituído por um ninho silencioso.

A pessoa que menos desfrutou dessas duas uniões foi a jovem Srta. de Oloron, que, já atingida pela febre tifóide no dia do matrimônio religioso, arrastou-se penosamente até a igreja e morreu semanas depois. A participação, enviada pouco após a sua morte, misturava a nomes como o de Jupien quase todos os maiores títulos da Europa, como os do visconde e da viscondessa de Montmorency, de S. A. R. a condessa de Bourbon-Soissons, do príncipe de Modena-Este, da viscondessa de Edumea, de Lady Essex etc. etc. Sem dúvida, mesmo para quem sabia que a falecida era sobrinha de Jupien, o número de todas essas grandes alianças não devia surpreender. Tudo, com efeito, está em selar uma grande aliança. Então, dando-se o *casus foederis*,[50] a morte da pequena plebéia envolve de crepe todas as famílias principescas da Europa. Porém nas novas gerações reais, não só poderiam tomar Marie-Antoinette de Oloron, marquesa de Cambremer, por uma dama do mais alto nascimento, como ainda poderiam cometer muitos outros erros ao lerem essa participação. Assim, por menos que suas excursões pela França lhes tivessem feito conhecer um pouco a região de Combray, poderiam não sentir nenhum espanto ao verem que os nomes da Sra. L. de Méséglise e do conde de Méséglise figuravam entre os primeiros na participação, e bem próximos ao do duque de Guermantes: o lado de Méséglise e o lado de Guermantes se tocam. "Velha nobreza da região, talvez aliada há várias gerações" – poderiam dizer a si mesmos. – "Quem sabe? Talvez seja um ramo dos Guermantes que ostente o nome de condes de Méséglise." Ora, o conde de Méséglise não tinha nada a ver com os Guermantes e nem sequer fazia parte do lado Guermantes, mas do lado Cambremer, pois o conde de Méséglise, que por um avanço rápido, permanecera somente por dois anos como Legrandin de Méséglise, era o nosso velho amigo Legrandin. Sem dúvida, falso título por falso título, haveria poucos como este tão desagradáveis aos Guermantes. Outrora, tinham sido aliados aos verdadeiros condes de Méséglise, dos quais restava apenas uma mulher, filha de gente obscura e degradada, ela

[50] *Casus foederis*: literalmente, "caso de aliança". Expressão latina que indica o fato que exige a execução das cláusulas de uma aliança ou de um tratado. (N. do T.)

própria casada com um gordo caseiro enriquecido da minha tia, chamado Ménager, e que lhe comprara Mirougrain, fazendo-se agora chamar Ménager de Mirougrain, de modo que, ao se dizer que sua mulher nascera De Méséglise, pensava-se antes que devia ter nascido em Méséglise, como seu marido em Mirougrain.

Qualquer outro título falso teria dado menos aborrecimentos aos Guermantes. Mas a aristocracia sabe assumi-los, e muitos outros ainda, no instante em que está em jogo um casamento considerado útil sob todo ponto de vista. Acobertado pelo duque de Guermantes, Legrandin foi, para uma parte dessa geração, e o seria para a totalidade da geração seguinte, o verdadeiro conde de Méséglise.

Outro erro ainda, que todo jovem leitor mal informado seria induzido a cometer: o de crer que o barão e a baronesa de Forcheville assinavam a participação na qualidade de parentes e sogros do marquês de Saint-Loup, isto é, do lado Guermantes. Ora, nesse lado não lhes cabia figurar, pois Robert é que era parente dos Guermantes, e não Gilberte. Não; é verdade que o barão e a baronesa de Forcheville, apesar dessa falsa aparência, figuravam do lado da noiva, e não do lado Cambremer, mas isto não por causa dos Guermantes, mas de Jupien, de quem o nosso leitor mais instruído sabe que Odette era prima.

Desde o casamento de sua filha adotiva, todo o favor do Sr. de Charlus recaíra sobre o jovem marquês de Cambremer; os gostos deste, que eram semelhantes aos do barão, desde o momento em que não haviam impedido que ele o escolhesse por marido da Srta. de Oloron, naturalmente não fizeram senão torná-lo mais apreciado assim que enviuvou. Não é que o marquês não tivesse outras qualidades que o tornassem um companheiro encantador para o Sr. de Charlus. Mas, mesmo quando se trata de um homem de grande valor, uma qualidade não desprezível por aquele que o admite em sua intimidade, e que o faz especialmente cômodo, é também saber jogar o uíste. A inteligência do jovem marquês era notável e, como já se dizia em Féterne quando ele era apenas um menino, inteiramente devida ao "lado de sua avó" tão entusiasta e com a mesma inclinação para a música. Reproduzia-lhe também certas particularidades, mais por imitação, como toda a família, do que por atavismo. Assim é que, algum tempo depois da morte da esposa, tendo eu recebido uma carta assinada Léonor,[51] prenome que não me lembrava ser o seu, só compreendi quem me escrevia ao ler a fórmula final: "Creia na minha simpatia verdadeira." Este *verdadeira*, "posto em seu devido lugar", ajuntava ao prenome Léonor o sobrenome de Cambremer.[52]

[51] "Léonor" é antropônimo masculino francês. A forma feminina é "Léonore". (N. do T.)

[52] A esse respeito, consultar *Sodoma e Gomorra*, pp. 775-776. (N. do T.)

O trem ia entrando na estação de Paris, quando ainda conversávamos sobre essas duas notícias que, para que o projeto não me parecesse longo demais, mamãe quisera reservar para a segunda parte da viagem, só deixando que as conhecesse depois de Milão. Mamãe retornara rapidamente ao ponto de vista que, para ela, era na verdade o único, o de minha avó. Primeiro dissera a si mesma que minha avó teria ficado surpresa e, depois, que ela se entristeceria, o que era apenas uma forma de dizer que minha avó sentiria prazer ante um acontecimento tão assombroso e que mamãe, não podendo admitir que minha avó fosse privada de um prazer, preferia pensar que tudo estava pelo melhor, sendo essa notícia uma daquelas que só lhe poderiam causar desgosto. Porém mal tínhamos entrado em casa, e minha mãe ainda achava por demais egoísta esse lamento de não poder fazer minha avó participar de todas as surpresas que a vida nos traz. Ainda preferiu supor que tais notícias não magoariam minha avó, de quem nada mais faziam que ratificar as previsões. Quis ver nessas notícias a confirmação dos conhecimentos divinatórios de minha avó, a prova de que esta possuía um espírito ainda mais profundo, mais clarividente, mais justo do que havíamos pensado. Assim minha mãe, para retornar a esse ponto de vista de pura admiração, não tardou a acrescentar: – E, no entanto, quem sabe se tua pobre avó não teria aprovado? Era tão indulgente. E depois, tu sabes, para ela a condição social não era nada, o que valia era a distinção natural. Ora, lembras-te, é curioso, ambas as notícias lhe teriam agradado. Lembras-te daquela primeira visita à Sra. de Villeparisis, quando voltou e nos disse como havia achado vulgar o Sr. de Guermantes? Em compensação, quantos elogios para esses Jupiens. Pobre mãe, lembras-te? Dizia do pai: "Se eu tivesse outra filha, eu lha daria, e sua filha é ainda melhor que ele." E a pequena Swann! Ela dizia: "Digo que ela é encantadora, verá que há de fazer um belo casamento." Pobre mãe, se pudesse ver isto, como adivinhou corretamente! Até o fim, mesmo não estando mais aqui, ela nos dará lições de clarividência, de bondade, de justa apreciação das coisas. – E como as alegrias, de que sofríamos ver privada a minha avó, eram todas as alegrias pequeninas e humildes da vida: a entonação de um ator que a divertisse, um prato de que gostava, o novo romance de um autor preferido – mamãe dizia: – Como teria ficado surpresa, como isso a teria divertido! Com que bela carta teria respondido! – E mamãe continuava: – Achas que esse pobre Swann, que desejava tanto que Gilberte fosse recebida em casa dos Guermantes, ficaria feliz se pudesse ver a filha tornar-se uma Guermantes? – Sob outro nome, diverso do seu, conduzida ao altar como Srta. de Forcheville, julgas que se sentiria feliz? – Ah!, é verdade, não tinha pensado nisso. – Por isso é que não posso me regozijar com essa "velhaca"; só de pensar que teve coragem de abandonar o nome do pai, que era tão bom para ela. – Sim, tens razão; afinal, talvez seja melhor que ele não tenha sabido de coisa alguma. – Tanto para os mortos como para os vivos, não é possível saber se uma coisa lhes dará mais alegria ou maior mágoa. – Parece que os Saint-Loups viverão em

Tansonvile. O velho Swann, que tanto desejava mostrar seu tanque a teu pobre avô, jamais poderia imaginar que o duque de Guermantes o veria com freqüência, sobretudo se soubesse do casamento infamante do filho. Enfim, a ti, que tanto lhe falaste dos espinheiros cor-de-rosa, dos lilases e dos íris de Tansonville, Saint-Loup compreenderá melhor. Vai ser dono deles. – Assim desenrolava-se em nossa sala de jantar, à luz da lâmpada, de que são amigas, uma dessas conversas em que a sabedoria, não das nações, mas das famílias, apossando-se de algum acontecimento, morte, noivado, herança, ruína, e fazendo-o passar sob o vidro de aumento da memória, confere-lhe todo o seu relevo, dissocia, recua, situando em perspectiva, em diversos pontos do espaço e do tempo, aquilo que, para os que não viveram na mesma época, parece amalgamado sobre uma mesma superfície: nomes de morto, endereços sucessivos, as origens da fortuna e suas alterações, e as mudanças de propriedade. Esta sabedoria não é inspirada pela Musa que convém ignorar durante o maior tempo possível, caso desejemos manter alguma frescura de impressões e certa capacidade criativa, e a quem, até aqueles que a ignoraram, encontram no entardecer da vida, na neve da velha igreja da província, numa hora em que subitamente se sentem menos sensíveis à beleza eterna expressa pelas esculturas do altar do que à concepção das diferentes sortes a que elas se submeteram, passando a uma ilustre coleção particular, a uma capela, e daí a um museu, voltando depois à igreja; ou ao sentirem, pisando ali uma laje quase pensante, que ela se compõe do derradeiro pó de Arnauld ou de Pascal; ou, simplesmente, ao decifrarem, talvez imaginando o rosto de uma viçosa provinciana, sobre a placa de cobre do genuflexório de madeira, os nomes das filhas de um fidalgote da província ou de um cidadão notável. A Musa que recolheu tudo o que só é contingente mas que também revela outras leis, chama-se História!

Velhas amigas de minha mãe, mais ou menos relacionadas a Combray, foram visitá-las para lhe falar do casamento de Gilberte, que de modo nenhum as deslumbrava. – Sabe o que é a Srta. de Forcheville? É simplesmente a Srta. Swann. E a testemunha de casamento, o "barão" de Charlus, como se faz chamar, é aquele velho que já sustentava a mãe dela antigamente com o conhecimento de Swann, que tinha interesse nisso. – Mas o que está me dizendo? – protestava mamãe – Em primeiro lugar, Swann era riquíssimo! – É de acreditar que não fosse tanto assim, para ter necessidade do dinheiro alheio. Mas, afinal, o que tem essa mulher para prender os antigos amantes? Ela achou um jeito de casar com o primeiro, depois com o terceiro, e de puxar da beira da tumba o segundo para que servisse de testemunha à filha que teve com o primeiro ou com outro qualquer, pois como reconhecê-los nessa quantidade? Ela mesma nem sabe mais nada a respeito. Digo o terceiro, talvez fosse o tricentésimo que se deveria dizer. De resto, a senhora sabe que ela é tão Forcheville como nós duas, e isso está de acordo com o marido, que naturalmente não é nobre. Pense bem, só um aventureiro seria capaz de casar com semelhante mulher. Parece que se trata de um tal Dupont ou Durand. Se não houvesse agora um prefeito radical em Combray, que nem sequer cumprimenta o cura, eu teria sabido o fim da coisa. Porque, a senhora compreende, quando correram os proclamas, foi preciso dizer o nome verdadeiro. É muito bonito para os jornais e para o papeleiro que faz convites, uma pessoa intitular-se marquês de Saint-Loup. Isto não faz mal a ninguém e, se dá satisfação a essa boa gente, não serei eu quem haveria de censurar. Em que é que isso pode me aborrecer? Como jamais hei de freqüentar a filha de uma mulher que já deu o que falar, ela pode muito bem ser marquesa, para seus criados. Porém no registro civil não é a mesma coisa. Ah, se meu primo Sazerat ainda fosse primeiro-adjunto, eu lhe teria escrito, e a mim ele diria sob qual nome fez as publicações!

Aliás, por aquela época, eu via muitas vezes Gilberte, a quem me ligara de novo; porque nossa vida, em seu comprimento, não é calculada pela vida de nossas amizades. Basta que se escoe um certo período de tempo, e já vemos reaparecer (da mesma forma que, em política, antigos ministérios e, no teatro, peças olvidadas que novamente se encenam) relações de amizade renovadas entre as mesmas pessoas de outrora, depois de longos anos de interrupção, e renovadas com prazer. Ao fim de dez anos, os motivos que um tinha para amar, e o outro para não suportar um despotismo demasiado exigente, deixam de existir. Só resta a conveniência, e tudo o que Gilberte teria me recusado antigamente, concedia-o com facilidade agora, pois eu já não o desejava. O que lhe parecera intolerável, impossível, sem que jamais nos disséssemos a razão da mudança, ela estava sempre disposta a vir ao meu encontro, e nunca apressada para me deixar; é que o obstáculo havia desaparecido: meu amor.

Aliás, fui um pouco mais tarde, passar alguns dias em Tansonville. Esse deslocamento me aborrecia bastante, pois eu tinha em Paris certa moça que dormia num apartamento alugado por mim. Como outros precisam do aroma das florestas ou do murmúrio de um lago, eu tinha necessidade do seu sono a meu lado e, durante o dia, de tê-la junto a mim no carro. Pois, por mais que se esqueça um amor, ele pode determinar a forma do amor seguinte. Já no próprio seio do amor precedente existiam hábitos diários, de cuja origem nem sequer nos lembrávamos; foi a angústia de um primeiro dia que nos fez desejar apaixonadamente e, depois, adotar uma forma fixa, como alguns costumes cujo sentido já não recordamos, essas voltas de carro até a própria residência da amada, ou sua residência em nossa casa, nossa presença, ou a de alguém de nossa confiança, em todas as saídas, enfim, todos esses hábitos, espécie de grandes caminhos uniformes por onde passa todos os dias o nosso amor, e que foram fundidos outrora no fogo vulcânico de uma emoção ardente. Esses hábitos, no entanto, sobrevivem à mulher, e até à lembrança de uma mulher. Tornam-se a forma, se não de todos os nossos amores, ao menos de alguns de nossos amores que se alternam entre eles. E assim a minha casa havia exigido, em lembrança da esquecida Albertine, a presença de minha amante atual, que eu ocultava aos visitantes e que preenchia a minha vida, como outrora Albertine. E, para ir a Tansonville, tive de alcançar dela que se fizesse guardar por um de meus amigos que não gostava de mulheres, durante alguns dias. Fui porque soubera que Gilberte se sentia infeliz, enganada por Robert, mas não da maneira que todo mundo pensava, e que talvez ela própria ainda pensasse e que, em todo caso, afirmava. Mas o amor-próprio, o desejo de iludir os outros, de iludir-se, e, aliás, o conhecimento imperfeito das traições, que é o de todas as criaturas enganadas, tanto mais que Robert, como verdadeiro sobrinho do Sr. de Charlus, mostrava-se na companhia de mulheres a quem comprometia, que todos julgavam e que, afinal, Gilberte acreditava serem suas amantes... Na sociedade, achavam mesmo que ele não se resguardava bastante, não largando nas reuniões determinada mulher, com quem saía em seguida, deixando a Sra. de Saint-Loup voltar para casa como pudesse. Quem dissesse que a outra mulher, que ele desse modo comprometia, não era na realidade sua amante, teria passado por um ingênuo, por um cego, diante da evidência. Mas eu, desgraçadamente, fora encaminhado para a verdade, para essa verdade que me deu um desgosto profundo, por algumas palavras escapadas a Jupien. Qual não foi a minha estupefação quando, tendo ido, alguns meses antes da minha partida para Tansonville, saber notícias do Sr. de Charlus, cujos problemas cardíacos causavam grandes inquietações aos amigos e, falando a Jupien, que encontrei sozinho, sobre uma correspondência amorosa dirigida a Robert e assinada por Bobette, que a Sra. de Saint-Loup havia surpreendido, soube, pelo antigo *factótum* do barão, que a pessoa que se assinava Bobette era nada menos que o violinista de que falamos e que desempenhara um papel tão grande na vida do Sr. de Charlus! Jupien falava com indignação: – Esse rapaz podia agir como bem entendesse, era livre. Mas, se há um lado para onde devia olhar, é para o lado do sobrinho do barão. Tanto mais que o barão amava seu sobrinho como se fosse um filho; ele procurou separar o casal, é vergonhoso. E deve ter empregado artimanhas diabólicas, pois ninguém é mais naturalmente avesso a essas coisas que o marquês de Saint-Loup. Quantas loucuras ele fez por suas amantes! Não, que esse músico miserável tenha deixado o barão como deixou, sujamente, pode-se bem dizer assim, é lá com ele. Mas voltar-se para o sobrinho! Há coisas que não se deve fazer. – Jupien era sincero em sua indignação; nas pessoas ditas imorais, as indignações morais são tão fortes como nas outras, e apenas mudam de objeto. Além disso, as pessoas cujo coração não está diretamente em causa, julgando sempre os maus casamentos e as ligações a evitar, como se fôssemos livres para escolher a quem amamos, não percebem a miragem deliciosa que o amor projeta e que envolve tão inteira e unicamente a pessoa de quem estamos enamorados, que a "tolice" que um homem faz desposando uma cozinheira ou a amante de seu melhor amigo é, em geral, o único ato poético a ser cumprido no decurso de sua existência. Compreendi que quase ocorrera uma separação entre Robert e sua esposa (sem que Gilberte ainda percebesse bem de que se tratava) e que fora a Sra. de Marsantes, mãe extremosa, ambiciosa e filósofa, que arranjara e impusera a reconciliação. Ela pertencia a esses meios onde a mistura dos sangues, que vão se cruzando sem cessar, e o empobrecimento dos patrimônios, fazem reflorir a cada instante, no domínio das paixões como dos interesses, os vícios e os compromissos hereditários. Empregando a mesma energia com que outrora protegera a Sra. Swann, ajudara o casamento da filha de Jupien, e fizera o casamento de seu próprio filho com Gilberte, usando assim, para si própria, com resignação dolorosa, aquela mesma sabedoria atávica de que fizera aproveitar todo o *faubourg*. E talvez não houvesse, em dado momento, apressado o casamento de Robert com Gilberte, o que certamente lhe fizera menos mal e custara menos lágrimas do que fazê-lo romper com Rachel, senão pelo medo de que ele começasse com outra cocote – ou talvez com a mesma, pois Robert custou a se esquecer de Rachel – uma nova ligação que teria sido, talvez, a sua salvação. Agora eu compreendia o que Robert quisera dizer-me em casa da princesa de Guermantes: – É uma pena que a tua amiguinha de Balbec não tenha a fortuna exigida por minha mãe; acho que nós dois nos entenderíamos muito bem. – Quisera dizer que ela era de Gomorra, como ele de Sodoma, ou talvez, se não o era ainda, que já gostava somente de mulheres a quem pudesse amar de certo modo, e com outras mulheres. Se, portanto, à exceção de raros retrocessos, eu não perdera a curiosidade de saber algo sobre a minha amiga, poderia interrogar a respeito não só Gilberte como o seu marido. Em suma, era o mesmo fato que dera, a Robert e a mim, o desejo de desposar Albertine (saber que ela gostava de mulheres). Mas as causas do nosso desejo, bem como seus objetivos, eram opostos. Eu, era pelo desespero em que me afundara ao sabê-lo; Robert, pela satisfação; eu, para impedi-la, graças a uma vigilância contínua, de se abandonar ao seu gosto; Robert, para cultivá-lo e, pela liberdade que lhe daria, para que ela lhe trouxesse amigas. Se Jupien fazia, desse modo, remontar a muito pouco tempo a nova tendência, tão divergente da primitiva, que haviam tomado os gostos carnais de Robert, uma conversa que tive com Aimé, e que me deixou muito infeliz, mostrou-me que o antigo mordomo do hotel de Balbec fazia remontar essa divergência, essa inversão, muito mais longe. Essa conversa acontecera quando fui passar alguns dias em Balbec, para onde o próprio Saint-Loup, que desfrutava de uma longa licença, fora em companhia da mulher, a quem, nessa primeira fase, ele não deixava um só instante. Eu me admirava de como a influência de Rachel se fazia sentir ainda sobre Robert. Só o recém-casado que teve uma amante por muito tempo sabe tirar tão bem a capa da esposa, ao entrar no restaurante, e ter com ela as atenções convenientes. Durante a ligação com Rachel, ele havia recebido as instruções que deve ter um bom marido. Não longe dele, numa mesa ao lado da minha, Bloch, no meio de jovens universitários pretensiosos, assumia ares falsamente à vontade, e gritava com força a um de seus amigos, passando-lhe ostensivamente o cartão de visitas, num gesto que derrubou duas garrafas de água: – Não, não, meu caro, encomende você! Nunca na vida eu soube escolher um cardápio. Nunca soube pedir! – repetiu com um orgulho pouco sincero e, a seguir, misturando a literatura à gulodice, opinou por uma garrafa de champanha, que lhe agradava, ornasse "de modo inteiramente simbólico" uma conversação. Saint-Loup, sim, sabia encomendar. Estava sentado ao lado de Gilberte, já grávida – daí em diante nunca deixaria de lhe fazer filhos [53] –, como deitava a seu lado no leito de casal do hotel. Só falava com a esposa, e o resto do hotel parecia não existir para ele; mas, no momento em que um garçom anotava um pedido e chegava bem perto, erguia rapidamente os olhos claros e lançava-lhe um olhar que não durava mais que dois segundos, mas, em sua límpida clarividência, parecia testemunhar um gênero de curiosidade e de pesquisas inteiramente diversas do que poderia animar qualquer freguês que olhasse, mesmo durante muito tempo, um *groom* ou um caixeiro para fazer a seu respeito, aos amigos, observações humorísticas ou de outro tipo. Esse rápido olhar, curto, indiferente, mostrando que o garçom lhe interessava por si mesmo, revelava, aos que o tivessem observado, que este excelente marido, este amante outrora apaixonado por Rachel, possuía na vida um outro plano que lhe era infinitamente mais interessante que aquele no qual se movia por obrigação. Porém, viam-no somente neste. Seus olhos já se haviam voltado para Gilberte, que nada vira, e ele lhe apresentava um amigo de passagem, saindo para passear com ela. Ora, foi nesse instante que Aimé me falou de um tempo bem mais antigo, aquele em que eu travara conhecimento com Saint-Loup por meio da Sra. de Villeparisis, naquela mesma Balbec.

– Mas, sim senhor – disse-me ele –, é coisa superconhecida, faz muito tempo que sei disso. No primeiro ano em que o senhor esteve em Balbec, o senhor marquês se fechou com o meu ascensorista, a pretexto de revelar as fotografias da senhora sua avó. O rapaz quis se queixar, tivemos um trabalhão para abafar o caso. E veja, o senhor se lembra, sem dúvida, do dia em que veio almoçar no restaurante com o senhor marquês de Saint-Loup e a amante dele, que lhe servia de biombo. O senhor sem dúvida se lembra que o senhor marquês saiu pretextando uma crise de cólera. É claro que não pretendo dizer que madame estivesse com razão. Ela o fazia passar maus bocados. Mas, naquele dia, ninguém me tira da cabeça que a cólera do senhor marquês era fingida, e ele precisava afastar-se do senhor e de madame. – Quanto àquele dia, pelo menos, sei perfeitamente que, se não mentia de propósito, Aimé estava redondamente enganado. Lembrava-me bem do estado

[53] Isto não ocorre. Gilberte ficará viúva e com apenas uma filha. (N. do T.)

em que se achava Robert, a bofetada que dera no jornalista. Aliás, no caso de Balbec fora o mesmo: ou o ascensorista mentira, ou quem mentira fora Aimé. Pelo menos, era o que eu acreditava; certeza não poderia ter. Não se vê senão um lado das coisas, e, se isso não me magoasse, eu acharia uma certa graça no fato de que, enquanto para mim a subida do ascensorista ao quarto de Saint-Loup fora um meio cômodo de lhe mandar uma carta e de obter resposta, para ele equivalia a conhecer alguém que lhe agradara. Com efeito, as coisas são pelo menos duplas. No ato mais insignificante que praticamos, outro homem entronca uma série de atos inteiramente diversos. É certo que a aventura de Saint-Loup e do ascensorista, se é que existiu, parecia-me contida apenas na banal entrega de minha carta, assim como alguém, que não conhecesse de Wagner senão o dueto de *Lohengrin*, não poderia prever o prelúdio de *Tristão*. Certo, para os homens as coisas oferecem apenas um número restrito de seus incontáveis atributos, devido à pobreza de nossos sentidos. São coloridos porque temos olhos; quantos outros epítetos não mereceriam elas se tivéssemos centenas de sentidos? Mas esse aspecto diferente, que elas poderiam ter, se torna de mais fácil compreensão caso comparado ao que é, na vida, um acontecimento, conquanto mínimo, de que só conheçamos uma parte que julgamos ser o todo, e que outrem observa como de uma janela do lado oposto da casa, e que dá para uma vista diversa. No caso de Aimé não estar enganado, a vermelhidão de Saint-Loup, quando Bloch lhe falara do ascensorista, talvez não proviesse apenas do fato de que ele pronunciava *laift*.[54] Mas eu estava convencido de que a evolução psicológica de Saint-Loup não começara àquela época e que, então, ele gostava exclusivamente de mulheres. Mais do que por qualquer outro indício, podia discerni-lo retrospectivamente na amizade que Saint-Loup me testemunhara em Balbec. Só enquanto amou as mulheres, é que foi verdadeiramente capaz de sentir amizade. Depois disso, ao menos durante algum tempo, aos homens que não lhe interessavam diretamente, ele manifestava uma indiferença, creio que sincera, em parte – pois se tornara muito seco –, e que a exagerava também, para que acreditassem que só prestava atenção nas mulheres. Entretanto, lembro-me que um dia, em Doncières, como eu fosse jantar na casa de Verdurin e ele acabasse de olhar Charlie de maneira um tanto prolongada, dissera-me: – Curioso, este rapaz tem alguma coisa de Rachel. Não te impressiona isto? Acho que ambos têm coisas idênticas. Em todo caso, isso não me interessa. – E mesmo assim seus olhos ficaram a seguir, por muito tempo, perdidos no horizonte, como quando, antes de iniciar um jogo de cartas ou de sair para jantar no centro da cidade, sonhamos com

[54] Pronúncia errônea de Bloch para o termo inglês *lift*. Proust utiliza constantemente a palavra inglesa, que preferimos, quase sempre, verter para "ascensorista". V. *À Sombra das Moças em Flor*, p. 562. (N. do T.)

uma dessas viagens longínquas que julgamos nunca realizar, mas cuja nostalgia sentimos por um momento. Porém, se Robert achava algo de Rachel em Charlie, Gilberte, por sua vez, procurava ter alguma coisa de Rachel; para agradar ao marido, imitava-lhe os laços de seda vermelha, ou rósea, ou amarela, nos cabelos, e se penteava da mesma forma, pois julgava que o marido a amava ainda, e ela tinha ciúmes de Rachel. É possível que o amor de Robert se situasse, por alguns instantes, nos confins que separam o amor de um homem por uma mulher do amor de um homem por outro homem. Em todo caso, a lembrança de Rachel já não desempenhava, a esse respeito, senão um papel estético. Nem é provável que pudesse desempenhar outros. Um dia, Robert lhe pediu que se vestisse de homem, que deixasse cair uma longa mecha de cabelos, e no entanto se limitou a contemplá-la, insatisfeito. Não lhe permanecia menos afeiçoado, pagando-lhe escrupulosamente, mas sem prazer, a mesada enorme que lhe prometera, o que não a impediu, depois, de ter para com ele o mais mesquinho procedimento. Dessa generosidade para com Rachel, Gilberte não teria sofrido se soubesse que era apenas o cumprimento resignado de uma promessa à qual não correspondia mais nenhum amor. Mas, pelo contrário, era amor o que ele fingia consagrar a Rachel. Os homossexuais seriam os melhores maridos do mundo se não representassem a comédia de amar as mulheres. Aliás, Gilberte não se queixava. A idéia de que Rachel amava Robert, e o amava há tanto tempo, é que a fizera desejá-lo, e a renunciar por ele a melhores partidos; parece que ele lhe fez uma espécie de concessão, ao desposá-la. E, de fato, nos primeiros tempos, ele fez comparações entre as duas mulheres (todavia tão desiguais em encanto e beleza) que não foram favoráveis à deliciosa Gilberte. Mas, logo a seguir, esta cresceu na estima do marido, ao passo que Rachel diminuía a olhos vistos. Uma outra pessoa se contradisse: a Sra. Swann. Se, para Gilberte, Robert antes do casamento já estava cingido pela dupla auréola que lhe criavam, de um lado, sua vida com Rachel, perpetuamente denunciada pelas lamentações da Sra. de Marsantes, e, por outro lado, aquele prestígio que os Guermantes sempre tiveram ante seu pai, e que ela havia herdado, em compensação a Sra. Forcheville teria preferido um casamento mais deslumbrante, talvez principesco (existem famílias reais pobres e que teriam aceito o dinheiro – o qual, todavia, revelara-se bem inferior aos oitenta milhões prometidos – limpo que estava pelo nome de Forcheville), e um genro menos depreciado por uma vida passada longe dos salões mundanos. Ela não pudera dobrar a vontade de Gilberte, e queixara-se amargamente a todo mundo, magoando o genro. Um belo dia tudo mudara, o genro tornara-se um anjo, só riam dele às escondidas. É que a idade mantivera na Sra. Swann (transformada em Sra. de Forcheville) o gosto, que sempre possuíra, de viver sustentada; mas a deserção dos admiradores lhe retirara os meios para tal. Desejava todos os dias um novo colar, um vestido novo recamado de brilhantes, um automóvel mais luxuoso; mas sua fortuna era pequena, Forcheville havia devorado quase tudo e – qual ascendente israelita governaria Gilberte nisso? – tinha uma filha adorável, mas terrivelmente avara, que regateava o dinheiro ao marido e, naturalmente, muito mais à mãe. Ora, de repente ela farejara esse protetor, e depois o achara, em Robert. Que ela já não estivesse na primeira juventude era coisa sem importância aos olhos de um genro que não gostava de mulheres. Tudo o que pedia à sogra era que suavizasse essa ou aquela dificuldade entre ele e Gilberte, obtendo desta o consentimento para que ele fizesse uma viagem na companhia de Morel. Bastava que Odette se empenhasse nisso e logo um magnífico rubi a recompensava. Para tanto, era preciso que Gilberte fosse mais generosa em relação ao marido. Odette pregava essa doutrina com tanto maior calor quanto era ela quem deveria beneficiar-se dessa generosidade. Assim, graças a Robert, ela podia, no limiar dos cinqüenta anos (alguns diziam sessenta), deslumbrar, com um luxo inaudito, cada mesa aonde ia jantar, cada sarau a que comparecia, sem necessidade, como antigamente, de ter um "amigo" que, agora, já não "marcharia", ou seja, não lhe daria dinheiro. Assim, entrara ela, ao que parece para sempre, no período da castidade final, e nunca fora tão elegante.

Não fora apenas a maldade, o rancor do antigo pobre contra o senhor que o enriquecera e que, além disso (pelo caráter e, mais ainda, pelo vocabulário do Sr. de Charlus), fizera-lhe sentir a diferença das situações, que impelira Charlie para Saint-Loup, a fim de causar maior sofrimento ao barão. Fora talvez também o interesse. Pareceu-me que Robert devia lhe dar muito dinheiro. Encontrei Robert numa reunião, antes de partir para Combray, e, ali, o modo como ele se exibia ao lado de uma mulher bem vestida, que passava por ser sua amante, e como se unia a ela, formando os dois um só corpo, enroscado em público nas suas saias, me fez pensar, com algo a mais de trepidante e nervoso, numa espécie de repetição involuntária de um gesto ancestral que eu pudera observar no Sr. de Charlus, como que envolto nos adornos da Sra. Molé ou de alguma outra, estandarte de uma causa *ginófila* que não era a sua mas que ele amava, conquanto sem direito a ostentá-la desse modo, porque lhe achasse um sentido protetor ou estético. Voltando para casa, impressionou-me ver como esse rapaz, antes tão generoso quando bem menos rico, tornara-se econômico. O fato de nos apegarmos exclusivamente ao que possuímos, e de alguém, que esbanjava o dinheiro quando o tinha tão escasso, entesourá-lo agora que dele está repleto, é sem dúvida um fenômeno bastante geral, mas que no entanto me pareceu assumir, neste caso, um aspecto mais particular. Saint-Loup recusou tomar um fiacre, e vi que ele guardara uma passagem de bonde. Sem dúvida, exercitava nisso, para fins diversos, os talentos que adquirira ao longo de sua ligação com Rachel. Um rapaz que viveu por muito tempo com uma mulher não é tão inexperiente quanto o donzel para quem a moça com quem se casa é a primeira mulher. Bastava, nas raras vezes em que Robert levava a mulher para jantar no restaurante, ver a forma destra e respeitosa com que ele lhe tirava o casaco, sua arte de encomendar a refeição, de se fazer servir, a atenção com que ajeitava as mangas de Gilberte antes que vestisse de novo a jaqueta, para compreender que fora durante muitos anos amante de outra mulher, antes de ser o marido desta. Do mesmo modo, tendo tido necessidade de ocupar-se, nos mínimos detalhes, da casa de Rachel, de um lado porque ela não entendia do assunto e, de outro, porque, devido ao seu ciúme, desejava controlar a criadagem, Robert pôde, na administração dos bens da esposa e na direção da casa, continuar desempenhando esse papel hábil e entendido, que talvez Gilberte não soubesse sustentar e que lhe entregava de bom grado. Mas, sem dúvida, fazia-o para beneficiar Charlie com sua verdadeira economia de cotos de vela, mantendo-o ricamente, em suma, sem que Gilberte se apercebesse ou sofresse com o caso. Talvez também julgasse o violinista esbanjador, "como todos os artistas" (Charlie intitulava-se desse modo, sem orgulho ou convicção, para se escusar de não responder às cartas etc., de uma multidão de defeitos que achava fazerem parte da psicologia inconteste dos artistas). Por mim, julgava absolutamente indiferente, do ponto de vista da moral, que alguém encontrasse o seu prazer com um homem ou uma mulher, e muito natural e humano que o procurasse onde poderia encontrá-lo. Portanto, se Robert não fosse casado, sua ligação com Charlie não me causaria mágoa alguma. E, no entanto, percebia muito bem que a mágoa que estava sentindo seria igualmente tão viva caso Robert permanecesse solteiro. De qualquer outra pessoa, aquilo me seria indiferente. Porém vinham-me lágrimas aos olhos ao pensar que tivera outrora, por um Saint-Loup diverso, um tão grande afeto, a que ele, sentia-o bem por seus modos frios e evasivos, já não correspondia, pois, desde que se tornaram suscetíveis de lhe inspirar desejo, os homens já não podiam inspirar-lhe amizade. Como pudera nascer isso num rapaz que tanto gostava de mulheres que eu vira desesperado, e até receando que se matasse, porque "Rachel-quando-do-Senhor" queria deixá-lo? Teria sido a semelhança entre Rachel e Charlie – invisível para mim – a ponte que permitiu a Robert passar dos gostos de seu pais para os de seu tio, a fim de cumprir a evolução fisiológica que mesmo neste último se realizara tão tarde? Entretanto, às vezes, as palavras de Aimé voltavam a inquietar-me; lembrava-me de Robert naquele ano em Balbec; falando ao ascensorista, tinha um jeito de não prestar atenção nele, que recordava muito o do Sr. de Charlus quando dirigia a palavra a certos homens. Mas Robert podia muito bem ter herdado isso do Sr. de Charlus, de uma certa altivez e atitude física, próprias dos Guermantes, sem de modo algum devê-lo aos gostos especiais do barão. Assim é que o duque de Guermantes, que de maneira nenhuma possuía tais gostos, apresentava a mesma forma nervosa do Sr. de Charlus, de revirar o pulso, como se ajeitasse nele o punho de rendas, e, na voz, entonações agudas e afetadas, maneiras a que, no Sr. de Charlus, seríamos tentados a atribuir outro significado, e às quais ele próprio dera outro, já que o indivíduo exprime suas particularidades com o auxílio de traços impessoais e atávicos, que, aliás, não são mais que particularidades antigas fixadas no gesto e na voz. Nesta última hipótese, que confina com a história natural, não seria o Sr. de Charlus quem se pudesse chamar de Guermantes afetado por uma tara e exprimindo-a em parte com ajuda de traços da raça dos Guermantes; mas o duque de Guermantes é que estaria sendo, numa família de pervertidos, uma criatura de exceção, a quem o mal hereditário poupou de tal modo, que os estigmas exteriores, que lhe deixou, perderam nele todo sentido. Lembrei-me que, no primeiro dia em que vira Saint-Loup em Balbec, tão louro, de uma substância tão rara e preciosa, aprimorado, fazendo adejar o monóculo à sua frente, achara-lhe um ar efeminado, que certamente não era efeito do que eu sabia dele agora, e sim da graça particular aos Guermantes, da finura dessa porcelana de Saxe na qual a duquesa também fora modelada. Lembrei-me também da afeição que me dedicava, o modo carinhoso e sentimental de exprimi-la, e dizia comigo que também isso, que poderia enganar qualquer outro, significava então coisa bem diversa, e até o contrário do que ficara sabendo hoje. Mas de quando datava aquilo? Se era do ano em que eu tinha voltado a Balbec, como é que ele não fora uma só vez visitar o ascensorista, nem me falara dele? E quanto ao primeiro ano, como poderia prestar atenção nele, apaixonadamente enamorado de Rachel como estava então? Naquele primeiro ano, eu achara Saint-Loup especial, como o eram os verdadeiros Guermantes; ora, ele era ainda mais especial do que eu acreditara. Mas aquilo de que não tivemos intuição direta, aquilo que soubemos apenas através dos outros, já não temos modo algum de transmiti-lo à nossa alma, pois o momento passou; suas comunicações com a realidade estão fechadas; também não podemos desfrutar da descoberta, é demasiado tarde. Além disso, e afinal, esta me causava muita mágoa para que eu pudesse me regozijar com ela. Certamente, desde o que me dissera o Sr. de Charlus na casa da Sra. Verdurin, em Paris, eu não mais duvidava que o caso de Robert fosse o de numerosas pessoas de bem, e recolhido até entre as melhores e mais inteligentes. Sabê-lo relativamente a qualquer um me teria sido indiferente – a qualquer um, menos Robert. As dúvidas que me deixavam as palavras de Aimé obscureciam toda a nossa amizade de Balbec e de Doncières; e, embora eu não acreditasse na amizade, nem em tê-la sentido verdadeiramente em relação a Robert – ao repensar nessas histórias do ascensorista e do restaurante onde havia jantado com Saint-Loup e Rachel, era obrigado a esforçar-me para não chorar.

Aliás, não precisaria deter-me a respeito dessa jornada que fiz para os lados de Combray, e que foi, talvez, o momento de minha vida em que menos pensei em Combray, se, justamente por isso, não me tivesse ela proporcionado a verificação, ao menos provisória, de certas idéias que eu primeiro tivera em relação ao lado de Guermantes, e também de outras que me haviam ocorrido sobre o lado de Méséglise. Recomeçava todas as noites, em outro sentido, os passeios que fazíamos em Combray, de tarde, quando íamos para os lados de Méséglise. Agora jantava-se em Tansonville a uma hora em que, antigamente, já se dormia há muito em Combray. E por causa da estação quente, e também porque, de tarde, Gilberte pintava na capela do castelo, saíamos a passeio só duas horas antes de jantar. Ao prazer de outrora, que era ver, ao regressar, o céu de púrpura enquadrando o calvário ou banhando-se no Vivonne, sucedera o de partir, chegada a noite, quando só se encontrava na aldeia o triângulo azulado, irregular e movente dos carneiros que se recolhiam. Sobre uma metade do campo extinguia-se o crepúsculo; sobre a outra, já estava iluminada a lua, que em breve o banharia inteiramente. Acontecia que Gilberte deixava-me sair sem ela, e eu ia andando, deixando minha sombra atrás de mim, como uma barca que prossegue a sua navegação através de extensões encantadas; porém no mais das vezes ela me acompanhava. Os passeios que assim fazíamos eram muitas vezes os mesmos que eu fazia antigamente, em criança; ora, como não teria experimentado, bem mais vivamente do que naquele tempo, no caminho de Guermantes, a sensação de que jamais seria capaz de escrever, à qual se acrescentava a de que minha imaginação e minha sensibilidade se haviam enfraquecido, ao ver que Combray me despertava tão pouco interesse? Sentia-me desolado ao verificar como recordava pouco dos anos de outrora. Achava o Vivonne medíocre e feio, à beira do caminho de sirga. Não que observasse inexatidões materiais muito grandes naquilo que recordava. Mas, afastado dos lugares que me ocorria atravessar por toda uma vida diferente, não havia entre mim e eles essa contigüidade de onde nasce, antes mesmo que nos apercebemos disso, a imediata, deliciosa e total deflagração da lembrança. Sem dúvida, não compreendendo bem qual era a sua natureza, entristecia-me pensar que minha faculdade de sentir e de imaginar devia ter diminuído para que não mais experimentasse prazer nesses passeios. A própria Gilberte, que me compreendia menos bem do que eu a mim mesmo, aumentava a minha tristeza ao partilhar do meu espanto. – Como, você não sente nada ao tomar por esta ladeirinha que subia antigamente? – disse ela. E a própria Gilberte mudara tanto que já não a achava bonita, e absolutamente não o era mais. Enquanto caminhávamos, eu via a região mudar, era preciso trepar morros, descer encostas. Conversava, muito agradavelmente para mim, com Gilberte. Entretanto, não sem dificuldade. Em muitas criaturas há diversas camadas que não são semelhantes – nela, era o caráter do pai e o da mãe; atravessamos uma, depois outra. Mas, no dia seguinte, a ordem das superposições está invertida. E, finalmente, não se sabe quem decidirá a questão, em quem podemos confiar para a sentença. Gilberte era como esses países com os quais não se ousa fazer aliança porque trocam de governo com muita freqüência. Mas, no fundo, é um erro. A memória da criatura mais sucessiva estabelece nela uma espécie de identidade e faz com que não deseje faltar às promessas de que se recorda, mesmo que não as tenha subscrito. Quanto à inteligência, ela era muito viva em Gilberte, excetuando alguns dos absurdos da mãe. Mas (o que não lhe tira o seu valor pessoal), lembro-me de que, nas conversas durante os passeios, várias vezes ela me espantou muito. Numa delas, a primeira, ao me dizer: – Se não estivesse com muita fome e se não fosse tão tarde, tomando este caminho à esquerda e dobrando a seguir à direita, em menos de um quarto de hora estaríamos em Guermantes. – É como se ela houvesse dito: "Dobre à esquerda, pegue a seguir pela sua mão direita, e há de tocar o intangível, há de atingir as distâncias inalcançáveis, de que na terra jamais conhecemos senão o rumo, ou" – o que outrora eu acreditara poder conhecer somente de Guermantes e, talvez, num certo sentido, não me enganasse – "o *lado*." Um de meus outros espantos foi ver as "nascentes do Vivonne", que se me afiguravam algo de tão sobrenatural quanto a entrada dos Infernos, e que não passavam de uma espécie de lavadouro quadrado, de onde subiam bolhas. Da terceira vez, foi quando Gilberte me disse: – Se quiser, poderemos, afinal, sair uma tarde dessas e ir então a Guermantes, tomando por Méséglise; é o caminho mais bonito –, frase que, transtornando todas as idéias da minha infância, fez-me ver que os dois lados não eram tão inconciliáveis como supunha. Mas o que mais me impressionou durante essa estada foi ver como revivi pouco os anos de outrora, como desejei pouco rever Combray, e como achei medíocre e feio o Vivonne. Onde porém Gilberte verificou para mim certas imaginações que eu tivera acerca do lado de Méséglise, foi durante um desses passeios, afinal de contas noturnos, conquanto ocorressem antes do jantar – mas ela jantava tão tarde! No momento de descer ao mistério de um vale perfeito e profundo que o luar atapetava, paramos por um instante, como dois insetos que vão se afundar no âmago de um cálice azulado. Então, talvez apenas por gentileza de dona-de-casa, que lamenta nossa partida em breve, e que desejaria nos ter feito melhor as honras dessa região de que parecíamos gostar, Gilberte proferia algumas dessas palavras em que, sua destreza de dama da sociedade, sabendo tirar partido do silêncio, da singeleza, da sobriedade na expressão dos sentimentos, faz-nos acreditar que ocupamos em sua vida um lugar que ninguém poderia preencher. Derramando bruscamente sobre ela a ternura de que me sentia invadido por causa do ar delicioso e pela brisa que respirávamos, disse-lhe: – Você falava, outro dia, da ladeirinha. Como eu gostava de você, naquele tempo! – Ela respondeu: – Por que não me disse? Eu não teria duvidado. Eu gostava de você. E até, em duas ocasiões, fiz-me de oferecida. – Quando? – A primeira vez, em Tansonville. Você passeava com a família, eu estava de volta para casa; nunca tinha visto um menino tão bonito. Costumava – acrescentou com ar vago e pudico – ir brincar com amiguinhos nas ruínas do torreão de Roussainville. E você me diria que eu era bem mal-educada, pois ali dentro havia meninos e meninas de todo tipo, que se aproveitavam da escuridão. O menino do coro da igreja de Combray, Théodore, que – força é confessá-lo – era um amor (que gracinha, meu Deus) e que se tornou muito feio (agora é farmacêutico em Méséglise), distraía-se com todas as camponesinhas das redondezas. Como não me deixavam sair sozinha, logo que podia escapar, corria para lá. Não posso lhe dizer como teria gostado que você também fosse; lembro-me bem de que, não tendo mais que um minuto para lhe expressar o meu desejo, com o risco de ser vista por seus pais e pelos meus, indiquei isso a você de um modo tão cru, que ainda hoje sinto vergonha. Mas você me encarou de uma forma tão má, que compreendi logo que você não queria. – E, de súbito, pensei comigo que a verdadeira Gilberte, a verdadeira Albertine, eram talvez aquelas que, no primeiro instante, haviam se entregado pelo olhar, uma diante da sebe de espinheiros cor-de-rosa, a outra na praia. E fora eu que – não tendo compreendido isso, e não o tendo retomado senão mais tarde, na memória, após um intervalo, em que, pelas minhas conversas, todo um entremeio de sentimentos as fizera recear terem sido tão francas quanto no primeiro instante – estragara tudo com a minha inabilidade. Eu "falhara" em relação a elas, mais completamente – embora, para falar a verdade, o fracasso com elas fosse menos absurdo – do que Robert "falhara" em relação a Rachel, mas pelos mesmos motivos. – E a segunda vez – continuou Gilberte – foi muitos anos depois, quando encontrei você à porta de sua casa, na véspera do dia em que nos vimos na casa da tia Oriane; não o reconheci de imediato, ou melhor, reconheci-o sem saber, pois sentia o mesmo desejo que em Tensonville. – No entanto, houve os Champs-Élysées no intervalo. – Sim, mas aí você gostava muito de mim, eu sentia uma inquisição rondando tudo o que eu fazia. – Não pensei em perguntar-lhe quem era aquele rapaz em cuja companhia ela estava descendo a avenida dos Champs-Élysées, no dia em que eu saíra para revê-la, e em que eu teria me reconciliado com ela enquanto ainda era tempo, esse dia que talvez tivesse mudado toda a minha vida se não houvesse encontrado as duas sombras caminhado lado a lado no crepúsculo. Se lhe tivesse perguntado, ela talvez me dissesse a verdade, assim como Albertine, se ressuscitasse. E, de fato, as mulheres que já não amamos, e reencontramos depois de muitos anos, não existe, entre elas e nós, justamente a morte, bem como se elas já não fossem deste mundo, visto que o fato de que nosso amor não mais existe transforma em mortos aquelas que elas eram então, ou aqueles que nós éramos? Talvez ela não se lembrasse, ou mentisse. Em todo caso, já não me interessava sabê-lo, pois meu coração havia mudado ainda mais que o rosto de Gilberte. Esse rosto já não me agradava quase, mas, principalmente, eu não era mais infeliz e não poderia mais conceber, se voltasse a pensar no assunto, que fora capaz de me sentir tão desgraçado ao encontrar Gilberte caminhando devagarinho ao lado de um rapaz, e de dizer para mim mesmo: "Está acabado. Renuncio a vê-la para sempre." [55] Do estado de alma que, nesse ano longínquo, não fora senão uma longa tortura, nada restava. Pois há no mundo, onde tudo se gasta e tudo perece, algo que tomba em ruínas, que se destrói ainda mais completamente, deixando menos vestígios até do que a beleza: é a mágoa.

[55] Ver *À sombra das moças em flor*. p. 477. (N. do T.)

Se todavia não me surpreendo de não lhe ter perguntado então com quem ela descia os Champs-Élysées, pois já vira muitíssimos exemplos dessa incuriosidade que o Tempo traz, surpreende-me um tanto não ter contado a Gilberte que, antes de encontrá-la nesse dia, eu havia vendido um jarro chinês antigo para lhe comprar flores.[56] De fato, durante os tempos tão tristes que se seguiram, meu consolo único fora pensar que, um dia, eu poderia sem perigo contar-lhe esse gesto tão terno. Mais de um ano depois, se via que um carro ia chocar-se com o meu, só desejava não morrer para poder narrar aquilo a Gilberte. Consolava-me dizendo comigo: "Não nos apressemos, tenho a vida inteira diante de mim para isso." E, assim, desejava não perder a vida. Agora, acharia pouco agradável dizer isso, quase ridículo, e até bombástico. – Além do mais – continuou Gilberte –, ainda no dia em que o vi de novo à sua porta, você continuava exatamente o mesmo que em Combray. Se soubesse como mudou pouco! – Revi Gilberte na memória. Poderia desenhar o quadrilátero de luz que o sol formava sob os espinheiros, a pá que a menina segurava, o longo olhar que se fixava em mim. Unicamente, devido ao gesto grosseiro de que fora acompanhado, julgara tratar-se de um olhar de desprezo, porque o que eu desejava me parecia algo que as meninas não conheciam e só faziam na minha imaginação, durante as horas de prazer solitário. Ainda menos teria acreditado que, tão fácil e rapidamente, uma delas tivesse a audácia de representá-lo.

Assim, pois, a tantos anos de distância, foi-me necessário retocar uma imagem que eu recordava tão bem, operação que me fez bastante feliz, ao mostrar-me que o abismo intransponível que então eu acreditara existir entre mim e um certo gênero de meninas de cabelos dourados era tão imaginário quanto o abismo de Pascal, e que achei poético devido à longa série de anos, no fim da qual me fora dado terminá-la. Tive um arrepio de desejo e lamento ao pensar nos subterrâneos de Roussainville. Todavia mostrava-me contente, ao dizer comigo que essa felicidade, à qual aspiravam todas as forças da minha vida naquele tempo, e que nada mais me poderia devolver, existira em algum ponto fora de meu pensamento, na realidade perto de mim, naquela Roussainville de que eu falara tantas vezes, e que avistava do gabinete cheirando a íris. E eu não soubera de nada! Em suma, Gilberte resumia tudo o que eu desejara em meus passeios, a ponto de não poder me decidir a voltar, julgando ver as árvores se entreabrirem e se animarem. O que então havia desejado tão febrilmente, bastaria que tivesse sabido compreendê-lo e encontrá-la, pois,

[56] Traduzimos, aqui, um texto marginal de Proust, não aproveitado na edição de Jean-Yves Tadié, e que esclarece quem era a pessoa que acompanhava Gilberte: "Perguntei-lhe. Era Léa vestida de homem. Gilberte sabia que ela conhecia Albertine, mas nada mais podia dizer. Assim, certas pessoas se reencontram sempre em nossas vidas para preparar nossos prazeres e nossas dores." (N. do T.)

graças a ela, estivera a ponto de gozá-lo desde a adolescência. Mais completamente do que imaginara, Gilberte pertencera então, de fato, ao lado de Méséglise.

E mesmo naquele dia em que a reencontrara sob o pórtico, embora ela não fosse a Srta. de L'Orgeville, a que Robert havia conhecido nos bordéis (e como era engraçado que fosse justamente o futuro marido a pessoa a quem eu pedira esclarecimento!), eu não me enganara de todo quanto ao sentido do seu olhar, nem quanto à espécie de mulher que ela era e que, agora, me confessava ter sido. – Tudo isto está bem longe – disse ela –, nunca mais pensei senão em Robert desde o dia do noivado. E, veja você, nem mesmo esse capricho de criança é o que mais censuro a mim mesma...

O TEMPO RECUPERADO

marcel proust

EM BUSCA DO TEMPO PERDIDO

PREFÁCIO | por Fernando Py

O Tempo Recuperado

Volume final da série *Em busca do tempo perdido*, este *O Tempo Recuperado* encerra e sintetiza toda a obra máxima de Marcel Proust. Sem ser dividido em capítulos, apresenta, não obstante, uma estrutura parcelada.

A parte inicial retoma o diálogo do Narrador com Gilberte, em Tansonville; e é interessante notar o curioso efeito de simetria, típico de Proust, em relação ao capítulo final de *A Fugitiva*, sendo conveniente assinalar que *O Tempo Recuperado* começa com o mesmo tipo de descrição do mundo exterior que já se encontra na abertura do segundo capítulo de *O Caminho de Guermantes-II* e em *A Prisioneira*.

O autor volta a se debruçar cuidadosamente sobre o tema do homossexualismo masculino, e vemos como o desenvolve a fundo quando trata das atividades do barão de Charlus durante a guerra, ajuntando o sadomasoquismo à perversão. De fato, não teria completado a pintura da personalidade de Charlus se não lhe acrescentasse a perversão sadomasoquista no bordel de Jupien.

Mas o ponto culminante do livro são as partes finais, em que o Narrador, devido a um tropeção no pátio da casa da princesa de Guermantes, passa pela mesma sensação que lhe causara outrora o sabor da *madeleine*, e desta vez pesquisa a fundo os motivos da alegria que sente. Surge daí todo o seu conceito estético da obra de arte, e aos poucos vai assimilando a noção de que é chegada a hora de escrever o seu livro, façanha de que nunca se julgara capaz. Recuperando gradativamente o passado, às vezes bem remoto, o Narrador expõe por fim as linhas mestras do livro que irá escrever – mesmo premido pelo Tempo, já que admite poder morrer a qualquer instante – e se dirige à individualidade criadora de todos os leitores. E ainda: mais do que ler, convida a escrever. E o livro que o Narrador enfim se julga apto a escrever é exatamente o que o leitor acaba de ler.

Dedico esta tradução da obra máxima de Proust
ao escritor piauiense Assis Brasil.

F. Py

O dia inteiro, nesta mansão um tanto rústica demais, que parecia local de repouso entre dois passeios ou durante um aguaceiro, uma dessas mansões onde cada sala se assemelha a um caramanchão, e onde, no papel de parede dos quartos, as rosas do jardim numa, noutra os pássaros das árvores, aproximavam-se e nos faziam companhia – isoladamente, quando nada – pois as paredes eram forradas por velhos papéis onde cada rosa estava tão destacada que se poderia colher, caso fosse viva, e cada pássaro ser engaiolado e domesticado, sem coisa alguma das grandes decorações de quartos de hoje, nos quais, sobre um fundo prateado, todas as macieiras da Normandia vêm perfilar-se em estilo japonês para alucinar as horas que passamos deitados; o dia inteiro, passei-o no meu quarto que dava para o belo verdor do parque e para os lilases da entrada, a folhagem verde das grandes árvores à beira d'água, cintilantes de sol, e a floresta de Méséglise.[1] E afinal, eu só olhava aquilo com prazer porque dizia comigo: "É bonito ter tanto verde na janela do meu quarto", até o momento em que reconheci, no amplo quadro verdejante, pintado ao contrário em azul-escuro, simplesmente por estar mais longe, o campanário da igreja de Combray. Não uma representação desse campanário, mas o próprio campanário, que, pondo assim diante de meus olhos a distância das léguas e dos anos, viera, no meio do luminoso verdor e de um tom completamente diverso, tão sombrio, que parecia quase apenas desenhado, inscrever-se no retângulo da janela. E, se eu saía por um instante do quarto, até a extremidade do corredor, que era orientado de modo diverso, avistava, como uma faixa escarlate, o revestimento de uma saleta, que não passava de simples musselina, porém rubra, e pronta para incendiar-se se a feria um raio de sol.

Durante nossos passeios, Gilberte me falava de Robert, cada vez mais se afastando dela, mas para se juntar a outras mulheres. E é verdade que muitas enchiam a sua vida, mas como certas camaradagens masculinas para os homens que gostam de mulheres, com aquele caráter de defesa inutilmente feita, e de lugar embalde usurpado, que têm, na maioria das casas, os objetos que não servem para

[1] O quarto do Narrador em Tansonville já foi mencionado no começo de *No Caminho de Swann*. pp. 24-25. (N. do T.)

nada. Foi diversas vezes a Tansonville enquanto durou minha permanência ali. Estava bem diferente daquele que eu havia conhecido. A vida não o tornara corpulento, entorpecido, como ao Sr. de Charlus; muito pelo contrário, operando nele uma mudança inversa, dera-lhe o aspecto desenvolto de um oficial de cavalaria – e conquanto ele houvesse apresentado sua demissão por ocasião do casamento – a um ponto como nunca o tivera. À medida que o Sr. de Charlus se tornara pesadão, Robert (e sem dúvida ele era infinitamente mais jovem, mas percebia-se que não faria senão aproximar-se mais desse ideal com a idade, como certas mulheres que sacrificam resolutamente o rosto ao talhe e, a partir de certo momento, já não deixam Marienbad, pensando que, não podendo conservar ao mesmo tempo várias juventudes, será ainda a da silhueta a mais capaz de representar as outras) tornara-se mais esbelto, mais rápido, efeito contrário de um mesmo vício. Essa velocidade, aliás, tinha diversas razões psicológicas, o medo de ser visto, o desejo de não parecer ter esse medo, a febrilidade nascida do descontentamento de si mesmo e do tédio. Tinha o hábito de ir a certos lugares de má fama, onde, como não gostava que o vissem entrar nem sair, se abismava para oferecer aos olhares malévolos de hipotéticos transeuntes o menos possível de superfície, como se realiza um assalto.[2] E esse aspecto de pé-de-vento lhe ficara. Talvez também esquematizasse, desse modo, a aparente intrepidez de alguém que deseja mostrar que não tem medo e nem se preocupa em pensar. Para ser completo, seria preciso levar em consideração o desejo, quanto mais envelhecia, de parecer jovem e até a impaciência desses homens sempre entediados, sempre *blasés*, que são pessoas inteligentes demais para a vida relativamente ociosa que levam, e na qual suas faculdades não se realizam. Sem dúvida, a ociosidade dessas pessoas pode se traduzir até pelo desleixo. Mas, sobretudo após a moda dos exercícios físicos, a ociosidade assumiu uma forma esportiva, mesmo fora das horas do esporte, que se traduz por uma vivacidade febril que julga não deixar ao tédio nem tempo nem espaço para se desenvolver, e muito menos por meio do desleixo.

Minha memória, a própria memória involuntária, havia perdido o amor de Albertine. Mas parece existir uma memória involuntária dos membros, pálida e estéril imitação da outra, que dura muito mais tempo, como certos animais ou vegetais ininteligentes vivem mais que o homem. As pernas e os braços estão cheios de lembranças entorpecidas. Certa vez em que deixei Gilberte muito cedo, acordei no meio da noite, no quarto de Tansonville, e, ainda meio adormecido, chamei: "Albertine." Não é que tivesse pensado nela, ou até com ela sonhado; nem que a tivesse tomado por Gilberte: é que uma reminiscência, nascida em meu braço,

[2] Por inadvertência, Proust, na descrição de Saint-Loup, repete quase com as mesmas palavras a descrição de Legrandin, feita em *A Fugitiva*. Ver *A Fugitiva*, p. 503. (N. do T.)

fizera-me procurar a sineta atrás das costas, como no meu quarto em Paris. E, não a encontrando, chamara: "Albertine", crendo que minha amiga defunta estava deitada junto a mim, como fazia com freqüência à noite, quando adormecíamos juntos, contando, ao acordar, o tempo que faltava para que Françoise entrasse, para que Albertine pudesse, sem imprudência, tocar a campainha que eu não encontrava.

Tornando-se muito mais seco – ao menos durante essa fase deplorável, Robert quase não dava mais a seus amigos qualquer prova de afeto; por exemplo, para comigo; e, em compensação, para com Gilberte mostrava afetações de sentimentalismo que chegavam à comédia, e desagradavam. Não é que, na realidade, Gilberte lhe fosse indiferente. Não, Robert amava-a. Mas mentia-lhe o tempo todo; seu espírito de duplicidade, se não o próprio fundamento de suas mentiras, era permanentemente descoberto. E então ele julgava só poder livrar-se exagerando em proporções ridículas a tristeza real que sentia por magoar Gilberte. Chegava a Tansonville obrigado, dizia, a partir de novo no dia seguinte devido a negócios com um senhor do lugar que, alegava, o esperava em Paris, e o qual, encontrado precisamente à tardinha perto de Combray, involuntariamente patenteando a mentira da qual Robert se esquecera de preveni-lo, ao dizer que viera a sua terra para descansar durante um mês e que não voltaria a Paris nesse período. Robert enrubescia, notava o sorriso melancólico e altivo[3] de Gilberte, livrava-se do inconveniente, insultando-o, voltava para casa antes da mulher, enviava-lhe um bilhete desesperado em que dizia haver mentido para não magoá-la, para que, vendo-o partir de novo por uma razão que ele não podia confessar, não pensasse que não a amava (e tudo isso, embora ele o escrevesse como mentira, afinal era verdade); depois, mandava perguntar se podia ir ao seu quarto, e aí, em parte por tristeza real, em parte por nervosismo com aquela vida, em parte por simulação a cada dia mais audaciosa, soluçava, inundava-se de água fria, falava da morte próxima; às vezes se abatia no chão como se se sentisse mal. Gilberte não sabia até que ponto devia acreditar nele, supunha-o mentiroso em cada caso particular, mas, de um modo geral, julgava-se amada, e se inquietava com o pressentimento da morte próxima, pensando que ele talvez tivesse uma doença que ela ignorava, e, por isso, não tinha coragem de contrariá-lo e pedir que renunciasse às suas viagens.

De resto, eu compreendia cada vez menos por que fazia ele que Morel fosse recebido como o filho da casa, com Bergotte,[4] onde quer que se encontrassem os Saint-Loup, em Paris ou em Tansonville. Morel imitava Bergotte às maravilhas. Depois de um certo tempo, já não houve necessidade de lhe pedir que fizesse

[3] Leitura hipotética do manuscrito original: tanto pode ser *fier* (altivo), como *fin* (fino). (N. do T.)

[4] Mais uma vez Bergotte aparece depois de já ter sido dado como morto (veja-se *A Prisioneira*, p. 140). Isto ocorre porque a descrição da morte de Bergotte foi um acréscimo tardio ao texto, que o próprio Proust não teve tempo de harmonizar com o restante da obra. (N. do T.)

uma imitação. Como esses histéricos a quem já não se precisa fazer dormir para que se tornem tal ou qual pessoa, ele entrava subitamente, por si mesmo, no personagem.

Françoise, que já presenciara tudo o que o Sr. de Charlus havia feito por Jupien, e tudo o que Robert de Saint-Loup fazia por Morel, não atribuía aquilo a um traço que reaparecia em certas gerações dos Guermantes, porém, visto que Legrandin ajudava bastante a Théodore, pessoa tão moralista e cheia de preconceitos, acabara por acreditar tratar-se de um hábito, cuja universalidade o tornava respeitável. Dizia sempre acerca de um rapaz, fosse Morel ou Théodore: – Encontrou um senhor que sempre se interessou por ele e o ajudou bastante. – E como em casos semelhantes, os protetores são os que amam, sofrem e perdoam, Françoise, entre eles e os menores a quem desviavam, não hesitava em lhes conferir o melhor papel, em achar-lhes "bom coração". Sem vacilar, censurava Théodore que havia pregado boas peças a Legrandin, embora parecesse não ter quaisquer dúvidas sobre a natureza de suas relações, pois acrescentava: – Então o pequeno compreendeu que era preciso dar um pouco de si mesmo, e falou: "Leve-me consigo, hei de querer-lhe muito bem, hei de lisonjeá-lo", e, palavra de honra, aquele senhor tem tão bom coração que, é claro, Théodore com certeza encontrará junto dele talvez mais do que merece, pois é uma cabeça oca; mas aquele senhor é tão bom que eu muitas vezes disse a Jeannette (a noiva de Théodore): "Menina, se algum dia estiveres em dificuldade, procura aquele senhor. Seria capaz de dormir no chão e dar-te sua cama." E gostou demais do pequeno (Théodore) para despedi-lo. É claro que não o abandonará nunca.

Por polidez, indaguei à sua irmã o sobrenome de Théodore, que agora vivia no Midi. – Mas foi ele quem me escreveu sobre o meu artigo no *Figaro*! – exclamei, ao saber que ele se chamava Sautton.

Da mesma forma, estimava mais a Saint-Loup que a Morel e achava que, apesar de todas as bobagens que o pequeno (Morel) havia feito, o marquês nunca o abandonaria, pois era homem de grande coração, a menos que ele próprio sofresse muitos reveses.

Robert insistia para que eu ficasse em Tansonville e uma vez deixou escapar, conquanto ele visivelmente já não procurasse agradar-me, que a minha vinda fora motivo de alegria tal para a esposa, a ponto de, segundo esta lhe dissera, transportá-la de felicidade uma noite inteira, uma noite em que Gilberte se sentia tão triste que eu, chegando sem prevenir, milagrosamente a salvara do desespero, "talvez de coisa pior", acrescentou. Pediu-me que tentasse persuadi-la de que ele a amava, dizendo-me que a mulher a quem igualmente amava, amava-a menos do que a Gilberte, e romperia em breve com ela. – E no entanto – acrescentou com tamanha fatuidade e tanta necessidade de confidência, que, por momentos, julguei que o nome de Charlie, malgrado Robert, iria "sair", como um número de loteria – tenho do que me orgulhar. Essa mulher que me dá tantas provas de carinho, e que vou sacrificar a Gilberte, nunca prestou atenção num homem, achava-se incapaz de se enamorar. Sou o primeiro. Sabia que ela de tal maneira se recusara a todo mundo que, ao receber a carta adorável em que me dizia que só comigo poderia ser feliz, fiquei pasmo. Evidentemente, haveria motivos para me entusiasmar, se a idéia de ver a pobre Gilberte em lágrimas não me fosse intolerável. Não achas que ela tem algo de Rachel? – dizia. E, de fato, eu ficara impressionado com a vaga semelhança que, a rigor, se poderia encontrar agora entre elas. Talvez aquilo se devesse a uma semelhança real de alguns traços (devidos, por exemplo, à origem hebraica, todavia tão pouco nítida em Gilberte), graças à qual Robert, quando sua família desejou que ele se casasse, sentira-se, em condições iguais de fortuna, atraído para Gilberte. Devia-se também a que Gilberte, tendo descoberto fotografias de Rachel, de quem ignorava até o nome, procurava, para agradar a Robert, imitar certos hábitos caros à atriz, como o de usar sempre lacinhos vermelhos nos cabelos, uma fita de veludo preto no braço e pintar o cabelo para parecer morena. Depois, sentindo que seus desgostos lhe transpareciam no semblante, procurou remediar isso. E às vezes passava da conta. Um dia em que Robert devia vir à noite para passar vinte e quatro horas em Tansonville, fiquei estupefato ao ver que ela se punha à mesa tão estranhamente diferente, não só do que fora outrora, mas até do que era nos dias comuns, que continuei estupefato como se tivesse à minha frente uma atriz, uma espécie de Teodora. Eu sentia que, sem querer, olhava-a com fixidez excessiva, na minha curiosidade de saber o que nela havia mudado. Tal curiosidade, aliás, em breve foi satisfeita quando ela se assoou, apesar de todo o cuidado com que o fez. Pois, por todas as cores que ficaram no lenço, dele fazendo uma rica palheta, verifiquei que se pintara completamente. Era aquilo que lhe fazia a boca sangrenta e que ela se esforçava por tornar risonha, julgando que isso lhe caía bem, ao passo que a hora do trem, que se aproximava, sem que Gilberte soubesse se o marido de fato chegaria, ou se mandaria um desses telegramas cujo modelo o Sr. de Guermantes havia fixado espirituosamente: IMPOSSÍVEL VIR, SEGUE MENTIRA – lhe empalidecia as faces debaixo do suor violáceo do arrebique e acentuava as olheiras.

– Ah, estás vendo? – dizia Saint-Loup num tom intencionalmente carinhoso que tanto contrastava com a meiguice espontânea de outrora, com voz de alcoólico e modulações de ator – daria tudo para ver Gilberte feliz. Ela fez tanto por mim. Nem imaginas. – E o mais desagradável em tudo isso era ainda o amor-próprio, pois sentia-se lisonjeado pelo amor de Gilberte e, sem ousar dizer que era Charlie a quem amava, fornecia entretanto, sobre o suposto amor que o violinista lhe dedicava, detalhes que sabia serem exagerados, quando não inventados em todos os pormenores; ele, a quem Charlie estava sempre solicitando mais dinheiro. E era confiando-me Gilberte que ele regressava a Paris.

De resto – antecipando um pouco a narrativa, pois ainda estou em Tansonville –, tive ocasião de avistá-lo rapidamente em Paris, numa recepção, e de longe; nela, a sua conversa, viva e envolvente apesar de tudo, permitia-me reencontrar o passado; fiquei impressionado ao ver como se transformava. Parecia-se cada vez mais à mãe; mas a altiva esbelteza que herdara dela, e que nela era perfeita, nele se exagerava e endurecia, devido à educação mais esmerada. O olhar penetrante dos Guermantes dava-lhe o aspecto de estar inspecionando todos os lugares por onde passava, mas de forma quase inconsciente, por uma espécie de hábito e de instinto animal. Mesmo imóvel, a sua coloração, ouro sólido de um dia ensolarado, mais própria dele que de todos os Guermantes, como que lhe conferia uma estranha plumagem, fazia dele uma espécie tão rara, tão preciosa, que se desejaria obtê-lo para uma coleção ornitológica; mas quando, além disso, essa luz transmudada em pássaro se punha em movimento, em ação, quando, por exemplo, eu via Robert de Saint-Loup entrar numa festa onde eu já me encontrava, eram tantos os meneios de cabeça, tão macia e orgulhosamente alçada sob a *aigrette* de ouro dos cabelos um tanto ralos, tantos os movimentos de pescoço, mais ágeis, altaneiros e graciosos do que os humanos, que, ante a curiosidade e a admiração, meio mundana, meio zoológica, que despertava, as pessoas se indagavam se estavam no *faubourg* Saint-Germain ou no Jardin des Plantes, se contemplavam um grão-senhor atravessando o salão ou uma ave passeando na gaiola. Aliás, todo esse retorno à elegância volátil dos Guermantes de bico pontudo, de olhar aguçado, era agora utilizado por seu vício novo, que deles se servia para dissimular. Quanto mais se servia deles, mais se assemelhava ao que Balzac chama de "tia".[5] Não era necessário ter muita imaginação para perceber que o gorjeio se prestava a interpretação semelhante à da plumagem. Ele começava a dizer frases que considerava do século XVII e assim imitava as maneiras dos Guermantes. Porém um nada indefinível fazia com que se transformassem nas do Sr. de Charlus. – Deixo-te por um instante – disse-me ele naquela recepção em que a Sra. de Marsantes se achava meio longe de nós. – Vou fazer um pouquinho de corte à minha mãe.

Quanto ao amor de que me falava sem cessar, não era somente o que nutria por Charlie, embora fosse este o único a importar para ele. Seja qual for o tipo de amor de um homem, enganamo-nos sempre acerca do número de pessoas com quem mantém ligações, pois interpretamos falsamente as amizades como sendo ligações amorosas, o que é um erro por acréscimo, mas também porque julgamos que uma ligação comprovada exclui outra, o que é outro gênero de erro. Duas pessoas podem dizer: "A amante de X..., conheço-a", pronunciar dois nomes diferentes, e ambas não estarem enganadas. Uma mulher a quem amamos raramente basta para todas as nossas necessidades; enganamo-la com uma outra a quem não

[5] Todo o trecho desde "Aliás..." até "tia" é de leitura hipotética, segundo os editores, pois faz parte de um texto meio danificado do manuscrito original (N. do T.)

amamos. Quanto ao gênero de amores que Saint-Loup herdara do Sr. de Charlus, o marido, a ele inclinado, habitualmente faz a felicidade da esposa. É uma regra geral a quem os Guermantes encontravam um meio de fazer exceção, pois, entre eles, os que possuíam esses gostos queriam, ao contrário, dar a entender serem loucos por mulheres. Exibiam-se com uma ou outra e desesperavam a própria. Os Courvoisier eram mais sábios nisto. O jovem visconde de Courvoisier julgava-se a única criatura sobre a terra, e desde a origem do mundo, a ser tentado por alguém de seu sexo. Supondo que tal inclinação lhe vinha do diabo, lutou contra ela, desposou uma mulher deslumbrante, deu-lhe filhos. Depois, um de seus primos lhe ensinou que essas tendências eram bastante difundidas, teve a bondade de conduzi-lo aos lugares onde podia satisfazê-las. O Sr. de Courvoisier nem por isso deixou de amar sua mulher, redobrou de zelo prolífico, e o casal era citado como o melhor de Paris. Não se dizia o mesmo do casal Saint-Loup, porque Robert, em vez de se contentar com a inversão, fazia a mulher morrer de ciúmes por sustentar amantes sem prazer algum.

É possível que Morel, sendo bastante moreno, fosse necessário a Saint-Loup como a sombra o é ao raio de sol. Imagina-se facilmente, nessa família tão antiga, um gentil-homem louro, dourado, inteligente, dotado de todos os prestígios, e ocultando no fundo de si mesmo um gosto secreto pelos negros, ignorado de todos.

Aliás, Robert nunca deixava a conversa abordar esse gênero de amores, que era o seu. Se eu dizia uma palavra a respeito: – Ah, não sei – respondia, com tamanho desinteresse que chegava a deixar cair o monóculo –, não faço a mínima idéia dessas coisas. Se desejas informações sobre isso, *meu caro*, aconselho-te a procurar em outra parte. Quanto a mim, sou um soldado, nada mais. Essas coisas me deixam tão indiferente quanto a guerra nos Bálcãs me apaixona. Antigamente isso te interessava, a etimologia das batalhas. Dizia-te, nessa época, que voltaríamos, mesmo em condições bem diversas, às batalhas típicas, por exemplo, o grande ensaio de envolvimento pelo flanco da batalha de Ulm. Pois bem, por mais peculiares que sejam estas guerras balcânicas, Lullé-Burgas é de novo Ulm, o envolvimento pelo flanco. Eis os assuntos de que podes me falar. Mas dessas coisas a que fazes alusões, conheço tanto quanto do idioma sânscrito.

Os assuntos que Robert desdenhava desse modo, Gilberte, ao contrário, quando o marido estava ausente, os abordava de boa vontade conversando comigo. É claro que não em relação ao marido, pois ela ignorava ou fingia ignorar tudo. Mas, tratando-se de terceiros, estendia-se de bom grado sobre eles, ou porque dessa forma procurasse desculpar indiretamente Robert, ou porque este, dividido como o tio entre um silêncio severo sobre tais assuntos e uma necessidade de expansão e de maledicência, a tivesse minuciosamente informado. O Sr. de Charlus era o menos poupado dentre todos; e isto sem dúvida porque Robert, sem falar de

Charlie a Gilberte, não pudera evitar repetir-lhe, sob uma forma ou outra, o que o violinista lhe dissera. E Morel perseguia o antigo benfeitor com seu ódio. Essas conversações, que Gilberte apreciava, permitiram-me indagar-lhe se, num gênero paralelo, Albertine, cujo nome eu ouvira pela vez primeira através dela, Gilberte, quando eram colegas de curso, possuía tais gostos. Gilberte não pôde me dar essa informação. De resto, fazia muito tempo que aquilo deixara de oferecer qualquer interesse para mim. Mas eu continuava a me indagar maquinalmente, como um velho que, tendo perdido a memória, de vez em quando pede notícias do filho morto.

Curioso, e é coisa sobre a qual não posso me estender, será verificar até que ponto, por essa época, todas as pessoas que Albertine amava, todas aquelas que poderiam tê-la obrigado a fazer o que quisessem, pediram, imploraram, ousarei até dizer que mendigaram, na falta de minha amizade, algumas relações comigo. Não haveria mais necessidade de oferecer dinheiro à Sra. Bontemps para que ela me mandasse Albertine de volta. Ocorrendo quando não mais servia para coisa alguma, essa reviravolta da vida me entristecia profundamente, não por causa de Albertine, que eu teria recebido sem prazer se me fosse devolvida, não da Touraine mas de além-túmulo; mas por causa de uma jovem a quem eu amava e que não podia chegar a ver. Dizia comigo que, se ela morresse, ou se a deixasse de amar, todos os que poderiam me fazer aproximar dela decairiam a meus olhos. À espera, tentava inutilmente agir sobre eles, visto não estar curado pela experiência que deveria me ensinar – se por acaso ensinasse alguma coisa – que amar é um tipo de má sorte, como os que existem nos contos de fadas, e contra a qual nada se pode fazer enquanto não for quebrado o encantamento.

– Justamente o livro que estou lendo fala dessas coisas – disse-me Gilberte. (Falei desse mistério a Robert: "Nós nos entenderíamos perfeitamente." Ele declarou não se lembrar e que aquilo, em todo caso, não tinha nenhum sentido particular.)

– É um velho romance de Balzac – prosseguiu Gilberte – que vou escavando para pôr-me à altura de meus tios, *A Menina dos Olhos de Ouro*. Mas é inverossímil, absurdo, um tremendo pesadelo. Além disso, uma mulher talvez possa ser vigiada assim por outra mulher, nunca por um homem. – Você se engana, conheci uma mulher a quem o homem que a amava virtualmente seqüestrou; ela jamais podia ver pessoa alguma, e só saía acompanhada de criados de confiança. – Pois então, isto deve tê-lo horrorizado, você que é tão bom. Justamente, Robert e eu achávamos que deveria casar-se. Sua mulher haveria de curá-lo, e você a faria feliz. – Não, pois eu tenho muito mau gênio. – Que idéia! – Juro-lhe! Aliás, já fui noivo, mas não pude decidir a casar-me (e ela própria desistiu por causa do meu temperamento indeciso e maçante). – Era de fato sob esta fórmula bem simplista que eu julgava a minha aventura com Albertine, agora que via essa aventura unicamente de fora.

Sentia-me triste ao subir para o quarto, pensando que não fora uma vez sequer rever a igreja de Combray, que parecia esperar-me, em meio às verduras, através de uma janela violácea. Dizia comigo: "Tanto pior, ficará para o ano que vem, se não morrer até lá", não vendo outro obstáculo senão minha morte, e não imaginando a da igreja, que se me afigurava dever durar muito tempo após a minha morte, assim como havia existido por muito tempo antes que eu nascesse.

Entretanto, um dia falei de Albertine a Gilberte, e lhe perguntei se aquela gostava de mulheres. – Oh, de jeito nenhum. – Mas antigamente você dizia que o jeito dela era duvidoso. – Eu disse isto? Você deve estar enganado. Em todo caso, se o disse (mas você se engana), falava, ao contrário, de namoros com rapazes. Aliás, naquela idade não iriam muito longe. – Dizia-me aquilo Gilberte para esconder que ela mesma, segundo o que Albertine me contara, gostava de mulheres e fizera propostas a Albertine? Ou então (pois os outros sabem da nossa vida melhor do que imaginamos), sabendo que eu amara e fora ciumento em relação a Albertine e (os outros podem estar, mais do que pensamos, a par da verdade a nosso respeito, porém exagerá-la e errar por suposições excessivas, ao passo que esperávamos errassem por ausência de quaisquer suposições), imaginando que ainda o era, não desejaria tapar-me os olhos, por bondade, com essa venda que todos sempre têm pronta para os ciumentos? Em todo caso, as palavras de Gilberte, desde o "jeito duvidoso" de antigamente ao certificado de bons costumes de hoje, seguiam rumo inverso ao das afirmações de Albertine, que quase me confessara ter tido meias relações com Gilberte. Albertine surpreendera-me com isso, como sobre o que me havia dito Andrée, pois, quanto ao pequeno grupo, eu já acreditara em sua perversão antes de conhecê-lo; depois, dei-me conta da falsidade de minhas suposições, como ocorre muitas vezes quando conhecemos uma garota honesta, e quase ignorante das realidades do amor, num meio tido erroneamente como dos mais depravados. E então refizera o caminho em sentido contrário, retomando como verdadeiras as minhas suposições iniciais. Mas talvez Albertine tivesse querido dizer tudo aquilo para parecer mais experimentada do que o era de fato, e para me ofuscar, em Paris, com o prestígio de sua depravação, como da primeira vez, em Balbec, pelo prestígio de sua virtude. Ou então simplesmente, quando lhe falara de mulheres que gostam de mulheres, para não dar a impressão de desconhecer do que se tratava, quisera mostrar-se a par do assunto, como a gente assume um ar entendido numa conversa, ao ouvir falar de Fourier ou de Tobolsk, mesmo ignorando o que sejam. Ela talvez houvesse vivido, junto da amiga da Srta. Vinteuil e de Andrée, separada por uma parede estanque, pois não a julgavam parte da "confraria", e só depois se instruíra – como uma mulher que se casa com um homem de letras procura cultivar-se –, para agradar e poder responder às perguntas, até o dia em que percebeu serem elas inspiradas pelo ciúme e resolvera recuar. A não ser que fosse Gilberte quem mentisse. Ocorreu-me a idéia de que, por ter sabido, durante um namoro que ele teria conduzido na direção que lhe interessava, das inclinações de Gilberte pelas mulheres, é que Robert a desposara, esperando prazeres que não encontrara, pois buscava-os em outra parte. Nenhuma dessas hipóteses era absurda, pois, em mulheres como a filha de Odette ou entre as jovens do pequeno grupo, existe uma tal diversidade, um tamanho acúmulo de gostos alternados, quando não simultâneos, que facilmente passam da ligação com uma mulher a um grande amor por um homem, de modo que se torna difícil definir-lhes o gosto verdadeiro e dominante.

Não quis pedir emprestado a Gilberte o seu exemplar de *A Menina dos Olhos de Ouro*, pois que o estava lendo. Mas ela me emprestou, para ler antes de dormir, nesta última noite que passei em sua casa, um livro que me causou uma impressão muito viva e singular. Era um volume do diário inédito dos Goncourt.

E quando, antes de apagar a minha vela, li a passagem que transcrevo mais adiante, minha falta de condições para as letras, outrora pressentida no caminho de Guermantes,[6] confirmada durante a estada cuja última noite chegara – essa noite de véspera de partida, em que, cessando o torpor dos hábitos que vão terminar, procuramos julgar-nos – pareceu-me algo menos lastimável, como se a literatura não revelasse nenhuma verdade profunda; e, ao mesmo tempo, parecia-me triste que a literatura não fosse aquilo que eu havia julgado. Por outro lado, menos lastimável me parecia o estado doentio que iria confinar-me a uma casa de saúde, se as belas coisas de que falam os livros não eram mais belas do que as que eu tinha visto. Mas, devido a uma estranha contradição, agora que esse livro as mencionava, sentia vontade de vê-las. Eis as páginas que li até que o cansaço me fechasse os olhos:

"Anteontem, caiu-me aqui, para me levar a jantar em sua casa, o Verdurin, o antigo crítico de *La Revue*, autor daquele livro sobre Whistler, onde na verdade a maneira, o colorido artístico do original americano, é muitas vezes traduzido com grande delicadeza pelo amoroso de todos os requintes, de todas as *lindezas* da pintura que é Verdurin. Enquanto me visto para sair com ele, ouço de sua parte todo um discurso, onde às vezes há como que o soletrar assustado de uma confissão acerca da renúncia a escrever, tão logo se realize seu casamento com a '*Madeleine*' de Fromentin,[7] renúncia que seria devida ao hábito de tomar morfina, e que, segundo Verdurin, levaria a maior parte dos convivas do salão de sua mulher a, não desconfiando que o marido jamais houvesse escrito, falar-lhe de Charles Blanc, de Saint-Victor, de Saint-Beuve, de Burty, como de indivíduos aos quais o imaginavam

[6] Ver *No Caminho de Swann*, pp. 146-147. (N. do T.)

[7] Madeleine: heroína do romance *Dominique*, de Eugène Fromentin (1820-1876). (N. do T.)

inferior. 'Ora, você, Goncourt, sabe muito bem, e Gautier também o sabia, que meus *Salões* eram coisa bem superior aos pobres *Mestres de Outrora*, considerados obra-prima na família de minha mulher.' Depois, num crepúsculo banhando as torres do Trocadero como a centelha final de uma luz que as torna absolutamente iguais às torres cobertas de geléia de groselha dos velhos pasteleiros, a conversa continua no carro que deve nos conduzir ao cais Conti, onde fica o seu palacete, cujo dono pretende que é o antigo palácio dos embaixadores de Veneza, e onde haveria um *fumoir* de que Verdurin me fala como de um salão transportado tal e qual, à maneira das histórias das *Mil e Uma Noites*, de um célebre *palazzo* cujo nome não me lembro, *palazzo* à beira de um poço de parapeito esculpido representando uma coroação da Virgem que Verdurin sustenta ser o mais belo Sansovino, e que serviria, aos convidados, para lançarem a cinza de seus charutos. E com efeito, ao chegarmos, no glauco e difuso luar realmente semelhante ao que, na pintura clássica, envolve Veneza, e no qual a cúpula silhuetada do Instituto lembra a *Salute* nos quadros de Guardi, tenho um pouco a ilusão de estar à beira do Grande Canal. E ilusão favorecida pela disposição do palacete, onde, do primeiro andar, não se vê o cais e, pelas frases evocadoras do dono da casa, afirmando que o nome da Rua do Bac – com os diabos se jamais pensara nisso – viria da balsa (*bac*) na qual as religiosas de outrora, as Miramiones,[8] iam aos ofícios da Notre-Dame. Um bairro inteiro por onde andei na infância, quando minha tia de Courmont nele morava, e que principio a 'reamar' ao descobrir, quase contíguo ao palacete dos Verdurin, a tabuleta do *Petit Dunkerque*, uma das raras lojas que sobrevivem fora das vinhetas a *crayon* e das aquarelas de Gabriel de Saint-Aubin, onde o século XVIII vinha, curioso, passar seus momentos ociosos comerciando quinquilharias francesas e estrangeiras, e 'tudo o que as artes produzem de mais novo', segundo uma fatura do *Petit Dunkerque*, fatura da qual, creio, só eu e Verdurin possuímos cópia, e que é, na verdade, uma dessas volantes obras-primas de papel ornamentado em que se faziam contas no reinado de Luís XV, com seu cabeçalho representando um mar encapelado, cheio de navios, um mar cujas ondas parecem as gravuras da edição feita pelos *Fermiers généraux*, de 'A ostra e os litigantes'.[9] A dona da casa que vai colocar-me a seu lado, me diz amavelmente só ter desejado ornar sua mesa com crisântemos japoneses, mas crisântemos dispostos em vasos que seriam obras-primas raríssimas, especialmente um, de bronze, no qual pétalas de cobre avermelhado dariam a impressão de serem o vivo desfolhar da flor. Estão presentes Cottard, o médico, sua esposa, o escultor polonês Viradobetski,[10] Swann, o colecio-

[8] Miramiones: ordem religiosa da Santa Família, fundada em 1661 por Marie Bonneau de Rubelles, senhora de Miramion (1629-1696). (N. do T.)

[9] "A ostra e os litigantes", fábula de La Fontaine. (N. do T.)

[10] Viradobetski é o mesmo Ski, já conhecido desde *Sodoma e Gomorra*. (N. do T.)

nador, uma alta senhora russa, uma princesa cujo nome em *of* me escapa; Cottard diz-me ao ouvido que foi ela quem atirou à queima-roupa no arquiduque Rodolfo, e, a acreditar nela, eu teria na Galícia e em todo o norte da Polônia uma situação absolutamente excepcional, moça nenhuma prometendo a sua mão sem saber se o noivo é um admirador de *La Faustin*. 'Vocês, ocidentais, não podem compreender isso', lança, à maneira de conclusão, a princesa, que me dá, por minha fé, a impressão de uma inteligência realmente superior, 'essa penetração, por um escritor, da intimidade de uma mulher'. Um homem de queixo e lábios raspados, com suíças de mordomo, proferindo, em tom de condescendência, gracejos de professor de ginásio que confraterniza com os primeiros da turma para os festejos de Carlos Magno, é Brichot, o universitário. Ante o meu nome, pronunciado por Verdurin, não tem uma só palavra para mostrar que conhece nossos livros, e sinto um furioso desânimo despertado por essa conspiração que a Sorbonne organiza contra nós, levando até a casa amável onde sou festejado a contradição e a hostilidade de um silêncio intencional. Vamos para a mesa e dá-se então um extraordinário desfile de pratos que certamente são obras-primas da arte da porcelana, aquelas cujo palavreado artístico, numa refeição delicada, mais deleita a atenção complacente de um amador – pratos dos Yung-Tsching, onde, nos bordos de cor de fogo desmaiada, no azulado, no desfolhar túrgido de seus íris aquáticos, na travessia verdadeiramente decorativa, pela aurora, de um vôo de martins-pescadores e de grous, aurora que possui exatamente os tons entrevistos todos os dias, quando acordo, no bulevar Montmorency – pratos de Saxe, mais delicados na sua feitura graciosa, indo da sonolência, da anemia das rosas violáceas, aos recortes borra-de-vinho de uma tulipa, ao rococó de um cravo ou de um miosótis – pratos de Sèvres, gradeados pelas finas estrias de suas caneluras brancas, verticilados de ouro, ou atados, na cremosa camada de massa, pelo relevo galante de uma faixa dourada – enfim, toda uma prataria onde correm mirtos de Luciennes, que a Dubarry haveria de reconhecer. E, o que é talvez ainda mais raro, a qualidade verdadeiramente notável das coisas que em tais pratos se servem, manjares finamente preparados, todo um repasto que os parisienses, é preciso declará-lo bem alto, nunca têm nos maiores jantares, e que me recorda certos cozinheiros de Jean d'Heurs. Mesmo o *foie gras* não possui qualquer relação com o creme insípido que habitualmente é servido sob esse nome, e não sei de muitos locais em que a simples salada de batatas seja feita assim com batatas que têm a resistência dos botões de marfim japoneses, a pátina dessas colherinhas de marfim com que as chinesas derramam água sobre os peixes que acabam de pescar. No copo de Veneza que tenho à minha frente, um extraordinário *léoville*,[11] comprado na loja do Sr. de Montalivet, põe uma rica bijute-

[11] *Léoville*: tipo de vinho Bordeaux, de 1855, classificado na categoria dos Médoc. (N. do T.)

ria vermelha. E é um regalo para a imaginação do olho e, também, não temo dizê-lo, para a imaginação do que antigamente se chamava a goela, ver chegar um linguado, bem diverso dos linguados pouco frescos servidos nas mesas mais luxuosas, e cujas espinhas, nas demoras do transporte, se imprimiram na carne das costas; um linguado que é servido não com a cola da pasta que, sob o nome de molho branco, preparam tantos mestres-cucas de grandes mansões, mas com o verdadeiro molho branco feito com manteiga a cinco francos a libra; ver apresentar esse linguado numa travessa maravilhosa de Tching-Hon estriada pelos raios purpúreos de um pôr-de-sol, sobre um mar onde navega de maneira engraçada um bando de lagostas, de pontilhado grumoso tão extraordinariamente reproduzido que parece ter sido moldada em carapaças vivas, travessa cuja borda interior se compõe de um chinesinho que pesca à vara um peixe que é um verdadeiro encanto de cores nacaradas, graças ao prateamento azulado de seu ventre. Como falo a Verdurin do prazer delicado que devem ser para ele essas iguarias requintadas e essa coleção, como nenhum príncipe possui atualmente em suas vitrines: 'Bem se vê que não o conhece', observa melancolicamente a dona da casa. E ela me fala de seu marido como de um maníaco original, indiferente a todo esse luxo, 'um maníaco' repete, 'sim; absolutamente isto, um maníaco a quem antes apeteceria uma garrafa de sidra, bebida no meio um tanto acanalhado de uma granja normanda'. E a encantadora senhora, verdadeiramente apaixonada pelo colorido das expressões regionais, fala-nos com transbordante entusiasmo dessa Normandia onde moraram, uma Normandia que se constituiria num imenso parque inglês, na fragrância de suas altas matas à Lawrence,[12] o veludo das criptomérias, em sua orla porcelânica de hortênsias cor-de-rosa, de seus gramados naturais, com seus tufos de rosas açafrão, cuja queda sobre a porta de um camponês, onde a incrustação de duas pereiras entrelaçadas simula uma tabuleta bastante ornamental, lembra um candelabro de Gouthière cujos floridos ramos de bronze pendem de modo tão natural, uma Normandia de que os parisienses em férias nem desconfiam, protegida pelas cercas de seus campos fechados, cercas que, segundo me confessam os Verdurin, eles nunca deixaram de atravessar. No fim do dia, no sonolento extinguir-se de todas as cores, quando a luz só vinha de um mar quase talhado, em tons azulados de soro ('Mas não, nada do mar que o senhor conhece', protesta freneticamente a minha vizinha, em resposta às palavras que lhe digo sobre o fato de termos ido, eu e meu irmão, a Trouville conduzidos por Flaubert, 'nada, absolutamente nada, será preciso ir comigo, pois senão nada entenderá') – voltavam para casa por entre as verdadeiras florestas de flores de tule róseo das azaléias, inteiramente embriagados pelo cheiro das conservas de sardinha que causavam no marido terríveis crises de

[12] Sir Thomas Lawrence: pintor inglês (1769-1830). (N. do T.)

asma – 'sim', insiste ela, 'é isso, verdadeiras crises de asma'. No verão seguinte, lá estavam eles de novo, alojando toda uma colônia de artistas numa admirável habitação medieval que lhes formava um antigo claustro alugado para eles por quase nada. E, por minha fé, ao ouvir esta mulher que, tendo passado por tantos ambientes realmente distintos, conservou no entanto em suas frases um pouco do verdor da frase de uma mulher do povo, uma palavra que nos mostra as coisas com a cor que nossa imaginação as vê, veio-me água à boca pela vida que ela me confessa ter levado lá, cada qual trabalhando em sua cela, e onde, no salão tão vasto que possuía duas lareiras, todos compareciam para conversas de alto nível, misturadas a jogos de prendas, vida que me recorda a obra-prima de Diderot, as *Cartas à Senhorita Volland*. A seguir, após o almoço, todos saíam, mesmo nos dias de aguaceiro, quando, a um raio de sol, luminosas bátegas riscavam, com seu traço brilhante, os troncos nodosos de um magnífico renque de faias centenárias, que representavam, defronte à grade, o *belo* vegetal apreciado pelo século XVIII, e os arbustos em cujos ramos se suspendiam, em vez de botões florescentes, gotas de chuva. Paravam para ouvir o delicado borrifo, enamorado de frescor, de um pisco[13] a banhar-se na graciosa banheira minúscula de porcelana de Nymphenburg que é a corola de uma rosa branca. E como falo à Sra. Verdurin das paisagens e das flores nos pastéis delicadamente pintados por Elstir: 'Mas fui eu quem o fez conhecer tudo isso', gritou ela, erguendo a cabeça num assomo de cólera; 'tudo, compreende bem? tudo: os recantos curiosos, todos os motivos, disse-lhe tudo isso na cara quando ele nos abandonou, não é verdade Auguste? Todos os motivos que ele pintou. Os objetos, ele sempre os conheceu, tenho de ser justa, não o nego. Mas nunca tinha visto as flores, não sabia distinguir a malva do malvaísco. Fui eu quem o ensinou a reconhecer – vai achar incrível – o jasmim.' E força é confessar ser curioso, pensar que o pintor de flores, considerado hoje o melhor pelos entendidos, e superior até a Fantin-Latour, talvez nunca tivesse, sem a mulher a meu lado podido pintar um jardim. 'Sim, palavra de honra, o jasmim; todas as rosas que ele fez, viu-as aqui em casa; ou então lhe foram entregues por mim. Nós o chamávamos de Senhor Tiche;[14] pergunte a Cottard, a Brichot, a todos os outros, se era tratado aqui feito um grande homem. Ele próprio teria achado graça, se o fosse. Ensinei-o a arrumar as flores; no começo, não conseguia de modo nenhum. Nunca soube fazer um buquê. Não tinha gosto natural para escolher, era preciso que lhe dissesse: – Não, não pinte isto, não vale a pena, pinte aquilo. – Ah, se nos tivesse dado ouvidos para a arrumação de sua vida, como para o arranjo de suas flores, se não tivesse feito aquele ignóbil

[13] *Pisco*: ave passeriforme européia, da família dos pardais. Não existe no Brasil. (N. do T.)

[14] Elstir era chamado de "Sr. Biche" em *No Caminho de Swann*. Veja *Sodoma e Gomorra*, p. 770 (nota 45). (N. do T.)

casamento!' E, bruscamente, os olhos febris absortos num devaneio voltado para o passado, amassando nervosamente, no mecânico repuxar das falanges, os babados das mangas do vestido, lembra, no *contornamento*[15] de sua atitude dolorida, um quadro admirável que julgo nunca foi pintado, e onde se veria toda a revolta contida, toda a raivosa suscetibilidade de uma amiga ultrajada em suas delicadezas, em seu pudor de mulher. A propósito, fala-nos do admirável retrato que Elstir havia feito para ela, o retrato da família Cottard, retrato que ela doara ao Luxemburgo logo depois de sua briga com o pintor, confessando ter sido ela quem dera a Elstir a idéia de representar o homem de casaca, a fim de conseguir esse belo borbulhar de roupa branca, e a mulher num vestido de veludo, vestido em que se apoiava todo o borboletear dos claros matizes dos tapetes, das flores, das frutas, dos vestidos de gaze das meninas, semelhantes a saiotes de dançarinas. Ela igualmente lhe dera a idéia desse penteado, pelo qual depois tanto elogiaram o artista, e que, afinal, consistia em pintar a mulher, não como se estivesse posando, mas surpreendida na intimidade de sua vida cotidiana. 'Eu lhe dizia: – Mas, na mulher que se penteia, que enxuga o rosto, que aquece os pés, segura de não estar sendo observada, há uma porção de movimentos interessantes, movimentos de uma graça inteiramente leonardesca!.'

Mas a um sinal de Verdurin, denunciando o perigo, para a grande nervosa que seria no fundo a sua mulher, desse despertar de indignações, Swann me faz admirar o colar de pérolas negras usado pela dona da casa e comprado por ela, todas brancas, no leilão de um descendente da Sra. de La Fayette, a quem teriam sido ofertadas por Henriette da Inglaterra, pérolas que se tornaram negras após um incêndio que destruiu uma parte da casa em que os Verdurin moravam, numa rua de que já não recordo o nome, incêndio após o qual foi encontrado o cofrezinho onde estavam essas pérolas, mas completamente negras. 'E eu conheço o retrato dessas pérolas, nos ombros da própria Sra. de La Fayette, sim, exatamente, o retrato dela', insiste Swann diante das exclamações dos convivas embasbacados, 'o seu retrato autêntico, na coleção do duque de Guermantes.' Uma coleção sem par em todo o mundo, proclama Swann, e que eu deveria ir ver, uma coleção herdada pelo famoso duque (seu sobrinho preferido) da Sra. de Beausergent, sua tia, da Sra. de Beausergent, mais tarde Sra. d'Hatzfeldt, irmã da marquesa de Villeparisis e da princesa de Hanôver. Meu irmão e eu gostávamos muito dele antigamente, sob os traços do garoto encantador chamado Basin, que era de fato o nome de batismo do duque. A esse respeito, o doutor Cottard, com uma finura que nele denuncia o homem realmente distinto, retoma a história das pérolas e nos revela que seme-

[15] *Contornamento*: no original, *contournement* (em vez de *contour*, 'contorno'), neologismo típico de Edmond de Goncourt, cujo *Diário* é pastichado por Marcel Proust aqui. (N. do T.)

lhantes catástrofes produzem no cérebro das pessoas alterações bem parecidas às que se observam na matéria inanimada, e cita, de um modo verdadeiramente mais filosófico do que o fariam os médicos, o criado de quarto da Sra. Verdurin, o qual, apavorado com aquele incêndio onde quase havia morrido, tornou-se outro homem, com uma caligrafia de tal forma mudada, que, à primeira carta que os patrões, então na Normandia, dele receberam anunciando o sucedido, julgaram que fosse a mistificação de um farsante. E, segundo Cottard, não só mudou a caligrafia, mas também, de sóbrio que era, o rapaz se transformou num ébrio tão abominável que a Sra. Verdurin fora obrigada a despedi-lo. E a dissertação sugestiva passa, a um gracioso sinal da dona da casa, da sala de jantar ao *fumoir* veneziano, no qual Cottard nos diz ter assistido a verdadeiros desdobramentos de personalidade, citando-nos o caso de um seu doente, que se oferece amavelmente para levar à minha casa, e a quem bastava que ele o tocasse as têmporas para despertá-lo para uma segunda vida, vida na qual não lembraria nada da anterior, tanto que, muito honesto numa, fora preso várias vezes, na outra, por causa de seus roubos, pois era simplesmente um tremendo velhaco. Ao que a Sra. Verdurin comenta com finura que a medicina poderia fornecer assuntos mais autênticos a uma peça teatral em que a graça do imprevisto se assentaria nos equívocos patológicos, o que, aos poucos, leva a Sra. Cottard a aludir a uma obra desse gênero, escrita por um autor que é o predileto de seus filhos, o escocês Stevenson, um nome que põe na boca de Swann esta afirmação peremptória: 'Mas Stevenson é absolutamente um grande escritor, eu lhe garanto, Sr. de Goncourt, muito grande mesmo, igual aos maiores.' E, como manifesto meu encantamento com o teto de painéis armoriados, proveniente do antigo *palazzo* Barberini, da sala onde fumamos, deixando transparecer minha pena ante o enegrecimento progressivo da concha da fonte devido à fumaça dos nossos *londrès*, e tendo Swann afirmado que manchas semelhantes, em livros possuídos por Napoleão I, pertencentes agora ao duque de Guermantes, apesar de suas opiniões antibonapartistas, atestam que o imperador mascava. Cottard, que se revela um espírito verdadeiramente penetrante em todos os assuntos, declara que tais manchas de modo algum provêm disso – 'mas de modo algum', insiste com autoridade – e sim do hábito que ele possuía de ter sempre na mão, até nos campos de batalha, pastilhas de alcaçuz a fim de acalmar as dores do fígado. 'Pois ele sofria de uma doença do fígado, e foi disso que morreu', concluiu o doutor."

Interrompi a leitura neste ponto, já que partiria no dia seguinte; e, além disso, chegara a hora em que me reclamava outro patrão, a cujo serviço levamos todos os dias a metade do nosso tempo. A tarefa que nos impõe, cumprimo-la de olhos fechados. Todas as manhãs ele nos devolve ao nosso patrão anterior, sabendo que sem isso não o serviríamos bem. Curioso, quando o nosso espírito reabre os olhos, os mais espertos de nós, ansiosos de saber o que poderíamos ter feito sob as ordens de um patrão que faz deitar seus escravos antes de os forçar a um trabalho precipitado, buscam sub-repticiamente contemplar a tarefa inconclusa. Porém o sono luta velozmente com eles a fim de fazer desaparecer os traços daquilo que gostariam de ver. E, passados tantos séculos, ainda não sabemos grande coisa a respeito.

Portanto, fechei o diário dos Goncourt. Prestígio da literatura! Desejaria rever os Cottard, pedir-lhes tantos pormenores acerca de Elstir, ir ver a loja do *Petit Dunkerque*, se ainda existisse, pedir licença para visitar aquele palacete dos Verdurin onde havia jantado. Mas sentia uma vaga perturbação. Certo, eu jamais me iludira sobre minha incapacidade de ouvir, nem, desde que estivesse a sós, de olhar. Uma mulher velha não mostrava a meus olhos nenhum tipo de colar de pérolas e aquilo que dizia não entrava nos meus ouvidos. Ainda assim, tais criaturas eram-me conhecidas na vida cotidiana, eu jantara muitas vezes com elas, eram os Verdurin, era o duque de Guermantes, eram os Cottard, todos eles me haviam parecido tão vulgares, quanto à minha avó parecera aquele Basin, que ela não duvidava ser o sobrinho preferido, o jovem herói delicioso da Sra. de Beausergent; todos me haviam parecido insossos, e eu me recordava das inúmeras vulgaridades de que todos eles eram compostos...

Et que tout cela false un astre dans ler nuit![16]

Resolvi deixar provisoriamente de lado as objeções contra a literatura que poderiam fazer nascer em mim as páginas dos Goncourt lidas na véspera de minha partida de Tansonville. Mesmo pondo de parte o índice individual de ingenuidade, que é espantoso no caso desse memorialista, eu podia tranqüilizar-me sob vários pontos de vista. Primeiro, no que se referia pessoalmente a mim, minha incapacidade de ouvir e olhar, que o diário tão penosamente me havia ilustrado, não era entretanto total. Havia em mim um personagem que sabia mais ou menos olhar, mas era um personagem intermitente, só ganhando vida quando se manifestava alguma essência geral, comum a diversas coisas, de que extraía alegria e alimento. Então o personagem olhava e escutava, mas apenas até uma certa profundidade, de modo que a observação não lucrava muito. Como um geômetra que, despojando as coisas de suas qualidades sensíveis, vê somente o substrato linear delas, escapava-me o que as pessoas contavam, pois o que me interessava não era o que queriam dizer e sim a maneira como o diziam, enquanto reveladora de seu caráter ou de seus ridículos; ou melhor, era um objeto sempre visado particularmente pela minha busca porque me dava um prazer específico, a descoberta de pontos co-

[16] *"E que tudo isso forme um astro na noite!" Citação inexata do último verso de um poema de Victor Hugo em* Contemplações, *onde, em vez de "noite", o poeta escreve "céus".* (N. do T.)

muns a criaturas diversas. Somente quando os percebia é que meu espírito – até então sonolento, mesmo sob a aparente atividade de minha conversação, cujo tom animado disfarçava para os outros o total entorpecimento espiritual – lançava-se, de súbito, com alegria, à caça, mas o que perseguia nesse instante – por exemplo, a identidade do salão Verdurin em lugares e tempos diversos – estava situado a meia profundidade, para além da aparência mesma, numa zona um tanto mais recuada. Assim, fugia-me o encanto aparente, imitável, das criaturas, pois eu não possuía a faculdade de me deter nele, como um cirurgião que, sob o ventre polido de uma mulher, distinguiria o mal interno que o consome. Por mais que jantasse em sociedade, não enxergava os convivas, pois, quando julgava encará-los, apenas os radiografava.

Daí resultava que, reunindo todas as observações que fizera num jantar acerca dos convivas, o desenho das linhas traçadas por mim representava um conjunto de leis psicológicas, onde quase não havia lugar, por si mesmo, para o interesse das frases dos convivas. Mas tiraria isso qualquer mérito aos meus retratos já que eu não os tinha como tais? Se um retrato, no domínio da pintura, põe em evidência certas verdades relativas ao volume, à luz e ao movimento, será necessariamente inferior a outro, da mesma pessoa, mas completamente diverso, e no qual mil detalhes, omitidos no primeiro, estarão minuciosamente relatados neste segundo retrato, de onde se poderá concluir que o modelo era encantador, ao passo que o teriam julgado feio no primeiro, o que pode ter uma importância documental e até histórica, mas não é necessariamente uma verdade artística.

E, além disso, a minha frivolidade, quando eu não estava sozinho, fazia-me desejoso de agradar, mais desejoso ainda de divertir, tagarelando, que de me instruir, ouvindo, a menos que eu houvesse comparecido à recepção para interrogar sobre um ponto de arte, ou por alguma suspeita ciumenta que já me empolgasse o espírito. Mas eu era incapaz de ver senão aquilo do qual a leitura me despertara o desejo, aquilo cujo esboço, de antemão desenhado por mim mesmo, desejava confrontar logo com a realidade. Quantas vezes, já o sabia muito bem antes que essa página de Goncourt mo houvesse assinalado, fui incapaz de prestar atenção em coisas ou pessoas que, a seguir, uma vez que sua imagem me fora apresentada na solidão por um artista, teria percorrido léguas e arriscado a morte para reencontrar! Então, a minha imaginação já partira, começara a pintar. E sobre aquilo, diante do que bocejara no ano anterior, indagava angustiado, contemplando-o antecipadamente, desejando-o: "Será verdadeiramente impossível vê-lo? Quanto não daria eu por isso!"

Quando lemos artigos sobre pessoas, mesmo simplesmente pessoas da sociedade, qualificadas de "últimos representantes de uma sociedade da qual não existe mais qualquer testemunho", sem dúvida podemos exclamar: "E dizer que é de uma criatura tão insignificante que se fala com tanta abundância e tantos elogios! É isto o que eu deploraria não ter conhecido, se só tivesse lido os jornais e as revistas, e se não tivesse visto o homem"; mas eu estava antes inclinado a pensar, ao ler essas páginas nos jornais: "Que pena eu não ter dado mais atenção a este senhor – quando só me preocupava em reencontrar Gilberte ou Albertine. Julguei-o um mundano enfadonho, um simples figurante, mas era uma *figura*!"

As páginas de Goncourt que li fizeram-me lamentar essa minha inclinação. Pois talvez eu pudesse concluir delas que a vida nos ensina a rebaixar o valor da leitura, e nos mostra a escassa importância do que o escritor nos elogia; mas podia, igualmente, concluir que a leitura, ao contrário, nos ensina a realçar o valor da vida, valor que não soubemos apreciar e de cuja grandeza só nos damos conta através do livro. A rigor, podemos nos consolar do pouco prazer experimentado no convívio de um Vinteuil ou de um Bergotte. O burguesismo pudico de um, os defeitos insuportáveis do outro, e até a pretensiosa vulgaridade de um Elstir em seus começos (visto que o *Diário* dos Goncourt me fizera descobrir que ele não era outro senão o "senhor Tiche"[17] que, outrora, fazia discursos tão exasperadores a Swann, na casa dos Verdurin), nada provam contra eles, visto que o seu gênio se manifestava pelas obras. Quanto a eles, que as memórias ou nós sejamos culpados por tornar atraentes uma sociedade que nos desagradou é coisa de pouca importância, já que, mesmo que seja o escritor dessas memórias que se engane, isto não provaria coisa alguma contra o valor da vida que produz tais gênios. (E qual é o homem de gênio que não adotou maneiras irritantes de falar dos artistas de seu grupo, antes de atingir, como acontecera com Elstir e como acontece raramente, um bom gosto superior? As cartas de Balzac, por exemplo, não estarão cheias de termos vulgares que fariam Swann sofrer mil mortes ao empregá-los? E, no entanto, é provável que Swann, tão fino, tão isento de ridicularias odiosas, fosse incapaz de escrever *A Prima Bette* e *O Cura de Tours*.)

Na extremidade oposta da experiência, quando eu via que as mais curiosas anedotas, que formam a matéria inesgotável do *Diário* dos Goncourt, divertimento dos serões solitários para o leitor, lhe tinham sido contadas por convivas a quem teríamos vontade de conhecer por causa dessas páginas, e que todavia não deixaram em mim nenhuma recordação interessante, isso também não era totalmente inexplicável. Apesar da ingenuidade de Goncourt, que atribuía a graça dessas anedotas à provável distinção do narrador, podia muito bem ocorrer que pessoas medíocres tivessem visto em suas vidas, ou escutassem contar, coisas curiosas e as contassem por sua vez. Goncourt sabia escutar, bem como sabia ver; eu não.

Além disso, todos esses fatos teriam tido necessidade de ser julgados um a um. O Sr. de Guermantes certamente não me dera a impressão de ser esse adorá-

[17] Lapso de Proust: o Narrador já descobrira a identidade de Tiche (ou Biche) e de Elstir (v. *À Sombra das Moças em Flor*, p. 651). (N. do T.)

vel modelo de graças juvenis que minha avó tanto queria ter conhecido e me propunha como exemplo inimitável, segundo as memórias da Sra. de Beausergent. Mas é preciso levar em conta que, à época, Basin estava com sete anos, que a escritora era sua tia, e que até os maridos que irão divorciar-se poucos meses depois fazem grandes elogios às esposas. Um dos mais belos poemas de Sainte-Beuve é consagrado à aparição, junto a uma fonte, de uma criança ornada de todos os dons e de todas as graças, a jovem Srta. de Champlâtreux, que então teria menos de dez anos. Não obstante a veneração carinhosa que o poeta de gênio que é a condessa de Noailles tributava à sua sogra, duquesa de Noailles, nascida Champlâtreux, é possível que, se aquela tivesse de lhe fazer o retrato, este contrastaria vivamente com o que Sainte-Beuve havia feito cinqüenta anos antes.

O mais perturbador talvez fosse o meio termo, ou seja, as pessoas cuja reputação implica mais do que uma memória que soube reter uma anedota curiosa, sem todavia nos permitirem, como no caso dos Vinteuil e dos Bergotte, o recurso de julgá-las por suas obras, pois nada criaram; apenas, para nosso espanto, visto as julgarmos tão medíocres, inspiraram. Concedo que, desde os grandes pintores da Renascença, a maior impressão de elegância, nos museus, decorra dos salões dessa pequena burguesia ridícula, de quem, se não a conhecesse, os quadros me fariam desejar poder aproximar-me na vida real, esperando aprender, com aquelas cujas pomposas caudas de veludo e rendas são comparáveis às mais belas pinturas de Ticiano, segredos preciosos que não me desvendaram nem a arte do pintor nem suas telas. Se tivesse compreendido, no passado, que não é o mais espirituoso, o mais instruído, o mais bem relacionado, mas aquele que sabe tornar-se espelho, para poder assim refletir a sua vida, embora acanhada, que chega a ser um Bergotte (conquanto os contemporâneos o considerassem menos espirituoso que Swann e menos sábio de Bréauté), teria observado que o mesmo sucede, e com mais razão, com os modelos do artista. Ao surgir no pintor, que pode abordar todo e qualquer assunto, o amor da beleza e da elegância, onde achará temas tão sugestivos, o modelo lhe será fornecido por pessoas um pouco mais ricas do que ele, em cuja casa encontrará o que, em geral, não existe no seu ateliê de homem de gênio desconhecido, que vende suas telas por cinqüenta francos – um salão com móveis cobertos de seda antiga, muitas lâmpadas, belas flores e frutos, lindos vestidos –, pessoas relativamente modestas, ou que assim parecerão a outras verdadeiramente ricas (que sequer suspeitam de sua existência), mas que, justamente por isso, estão em melhores condições de conhecer o artista obscuro, apreciá-lo, convidá-lo, comprar-lhe as telas, do que os aristocratas que se fazem pintar, como os papas e os chefes de Estado, pelos pintores acadêmicos. A poesia de salões elegantes e de belos vestidos do nosso tempo, por acaso não a encontrará a posteridade antes no salão do editor Charpentier, pintado por Renoir, do que no retrato da princesa de

Sagan ou da condessa de La Rochefoucauld por Cot, ou Chaplin?[18] Os artistas que nos legaram as maiores impressões de elegância raramente colheram elementos na casa de pessoas que estavam entre os grandes elegantes de seu tempo, os quais dificilmente se fazem pintar pelo desconhecido portador de uma beleza que eles não sabem avaliar em suas telas, dissimulada como está pela interposição de chavões cuja graça antiquada flutua, aos olhos do público, como as visões subjetivas que o enfermo julga estarem efetivamente diante dele. Mas que esses sujeitos medíocres, que eu havia conhecido, tivessem além disso inspirado, aconselhado certos arranjos que me encantaram, que a presença de algum deles fosse mais importante que a de um modelo, fosse a de um amigo que o pintor desejasse ostentar em suas telas, isto levava-me a indagar se todas as pessoas que lamentamos não haver conhecido porque Balzac as pintava em seus livros, ou lhes dedicava estes em tributo à admiração que nutria por eles, porque sobre tais pessoas Baudelaire ou Sainte-Beuve fizeram seus mais belos versos, a indagar se, com mais razão ainda, todas as Récamier, todas as Pompadour não me tivessem parecido pessoas insignificantes, seja por debilidade da minha natureza (o que me dava revolta por ser doente e não poder reencontrar todos aqueles que desconhecera), ou porque, de fato, só devessem o seu prestígio a uma magia ilusória da literatura, o que obrigava a usar um dicionário diferente para ler, e me consolava de precisar, de um dia para o outro, devido aos progressos de meu estado enfermiço, romper com a sociedade, renunciar às viagens, aos museus, para ir tratar-me numa casa de saúde. Talvez, no entanto, esse lado mentiroso, essa falsa luz, só exista nas Memórias quando elas são muito recentes, quando as reputações se aniquilam bem depressa, tanto as intelectuais quanto as mundanas (pois, se a erudição tenta reagir logo contra semelhante sepultamento, conseguirá afastar um em mil desses esquecimentos que se acumulam?).

* * *

Essas idéias, tendendo umas a diminuir, outras a aumentar a minha tristeza por não possuir dotes literários, jamais se apresentaram ao meu pensamento durante os longos anos que passei longe de Paris, num sanatório, onde aliás renunciei de todo ao projeto de escrever, até que a casa de saúde se viu desfalcada de pessoal médico, em princípios de 1916.

Regressei, então, a uma Paris bem diversa, como em breve se verá, daquela a que regressara uma primeira vez, em agosto de 1914, para sofrer um exame médico, após o qual me recolhera de novo ao sanatório. Numa das primeiras noites

[18] Pierre-Auguste Cot (1837-1883) e Charles Josuah Chaplin (1825-1891), pintores franceses. (N. do T.)

de meu novo retorno, em 1916, tendo vontade de ouvir falar da única coisa que então me importava, a guerra, saí depois do jantar para fazer uma visita à Sra. Verdurin, pois ela estava com a Sra. Bontemps, uma das rainhas daquela Paris durante a guerra, que lembrava a do Diretório. Como que pela ação de um pouco de fermento, em aparência de geração espontânea, as moças andavam todo santo dia com altos turbantes cilíndricos como o faria uma contemporânea da Sra. Tallien; trazendo, por civismo, túnicas egípcias retas, escuras, ao jeito militar, sobre saias muito curtas, calçavam sapatos atados por correias, lembrando o coturno de Talma, ou longas polainas como as de nossos caros combatentes; porque não se esqueciam de seu dever de alegrar os olhos desses combatentes, diziam, era que ainda se enfeitavam não só de vestidos "flutuantes", mas também de jóias, cujos temas decorativos evocavam o exército mesmo quando o material dele não provinha, nem nele fora trabalhado. Em vez de ornatos egípcios que lembrassem a campanha do Egito, viam-se anéis e braceletes feitos com fragmentos de obuses ou faixas de canhões de 75, isqueiros formados por duas moedas inglesas, às quais um soldado, em seu abrigo, lograra dar uma pátina tão bela que se diria traçado por Pisanello o perfil da rainha Vitória; era, também, por pensarem nisso constantemente, diziam ainda, que, quando morria um dos seus, mal punham luto, ao pretexto de que era "mesclado de orgulho", o que permitia um bonezinho branco de crepe inglês (do mais gracioso efeito e que "autorizava todas as esperanças", invencível na certeza do triunfo definitivo), e substituir a casimira de outrora pelo cetim e pela musselina de seda, e até mesmo conservar as pérolas, "sempre observando o tato e a correção que é escusado lembrar às francesas".

O Louvre e todos os museus estavam fechados, e, quando se lia na manchete de um jornal: "Uma exposição sensacional", podia-se ter certeza de que se tratava de uma exposição, não de quadros, mas de vestidos, e aliás vestidos destinados a "essas delicadas jóias de arte de que as parisienses há muito se achavam privadas". Desse modo é que voltavam a elegância e o prazer; a elegância, na falta das artes, procurando desculpar-se, como os artistas de 1793, ano em que, expondo no Salão revolucionário, proclamavam que pareceria injustamente "estranho a republicanos austeros que nos ocupemos das artes quando a Europa, coalizada, assedia o território da liberdade". Assim procediam, em 1916, os costureiros que, aliás, com uma orgulhosa consciência de artistas, confessavam que, "procurar o novo, afastar-se da banalidade, afirmar uma personalidade, preparar a vitória, liberar para as gerações do após-guerra uma nova fórmula do belo, tal era a ambição que os animava, a quimera que perseguiam, conforme se poderia constatar indo ver seus salões deliciosamente instalados na rua da ..., onde a palavra de ordem parece ser apagar, com um tom luminoso e alegre, as pesadas tristezas da ocasião, com a discrição todavia imposta pelas circunstâncias".

"As tristezas da ocasião", é verdade, "poderiam, sem dúvida, vencer as energias femininas se não tivéssemos tantos altos exemplos de coragem e resistência a nos servir de meditação. Assim, pensando em nossos combatentes que, no fundo de suas trincheiras, sonham com mais conforto e mais graça para a querida ausente, deixada no lar, não cessaremos de caprichar cada vez mais na criação de vestidos que se adaptem às necessidades do momento. A voga", isto se percebe, "é sobretudo a das casas inglesas, portanto aliadas, e este ano impera a loucura pelo vestido-tonel, cuja bela simplicidade nos confere a todas um estilo interessante de rara distinção. Será mesmo uma das mais felizes conseqüências dessa triste guerra", acrescentava o agradável cronista (esperava-se: "a retomada das províncias perdidas, o despertar do sentimento nacional"), "será mesmo uma das mais felizes conseqüências dessa guerra o fato de se terem obtido belos resultados no terreno da toalete, sem luxo descabido e má qualidade, com tão pouco material, de se terem obtido coisas tão graciosas com quase nada. Ao vestido do grande costureiro, editado com vários exemplares, preferem-se no momento as roupas feitas em casa, porque afirmam o espírito, o gosto e as tendências individuais de cada um".

Quanto à caridade, pensando em todas as misérias nascidas da invasão, em tantos mutilados, era bem natural que a moda devesse tornar-se "mais engenhosa ainda", o que obrigaria as senhoras de altos turbantes a passar o fim da tarde nos chás, ao redor de uma mesa de bridge, comentando as notícias do *front*, enquanto à porta esperavam-nas seus automóveis, em cujo assento um belo militar conversava com o lacaio. Aliás, não eram novos apenas os chapéus cujos estranhos cilindros encimavam os rostos. Os próprios rostos o eram também. Essas damas de chapéus novos eram mulheres jovens chegadas não se sabia bem de onde, e que eram a flor da elegância, uma há seis meses, outras há dois anos, outras ainda há quatro. De resto, tais diferenças tinham, para elas, tanta importância como, no tempo em que eu estreara na sociedade, as havia, entre duas famílias como os Guermantes e os La Rochefoucauld, três ou quatro séculos de antigüidade comprovada. A dama que conhecia os Guermantes desde 1914 encarava como uma arrivista aquela que lhe apresentavam na casa deles em 1916, cumprimentava-a com certa distância, examinava-a com seu *lorgnon* e confessava, com um trejeito, que não se sabia ao certo se aquela senhora era casada ou não. "Tudo isso é por demais nauseabundo", concluía a dama de 1914, que desejaria que o ciclo de novas admissões se encerrasse depois dela. Essas novas pessoas, que os jovens achavam muito antigas, e que, aliás, certos velhos, que haviam freqüentado outras rodas além da alta, julgavam reconhecer e não seriam já tão novas, não ofereciam à sociedade apenas os divertimentos da conversação política e a música na intimidade de quem lhes convinha; era preciso que fossem as únicas que os oferecessem. Pois, para que as coisas pareçam novas, ainda que antigas, e mesmo se são novas, é preciso, na arte como na medicina, como no mundanismo, nomes novos. (Aliás, eram novos em certas coisas. Assim, a Sra. Verdurin fora a Veneza durante a guerra, mas, como as pessoas que desejam evitar falar em desgosto e sentimento, quando dizia que algo era estupendo, o que admirava não era Veneza, nem a catedral de São Marcos, nem os palácios, tudo o que me havia agradado e a que ela não ligava a mínima importância, e sim o efeito dos projetores no céu, os projetores sobre os quais dava informações apoiadas em cifras. Assim, de tempos em tempos, renasce um certo realismo reagindo contra a arte admirada até então.)

O salão Saint-Euverte era um rótulo desbotado que, mesmo com a presença dos maiores artistas e dos ministros mais influentes, não teria atraído ninguém. Pelo contrário, corria-se a ouvir uma palavra pronunciada pelo secretário de um daqueles, ou pelo subchefe de gabinete de um destes, na casa das novas senhoras de turbante, cuja invasão alada e tagarela enchia Paris. As damas do primeiro Diretório possuíam uma rainha que era jovem e bela, e se chamava Madame Tallien. As do segundo tinham duas, velhas e feias, chamadas Sra. Verdurin e Sra. Bontemps. Quem poderia ressentir-se com a Sra. Bontemps por ter o seu marido desempenhado, no Caso Dreyfus, um papel que o *Écho de Paris* duramente criticara? Tendo toda a Câmara, em dado momento se tornado revisionista, recrutaram-se forçosamente entre os antigos revisionistas, como entre os antigos socialistas, os membros do Partido da Ordem Social, da tolerância religiosa e da preparação militar. Antigamente, teriam detestado o Sr. Bontemps porque os antipatriotas tinham então o nome de dreyfusistas. Mas em breve esse nome fora esquecido, sendo substituído pelo do adversário da lei dos três anos. O Sr. Bontemps era, ao contrário, um dos autores dessa lei; portanto, era um patriota.

Na sociedade (e aliás semelhante fenômeno social não é senão a aplicação de uma lei psicológica bem mais geral), as novidades, culpadas ou não, só causam horror enquanto não são assimiladas e envoltas em elementos tranqüilizadores. Acontecera com o dreyfusismo o mesmo que ocorrera com o casamento de Saint-Loup com a filha de Odette, casamento que a princípio dera o que falar. Agora, que viam na casa dos Saint-Loup todas as pessoas "que se conheciam", Gilberte poderia ter os costumes da própria Odette que, apesar disso, todos a "freqüentariam" e aprovariam que ela censurasse, com empáfia, as novidades morais não assimiladas. O dreyfusismo, agora, estava integrado numa série de coisas respeitáveis e habituais. Quanto a indagar o que por si mesmo valia, ninguém pensava agora para admiti-lo, como não se pensara outrora para condená-lo. Ele era agora mais *shocking*. Era o que bastava. Mal se lembravam que ele o fora, como já não se sabe, ao cabo de algum tempo, se o pai de uma moça era ou não um gatuno. Se necessário, podia-se dizer: "Não, é de um irmão ou de um cunhado que o senhor está falando. Mas dele nunca se falou mal." Da mesma forma, certamente houvera dreyfusismo e dreyfusismo, e o que ia à casa da duquesa de Montmorency e fizera aprovar a lei dos três anos não podia ser o ruim. Em todo caso, misericórdia para todo pecado. Este esquecimento que se outorgara ao dreyfusismo favorecia a *fortiori* os dreyfusistas. De resto, sobravam apenas eles na política, visto que, em dado momento, tiveram de adotar esse rótulo todos aqueles que desejaram participar do governo, mesmo se representassem o oposto do que o dreyfusismo, em sua chocante novidade, havia encarnado (no tempo em que Saint-Loup se inclinava por tendências perigosas): o antipatriotismo, a irreligião, a anarquia etc. Assim, o dreyfusismo do Sr. Bontemps, invisível e essencial como o de todos os políticos, não se lhe notava mais do que os ossos sob a pele. Ninguém se recordava que ele fora dreyfusista, pois os mundanos são distraídos e esquecidos, e também porque havia decorrido muito tempo, e que eles afetavam ter sido maior ainda, visto que uma das idéias da moda era dizer que o período anterior à guerra estava separado da guerra por algo tão profundo e, aparentemente, tão prolongado quanto um período geológico; e o próprio Brichot, o nacionalista, quando aludia ao Caso Dreyfus, comentava: "Naqueles tempos pré-históricos."

(Na verdade, essa mudança profunda operada pela guerra estava na razão inversa do valor dos espíritos afetados, pelo menos a partir de um certo grau. Nas camadas inferiores, os rematados idiotas e os perfeitos gozadores nem se preocupavam com a guerra. Mas, nos níveis superiores, aos que fazem da vida interior o seu ambiente, pouco lhes importa o vulto dos acontecimentos. O que, para eles, modifica profundamente a ordem dos pensamentos é antes alguma coisa que parece não ter em si qualquer importância e que lhes inverte a ordem cronológica do tempo, tornando-os contemporâneos de outra época de suas vidas. Pode-se, de modo prático, perceber a beleza das páginas que tais coisas lhes inspiram: um canto de pássaro no parque de Montboissier, ou uma brisa que recende ao perfume do resedá são, evidentemente, fatos de menor conseqüência que as grandes datas da Revolução e do Império. Todavia, inspiraram a Chateaubriand, nas *Memórias de Além-túmulo*, algumas páginas de valia infinitamente superior.) Os termos *dreyfusista* e *antidreyfusista* já careciam de sentido, diziam as mesmas pessoas que teriam ficado pasmas e revoltadas se lhes contassem que, provavelmente, dentro de alguns séculos, ou talvez menos, palavras como *boche* só teriam o valor de curiosidade, da mesma forma que *sans-culotte*, *chouan* ou *bleu*.[19]

O Sr. Bontemps não queria ouvir falar de paz sem que a Alemanha fosse reduzida à mesma fragmentação que na Idade Média, sem que se declarasse a degradação da casa de Hohenzollern, e Guilherme II levasse doze tiros. Numa palavra, era o que Brichot denominava um *jusqu'au-boutiste*[20], era o melhor brevê

[19] *Boche*, alemão; *sans-culotte*, revolucionário republicano (da Revolução Francesa); *chouan*, nome que se dava ao revoltoso da região da Vendéia, na França, que se insurgiu contra a Revolução Francesa em 1793; *bleu*, popularmente, todo recruta em serviço militar. (N. do T.)

[20] *Jusqu'au-boutiste*, partidário do *jusqu'au-boutisme*, termo criado por Maurice Barrès, em 1914, para radicalizar uma posição nacionalista antigermânica. A tradução literal seria "até-o-finzismo" e "até-o-finzista". (N. do T.)

de civismo que lhe poderiam dar. É claro que nos três primeiros dias a Sra. Bontemps se sentira um tanto deslocada no meio de pessoas que manifestavam à Sra. Verdurin desejos de conhecê-la, e foi num tom ligeiramente rabugento que a Sra. Verdurin respondeu: – O conde, minha cara – à Sra. Bontemps, que lhe dizia: – É mesmo o duque d'Haussonville que você me acaba de apresentar? –, seja por total ignorância e ausência de associação entre o nome de Haussonville e um título qualquer, seja, pelo contrário, por excessiva instrução e associação de idéias com o "partido dos duques", do qual soubera ser o Sr. d'Haussonville um dos membros da Academia.

A partir do quarto dia, ela principiara a instalar-se de maneira sólida no *faubourg* Saint-Germain. Às vezes, notavam-se ainda a seu redor os estranhos desconhecidos de uma sociedade que ignoravam, e que eram naturalmente aceitos como os restos de casca ao redor do pinto, pelos que conheciam o ovo de onde saíra a Sra. Bontemps. Mas no fim da primeira quinzena já os havia sacudido e, antes de se completar um mês, quando ela dizia: – Vou à casa dos Lévy –, todos entendiam, sem que ela precisasse explicar, que se tratava dos Lévis-Mirepoix, e nenhuma duquesa se deitaria sem ouvir da Sra. Bontemps ou da Sra. Verdurin, ao menos por telefone, o que dizia o comunicado da noite, o que fora omitido, como andavam as coisas na Grécia, qual a ofensiva que se preparava, numa palavra, tudo aquilo que o público só saberia no dia seguinte, ou mais tarde ainda, e de que ela, desse modo, fazia, como as costureiras, uma espécie de exibição privada. Na conversa, a Sra. Verdurin, para comunicar as novidades, dizia: – "nós" – falando da França. – Pois bem, é isto: nós exigimos do rei da Grécia que se retire do Peloponeso etc., nós lhe enviamos etc. – E nesses relatos retornava o tempo todo o G. Q. G. ("telefonei ao G. Q. G."), a abreviatura que ela pronunciava com o mesmo prazer das mulheres que, antigamente, não conhecendo o príncipe de Agrigento, perguntavam sorrindo quando falavam dele, e para mostrar-se a par do assunto: "Grigri?", prazer reservado apenas aos mundanos em épocas mais tranqüilas, mas que nas grandes crises até o povo experimenta. Nosso mordomo, por exemplo, se lhe falavam do rei da Grécia, era capaz de dizer, graças aos jornais, como Guilherme II: – Tino? – apesar de ter sido até então mais vulgar a sua familiaridade com os reis, inventada por ele mesmo, como quando, outrora, ao referir-se ao rei da Espanha, dizia: "Fonfonse". Aliás, pôde-se notar que, à medida que aumentava o número de pessoas ilustres que se relacionavam com a Sra. Verdurin, diminuía o número das que ela chamava de "maçantes". Por uma espécie de transformação mágica, toda pessoa tida como "maçante", que lhe fazia uma visita e solicitava um convite, tornava-se de súbito alguém agradável e inteligente. Em suma, ao cabo de um ano o número dos "maçantes" diminuiu tanto que "o medo e a impossibilidade de se aborrecer", que tinham tido um lugar tão grande na conversa e desempenhado um papel tão decisivo na vida da Sra. Verdurin, desapareceram quase por completo. Dir-se-ia que, no fim da vida, essa impossibilidade de aborrecer-se (que antigamente, aliás, ela assegurava não ter sentido na primeira mocidade) a fazia sofrer menos, como certas enxaquecas ou certas asmas de caráter nervoso, que diminuem de intensidade quando se envelhece. E o receio de aborrecer-se teria com certeza abandonado inteiramente a Sra. Verdurin, por falta de "maçantes", se ela, em pequena escala, não houvesse substituído os que já não o eram por outros, recrutados entre os antigos fiéis.

De resto, para terminar com as informações sobre as duquesas que agora freqüentavam a casa da Sra. Verdurin, elas iam buscar ali, sem o perceberem, exatamente a mesma coisa que os dreyfusistas antigamente, ou seja, um prazer mundano composto de tal modo que sua degustação fartasse as curiosidades políticas e satisfizesse a necessidade de comentar entre si os incidentes lidos nos jornais. A Sra. Verdurin dizia: – Venha às cinco horas falar da guerra –, como outrora "falar do Caso Dreyfus", e, no intervalo: – Venham ouvir Morel.

Ora, Morel não deveria comparecer, pelo simples motivo de que não fora dispensado do serviço militar. Simplesmente não se apresentara, era um desertor, mas ninguém o sabia.

As coisas eram de tal modo as mesmas que retomavam muito naturalmente as palavras de outrora: "bem pensantes, mal pensantes". E, como pareciam diferentes, como os antigos partidários da Comuna tinham sido anti-revisionistas, os maiores dreyfusistas queriam mandar fuzilar todo mundo, contando com o apoio dos generais, como estes, no tempo do Caso Dreyfus, tinham sido contra Galliffet. A essas reuniões a Sra. Verdurin convidava algumas senhoras um tanto recentes, conhecidas pelas jóias, e que nas primeiras vezes compareciam com vestidos berrantes e grandes colares de pérolas, que Odette, possuidora de um colar igualmente admirável, de cuja exibição ela própria havia abusado, olhava com severidade, agora que andava de "uniforme de guerra", à imitação das damas do *Faubourg*. Mas as mulheres sabem adaptar-se. Depois de três ou quatro vezes, elas se davam conta de que os vestidos que haviam considerado elegantes eram precisamente proscritos pelas pessoas que o eram, punham de lado os vestidos resplandecentes e se resignavam à simplicidade.

Uma das estrelas do salão era o "Em-apuros", que, apesar dos gostos esportivos, conseguira ser considerado inapto. Tornara-se, para mim, de tal modo o autor de uma obra admirável, sobre a qual eu estava sempre meditando, que somente por acaso, quando estabelecia uma corrente transversal entre duas séries de recordações, é que me lembrava que ele fora o causador da saída de Albertine de minha casa. E mesmo assim, essa corrente transversal ia dar, no que diz respeito aos restos das reminiscências de Albertine, num caminho inteiramente abandonado, a vários anos de distância. Pois eu nunca pensava nela. Era um caminho de recordações, um rumo que jamais seguia. Ao passo que as obras de "Em-apuros" eram recentes e esse rumo de lembranças permanentemente freqüentado e utilizado pelo meu espírito.

Devo dizer que as relações com o marido de Andrée não eram fáceis nem agradáveis, e que a amizade que lhe devotassem sofria muitas decepções. De fato, naquela ocasião já estava muito doente e procurava evitar as fadigas de que não esperasse extrair nenhum prazer. E só incluía nestas os encontros com pessoas a quem ainda não conhecia, e que sua ardente imaginação sem dúvida lhe representava como tendo uma possibilidade de serem diferentes dos outros. Quanto aos conhecidos, sabia muito bem como eram, e não lhe pareciam valer a pena um cansaço perigoso, talvez mortal. Em suma, era um amigo muito ruim. E talvez em seu gosto pelas novas pessoas se pudesse encontrar algo da sua audácia frenética de outrora, em Balbec, nos esportes, no jogo, em todos os excessos de mesa.

Quanto à Sra. Verdurin, a todo instante queria apresentar-me a Andrée, sem poder admitir que eu já a conhecesse. Aliás, Andrée raramente comparecia com o marido. Era, para mim, uma amiga adorável e sincera, e, fiel à estética do marido, em reação contra os balés russos, dizia do marquês de Polignac: – Sua casa é decorada por Bakst. Como é que se pode dormir lá dentro? Eu preferiria Dubuffe. – De resto, os Verdurin, devido ao progresso fatal do esteticismo que acaba por comer a própria cauda, afirmavam não suportar o *modern style* (além do mais, era muniquense) nem os apartamentos brancos, e só apreciavam os velhos móveis franceses em ambiente sombrio.

Vi muitas vezes Andrée por esse tempo. Não sabíamos o que dizer um ao outro, e uma vez pensei naquele nome de Juliette que subira do fundo da recordação de Albertine como uma flor misteriosa. Misteriosa naquela época, mas que hoje não evocava mais nada. Apesar de falar sobre tantos assuntos indiferentes, calei-me a tal respeito; não que fosse menos indiferente que os outros, mas porque existe uma espécie de supersaturação das coisas em que pensamos demais. Talvez fosse verdadeiro o período em que eu via naquilo tantos mistérios. Mas, como esses períodos não hão de durar para sempre, não devemos sacrificar a saúde e a fortuna na descoberta de mistérios que um dia deixarão de nos interessar.

Por esse tempo, causou grande espanto, visto que a Sra. Verdurin podia ter em casa quem quisesse, vê-la fazer indiretamente gentilezas a alguém que ela perdera inteiramente de vista, Odette. Achavam que esta nada acrescentaria ao brilhante meio em que se transformara o pequeno clã dos Verdurin. Mas uma separação prolongada, ao mesmo tempo que acalma os rancores, desperta às vezes a amizade. E, além disso, o fenômeno que leva não só os agonizantes a pronunciarem somente nomes que lhes foram familiares outrora, mas os velhos a se comprazerem nas recordações da infância, esse fenômeno tem o seu equivalente social. Para ter êxito na empreitada de fazer Odette retornar à sua casa, a Sra. Verdurin não se utilizou, é claro, dos "ultras", mas dos freqüentadores menos fiéis, que tinham conservado um pé num e noutro salão. Dizia-lhes: – Não sei por que não a vemos aqui. Talvez esteja zangada, eu não. Afinal, que foi que lhe fiz? Foi em minha casa que ela conheceu seus dois maridos. Se quiser voltar, saiba que as portas lhe estão abertas. – Tais palavras, que deveriam ter magoado o orgulho da Patroa caso não fossem ditadas por sua imaginação, foram repetidas, mas sem sucesso. A Sra. Verdurin esperou Odette, sem vê-la regressar, até que certos acontecimentos, que veremos mais adiante, conseguiram, por outros motivos, o que não obtivera a embaixada, todavia zelosa, dos inconstantes. Tanto são poucas as conquistas fáceis quanto as derrotas definitivas.

A Sra. Verdurin dizia: – É desolador, vou telefonar a Bontemps a fim de que tome providências para amanhã. Já "empastelaram" de novo o final do artigo de Norpois e apenas porque ele insinuou que tinham posto Percin "no desvio". – Pois a estupidez da moda fazia com que as pessoas julgassem ponto de honra empregar expressões correntes, e ela julgava mostrar-se "da moda", assim como uma burguesa ao dizer, a propósito do Sr. de Bréauté, do Sr. de Agrigento ou do Sr. de Charlus: – Quem? Babal de Bréauté, Grigri, Mémé de Charlus? – Aliás, as duquesas faziam o mesmo, tendo igual prazer em falar "no desvio", pois, se o seu nome fala à imaginação dos plebeus um tanto poetas, elas se exprimem de acordo com a categoria intelectual, bastante burguesa, a que pertencem. As classes intelectuais nada têm a ver com o nascimento.

Todos esses telefonemas da Sra. Verdurin, aliás, tinham os seus inconvenientes. Embora tenhamos esquecido de dizê-lo, o "salão" Verdurin, se permanecia em espírito e em verdade, transportara-se momentaneamente a um dos maiores hotéis de Paris, pois a falta de carvão e de luz tornara mais difíceis as recepções dos Verdurin na antiga residência, muito úmida, dos embaixadores de Veneza. O novo salão, entretanto, não era desagradável. Como em Veneza o espaço, diminuto por causa da água, determina a forma dos palácios, como um palmo de jardim em Paris encanta mais que um parque na província, a exígua sala de jantar da Sra. Verdurin no hotel formava uma espécie de losango de paredes de alvura brilhante, onde se projetavam, como numa tela, todas as quartas-feiras, e quase todos os dias, todas as pessoas mais variadas e mais interessantes, as mulheres mais elegantes de Paris, encantadas por poderem usufruir do luxo dos Verdurin, que, com sua fortuna, iam gastando, numa época em que os mais ricos reduziam as despesas para não tocar nos seus rendimentos. A forma dada às recepções se modificara, sem que deixassem de encantar Brichot, que, à medida que as relações dos Verdurin se estendiam, mais prazeres novos, acumulados como surpresas num sapatinho de Natal, encontrava em sua companhia. Por fim, em certos dias, sendo os convivas tão numerosos que a sala de jantar do apartamento se tornava pequena demais, servia-se o jantar na enorme sala do térreo, onde os fiéis, fingindo hipocritamente lastimar a intimidade do andar superior – como outrora a necessidade de convidar os Cambremer fazia com que a Sra. Verdurin dissesse que se aborreceriam –, exultavam no fundo, fazendo um grupo à parte, como antigamente no trenzinho, por serem objeto de contemplação e inveja dos ocupantes das mesas vizinhas. Sem dúvida, nos tempos normais de paz, uma nota mundana, sub-repticiamente enviada ao *Figaro* ou ao *Gaulois*, teria comunicado a mais pessoas do que as que poderia conter a sala de jantar do *Majestic*, que Brichot jantara com a duquesa de Duras. Mas desde a guerra, tendo os cronistas mundanos suprimido esse gênero de informações (eles se desforravam nos enterros, nas citações e nos banquetes franco-americanos), a publicidade só podia existir por meio desse expediente infantil e restrito, digno das eras primitivas e anterior à descoberta de Gutemberg: ser visto à mesa da Sra. Verdurin. Depois do jantar, subia-se para os salões da Patroa, e então os telefonemas começavam. Mas, naquela época, muitos dos grandes hotéis estavam cheios de espiões que anotavam as notícias transmitidas por Bontemps com uma indiscrição, felizmente corrigida apenas pela inexatidão dos seus informes, sempre desmentidos pelos acontecimentos.

Antes da hora em que terminavam os chás, ao cair da tarde, no céu ainda claro, viam-se ao longe pequenas manchas escuras que, no crepúsculo azul, se poderiam tomar por mosquitos ou passarinhos. Assim, quando se via uma montanha muito ao longe, era possível confundi-la com uma nuvem. Mas emociona imaginar que essa nuvem é sólida, imensa e resistente. Assim, estava eu comovido por aquela mancha escura no céu estival, que não era nem mosquito nem passarinho, mas um aeroplano tripulado por homens que velavam sobre Paris. (A recordação dos aeroplanos que tinha visto com Albertine no nosso último passeio, perto de Versalhes, não entrava em nada nessa emoção, pois a lembrança desse passeio se me tornara indiferente.)

À hora do jantar, os restaurantes estavam cheios; e, se, passando na rua, eu via um pobre soldado de licença, livre por seis dias do risco permanente da morte, e prestes a voltar para as trincheiras, deter seus olhos, por um instante, nas vidraças iluminadas, sofria como no hotel de Balbec, quando os pescadores nos observavam a comer, porém sofria ainda mais por saber que a miséria do soldado era maior que a dos pobres, pois abrangia todas as misérias, sendo mais tocante ainda por ser mais resignada, mais nobre, e conhecia o sacudir filosófico de cabeça, sem ódio, com o qual, pronto para retornar à guerra, ele murmurava, ao ver os *embusqués*[21] se acotovelarem para conservar suas mesas: "Nem se diria que existe guerra por aqui." Depois, às nove e meia, quando ninguém tivera tempo ainda de terminar o jantar, apagavam-se bruscamente todas as luzes, em obediência às ordens da polícia, e a nova arremetida dos *embusqués*, arrancando os sobretudos aos lacaios do restaurante, onde eu havia jantado com Saint-Loup numa noite de

[21] *Embusqué*: gíria militar francesa, que designava o soldado que, tendo um emprego civil, era dispensado do serviço de caserna e do alistamento militar. (N. do T.)

licença, ocorrera às nove e trinta e cinco minutos, numa misteriosa penumbra de quarto onde se projeta a lanterna mágica, de sala de espetáculos que serve para exibir os filmes de um desses cinemas para os quais iam precipitar-se os que jantavam, homens e mulheres. Mas, depois dessa hora, para aqueles que, como eu, na noite de que estou falando, jantavam em casa e saíam para ver os amigos, Paris era, ao menos em certos bairros, ainda mais escura que a Combray da minha infância; as visitas que se faziam, assumiam um ar de visitas de vizinhos no campo.

Ah, se Albertine tivesse vivido, como seria doce, nas noites em que eu fosse jantar no centro da cidade, marcar um encontro ao ar livre, sob as arcadas! A princípio, eu não distinguiria nada, teria a emoção de crer que ela faltara ao encontro; quando, de repente, veria destacar-se da parede negra um de seus caros vestidos grises, seus olhos risonhos que tinham me avistado, e poderíamos passear abraçados sem que ninguém nos visse ou incomodasse, e a seguir voltar para casa. Ai de mim!, estava sozinho, com a impressão de ir fazer uma visita de vizinho no campo, como as visitas que Swann nos fazia após o jantar, sem dar com transeuntes na escuridão de Tansonville, no pequeno caminho de sirga, até a rua do Saint-Esprit, mais do que eu agora, em ruas transformadas em sinuosos caminhos rústicos, entre Sainte-Clotilde e a rua Bonaparte. Além disso, como nenhuma moldura, tornada invisível, constrangia mais esses fragmentos de paisagem, à noite, quando o vento soprava rajadas glaciais, eu me julgava, bem mais do que em Balbec, à beira do mar revolto dos meus sonhos de antigamente; e mesmo outros elementos da natureza, que até então não existiam em Paris, davam a ilusão de que, ao descer do trem, acabava-se de chegar para as férias no campo. Por exemplo: o contraste de luz e sombra, bem próximo, no chão, nas noites de luar. Este compunha efeitos que as cidades não conhecem, e até em pleno inverno; seus raios estendiam-se na neve, que nenhum trabalhador removia mais, no bulevar Haussmann, tal como nas geleiras dos Alpes. As silhuetas das árvores refletiam-se, nítidas e puras, sobre essa neve de ouro azulado, com a delicadeza que têm em certas pinturas japonesas ou em determinados fundos das telas de Rafael; alongavam-se no chão, ao pé da própria árvore, como as vemos com freqüência ao vivo, pelo ocaso, quando o sol poente inunda e torna espelhantes as campinas em que as árvores se erguem a intervalos regulares. Mas, por um requinte de delicadeza deliciosa, a campina em que se desenvolviam essas sombras de árvores, leves como almas, era um prado paradisíaco, não verde, mas de um branco tão brilhante, devido aos raios de luar que incidiam sobre a neve de jade, que dir-se-ia que essa campina era tecida unicamente de pétalas de pereiras em flor. E, nas praças, as divindades das fontes públicas, com o jato gelado a lhes sair das mãos, pareciam estátuas de matéria dupla, para cuja execução o artista quisera juntar, exclusivamente, o bronze ao cristal. Naqueles dias excepcionais, todas as casas estavam às escuras. Mas ao contrário, na primavera, de vez em quando, burlando os regulamentos da polícia, uma residência particular, ou apenas o andar de um prédio, ou até somente um aposento num hotel, sem ter fechado seus postigos, aparecia, dando a impressão de sustentar-se sozinho sobre as trevas impalpáveis, como uma projeção puramente luminosa, uma aparição sem consistência. E a mulher que, se alguém erguesse bem alto os olhos, se distinguia nessa penumbra dourada, adquiria, nessa noite em que se perdia o observador e ela própria parecia reclusa, o misterioso encanto velado de uma visão oriental. Depois, seguia-se em frente e nada mais interrompia a higiênica e monótona passada rústica na escuridão.

Lembrei-me de que há muito não revia nenhuma das pessoas de que se trata nesta obra. Apenas, em 1914, durante os dois meses que passara em Paris, tinha avistado o Sr. de Charlus e visto Bloch e Saint-Loup, este último somente por duas vezes. A segunda vez fora com certeza aquela em que se mostrara mais natural, desmanchando todas as impressões pouco agradáveis de insinceridade que me causara na minha estadia em Tansonville, a que me referi, e reconhecera nele todas as belas qualidades de outrora. Na primeira vez em que o vi após a declaração de guerra, ou seja, no começo da semana imediata, enquanto Bloch exibia o mais exaltado nacionalismo, Saint-Loup, assim que Bloch nos deixou, excedera-se em auto-ironias, porque não voltara ao serviço, e eu fiquei meio chocado com a violência do seu tom.

Saint-Loup voltava de Balbec. Soube mais tarde, indiretamente, que fizera tentativas baldadas junto ao gerente do restaurante. Este último devia sua posição ao que herdara do Sr. Nissim Bernard. Com efeito, não era outro senão o antigo e jovem empregado que o tio de Bloch "protegia". Mas a riqueza lhe trouxera a virtude. De modo que foi em vão que Saint-Loup tentara seduzi-lo. Assim, em compensação, ao passo que os jovens se deixam levar, com a idade, pelas paixões de que afinal tomaram consciência, os adolescentes fáceis se tornam homens de princípios, contra os quais os Charlus, confiando em antigos relatos, porém demasiado tarde, se chocam desagradavelmente. Tudo é uma questão de cronologia.

– Não! – exclamou ele com força, alegremente. – Todos os que não combatem, seja qual for o motivo que dêem, é porque não desejam ser mortos, é por *medo*! – E, com o mesmo gesto de afirmação, mais enérgico ainda do que aquele com que sublinhara o temor alheio, acrescentou: – E eu, se não me apresento ao serviço, é certamente por medo, e nada mais! – Eu já havia reparado, em diversas pessoas, que a afetação de sentimentos louváveis não é a única desculpa dos malvados, sendo que um pretexto mais novo é a exibição destes, de forma que ao menos não se pareça ocultá-los. Além do mais, em Saint-Loup tal tendência era fortalecida pelo seu hábito, quando cometia uma indiscrição ou fazia uma gafe, e que lhe poderiam censurar, de proclamá-las dizendo que fora de propósito. Hábito que, acredito, lhe viera de algum professor da Escola de Guerra em cuja intimidade vivera, pelo qual professava enorme admiração. Portanto, não senti qualquer constrangimento em interpretar essa tirada como a ratificação verbal de um sentimento que Saint-Loup preferia proclamar abertamente, visto que lhe ditara a conduta e sua abstenção na guerra que principiava.

– Quer dizer que ouviste dizer – perguntou-me ao ir embora – que a tia Oriane ia se divorciar? Pessoalmente, não sei de nada. De vez em quando se fala disso, e eu ouvi anunciarem esse divórcio tão amiúde que espero que aconteça, para crer. Acrescento que seria perfeitamente compreensível; meu tio é um homem encantador, não só na sociedade, mas para os amigos, os parentes. E até, sob certos aspectos, tem mais coração que minha tia, que é uma santa, mas fá-lo sentir isso de maneira terrível. Apenas, é um marido péssimo, que nunca deixou de enganar a esposa, insultá-la, tratá-la com brutalidade, privá-la de dinheiro. Seria tão natural que ela o deixasse, que essa é uma razão para que a notícia seja verdadeira, mas também para que o não seja, pois sobram motivos para que a inventem e divulguem. E aliás, já que ela o suportou por tanto tempo! Agora sei muito bem que existem coisas que anunciam erradamente, que são desmentidas, e que mais tarde se tornam verdadeiras. – Aquilo me fez pensar em perguntar-lhe se alguma vez cogitara casar-se com a Srta. de Guermantes. Teve um sobressalto e afirmou que não, que isso fora apenas um boato da sociedade, desses que nascem de tempos em tempos, ninguém sabe por quê, desaparecem como surgiram, e cuja falsidade não torna mais prudentes os que nele acreditaram; tão logo aparecem novos rumores de noivado ou divórcio, ou um boato político, eles crêem e os divulgam.

Ainda não haviam passado quarenta e oito horas quando certos fatos, de que tive conhecimento, me provaram que eu me enganara redondamente na interpretação das palavras de Robert: "Todos os que não estão no *front*, é porque têm medo." Saint-Loup dissera isto para brilhar na conversação, para ostentar originalidade psicológica, enquanto não estava certo de que seu alistamento seria aceito. Mas, nesse meio tempo, fazia o possível para que o fosse, revelando-se assim menos original, no sentido que julgava ser preciso emprestar ao termo, porém mais profundamente francês de Saint-André-des-Champs, mais em conformidade com tudo o que, por essa época, havia de melhor nos franceses de Saint-André-des-Champs, senhores, burgueses e servos submissos aos senhores ou revoltados contra eles, duas divisões igualmente francesas da mesma família, sub-ramificação Françoise e sub-ramificação Morel, de onde partiam duas flechas, para se reunirem de novo numa só direção, que era a fronteira. Bloch ficara encantado com a confissão de covardia de um nacionalista (que, aliás, o era bem pouco) e, como Saint-Loup lhe indagasse se iria partir, assumira ares de sumo sacerdote para responder: – Míope.

Mas Bloch mudara completamente de opinião sobre a guerra alguns dias depois, quando veio me visitar, muito aflito. Apesar de "míope", fora dado como bom para o serviço militar. Acompanhava-o até sua casa quando encontramos Saint-Loup, que, para ser apresentado, no Ministério da Guerra, a um coronel, tinha encontro marcado com um antigo oficial, "o Sr. de Cambremer", disse-me. – Ah, é verdade, é de um velho conhecido que te falo. Tu conheces Cancan tão bem quanto eu. – Respondi que o conhecia, de fato, e também à sua esposa, e que não os apreciava muito. Mas estava de tal modo habituado, desde que os vira pela primeira vez, a considerar a mulher como uma pessoa notável, apesar de tudo, profunda conhecedora de Schopenhauer, pertencente, em suma, a um meio intelectual vedado a seu grosseiro marido, que, a princípio, fiquei assombrado ao ouvir Saint-Loup me responder: – A mulher dele é idiota, abandono-a a ti. Mas ele é um homem excelente, bem dotado, e continua bastante agradável. – Pela "idiotice" da mulher, Saint-Loup sem dúvida entendia o desejo alucinado de freqüentar a alta sociedade, o que esta não perdoa. Pelas qualidades do marido, sem dúvida, algumas das que lhe reconhecia a mãe ao proclamá-lo o melhor da família. A ele, pelo menos, não interessavam as duquesas, mas, na verdade, tratava-se de uma "inteligência" que difere tanto da que caracteriza os pensadores, como a "inteligência" atribuída pelo público a um determinado homem rico "por ter sabido fazer sua fortuna". Mas as palavras de Saint-Loup não me desagradavam, visto sugerirem que a pretensão é vizinha da tolice e que a simplicidade tem um gosto pouco pronunciado, mas agradável. Não me fora dado, é verdade, saborear a do Sr. de Cambremer. Mas é justamente isto que faz com que uma pessoa seja tantas criaturas diferentes, conforme as pessoas que a julgam, mesmo sem se levar em conta as diferenças de julgamento. Do Sr. de Cambremer eu só conhecera o escorço. E o sabor, que me fora atestado por outras pessoas, era-me desconhecido.

Bloch nos deixou diante da porta de sua casa, transbordante de azedume contra Saint-Loup, dizendo-lhe que os outros, "belos rapazes" agaloados, pavoneando-se nos Estados-Maiores, não arriscavam coisa alguma, ao passo que ele, simples soldado de 2ª classe, não desejava ser "crivado de balas" por causa de Guilherme. – Parece que o imperador Guilherme está gravemente enfermo – respondeu Saint-Loup. Bloch que, como todas as pessoas que lidam com a Bolsa, acolhia com extrema facilidade as notícias sensacionalistas, acrescentou: – Dizem até que ele está morto. – Na Bolsa, todo soberano doente, fosse Eduardo VII ou Guilherme II, está morto, toda cidade a ponto de ser assediada, já sofreu captura. – Só escondem o fato – continuou Bloch – para não abater o moral dos boches. Mas ele morreu na noite de ontem. Meu pai o soube por uma fonte altamente fidedigna. – As fontes altamente fidedignas eram as únicas que o Sr. Bloch pai levava a sério, porque, devido às "altas relações", tinha a sorte de estar em comunicação com elas, das quais recebia a notícia, ainda secreta, de que as ações da Extérieure iam subir ou que as de Beers cairiam. Aliás, se naquele preciso momento houvesse uma alta nas ações da Beers, ou "ofertas" pelas da Extérieure, se o mercado da primeira se revelasse "firme" e "ativo", e o da segunda "hesitante", "fraco", e as pessoas se "prevenissem", nem por isso a fonte fidedigna deixava de sê-lo. Assim, Bloch nos anunciou a morte do Kaiser com ar misterioso e importante, mas também irritado. Especialmente exasperava-o ouvir Robert dizer: "o imperador Guilherme". Creio que, sob o cutelo da guilhotina, Saint-Loup e o Sr. de Guermantes não diriam coisa diversa. Dois homens da sociedade, últimos sobreviventes numa ilha deserta, onde não precisariam dar provas de boas maneiras a ninguém, se reconheceriam graças a esses traços de polidez, da mesma forma que dois latinistas citariam corretamente Virgílio. Mesmo torturado pelos alemães, Saint-Loup jamais deixaria de dizer outra coisa que não "o imperador Guilherme". E este *savoir-vivre* é, apesar de tudo, o grande sinal de entraves para o espírito. Aquele que não sabe rejeitá-los, permanece um mundano. Essa elegante mediocridade, aliás, é deliciosa – sobretudo pelo que deixa entrever de generosidade escondida e de heroísmo inexpresso – ao lado da vulgaridade de Bloch, a um tempo covarde e fanfarrão, que gritava para Saint-Loup: – Não poderias dizer "Guilherme", simplesmente? É isto, és um poltrão, e já te pões de quatro diante dele! Ah, teremos bravos soldados na fronteira, vão lamber as botas dos boches. Vocês usam galões e sabem se exibir num picadeiro. Mais nada.

– Este pobre Bloch quer absolutamente que eu não faça outra coisa além de exibir-me – comentou Saint-Loup sorrindo, depois de nos separarmos do nosso companheiro. E senti perfeitamente que exibir-se não era de forma alguma o que Robert desejava, embora na ocasião não lhe percebesse tão bem as intenções, como mais tarde, quando, permanecendo inativa a cavalaria, ele conseguiu servir primeiro como oficial de infantaria, depois como oficial dos atiradores, e, por fim, quando aconteceu o que se lerá mais adiante. Porém Bloch não se apercebia do patriotismo de Saint-Loup, simplesmente porque Robert não o manifestava de forma alguma. Se Bloch nos fizera profissões de fé maldosamente antimilitaristas ao ser considerado apto, antes, quando se julgara dispensado por miopia, estadeara declarações extremamente nacionalistas. Mas tais declarações, Saint-Loup teria sido incapaz de fazê-las; primeiro, por uma espécie de delicadeza moral que impede a expressão de sentimentos muito profundos e que se consideram naturais. Minha mãe, outrora, não só não teria vacilado um segundo em morrer por minha avó, como sofreria horrivelmente se a tivessem impedido de fazê-lo. Não obstante, é-me impossível imaginar, retrospectivamente, em sua boca uma frase do tipo: "Darei a vida por minha mãe." Tão tácito era Robert em seu amor pela França, que, nesse momento, eu o considerava, muito mais Saint-Loup (na medida em que podia me figurar seu pai) do que Guermantes. Teria também sido preservado de expressar tais sentimentos pela qualidade de certa forma moral de sua inteligência. Há entre os trabalhadores intelectuais e verdadeiramente sérios uma certa aversão por aqueles que transpõem para a literatura, valorizando-o, tudo o que eles fazem. Não tínhamos estado juntos nem no liceu nem na Sorbonne, mas, separadamente, havíamos seguido certos cursos dos mesmos professores (e recordo o sorriso de Saint-Loup) que, dando aulas notáveis, como alguns outros, querem fazer-se passar por homens de gênio, dando um nome ambicioso às suas teorias. Uma breve alusão a isso e Robert ria gostosamente. Naturalmente, não privilegiávamos por instinto os Cottard ou os Brichot, mas enfim mostrávamos uma certa consideração pelas pessoas que conhecem a fundo o grego ou a medicina e nem por isso se julgavam autorizadas a assumir ares de charlatães. Dizia eu que se todas as ações de mamãe outrora assentavam na idéia de que ela teria dado a vida por minha avó, o fato é que ela jamais formulara tal sentimento para si própria e que, em todo caso, teria achado não apenas inútil e ridículo, mas também chocante e vergonhoso, expressá-lo aos outros; da mesma forma, é-me impossível imaginar, na boca de Saint-Loup (ao me falar do seu equipamento, das marchas que tinha de fazer, de nossas chances de vitória, o pouco valor do exército russo, daquilo que faria a Inglaterra), é-me impossível imaginar em sua boca a frase, ainda a mais eloqüente, proferida por um ministro, mesmo o mais simpático, aos deputados que o aplaudem de pé, entusiasmados. Todavia, não posso garantir que não houvesse, nesse lado negativo que o impedia de expressar os mais belos sentimentos, um efeito do "espírito dos Guermantes", de que já vimos tantos exemplos no caso de Swann. Pois, se o achava sobretudo um Saint-Loup, ele continuava sendo também um Guermantes, e assim, dentre os muitos motivos que excitavam a sua coragem, havia aqueles diversos dos de seus amigos de Doncières, os rapazes apaixonados pela carreira militar com quem eu jantara todos os dias, e dos quais tantos morreram na batalha do Marne ou alhures, junto com seus homens.

Os jovens socialistas que poderia haver em Doncières, quando ali estive, mas que não chegara a conhecer porque não freqüentavam o meio de Saint-Loup, devem ter verificado que os oficiais desse meio não eram de modo algum *aristos*, na acepção altivamente orgulhosa e grosseiramente gozadora que o "populacho", os oficiais tarimbeiros e os maçons atribuíam a esse termo. E aliás, paralelamente, os oficiais nobres encontraram esse mesmo patriotismo pleno entre os socialistas, a quem eu os ouvira acusar, enquanto estava em Doncières, de serem uns "sem pátria". O patriotismo dos militares, igualmente sincero e profundo, assumira uma forma definida que eles julgavam intangível, e sobre a qual indignavam-se ao ver lançado o opróbrio, enquanto os patriotas por assim dizer inconscientes, independentes, sem religião patriótica definida, como eram os radicais socialistas, não conseguiram compreender a realidade profunda daquilo que consideravam fórmulas vãs e odiosas.

Como eles, Saint-Loup sem dúvida se habituara a desenvolver dentro de si, como a parte mais genuína do seu eu, a pesquisa e a concepção das melhores manobras, tendo em vista os maiores êxitos estratégicos e táticos, de modo que para ele, como para os demais, a vida do corpo era algo relativamente de pouca importância, que podia facilmente ser sacrificada a essa parte interior, verdadeiro núcleo vital a cuja volta a existência pessoal não tinha valor senão como uma epiderme protetora. Na coragem de Saint-Loup havia elementos mais característicos, entre os quais se reconheceria facilmente a generosidade que, logo no começo, fora o encanto da nossa amizade, e, também, o vício hereditário que mais tarde despertara nele, e que, aliado a um certo nível intelectual que ele não cultivara, fazia-o não somente admirar a coragem, mas levar o horror ao afeminamento a uma certa embriaguez no contato com a virilidade. Vivendo ao relento com senegaleses, que a todo momento faziam o sacrifício de suas vidas, ele sentia, castamente é claro, uma volúpia cerebral em que entrava muito de desprezo pelos "homenzinhos efeminados", e que, por mais oposta que lhe parecesse, não era muito diversa da que lhe conferia a cocaína da qual havia abusado em Tansonville, e cujo heroísmo – como um remédio que substitui outro – o curava. Em sua coragem havia, principalmente, aquele duplo hábito de polidez que, por um lado o fazia elogiar os outros, mas, para si próprio, contentar-se em fazer bem as coisas sem dizer nada a respeito (ao contrário de um Bloch, que lhe dissera em nosso reencontro: "Naturalmente, você não arriscaria nada", e que não fazia coisa alguma); e, por outro lado, levava-o a não dar valor ao que era seu, a fortuna, o nível social, sua própria vida, coisas que lhes cedia. Numa palavra, a verdadeira nobreza de sua formação. Porém tantas origens se confundem no heroísmo quanto esse gosto novo que se revelara nele, e também a mediocridade intelectual que não soubera vencer, tinham sua parte nisso. Assumindo os hábitos do Sr. de Charlus, Robert se achou a assumir, igualmente, embora sob forma bem diversa, o seu ideal de virilidade.

– A guerra vai durar muito tempo? – indaguei a Saint-Loup. – Não, acredito numa guerra bastante curta – respondeu-me. Mas neste ponto, como sempre, seus argumentos eram livrescos. – Levando em consideração as profecias de Moltke, relê – disse ele, como se eu já tivesse lido – o decreto de 28 de outubro de 1913, a respeito da conduta das grandes unidades; verás que a substituição das reservas em tempo de paz não está organizada, nem sequer prevista, o que não teriam deixado de fazer se a guerra devesse ser longa. – Parecia-me ser possível interpretar o decreto em questão, não como prova de que a guerra seria curta, mas como imprevisão de que ela o seria, e do que ela haveria de ser, daqueles que a tinham redigido, e que não suspeitavam nem do que seria, numa guerra estabilizada, o espantoso consumo de material de todo tipo, nem a solidariedade dos diversos teatros de operação.

Afora a homossexualidade, nas pessoas naturalmente mais infensas ao homossexualismo, existe um certo ideal convencional de virilidade que, caso o homossexual não seja um indivíduo superior, encontra-se à disposição dele para ser corrompido alhures. Esse ideal – de certos militares, de certos diplomatas – é particularmente exasperador. Sob seu aspecto mais vil, é simplesmente a dureza do coração de ouro que não quer parecer comovido e que, no momento de separar-se de um amigo que talvez venha a ser morto, tem no fundo uma vontade de chorar de que ninguém duvida, porque ele a esconde sob uma cólera crescente que termina por explodir no instante em que se deixam: "Vamos, com os diabos!, seu idiota, abrace-me, e pegue logo essa bolsa que me incomoda, seu imbecil!" O diplomata, o oficial, o homem que sente que apenas uma grande obra nacional é o que interessa, mas que, ainda assim, nutriu afeição pelo "pequeno" que estava na legação ou no batalhão, e que morreu de febres ou de um tiro, apresenta o mesmo gosto pela virilidade sob um aspecto mais hábil, mais sábio, mas, no fundo, igualmente odioso. Não deseja prantear o "pequeno", sabe que em breve não se pensará nele mais que o cirurgião bondoso que, todavia, na noite da morte de uma doentinha de moléstia contagiosa, sente um desgosto que não manifesta. Por menos que o diplomata seja escritor e narre essa morte, não dirá que sentiu desgosto; não; primeiro, por "pudor viril", depois, pela habilidade artística, que faz nascer a emoção dissimulando-a. Um de seus colegas e ele velarão o agonizante. Em nenhum momento dirão que sentiram mágoa. Falarão dos casos da legação, ou do batalhão, e até com maiores detalhes que de costume:

– B*** me diz: "Não se esqueçam que amanhã teremos revista do general; cuidem para que seus homens se apresentem asseados." Ele, de hábito tão suave, falava em tom mais seco que de costume. Percebi que evitava encarar-me. Eu mesmo também estava nervoso.

E o leitor compreende que esse tom seco é a mágoa nas pessoas que não desejam parecer magoadas, o que seria simplesmente ridículo, mas que é igualmente horrendo e desesperador, pois é o modo de sentir desgosto entre as criaturas que julgam que o desgosto já não conta, que a vida é mais séria que as separações etc., de maneira que, nas mortes, dão essa idéia de mentira, de vazio, que, ao dia de Ano-Novo, dá o senhor que, nos trazendo *marrons-glacés*, diz: "Desejo e espero que tenha um Ano Feliz", em tom de troça, mas mesmo assim o dizendo. Para terminar com o relato do oficial ou do diplomata em vigília ao agonizante, de cabeça coberta porque o ferido foi transportado ao ar livre, num certo momento tudo se acabou:

– Eu pensava: é preciso voltar a preparar as coisas para dar polimento; mas não sei bem por quê, no momento em que o médico largou o pulso, B*** e eu, sem nenhuma combinação, talvez porque tivéssemos calor, pois o sol caía a pino, demos conosco de pé diante do leito e tiramos o quepe.

E o leitor percebe muito bem que não foi devido ao calor do sol, mas pela emoção diante da majestade da morte, que os dois homens viris, que nunca pronunciaram as palavras "ternura" e "mágoa", se descobriram.

O ideal de virilidade dos homossexuais do tipo Saint-Loup não é exatamente o mesmo, porém tão convencional e mentiroso quanto o outro. A mentira, para eles, reside no fato de não quererem se dar conta de que o desejo físico está na base dos sentimentos aos quais atribuem outra origem. O Sr. de Charlus detestava o afeminamento; Saint-Loup admira a coragem dos rapazes, a ebriedade das cargas de cavalaria, a nobreza intelectual e moral das amizades entre homens, inteiramente puras, onde um sacrifica sua vida pela do outro. A guerra que faz, nas capitais em que só restam mulheres, o desespero dos homossexuais, será pelo contrário o romance apaixonado dos homossexuais, se estes forem suficientemente inteligentes para imaginarem quimeras, não o bastante para saberem desvendá-las, reconhecer sua origem, e se julgarem. De modo que, quando certos rapazes se engajaram simplesmente por espírito de imitação esportiva (como num determinado ano todos jogam diabolô), para Saint-Loup a guerra foi sobretudo o próprio ideal que ele pensava perseguir em seus desejos muito mais concretos, porém eivados de ideologia, ideal servido em comum com as criaturas que ele preferia, numa ordem de cavalaria puramente masculina, longe das mulheres, onde poderia expor a vida para salvar seu ordenança e morrer inspirando um amor fanático aos seus homens. E assim, conquanto sua coragem abrigasse muitas outras coisas mais, o fato de que ele era um fidalgo nela se achava, e nela se achava, igualmente, sob uma forma irreconhecível e idealizada, a idéia do Sr. de Charlus, que era a de que a essência de um homem não tem nada de afeminado. Aliás, da mesma maneira que, na filosofia e na arte, idéias análogas só valem pelo modo como são desenvolvidas, podendo diferir grandemente caso sejam expostas por Platão ou Xenofonte, assim também, mesmo reconhecendo o quanto ambos se realizam fazendo isso, admiro Saint-Loup, solicitando partir para o ponto mais perigoso de combate, infinitamente mais que o Sr. de Charlus, evitando usar gravatas claras.

Falei a Saint-Loup do meu amigo, o gerente do Grande Hotel de Balbec, que, ao que parece, anunciara terem ocorrido em certos regimentos franceses, no começo da guerra, algumas defecções que ele denominava "defeituosidades", acusando-as de terem sido causadas pelo que chamava de "militarista prussiano". Em dado momento, chegara mesmo a acreditar num desembarque simultâneo de japoneses, alemães e cossacos em Rivebelle, ameaçando Balbec, e dissera que nada mais tinha a fazer senão "raspar-se". Achava um tanto precipitada a partida dos poderes públicos para Bordéus, declarando que eles tinham feito mal em "raspar-se" tão depressa. Este germanófobo afirmava, rindo, a propósito do irmão: – Está nas trincheiras, a vinte e cinco metros dos boches! – até que, verificando-se que ele próprio o era, internaram-no num campo de concentração.

– A propósito de Balbec, lembras-te do antigo ascensorista do hotel? – indagou Saint-Loup ao despedir-se, no tom de alguém que não estivesse sabendo de quem se tratava, e que contasse comigo para esclarecê-lo. – Alistou-se e me escreveu, pedindo que o fizesse entrar para a aviação. É claro que o ascensorista estava farto de subir na gaiola cativa do elevador, e as alturas da escadaria do

Grande Hotel já não lhe bastavam. Ia obter galões diferentes dos de porteiro, pois nosso destino nem sempre é o que havíamos suposto. Certamente, vou apoiar o seu pedido – disse-me Saint-Loup. – Dizia-o ainda esta manhã a Gilberte: nunca teremos aviões em número suficiente. Somente com eles veremos o que anda fazendo o adversário. Assim é que anularemos a sua vantagem de ataque, a surpresa, o melhor exército será talvez aquele que tiver melhores olhos.

Dias antes, eu encontrara esse ascensorista aviador. Falara-me de Balbec e, curioso por saber o que me diria acerca de Saint-Loup, desviei a conversa indagando se era verdade, como me haviam dito, que o Sr. de Charlus tinha, em relação aos rapazes etc. O ascensorista pareceu assombrado; não sabia de nada. Em compensação, acusou o rapaz rico, o que vivia com a amante e três amigos. Como desse a impressão de colocar tudo num mesmo saco e eu soubesse pelo Sr. de Charlus, que me dissera, como estão lembrados, diante de Brichot, que ele não o era em absoluto,[22] afirmei ao ascensorista que ele deveria estar enganado. Opôs às minhas dúvidas as mais seguras afirmativas. A amiga do rapaz rico é quem estava encarregada de levar-lhe moços, e todos desfrutavam juntos os prazeres. Assim, o Sr. de Charlus, o mais competente dos homens nessa matéria, enganara-se completamente, de tal modo a verdade é parcial, secreta e imprevisível. De medo de raciocinar como um burguês, de ver o *charlismo* onde ele não existia, não observara aquele fato, a "condução" operada pela mulher. – Ela vem se encontrar comigo várias vezes – disse o ascensorista. – Mas percebeu logo com quem estava lidando; recusei categoricamente. Não me meto em tal assunto; disse-lhe que isso positivamente me desagradava. Basta que uma pessoa seja indiscreta e isso se divulga, e não se consegue mais colocação em parte alguma. – Estas últimas declarações enfraqueciam as virtuosas afirmações do princípio, pois pareciam implicar que o ascensorista teria cedido se estivesse seguro da discrição. Tal fora, sem dúvida, o caso de Saint-Loup. É provável que até mesmo o rapaz rico, sua amante e os três amigos não fossem menos favorecidos, pois o ascensorista citava muitas das conversas que tivera com eles em épocas bem variadas, o que raramente acontece quando nos recusamos categoricamente. Por exemplo, a amante do rico viera encontrar-se com ele para conhecer um lacaio de quem o ascensorista era muito amigo. – Não creio que o conheça; não estava no hotel naquela ocasião; chamavam-no de Victor. Naturalmente – acrescentou o ascensorista com o ar de quem se refere a leis invioláveis e um tanto secretas –, não se pode recusar a um camarada que não é rico. – Lembrei-me do convite que o amigo nobre do rapaz rico me havia dirigido, alguns dias antes de minha partida de Balbec. Mas certamente aquilo nada tinha a ver e era ditado apenas pela amabilidade.

[22] Ver *A Prisioneira*, p. 143. (N. do T.)

– Muito bem, e a pobre Françoise, conseguiu obter a reforma do sobrinho? – Mas Françoise, que há muito fazia todos os esforços possíveis para que o sobrinho fosse reformado, e que, quando lhe propuseram uma recomendação, por meio dos Guermantes, ao general de Saint-Jóseph, respondera num tom desesperado: "Oh, não, não serviria de nada, não se pode esperar nada desse velhote, é o que há de pior, é patriota", Françoise, desde o começo da guerra, e apesar da dor que aquilo lhe causava, achava que não se devia abandonar os "pobres russos", visto serem "aliançados". O mordomo, persuadido aliás de que a guerra não duraria mais que dez dias e acabaria com a vitória brilhante da França, não ousaria, com receio de ser desmentido pelos fatos, e até mesmo não teria bastante imaginação para prever uma guerra longa e indecisa. Mas, dessa vitória completa e imediata, procurava ele ao menos extrair de antemão tudo o que poderia fazer Françoise infeliz. – As coisas vão indo mal, pois parece que muitos não querem marchar, e há rapazes de dezesseis anos que choram. – E, dizendo-lhe assim coisas desagradáveis, para aborrecê-la, era o que chamava "atirar-lhe um pepino, lançar-lhe uma apóstrofe, enviar-lhe um trocadilho". – De dezesseis anos, Virgem Maria! – exclamava Françoise e, num momento de desconfiança: – No entanto, diziam que só os recrutavam depois de completarem vinte anos, ainda são crianças. – Naturalmente os jornais têm ordem para não falar isso. Aliás, toda a juventude será convocada, muitos serão dizimados. Por um lado, isto será útil, uma boa sangria é proveitosa de vez em quando, põe em andamento o comércio. Ah, diabos! se alguns desses rapazinhos mimados vacilarem, serão imediatamente fuzilados, doze balas no couro, e pronto! Em parte, é necessário. E depois, que têm os oficiais com isso? Ganham suas pesetas, é tudo o que desejam. – Françoise empalidecia de tal modo durante essas conversas que receávamos que o mordomo causasse a sua morte de ataque cardíaco.

Mas nem por isso ela perdia seus defeitos. Quando uma moça vinha me visitar, por mais que a velha criada se sentisse mal das pernas, se me ocorria sair por um instante do quarto, eu a via no alto de uma escada, na rouparia, no ato, dizia ela, de procurar um paletó meu para ver se não estava comido de traças, mas na realidade para nos escutar. Apesar de todas as minhas críticas, conservava o seu jeito insidioso de fazer perguntas de modo indireto, para o que utilizava desde algum tempo um certo "porque, sem dúvida". Não ousando dizer-me: – Aquela senhora tem casa própria? – comentava, os olhos timidamente erguidos como os de um cão mansinho: – Porque, sem dúvida, aquela senhora tem uma casa própria – evitando a interrogação direta menos por polidez do que para não parecer curiosa.

Enfim, como os criados que mais estimamos – e sobretudo se já quase não nos prestam os serviços e o respeito que lhes impõe sua condição – infelizmente continuam sendo criados e marcam mais nitidamente os limites (que desejaríamos apagar) de sua casta, à medida que julgam penetrar mais na nossa, Françoise tinha freqüentemente a meu respeito ("para me irritar", diria o mordomo) observações estranhas que uma pessoa da sociedade não faria: com uma alegria dissimulada, mas tão profunda como se se tratasse de uma moléstia grave, se eu sentisse calor, e o suor, que não me incomodava, gotejasse-me na testa, "Mas o senhor está ensopado" – dizia, espantada como diante de um fenômeno estranho; ou, sorrindo de leve, com o desprezo que provoca algo de indecente ("vai sair mas esqueceu-se de pôr a gravata"), mas com voz preocupada, própria para inquietar alguém sobre o seu estado. Dir-se-ia que somente eu, em todo o universo, nunca estivera ensopado. Enfim, já não me falava bem como antigamente. Pois, em sua humildade, em sua carinhosa admiração pelas criaturas que lhe eram infinitamente inferiores, adotava seus modos feios de falar. Sua filha, queixando-se dela para mim, e tendo dito (não sei de quem o soubera): – Ela sempre tem algo a reclamar, que eu não fecho bem as portas, e patati-patatá –, Françoise sem dúvida pensou que só uma educação incompleta a privara até então desse belo hábito. E nos lábios em que eu vira florescer outrora o francês mais puro, ouvi diversas vezes por dia: – E patati e patatá. – De resto, é curioso verificar como, não só as expressões mas os pensamentos, variam pouco numa dada pessoa. O mordomo, tendo adquirido o hábito de declarar que o Sr. Poincaré[23] estava com más intenções, não pelo dinheiro, mas porque desejara absolutamente a guerra, repetia isto sete a oito vezes por dia para o mesmo auditório habitual e sempre igualmente interessado. E sem modificar uma palavra, um gesto, uma entonação. Embora isso não durasse mais que dois minutos, era invariável como uma representação. Seus erros de francês corrompiam a linguagem de Françoise, tanto quanto os erros da filha desta. Achava que aquilo que o Sr. de Rambuteau ficara tão melindrado um dia ao ouvir o Sr. de Guermantes chamar de "urinóis Rambuteau" se denominava *pistières*. É claro que desde a infância não ouvia o *o*, e aquilo lhe ficara. Portanto, pronunciava essa palavra de modo incorreto, mas permanentemente. Françoise, constrangida a princípio, acabou por falar do mesmo modo, queixando-se de que não existisse esse tipo de coisas para as mulheres, como existia para os homens. Porém a sua humildade e sua admiração pelo mordomo faziam com que jamais dissesse *pissotières*, e sim – com uma leve concessão ao costume – *pissetières*.[24]

Ela já não dormia nem comia, vivia ouvindo os comunicados, de que nada entendia, lidos pelo mordomo, que, igualmente nada entendendo, e cujo desejo de atormentar Françoise era freqüentemente sobrepujado por uma alegria patriótica, dizia, com um riso simpático, falando dos alemães: – Isto está esquentando, o velho Joffre vai lhes cortar a cauda do cometa. – Françoise não compreendia de que

[23] Raymond Poincaré (1860-1934): presidente da França (1913-1920). (N. do T.)

[24] *Pissotière*: mictório. Este episódio já vem narrado, com outras palavras e em contexto diverso, em *A Prisioneira*, p. 143. (N. do T.)

cometa se tratava, mas nem por isso deixava de perceber que essa frase fazia parte das amáveis e originais extravagâncias às quais uma pessoa bem educada deve responder de bom humor, por urbanidade, e dando de ombros alegremente, como a dizer: "Qual, é sempre o mesmo" – e temperava as lágrimas com um sorriso. Ao menos, mostrava-se feliz porque seu novo açougueiro, que, apesar da profissão, era bastante medroso (todavia começara pelos abatedouros), ainda não estava em idade de ser convocado. Não fosse isto, ela teria sido capaz de ir ao ministro da Guerra para solicitar sua reforma.

O mordomo não poderia admitir que os comunicados não fossem excelentes, e que o exército não se aproximasse de Berlim, visto que lia: "Repelimos, com pesadas perdas para o inimigo etc.", ações que ele celebrava como novas vitórias. Entretanto, eu me sentia assustado com a rapidez com que o teatro dessas vitórias se aproximava de Paris, e até fiquei assombrado que o mordomo, tendo visto num comunicado que uma das ações ocorrera perto de Lens, não se inquietasse ao ver no jornal, na manhã seguinte, que as conseqüências de tais encontros se voltaram a nosso favor em Jouy-le-Vicomte, onde eram sólidas as nossas posições. No entanto, o mordomo conhecia perfeitamente o nome de Jouy-le-Vicomte, que não distava muito de Combray. Mas a gente lê os jornais da mesma forma que ama, com uma venda nos olhos. Não procuramos compreender os fatos. Ouvimos as doces palavras do redator-chefe como se fossem palavras de nossa amante. Somos vencidos e ficamos satisfeitos, pois não nos consideramos vencidos, mas vencedores.

Aliás, não me demorei muito em Paris e voltei depressa para a minha casa de saúde. Embora, em princípio, o médico me tratasse pelo isolamento, entregaram-me em épocas diferentes uma carta de Gilberte e outra de Robert. Gilberte me escrevia (mais ou menos em setembro de 1914) dizendo que, apesar do seu desejo de permanecer em Paris, onde mais facilmente obteria notícias de Robert, as perpétuas incursões dos *taubes*[25] sobre Paris lhe infundiram tamanho pavor, principalmente por causa da filhinha, que ela fugira da cidade pelo último trem que ainda saía para Combray, que o trem nem mesmo chegara a Combray e que somente graças à charrete de um camponês, na qual fizera dez horas de um caminho atroz, é que alcançara Tansonville! – E lá, quem imagina que esperava a sua velha amiga – escrevia Gilberte, ao terminar. – Eu saíra de Paris para fugir aos aviões alemães, pensando que em Tansonville estaria a salvo de tudo. Não fazia nem dois dias que ali me encontrava, quando imagine quem chegou: os alemães, que invadiam a região depois de terem batido nossas tropas em La Fère, e um estado-maior alemão, seguido de um regimento que se apresentava à porta de Tansonville, e que fui

[25] *Taube*: pombo, em alemão. Nome dado aos monoplanos alemães da Primeira Guerra Mundial. (N. do T.)

obrigada a hospedar. E nenhum meio de fugir, nenhum trem, nada. – De fato, comportara-se bem o estado-maior alemão, ou era preciso ver, na carta de Gilberte, o efeito por contágio do espírito de Guermantes, os quais eram de linhagem bávara, aparentados com a mais alta aristocracia da Alemanha? Gilberte, porém, não poupava elogios à perfeita educação do estado-maior, e até dos soldados, que unicamente lhe haviam pedido "permissão para colher um dos miosótis da beira do tanque", boa educação que ela contrastava com a violência desordenada dos fugitivos franceses, que tinham atravessado a propriedade saqueando tudo, antes da chegada dos generais alemães. Fosse como fosse, se a carta de Gilberte, por certos aspectos, estava impregnada do espírito dos Guermantes – outros diriam que do internacionalismo judeu, o que provavelmente não seria justo, como veremos – a carta que recebi de Robert, vários meses depois, era muito mais Saint-Loup do que Guermantes, refletindo além disso toda a cultura tão liberal que ele adquirira, e, em suma, totalmente simpática. Infelizmente, não me falava de estratégia como nas suas conversas de Doncières, não me dizendo em que medida estimava que a guerra confirmaria ou não os princípios que então me havia exposto.

Quando muito, disse-me que desde 1914 se haviam sucedido, na realidade, diversas guerras, sendo que as informações de cada uma influíam na condução da seguinte. E, por exemplo, a teoria da "ruptura" fora completada pela tese de que antes de romper era preciso revolver inteiramente, pela artilharia, o terreno ocupado pelo adversário. Mas, a seguir se verificara, pelo contrário, que tal revolvimento tornava impossível o avanço da infantaria e da artilharia em terrenos onde os milhares de buracos abertos pelos obuses formavam outros tantos obstáculos. – A guerra – dizia – não escapa às leis do nosso velho Hegel. Ela está em estado de perpétuo devir.

Era pouco, diante do que eu queria saber. Mas o que ainda mais me irritava era que ele nem sequer podia citar nomes de generais. E, todavia, pelo pouco que diziam os jornais, não cabia àqueles, com quem tanto me preocupara em Doncières, procurando saber qual o que demonstraria mais valor numa guerra, a direção desta. Geslin de Bourgogne, Galliffet e Négrier estavam mortos. O general Pau deixara o serviço ativo quase no começo da guerra. De Joffre, de Foch, de Castelnau e de Pétain, jamais tínhamos falado. *Meu caro* – escrevia Robert –, *reconheço que expressões como "não passarão" ou "vamos vencê-los" não são agradáveis; durante muito tempo me doeram na boca, como "poilu"*[26] *e o resto, e sem dúvida é enfadonho construir uma epopéia com base em termos que são piores que um erro de gramática ou uma falta de gosto, que são essa coisa contraditória e atroz, uma afetação e uma pretensão vulgares que detestamos demais, como, por exemplo, as*

[26] *Poilu*: peludo; na gíria francesa, valentão; soldado da Primeira Guerra Mundial. (N, do T.)

pessoas que acham espirituoso dizer "coca" por "cocaína". Mas, se visses toda essa gente, sobretudo a gente do povo, os operários, os pequenos comerciantes que não desconfiavam do heroísmo que possuíam de reserva dentro deles, e que morreriam na cama sem suspeitarem disso, correrem debaixo das balas para socorrer um companheiro, para transportar um chefe ferido, e, eles próprios espantados, sorrirem no momento em que vão morrer porque o médico-chefe lhes diz que a trincheira foi retomada aos alemães, eu te asseguro, meu caro, que isto nos dá uma bela idéia dos franceses e nos faz compreender as épocas históricas que nos parecem um tanto singulares nas aulas.

A epopéia é de tal maneira linda, que acharias, como eu, que as palavras já não servem para nada. Rodin ou Maillol poderiam fazer uma obra-prima com matéria horrorosa que seria impossível de reconhecer. Ao contato de uma tal grandeza, "poilu" tornou-se para mim algo de que já nem sei mais se proveio de uma alusão ou de um gracejo, como quando lemos "chouans", por exemplo. Mas percebo que "poilu" está prestes a ser empregado pelos grandes poetas, como as palavras "dilúvio"; "Cristo" ou "bárbaros", que já eram grandiosas antes que as empregassem Victor Hugo, Vigny e os outros.

Digo que o povo, os operários, é o que há de melhor, mas todos são bons. O pobre jovem Vaugoubert, filho do embaixador, foi ferido sete vezes antes de ser morto e, cada vez que voltava de uma expedição sem qualquer arranhão, parecia desculpar-se e dizer que não fora intenção sua. Era uma pessoa encantadora. Éramos bastante ligados. Os pobres pais tiveram licença de ir ao enterro, desde que não portassem luto e ficassem apenas cinco minutos, por causa do bombardeio. A mãe, um cavalão que talvez conheças, podia estar muito magoada, porém não deixava perceber coisa alguma. Mas o desgraçado do pai estava em tal estado, que te asseguro que eu, já tornado insensível pelo hábito de ver subitamente aberta em sulcos por um torpedo, ou até separada do tronco, a cabeça do companheiro com quem estava conversando, não podia me conter ao presenciar o destroço que era o pobre Vaugoubert que não passava de um trapo. Por mais que o general lhe dissesse que aquilo fora pela França, que seu filho se portara como um herói, isso não fazia mais que redobrar os soluços do pobre homem, que não conseguia se afastar do corpo do filho. Enfim, é por isso que todas essas pessoas precisam se habituar ao "não passarão", como o meu pobre lacaio, como Vaugoubert, pois foram elas que impediram os alemães de passar. Talvez aches que não avançamos muito, mas deixemos de lado os raciocínios, um exército se sente vitorioso por uma impressão íntima, como um agonizante se considera perdido. Ora, sabemos que alcançaremos a vitória, e queremo-la para ditar uma paz justa, não digo unicamente justa para nós, verdadeiramente justa, justa para os franceses, justa para os alemães.

Bem entendido, o "flagelo" não elevara a inteligência de Saint-Loup acima de si mesma. Assim como os heróis de espírito medíocre e banal, escrevendo poemas durante a convalescença, colocavam-se, para descrever a guerra, não ao nível dos acontecimentos, que em si mesmos nada significam, mas no da estética vulgar, de que haviam seguido as regras até então, falando, como o teriam feito dez anos antes, da "sangrenta aurora", do "vôo fremente da vitória" etc., Saint-Loup, muito mais inteligente e artista, continuava sendo inteligente e artista, e fixava com finura, para mim, as paisagens que via enquanto estava imobilizado à beira de uma floresta pantanosa, mas como se participasse de uma caçada a patos selvagens. Para me fazer compreender certas oposições de sombra e luz que tinham sido "o encantamento de sua manhã", recordava alguns quadros que nós dois apreciávamos, sem recear aludir a uma página de Romain Rolland, ou até de Nietzsche, com aquela independência dos que estão no *front*, que não têm o mesmo receio dos inativos de pronunciarem um nome alemão, e até, com uma ponta de coquetismo, de citar um inimigo, que fizera, por exemplo, o coronel Du Paty de Clam, na sala das testemunhas do processo Zola, a recitar de passagem, diante de Pierre Quillard, poeta dreyfusista de extrema violência, a quem aliás não conhecia, versos do seu drama simbolista, *A Menina de Mãos Cortadas*. Saint-Loup me falava de uma melodia de Schumann, só lhe dava o título em alemão e não entrava em circunlóquios para dizer que, quando ao amanhecer ouvira um primeiro gorjeio na orla daquela floresta, sentira-se inebriado como se lhe falasse o pássaro daquele "sublime *Siegfried*" que esperava escutar depois da guerra.

E agora, na minha segunda volta a Paris, eu recebera, logo no dia seguinte à minha chegada, uma nova carta de Gilberte que, sem dúvida, havia esquecido a outra, ou pelo menos o sentido dela, de que já falei; pois sua partida de Paris, em fins de 1914, era ali apresentada retrospectivamente de modo bem diverso. *Talvez você não saiba, meu caro amigo* – dizia ela –, *mas já faz quase dois anos que estou em Tansonville. Cheguei aqui ao mesmo tempo que os alemães; todos quiseram impedir-me de partir. Chamavam-me de louca. "Como", diziam, "você se acha em segurança em Paris e vai partir para essas regiões invadidas, justo no momento em que todos procuram fugir de lá". Eu ignorava tudo o que esse raciocínio continha de exato. Mas, que quer, só possuo uma qualidade, não sou covarde, ou melhor, se prefere, sou fiel, e, quando soube que minha querida Tansonville estava ameaçada, não quis que o nosso velho caseiro ficasse sozinho a defendê-la. Julguei que meu lugar era a seu lado. De resto, foi graças a esta resolução que mais ou menos pude salvar o castelo, quando todos os outros das vizinhanças, abandonados por seus proprietários enlouquecidos, foram quase todos destruídos de alto a baixo – e não apenas salvar o castelo, mas as preciosas coleções que meu querido papai tanto prezava.* Numa palavra, Gilberte agora estava convencida de que não fora a Tansonville, como me escrevera em 1914, para fugir aos alemães e estar em segurança, mas, ao contrário, para encontrá-los e defender seu castelo contra eles. Eles, no entanto, não tinham permanecido em Tansonville, mas nem por isso deixara de haver ali um vaivém constante de militares, muito superior ao que na rua de Combray fazia Françoise derramar lágrimas, e Gilberte podia dizer, e agora sem fugir à verdade, que levava uma vida de frente de batalha. Assim, todos os jornais falavam de sua conduta admirável com os maiores elogios, e pensava-se em condecorá-la. O fim de sua carta era rigorosamente exato. *Você não faz idéia do que é esta guerra, meu caro amigo, e da importância que nela assume uma estrada, uma ponte, uma elevação. Quantas vezes pensei em você, nos passeios, tornados deliciosos graças a você, que fazíamos por toda essa região hoje devastada, no momento em que imensos combates se travavam pela posse de um determinado caminho, de um certo outeiro de que você gostava, onde subimos juntos tantas vezes! Provavelmente, você, como eu, não imaginava que a obscura Roussainville e a enfadonha Méséglise, de onde nos levavam nossas cartas, e onde foram buscar o médico quando você esteve doente, seriam jamais lugares célebres. Pois bem, meu caro amigo, elas são gloriosas para sempre, no mesmo nível de Austerlitz ou de Valmy. A batalha de Méséglise durou mais de oito meses, nela os alemães perderam mais de seiscentos mil homens; destruíram Méséglise, mas não a tomaram. A pequena vereda de que você gostava tanto, a que chamávamos de ladeirinha de espinheiros, e onde pretende ter se apaixonado por mim na infância, ao passo que, na verdade, afirmo-lhe que era eu quem estava apaixonada por você, nem posso lhe dizer a importância que ela adquiriu. O imenso campo de trigo a que ela conduz é o famoso marco 307, cujo nome você deve ter lido tantas vezes nos comunicados. Os franceses explodiram a pontezinha sobre o Vivonne, a qual, dizia você, não lhe recordava a infância tanto quanto desejaria; os alemães explodiram outras, durante um ano e meio ocuparam uma metade de Combray, e os franceses a outra metade.*

No dia seguinte àquele em que eu havia recebido esta carta, ou seja, na antevéspera do dia em que, andando na escuridão, ouvindo soar o ruído de meus passos, ruminando todas essas lembranças, Saint-Loup, vindo do *front*, quase de regresso, fizera-me uma visita de apenas alguns minutos, e que só em ser anunciada me deixou violentamente emocionado. Françoise quisera precipitar-se para ele, esperando que Saint-Loup pudesse mandar reformar o tímido aprendiz de açougueiro, cuja classe partiria dentro de um ano. Mas ela própria se susteve, pela inutilidade de semelhante pedido, pois de há muito o tímido matador de animais havia mudado de açougue. E, ou porque a dona do nosso temesse perder a freguesia, ou porque estivesse de boa-fé, declarou a Françoise que ignorava onde se empregava o rapaz, que, de resto, não daria um bom açougueiro. Françoise, então, havia procurado em todo canto, mas Paris é grande, e os açougues numerosos, e ela não pudera achar o jovem tímido e sangrento.

Quando Saint-Loup entrou no meu quarto, aproximei-me dele com a sensação de timidez, com a impressão de sobrenatural que davam, no fundo, todos os convocados em licença, e que experimentamos quando somos levados à presença de uma pessoa atacada de moléstia mortal, e que, no entanto, ainda se levanta, veste-se e passeia. Parecia (parecera, sobretudo no começo, pois para quem não vivera, como eu, longe de Paris, sobreviera o hábito, cortando das coisas que vimos diversas vezes a raiz da impressão profunda e de pensamento que lhes confere o sentido real), parecia quase haver algo de cruel nessas licenças dadas aos combatentes. Nas primeiras, dizia-se: "Não hão de querer voltar, desertarão." E, de fato, não regressavam apenas de lugares que nos pareciam irreais porque só tínhamos ouvido falar deles pelos jornais, e porque não imaginávamos a possibilidade de alguém tomar parte nesses combates titânicos e voltar com apenas uma contusão no ombro; era das margens da morte, às quais voltariam, que eles regressavam por um momento para ficar conosco, incompreensíveis para nós, enchendo-nos de ternura, de assombro, e de uma sensação de mistério, como esses mortos que evocamos, que nos aparecem por um segundo, que não ousamos interrogar e que, quando muito, poderiam responder: "Não poderíeis fazer idéia." Pois é extraordinário verificar a que ponto, seja entre os escapos do fogo, que são os combatentes de licença, entre os vivos, seja entre os espíritos que um médium hipnotiza ou evoca, o único efeito do contato com o mistério é o de aumentar, se possível, a insignificância das frases. Assim, abordei Robert, que ainda trazia na testa uma cicatriz, mais augusta e misteriosa para mim que a impressão deixada na terra pelo pé de um gigante. E eu não tivera coragem de lhe fazer qualquer pergunta, e ele só me dissera simples palavras; e estas ainda eram bem pouco diferentes das de antes da guerra, como se, apesar dela, as pessoas continuassem a ser o que eram: o tom das conversas era o mesmo, apenas o assunto diferia, e ainda assim!

Julguei entender que Robert encontrara no exército expedientes que aos poucos o tinham feito esquecer que Morel procedera tão mal com ele como com seu tio. Todavia, conservava-lhe grande amizade e era possuído de bruscos desejos de tornar a vê-lo, sempre adiados. Julguei mais delicado para com Gilberte não indicar a Robert que, para encontrar Morel, bastava que ele fosse à casa da Sra. Verdurin.

Disse humildemente a Robert quão pouco se sentia a guerra em Paris. Retrucou-me que, mesmo em Paris, às vezes ocorriam "coisas incríveis". Aludia a um ataque de zepelins que houvera na véspera, e me perguntou se o vira, mas como me falaria antigamente de algum espetáculo de grande beleza estética. No *front*, ainda se compreende que haja uma espécie de coqueteria em dizer: "É maravilhoso! Que rosa! E que verde-claro!" no momento em que se pode a todo instante ser morto, porém isto não existia em Saint-Loup, em Paris, a propósito de um ataque insignificante, mas que, da nossa varanda, no silêncio de uma noite onde houvera, de súbito, uma festa *verdadeira* de foguetes úteis e protetores, toque de clarins que não eram para a parada etc.[27] Comentei a beleza dos aviões que subiam à noite. – E,

[27] Esta frase ficou sem conclusão. (N. do T.)

talvez, mais ainda a dos que descem – disse ele. – Reconheço que é muito bonito o momento em que eles sobem, quando vão *fazer constelação*, e nisso obedecem a leis tão precisas como as que regem as constelações, pois o que te parece um espetáculo é o alinhamento das esquadrilhas, o comando que lhes dão, sua partida para a caça etc. Mas não preferes o momento em que, definitivamente comparados às estrelas, eles diferem destas para sair em caça, ou voltar após o toque de recolher, no momento em que *fazem apocalipse* e até as estrelas saem do lugar? E as sirenas, não seriam bem wagnerianas, o que, de resto, seria bem natural para saudar a chegada dos alemães, parecendo hino nacional, *Wacht am Rhein*,[28] com o Kronprinz e as princesas no camarote imperial; era para se perguntar se se tratava mesmo de aviadores ou antes das Valquírias que subiam. – Parecia comprazer-se nessa comparação entre aviadores e Valquírias, explicando-a, de resto, por motivos puramente musicais: – Ora, é que a música das sirenas era a de uma *Cavalgada!* Decididamente, é preciso a chegada dos alemães para que se ouça Wagner em Paris.

Além disso, sob certos pontos de vista a comparação não era falsa. De nossa varanda, a cidade parecia um só local movente, informe e negro, e que de repente passava das profundezas e da noite para a luz e para o céu, onde, um a um, os aviadores se elevavam ao apelo aflitivo das sirenas, enquanto, com um movimento mais vagaroso, mais traiçoeiro, mais alarmante, pois esse olhar lembrava o objeto ainda invisível e talvez já próximo, que estava procurando, os refletores mudavam permanentemente de direção, farejando o inimigo, assediando-o com seus faróis até o momento em que os aviões, orientados, mergulhavam em pique para capturá-lo. E, esquadrilha após esquadrilha, cada aviador se alçava desse modo da cidade, transportada agora aos céus, semelhante a uma valquíria. No entanto, alguns pontos da terra, no nível das casas, iluminavam-se, e eu disse a Saint-Loup que, se ele estivesse em casa na véspera, poderia, contemplando o apocalipse no céu, ver sobre a terra (como no *Enterro do Conde de Orgaz*, de El Greco, onde esses planos diversos são paralelos) um verdadeiro *vaudeville* representado pelos personagens de camisola, os quais, devido a seus nomes célebres, mereceriam ter sido mandados a algum sucessor daquele Ferrari[29] cujas notas mundanas tantas vezes nos tinham divertido, a mim e a Saint-Loup, que as imitávamos de brincadeira. E foi o que fizemos ainda àquele dia, como se não houvesse guerra, conquanto acerca de um assunto bem "de guerra", o medo aos zepelins: "Reconhecidos: a duquesa de Guermantes, magnífica de camisola; o duque, de Guermantes, indescritível de pijama cor-de-rosa e roupão de banho etc., etc."

[28] *Wacht am Rhein* ('A guarda do Reno'), poema de Max Schneckenburger (1819-1849), musicado por Karl Wilhelm. (N. do T.)

[29] *Ferrari*: François Ferrari, cronista mundano do *Figaro*, em Paris, fins do século XIX e começos do XX. (N. do T.)

"Garanto", disse ele, "que em todos os grandes hotéis se devem ter visto judias americanas de camisola, apertando nos seios envelhecidos o colar de pérolas que lhes permitiria casarem-se com um duque arruinado. O hotel Ritz, nessas noites, deve se parecer à Bolsa de Valores".

Contudo, é preciso dizer que, se a guerra não fizera aumentar a inteligência de Saint-Loup, essa inteligência, conduzida por uma evolução em que a hereditariedade assumia uma grande parte, ganhara um brilho que eu antes jamais lhe percebera. Que distância entre o jovem louro, outrora cortejado pelas mulheres, chique ou aspirando a sê-lo, e o argumentador, o doutrinário que não cessava de brincar com as palavras! Noutra geração, noutro ramo, como um ator que retoma o papel representado antigamente por Bressant ou Delaunay, ele era como um sucessor – róseo, louro, dourado, ao passo que o outro se dividia entre muito preto e todo branco – do Sr. de Charlus. Conquanto não se entendesse com o tio a respeito da guerra, tendo-se alistado naquela porção de aristocracia que colocava a França acima de tudo, enquanto o Sr. de Charlus era derrotista no fundo, ele podia mostrar, a quem não tivesse visto o "criador do papel", como era possível sobressair na qualidade de argumentador. – Parece que Hindenburg é uma revelação – disse-lhe eu. – Uma revelação velha, ou futura – respondeu-me de pronto. – Devia se ter dado mais poder de fogo a Mangin, em vez de poupar o inimigo, abater a Áustria e a Alemanha e europeizar a Turquia, em vez de "montenegrizar" a França. – Mas teremos o auxílio dos Estados Unidos – observei. – Enquanto esperamos, não vejo aqui senão o espetáculo dos Estados Desunidos. Por que não fazer maiores concessões à Itália, com medo de descristianizar a França? Se o teu tio Charlus te ouvisse! – exclamei. – No fundo, não te aborrecerias se se ofendesse ainda mais o papa, e ele pensa com desespero no mal que podem fazer ao trono de Francisco José. Aliás, fala-se nisso, dentro da tradição de Talleyrand e do Congresso de Viena. – A era do Congresso de Viena já passou – respondeu ele –; à diplomacia secreta, é necessário opor a diplomacia concreta. Meu tio no fundo é um monarquista impenitente, a quem fariam engolir "carpas", como a Sra. Molé, ou "escarpas", como Arthur Meyer,[30] desde que as carpas e escarpas sejam preparadas à Chambord. Por ódio ao pendão tricolor, creio que aderiria antes ao esfregão do *bonnet rouge*,[31] que de boa-fé tomaria pelo estandarte branco da realeza. – É claro que tudo aquilo não eram mais que palavras, e Saint-Loup estava longe de possuir a originalidade por vezes profunda

[30] No original, *carpes* e *escarpes*, trocadilho de fundo paronímico. *Carpe* é "carpa", mas, na gíria, significa "pessoa tola, simplória". *Escarpe* é "estopa", "talude", mas também quer dizer "assaltante". Mantivemos a tradução literal mesmo sem sentido – para que não se perca o sabor da paronímia. (N. do T.)

[31] *Bonnet rouge* ('Boné vermelho'): nome de um jornal revolucionário e antimilitarista francês, cujo diretor, Miguel Almereyda, envolveu-se em casos de traição (1917-18). (N. do T.)

do tio. Mas era tão afável e de caráter tão encantador, como o outro era suspicaz e invejoso. E continuara encantador e róseo como em Balbec, sob todos seus cabelos de ouro. O único aspecto em que o tio não o sobrepujaria era aquele estado de espírito do *Faubourg* Saint-Germain, de que se imbuem até os que se crêem mais livres, incutindo-lhes, a um tempo, o respeito pelos homens inteligentes sem nascimento (e que na verdade só floresce na nobreza e torna tão injustas as revoluções) e uma tola satisfação de si mesmos. Em nome dessa mistura de humildade e orgulho, de curiosidades de espírito adquiridas e de autoridade inata, o Sr. de Charlus e Saint-Loup, percorrendo caminhos diversos e sustentando opiniões opostas, tinham se tornado, com uma geração de intervalo, intelectuais interessados em toda idéia nova e conversadores de quem nenhuma interrupção consegue obter silêncio. De modo que uma pessoa um tanto medíocre podia considerá-los, de acordo com a disposição em que estivesse, fascinantes ou aborrecidos.

– Tu te lembras – disse-lhe – de nossas conversas em Doncières. – Ah, era um bom tempo. Que abismo nos separa dele. Aqueles dias lindos regressarão um dia

du gouffre interdit à nos sondes
Comine montem au ciel les soleils rajeunis
Après s'être lavés au fond des mers profondes?[32]

– Só pensemos nessas conversas para recordar sua doçura – disse-lhe eu. – Procurava nelas alcançar um certo tipo de verdade. A guerra atual, que transtornou tudo, e, principalmente, me dizes, a idéia da guerra, tornaria ultrapassado o que me falavas então a respeito dessas batalhas, por exemplo, quanto às batalhas de Napoleão, que seriam imitadas nas guerras futuras? – De modo algum! – respondeu-me. – A batalha napoleônica é sempre reencontrada, e tanto mais ainda nesta guerra, em que Hindenburg está imbuído do espírito napoleônico. Seus rápidos deslocamentos de tropas, seus fingimentos, ou porque deixa apenas uma pequena linha de defesa diante de um de seus adversários, para cair com todas as forças juntas sobre o outro (Napoleão, 1814), ou porque investe numa diversão[33] que força o adversário a manter suas tropas numa frente que não é a principal (assim a manobra fingida de Hindenburg diante de Varsóvia, graças à qual os russos, enganados, levaram para ali a sua resistência e foram batidos nos lagos da Masúria), seus recuos, análogos àqueles pelos quais começaram as batalhas de Austerlitz, Arcole e Eckmühl, tudo nele é napoleônico, e ainda não terminei. Acrescentarei, se, longe de mim, tentas, à medida que interpretas os acontecimentos desta guerra,

[32] "do abismo vedado às nossas sondas,/ Como sobem ao céu os sóis tornados: jovens / Depois de se lavarem nas profundas ondas?" Versos (com ligeiras alterações) de Baudelaire no poema *Le Balcon* ('A Varanda'). (N. do T.)

[33] Diversão: manobra ou operação militar cujo fim é desviar a atenção do inimigo do ponto que se pretende ocupar. (N. do T.)

não confiar exclusivamente nessa maneira especial de Hindenburg para nela achar o sentido do que ele faz, a chave do que ele vai fazer. Um general é como um escritor que deseja escrever uma certa peça, um certo livro, e que o próprio livro, com os inesperados reclusos que revela aqui, o impasse que apresenta além, faz desviar excessivamente do plano preconcebido. Como uma diversão, por exemplo, não deve ser feita senão num ponto de importância vital; supondo que a diversão obtenha êxito além de qualquer esperança, ao passo que a operação principal termine em fracasso; é a diversão que pode se tornar a operação principal. Espero Hindenburg num desses tipos de batalha napoleônicos, o que consiste em separar dois adversários: os ingleses e nós.

Desse modo, sempre recordando a visita de Saint-Loup, eu tinha caminhado, feito um longo desvio; estava quase nos Inválidos. As luzes, bem pouco numerosas (por causa dos aviões *gotha*), estavam acesas um tanto cedo demais, pois a "mudança da hora"[34] fora antecipada quando a noite ainda baixava depressa, e se estabilizara durante todo o verão (como os caloríferos que se acendem e apagam a partir de uma data predeterminada), e, acima da cidade noturnamente iluminada, em toda uma porção do céu que, ignorando a hora de verão e a hora de inverno, não se dignava a saber que 8 horas e meia se transformara em 9 horas e meia – em toda uma porção do céu azulado ainda era dia um tanto claro. Em toda a parte da cidade dominada pelas torres do Trocadero, o céu dava a impressão de ser um mar imenso matizado de turquesa que se retira, já deixando emergir toda uma linha estreita de rochedos negros, talvez até de simples redes de pescadores, alinhadas umas após as outras, e que eram pequenas nuvens. Mar naquele momento cor de turquesa e que carrega com ele, sem que o percebam, os homens arrastados na imensa revolução da Terra, da Terra sobre a qual são bastante loucos para continuarem suas próprias revoluções, suas guerras vãs, como a que agora ensangüentava a França. De resto, à força de contemplar o céu preguiçoso e lindo, que não achava digno de si mesmo mudar o horário e, acima da cidade iluminada, prolongava molemente, nesses tons azulados, o dia que se atrasava, a vertigem atacava, já não era mais um mar horizontal, mas uma gradação vertical de geleiras azuis. E as torres do Trocadero, que pareciam tão próximas dos degraus de turquesa, deveriam estar bem longe deles, como essas torres duplas de certas cidades da Suíça, que se diriam à distância vizinhas da escarpa dos cimos. Voltei sobre meus passos, mas, ao deixar a ponte dos Inválidos, já não era dia no céu, e quase já não havia luzes na cidade; e, tropeçando aqui e ali nas latas de lixo, tomando um caminho por outro, encontrei-me, sem perceber, seguindo maquinalmente um labirinto de ruas obscuras, nos

[34] "Mudança da hora": o horário de verão foi estabelecido na França, com bastante oposição, em junho de 1916. (N. do T.)

bulevares. Ali, renovou-se a impressão de Oriente que já sentira e, por outro lado, à evocação da Paris do Diretório sucedeu a da Paris de 1815. Como em 1815, havia o desfile mais desarmônico dos uniformes das tropas Aliadas; e, entre elas, africanos de saias-calças vermelhas e indianos com turbantes brancos bastavam para que, dessa Paris em que passeava, eu formasse toda uma exótica cidade imaginária, num Oriente a um tempo minuciosamente exato no tocante aos costumes e à cor das fisionomias, e arbitrariamente quimérico no que se referia ao cenário, como da cidade em que vivia Carpaccio fez uma Jerusalém ou uma Constantinopla, ali reunindo uma multidão cuja maravilhosa miscelânea não era mais colorida que esta. Caminhando atrás de dois zuavos, que não pareciam percebê-lo, avistei um homem alto e gordo, chapéu de feltro desabado, capote comprido, em cujo rosto cor de malva hesitei se devia pôr o nome de um ator ou de um pintor igualmente famosos por seus numerosos escândalos sodomitas. Em todo caso, tinha certeza de que não conhecia o passeante; assim, fiquei muito surpreendido, quando seu olhar encontrou o meu, ao ver que parecia constrangido e que fez menção de deter-se e vir ao meu encontro, como alguém que deseja mostrar que não o surpreendemos de modo algum entregando-se a uma ocupação que teria preferido deixar em segredo. Por um instante fiquei sem saber quem me cumprimentava: era o Sr. de Charlus. Pode-se dizer que, no seu caso, a evolução de seu mal ou a revolução de seu vício chegara ao ponto em que a pequena personalidade primitiva do indivíduo, suas qualidades ancestrais, são inteiramente interceptadas pela passagem, diante delas, do defeito ou do mal genérico de que se acompanham. O Sr. de Charlus fora tão longe o quanto possível de si mesmo, ou melhor, estava ele mesmo tão perfeitamente mascarado por aquilo em que se tornara, e que não pertencia somente a ele mas a muitos outros invertidos, que, no primeiro minuto, eu o tomara por um outro dentre eles, atrás desses zuavos, em pleno bulevar, por um outro dentre os que o Sr. de Charlus não era, um outro que não era um grão-senhor, que não era um homem de imaginação e de espírito, outro cuja semelhança com o barão se limitava a esse ar comum a todos, que agora nele, ao menos antes que o encarassem bem, recobria tudo.

Foi desse modo que, desejando ir à casa da Sra. Verdurin, havia encontrado o Sr. de Charlus. E certamente não o teria encontrado, como antigamente, na casa dela; a briga entre eles só se agravara e a Sra. Verdurin servia-se até de acontecimentos recentes para ainda mais desacreditá-lo. Tendo dito várias vezes que o achava gasto, acabado, mais fora de moda em suas pretensas audácias que os maiores medalhões, resumia agora essa condenação e o tornava aborrecido a todas as imaginações, afirmando que ele era "de antes da guerra". A guerra, segundo o pequeno grupo, colocara entre ele e o presente um abismo que o relegava ao passado mais remoto.

Além disso – e visando sobretudo ao mundo político, menos informado sobre esse assunto –, ela o representava tão sem cotação, tão posto à margem no mundanismo como na intelectualidade. – Ele não vê ninguém, ninguém o recebe – dizia ela ao Sr. Bontemps, a quem facilmente convencia. Aliás, havia alguma verdade nessas palavras. A posição social do Sr. de Charlus mudara. Preocupando-se cada vez menos com a sociedade, tendo, devido a seu temperamento bilioso, brigado com meio mundo, e, mantendo a consciência de seu valor social, desdenhando reconciliar-se com a maior parte das pessoas que eram a nata da sociedade, vivia num isolamento relativo que não tinha como causa, como aquele em que morrera a Sra. de Villeparisis, o ostracismo da aristocracia, mas que, aos olhos do público, parecia pior por dois motivos. A má reputação do Sr. de Charlus, agora conhecida, fazia com que as pessoas pouco informadas acreditassem que era por isso que não o freqüentavam os que, por sua própria vontade, ele se recusava a freqüentar. De modo que o que era o efeito de seu temperamento atrabiliário, parecia ser causado pelo desprezo das pessoas sobre as quais se exercia o seu mau humor. Por outro lado, a Sra. de Villeparisis tivera uma grande proteção: a família. Mas o Sr. de Charlus multiplicara as brigas na família. Esta, aliás – sobretudo a do lado do velho *Faubourg*, o lado Courvoisier – lhe parecera desinteressante. E não imaginava, logo ele que professara sobre arte, ao contrário dos Courvoisier, idéias tão avançadas, que o que nele mais interessaria a Bergotte, por exemplo, seria o seu parentesco com todo o velho *Faubourg*, pela possibilidade de descrever a vida quase provinciana de suas primas, que se espalhavam da rua de La Chaise à praça do Palais-Bourbon e à rua Garancière.

Depois, colocando-se num outro ponto de vista menos transcendente e mais prático, a Sra. Verdurin afetava acreditar que ele não era francês. – Qual é a sua verdadeira nacionalidade; não será austríaco? – perguntava inocentemente o Sr. Verdurin. – Claro que não, de jeito nenhum – respondia a condessa Molé, cujo primeiro movimento obedecia antes ao bom senso do que ao rancor. – Não, ele é prussiano – dizia a Patroa. – Posso lhe afirmar, porque sei, ele nos disse várias vezes que era membro hereditário da Câmara dos Pares da Prússia e *Durchlaucht*. – Todavia, a rainha de Nápoles me dissera... – Fique sabendo que ela é uma horrível espiã – exclamava a Sra. Verdurin, que não esquecera a atitude que havia tomado certa vez em sua casa, a soberana deposta. – Eu o sei, e de um modo preciso, ela só vivia disso. Se tivéssemos um governo mais enérgico, toda essa gente estaria num campo de concentração. Mas enfim... Em todo caso, faria bem em não receber esse pessoal, pois sei que o ministro do Interior está de olho neles, o seu palacete seria vigiado. Ninguém me tira da cabeça que durante dois anos, Charlus não deixou de espionar na minha casa. – E pensando provavelmente que poderiam pôr em dúvida o interesse que teriam para o governo alemão os relatórios mais circunstanciados sobre a organização do pequeno clã, a Sra. Verdurin, com ar doce e perspicaz de pessoa que sabe que o valor do que está dizendo será realçado se não elevar a voz: – Vou lhes dizer aquilo que, desde o primeiro minuto, comentei com meu marido:

'Não me agrada o modo como este homem se introduziu aqui. Há alguma coisa errada nele.' Temos uma propriedade no fundo de uma baía, num ponto bastante elevado. Certamente ele foi encarregado pelos alemães de preparar ali uma base para seus submarinos. Coisas havia que me espantavam, e que agora compreendo. Assim, no começo, ele não queria vir de trem com os outros convidados. Eu lhe oferecera, com toda a gentileza, um quarto no castelo. Pois bem, não aceitou, teria preferido morar em Doncières, onde há uma guarnição do exército. Tudo isso cheirava a espionagem descarada.

Quanto à primeira das acusações assacadas contra o barão de Charlus, a de estar fora de moda, os mundanos facilmente concordavam com a Sra. Verdurin. Na verdade, eram ingratos, pois o Sr. de Charlus de algum modo era o seu poeta, aquele que soubera retirar da mundanidade ambiente uma espécie de poesia, na qual cabiam a história, a beleza, o pitoresco, o aspecto cômico e a elegância frívola. Mas as pessoas da sociedade, incapazes de compreender essa poesia, não a viam em suas vidas e a procuravam alhures, colocando mil furos acima do Sr. de Charlus homens que lhe eram infinitamente inferiores, mas que pretendiam desprezar a sociedade e, em compensação, professavam teorias de sociologia e economia política. O Sr. de Charlus se encantava em contar tiradas espirituosas involuntariamente características, e em descrever as toaletes sabiamente graciosas da duquesa de Montmorency, tratando-a como mulher sublime, o que o fazia ser considerado uma espécie de imbecil pelas damas da sociedade, que achavam a duquesa uma tola sem qualquer interesse, e os vestidos feitos para serem usados, mas sem nenhuma importância, e, julgando-se mais inteligentes, acorriam à Sorbonne, ou à Câmara, caso Deschanel devesse falar.

Em suma, as pessoas da sociedade se haviam desencantado do Sr. de Charlus, não por conhecê-lo bem, mas porque nunca tinham percebido o seu raro valor intelectual. Consideravam-no de "antes da guerra", *demodé* pois os mesmos que se mostram mais incapazes de julgar o mérito alheio são os que, para classificá-lo, adotam na maioria das vezes a ordem que está na moda. Sem penetrar, nem mesmo superficialmente, nos homens de mérito de uma geração, limitam-se então a condená-los a todos em bloco tão logo surge o emblema da geração nova, que não será mais bem compreendida.

Quanto à segunda acusação, a de germanismo, o espírito moderador dos mundanos a repelia, mas ela encontrara um intérprete infatigável e particularmente feroz em Morel, que, tendo sabido conservar, nos jornais e até na sociedade, o lugar que o Sr. de Charlus lograra obter-lhe, mas não, depois, retirar, embora em ambas as ocasiões se empenhasse a fundo, perseguia o barão com um ódio tanto mais culpado, porque, fossem quais tenham sido suas verdadeiras relações com o barão, Morel havia conhecido o que Charlus ocultava a tanta gente, a sua bondade profunda. O barão fora com Morel de uma tal generosidade, de uma tal delicadeza, mostrara-lhe tanto escrúpulo em não faltar com sua palavra, que, ao deixá-lo, a idéia que Morel guardara dele não era de modo algum a de um homem viciado (quando muito, considerava o vício do barão como uma enfermidade), mas a do homem de idéias mais elevadas que já conhecera, de uma sensibilidade extraordinária, uma espécie de santo. Negava-o tão escassamente que, mesmo rompido com ele, dizia com sinceridade aos pais de mais de um jovem: "Podem confiar-lhe seu filho, só terá sobre ele a melhor influência." Assim, quando procurava, em seus artigos, fazê-lo sofrer, o que buscava achincalhar nele não era o vício, mas a virtude.

Um pouco antes da guerra, algumas croniquetas, transparentes para os iniciados, tinham começado a desmoralizar o Sr. de Charlus. De uma, intitulada: 'As desventuras de uma ativa senhora idosa, a velhice da baronesa', a Sra. Verdurin havia comprado cinqüenta exemplares para poder distribuí-los aos conhecidos, e o Sr. Verdurin, declarando que o próprio Voltaire não escrevia melhor, lia-a em voz alta. Desde a guerra, o tom mudara. Não somente se denunciava a inversão do barão, mas também sua pretensa nacionalidade germânica. *Frau* Bosch, *Frau* van den Bosch eram as alcunhas habituais de Charlus. Um trecho de natureza poética trazia este título, tirado de certas melodias dançantes de Beethoven: 'Uma alemã'. Enfim, duas crônicas novas: 'Tio da América e tia de Frankfurt' e 'Espertalhão da retaguarda', lidas em provas no pequeno clã, deliciaram o próprio Brichot, que havia exclamado: – Contanto que a mui alta e poderosa dama Anastácia não empastele tudo![35]

Os artigos em si eram melhores que esses títulos ridículos. Seu estilo derivava de Bergotte, mas de um modo talvez só a mim sensível, e eis o motivo: os escritos de Bergotte não tinham tido nenhuma influência sobre Morel. A fecundação se fizera de forma muito particular, e tão rara, que é só por isso que a refiro aqui. Indiquei, no devido tempo, a maneira tão especial que Bergotte possuía, ao falar, de escolher as palavras, de pronunciá-las. Morel, que o encontrara durante muito tempo na casa dos Saint-Loup, fizera, à época, imitações dele, nas quais reproduzia-lhe perfeitamente a voz, utilizando as mesmas palavras que Bergotte empregaria. Ora, agora, ao escrever, Morel transcrevia conversações à Bergotte, mas sem lhes conferir essa transposição que as transformaria num Bergotte escrito. Havendo poucas pessoas conversado com Bergotte, não lhe reconheciam o tom, que diferia do estilo. Semelhante fecundação oral é tão rara que fiz questão de apontá-la aqui. Aliás, só produz flores estéreis. Morel, que trabalhava na imprensa, achava aliás, pois seu sangue francês lhe fervia nas veias como o sumo das uvas de Combray, que não era suficiente trabalhar num escritório durante a guerra, e acabou por engajar-se, embora a Sra. Verdurin fizesse o possível para convencê-lo a ficar em Paris. Claro, sentia-se indignada que o Sr. de Cambremer, apesar da idade, estivesse

[35] Anastácia (em francês *Anastasie*) era o apelido dado à Censura. (N. do T.)

num estado-maior, ela, que de todo homem que não freqüentasse o seu salão, dizia: "Onde ainda achou jeito de se esconder esse camarada?" e, se lhe afirmavam que estava na primeira linha de combate desde o primeiro dia, respondia, sem escrúpulos de mentir, ou talvez pelo hábito de se enganar: – De modo nenhum, ele não saiu de Paris, esteve em missões tão arriscadas como acompanhar um ministro, sou eu quem lhe diz, garanto-o, sei por alguém que o viu –; mas, no caso dos fiéis não era a mesma coisa, não queria deixá-los partir, considerando a guerra como uma grande "maçante" que os obrigava a abandonarem o seu convívio. Assim, envidava todos os esforços para que eles ficassem, o que lhe daria o prazer duplo de tê-los ao jantar e, quando ainda não tinham chegado ou já haviam partido, o de verberar sua inatividade. E era necessário que os fiéis se prestassem a essa *embusquage* e desolava-se ao ver Morel se mostrar recalcitrante; por isso, lhe dizia: – Mas você presta serviços num escritório e não no *front*. O importante é ser útil, fazer verdadeiramente parte da guerra, pertencer-lhe. Há os que lhe pertencem, e há os *embusqués*. Pois bem, você faz parte dos que lhe pertencem, todos sabem, ninguém vai lhe atirar a primeira pedra. – Da mesma forma, quando, em circunstâncias diversas, os homens não eram tão raros e ela não se via obrigada, como agora, a receber sobretudo mulheres, se um deles perdia a mãe, não hesitava em persuadi-lo de que podia, sem inconveniente, continuar a comparecer às suas recepções: – A mágoa se oculta no coração. Poderia ir ao baile – (que ela nunca dava) – mas eu seria a primeira a desaconselhá-lo; mas aqui, nas minhas modestas quartas, ou numa frisa de teatro, ninguém se espantaria. Sabe-se perfeitamente que o senhor está de luto. – Agora, os homens escasseavam, o luto era mais freqüente, inútil se tornava impedi-los de saírem de casa, a guerra bastava. A Sra. Verdurin se agarrava aos restantes. Queria persuadi-los de que eram mais úteis à França permanecendo em Paris, como, outrora, havia-lhes assegurado que o defunto ficaria mais feliz se se distraíssem. Apesar de tudo, poucos a freqüentavam; talvez lamentasse, por vezes, ter consumado com o Sr. de Charlus um rompimento definitivo.

Porém, se o Sr. de Charlus e a Sra. Verdurin já não se freqüentavam, continuavam – cada um de sua parte –, com pequenas diferenças de pouca importância, como se nada houvesse mudado, uma a receber, outro a procurar prazeres: por exemplo, Cottard assistia agora às recepções no uniforme de coronel da *Ilha do Sonho*,[36] muito parecido com o de um almirante haitiano, e sobre cujo tecido uma larga fita azul-celeste lembrava a dos filhos de Maria; o Sr. de Charlus, achando-se numa cidade de onde os homens feitos haviam desaparecido, fazia o mesmo que

[36] *Ilha do Sonho* (*L'île du Rêve*), ópera em três atos de Reynaldo Hahn, com libreto de André Alexandre e G. Hartmann, baseada no romance de Pierre Loti, *O Casamento de Loti* (*Le Mariage de Loti*). Foi representada pela primeira vez em 1898. (N. do T.)

alguns franceses, amadores de mulheres na França e que viviam nas colônias: por necessidade, adquirira antes o hábito e, depois, o gosto dos meninos.

Todavia, o primeiro desses traços característicos logo se desfez, pois Cottard morreria em breve "frente ao inimigo", segundo os jornais, conquanto ele não houvesse deixado Paris, e na verdade sucumbisse à idade, pouco depois seguido pelo Sr. Verdurin, cuja morte foi chorada somente por uma pessoa, Elstir, por incrível que pareça. Eu pude estudar a obra de Elstir sob um ponto de vista em certo sentido absoluto. Porém ele, sobretudo à medida que envelhecia, ligava-a supersticiosamente à sociedade que lhe fornecera os modelos; a qual, depois de se ter assim transformado nele em obra de arte, pela alquimia das impressões, dera-lhe o seu público, seus espectadores. Cada vez mais inclinado a crer, materialisticamente, que uma parte apreciável da beleza reside nas coisas, e assim como, no começo, havia adorado na Sra. Elstir o tipo de beleza um tanto pesadona que buscara e acariciara nas telas e nas tapeçarias, via desaparecer com o Sr. Verdurin um dos últimos vestígios do quadro social, do quadro perecível – tão rapidamente caduco quanto as próprias modas de vestuário que o compõem – que sustenta uma arte, certifica sua autenticidade, assim como poderia sentir-se desolado um pintor de Festas Galantes ao destruir a Revolução, as elegâncias do século XVIII, ou mostrar-se aflito Renoir com o desaparecimento de Montmartre e do Moinho da Galette. Mas, no Sr. Verdurin, ele via sobretudo desaparecerem os olhos e o cérebro que tinham tido de sua pintura a visão mais justa, e onde essa pintura, em estado de lembrança querida, de alguma forma residia. Sem dúvida, haviam também surgido rapazes que amavam a pintura, mas uma pintura diversa, e que não tinham, como Swann, como o Sr. Verdurin, recebido lições de gosto de Whistler, lições de verdade de Monet, que lhes permitissem avaliar Elstir com justiça. Assim, este sentia-se mais sozinho após a morte do Sr. Verdurin, com quem todavia estava rompido há muitos anos, como se um pouco da beleza de sua obra se eclipsasse junto com o pouco existente, no universo, de consciência dessa beleza.

Quanto à mudança que afetara os prazeres do Sr. de Charlus, permanecia intermitente: mantendo numerosa correspondência com o *front*, não lhe faltavam soldados maduros, quando em licença.

No tempo em que eu acreditava nas palavras que se diziam, ouvindo a Alemanha, depois a Bulgária e depois a Grécia protestarem suas intenções pacíficas, era tentado a lhes dar crédito. Mas, desde que a vida com Albertine e com Françoise me acostumara a desconfiar de seus pensamentos, dos projetos que não confessavam, eu não deixava que palavra nenhuma, mesmo aparentemente sincera, de Guilherme II, de Fernando da Bulgária, de Constantino da Grécia, iludisse o meu instinto, que adivinhava o que todos eles maquinavam. E, sem dúvida, as minhas discussões com Françoise e com Albertine não tinham passado de discussões particulares, interessando apenas à vida dessa pequena célula espiritual que é um ser. Mas, assim como existem corpos de animais e corpos humanos, isto é, conjunto de células que, comparados com uma só, parecem enormes como o Monte Branco, da mesma forma existem enormes acúmulos organizados de indivíduos a que chamamos nações; sua vida não faz mais que repetir, ampliando-a, a vida das células componentes; e quem não for capaz de compreender o mistério, as reações e as leis desta, só pronunciará palavras ocas quando falar de lutas entre nações. Porém, se é mestre da psicologia dos indivíduos, então essas massas colossais de indivíduos conglomerados, enfrentando-se mutuamente, assumirão a seus olhos uma beleza mais poderosa que a luta que nasce apenas do conflito de dois temperamentos; e ele as verá numa escala em que veriam o corpo de um homem de grande estatura os infusórios, dos quais são necessários mais de dez mil para encherem um cubo de um milímetro de lado. Desse modo surgiam, desde algum tempo, a grande figura da França, cheia até a borda de milhões de pequeninos polígonos de formas variadas, e a figura, cheia de mais polígonos ainda, da Alemanha, a se separarem por duas dessas discussões. Assim, sob esse ponto de vista, o corpo Alemanha e o corpo França, e os corpos aliados e inimigos, se comportavam, numa certa medida, como indivíduos. Mas os golpes que trocavam eram regulados por esse boxe inumerável cujos princípios Saint Loup me havia exposto; e porque, mesmo considerando-os do ponto de vista dos indivíduos, eram aglomerados gigantescos, a discussão assumia formas imensas e magníficas, como a sublevação de um oceano de milhões de vagas, que tenta romper uma linha secular de falésias, como geleiras enormes a tentarem, nas suas oscilações lentas e destruidoras, quebrar a moldura de montanhas a que estão circunscritas.

Apesar disso, a vida continuava quase igual para muitos personagens que já figuraram nesta narrativa, e notadamente para o Sr. de Charlus e para os Verdurin, como se os alemães não tivessem estado tão perto deles, a permanência ameaçadora, embora no momento sustada, de um perigo nos deixando inteiramente alheios se dele não nos lembramos. As pessoas, em geral, se entregam a seus prazeres sem jamais pensar que, cessando as influências estiolantes e moderadoras, a proliferação dos infusórios atingiria o seu máximo, ou seja, daria em poucos dias um salto de vários milhões de léguas, passando de um milímetro cúbico a uma massa um milhão de vezes maior que o sol, tendo ao mesmo tempo destruído todo o oxigênio, todas as substâncias de que vivemos; e que não haveria mais humanidade, nem animais, nem terra; ou, sem calcular que uma irremediável e muito verossímil catástrofe poderá ser determinada no éter pela atividade frenética e incessante que se oculta sob a aparente imutabilidade do sol: ocupam-se de seus negócios, sem pensar nesses dois mundos, um pequeno demais, outro demasiado grande para que se apercebam das ameaças do cosmo que pairam sobre nós.

Assim, os Verdurin davam jantares (e, em breve, apenas a Sra. Verdurin, pois o marido faleceu pouco depois) e o Sr. de Charlus procurava seus prazeres, sem pensar que os alemães estivessem – é verdade que imobilizados por uma barreira sangrenta sempre renovada – a uma hora de automóvel de Paris. Entretanto, os Verdurin se preocupavam, dir-se-á, visto manterem um salão político onde todos os dias era discutida a situação não apenas do exército, mas da armada. De fato, pensavam nessas hecatombes de regimentos aniquilados, de passageiros submergidos; porém uma operação inversa multiplica a tal ponto o que se refere ao nosso bem-estar e divide por um número tão formidável o que não lhe interessa, que a morte de milhões de desconhecidos só nos causa um arrepio, aliás, menos desagradável do que o provocado por uma corrente de ar. A Sra. Verdurin, sofrendo com suas enxaquecas por não mais ter *croissants* para mergulhar no seu café com leite, acabara por obter de Cottard uma receita que lhe permitiria encomendá-los num certo restaurante de que já falamos. Isso fora quase tão difícil de obter como, dos poderes públicos, a nomeação de um general. Saboreou o primeiro *croissant* na manhã em que os jornais noticiavam o naufrágio do *Lusitania*. Mergulhando o biscoito no café com leite e dando piparotes no jornal para mantê-lo bem aberto sem precisar do auxílio da outra mão, que segurava os *croissants*, ela dizia: – Que horror! É a mais terrível das tragédias! – Mas a morte de todos esses afogados só deveria lhe surgir reduzida a um bilionésimo, pois, enquanto fazia, de boca cheia, essas reflexões desoladas, sua fisionomia estampava, provavelmente devido ao sabor do biscoito, tão precioso para a enxaqueca, um ar de suave satisfação.

Quanto ao Sr. de Charlus, seu caso era um tanto diferente, mas ainda pior, pois ia mais além de não desejar apaixonadamente a vitória da França; antes desejava, sem o confessar a si mesmo, que a Alemanha, se não triunfasse, ao menos não fosse esmagada como todos queriam. A causa era que, nessas discussões, os grandes conjuntos de indivíduos denominados nações se comportam, em certa medida, como se indivíduos fossem. A lógica a conduzi-los é toda interior, e permanentemente refundida pela paixão, como a das pessoas afrontadas numa discussão amorosa ou doméstica, como a discussão de um filho com o pai, de uma cozinheira com a patroa, de uma mulher com seu marido. Quem está errado julga no entanto estar com a razão – como era o caso da Alemanha – e quem tem razão por vezes comprova seus direitos com argumentos que lhe parecem irrefutáveis porquanto correspondem à sua paixão. Nessas discussões entre indivíduos, para convencer-se que o direito está em qualquer das partes, o mais seguro é pertencer a uma delas, pois um espectador nunca atingiria a aprovação completa. Ora, entre as nações, um indivíduo, se faz parte verdadeiramente da nação, não passa de uma célula do indivíduo-nação. Preparação psicológica é uma expressão desprovida de sentido. Se dissessem aos franceses que eles seriam vencidos, nem um só se desesperaria menos do que se lhe houvessem dito que seria morto pelos Berthas.[37] A verdadeira preparação psicológica é feita interiormente pela esperança, que é

[37] *Berthas*: Bertha foi o nome dado ao grande canhão de bem longo alcance, que bombardeou Paris em 1918, de uma distância de 108 km. (N. do T.)

uma forma do instinto de conservação de um país, agindo em quem é de fato membro vivo desse país. Para permanecer cego à injustiça da causa do indivíduo-Alemanha, para reconhecer a todo instante a justiça da causa do indivíduo-França, o mais seguro não seria, para um alemão, não possuir espírito de justiça, ou, para um francês, possuí-lo. O mais seguro seria que ambos fossem patriotas. O Sr. de Charlus, que era dotado de raras qualidades morais, sendo acessível à piedade, generoso, capaz de afeto e devotamento, em compensação, por motivos diversos – entre os quais o fato de ser filho de uma duquesa da Baviera podia ter algum peso – era desprovido de patriotismo. Por conseguinte, tanto pertencia ao corpo-França como ao corpo-Alemanha. Se eu próprio não tivesse patriotismo, em vez de me sentir uma das células do corpo-França, não creio que meu modo de julgar a discussão fosse o mesmo de antigamente. Na adolescência, quando eu acreditava piamente no que me diziam, é claro que, ao ouvir o governo alemão proclamar sua boa-fé, seria tentado a não pô-la em dúvida; mas há muito tempo já sabia que nossos pensamentos nem sempre estão de acordo com nossas palavras; não só, em certa ocasião, pela janela da escada, tinha eu descoberto um Charlus de que não suspeitava, mas, principalmente em Françoise, e depois, ai de mim, em Albertine, havia visto juízos, projetos se formarem, tão contrários às suas palavras, que agora não deixaria nenhuma das palavras aparentemente justas do imperador da Alemanha, do rei da Bulgária, enganarem o meu instinto, o qual, como no caso de Albertine, teria adivinhado o que eles planejavam em segredo. Mas, afinal, posso apenas supor o que teria feito se não fosse ator, se não constituísse uma perda do ator-França, como, nas minhas discussões com Albertine o meu olhar triste e minha garganta sufocada eram uma parte do meu indivíduo, passionalmente interessado na minha causa, que eu não podia isolar. O do Sr. de Charlus estava completo. Ora, dado que ele não era mais que um espectador, tudo concorria para levá-lo a ser germanófilo, desde o instante em que, não sendo verdadeiramente francês, ele vivia na França. Era extremamente requintado, e os tolos constituem maioria em qualquer país; é claro que, se vivesse na Alemanha, os tolos de lá, defendendo com tolice e paixão uma causa injusta, o teriam irritado; mas, vivendo na França, os tolos franceses, defendendo da mesma forma uma causa justa, não o irritavam menos. A lógica da paixão, mesmo estando a serviço do mais justo direito, jamais é irrefutável para aquele que não é apaixonado. O Sr. de Charlus perdoava com finura cada raciocínio falso dos patriotas. A satisfação causada a um imbecil pelo seu direito, e pela certeza do seu êxito, é especialmente irritante. O Sr. de Charlus sentia-se exasperado pelo otimismo triunfante de pessoas que não conheciam como ele a Alemanha e sua força, que a cada mês marcavam para o seguinte o seu aniquilamento e, ao cabo de um ano, não se mostravam menos seguros nos novos prognósticos, como se não houvessem formulado, com a mesma segurança, outros inteiramente falsos, de que se haviam esquecido, alegando, se lhos recordavam, que não se tratava da mesma coisa. Ora, o Sr. de Charlus, dotado de alguma profundeza de espírito, talvez não houvesse compreendido que, em arte, o "não é a mesma coisa" é oposto pelos detratores de Manet àqueles que lhes dizem "já disseram o mesmo de Delacroix".

Enfim, sendo muito compassivo, o Sr. de Charlus sentia-se mal ante a idéia de um vencido, defendia sempre o mais fraco, não lia as crônicas judiciárias para não ter de sofrer na carne as angústias do condenado, pela sua impossibilidade de assassinar o juiz, o carrasco e a multidão encantada por ver que "a justiça está feita". Em todo caso, tinha certeza de que a França já não podia ser vencida e, em compensação, sabia que os alemães passavam fome, e seriam obrigados, mais cedo ou mais tarde, a se renderem sem impor condições. Também essa idéia se lhe tornara mais desagradável pelo fato de que vivia na França. Apesar de tudo, suas recordações da Alemanha eram bem remotas, ao passo que os franceses que falavam do aniquilamento da Alemanha com uma alegria que o desagradava eram pessoas cujos defeitos conhecia, bem como suas fisionomias antipáticas. Em tais casos, lamentam-se mais os desconhecidos, os que se imaginam, do que os que estão mais próximos de nós na vulgaridade da vida cotidiana, a menos que se esteja completamente com estes últimos, formando uma só carne com eles; o patriotismo consegue esse milagre, é-se pelo seu país como se é por si mesmo numa discussão amorosa.

Assim a guerra, para o Sr. de Charlus, consistia numa cultura extraordinariamente fecunda desses ódios que nele nasciam num momento, e tinham uma duração bastante curta, mas durante a qual ele se entregava a todo tipo de violência. Ao ler os jornais, o ar de triunfo dos cronistas apresentando diariamente a Alemanha humilhada, "a Besta acuada, reduzida à impotência", ao passo que o contrário ainda era verdade, deixava-o fulo de raiva pela tolice contente e feroz. Naquela ocasião, os jornais eram em parte redigidos por pessoas famosas, que ali achavam uma forma de "retomar o serviço", pelos Brichot, pelos Norpois, pelo próprio Morel e por Legrandin. O Sr. de Charlus sonhava encontrá-los, cobri-los com os mais amargos sarcasmos. Sempre especialmente a par das taras sexuais, conhecia as de alguns daqueles que, pensando serem secretas as próprias, compraziam-se em denunciá-las nos soberanos dos "impérios de rapina", em Wagner etc. Ardia por se encontrar cara a cara com eles, esfregar-lhes o nariz no vício deles diante de todos e deixar, desonrados e arquejantes, os que assim insultavam um vencido.

Além disso, o Sr. de Charlus possuía ainda motivos mais particulares para ser germanófilo. Um deles era que, como pessoa da sociedade, vivera por muito tempo entre mundanos, entre gente honrada, entre cavalheiros, pessoas que não apertariam a mão de um canalha. Conhecia-lhes a delicadeza e a aspereza; sabia-os insensíveis às lágrimas de um homem a quem tivessem expulsado de um clube ou com quem se recusassem a bater-se em duelo, ainda que esse ato de "limpeza moral" provocasse a morte da mãe da ovelha negra. A despeito de si mesmo, e da admiração que pudesse ter pela Inglaterra, pela forma notável como entrara na guerra, essa Inglaterra impecável, incapaz de mentira, impedindo que o trigo e o leite entrassem na Alemanha, representava-lhe a nação de homens de bem, de testemunhas isentas, de árbitros em questões de honra; ao passo que sabia que pessoas taradas, canalhas como certos personagens de Dostoievski, lhes podem ser superiores; e jamais compreendi, por que motivo com eles identificava os alemães, porquanto a mentira e o embuste não bastam para adivinhar um bom coração, que os alemães não me parece tenham mostrado.

Por fim, um último traço completará a germanofilia do Sr. de Charlus: devia-a a seu "charlismo", e por uma reação bem esquisita. Considerava os alemães muito feios, talvez por estarem muito próximos de seu sangue; era louco pelos marroquinos, mas principalmente pelos anglo-saxões, nos quais via estátuas vivas de Fídias. Ora, nele o prazer era acompanhado de uma certa crueldade, de que eu naquele momento ainda não conhecia toda a força; o homem a quem amava lhe parecia um delicioso carrasco. Teria julgado, ao tomar o partido contra os alemães, proceder somente como em suas horas de volúpia, isto é, em sentido contrário da sua natureza compassiva, ou seja, inflamado pelo mal sedutor e esmagando a feiúra virtuosa. Tal foi a sua reação ao saber do assassinato de Rasputin, assassinato que aliás surpreendeu a todos por lhe acharem um traço russo tão característico, numa ceia à Dostoievski (impressão que teria sido ainda mais intensa se o público não tivesse ignorado de todo alguns detalhes que o Sr. de Charlus conhecia perfeitamente), porque a vida tanto nos engana que acabamos por acreditar que a literatura não tem qualquer relação com ela, e nos espanta ver as preciosas idéias que os livros nos expuseram se esboroarem, sem receio de corrupção, gratuita e naturalmente, em plena vida cotidiana, e, por exemplo, uma ceia, um assassinato, acontecimentos russos, terem algo de russo.

A guerra se prolongava indefinidamente, e aqueles que haviam anunciado de fonte segura, vários anos antes, que as negociações de paz já tinham tido início, especificando as cláusulas do tratado, não se preocupavam, ao conversar conosco, em pedir desculpas pelas falsas notícias. Tinham-nas esquecido e estavam prontos a difundir sinceramente outras, que também depressa esqueceriam. Era a época em que havia contínuas incursões de aviões *gothas*, e o ar crepitava constantemente com uma vibração sonora e vigilante de aeroplanos franceses. Às vezes, porém, ressoava a sirena como um lancinante apelo de *Valquíria* – única música alemã que se ouvira desde a guerra – até o momento em que os bombeiros anunciavam o fim do alerta, enquanto ao lado deles, o toque do clarim, como um garoto invisível, comentava a intervalos regulares a boa nova e lançava aos ares o seu grito de alegria.

O Sr. de Charlus espantava-se de ver que mesmo pessoas como Brichot, que antes da guerra tinham sido militaristas, e que censuravam a França de não o ser bastante, não se limitavam a exprobrar não só os excessos do militarismo à Alemanha, como também a sua admiração pelo exército. Sem dúvida mudavam de opinião desde que se tratasse de abrandar a guerra contra a Alemanha e com razão denunciavam os pacifistas. Mas Brichot, por exemplo, tendo aceitado, apesar de seus olhos fracos, fazer, em conferências, resenhas de certas obras publicadas em países neutros, exaltou o romance de um suíço onde são ridicularizadas, como sementes de militarismo, duas crianças tomadas de admiração simbólica à vista de um dragão. Tal zombaria, por outros motivos, desagradaria ao Sr. de Charlus, para quem um dragão podia ser algo de muito belo. Mas, acima de tudo, ele não compreendia a admiração de Brichot, senão pelo livro, que o barão não lera, ao menos pelo seu espírito, tão diferente do que havia animado Brichot antes da guerra. Na ocasião, tudo o que um militar fazia estava correto, fossem as irregularidades do general de Boisdeffre, os disfarces e maquinações do coronel Du Paty de Clam, as falsificações do coronel Henry.[38] Devido a que reviravolta extraordinária (e que na verdade era apenas a outra face da mesma paixão nobre, a paixão patriótica, obrigada, de militarista que fora ao lutar contra o dreyfusismo, o qual era de tendência antimilitarista, a se fazer quase antimilitarista, visto que agora lutava contra a Alemanha ultramilitarista), Brichot exclamava: – Oh, que espetáculo mirífico e digno de atrair a juventude de um século só feito de brutalidade, conhecendo apenas o culto da força: um dragão! Pode-se imaginar o que será a vil soldadesca de uma geração educada no culto dessas manifestações de força bruta. Da mesma forma Spitteler, desejando opô-lo a essa medonha concepção do sabre acima de tudo, exilou simbolicamente, na profundeza das selvas, escarnecido, caluniado, solitário, o personagem sonhador a quem denomina Estudante Louco, no qual o autor deliciosamente encarnou a doçura infelizmente fora de moda, em breve esquecida – poder-se-ia dizer-se o reinado atroz do seu velho deus não fosse destruído –, a adorável doçura dos tempos de paz.[39]

– Ouça – disse-me o Sr. de Charlus –, você conhece Cottard e Cambremer. Sempre que os vejo, eles me falam da extraordinária falta de psicologia da Alemanha. Cá entre nós, julga que até agora eles tenham se preocupado com a psicologia, e que, mesmo hoje, sejam capazes de provar seus conhecimentos psicológicos? Mas veja bem que não estou exagerando. Ainda que se tratasse do maior alemão, de Nietzsche, de Goethe, você ouviria Cottard dizer: "com a habitual falta de psicologia que caracteriza a raça teutônica". Evidentemente, existem coisas bastante

[38] Três oficiais que tiveram um papel importante no Caso Dreyfus. Boisdeffre, chefe do Estado-Maior do Exército; Clam, interrogando Dreyfus, concluiu por sua culpabilidade; Henry foi o falsificador de um documento que incriminava Dreyfus. (N. do T.)

[39] Proust se refere à novela de Carl Spitteler *Die Mädchen feinde* ('O inimigo das moças'). Spitteler ganhou o Prêmio Nobel em 1919. (N. do T.)

penosas na guerra, mas confesse que é enervante. Norpois tem mais finura, reconheço-o, embora não tenha deixado de se enganar desde o começo. Mas que significam esses artigos que provocam o entusiasmo universal? Meu caro, você sabe tão bem quanto eu o que vale Brichot, a quem muito estimo, mesmo depois do cisma que me afastou de sua igrejinha, e é por isso que o vejo cada vez menos. Mas enfim, tenho uma certa consideração por esse diretor de colégio, bem falante e muito instruído, e confesso achar tocante vê-lo, na sua idade e enfraquecido como está, e o está sensivelmente nos últimos anos, voltar, como diz, a servir. Mas, afinal, a boa intenção é uma coisa e o talento outra, e Brichot nunca teve talento. Confesso que partilho de sua admiração por determinadas grandezas da guerra atual. Quando muito, é estranho que um cego partidário da Antigüidade, como Brichot, que não poupava sarcasmos a Zola, que pensa haver mais poesia num casal de operários, na mina, que nos palácios históricos, ou a Goncourt, que colocava Diderot acima de Homero e Watteau superiormente a Rafael, não cesse de repetir que as Termópilas, e mesmo Austerlitz, nada valiam diante de Vauquois.[40] Aliás, desta vez, o público que havia resistido aos modernistas da literatura e da arte, segue os da guerra, porquanto suas idéias estão na moda, e além disso os espíritos medíocres se deixam levar, não pela beleza, mas pela enormidade da ação. Só se escreve *kolossal* com *k*, mas no fundo as pessoas se ajoelham mesmo é diante do colossal. A propósito de Brichot, você viu Morel? Disseram-me que ele deseja me rever. Ele é que tem de tomar a iniciativa, sou o mais velho, não me cabe dar o primeiro passo.

Infelizmente, já no dia seguinte, digamo-lo para antecipar, o Sr. de Charlus se encontrou cara a cara com Morel; este, para excitar o seu ciúme, tomou-o pelo braço, contou-lhe histórias mais ou menos verdadeiras e, quando o Sr. de Charlus, desvairado, precisando que Morel ficasse em sua companhia aquela noite, já não ia mais a parte alguma, o outro, avistando um camarada, despediu-se do Sr. de Charlus, o qual, na esperança de que essa ameaça, que, aliás, é claro, nunca realizaria, fizesse Morel permanecer, disse-lhe: – Toma sentido, eu me vingarei – e Morel, rindo, foi embora dando tapinhas na nuca do atônito companheiro, a quem abraçava pela cintura.

Sem dúvida, as palavras que o Sr. de Charlus me dizia a respeito de Morel testemunhavam o quanto o amor– e seria necessário que o do barão fosse bem persistente – torna uma pessoa mais crédula e menos soberba (e, ao mesmo tempo, mais imaginativa e mais suscetível). Mas, quando o Sr. de Charlus acrescentava: – É um rapaz louco pelas mulheres e que só pensa nisso –,dizia-o mais veridi-

[40] Vauquois: vilarejo da região de Argonne, próximo a Varennes, a 25m a oeste de Verdun, onde ocorreram violentos combates em fevereiro e março de 1915. (N. do T.)

camente do que julgava. Dizia-o por amor-próprio, por amor, para que os outros pensassem que a afeição de Morel por ele não fora seguida por outras do mesmo gênero. É claro que eu não acreditava nisso, eu que vira (o que o Sr. de Charlus sempre ignorou) Morel conceder, por cinqüenta francos, uma de suas noites ao príncipe de Guermantes. E se, vendo passar o Sr. de Charlus, Morel (menos nos dias em que, por necessidade de confessar, esbarrava com ele para ter ocasião de lhe dizer, triste: "Oh, perdão, reconheço que agi de modo repugnante com você"), sentado num terraço com alguns companheiros, soltava gritinhos como eles, apontava o barão com o dedo, e punha-se a cacarejar como se faz por zombaria com um velho invertido, eu me convencia que era para esconder as suas manobras que, chamados de parte pelo barão, cada um desses denunciadores públicos teria feito tudo o que ele lhes pedisse. Enganava-me. Se um movimento singular havia conduzido à inversão – e isto em todas as classes –,criaturas como Saint-Loup, que não estavam longe de tal, um movimento em sentido inverso afastara dessas práticas aqueles que lhes eram mais habituais. Em determinados indivíduos, a mudança fora operada por tardios escrúpulos religiosos, pela emoção experimentada ao estourarem certos escândalos, ou pelo temor de doenças inexistentes, nas quais os tinham feito acreditar, com toda a sinceridade, parentes que muitas vezes eram porteiros ou lacaios, insinceros amantes ciumentos que acreditavam, desse modo, conservar só para eles um rapaz que, ao contrário, tinham afastado de si próprios tanto quanto os outros. Assim é que o antigo ascensorista de Balbec já não aceitava por dinheiro nenhum as propostas que agora lhe pareciam tão graves como as do inimigo. Quanto a Morel, sua recusa relativamente a toda a sociedade, sem exceção, em aceitar que o Sr. de Charlus houvesse dito, sem querer, uma verdade que lhe justificasse a um tempo as ilusões e lhe destruísse as esperanças, provinha do fato de que, dois anos depois de ter deixado o Sr. de Charlus, se apaixonara por uma mulher, com quem vivia, e que, tendo mais força de vontade que ele, soubera impor-lhe uma fidelidade absoluta. De forma que Morel, que, no tempo em que o Sr. de Charlus lhe dava tanto dinheiro, concedera, por cinqüenta francos, uma noite ao príncipe de Guermantes, agora não teria aceitado do mesmo, ou de qualquer outro, fosse quem fosse, ainda que lhe oferecessem cinqüenta mil francos. Na falta de honra e de interesse, sua "mulher" lhe inculcara um certo respeito humano, que não detestava chegar à fanfarronada e à ostentação de que todo o dinheiro do mundo lhe era indiferente quando oferecido sob certas condições. Assim ajeita-se o jogo das diversas leis psicológicas para compensar, na floração da espécie humana, tudo aquilo que, num sentido ou noutro, levaria ao seu aniquilamento pela pletora ou pela rarefação. Assim ocorre com as flores, onde uma sabedoria semelhante, posta em evidência por Darwin, regula as formas de fecundação opondo-as sucessivamente umas às outras.

– Aliás, é uma coisa estranha – acrescentou o Sr. de Charlus com a vozinha penetrante que assumia em certos momentos. – Ouço pessoas que parecem muito felizes o dia inteiro, que tomam excelentes coquetéis, declararem que não chegariam ao final da guerra, que seu coração não teria forças para tanto, que não podem pensar em outra coisa, que morrerão de repente. E o mais extraordinário é que isso realmente acontece. É curioso! Será por uma questão de alimentação, visto que só ingerem alimentos mal preparados ou então porque, para provar o seu zelo, entregam-se a tarefas vãs mas que destroem o regime que os conservava? Afinal, registro um número espantoso dessas estranhas mortes prematuras, prematuras ao menos na opinião do defunto. Mas já nem sei mais o que lhe dizia; dizia que Norpois admirava esta guerra. Mas que modo singular de falar dela! Em primeiro lugar, notou esse fervilhar de expressões novas que, quando ficam surradas de tanto se empregarem todos os dias – pois Norpois realmente é infatigável, acho que a morte de minha tia Villeparisis foi que lhe deu uma segunda juventude –, são imediatamente substituídas por outros lugares-comuns? Lembro-me que antigamente você se divertia em reparar nessas formas de linguagem que surgem, se mantêm e desaparecem: "quem semeia ventos, colhe tempestades"; "os cães ladram, a caravana passa"; "dai-me uma boa política, e lhe darei boas finanças, dizia o barão Louis"; "há sintomas que seria exagero tomar ao trágico, mas que convém levar a sério"; "trabalhar pelo rei da Prússia" (aliás, esta ressuscitou, o que era infalível). Pois bem, coitadas, quantas eu já vi morrer! Tivemos: "o farrapo de papel", "os impérios de rapina", "a famosa *Kultur* que consiste em assassinar mulheres e crianças indefesas", "a vitória pertence, como dizem os japoneses, a quem sabe suportar um quarto de hora mais que o outro", "os germano-turanianos", "a barbárie científica", "se quisermos ganhar a guerra, segundo a forte expressão de Lloyd George", enfim, são inúmeras, sem falar na agressividade e no moral das tropas. Até a sintaxe do excelente Norpois sofreu, com a guerra, uma alteração tão profunda como o fabrico do pão ou a rapidez dos transportes. Já reparou como o excelente homem, tentando proclamar seus desejos como sendo uma verdade a ponto de realizar-se, não ousa, ainda assim, empregar o futuro puro e simples que se arriscaria a ser desmentido pelos fatos, e adotou, como sinal destes tempos, o verbo "saber"? – Confessei ao Sr. de Charlus que não entendia bem o que ele queria dizer.

É preciso assinalar aqui que o duque de Guermantes de modo algum compartilhava do pessimismo do irmão. Além do mais, era tão anglófilo quanto o Sr. de Charlus era anglófobo. E, afinal, tinha o Sr. Caillaux[41] por um traidor que merecia mil vezes ser fuzilado. Quando o irmão lhe pedia provas dessa traição, o Sr. de Guermantes respondia que, se se condenassem unicamente as pessoas que

[41] Joseph Caillaux, político francês (1863-1944), acusado de cumplicidade com os alemães, foi preso em 1918, condenado em 1920 e anistiado em 1925. (N. do T.)

assinassem um papel declarando "Eu trai", jamais se castigaria um crime de traição. Mas, para o caso de que eu não tenha ocasião de voltar a este assunto, assinalarei também que, dois anos mais tarde, o duque de Guermantes, animado do mais puro *anticaillautismo*, conheceu um adido militar inglês e sua esposa, casal notavelmente letrado, com o qual se ligou (como, no tempo do Caso Dreyfus, com três senhoras encantadoras); desde o primeiro dia, falando-lhes de Caillaux, de quem considerava a condenação garantida e o crime patente, teve a estupefação de ouvir o casal letrado e encantador afirmar: – Mas ele provavelmente será absolvido, não existe absolutamente nada contra ele. – O Sr. de Charlus tentou alegar que o Sr. de Norpois, em seu depoimento, dissera, encarando Caillaux que se mostrava aterrado: "O senhor é o Giolitti da França; sim, Sr. Caillaux, o senhor é o Giolitti da França.[42] – Porém o casal letrado e encantador sorrira, ridicularizara o Sr. de Norpois, citara provas de sua caduquice e concluíra que ele havia dito aquilo, segundo o *Figaro*, "diante do sr. Caillaux aterrado", mas provavelmente, na verdade, diante do Sr. Caillaux malicioso. As opiniões do duque de Guermantes não tardaram a mudar. Atribuir essa mudança à influência de uma inglesa não é hoje tão absurdo como poderia parecer em 1919, quando os ingleses só chamavam os alemães de hunos e exigiam uma condenação feroz contra os culpados. Também a opinião deles mudaria, aprovando decisões que podiam entristecer a França e vir em auxílio da Alemanha.

Para retornar ao Sr. de Charlus: – Sim – respondeu ele à confissão de que eu não o entendia –, sim: "saber", nos artigos de Norpois, é sinal do futuro, isto é, o sinal dos desejos de Norpois e, aliás, de todos nós – acrescentou, talvez não de todo sincero. – Entenda que, se "saber" não se tivesse tornado simplesmente sinal do futuro, ainda se compreenderia, a rigor, que o sujeito desse verbo pudesse ser um país. Por exemplo, cada vez que Norpois diz: "A América não saberia permanecer indiferente a essas repetidas violações do 'direito'", "a monarquia bicéfala não saberia deixar de chegar ao arrependimento", está claro que tais frases exprimem os desejos de Norpois (como os meus, como os seus), mas ao menos aqui o verbo pode ainda, apesar de tudo, conservar seu sentido antigo, pois um país pode "saber", a América pode "saber", a própria monarquia "bicéfala" pode "saber" (apesar da eterna "falta de psicologia"). Mas já não é possível duvidar quando Norpois escreve: "Essas devastações sistemáticas não saberiam convencer os neutros", "a região dos Lagos não saberia deixar de cair em breve nas mãos dos Aliados", "os resultados dessas eleições neutralistas não saberiam refletir a opinião da grande maioria do país". Ora, é certo que tais devastações, regiões e resultados de votos são coisas inanimadas que não podem "saber". Por meio dessa fórmula, Norpois

[42] Giovanni Giolitti, político italiano (1842-1928), várias vezes presidente do Conselho de Ministros, era germanófilo e contrário à aliança com os franceses. (N. do T.)

simplesmente endereça aos neutros um apelo (ao qual lamento constatar que não atendem) para que abandonem a neutralidade, ou, à região dos Lagos, para que não mais pertença aos "Boches". (O Sr. de Charlus empregava o termo "boche" com o mesmo tipo de ousadia com que outrora, no trem de Balbec, falava dos homens que não se interessam por mulheres).

"Além disso, já reparou com que manhas Norpois, desde 1914, vem começando os seus artigos? Principia declarando que certamente a França não deve imiscuir-se na política da Itália (ou da Romênia ou da Bulgária etc.). Só a essas potências cabe decidir, com toda a independência, consultando unicamente o interesse nacional, se devem ou não deixar de ser neutras. Mas, se essas primeiras declarações do artigo (o que antigamente se chamaria exórdio) são tão notavelmente desinteressantes, o que se segue em geral o é bem menos. "Todavia", continua basicamente Norpois, "fica bem claro que só tirarão benefício material da luta as nações que se alinharem com o direito e a justiça. Não se pode esperar que os Aliados recompensem, outorgando-lhes territórios de onde se levanta há séculos a queixa de seus irmãos oprimidos, os povos que, seguindo a política do menor esforço, não tiverem posto sua espada a serviço dos Aliados." Dado esse primeiro passo para um conselho de intervenção, nada mais detém Norpois; já não é apenas sobre o princípio, mas sobre a época da intervenção, que dá conselhos mais ou menos disfarçados. "Claro", diz ele, procedendo como lobo em pele de cordeiro, "compete somente à Itália e à Romênia decidirem acerca da hora oportuna e sobre a maneira com que lhes convenha praticar a intervenção. No entanto, os dois países não podem ignorar que, tergiversando demais, arriscam-se a deixar passar a hora. Já os cascos da cavalaria russa fazem estremecer a Germânia, presa de terror indizível. Evidentemente, os povos que se limitarem a voar ao encontro da vitória, cuja aurora resplandecente já enxergamos, não terão nenhum direito à mesma recompensa que ainda podem obter apressando-se etc." É como no teatro, quando se diz: "Os últimos lugares restantes não tardarão a esgotar-se. Aviso aos retardatários!" Raciocínio tanto mais estúpido quanto Norpois o repete a cada seis meses, dizendo periodicamente à Romênia: "Chegou a hora da Romênia saber se quer ou não realizar suas aspirações nacionais. Se continuar esperando, pode ser tarde demais." Ora, ele diz isso há três anos; não só o "tarde demais" ainda não chegou, como não cessam de aumentar as ofertas que se fazem à Romênia. Da mesma forma, convida a França etc., a intervir na Grécia como potência protetora, porque não se cumpriu o tratado entre a Grécia e a Sérvia. Ora, com toda a franqueza, se a França não estava em guerra e não aspirava ao concurso ou à neutralidade benevolente da Grécia, teria a idéia de intervir enquanto potência protetora? E o sentimento moral que a leva a revoltar-se porque a Grécia não manteve seus acordos com a Sérvia, por acaso não é silencioso quando se trata de uma violação igualmente flagrante, por parte da Romênia e da Itália, que, da mesma forma que a Grécia, e com mais razão creio eu, não cumpriram seus deveres, menos imperiosos e extensos do que se julga, de aliadas da Alemanha? A verdade é que as pessoas sabem de tudo através do seu jornal predileto, e como poderiam proceder de outro modo visto não conhecerem pessoalmente as pessoas nem os acontecimentos de que se trata? No tempo do Caso Dreyfus, que o apaixonou de forma tão estranha, numa época em que se convencionou dizer que estamos separados como por séculos, pois os filósofos da guerra acreditaram estarem rompidos todos os laços com o passado, eu me sentia chocado de ver pessoas da minha família manifestarem todo o seu apreço por antigos anticlericais da comuna, que seu jornal apresentava como antidreyfusistas, e cobrir de desonra um general bem nascido e católico, porém revisionista. Não me escandaliza menos ver todos os franceses execrarem o imperador Francisco José, a quem antes veneravam, e com razão, posso afirmá-lo, eu que o conheci muito e que me honrava tratando-me de primo. Ah, nunca mais lhe escrevi, desde que a guerra começou" – acrescentou ele, como se confessasse ousadamente uma culpa que muito bem sabia ninguém lhe haveria de censurar. – Ou, por outra, só no primeiro ano, e uma vez apenas. Mas o que quer? Isso não muda em nada o meu respeito por ele, mas tenho aqui muitos parentes jovens que combatem nas nossas fileiras e que achariam, bem o sei, muito ruim que eu mantenha correspondência assídua com o líder de uma nação inimiga. Que quer? Critique-me quem quiser – acrescentou, como se se expusesse corajosamente às minhas censuras –, não quis que uma carta assinada por mim chegasse neste momento a Viena. A maior crítica que eu dirigiria ao velho soberano é que um senhor de sua estirpe, chefe de uma das casas mais antigas e ilustres da Europa, se deixe levar por esse fidalgote, aliás muito inteligente, mas enfim um simples arrivista como Guilherme de Hohenzollern. Eis uma das anomalias mais revoltantes desta guerra. – E, como, desde que se colocava no ponto de vista nobiliárquico, no fundo, para ele, dominante, o Sr. de Charlus concebia as maiores infantilidades, disse-me, no mesmo tom com que falaria de Marne ou de Verdun, que havia coisas capitais e bastante curiosas que um historiador dessa guerra não deveria omitir. – Assim, por exemplo – disse –, todos são tão ignorantes que ninguém percebeu essa coisa tão marcante: o grão-mestre da Ordem de Malta, um puro "boche", continua a viver em Roma, onde desfruta do privilégio de extraterritorialidade, como grão-mestre da nossa ordem. É interessante – acrescentou, como se me dissesse: "Está vendo que não perdeu sua noite, ao me encontrar." Agradeci. E ele assumiu o ar modesto de alguém que não exige pagamento. – Que é que lhe dizia? Ah, sim! Que as pessoas agora odeiam Francisco José, seguindo a opinião de seus jornais. Quanto ao rei Constantino da Grécia e ao czar da Bulgária, o público tem vacilado várias vezes entre a aversão e a simpatia, porque, alternadamente, diziam que eles se punham ao lado da Entente ou do que Brichot denomina os Impérios Centrais. É como Brichot repete a todo instante que "vai soar a hora de Venizelos". Não duvido que o Sr. Venizelos seja um estadista muito capaz, mas quem nos diz que seja assim tão desejado pelos gregos? Asseguram-me que ele queria que a Grécia mantivesse seus compromissos com a Sérvia. Ainda assim, seria preciso saber quais eram esses compromissos, e se eram mais consideráveis que os que a Itália e a Romênia acreditaram poder violar. Temos, pela maneira como a Grécia executa seus tratados e respeita sua constituição, uma preocupação que certamente não teríamos se isso não fosse do nosso interesse. Não havendo guerra, acredita que as potências "fiadoras" sequer atentassem para a dissolução das Câmaras? Vejo que, simplesmente, um a um, retiram-se todos os apoios ao rei da Grécia, para poder expulsá-lo ou prendê-lo no dia em que não houver mais exército que o defenda; eu lhe dizia que o público não julga o rei da Grécia e o dos búlgaros senão conforme os jornais. E como poderiam pensar sobre o assunto senão através do jornal, visto que o não conhecem? Vi-o muitíssimas vezes, conhecia-o perfeitamente, quando ele era diádoco,[43] Constantino da Grécia era pura maravilha. Sempre achei que o imperador Nicolau nutria um profundo sentimento por ele. Sem segundas intenções, é claro. A princesa, esposa de Cristiano,[44] falava disso abertamente, mas era muito maldosa. Quanto ao czar dos búlgaros, é um tremendo velhaco, um verdadeiro escândalo, porém, muito inteligente, um homem notável. Gosta muito de mim.

O Sr. de Charlus, que podia ser tão agradável, tomava-se odioso quando abordava tais assuntos. Fazia-o com a satisfação irritante de um doente que se vangloria de sua boa saúde. Muitas vezes pensei que, no "tortinho" de Balbec, os fiéis que tanto suspiravam pelas confissões a que ele se furtava, não teriam talvez suportado essa espécie de ostentação maníaca e, constrangidos, respirando mal como num quarto de enfermo ou diante de um morfinômano que se injetasse a seringa em público, teriam posto fim às confidências que julgavam desejar. Além do mais, irritavam-se ao ouvir acusar todo mundo e, provavelmente, amiúde sem quaisquer provas, por alguém que a si mesmo se isentava da categoria especial, à qual no entanto sabiam que pertencia, e na qual de bom grado ele punha os outros. Enfim, ele, tão inteligente, formara a tal respeito uma pequena filosofia acanhada (em cuja base haveria talvez uma ninharia das curiosidades que Swann achava na "vida"), tudo explicando por essas causas especiais e onde, cada vez que se estendia sobre esse defeito, mostrava-se não só abaixo de si mesmo, porém excepcionalmente satisfeito consigo próprio. Assim é que ele, tão grave, tão nobre, teve o sorriso mais simplório para acabar a seguinte frase: – Como existem fortes presunções do mesmo gênero que para Fernando de Cobourg, no caso do imperador

[43] Diádoco: título do príncipe herdeiro, na Grécia moderna. (N. do T.)

[44] No original, "La princesse Christian", ou seja, "a princesa casada com Christian", no caso Cristiano X, rei da Dinamarca. (N. do T.)

Guilherme, isto poderia explicar o motivo do czar Fernando se ter posto do mesmo lado dos "impérios de rapina". Com os diabos, no fundo é bem compreensível, sempre somos indulgentes com uma *irmã*, não lhe recusamos nada. Acho que seria uma interessante explicação da aliança da Bulgária com a Alemanha. – E dessa explicação estúpida o Sr. de Charlus riu longamente, como se a achasse verdadeiramente engenhosa, conquanto, mesmo se baseando em fatos verídicos, fosse tão pueril quanto as reflexões que o Sr. de Charlus fazia sobre a guerra, ao julgá-la com seu espírito feudal ou na sua qualidade de cavalheiro de São João de Jerusalém.[45] Terminou com uma observação mais justa: – O espantoso – disse – é que esse público, que só julga os homens e os fatos da guerra através dos jornais, está convencido de que julga por si mesmo.

Nisto o Sr. de Charlus estava com a razão. Contaram-me ser importante ver os momentos de silêncio e de hesitação da Sra. de Forcheville, semelhantes aos necessários, não só para enunciar mas para formar uma opinião pessoal, antes de dizer, no tom de quem exprime uma convicção íntima: "não, não creio que eles tomem Varsóvia"; "tenho a impressão de que não se passará um segundo inverno"; "o que eu não queria era uma paz claudicante"; "o que me apavora, se me permitem que o diga, é a Câmara"; "sim, apesar de tudo, acho que poderemos romper a frente inimiga". E para dizer isso, Odette assumia um jeito adocicado, que ela levava ao extremo ao falar: "Não digo que os exércitos alemães não combatem bem, mas falta-lhes o que se chama *peito*. Para pronunciar *peito* (ou mesmo "agressividade"), fazia com a mão o gesto de amassar e piscava os olhos como os pintores quando empregam um termo do ofício. Sua linguagem, todavia, revelava, mais do que antigamente, a admiração pelos ingleses, a quem já não se limitava, como outrora, a chamar "nossos vizinhos de além-Mancha", ou, quando muito, "nossos amigos ingleses", e sim, "nossos leais aliados". Inútil dizer que ela não perdia ocasião de citar, sob qualquer pretexto, a expressão *fairplay*, para mostrar como os ingleses achavam os alemães jogadores incorretos, e "o essencial é ganhar a guerra, como dizem nossos bravos aliados". No máximo, associava o nome do genro, de modo muito desastrado, a tudo que se referisse aos soldados ingleses, e ao prazer que ele sentia no convívio da intimidade dos australianos, tanto quanto dos escoceses, neozelandeses ou canadenses. "Meu genro Saint-Loup conhece agora o linguajar de todos os bravos *tommies*, sabe fazer-se entender até dos que vêm dos mais distantes *dominions* e, assim como o general comandante da base, confraterniza com o mais humilde *private*."

Que este parêntese sobre a Sra. de Forcheville me autorize, enquanto desço pelas ruas ao lado do Sr. de Charlus, a um outro, ainda mais longo, mas útil para

---

[45] Ou seja, de um ponto de vista prussiano, pois a ordem de São João de Jerusalém era originária da Prússia. (N. do T.)

descrever essa época, sobre as relações da Sra. Verdurin com Brichot. Com efeito, se o pobre Brichot era desse modo julgado sem indulgência pelo Sr. de Charlus (pois este era a um tempo muito fino e mais ou menos inconscientemente germanófilo), era bem mais maltratado ainda pelos Verdurin. É claro que estes eram chauvinistas, o que deveria fazê-los se agradarem com os artigos de Brichot, os quais, por outro lado, não eram inferiores a muitos escritos com que se comprazia a Sra. Verdurin. Mas, primeiramente, talvez estejam lembrados de que, já na Raspelière, Brichot se tornara para os Verdurin, do grande homem que lhes parecera outrora, senão um bode expiatório como Saniette, ao menos o objeto de suas troças mal disfarçadas. Atualmente, porém, ele era ainda um fiel entre os fiéis, o que lhe assegurava uma parte das vantagens tacitamente previstas pelos estatutos a todos os membros fundadores ou associados do pequeno grupo. Porém, à medida que, talvez em benefício da guerra, ou pela rápida cristalização de uma elegância de vagaroso brotar, mas cujos elementos necessários e invisíveis saturavam há muito o salão dos Verdurin, este se abrira a um mundo novo, e onde os fiéis, a princípio elementos de atração, acabaram por ser menos e menos convidados, um fenômeno paralelo ocorria no caso de Brichot. Apesar da Sorbonne, apesar do Instituto, sua notoriedade, até o começo da guerra, não ultrapassara os limites do salão Verdurin. Mas, quando ele se pôs a escrever, quase diariamente, artigos ornados desse falso brilho que gastara sem conta com os fiéis, ricos, por outro lado, de uma erudição bem genuína, e que, como verdadeiro homem da Sorbonne, ele não procurava dissimular, embora a cercasse de formas divertidas, a alta sociedade ficou literalmente deslumbrada. Aliás, ao menos por uma vez, louvava alguém que, longe de ser uma nulidade, podia prender a atenção pela fertilidade de sua inteligência e os recursos da memória. E, enquanto três duquesas iam passar a noite com a Sra. Verdurin, três outras se disputavam a honra de ter para jantar em suas casas o grande homem, que aceitava a de uma delas, sentindo-se tanto mais livre quanto a Sra. Verdurin, exasperada pelo sucesso que os artigos de Brichot encontravam junto ao *faubourg* Saint-Germain, tomava o cuidado de lhe evitar a presença em suas reuniões, quando aí se encontrasse algum personagem distinto que ainda não o conhecesse e que se apressaria em atraí-lo. Foi assim que o jornalismo (ao qual Brichot, em suma, se contentava em dar, tardiamente, em troca de soberbos emolumentos, o que gastara a vida inteira de graça, e de maneira incógnita, no salão dos Verdurin, porquanto seus artigos não lhe custavam mais esforços do que as conversas, tanto ele era eloqüente e erudito) teria conduzido, e pareceu até, em dado momento, conduzir Brichot a uma glória inconteste... se não existisse a Sra. Verdurin. Certo, os artigos de Brichot estavam longe de ser tão notáveis como julgam as pessoas da sociedade. A vulgaridade do homem surgia a cada instante sob o pedantismo do letrado. E, ao lado de imagens que não queriam dizer absolutamente nada ("os alemães já não poderão olhar de frente a estátua de Beethoven";

"Schiller deve ter estremecido no túmulo"; "a tinta que assinou a neutralidade da Bélgica mal havia secado"; "Lênin fala, mas o vento da estepe leva tudo"), liam-se trivialidades desse tipo: "Vinte mil prisioneiros, é uma cifra; nosso comando saberá abrir o olho, e bem; queremos vencer, e ponto final." Porém, misturado a tudo isso, tanto saber, tanta inteligência, raciocínios tão justos! Ora, a Sra. Verdurin jamais iniciava a leitura de um artigo de Brichot sem a prévia satisfação de pensar que ia encontrar ali coisas ridículas, e lia-o com a maior atenção para ter certeza de que não as deixaria escapar. E, infelizmente, era certo que havia algumas, embora não tantas quantas esperava. A mais apropriada citação de um autor mal conhecido, ao menos pela obra a que Brichot se referia, era acusada como prova do pedantismo mais insustentável, e a Sra. Verdurin esperava com impaciência a hora do jantar para desencadear as gargalhadas de seus convivas. – Muito bem, que me dizem do Brichot desta noite? Lembrei-me de vocês ao ler a citação de Cuvier. Palavra, creio que está ficando louco. – Ainda não li – dizia Cottard.[46] – Como? ainda não leu? Mas não sabe a delícia que perde. Está de um ridículo mortal. – E contente, no fundo, por alguém ainda não ter lido o artigo de Brichot, a fim de aproveitar a ocasião para ela própria poder ressaltar os ridículos, a Sra. Verdurin dizia ao mordomo que trouxesse *Le Temps*, e ela mesma punha-se a ler em voz alta, fazendo ressoar com ênfase as frases mais simples. Depois do jantar, durante a noite inteira, essa campanha anti-Brichot continuava, porém com falsas reservas. – Não quero falar alto, pois receio que daquele lado – dizia a Sra. Verdurin apontando a condessa Molé[47] –, não entendam isto. As pessoas da sociedade são mais ingênuas do que pensamos. – A condessa Molé, a quem procurava deixar perceber, falando bem alto, que se tratava dela, e também, baixando a voz, que tais palavras não lhe eram dirigidas, renegava covardemente Brichot, a quem todavia comparava a Michelet. Dava razão à Sra. Verdurin e, para encerrar com alguma coisa que lhe parecia incontestável, dizia: – O que não se lhe pode negar é que é bem escrito. – Você acha isso bem escrito? – exclamava a Sra. Verdurin – pois me parece que ele escreve como um porco – audácia que fazia rir tanto mais os mundanos quanto a Sra. Verdurin, como também se escandalizasse com a palavra *porco*, pronunciara-a sussurrando, a mão tapando a boca. Sua raiva contra Brichot crescia tanto mais que ele ostentava ingenuamente a satisfação pelo êxito, apesar dos acessos de mau humor que nele provocava a ação da censura, cada vez que, como dizia com seu costume de empregar novos termos para mostrar que não era acadêmico demais, ela lhe "empastelava" algum trecho de artigo. Na sua frente, a Sra. Verdurin não demonstrava muito, salvo por um tom grosseiro que teria alertado um homem mais perspicaz, o seu pouco

[46] A morte de Cottard já foi referida duas vezes: em *A Prisioneira*, p. 182, e neste volume. (N. do T.)

[47] A Sra. Molé também já teve sua morte referida em *A Prisioneira*, p. 167-168. (N. do T.)

caso pelo que "Chochotte" escrevia. Disse-lhe apenas, certa ocasião, que não estava certo em usar tanto o "eu". De fato, ele tinha o hábito de empregá-lo continuamente, primeiro porque, sendo professor, servia-se constantemente de expressões como "concordo que", e até, para dizer "gostaria que", "desejo que": "gostaria que o enorme desenvolvimento das frentes exigisse etc.", mas sobretudo porque, antigo dreyfusista militante, farejara a preparação germânica bem antes da guerra, e amiúde escrevia: "Denunciei desde 1897"; "assinalei em 1901"; "adverti em minha pequena brochura hoje raríssima (*habent sua fata libelli*)"[48] – e esse costume lhe ficara. Corou intensamente à observação da Sra. Verdurin, observação que lhe foi feita em tom ácido. – Tem razão, senhora; alguém que apreciava tão pouco os jesuítas como o Sr. Combes, embora não tivesse sido prefaciado pelo nosso suave mestre do delicioso cepticismo, Anatole France, que, se não me engano, foi meu adversário... antes do Dilúvio, disse-me que "eu" é sempre odioso. – A partir daquele momento, Brichot substituiu o "eu" por "se", o que não impediu o leitor de perceber que o autor falava de si mesmo, e facilitou a este fazê-lo sem cessar, comentar as menores frases e escrever um artigo inteiro sobre uma só negação, sempre resguardado pelo *se* passivo. Por exemplo, Brichot, havendo afirmado em artigo anterior que os exércitos alemães tinham perdido uma parte da sua força, começava assim: "Aqui não se camufla a verdade. Foi dito que os exércitos alemães tinham perdido uma parte da sua força. Não se disse que não possuíssem ainda grande valor. Ainda menos se dirá que já não têm nenhuma importância. Tampouco se dirá que o terreno ganho, se não for etc." Em suma, enunciando apenas o que não diria, lembrando tudo o que dissera alguns anos antes, e o que Clausewitz, Jomini, Ovídio, Apolônio de Tiana etc., haviam dito há séculos, Brichot poderia compor facilmente a matéria de um grosso volume. É de lamentar que não o tenha publicado, pois esses artigos tão substanciosos são hoje difíceis de encontrar. O *faubourg* Saint-Germain, advertido pela Sra. Verdurin, pôs-se a rir de Brichot na casa dela, mas, longe do pequeno clã, continuou a admirá-lo. Depois, zombar dele tornou-se uma moda, como o havia sido admirá-lo, e até as pessoas que secretamente ainda se sentiam deslumbradas ao lerem seus artigos, paravam e troçavam dele, desde que já não estivessem sozinhas, receando parecerem menos perspicazes que as outras. Nunca se falou tanto de Brichot por essa época, no pequeno clã, mas por derrisão. Tomava-se como critério, para avaliar a inteligência de um novato, o que ele pensava dos artigos de Brichot; se respondia mal da primeira vez, não faltava quem lhe ensinasse como se reconhecem as pessoas de espírito.

– Enfim, meu pobre amigo – continuou o Sr. de Charlus –, tudo isso é terrível, e temos a deplorar outras coisas além de artigos cacetes. Fala-se de van-

[48] *Habent sua fala libelli* (latim): "Os livrinhos têm o seu destino". Pedaço de um verso de Terenciano Mauro (séc. III d.C.). (N. do T.)

dalismo, de estátuas destruídas. Mas será que a destruição de tantos rapazes maravilhosos, que eram estátuas polícromas incomparáveis, também não é vandalismo? Uma cidade sem belos homens não será como uma cidade da qual tenham sido quebradas todas as estátuas? Que prazer posso sentir em jantar num restaurante, ao ser servido por velhos bufões barbudos que se parecem ao padre Didon, ou por mulheres de touca que me fazem acreditar que entrei no Bouillon Duval?[49] Exatamente, meu caro, e acho que tenho o direito de falar assim porque o Belo, numa matéria viva, ainda é o Belo. Grande prazer, ser atendido por criaturas raquíticas, de óculos, cujo motivo de não-convocação se estampa nos rostos! Ao contrário do que ocorria antigamente, quem quiser, num restaurante, descansar os olhos na figura de alguém digno de ver-se, não convém encarar os garçons que servem, mas sim os fregueses que comem. Mas podia-se olhar de novo os criados, embora estes mudassem muito, mas ai de quem procurar saber quem é, e quando voltará, o tenente inglês que aparece hoje pela primeira vez e talvez seja morto amanhã! Quando Augusto da Polônia, conforme narra o encantador Morand, delicioso autor de *Clarisse*, trocou um de seus regimentos por uma coleção de jarros chineses, fez na minha opinião um mau negócio. Pense que todos aqueles enormes lacaios, que tinham dois metros de altura e ornamentavam as escadarias monumentais de nossas mais lindas amigas, foram todos mortos, tendo se engajado porque lhes garantiram que a guerra só duraria dois meses. Ah, eles não conheciam, como eu, a força da Alemanha, a virtude da raça prussiana – completou, traindo-se.

Depois, percebendo que revelara seu ponto de vista: – Não é tanto a Alemanha que eu receio para a França, mas a guerra em si mesma. Os civis imaginam que a guerra é somente uma gigantesca luta de boxe, à qual assistem de longe graças aos jornais. Mas estão totalmente enganados. É uma doença que, quando parece debelada num ponto, reaparece em outro. Hoje Noyon será libertada, amanhã não mais teremos pão nem chocolate, depois de amanhã, aquele que se julgava bem tranqüilo e aceitaria, se necessário, uma bala perdida, ficará alucinado ao ler nos jornais que sua classe foi reconvocada. Quanto aos monumentos, uma obra-prima pela sua qualidade, como Reims, apavora-me ainda menos ver a sua destruição do que presenciar o aniquilamento de uma enorme quantidade de conjuntos que faziam a menor aldeia da França tão instrutiva e encantadora.

Logo pensei em Combray e de como outrora julgara diminuir-me aos olhos da Sra. de Guermantes, confessando a modesta posição ali ocupada pela minha família. Perguntei-me se tal posição não fora revelada aos Guermantes e ao Sr. de Charlus, fosse por Legrandin, Swann, Saint-Loup ou Morel. Porém tal omissão me

[49] Os *Bouillon Duval* eram restaurantes baratos, espalhados principalmente nos bairros da margem direita do Sena. Foram criados no bairro de Batignolles sob o Segundo Império. (N. do T.)

seria menos penosa do que explicações retrospectivas. Desejava apenas que o Sr. de Charlus não se referisse a Combray.

– Não quero falar mal dos americanos, meu caro – continuou ele –, parece que são inesgotavelmente generosos e, como não houve maestro nessa guerra, cada um tendo entrado na dança a seu tempo, eles, que principiaram quando já estávamos quase no fim, podem mostrar um ardor que quatro anos de guerra já acalmaram em nós. Mesmo antes da guerra, amavam nosso país, nossa arte, pagavam bem caro pelas nossas obras-primas. Muitas lhes pertencem, agora. Mas precisamente essa arte desenraizada, como diria Barrès, representa o contrário do que formava o delicioso atrativo da França. O castelo explicava a igreja, a qual, por ter sido local de romarias, explicava a canção de gesta. Não preciso encarecer a celebridade de minhas origens e de minhas alianças de família, e aliás não é disso que se trata. Porém ultimamente, para regularizar uma questão de interesses, e apesar de uma certa frieza existente entre mim e minha família, tive de fazer uma visita à minha sobrinha Saint-Loup, que mora em Combray. Combray não passava de uma cidadezinha, como há tantas. Mas nossos antepassados inscreviam-se como doadores em alguns vitrais, e em outros representavam-se nossas armas. Tínhamos lá a nossa capela, nossos túmulos. Essa igreja foi destruída pelos franceses e ingleses porque servia de observatório aos alemães. Destrói-se toda essa mescla de arte e história sobrevivente que era a França, num processo que vai continuando. É claro que não cometo o ridículo de comparar, por motivos de família, a destruição da igreja de Combray à da catedral de Reims, que era como o milagre de uma catedral gótica que encontrasse naturalmente a pureza da estatuária antiga, ou à de Amiens. Não sei se o braço erguido de São Firmino já está quebrado hoje. Se o foi, a mais alta afirmação de fé e de energia desapareceu do mundo. – Seu símbolo, meu caro – respondi. – E também venero certos símbolos. Mas seria absurdo sacrificar ao símbolo a realidade que ele representa. As catedrais devem ser veneradas até o dia em que, para preservá-las, fosse necessário renegar as verdades que elas simbolizam. O braço erguido de São Firmino, num gesto de comando quase militar, dizia: Que sejamos partidos, se a honra assim o exige. Não sacrificai os homens às pedras, cuja beleza provém justamente de ter, em certo instante, fixado verdades humanas. – Percebo o que pretende dizer – respondeu o Sr. de Charlus –, e Barrès, que infelizmente nos mandou fazer excessivas peregrinações à estátua de Estrasburgo e ao túmulo do Sr. Déroulède, foi comovente e gracioso quando escreveu que a própria catedral de Reims nos era menos cara que a vida de nossos soldados. Afirmação que torna bastante ridícula a cólera de nossos jornais contra o general alemão que comandava aquela frente e que dizia que a catedral de Reims lhe era menos preciosa que a vida de um único soldado alemão. Aliás, é exasperador e pungente que todo país diga a mesma coisa. Os motivos pelos quais as indústrias da Alemanha declaram ser a posse de Belfort indispensável para preservar o seu país contra nossas idéias de desforra são os mesmos dos de Barrès, exigindo Mogúncia para nos proteger contra as veleidades de invasão dos *boches*. Por que a restituição da Alsácia-Lorena terá parecido à França motivo insuficiente para fazer a guerra, motivo suficiente para continuá-la, para voltar a declará-la todos os anos? Você parece acreditar na vitória doravante prometida à França, e eu a desejo de todo o coração, não tenha dúvidas a respeito. Mas enfim, depois que, com ou sem razão, os Aliados estão certos de vencer (de minha parte, naturalmente ficaria encantado com tal solução, mas vejo sobretudo muitas vitórias no papel, vitórias de Pirro, com um custo que não nos é confessado) e que os *boches* já não têm certeza de vencer, vê-se a Alemanha procurar apressar a paz, a França prolongar a guerra, a França que é a França justa e tem razão de fazer ouvir palavras de justiça, mas que é também a *douce France*, e deveria fazer ouvir palavras de piedade, nem que fosse apenas por seus próprios filhos e para que em todas as primaveras as flores, ao renascer, iluminem algo mais que tumbas. Seja franco, meu caro, você mesmo me apresentou uma teoria sobre as coisas que não existem senão graças a uma criação perpetuamente recomeçada.[50] A criação do mundo não ocorreu de uma só vez, pois, conforme você dizia, ela ocorre necessariamente todos os dias. Pois bem, se fala de boa-fé, não pode excetuar a guerra dessa teoria. Nosso excelente Norpois, por mais que escreva (com flores de retórica que lhe são tão caras como a "aurora da vitória" ou "o general Inverno"): "Agora que a Alemanha quis a guerra, os dados estão lançados" – a verdade é que todas as manhãs declara-se a guerra de novo. Portanto, aquele que pretende prossegui-la é tão culpado quanto o que a principiou, talvez até mais, pois o primeiro não lhe previa, quem sabe, todos os horrores.

Ora, nada afirma que uma guerra tão prolongada, mesmo que deva ser vitoriosa, se faz sem riscos. É difícil falar de coisas que não têm precedentes, e das repercussões sobre o organismo de uma operação que se tenta pela primeira vez. É verdade que, em geral, as novidades com que nos alarmamos são muitas vezes bem assimiladas. Os mais sensatos republicanos achavam ser loucura proceder à separação da Igreja, que passou sem maiores problemas. Dreyfus foi reabilitado, Picquart chegou a ministro da Guerra sem causar barulho. Todavia, há tudo a temer da fadiga de uma guerra que se prolonga há vários anos. Que farão os homens, ao regressarem? A fadiga os terá abatido ou desequilibrado? Tudo isso poderia ser ruim, senão para a França, ao menos para o governo, talvez até a forma de governo. Antigamente, você me fez ler o admirável *Aimée de Coigny*, de Maurras. Eu ficaria muito surpreso se alguma Aimée de Coigny contemporânea não esperasse, do prosseguimento da guerra feita pela República, o que Aimée de Coigny esperava, em 1812, do prosseguimento da guerra feita pelo Império. Se a Aimée atual existir, serão realizadas suas esperanças? Não o desejo.

[50] Ver *O Caminho de Guermantes*, pp. 274-275. (N, do T.)

Para retornar à própria guerra, o primeiro que a deflagrou terá sido o imperador Guilherme? Duvido muito. E, se tiver sido ele, não fez mais do que repetir Napoleão, por exemplo, o que acho abominável mas me espanta ver inspirar tanto horror aos turiferários de Napoleão, aos que, quando da declaração de guerra, exclamaram como o general Pau: "Eu esperava este dia há quarenta anos. É o dia mais belo da minha vida." Deus sabe que ninguém protestou com mais energia que eu quando se conferiu lugar exagerado aos nacionalistas e aos militares na sociedade, quando todo amador das artes era acusado de se ocupar de assuntos funestos à pátria, considerando-se deletéria toda civilização que não fosse belicosa! Um legítimo homem da sociedade pouco valia comparado a um general. Uma doida quase me apresentou ao Sr. Syveton. Você dirá que o que eu me esforçava por manter eram apenas as regras mundanas. Mas, apesar de sua frivolidade aparente, teriam talvez impedido muitos excessos. Sempre enalteci os que defendem a gramática ou a lógica. Cinqüenta anos depois, percebe-se que elas conjuraram grandes perigos. Ora, nossos nacionalistas são os mais germanófobos dos homens, os mais radicais. Mas, após quinze anos, sua filosofia mudou inteiramente. De fato, eles incitam à continuação da guerra. Mas é apenas para exterminar uma raça belicosa e por amor à paz. Pois uma civilização guerreira, o que achavam tão bonito há quinze anos, causa-lhes horror agora. Não só censuram à Prússia o ter criado condições favoráveis ao predomínio militar no país, mas julgam que as civilizações militares, em todos os tempos, foram destruidoras de tudo aquilo que hoje consideram precioso, não somente as artes mas até a galanteria. Basta que um de seus opositores se converta ao nacionalismo para que, de imediato, torne-se um amigo da paz, convencido do papel baixo e humilhante da mulher em todas as civilizações guerreiras. E ninguém ousa replicar-lhe que as "damas" dos cavaleiros, na Idade Média, e a Beatriz de Dante talvez estivessem colocadas num trono tão elevado como as heroínas do Sr. Becque.[51] Um dia destes, creio ver-me colocado à mesa abaixo de um revolucionário russo ou simplesmente de algum dos nossos generais que fazem a guerra por horror a ela, e para punir um povo pelo fato de cultivar um ideal que eles mesmos consideravam o único salutar há quinze anos. O desgraçado czar ainda há pouco era louvado por haver reunido a conferência de Haia. Mas agora que se saúda a Rússia livre, é esquecido o título que permitia glorificá-lo. Assim gira a roda do mundo.

E, no entanto, a Alemanha emprega de tal modo as mesmas expressões que a França, que é de acreditar que a está citando; ela não cessa de dizer que "luta pela existência". Quando leio: "Lutaremos contra um inimigo implacável e cruel até obtermos uma paz que nos garanta o futuro a salvo de qualquer agressão, e para

[51] Henry Becque (1837-1899), teatrólogo francês. Suas peças, pela rudeza e pessimismo, filiam-se ao Naturalismo. (N. do T.)

que o sangue dos nossos bravos soldados não tenha corrido em vão", ou então: "Quem não está conosco é contra nós", não sei se tais frases são do imperador Guilherme ou do Sr. Poincaré, pois ambos, com algumas variantes, pronunciaram-nas vinte vezes, se bem que, para falar a verdade, devo confessar que o imperador, neste caso, tem sido imitador do presidente da República. A França talvez não mostrasse tanto empenho em prolongar a guerra se se mantivesse fraca o tempo todo, mas, principalmente, a Alemanha não estaria tão interessada em terminá-la se continuasse a ser forte. Digo, ter a mesma força, pois forte você verá que ela o é ainda.

Por nervosismo, porque buscava expandir suas impressões, das quais – por nunca ter cultivado arte alguma precisava livrar-se como um aviador de suas bombas, ele adquirira o hábito de falar muito alto, mesmo no campo, onde suas palavras não alcançavam ninguém, e sobretudo em sociedade, onde elas caíam ao acaso sobre os interlocutores; e onde era ouvido por esnobismo, por simpatia, e até, de tanto que os tiranizava, podia-se dizer que por receio. Nos bulevares, essa arenga era, além disso, um sinal de desprezo pelos transeuntes, para os quais não baixava a voz nem se desviava do caminho. Mas a voz reboava, espantava, e sobretudo dava a entender claramente, às pessoas que se viravam para ouvi-la, frases que nos teriam feito passar por derrotistas. Chamei a atenção dele sobre isso, mas apenas consegui excitar-lhe a hilaridade. – Confesse que seria bem engraçado – disse. – Depois de tudo – continuou – nunca se sabe, cada um de nós se arrisca todas as noites a ser notícia no dia seguinte. Afinal, por que não seria eu fuzilado nos fossos de Vincennes? O mesmo aconteceu com meu tio-avô, o duque d'Enghien. A sede de sangue nobre desvaira uma certa populaça que se mostra nisso mais requintada que os leões. Sabe que, para estes animais, seria bastante que a Sra. Verdurin tivesse um arranhão no nariz para se lançarem sobre ela? O que, na minha juventude, se chamaria "seu narigão". – E pôs-se a rir a bandeiras despregadas como se estivéssemos sozinhos num salão.

Por alguns momentos, vendo indivíduos suspeitos saírem da sombra à passagem do Sr. de Charlus, ajustando-se a uma certa distância dele, eu me perguntava se lhe seria mais agradável deixá-lo a sós ou acompanhá-lo. Assim como alguém que encontra um velho sujeito a freqüentes crises epileptiformes e que percebe, pela incoerência de seus passos, a provável iminência de um acesso, pergunta a si mesmo se sua companhia é desejada, como um amparo, ou temida como a de uma testemunha a quem se desejaria ocultar a crise e cuja presença talvez baste para desencadear o acesso, quando o sossego absoluto seria bastante para evitá-lo. Mas a possibilidade da crise, à qual não se sabe se se deve ou não assistir, é revelada no doente pelo andar ziguezagueante de ébrio. Enquanto que, no caso do Sr. de Charlus, essas várias posições divergentes, sinal de um possível incidente de que eu não tinha certeza se ele desejava ou temia ver afastado pela minha presença, eram, como por uma engenhosa encenação, ocupadas não pelo próprio barão, que caminhava em linha reta, mas por todo um conjunto de figurantes. Ainda assim, creio que ele preferia evitar o encontro, pois arrastou-me para uma rua transversal, mais escura que o bulevar, para onde este não cessava de derramar, a menos que não fosse para ele que refluíam, soldados de todas as armas e nações, influxo juvenil compensador e consolante para o Sr. de Charlus, do refluxo de todos os homens para as fronteiras, que logo estabelecera o vazio em Paris nos primeiros dias da mobilização. O Sr. de Charlus não cessava de admirar os uniformes brilhantes que passavam por nós e que transformavam Paris numa cidade tão cosmopolita como um porto, tão irreal como um cenário de pintor, para quem a arquitetura fosse apenas um pretexto de agrupar roupas de colorido vário e cintilante.

Conservava, para com as grandes damas acusadas de derrotismo, o mesmo respeito e a mesma afeição que outrora demonstrara às que haviam sido incriminadas de dreyfusismo. Lamentava apenas que, rebaixando-se a fazer política, elas houvessem dado ensejo "às polêmicas dos jornalistas". Para ele, nada havia mudado quanto a essas senhoras. Pois a frivolidade delas era tão sistemática, que o nascimento, unido à beleza e a outros prestígios, era o único ponto permanente – não passando a guerra, como o Caso Dreyfus, de modas vulgares e efêmeras. Mesmo que fuzilassem a duquesa de Guermantes, por tentativa de paz em separado com a Áustria, não a consideraria menos nobre nem menos degradada do que hoje nos parece a rainha Maria Antonieta por ter sido decapitada. Naquele momento, Charlus, fidalgo à maneira de Saint-Vallier ou Saint-Mégrin, empertigava-se, rígido, solene, falando com gravidade, sem nenhum dos trejeitos com que se denunciam os de sua espécie. E, todavia, por que não teriam eles a voz bem firme? Mesmo naquele momento, em que a voz se mostrava mais grave, ela soava falso e parecia necessitar de um afinador.

Aliás, o Sr. de Charlus literalmente não sabia onde tinha a cabeça, e a erguia constantemente, lastimando não ter um binóculo que no entanto não lhe serviria muito, pois, cada vez mais numerosos que de costume, devido à incursão de zepelins da antevéspera, despertando a vigilância dos poderes públicos, havia militares até no céu. Os aeroplanos que eu vira algumas horas antes, e que me haviam dado a impressão de insetos a mancharem de pontos castanhos a tarde azul, passavam agora na noite, mais profunda ainda pela extinção parcial da luz, como fachos luminosos. A maior sensação de beleza que nos davam essas humanas estrelas cadentes era talvez, principalmente, o de nos fazer olhar o céu, para o qual, habitualmente, erguemos pouco os olhos. Nessa Paris, de que em 1914 eu vira a beleza quase inerme esperar a ameaça do inimigo que se aproximava, certamente havia, então como agora, o antigo esplendor intocado de uma lua cruelmente, misteriosamente serena, que derramava sobre os monumentos ainda intactos a beleza inútil de sua luz; mas, como em 1914, e mais do que então, havia também outra coisa, luzes diferentes, fogos intermitentes que, vindos ou desses aeroplanos ou dos projetores da Torre Eiffel, sabíamos ser dirigidos por uma vontade inteligente, por uma vigilância amiga que dava o mesmo tipo de emoção, inspirava o mesmo gênero de gratidão e de tranqüilidade que eu sentira no quarto de Saint-Loup, na célula daquele claustro militar, onde se exercitavam, antes de consumar um dia o seu sacrifício, sem qualquer hesitação, em plena juventude, tantos corações ardentes e disciplinados.

Depois da incursão da antevéspera, em que o céu estivera mais movimentado que a terra, sobreviera a calma, como o mar após uma tempestade. Mas, também como o mar após a borrasca, ainda não retomara o seu sossego absoluto. Ainda subiam aeroplanos, como foguetes, para juntarem-se às estrelas, e os projetores passeavam lentamente, no céu seccionado, como uma pálida poeira de astros, de errantes via-lácteas. Entretanto, os aeroplanos vinham inserir-se em meio às constelações, e, de fato, poder-se-ia julgar estar em outro hemisfério ao ver essas "estrelas novas".

O Sr. de Charlus me falou de sua admiração por esses pilotos e, como não lograva sufocar suas inclinações germanófilas melhor do que as outras, embora negasse a todas: – Aliás, devo acrescentar que admiro igualmente os alemães que voam nos *gothas*. E os zepelins, quanta coragem exigem! Mas trata-se de heróis, pura e simplesmente. Não importa que atirem bombas sobre civis, visto que se expõem da mesma forma aos tiros das baterias. Você tem medo dos *gothas* e dos canhões? – Respondi negativamente, e talvez me enganasse. Sem dúvida, tendo a preguiça me habituado, em relação ao meu trabalho, a adiamentos constantes, julgava que o mesmo ocorreria com a morte. Como recearia um canhão se estava convencido que suas balas não me atingiriam naquele dia? Aliás, formadas isoladamente, essas idéias de bombas lançadas, de morte possível, nada acrescentavam de trágico, para mim, à imagem que me fazia da passagem das aeronaves alemãs, até que, uma tarde, avistasse numa delas, balançada, segmentada a meus olhos pelas ondas brumosas de um céu agitado, num aeroplano que, embora o soubesse mortífero, só imaginava como estelar e celeste, o movimento da bomba atirada contra nós. Pois a realidade original de um perigo só é percebida nesta coisa nova, irredutível ao que já sabíamos, chamada impressão, muitas vezes, como naquele caso, resumida numa linha, uma linha que revelava uma intenção, uma linha em que havia o potencial latente de realização, que a deformava, enquanto sobre a ponte da Concórdia, em torno do aeroplano acossado e ameaçador, e como se se refletissem nas nuvens as fontes dos Champs-Élysées, da praça da Concórdia e das Tulherias, os jatos luminosos dos projetores se infletiam no céu, em linhas também cheias de intenções previdentes e protetoras de homens sensatos e poderosos aos quais, como na noite passada no alojamento de Doncières, eu me sentia grato por sua força dignar-se a assumir, com tão bela precisão, o esforço de velar por nós.

A noite estava tão bonita como em 1914, quando Paris também se via ameaçada. O luar semelhava um suave magnésio contínuo, permitindo registrar pela última vez imagens soturnas de belos conjuntos como a praça Vendôme e a praça da Concórdia, às quais o meu terror dos obuses que talvez fossem destruí-las emprestava, por contraste, em sua beleza ainda intacta, uma espécie de plenitude, como se se expandissem, oferecendo aos golpes as suas arquiteturas indefesas. – Você não tem medo? – repetiu o Sr. de Charlus. – Os parisienses não se dão conta da situação. Disseram-me que a Sra. Verdurin dá recepções todos os dias. Só sei pelo que se diz, absolutamente não estou a par do que fazem, rompi inteiramente com eles – acrescentou, baixando não somente os olhos, como à passagem de um telegrafista, mas igualmente a cabeça, os ombros, e erguendo o braço num gesto que significa, senão "lavo as mãos", ao menos "não posso lhe dizer nada" (embora eu não lhe perguntasse coisa alguma). – Sei que Morel comparece a tais reuniões com freqüência – disse (era a primeira vez que me falava nisso). – Dizem que deplora muito o passado, que deseja reaproximar-se de mim – acrescentou, comprovando, ao mesmo tempo, aquela mesma credulidade de mundano do *Faubourg* que diz: "Falam muito que a França procura entendimentos cada vez maiores com a Alemanha, e que as negociações já foram entabuladas" ou dos apaixonados, a quem as piores ofensas não desanimam. – Em todo caso, se o deseja, não tem mais que falar; sou mais velho que ele, não me cabe dar o primeiro passo. – E, é claro, bem inútil seria dizê-lo, tão manifesta era a sua disposição. Além do mais, palavras insinceras, pois, ao ouvi-las, constrangia-me sentir que o Sr. de Charlus, embora alegasse não lhe caberem os primeiros passos, pelo contrário dava um e esperava que eu me encarregasse da aproximação.

Certo, eu conhecia essa ingênua ou fingida credulidade das pessoas que gostam de alguém, ou simplesmente não são recebidas em casa de qualquer um, imputando a esse alguém um desejo que todavia ele não manifestou, apesar das solicitações enfadonhas. Mas, à súbita entonação trêmula com que o Sr. de Charlus escandiu essas palavras, ao olhar perturbado que oscilava no fundo de seus olhos, tive a impressão de que havia outra coisa além de uma insistência banal. Não me enganava e contarei de imediato os dois fatos que mo provaram retrospectivamente (antecipo de muitos anos o segundo desses fatos, posterior à morte do Sr. de Charlus. Ora, essa morte só deverá ocorrer bem mais tarde, e teremos ocasião de revê-lo diversas vezes, bem diferente daquele a quem já conhecemos, especialmente pela última vez, numa época em que já terá esquecido Morel por completo). Quanto ao primeiro desses fatos, produziu-se apenas dois ou três anos depois da noite em que eu descia assim pelos bulevares em companhia do Sr. de Charlus. Portanto, cerca de dois anos após essa noite, encontrei Morel. Pensei logo no Sr. de Charlus, no prazer que sentiria ao rever o violinista, e insisti com ele para que fosse vê-lo, ao menos por uma vez. – Ele foi generoso com você – disse eu a Morel – e já está velho, pode morrer e é preciso liquidar antigas rixas e apagar os traços da briga. – Morel pareceu inteiramente de acordo comigo quanto ao benefício da pacificação, mas recusou-se categoricamente a fazer uma única visita ao Sr. de Charlus. – Procede mal – observei. – Será por preguiça ou por teimosia, ou mesmo por maldade, por amor-próprio equivocado, por virtude (esteja seguro que a sua não será atacada), ou por coqueteria? – Então o violinista, contorcendo a fisionomia para uma confissão que certamente muito lhe custava, respondeu-me estremecendo: – Não, não é por nada disso; a virtude, pouco me importa; a maldade? ao contrário, começo a lastimá-lo; não é por coqueteria, ela seria inútil, não é por preguiça, há dias inteiros que passo procurando o que fazer. Não, não é por nada disso, é (não o diga nunca a ninguém, é loucura minha dizê-lo), é, é... é... por medo! – Pôs-se a tremer todo. Confessei que não entendia nada. – Não, não me pergunte, não falemos mais nisso, você não o conhece como eu, posso afirmar que não o conhece absolutamente. – Mas que mal ele pode lhe fazer? Nenhum, tanto mais que não há rancor entre vocês. E, além disso, no fundo você sabe que ele é muito bom. – Com os diabos que sei! Bom, delicado, correto. Mas deixe-me, não me fale mais nisso, peço-lhe, é vergonhoso de dizer... mas tenho medo!

O segundo fato é posterior à morte do Sr. de Charlus. Trouxeram-me algumas lembranças que ele me deixara e uma carta, num triplo envelope, escrita pelo menos dez anos antes de sua morte. Mas estivera gravemente enfermo, dispusera de seus bens, e depois se restabelecera antes de cair mais tarde no estado em que veremos no dia de uma reunião em casa da princesa de Guermantes – e a carta, tendo ficado num cofre-forte com os objetos que legava a alguns amigos, lá permanecera por sete anos, durante os quais ele se esquecera inteiramente de Morel. A carta, traçada numa escrita fina e segura, estava assim concebida:

Meu caro amigo, os caminhos da Providência são desconhecidos. Às vezes, ela se utiliza do defeito *de um indivíduo medíocre para manter a primazia de um justo. Você conhece Morel, sabe de onde ele saiu, a que fastígio desejei elevá-lo, a bem dizer ao meu nível. Sabe que ele preferiu voltar, não ao pó e à cinza de onde todo homem, isto é, a verdadeira fênix, pode renascer, mas à lama onde rasteja a víbora. Ele se deixou sucumbir, o que me preservou de decair. Você sabe que meu brasão de armas contém a própria divisa de Nosso Senhor:* Inculcabis super leonem et aspidem,[52] *com um homem representado como tendo sob os pés, feito suporte heráldico, um leão e uma serpente. Ora, se assim pude esmagar o próprio leão que sou eu, foi graças à serpente, e à sua prudência, que logo, de modo leviano, eu chamaria de defeito, pois a sabedoria profunda do Evangelho dela fez uma virtude,*

[52] Expressão latina: "Calcarás aos pés o leão e a serpente;" adaptação do Salmo 90 da Bíblia, que diz: "Caminharás sobre serpentes e víboras / Pisotearás leões e dragões." (N. do T.)

ao menos uma virtude para os outros. Nossa serpente, de assobios outrora harmoniosamente modulados, quando tinha um encantador – aliás bastante enfeitiçado – não era apenas musical e rastejante, possuía, até à covardia, essa virtude que ora tenho por divina: a prudência. Foi essa prudência divina que fez com que resistisse aos apelos que lhe transmiti por outrem no meu nome, para que viesse me visitar, e não terei paz neste mundo, nem esperança de perdão no outro, se não lhe confessar isto. Ele é que foi neste assunto o instrumento da sabedoria divina, pois eu estava resolvido a não deixá-lo sair vivo de minha casa. Era necessário que um de nós desaparecesse. Estava decidido a matá-lo. Deus lhe aconselhou a prudência, para me preservar de um crime. Não duvido que a intercessão do Arcanjo Miguel, meu santo padroeiro, tenha tido um papel fundamental nisso, e a ele peço que me perdoe por tê-lo negligenciado tanto durante vários anos e por haver tão mal correspondido aos inumeráveis benefícios que me testemunhou, muito especialmente em minha luta contra o Mal. Devo a esse servo de Deus, digo-o na plenitude de minha fé e de minha inteligência, que o Pai celeste haja inspirado a Morel para que não me visitasse. Assim, sou eu que estou morrendo agora. Seu, fielmente devotado, Semper idem[53],

P. G. CHARLUS

Então compreendi o medo de Morel; certamente havia nesta carta muito de orgulho e de literatura. Mas a confissão era verdadeira. E Morel conhecia melhor que eu que "o lado quase louco" que a Sra. de Guermantes percebia no cunhado não se limitava, como eu o julgara até ali, a esses assomos momentâneos de raiva superficial e inoperante.

Mas é preciso voltar atrás. Estou descendo os bulevares ao lado do Sr. de Charlus, o qual acaba de me fazer um vago intermediário para preliminares de paz entre ele e Morel. Vendo que não lhe respondia: – Aliás, não sei por que não toca mais; evita-se a música, a pretexto da guerra, mas dança-se e janta-se fora, e as mulheres inventam a "ambrina" para a pele.[54] As festas preenchem o que, se os alemães continuarem a avançar, será os últimos dias de nossa Pompéia. E é o que a salvará da frivolidade. Por pouco que a lava de algum Vesúvio alemão (seus canhões navais não são menos terríveis que um vulcão) venha surpreendê-las em sua toalete, eternizando seus gestos ao interrompê-los, as crianças mais tarde conhecerão olhando, nos livros de aula ilustrados, a Sra. Molé, que ia pôr uma última

[53] Expressão latina: "Sempre o mesmo". (N. do T.)

[54] Ambrina: nome dado a uma mistura de parafina e de resina de cor ambarina utilizada nos hospitais militares na Primeira Guerra Mundial para a cura de queimaduras e frieiras. É possível que tenha sido empregada igualmente em perfumaria, como filtro solar. (N. do T.)

camada de arrebique antes de ir jantar na casa de uma cunhada, ou então Sosthènes de Guermantes, que acabava de pintar as sobrancelhas postiças. A frivolidade de uma época será tema de aula para os futuros Brichots quando, passados dez séculos, for assunto da mais grave erudição, sobretudo se for conservada intacta por uma erupção vulcânica ou por material análogo à lava projetada por bombardeio. Que documentos para a História futura, quando gases asfixiantes, análogos aos que o Vesúvio emitia, e os desmoronamentos que soterraram Pompéia, guardarem intactas todas as casas imprudentes das quais ainda não tinham mandado retirar para Bayonne os quadros e as estátuas! E não vemos, aliás, todas as noites, fragmentos de Pompéia? Todas as pessoas correm para as adegas, não para trazer algum frasco antigo de Mouton-Rothschild, ou de Saint-Émilion, mas para esconder com eles o que possuem de mais precioso, como os padres de Herculanum, surpreendidos pela morte no momento em que transportavam jarros sagrados. É sempre o apego ao objeto que conduz à morte o seu possuidor. Paris não foi, como Herculanum, fundada por Hércules. Mas quantas semelhanças saltam aos olhos! E essa lucidez que nos foi concedida não é só de nossa época, todas a tiveram. Assim como penso que podemos ter amanhã a sorte das cidades destruídas pelo Vesúvio, estas sentiam-se ameaçadas pela sorte das cidades malditas da Bíblia. Encontrou-se nas paredes de uma casa de Pompéia esta inscrição reveladora: *Sodoma, Gomora*.[55] – Não sei se foi o nome de Sodoma e os pensamentos que este nome despertou nele, ou se foi a idéia do bombardeamento, que fizeram com que o Sr. de Charlus erguesse por um instante os olhos ao céu, mas ele os baixou logo para a terra. – Admiro todos os heróis desta guerra – disse. – Veja, meu caro, os soldados ingleses que considerei de modo um tanto superficial, no começo da guerra, como sendo simples jogadores de futebol bastante presunçosos para enfrentarem profissionais – e que profissionais! –; pois bem, esteticamente falando, são simplesmente atletas da Grécia, percebe, da Grécia, meu caro, são os jovens de Platão, ou melhor, de Esparta. Alguns amigos meus foram a Ruão, onde eles têm seu acampamento, e viram maravilhas, maravilhas puras de que não se faz idéia. Não é mais Ruão, é uma outra cidade. Evidentemente, também existe a antiga Ruão, com os santos macilentos da catedral. Igualmente belo, entenda-se, mas é outra coisa. E os nossos *poilus*! Nem posso lhe dizer que sabor têm para mim os nossos *poilus*, nossos pequenos parisienses, olhe, como aquele que ali vai, com seu ar esperto, sua cara travessa e engraçada. Acontece-me freqüentemente chamá-los, dar-lhes dois dedos de prosa, e que finura, que bom senso! E os rapazes provincianos, como são

[55] Expressão encontrada em Pompéia, reproduzida no livro *Pompéia: História, Vida Privada* (1906), de Henry Thédenot, e atribuída, provavelmente, a um cristão extraviado na cidade. É curioso assinalar a forma *Gomora* (com um *r*), talvez pronúncia da época. (N. do T.)

gentis e divertidos com seu rolar de *rr* e seu linguajar típico! Quanto a mim, sempre vivi muito no campo, dormi em fazendas, sei como lhes falar, mas nossa admiração pelos franceses não nos deve fazer depreciar os inimigos, seria diminuir a nós mesmos. E você não sabe que espécie de soldado são os soldados alemães, você que não os viu, como eu, desfilarem a passo de parada, a passo de ganso, *unter den Linden*.[56] – E, voltando ao ideal de virilidade que me havia esboçado em Balbec e que, com o passar do tempo, adquirira nele um aspecto mais filosófico, aliás empregando raciocínios absurdos, que por instantes, mesmo quando acabava de mostrar-se superior, deixavam perceber a trama excessivamente rala do simples mundano, embora mundano inteligente: – Veja bem – disse –, o soberbo rapagão que é o soldado *boche* é uma criatura forte, saudável, que só pensa na grandeza de seu país. *Deutschland über alles*,[57] no que faz bem; ao passo que nós nos afundamos no diletantismo, enquanto eles se preparavam de modo viril. – "Diletantismo" provavelmente significava para o Sr. de Charlus algo análogo à literatura, pois logo (sem dúvida lembrando-se do meu gosto pelas letras, tendo chegado a pensar em cultivá-las) deu-me um tapinha no ombro (aproveitando-se do gesto para se apoiar em mim a ponto de incomodar-me tanto quanto, no serviço militar, o recuo contra a omoplata do fuzil 76), dizendo, de modo a suavizar a censura: – Sim, nós nos afundamos no diletantismo, nós todos, você também; lembre-se, você poderá fazer, como eu, o seu *mea culpa*, temos sido diletantes demais. – Surpreendido com a censura, não tendo resposta pronta, cheio de deferência para com meu interlocutor, e de ternura por sua bondade amiga, respondi como se, conforme sugeria, também devesse bater no peito, o que seria inteiramente idiota, pois não tinha nem sombra de diletantismo de que me arrepender. – Bom – disse ele –, deixo-o (o grupo que o havia seguido de longe acabara por abandoná-lo) –, vou deitar-me como um velho senhor bem idoso, tanto mais que parece que a guerra mudou todos os nossos hábitos, um desses aforismos estúpidos que Norpois tanto aprecia. – Aliás, eu sabia que, mesmo voltando para casa, o Sr. de Charlus nem por isso deixava de estar no meio dos soldados, pois transformara seu palacete em hospital militar, cedendo, acho, aos impulsos menos da imaginação que de seu coração generoso.

A noite era transparente, sem um sopro; eu imaginava que o Sena, correndo entre suas pontes circulares, feitas de seus tabuleiros e reflexos, devia assemelhar-se ao Bósforo. E, símbolo ou dessa invasão prevista pelo derrotismo do Sr. de Charlus, ou da cooperação de nossos irmãos muçulmanos com os exércitos franceses, a lua estreita e recurva como um cequim parecia colocar o céu parisiense sob o signo oriental do crescente.

[56] *Unter den Lindem:* "Sob as tílias". Famosa avenida de Berlim. (N. do T.)

[57] *Deutschland über alles*: "Alemanha acima de tudo". Hino nacional alemão. (N. do T.)

Todavia, há um instante apenas, despedindo-se, o Sr. de Charlus apertou-me a mão como a esmagá-la, o que é uma característica alemã das pessoas do seu tipo, continuando por alguns momentos a malaxá-la – como teria dito Cottard – como se quisesse restituir às minhas articulações uma flexibilidade que elas não haviam perdido. Em certos cegos, o toque, até certo ponto, supre a vista. Não sei de qual sentido tomava o lugar aqui. Talvez julgasse o barão simplesmente apertar-me a mão, como, sem dúvida, julgou somente contemplar um senegalês que passava na sombra e não se dignou a perceber que era admirado. Mas nesses dois casos o Sr. de Charlus se enganava, pecava por excesso de contato e de olhares. – Não estará ali representado todo o Oriente de Decamps, de Fromentin, de Ingres e de Delacroix? – comentou, ainda imobilizado pela passagem do senegalês. – Você sabe, eu nunca me interesso pelas criaturas e pelas coisas a não ser na pintura, na filosofia. Além do mais, estou muito velho. Mas, para completar o quadro, que desgraça que um de nós não seja uma odalisca!

Não foi o Oriente de Decamps, nem mesmo o de Delacroix, que principiou a mexer com minha imaginação quando o barão me deixou, e sim o velho Oriente das *Mil e Uma Noites* que eu tanto havia amado; e, ao me perder aos poucos no emaranhado daquelas ruas escuras, pensava no califa Harum al-Rachid em busca de aventuras nos bairros perdidos de Bagdá. Por outro lado, o calor e a caminhada me haviam dado sede, mas todos os bares estavam fechados há muito e, por causa da escassez de gasolina, os raros táxis que eu encontrava, dirigidos por levantinos ou negros, nem sequer se davam ao trabalho de responder aos meus sinais. O único local em que me poderiam servir bebida e em que eu poderia recuperar as forças, teria sido um hotel.

Mas todos os hotéis, na rua bem afastada do centro que eu atingira, tinham fechado desde que os *gothas* lançavam suas bombas sobre Paris. O mesmo ocorria com quase todas as lojas de comerciantes, os quais, por falta de empregados ou tomados de pavor, haviam fugido para o campo e deixado na porta o aviso de costume, escrito à mão, anunciando a reabertura do estabelecimento numa época distante e aliás problemática. Os demais estabelecimentos que tinham podido sobreviver, da mesma forma anunciavam abrir apenas duas vezes por semana. Sentia-se que a miséria, o abandono e o medo habitavam este bairro inteiro. Fiquei muito surpreso, portanto, ao verificar que, entre aquelas casas desertas, havia uma em que a vida, ao contrário, parecendo ter vencido o terror e a falência, mantinha a atividade e a riqueza. Por trás dos postigos fechados de cada janela, a luz, tamisada em obediência às ordens da polícia, revelava contudo uma despreocupação completa com a economia. E a todo momento se abria a porta para deixar entrar ou sair algum novo visitante. Era um hotel que provocaria a inveja dos comerciantes vizinhos (por causa do dinheiro que seus proprietários deveriam ganhar); e também me despertou a curiosidade quando vi um oficial sair dali rapidamente, a uns quinze metros de distância, ou seja, longe demais para que pudesse distingui-lo na escuridão profunda.

Todavia, o que me intrigou não foi seu rosto, que eu não via, nem seu uniforme dissimulado sob um grande capote, mas a desproporção extraordinária entre o número de pontos diferentes por onde passou o seu corpo e o breve número de segundos em que decorreu esta saída, que dava a impressão de uma saída tentada por um sujeito sitiado. De modo que, se o não reconheci formalmente, pensei, não direi na silhueta, nem na esbeltez, nem no andar, nem na agilidade, mas no tipo de ubiqüidade que era tão próprio de Saint-Loup. O militar capaz de ocupar em tão pouco tempo tantas posições diferentes no espaço havia desaparecido, sem me avistar, numa rua transversal, e eu fiquei me perguntando se devia ou não entrar nesse hotel, cuja aparência modesta me fez duvidar fortemente que fosse Saint-Loup quem saíra dali.

Lembrei-me, sem querer, que Saint-Loup fora injustamente envolvido num caso de espionagem porque haviam encontrado o seu nome em cartas apreendidas em poder de um oficial alemão. Justiça plena, aliás, fora-lhe feita pelas autoridades militares. Mas, contra a minha vontade, liguei essa recordação àquilo que via. Esse hotel não serviria acaso de ponto de encontro de espiões? O oficial desaparecera há um momento quando vi entrarem simples soldados de várias armas, o que deu ainda mais solidez às minhas suposições. Por outro lado, sentia-me extremamente sequioso. Era provável que aqui encontrasse o que beber, e aproveitei a ocasião para tentar satisfazer minha curiosidade, apesar da inquietude que a ela se misturava.

Não penso, todavia, que tenha sido a curiosidade por esse encontro que me decidiu a subir a escadazinha de poucos degraus que dava para a porta de uma espécie de vestíbulo, aberta sem dúvida por causa do calor. Julguei a princípio que essa curiosidade não ficaria satisfeita, pois, da escada onde eu permanecia na sombra, vi diversas pessoas chegarem pedindo um quarto, sendo-lhes respondido que já não havia um só vago. Ora, percebi que só recusavam os que não faziam parte da rede de espionagem, pois tendo se apresentado um simples marinheiro, apressaram-se a dar-lhe o nº 28. Pude avistar, sem que me percebessem na escuridão, alguns militares e dois operários que conversavam tranqüilamente num pequeno aposento abafado, pretensiosamente coberto de retratos coloridos de mulheres recortados de revistas ilustradas. Tais pessoas conversavam sossegadamente, expondo suas idéias patrióticas: – Que queres, vamos fazer como os companheiros – dizia um. – Ah, é claro que espero não morrer – respondia, a um voto que eu não ouvira, um outro que, pelo que entendi, ia voltar no dia seguinte para um posto perigoso. – Por exemplo, com vinte e dois anos, e só tendo seis meses de serviço, seria demais! – exclamava ele num tom em que, além de trair o desejo de viver muito, percebia-se a consciência de estar raciocinando bem, e como se o fato de ter apenas vinte e dois anos lhe desse mais chances de não ser morto, como se fosse mesmo impossível acontecer-lhe alguma coisa. – Em Paris, é assombroso – dizia um outro –, nem parece que há guerra. E tu, Julot, sempre te alistas. – Certamente que sim, tenho vontade de dar pancada nessa cambada suja de *boches*. – Mas Joffre é um homem que só dorme com as mulheres dos ministros; nunca fez nada. – É uma desgraça ouvir semelhantes coisas – disse um aviador um pouco mais velho; e, voltando-se para o operário que acabara de fazer aquela observação: – Aconselho-o a não tocar nisso na linha de frente. Os *poilus* o liquidariam num instante. – A banalidade dessas conversas não me dava muita vontade de continuar ouvindo e dispunha-me a entrar ou descer de novo quando minha indiferença se desfez ao escutar estas frases que me fizeram estremecer: – É espantoso, e o patrão que não volta! E a esta hora, bolas, não sei onde ele vai arranjar correntes. – Mas o sujeito já está amarrado. – Está amarrado, é claro: mas está e não está; se me amarrassem desse modo, poderia facilmente me soltar. – Mas o cadeado está trancado. – Certamente está trancado, mas a rigor pode ser aberto. O que há é que as correntes não são muito compridas. Não vais me explicar como é, a mim que o surrei ontem a noite inteira, até ficar com as mãos escorrendo sangue. – Quem vai bater hoje és tu? – Não, não sou eu. É Maurice, mas no domingo serei eu, o patrão me deu sua palavra. – Compreendi então por que tiveram necessidade dos braços vigorosos do marinheiro. Se afastaram pacíficos burgueses fora porque este hotel não era apenas um ninho de espiões. Um crime atroz ia consumar-se aqui, se não houvesse tempo de o denunciar e fazer prender os culpados. Entretanto, tudo aquilo mantinha, nessa noite pacífica e ameaçada, uma aparência de sonho, de conto de fadas, e foi a um tempo com orgulho de justiceiro e volúpia de poeta que entrei deliberadamente no hotel.

Toquei levemente o chapéu, e as pessoas presentes, sem se moverem, responderam mais ou menos cortesmente ao meu cumprimento. – Poderiam me informar a quem devo dirigir-me? Gostaria de obter um quarto, e que me levassem algo para beber. – Espere um minuto, o patrão saiu. – Mas o chefe está lá em cima – insinuou um dos que conversavam. – Mas sabes perfeitamente que não podemos incomodá-lo. – Acha que ele me arranjará um quarto? – Acho que sim. – O 43 deve estar desocupado – disse o rapaz que estava seguro de que não seria morto pois contava vinte e dois anos. E arredou-se ligeiramente no sofá para me dar lugar. – Seria bom que abrissem um pouco a janela, há muita fumaça aqui! – disse o aviador; e, de fato, cada qual fumava cigarro ou cachimbo. – Sim, mas então primeiro fechem os postigos, sabem muito bem que é proibido fazer luz, por causa dos zepelins. – Não haverá mais zepelins. Todos eles foram abatidos segundo os jornais. – Não haverá mais, não haverá mais, como é que sabes? Quando tiveres, como eu, quinze anos de *front* e abateres o teu quinto avião *boche*, poderás falar disso. Não convém acreditar nos jornais. Os zepelins andaram ontem por cima de

Compiègne, mataram uma mãe de família com seus dois filhos. – Uma mãe de família com seus dois filhos! – exclamou com ar consternado um rapaz de olhos ardentes, o mesmo que esperava não ser morto e que, aliás, possuía uma fisionomia enérgica, aberta e das mais simpáticas. – Não há notícias do grande Julot. Sua "madrinha" não recebe nenhuma carta dele há oito dias, é a primeira vez que ele fica tanto tempo sem escrever. – Quem é a sua "madrinha"? – É a senhora que toma conta do mictório público um pouco depois do *Olympia*. – São amantes? – Que está querendo insinuar? É uma senhora casada, o que existe de mais sério. Ela lhe manda dinheiro todas as semana porque tem bom coração. Ah! É uma senhora sensacional! – Quer dizer que conheces o grande Julot? – Se conheço! – retorquiu com calor o rapaz de vinte e dois anos. – É um de meus melhores amigos íntimos. Não há muitos de quem gosto como gosto dele; é um bom companheiro, sempre disposto a prestar um serviço. Ah, podes crer que seria uma desgraça se lhe acontecesse alguma coisa. – Alguém sugeriu um jogo de dados; e, pela rapidez febril com que o rapaz de vinte e dois anos atirava os dados e gritava o total, os olhos fora das órbitas, era fácil perceber que possuía um temperamento de jogador. Não entendi o que alguém lhe disse, logo depois, mas ouvi-o exclamar em tom profundamente magoado: – Julot, um rufião! Sei que ele mesmo o diz. Mas não é nada disso. Eu o vi pagar a sua mulher, sim, pagar-lhe. Não quero dizer que ela, Jeanne l'Algerienne, não lhe desse algo em troca, mas não mais de cinco francos, uma mulher que morava numa boa casa, ganhava mais de cinqüenta francos por dia. Só aceitar cinco francos! É preciso ser muito bobo. Mas agora que está no *front* ela leva uma vida muito dura, verdade, mas ganha o que quer; pois bem, não lhe manda. Ah, Julot um rufião? Muitos poderiam dizer-se rufiões dessa maneira. Não somente ele não é rufião, mas, segundo penso, é um imbecil. – O mais velho do grupo, a quem o patrão, sem dúvida por causa de sua idade, encarregara de manter a linha, tendo ido ao reservado, só ouviu o fim da conversa. Mas não deixou de me olhar e pareceu visivelmente contrariado com o efeito que ela deve ter produzido em mim. Sem se dirigir especialmente ao rapaz de vinte e dois anos, que todavia acabava de expor essa teoria do amor venal, disse de um modo genérico: – Vocês falam demais e muito alto, a janela está aberta, há pessoas dormindo a esta hora. Sabem que, se o patrão voltar e ouvir vocês falando desse jeito, não ficará nada contente.

Precisamente nesse instante, ouviu-se a porta abrir e todos se calaram, julgando que era o patrão. Mas tratava-se de um motorista de carro estrangeiro, que foi entusiasticamente acolhido. Vendo porém uma soberba corrente de relógio brilhando no colete do recém-chegado, o rapaz de vinte e dois anos lançou-lhe um olhar interrogativo e risonho, seguido de um franzir de sobrancelhas e de um severo piscar de olhos dirigido para o meu lado. E compreendi que o primeiro olhar queria dizer: "Que é isto, roubaste? Meus cumprimentos." E o segundo: "Não digas nada por causa deste sujeito, que não conhecemos." De repente, o patrão entrou, carregado de vários metros de grossas correntes de ferro capazes de prender muitos forçados, suando, e disse: – Que trabalheira! Se vocês todos não fossem uns preguiçosos, eu não precisaria ter ido pessoalmente. – Disse-lhe que queria um quarto: – Por algumas horas apenas; não achei carro e estou um pouco adoentado. Mas queria que me levassem bebida. – Pierrot, vai à adega buscar um pouco de cassis e diga que arrumem o 43. Olha, o 7 ainda está tocando a campainha. Dizem que estão doentes. Doentes, hem? Não caio nessa. São tomadores de cocaína, devem estar meio tontos, é preciso pô-los na rua. Levaram um par de lençóis para o 22? Bom. Pronto! Já está o 7 chamando de novo, dá um pulo até lá. Vamos, Maurice, que é que estás fazendo aí? Sabes perfeitamente que te esperam, sobe para o 14-Bis. E anda mais depressa. – E Maurice foi-se rapidamente, seguindo o patrão que, um tanto aborrecido por eu ter visto suas correntes, desapareceu levando-as. – Como é que vens tão tarde? – perguntou o rapaz de vinte e dois anos ao motorista. – Como, tão tarde? Estou adiantado de uma hora. Mas faz muito calor para andar. Só tenho encontro à meia-noite. – Para quem vieste, então? – Para Pamela, a sedutora – disse o motorista oriental, cuja risada descobriu belos dentes brancos – Ah! – disse o rapaz de vinte e dois anos.

Logo me fizeram subir para o quarto 43, mas a atmosfera me pareceu tão desagradável, e minha curiosidade era tão grande, que, tendo bebido o meu cassis, desci de novo a escada; depois, tomado de outra idéia, voltei a subir e, ultrapassando o andar do quarto 43, fui até o alto. De repente, de um quarto isolado no fim de um corredor, pareceram-me vir queixas abafadas. Andei vivamente naquela direção e encostei o ouvido à porta. – Eu lhe suplico, graça, graça, piedade, solte-me, não me surre com tanta força – dizia uma voz. – Beijo-lhe os pés, humilho-me, prometo não recomeçar. Tenha piedade. – Não, crápula – respondeu outra voz. – E já que te pões a berrar, e te arrastas de joelhos, vamos te amarrar na cama, nada de piedade. – E ouvi o barulho do estalo de um chicote, provavelmente eriçado de pregos, pois foi seguido de gritos de dor. Então reparei que havia nesse quarto uma clarabóia lateral, sobre a qual haviam esquecido de correr a cortina; caminhando pé ante pé no escuro, deslizei até a clarabóia, e ali, acorrentado numa cama como Prometeu em seu rochedo, recebendo golpes de um chicote efetivamente cheio de pregos, manejado por Maurice, vi, já todo ensangüentado e coberto de equimoses que provavam que o suplício não ocorria pela primeira vez, vi diante de mim o Sr. de Charlus.

De súbito a porta se abriu e entrou alguém que, felizmente, não me enxergou: era Jupien. Ele se aproximou do barão com ar de respeito e um sorriso de inteligência: – Então, não precisa de mim? – O barão implorou a Jupien que fizesse Maurice sair por um momento. Jupien pô-lo para fora com a maior desenvoltura. – Ninguém pode nos ouvir? – indagou o barão a Jupien, que lhe afirmou que não. O barão sabia que Jupien, inteligente como um homem de letras, não tinha espírito prático, falava sempre, diante dos interessados, por subentendidos e alcunhas que todos conheciam, e que não enganavam ninguém.

– Um instante – interrompeu Jupien, que ouvira uma campainha tocar no quarto nº 3. Era um deputado da *Action Libérale* que saía. Jupien não precisava ver o quadro, pois conhecia seu toque de campainha; de fato, embora o deputado viesse diariamente após o almoço, fora obrigado mudar o horário nesse dia, pois casara a filha ao meio-dia em Saint-Pierre-de-Chaillot. Assim, viera à noite, mas fizera questão de regressar cedo por causa da mulher, que logo se preocupava quando ele voltava tarde, sobretudo naqueles tempos de bombardeio. Jupien fazia questão de acompanhá-lo à porta para testemunhar-lhe a deferência com que o tratava na condição de parlamentar, aliás sem nenhum interesse pessoal. Pois, embora esse deputado, que repudiava os exageros da *Action Française* (de resto, seria incapaz de compreender uma linha sequer de Charles Maurras ou de Léon Daudet), estivesse em muitos bons termos com os ministros, lisonjeados por serem convidados para suas caçadas, Jupien não teria coragem de lhe pedir o menor apoio em suas complicações com a polícia. Sabia que, se se arriscasse a falar no assunto ao legislador ricaço e poltrão, não evitaria nem a mais inócua das "batidas", mas perderia instantaneamente o mais generoso dos fregueses. Depois de ter acompanhado até a porta o parlamentar, que baixara o chapéu sobre os olhos, erguera a gola e, esgueirando-se rapidamente, como fazia em seus programas eleitorais, pensara esconder o rosto, Jupien voltou para junto do Sr. de Charlus, a quem disse: – Era o senhor Eugène. – Na sua casa, como nos hospitais, só chamavam as pessoas pelo prenome, tendo-se o cuidado de segredar, a fim de satisfazer a curiosidade dos freqüentadores ou para aumentar o prestígio do estabelecimento, o nome completo. No entanto, às vezes Jupien ignorava a verdadeira personalidade dos fregueses, e então imaginava e dizia tratar-se de tal financista, tal nobre, tal artista, erros efêmeros e encantadores para quem os causava, e acabava por resignar-se a desconhecer para sempre quem era o senhor Victor. Desse modo, Jupien tinha o costume, para agradar ao barão, de fazer o contrário do que acontece em certas reuniões: – Vou lhe apresentar o Sr. Lebrun – (ao ouvido: – Ele se faz chamar Lebrun, mas na verdade é o grão-duque da Rússia –). Inversamente, Jupien sentia não ser bastante para o Sr. de Charlus conhecer um leiteiro. E murmurava, piscando o olho: – Ele é leiteiro, mas no fundo é principalmente um dos mais perigosos apaches de Belleville. (Era de ver o ar velhaco de Jupien ao pronunciar "apache"). – E, como se tais referências não bastassem, procurava acrescentar algumas "citações": – Foi condenado várias vezes por roubo e assalto de vivendas, esteve em Fresnes por causa de brigas (mesmo ar velhaco) com transeuntes, que deixou meio estropiados, e andou no batalhão da África. Matou o seu sargento.

O barão até chegava a querer mal a Jupien, pois sabia que naquela casa, comprada por ele por seu *factótum*, e administrada por um subalterno, todos, devido às indiscrições do tio da Srta. de Oloron, mais ou menos conheciam sua personalidade e seu nome (muitos apenas julgavam que se tratasse de um apelido e, pronunciando-o mal, tinham-no deformado, de modo que a salvação do Sr. de Charlus fora a estupidez deles e não a discrição de Jupien). Mas achava mais simples dar-lhe crédito e, tranqüilizado por saber que não podiam ouvi-los, o barão lhe disse: – Não queria falar diante daquele garoto, que é muito gentil e faz o que pode. Mas não o acho bastante brutal. Seu rosto me agrada, mas ele me chama de crápula como se se tratasse de uma lição decorada. – Oh, não, ninguém lhe disse nada – retrucou Jupien, sem se aperceber da inverossimilhança dessa afirmação. – Além disso, esteve comprometido no assassinato de uma porteira da Villette. – Ah, isso é muito interessante – disse o barão com um sorriso. – Mas está justamente aí o carniceiro, o homem dos matadouros, que se parece a ele; veio por acaso. Quer experimentar? – Ah, sim. De bom grado. – Vi entrar o homem dos matadouros, que, de fato, assemelhava-se um pouco a Maurice; mas, coisa curiosa, ambos tinham algo de um tipo, que pessoalmente nunca me interessara, e que agora me dei conta que existia em Morel, tinham uma certa semelhança, senão com Morel tal como o conhecia, ao menos com uma certa fisionomia que outros olhos, diversos dos meus, pudessem compor com suas feições. Tão logo construí interiormente, com traços dados pelas minhas lembranças do violinista, esta maquete do que ele poderia representar para outrem, percebi que os dois rapazes, um dos quais era aprendiz de ourives, e o outro empregado num hotel, eram vagos sucedâneos de Morel. Deveria concluir que o Sr. de Charlus, ao menos numa certa forma de seus amores, era sempre fiel a um mesmo tipo, e que o desejo que o fizera escolher, um após outro, esses dois rapazes era o mesmo que o havia feito deter Morel na gare de Doncières; que todos os três assemelhavam-se um pouco ao efebo, cuja forma, entalhada na safira que eram os olhos do Sr. de Charlus, conferia a seu olhar algo de tão especial, que me aterrorizara no primeiro dia em Balbec? Ou que, tendo o seu amor por Morel modificado o tipo que ele buscava, ele, para se consolar de sua ausência, procurava homens que se lhe assemelhassem? Outra suposição que fiz foi a de que talvez nunca houvesse existido, entre ele e Morel, apesar das aparências, senão relações de amizade, e que o Sr. de Charlus mandava vir à casa de Jupien rapazes que se parecessem bastante a Morel para poder ter, junto deles, a ilusão de gozar com o violinista. É verdade que, pensando em tudo o que o Sr. de Charlus fizera por Morel, tal suposição teria parecido pouco provável, se não soubéssemos que o amor nos leva não somente aos maiores sacrifícios pela criatura amada, mas, às vezes, ao sacrifício do nosso próprio desejo, aliás tanto menos satisfeito quanto mais se sente amada a criatura que cortejamos.

Também concorre para tal suposição, menos inverossímil à primeira vista do que parece (embora sem dúvida não corresponda à realidade), o temperamento nervoso, profundamente apaixonado do Sr. de Charlus, semelhante nisso ao de

Saint-Loup, e que poderia ter desempenhado, no começo de suas relações com Morel, o mesmo papel, mais decente, porém, e negativo, que o do sobrinho no começo de sua relação com Rachel. As relações com a mulher amada (e isto pode estender-se ao amor por um rapaz) podem permanecer platônicas por outro motivo que não a virtude da mulher ou a natureza pouco sensual do amor que ela inspira. Esse motivo pode ser que o apaixonado, por demais impaciente devido ao próprio excesso de seu amor, não saiba esperar com fingida indiferença o momento em que haverá de obter o que deseja. O tempo todo ele volta à carga, não cessa de escrever àquela a quem ama, procura vê-la o tempo inteiro, ela se recusa e ele fica desesperado. Desde então ela compreende que, se lhe concede sua companhia, sua amizade, esses bens já parecerão de tal maneira consideráveis àquele que se julgou deles derivado, que ela pode se dispensar de conceder outros favores e aproveitar-se de um momento em que ele já não pode suportar passar sem vê-la, em que a todo preço quer terminar a guerra, para lhe impor uma paz cuja condição primeira será o platonismo das reações. Além disso, durante todo o tempo que precedeu esse tratado, apaixonado, ansioso sempre, e sempre à espreita de uma carta, de um olhar, deixou de pensar na posse física, cujo desejo a princípio o atormentara, mas que se consumiu na espera e cedeu lugar a carências de outro tipo, aliás mais dolorosas se não são satisfeitas. Então o prazer que, no primeiro dia, havia esperado das carícias, recebe-o mais tarde, todo desfigurado, sob a forma de palavras amigas, promessas de presença, as quais, depois dos tormentos da incerteza, ou simplesmente após um olhar nublado de todos os nevoeiros da frieza, fazendo recuar para tão longe a amada que se teme não vê-la nunca mais, trazem uma tranqüilidade deliciosa. As mulheres adivinham tudo isso e sabem que podem se dar o luxo de jamais se oferecerem aos homens dos quais sentem, se são nervosos demais para ocultá-lo nos primeiros dias, o incurável desejo que demonstram por elas. A mulher se compraz em, sem nada conceder, receber muito mais do que de costume quando se oferece. Assim, os grandes nervosos crêem na virtude de seu ídolo. E a auréola que colocam a seu redor é desse modo um produto, mas como se vê, indireto, de seu amor excessivo. Ocorre, portanto, na mulher o que existe em estado inconsciente nos medicamentos, astuciosos por natureza, como os soporíferos, a morfina. Não é àqueles a quem dão o prazer do sono ou um verdadeiro bem-estar que eles são absolutamente indispensáveis; esses não os comprariam a peso de ouro, nem os trocariam por tudo quanto possuem. Outros doentes é que o fariam (aliás talvez os mesmos, porém, a alguns anos de distância, transformados em outros), outros a quem a droga não faria dormir, em quem não provoca nenhuma volúpia, mas que, não a tomando, caem numa agitação que desejam fazer parar a todo custo, mesmo pelo suicídio.

Quanto ao Sr. de Charlus, cujo caso, afinal, com a ligeira diferença devida à similitude do sexo, inscreve-se nas leis gerais do amor, ainda que pertencesse a uma família mais antiga que os Capetos, fosse rico e debalde cortejado por sociedade elegante, ao passo que Morel não valia nada, embora pudesse dizer-lhe, como me dissera: "Sou príncipe, desejo o seu bem", ainda assim Morel o dominaria enquanto não se rendesse. E, para não se render, bastava-lhe sentir-se amado. O horror que os fidalgos sentem pelos esnobes que querem à força misturar-se a eles, sente o homem viril pelo invertido, a mulher por todo homem apaixonado demais. O Sr. de Charlus não só tinha todas as vantagens, como as teria proporcionado, e imensas, a Morel. Mas é possível que tudo isso se quebrasse contra uma vontade firme. Nesse caso, o Sr. de Charlus estaria como os alemães, aos quais, de resto, pertencia por suas origens, e que, na guerra em andamento, viam-se, como o barão repetia de bom grado, vencedores em todas as frentes. Mas de que lhes servia essa vitória, visto que, após cada uma, defrontavam-se com os Aliados mais resolvidos a lhes recusar a coisa que eles, alemães, mais teriam desejado obter, a paz e a reconciliação? Da mesma forma Napoleão invadia a Rússia e pedia às autoridades, magnânimo, que fossem ter com ele. Mas ninguém se apresentava.

Desci e retornei à pequena antecâmara onde Maurice, indeciso sobre se o chamariam de novo ou não, e a quem Jupien, de qualquer modo, dissera que esperasse, estava jogando cartas com um dos companheiros. Havia grande agitação por causa de uma cruz de guerra que se achara no chão, sem que soubessem a quem pertencia, para que fosse possível enviá-la a seu dono, a fim de evitar-lhe uma punição. Depois, falaram da bondade de um oficial que se fizera matar para tentar salvar seu ordenança. – Apesar de tudo, há gente boa entre os ricos. Eu me faria matar com prazer por um camarada desse tipo – comentou Maurice, que evidentemente só levava a efeito suas terríveis chicotadas no barão por um hábito mecânico, por falta de educação conveniente, pela necessidade de dinheiro e uma certa tendência a ganhá-lo de modo tido como menos penoso que o trabalho, apesar de talvez sê-lo mais. Mas, como receava o barão, devia talvez ter bom coração e era, ao que parecia, um rapaz de bravura admirável. Quase lhe vinham lágrimas aos olhos ao falar da morte desse oficial, e o rapaz de vinte e dois anos não estava menos emocionado. – Ah, sim. São sujeitos sensacionais! Os pobres-diabos como nós não têm muito a perder, mas um senhor que tem um monte de empregados, que pode tomar seu aperitivo todos os dias às 6 horas, é verdadeiramente uma pena. Zombe quem quiser, mas, quando se vê morrer pessoas desse tipo, de fato isso mexe com a gente. O bom Deus não deveria permitir que ricos assim morressem, primeiro porque são muito úteis aos operários. Só por causa de uma morte dessas, deviam ser exterminados todos os *boches*, até o último; e o que fizeram em Louvain, cortar os pulsos das criancinhas! Não sei não, não sou melhor que ninguém, mas preferiria ser fuzilado a obedecer a esses bárbaros; pois não são homens, são verdadeiros bárbaros, não podes me desmentir. – Em suma, todos aqueles rapazes eram patriotas. Apenas um, levemente ferido num braço, não se mostrou à altura dos outros, pois disse, já que devia sair dali a pouco: – Droga, não foi um bom ferimento – (o que o fizera ser reformado), como a Sra. Swann dizia antigamente: – Achei um jeito de pegar uma tremenda gripe.

A porta abriu-se novamente deixando passar o motorista que fora espairecer por um instante. – Como, já acabou? Isso não durou muito – observou, ao avistar Maurice, que julgava ainda estar batendo naquele a quem tinham apelidado, por alusão a um jornal da época, *O Homem Acorrentado*. – Não durou muito para ti, que foste lá fora – replicou Maurice, irritado por perceberem sua má sorte lá em cima. – Mas se fosses obrigado a bater sem parar, como eu, e com esse calor! Não fossem os cinqüenta francos que ele dá. – E, além disso, é um homem que conversa bem; vê-se que é instruído. Diz ele que a guerra acabará logo? – Acha que afinal não poderemos dar conta deles, que ninguém levará a melhor. – Diabos! Mas então é um *boche*... – Já disse que estão falando alto demais – disse o mais velho aos outros, ao me ver. – Já deixou o quarto? – Vai te catar, não és o dono daqui. – Sim, já deixei, e venho pagar. – É melhor que pague ao patrão. Maurice, vá buscá-lo. – Mas não quero incomodá-lo. – Isso não me incomoda. – Maurice subiu e voltou, dizendo-me: – O patrão já vai descer. – Dei-lhe dois francos pelo incômodo. Ele corou de prazer: – Ah, muito obrigado. Vou mandá-los ao meu irmão, que está prisioneiro. Não, não está se queixando. Isso depende muito dos campos.

Nesse meio tempo, dois fregueses muito elegantes, de casaca e gravata brancas por baixo dos sobretudos – dois russos, pareceu-me, por causa de seu ligeiro sotaque – paravam no limiar, deliberando se deviam entrar ou não. Visivelmente era a primeira vez que vinham ali, deviam ter-lhes indicado o local e pareciam divididos entre o desejo, a tentação e um grande receio. Um deles – um belo rapaz – repetia a cada instante ao outro, com um sorriso meio indagativo, meio destinado a convencer: – Que nada! Afinal de contas, danem-se! – Mas, apesar de com isso querer dizer que pouco lhe importavam as conseqüências, é provável que ele de fato se importasse, pois suas palavras não eram seguidas de nenhum movimento para entrar, mas de um novo olhar para o outro, seguido do mesmo sorriso e da mesma expressão *Afinal de contas, dane-se*. Tal expressão era um exemplo, entre mil, dessa linguagem magnífica, tão diversa da que falamos habitualmente, e na qual a emoção, desviando o que pretendíamos dizer, permite desenvolver-se no seu lugar uma frase bem diferente, emersa de um lago desconhecido onde vivem essas expressões que não têm relação alguma com o pensamento, e que por isso mesmo o revelam. Lembro-me que certa vez Albertine, como Françoise entrasse sem ser esperada, justo quando minha amiga, inteiramente nua, colava-se a mim, disse sem querer, desejando prevenir-me: Olha a bela Françoise. – Esta, que via muito pouco, e apenas atravessava a peça longe de nós, sem dúvida não teria percebido nada. Mas as palavras tão anormais de "bela Françoise", que Albertine nunca pronunciara na vida, mostraram por si mesmas a sua origem; sentiu-as colhidas ao acaso pela emoção, e não teve necessidade de enxergar coisa alguma para compreender tudo, e se foi, murmurando no seu patoá a palavra "putana". Outra vez, bem mais tarde, quando Bloch, transformado em pai de família e tendo casado uma das filhas com um católico, um sujeito mal-educado disse àquela ter sabido que era filha de um judeu, e perguntou-lhe o sobrenome. A moça, que fora Srta. Bloch desde o nascimento, respondeu, pronunciando à alemã como teria feito o duque de Guermantes, "Bloch" (pronunciando o *ch* não como o *ch* chiado, nem como *ck*, mas como o *ch* aspirado do alemão).

Para retornar à cena do hotel (no qual os dois russos haviam decidido entrar: "afinal de contas, dane-se"), ainda não descera o patrão quando Jupien entrou queixando-se que falavam alto demais e que os vizinhos reclamariam. Mas deteve-se, estupefato, ao avistar-me. – Saiam todos para o pátio. – Todos já se erguiam, quando lhe disse: – Seria mais simples que os rapazes ficassem e que eu saia com você por um momento. – Ele me seguiu, bastante perturbado. Expliquei-lhe por que viera. Ouviam-se os fregueses perguntando ao patrão se não podia fazê-los conhecer em um lacaio, um menino do coro, um motorista negro. Todas as profissões interessavam àqueles velhos doidos, na tropa, todos os exércitos, e, entre os Aliados, todas as nações. Alguns reclamavam principalmente os canadenses, sofrendo talvez sem o saberem a sedução de um sotaque tão leve que não se distingue bem se é da velha França ou da Inglaterra. Devido a seus saiotes, e porque certos sonhos lacustres se associam muitas vezes a tais desejos, os escoceses eram os mais cotados. E, como toda loucura recebe traços particulares, quando não é agravada, das circunstâncias, um velhote, cujas curiosidades sem dúvida tinham sido satisfeitas, pedia com insistência um mutilado. Ouviam-se passos vagarosos na escada. Por uma indiscrição própria de sua natureza, Jupien não pôde deixar de me dizer que era o barão que estava descendo; deveríamos a todo custo evitar que ele me visse, mas, se eu quisesse entrar no quarto contíguo ao vestíbulo, onde estavam os rapazes, ele abriria os postigos, truque inventado pelo barão para poder ver e ouvir sem ser visto, e que agora, dizia ele, voltar-se-ia contra o barão em meu favor. – Apenas, não se mexa. – E, depois de me haver empurrado para a escuridão, deixou-me. Aliás, não dispunha de outro quarto para me dar, pois seu hotel, apesar da guerra, estava lotado. O quarto que eu acabava de deixar fora alugado pelo visconde de Courvoisier, que, tendo podido largar por dois dias a Cruz Vermelhas de X..., viera descansar por uma hora em Paris antes de ir encontrar-se no castelo de Courvoisier com a viscondessa, a quem diria não ter podido pegar o trem. Nem imaginaria estar a tão poucos metros do Sr. de Charlus, fato que este igualmente desconhecia, pois jamais havia encontrado o primo na casa de Jupien, o qual ignorava a personalidade cuidadosamente dissimulada do visconde.

Com efeito, em breve o barão entrou, caminhando com muita dificuldade devido às feridas de que, no entanto, certamente adquirira o hábito. Embora seu prazer estivesse findo e ele só entrasse ali para dar o dinheiro devido a Maurice, circulou um olhar terno e curioso sobre todos aqueles rapazes reunidos, e com certeza esperava trocar com cada um o prazer de uma despedida platônica mais carinhosamente prolongada. Reparei nele, de novo, em toda a fervilhante frivolidade exibida a esse harém que parecia quase intimidá-lo, os meneios de quadris e de cabeça, o olhares filtrados que me haviam impressionado na noite de sua primeira visita à Raspelière, graças herdadas de alguma avó que eu não conhecera, e que de ordinário se dissimulavam em seu rosto de expressões mais viris, mas que desabrochavam de modo faceiro em determinadas circunstâncias, quando queria agradar a um meio inferior, estimuladas pelo desejo de parecer grande dama.

Jupien recomendara aqueles homens à benevolência do barão, jurando que todos eram cafetões de Belleville, capazes de se deitarem com as próprias irmãs por um luís. Aliás, Jupien mentia e dizia a verdade ao mesmo tempo. Melhores, mais sensíveis do que Jupien os pintara ao barão, não pertenciam a uma raça selvagem. Mas aqueles que assim eram acreditados lhe falavam contudo com a maior boa-fé, como se tais seres terríveis devessem ser da mesma raça. Mesmo julgando-se em companhia de assassinos, um sádico mantém a alma pura, e fica assombrado diante da mentira dessas criaturas, não assassinas de fato, mas que desejam ganhar facilmente um *thune*,[58] em cujas palavras "pai", "mãe" ou "irmã" ora ressuscitam, ora morrem de novo, pois eles se atrapalham na conversa com o freguês a quem desejam agradar. O freguês fica pasmo, em sua ingenuidade, em sua arbitrária concepção do gigolô, pois, deslumbrado com os numerosos homicídios que lhe atribui, escandaliza-se com a contradição e a mentira que surpreende em suas palavras.

Todos pareciam conhecê-lo, e o Sr. de Charlus detinha-se longamente junto a cada um, falando-lhes o que julgava ser a linguagem deles, tanto por uma pretensiosa afetação de cor local, quanto pelo prazer sádico de misturar-se à vida crapulosa. – Tu me dás nojo, vi-te diante do *Olympia* com duas "coroas". Era para ganhar "grana" delas. Estás me traindo. – Felizmente para aquele a quem se dirigia esta frase, não teve tempo de declarar que seria incapaz de receber "grana" das mulheres, o que diminuiria a excitação do Sr. de Charlus e reservou seu protesto para o fim da frase, dizendo: – Oh, não; não o traio de jeito nenhum. – Essa afirmação causou vivo prazer ao Sr. de Charlus e como, apesar de tudo, seu tipo natural de inteligência mostrava-se por trás do que ele afetava, ele voltou-se para Jupien: – É muito amável este rapaz em me dizer isso. E como o diz bem! Julgar-se-ia que é a própria verdade. Afinal de contas, que importa seja ou não verdade, visto que me faz acreditar no que diz? Que lindos olhinhos que ele tem! Veja, meu rapaz, vou te dar

[58] *Thune*, gíria francesa; moeda de cinco francos. (N. do T.)

dois grandes beijos em troca. Pensarás em mim nas trincheiras. É dura demais a vida lá? – Diabos, há dias em que uma granada, passa bem pertinho... – E o rapaz pôs-se a fazer imitações do ruído das granadas, dos aviões etc. – Mas é preciso fazer como os outros, e o senhor pode estar seguro de que iremos até o fim. – Até o fim! Se ao menos a gente soubesse qual é o fim – disse melancolicamente o barão, que era "pessimista". – O senhor não viu o que Sarah Bernhardt falou pelos jornais: "A França irá até o fim. Os franceses se deixarão antes matar até o último homem?" – Não duvido sequer um instante que os franceses bravamente se deixem matar até o último – observou o Sr. de Charlus, como se aquilo fosse a coisa mais simples do mundo, e embora ele próprio não tivesse a menor intenção de fazer fosse o que fosse. Mas, desse modo, desejava corrigir a impressão de pacifista que passava quando não se continha. – Não duvido, mas pergunto-me até que ponto *madame* Sarah Bernhardt está qualificada para falar em nome da França. Mas me parece que não conheço este jovem atraente e delicioso – acrescentou, avistando outro rapaz a quem não conhecia ou que talvez nunca vira. Cumprimentou-o como teria saudado um príncipe em Versalhes e, para aproveitar a ocasião de ter um suplemento grátis de prazer –, como quando eu era pequeno e minha mãe acabava de fazer alguma encomenda no Boissier ou no Gouache, comia um bombom, oferecido pela caixeira, que o tirava de um dos bocais de vidro entre os quais reinava –, segurando a mão do encantador rapaz e apertando-a demoradamente, à maneira prussiana, fixando-o nos olhos e sorrindo por um tempo interminável, como outrora o tempo gasto pelo fotógrafo para tirar retrato quando a luz era ruim. – Senhor, estou encantado em conhecê-lo. Ele tem lindos cabelos – acrescentou, voltando-se para Jupien. A seguir, aproximou-se de Maurice para lhe dar os cinqüenta francos devidos, mas antes abraçando-o pela cintura: – Nunca me disseste que tinhas liquidado uma velha porteira em Belleville. – E o Sr. de Charlus arquejava de êxtase, aproximando o rosto do de Maurice: – Oh, senhor barão – disse o gigolô, a quem haviam esquecido de avisar –, pode acreditar numa coisa dessas? – Ou porque realmente fosse falso, ou porque, sendo verdadeiro, o fato lhe parecesse contudo abominável e daqueles que convém negar: – Eu, tocar num semelhante? Num *boche*, sim, porque estamos em guerra, mas numa mulher, e ainda por cima uma velha! – Essa declaração de princípios virtuosos teve o efeito de uma ducha de água gelada sobre o barão, que se afastou friamente de Maurice, entregando-lhe todavia o seu dinheiro, mas com o ar de despeito de alguém que foi trapaceado, que não quer saber mais de histórias, que paga mas não está contente. A má impressão do Sr. de Charlus aumentou pela maneira como o beneficiário lhe agradeceu, dizendo: – Vou mandar isto para os meus velhos, mas guardarei um pouquinho para o mano, que está no *front*. – Tais sentimentos tocantes desapontaram o barão quase tanto quanto o irritava o sotaque camponês meio artificial do outro. Às vezes, Jupien os avisava que era preciso ser mais perverso. Então um deles, com o ar de quem confessa algo satânico, arriscava: – Ouça, barão, não vai me acreditar, mas, quando era garoto, costumava olhar pelo buraco da fechadura meus pais se beijarem. Viciado, não? O senhor parece achar que é invenção minha, mas não é, juro, acontecia tal e qual eu lhe contei. – E o Sr. de Charlus sentia-se a um tempo exasperado e desesperado por esse esforço artificial de perversidade, que apenas revelava estupidez e inocência. E até o ladrão e o assassino dos mais convictos não o teriam contentado, pois não falam de seus crimes; e, além disso, existe no sádico – por melhor que possa ser, e mais ainda quanto melhor for – uma sofreguidão pelo mal que os malvados, agindo com outros objetivos, não logram satisfazer.

Por mais que o jovem, compreendendo tarde demais o seu erro, dissesse que não ligava para os "tiras" e levasse a audácia a ponto de afirmar ao barão: – Marque um encontro a sós comigo –, o encanto estava quebrado. Percebia-se o simulacro, como nos livros dos autores que se esforçam por escrever em gíria. Em vão o rapaz detalhou suas "safadezas" com a própria mulher. O Sr. de Charlus espantou-se apenas ao verificar como tais safadezas se limitavam a pouca coisa. E não o eram, afinal, só por insinceridade. Nada há mais limitado que o prazer e o vício. Na verdade, pode-se afirmar neste sentido, e mudando o significado da expressão, que giramos sempre no mesmo círculo vicioso.

Se no estabelecimento supunham o barão príncipe, em compensação lamentavam muito a morte de alguém a cujo respeito os gigolôs diziam: – Não sei o nome, parece que é um barão –, e que não era outro senão o príncipe de Foix (o pai do amigo de Saint-Loup). Pensando todos em casa que ele ia muito ao clube, na realidade o príncipe passava horas no estabelecimento de Jupien, tagarelando, contando histórias da sociedade para os malandros. Era um belo homem robusto, como o filho. É incrível que o Sr. de Charlus, sem dúvida porque sempre o conhecera na sociedade, ignorasse que o príncipe partilhava de seus gostos. Chegavam até a dizer que outrora tentara satisfazê-los até com o próprio filho, ainda colegial (o amigo de Saint-Loup), o que provavelmente era falso. Pelo contrário, bem informado acerca dos costumes que muitos ignoram, mantinha grande vigilância quanto às relações do filho. Um dia em que um homem, aliás de origem humilde, seguira o jovem príncipe de Foix até o palacete do pai, onde atirara um bilhete pela janela, o pai o havia apanhado. Mas o perseguidor, embora não fosse, aristocraticamente falando, da mesma sociedade que o Sr. de Foix pai, era-o de outro ponto de vista. Não teve trabalho em encontrar, entre cúmplices comuns, um intermediário que fez o Sr. de Foix calar-se, provando-lhe que fora o rapaz quem provocara aquela audácia do homem mais velho. O que era possível. Pois o príncipe de Foix lograra preservar o filho das más companhias, porém não da hereditariedade. De resto, o jovem príncipe de Foix continuou, como o pai, desconhecido sob tal aspecto das pessoas de sua roda, embora lograsse ir mais longe que ninguém nesse terreno.

– Como ele é simples! Nem parece um barão – disseram alguns convivas quando o Sr. de Charlus saiu, acompanhado até a porta da rua por Jupien, a quem o barão não deixou de se queixar da virtude do rapaz. Pelo ar descontente de Jupien, que devia ter previamente adestrado o moço, percebia-se que o falso assassino receberia logo um tremendo "sabão". – É exatamente o contrário do que me disseste – acrescentou o barão, para que Jupien aproveitasse lição em outra oportunidade. – Ele tem jeito de ser um bom caráter, exprime sentimentos de respeito pela família. – Entretanto, não anda em bons termos com o pai – objetou Jupien – moram juntos, mas servem cada qual num bar diferente. – Evidentemente, era pouco como crime, em comparação com o homicídio, mas Jupien fora tomado de surpresa. O barão não acrescentou coisa alguma, pois, se queria que lhe preparassem os prazeres, procurava dar a si próprio a ilusão de que estes não eram "preparados". – É um verdadeiro bandido; contou aquilo só para enganá-lo, o senhor é muito ingênuo – acrescentou Jupien para se desculpar, conseguindo apenas melindrar o amor-próprio do Sr. de Charlus.

– Parece que ele possui um milhão por dia para gastar – disse o rapaz de vinte e dois anos, a quem esta asserção não parecia inverossímil. Em breve, ouviram o rodar do carro que tinha vindo buscar o Sr. de Charlus não longe dali. Nesse momento, divisei caminhando vagarosamente ao lado de um militar, com quem evidentemente saía de um quarto vizinho, uma pessoa que me pareceu uma senhora bastante idosa, de saia preta. Logo reconheci meu erro: tratava-se de um padre. Era esta coisa rara, e, na França, inteiramente excepcional: um mau padre. Está claro que o militar vinha caçoando do companheiro, da disparidade entre sua batina e seu procedimento, pois este, com ar grave e erguendo para junto de seu rosto hediondo um dedo de doutor em teologia, proferiu sentenciosamente: – Que quer, não sou (eu esperava "um santo") um anjo. – Aliás, já estava de saída e despediu-se de Jupien que, tendo acompanhado o barão, vinha entrando; mas, por distração, o mau padre esquecera de pagar o quarto. Jupien, cujo espírito jamais o abandonava, sacudiu a caixinha em que recolhia a contribuição de cada freguês, fazendo-a soar e dizendo: – Para as despesas do culto, senhor abade! – O vil personagem se desculpou, deu o dinheiro e desapareceu.

Jupien veio me buscar no antro escuro onde eu não tinha coragem de fazer um só movimento. – Fique um instante no vestíbulo, onde os rapazes se banqueteiam, enquanto subo para fechar o quarto; visto que é um inquilino, é muito natural. – O patrão ali se encontrava; paguei-lhe. Nesse momento, um rapaz de *smoking* entrou e perguntou ao patrão com ar autoritário: – Poderei ter Léon amanhã de manhã às quinze para as onze, em vez de às onze, porque vou almoçar fora? – Depende do tempo que o abade estiver com ele – respondeu o patrão. Tal resposta pareceu insatisfatória ao rapaz de *smoking*, que já se mostrava prestes a invectivar o padre. Mas sua cólera tomou outro rumo quando ele me avistou; caminhando direito ao patrão, murmurou em voz baixa porém furiosa: – Quem é? Que significa isso? – O patrão, bastante aborrecido, explicou que minha presença não tinha nenhuma importância, que eu era um inquilino. O rapaz de *smoking* não pareceu de modo algum tranqüilizado com tal explicação. Não cessava de repetir: – É desagradável demais, são dessas coisas que não deveriam acontecer; sabe que detesto isto, e vai fazer tanto que acabarei não botando os pés nunca mais aqui. – Todavia, a execução dessa ameaça não pareceu iminente, pois ele se foi, encolerizado, mas recomendando que Léon tratasse de estar livre às quinze para as onze, se possível dez e meia. Jupien voltou para me buscar e desceu comigo até a rua. – Não gostaria que me julgasse mal – disse ele –, esta casa não me traz tanto dinheiro quanto você pensa; sou forçado a ter locatários honestos, mas é verdade que, somente com eles, não faria nem para as despesas. Aqui é o contrário dos carmelos; é graças ao vício que vive a virtude. Não, se tomei conta desta casa, ou melhor, se a faço administrar pelo gerente que você viu, foi unicamente para prestar um serviço ao barão e distraí-lo na sua velhice. – Jupien não desejava falar apenas das cenas de sadismo, como aquelas a que eu havia assistido, e do exercício mesmo do vício do barão. Este, até para conversar, para ter companhia, para jogar cartas, só se dava bem com gente do povo, que o explorava. Sem dúvida o esnobismo da canalha pode ser tão bem compreendido como o outro. Aliás, por muito tempo se reuniram, alternando um com o outro, na casa do Sr. de Charlus, o qual não achava ninguém bastante refinado para suas relações mundanas, nem bastante apache para as outras. – Detesto o tipo mediano – dizia –, a comédia burguesa é empolada, convêm-me ou as princesas da tragédia clássica ou a farsa grosseira. Nada de meio-termo: *Fedra* ou *Os Saltimbancos*.[59] – Mas, enfim, o equilíbrio entre esses dois esnobismos fora rompido. Talvez cansaço de velho, ou extensão da sensualidade às relações mais corriqueiras, o caso é que o barão só vivia com "inferiores", assumindo assim, sem querer, a sucessão de algum de seus ilustres antepassados, o duque de La Rochefoucauld, o príncipe de Harcourt, o duque de Berry, que Saint-Simon nos mostra passando toda a vida com seus lacaios, que deles extraíam somas enormes, partilhando de suas brincadeiras, a ponto de todos se sentirem constrangidos por esses fidalgos, quando era preciso visitá-los, de encontrá-los familiarmente instalados a jogar cartas ou a beber com a criadagem. – Sobretudo – acrescentou Jupien – para lhe poupar aborrecimentos, porquanto o barão, veja só, é uma criança grande. Mesmo agora, quando tem aqui tudo o que pode desejar, ainda sai por aí à cata de aventuras, bancando o plebeu. E, generoso como é, isto poderia, nos tempos que correm, acarretar-lhe más conseqüências. E não é que outro dia um mensageiro de hotel morria de medo por causa do dinheiro que o barão lhe oferecia para que fosse à sua casa? (Sua casa, que imprudência!) Esse

[59] *Os Saltimbancos*: opereta em três atos e quatro quadros de Maurice Ordonneau, com música de Louis Ganne; estreou em 30 de dezembro de 1899. (N. do T.)

rapaz, que no entanto só gosta de mulheres, ficou tranqüilo quando compreendeu o que desejavam dele. E, ouvindo todas essas promessas de dinheiro, tomara o barão por um espia. E só se sentiu bem à vontade ao ver que não lhe pediam que entregasse a pátria e sim o seu corpo, o que talvez não seja mais moral, mas é menos perigoso e sobretudo mais fácil. – E, ao escutar Jupien, eu dizia comigo mesmo: "Que pena que o Sr. de Charlus não seja romancista ou poeta! Não para descrever o que veria, mas porque a posição assumida por um Charlus, relativamente ao desejo, faz brotar a seu redor os escândalos, força-o a tomar a vida a sério, a colocar emoções no prazer, impede-o de parar, de se imobilizar numa visão irônica e exterior das coisas, sem cessar reabrindo nele uma corrente dolorosa. Quase todas as vezes em que faz uma declaração, sofre um insulto, quando não se arrisca a ser preso." Não apenas a educação das crianças, mas também a dos poetas, faz-se à custa de bofetadas. Se o Sr. de Charlus fosse romancista, a casa de que Jupien cuidava, reduzindo de tal modo os riscos, pelo menos (pois uma batida da polícia era sempre de se temer) aqueles provenientes de indivíduos cuja disposição, na rua, o barão não poderia prever, teria sido para ele uma desgraça. Mas o Sr. de Charlus não passava de um diletante em matéria de arte, não pensava em escrever e nem era dotado para isso.

– Além do mais – continuou Jupien –, devo confessar-lhe que não tenho escrúpulos quanto a esse tipo de lucros. O que se faz aqui não posso lhe esconder que me agrada, é o gosto da minha vida. Ora, é proibido receber um salário pelas coisas que não se julga condenáveis? O senhor é mais instruído do que eu, e me dirá sem dúvida que Sócrates não aceitava receber dinheiro por suas lições. Mas, no nosso tempo, os professores de filosofia não pensam desse modo, nem os médicos, os pintores, os dramaturgos, nem os diretores de teatro. Não pense que este ofício me faça freqüentar exclusivamente canalhas. É claro que o diretor de um estabelecimento deste gênero, como uma grande cocote, não recebe senão homens, porém recebe homens marcantes em todas as categorias, e que, geralmente, acham-se em igualdade de situação entre os mais finos, os mais sensíveis, os mais amáveis de cada profissão. Esta casa se transformaria rapidamente, posso garantir-lhe, num escritório do espírito e numa agência de novidades. – Mas eu, ainda me achava sob a impressão dos golpes que vira assestarem no Sr. de Charlus.

E, para falar a verdade, quem conhecia bem o Sr. de Charlus, seu orgulho, seu tédio dos prazeres mundanos, seus caprichos facilmente mudados em paixões pelos homens de último nível e da pior espécie, podia perfeitamente compreender que a mesma grande fortuna que por sorte coubesse a um arrivista, deslumbrando-o por permitir casar a filha com um duque e convidar altezas para suas caçadas, alegrava o Sr. de Charlus por lhe dar meios de manobrar um, ou talvez muitos bordéis, onde sempre havia vários rapazes com os quais se deleitava. É possível que, mesmo sem o vício, tal acontecesse. Ele era herdeiro de tantos daqueles grãosenhores, príncipes de sangue ou duques, que Saint-Simon afirma não freqüentarem ninguém "que se pudesse nomear", passando todo o seu tempo a jogar cartas com os lacaios aos quais davam somas enormes!

– Enquanto não se transforma – disse eu a Jupien – esta casa é uma coisa bem diversa, pior que um hospício porquanto nela se expõe, reconstitui e se faz visível a loucura dos alienados que aí habitam. É um verdadeiro pandemônio. Pensei, como o califa das *Mil e Uma Noites*, ter chegado na hora exata de socorrer um homem a quem espancavam, e foi outro conto das *Mil e Uma Noites* que vi realizar-se diante de mim, aquele em que uma mulher, transformada em cadela, faz-se surrar espontaneamente para recuperar sua forma primitiva. – Jupien parecia bastante perturbado com minhas palavras, pois compreendia que eu vira o barão ser açoitado. Ficou um instante silencioso, enquanto eu fazia parar um fiacre que passava; depois, subitamente, com o vivo espírito que tantas vezes me surpreendera num homem que se fizera por si mesmo, quando nos recebia, a mim ou a Françoise, no pátio de casa, com palavras tão graciosas, disse: – O senhor fala muito bem dos contos das *Mil e Uma Noites*. Mas sei de um deles que tem alguma ligação com o título de um livro que julgo ter visto na casa do barão – (aludia a uma tradução de *Sésamo e os Lírios*, de Ruskin, que eu enviara ao Sr. de Charlus). – Se algum dia tiver a curiosidade de ver, não digo quarenta, mas dez ladrões, basta aparecer aqui; para saber se estou presente, limite-se a olhar a janela bem no alto; se estiver aberta e iluminada, é sinal que estou, que pode entrar; é o meu "Sésamo" particular. Digo apenas Sésamo. Pois, quanto aos lírios, se é isso o que o senhor deseja, aconselho-o a ir procurá-los em outro lugar. – E, cumprimentando-me com desenvoltura, pois uma freguesia aristocrática e uma súcia de rapazes a quem comandava como um pirata lhe tinham dado uma certa familiaridade, ia despedir-se de mim, quando o barulho de uma detonação, uma bomba a que as sirenes não haviam se antecipado, fez com que me aconselhasse a ficar com ele por um momento. Em breve começaram os tiros de barragem, tão violentos que percebemos que era bem pertinho, bem sobre nossas cabeças, que o avião alemão estava.

Num instante as ruas ficaram completamente às escuras. Só às vezes um avião inimigo, voando bem baixo, iluminava o ponto onde queria lançar uma bomba. Eu já não achava o meu caminho. Pensei naquele dia em que, indo à Raspelière, havia encontrado, como um deus que fizera meu cavalo encabritar-se, um avião. Pensei que agora o encontro seria diferente, que o deus do mal me haveria de matar. Apressei o passo para fugir, como um viajante perseguido pelo macaréu; rodava em círculo nas praças negras, de onde já não podia sair. Por fim, as chamas de um incêndio me iluminaram e pude reencontrar o caminho, enquanto sem cessar estrugiam os tiros de canhão. Porém meu pensamento se desviara para outro assunto. Pensava na casa de Jupien, talvez agora reduzida a cinzas, pois uma bomba caíra bem perto de mim logo que eu acabara de sair de lá; nessa casa sobre a qual o Sr. de Charlus poderia ter profeticamente escrito "Sodoma", como o fizera, com não menor presciência ou talvez no começo da erupção vulcânica e da catástrofe já principiada, o desconhecido habitante de Pompéia. Mas que importavam sirenes e *gothas* àqueles que ali tinham vindo buscar seu prazer? O quadro social e o quadro da natureza que cercam nossos amores, quase nunca neles pensamos. A tempestade ruge sobre o mar, o barco se sacode de todos os lados, do céu precipitam-se avalanchas retorcidas pelo vento, e, apenas para disfarçar o incômodo que nos causa, prestamos um minuto de atenção neste cenário imenso onde somos de tão pouca valia, nós e o corpo de que procuramos nos aproximar. A sirene anunciadora das bombas já não perturbava os convivas de Jupien mais do que o teria feito um *iceberg*. Ainda mais, o perigo físico ameaçador os libertava do temor doentio de que eram perseguidos há muito. Ora, é falso crer que a escala dos medos corresponde à dos perigos que os inspiram. Pode-se ter medo de não dormir e, de forma alguma, de um duelo sério, de um rato e não de um leão. Durante algumas horas, os agentes de polícia só se ocuparam da vida dos habitantes afinal coisa de tão pouca importância, e não se arriscariam desmoralizá-los. Muitas pessoas, mais que para reencontrar liberdade moral, foram tentadas pela escuridão que se fizera subitamente nas ruas. Alguns desses pompeianos, sobre os quais já chovia o fogo do céu, chegaram a descer aos corredores do metrô, negros como catacumbas. De fato, sabiam não estar sozinhos ali. Ora, a escuridão que banha todas as coisas como um elemento novo tem por efeito, irresistivelmente sedutor para certas pessoas, suprimir o primeiro estágio do prazer, permitindo-nos entrar sem demora num domínio de carícias no qual, de costume, só penetramos depois de certo tempo. Que o objeto cobiçado seja de fato uma mulher ou um homem, mesmo supondo-se bem simples a abordagem, e inúteis os galanteios afetados que se eternizariam num salão, existe – ao menos em pleno dia, mas também à noite, mesmo em ruas mal iluminadas – um prólogo, durante o qual só os olhos se regalam, e onde o temor dos transeuntes e da própria criatura desejada impedem que se faça mais que olhar e falar. Na escuridão, todo esse velho jogo se acha abolido, as mãos, os lábios, os corpos podem entrar em jogo em primeiro lugar. Resta a desculpa da escuridão e dos erros que ela engendra, caso sejamos mal recebidos. Se a acolhida for favorável, a resposta imediata do corpo que não se retrai, que se aproxima, dá-nos daquela (ou daquele) a quem nos dirigimos silenciosamente, a impressão de que é criatura destituída de preconceitos, cheia de vícios, impressão que faz aumentar a felicidade de morder o fruto sem precisar cortejá-la com os olhos e sem pedir licença. Entretanto, persiste a escuridão; mergulhados nesse elemento novo, os freqüentadores de Jupien pensavam ter viajado para assistir a um fenômeno natural, como um macaréu ou um eclipse, e saboreando, em vez de um prazer já preparado e sedentário, o do encontro casual em lugar desconhecido, celebravam, sob o estrondar vulcânico das bombas, junto a um bordel pompeiano, ritos secretos nas trevas das catacumbas.

Numa mesma sala, haviam-se reunido muitos homens que não tinham querido fugir. Não se conheciam entre si, porém via-se que pertenciam mais ou menos à mesma sociedade, rica e aristocrática. Todos aparentavam aspecto algo repugnante, devido às concessões aos prazeres ignóbeis. Um deles, indivíduo enorme, apresentava o rosto coberto de manchas vermelhas, como um bêbado. Soube que, a princípio, não o era, e apenas sentia prazer em fazer os rapazes beberem. Mas, aterrorizado pela idéia de ser convocado (embora parecesse ter mais de cinqüenta), como era muito corpulento, pusera a beber sem parar, para tentar ultrapassar o peso de cem quilos, acima do qual as pessoas eram reformadas. E agora, tendo-se mudado em paixão esse plano, logo que o deixavam, logo que relaxavam a vigilância sobre ele, imediatamente, de onde quer que estivesse, corria a uma taberna. Porém, quando falou, percebi que, a despeito de uma inteligência medíocre, era homem de grande saber, educado e culto. Entrou igualmente outro homem da alta sociedade, bem jovem e de extrema distinção física. Na realidade, não havia nele ainda nenhum estigma exterior do vício; porém sentiam-se, o que era mais perturbador, os exteriores. Muito alto, de fisionomia atraente, sua elocução revelava uma inteligência bem diversa da de seu vizinho alcoólatra, e, sem exagero, verdadeiramente notável. Mas a tudo o que dizia acrescentava-se uma expressão que seria apropriada a uma frase diferente. Como se, possuindo a escala completa das expressões do rosto humano, vivesse em outro mundo, usando tais expressões desordenadamente, parecendo distribuir sorrisos e olhares sem relação com as frases que ouvia. Espero que, se vive ainda (como é certo), tenha sido vítima não de um mal crônico, mas de uma intoxicação passageira. É provável que, se se pedisse o cartão de visitas a todos esses homens se verificasse com surpresa pertencerem todos a uma alta classe social. Mas algum vício, e o maior de todos, a falta de vontade que impede se resista a qualquer um, os reunia ali, é verdade que em quartos isolados, mas todas as noites, segundo me disseram; de modo que, se o nome deles era conhecido das mulheres da sociedade, estas aos poucos os haviam perdido de vista, e jamais tinham ocasião de os receberem em suas casas. Eles ainda recebiam convites, porém o hábito os conduzia ao covil heterogêneo. Aliás, pouca reserva guardavam disso, ao contrário dos pequenos mensageiros, operários etc., que serviam aos seus caprichos. E, além de muitos motivos que podemos adivinhar, o seguinte explica essa diferença de procedimento: para um empregado de fábrica, para um criado, ir a semelhante hotel equivalia, para uma mulher honesta, a ir a um bordel. Alguns que confessavam ter ido lá, protestavam jamais ter voltado, e o próprio Jupien, mentindo para proteger-lhes a reputação ou para evitar concorrências, afirmava: – Oh, não! Ele não aparece por aqui, nem gostaria de aqui estar. – Quanto aos homens da alta sociedade, o fato era menos grave, tanto mais que os outros mundanos que ali comparecem não sabem da existência desse lupanar e não se ocupam da vida alheia. Ao passo que, numa empresa de aviação se determinados mecânicos ali comparecem, seus companheiros, espionando-os, por nada no mundo desejariam aparecer ali, de medo de que aquilo se descobrisse.

Sempre me aproximando de casa, ia pensando sobre como a consciência cessa logo de colaborar com nossos hábitos, cujo desenvolvimento deixa correr livremente, e sobre como, por isso mesmo, poderíamos espantar-nos se verificássemos simplesmente do exterior, e supondo que por elas responda o indivíduo como um todo, as ações de homens cujo valor moral ou intelectual pode se desenvolver independente num sentido bem diverso. Tratava-se evidentemente de um vício de educação, ou de ausência de qualquer educação, unido a uma tendência a ganhar dinheiro da maneira, se não a menos penosa (pois muitos trabalhos, afinal de contas, deveriam ser mais suaves; mas o doente, por exemplo, não tece com manias, remédios e privações uma existência muito mais penosa do que o faria a doença, em geral leve, contra a qual ele crê lutar desse modo?), em todo caso a menos trabalhosa possível, que levara esses "rapazes" a praticar, por assim dizer inocentemente, e por um salário vil, coisas que não lhes davam nenhum prazer e que, no começo, deveriam lhes ter inspirado viva repugnância. A julgar por isso, poderiam ter sido considerados essencialmente maus; mas não só foram na guerra soldados maravilhosos, "bravos" incomparáveis, como também muitas vezes, na vida civil, revelaram bons corações, quando não bom caráter. Já não percebiam, depois de muito tempo, o que podia haver de moral ou imoral na vida que levavam, porque esta era a do seu meio. Assim, quando estudávamos certos períodos da história antiga, espantava-nos saber que criaturas individualmente boas participavam sem escrúpulos de assassinatos em massa, de sacrifícios humanos, que provavelmente lhes pareciam coisas naturais.

As pinturas pompeianas da casa de Jupien, aliás, convinham perfeitamente, pelo que recordavam da Revolução Francesa, à época bastante parecida com a do Diretório que ia iniciar-se. Antecipando-se à paz, ocultando-se na obscuridade para não enfrentar muito abertamente as ordens da polícia, já em toda parte novas danças se organizavam, durando a noite inteira. Junto a isso, determinadas opiniões artísticas, menos antigermânicas do que durante os primeiros anos da guerra, corriam livremente para devolver a respiração aos espíritos sufocados, mas, para ousar apresentá-las, era necessário uma patente de civismo. Um professor escrevia um livro notável sobre Schiller e tomava-se conhecimento disso pelos jornais. Mas, antes de falar do autor do livro registrava-se, como uma licença para impressão, que ele combatera no Marne, em Verdun, que fora citado cinco vezes na ordem do dia, e tivera dois filhos mortos na guerra. Então, elogiavam a clareza, a profundez de sua obra sobre Schiller, que se podia qualificar de grande, contanto que se dissesse, em vez de "este grande alemão", "este grande *boche*". Era a palavra de ordem para o artigo, e logo o deixavam passar.

Sem dúvida a nossa época, para quem ler sua história daqui a dois mil anos, dará a impressão de haver mergulhado certas consciências sensíveis e puras num meio vital que surgirá então como sendo monstruosamente pernicioso, mas ao qual elas se acomodavam. Por outro lado, eu conhecia poucos homens, posso dizer mesmo que não conhecia homem algum que, no terreno da inteligência e da sensibilidade, fosse tão dotado como Jupien; porquanto a "liga" deliciosa que compunha a trama espiritual da conversa não lhe provinha de nenhum desses ensinamentos de colégio, de nenhuma dessas culturas universitárias, que poderiam ter feito dele um homem tão notável, quando tantos rapazes da sociedade não tiram disso nenhum proveito. Era o seu simples bom senso inato, seu gosto natural que, das raras leituras que fizera ao acaso, sem orientação, em momentos vagos, tinham-lhe feito compor esse modo de falar tão exato, onde todas as simetrias da linguagem se deixavam descobrir e mostravam sua beleza. Ora, o ofício que ele exercia certamente podia passar, e com justiça, por um dos mais lucrativos, mas também era o mais ignóbil. Quanto ao Sr. de Charlus, ainda que seu orgulho aristocrático pudesse lhe conferir algum desdém pela opinião pública, como não o forçara um certo sentimento de dignidade pessoal e de respeito por si mesmo a recusar à sua sensualidade determinadas satisfações que só a demência total escusaria? Porém nele como em Jupien, o hábito de separar a moralidade de toda uma série de ações (o que, de resto, deve também ocorrer em muitas funções, por vezes a de juiz, outras vezes a de estadista, e muitas outras ainda) devia ser tão antigo que – sem ouvir jamais o senso moral – fora se agravando dia a dia, até que esse Prometeu voluntário se deixara prender pela Força ao rochedo da pura matéria.

É claro que eu sentia que estava ali um novo estágio da doença do Sr. de Charlus, a qual, desde que a identificara e, a julgar pelas diversas etapas que percorrera, prosseguira sua evolução numa velocidade crescente. O pobre barão já não devia estar muito longe do termo, da morte, mesmo se esta, conforme as previsões e os votos da Sra. Verdurin, não fosse precedida pela prisão, o que, na sua idade, aliás só poderia apressar a morte. Todavia, talvez eu tenha dito, sem exatidão: rochedo da pura matéria. Nessa pura matéria possivelmente um pouco de espírito ainda sobrenadaria. Esse louco, apesar de tudo, sabia perfeitamente que era presa de uma loucura e, nesses momentos de lucidez, ainda assim se iludia, pois sabia muito bem que aquele que o flagelava não era mais malvado que o rapazinho que, nas brincadeiras de guerra, é designado pela sorte para fazer o papel de "prussiano" e sobre o qual todos investem num ardor de verdadeiro patriotismo e de cólera fingida. Presa de uma loucura em que, apesar de tudo, havia um pouco da personalidade do Sr. de Charlus. Mesmo em tais aberrações, a natureza humana (como nos amores, nas viagens) deixa perceber ainda a necessidade de crença, pelas exigências de verdade. Françoise, quando eu lhe falava de uma igreja de Milão – cidade que ela, provavelmente, jamais visitaria – ou da catedral de Reims – mesmo que fosse a de Arras! – que ela não poderia ver porquanto se achavam mais ou menos destruídas, invejava os ricos que podem se dar o espetáculo de semelhantes tesouros, e exclamava num acento nostálgico: – Ah, como devia ser bonito! – ela que, morando em Paris há tantos anos, nunca tivera a curiosidade de ir visitar a Notre-Dame. É que a Notre-Dame fazia parte justamente de Paris, a cidade onde transcorria a vida cotidiana de Françoise e onde, por conseguinte, era difícil à nossa velha criada – como seria para mim, se o estudo da arquitetura não me houvesse corrigido em certos aspectos o instinto de Combray – situar os objetos de seus sonhos. Nas pessoas que amamos, existe, a elas imanente, determinado sonho que nem sempre sabemos discernir mas que buscamos alcançar. Fora a minha crença em Bergotte, em Swann, que me fizera amar Gilberte, a minha crença em Gilberto, o Mau, que me fizera amar a Sra. de Guermantes. E que vasta extensão de mar fora reservada no meu amor, mesmo o mais doloroso, o mais ciumento, o mais aparentemente individualizado, por Albertine! Aliás, justamente devido a esse aspecto individual em que nos encarniçamos, os amores pelas pessoas já contêm algo de aberrante. (E as próprias moléstias do corpo, ao menos aquelas que se relacionam mais diretamente ao sistema nervoso, acaso não são uma espécie de gostos ou medos particulares, contraídos pelos nossos órgãos, nossas articulações, que assim parecem ter tomado por certos climas um horror tão inexplicável e obstinado como a predisposição de certos homens pelas mulheres, por exemplo, que usam *lorgnon*, ou pelas amazonas? Esse desejo, despertado sempre à vista de uma amazona, quem sabe a que sonho duradouro e inconsciente está ligado, inconsciente e tão misterioso como o é, por exemplo, para alguém que sofreu a vida inteira de crises de asma, a influência de uma certa cidade, aparentemente igual às outras, e onde pela primeira vez pode respirar livremente?)

Ora, as aberrações são como os amores em que a tara doentia recobriu tudo, a tudo contaminou. Mesmo na mais louca, o amor ainda se reconhece. A insistência do Sr. de Charlus em pedir que lhe atassem aos pés e às mãos anéis de solidez comprovada, em exigir a *barra de justiça*[60] e, pelo que me disse Jupien, ferozes acessórios muito difíceis de obter, mesmo com o auxílio de marinheiros – pois serviam para infligir suplícios cujo emprego já está abolido até a bordo dos navios, onde a disciplina é mais rigorosa –, revelava, no fundo, o seu sonho de virilidade, atestada, se preciso, por atos brutais, e toda a iluminura interior, invisível para nós, mas da qual projetava alguns reflexos, com insígnia de justiça e torturas feudais, decorados por sua imaginação medieval. Todas as vezes que chegava, era com o mesmo sentimento que dizia a Jupien: – Não haverá alerta, ao menos esta noite, pois já me vejo calcinado por esse fogo do céu como um habitante de Sodoma. – E fingia temer os *gothas*, não que sentisse a menor sombra de medo, mas como

[60] *Barra de justiça*: no original, *barre de justice*, termo da Marinha que designa uma barra de ferro empregada em castigos aos marinheiros. (N. do T.)

pretexto para, logo que soavam as sirenes, precipitar-se aos abrigos do metrô, onde esperava tirar algum prazer dos contatos no escuro, com vagos sonhos dos subterrâneos medievais e de *in pace*. Em suma, seu desejo de ser acorrentado, açoitado, traía, apesar de torpe, um sonho tão poético quanto, nos outros, o desejo de ir a Veneza ou de sustentar dançarinas. E o Sr. de Charlus ansiava tanto para que tal sonho lhe desse uma ilusão de realidade, que Jupien teve de vender o leito de madeira do quarto 43 e substituí-lo por uma cama de ferro, mais adequada às correntes.[61]

O toque soou afinal quando eu chegava em casa. O barulho dos bombeiros era comentado por um garoto. Encontrei Françoise subindo da adega com o mordomo. Ela me acreditava morto. Disse que Saint-Loup passara aqui rapidamente, desculpando-se, para ver se, na visita que me fizera de manhã, deixara cair a sua cruz de guerra. Pois acabara de verificar que a perdera e, devendo voltar a seu posto na manhã seguinte, quisera ver se por acaso não teria ficado em minha casa. Procurara-a por toda parte com Françoise e não havia encontrado coisa alguma. Françoise achava que ele a perdera antes de me visitar, pois, dizia, tinha certeza, poderia até jurar que ele já não estava com a cruz quando o vira. No que se enganava. E eis o valor dos testemunhos e das recordações! Ademais, aquilo não tinha muita importância. Saint-Loup era tão estimado por seus oficiais quanto amado pelos subalternos, e o caso facilmente se resolveria.

Além disso, senti logo, pela forma pouco entusiasta com que falaram dele, que Saint-Loup causara uma impressão medíocre em Françoise e no mordomo. Evidentemente, todos os esforços do filho do mordomo e do sobrinho de Françoise para fugir ao serviço militar, Saint-Loup os fizera em sentido oposto e com êxito, buscando sempre expor-se ao perigo. Isto, no entanto, era o que, julgando por si mesmos, nem Françoise nem o mordomo podiam admitir. Estavam convencidos de que os ricos ficavam sempre a salvo de qualquer perigo. De resto, ainda que soubessem da verdade relativamente à coragem de Robert, não se emocionariam. Não chamava os alemães de *boches*, elogiava-lhes a valentia, não atribuía à traição o fato de não termos sido vencedores desde o primeiro dia da guerra. Pois era isso que gostariam de ter ouvido, era isso que lhes teria parecido sinal de bravura. Assim, embora continuassem a procurar a cruz de guerra, achei-os frios a respeito de Robert. Quanto a mim, que suspeitava onde fora esquecida – entretanto, se Saint-Loup se distraíra aquela noite dessa maneira, fora só para passar o tempo, visto que, movido pelo desejo de rever Morel, utilizara todas as suas relações militares para saber em que regimento estaria, a fim de ir vê-lo, recebendo até então respostas contraditórias –, aconselhei-os a que fossem deitar-se. Porém o mordomo

[61] O quarto do Sr. de Charlus era o 14-Bis, não o 43. Este fora dado ao Narrador. (N. do T.)

nunca tinha pressa de deixar Françoise desde que, graças à guerra, encontrara um modo, ainda mais eficaz que a expulsão das freiras e o Caso Dreyfus, de torturá-la. Nessa noite, e de cada vez que estive com eles durante os poucos dias que ainda passei em Paris antes de me internar em outro sanatório, ouvia o mordomo dizer a Françoise, apavorada: – Eles não se apressam, é claro; esperam que a ocasião seja propícia, mas nesse dia tomarão Paris, e aí, nada de piedade! – Jesus, Virgem Maria! – exclamava Françoise – Já não lhes basta a conquista da pobre Bélgica, que sofreu muito com a "invadição".[62] – A Bélgica, Françoise; mas o que eles fizeram na Bélgica não será nada diante do que hão de fazer! – E até, a guerra tendo introduzido no mercado das conversas da gente do povo uma quantidade de palavras de que tinham conhecimento apenas pelos jornais, e de vista, e de que portanto ignoravam a pronúncia, o mordomo acrescentava: – Não posso compreender como o mundo está tão louco... Você verá, Françoise, eles preparam um novo ataque de maior "enverjadura" que todos os outros. – Insurgindo-me, se não em nome da piedade para com Françoise e do bom senso estratégico, ao menos por causa da gramática, e tendo declarado que a pronúncia correta era "envergadura", só consegui fazer com que ele repetisse a Françoise a frase terrível, cada vez que eu entrava na cozinha, pois o mordomo, quase tanto quanto aterrorizar a companheira, sentia-se feliz em mostrar ao patrão que, embora antigo jardineiro de Combray e simples mordomo, ainda assim era bom francês conforme o patrão de Saint-André-des-Champs, e ganhara com a Declaração dos Direitos do Homem o direito de pronunciar "enverjadura" com toda a independência, e de não se deixar governar sobre um ponto estranho a seu serviço e sobre o qual, desde a Revolução, não precisava dar satisfações pois era meu igual.

Tive, portanto, o desgosto de ouvi-lo falar a Françoise de uma operação de grande "enverjadura", com uma insistência destinada a me provar que semelhante pronúncia era o efeito não da ignorância, mas de uma vontade maduramente refletida. Confundia o governo e os jornais num mesmo "se" repleto de desconfiança, dizendo: – Fala-se das perdas dos *boches*, e não das perdas dos nossos; parece que elas são dez vezes maiores. Diz-se que eles estão perdendo o fôlego, que não têm mais nada para comer, e eu acho que têm cem vezes mais comida que nós. Não adianta virem com mentiras. Se não tivessem nada para comer, não combateriam como outro dia, quando assassinaram cem mil rapazes de menos de vinte anos. – Assim, exagerava a todo instante os triunfos alemães, como antigamente fizera o mesmo a respeito dos radicais; ao mesmo tempo, contava as suas atrocidades para que tais triunfos fossem ainda mais penosos a Françoise, a qual já não cessava de exclamar: – Ah, Santa Mãe dos anjos! Ah, Maria, Mãe de Deus! – e, às vezes, para lhe

[62] No original, *envahition* em vez de *envahissement*. Adaptamos. (N. do T.)

ser desagradável de outra maneira, dizia: – Aliás, não valemos mais do que eles, o que estamos fazendo na Grécia corresponde ao que eles fizeram na Bélgica. Você vai ver como o mundo inteiro há de se voltar contra nós e seremos obrigados a lutar com todas as nações –, quando ocorria exatamente o contrário. Nos dias em que eram boas as notícias, desforrava-se afirmando a Françoise que a guerra haveria de durar trinta e cinco anos e, no caso de uma possível paz, esta seria breve e só duraria alguns meses; depois haveria batalhas junto às quais as de hoje não passariam de brinquedos de criança, e findas estas não restaria mais nada da França.

A vitória dos Aliados parecia, se não próxima, ao menos relativamente certa. E, infelizmente, é preciso confessar que o mordomo estava consternado. Pois, tendo reduzido a guerra "mundial", como todas as outras coisas, à que fazia surdamente contra Françoise (de quem aliás gostava, como podemos gostar da pessoa que, diariamente, perdendo no dominó nos dá o prazer de sua irritação), a vitória assumia a seus olhos o aspecto da primeira conversa em que teria o desgosto de ouvir Françoise dizer: – Enfim, está acabado, e eles vão ter de nos pagar mais caro do que lhes pagamos em 1870. – De resto, ele acreditava que esse desenlace fatal chegaria, pois um patriotismo inconsciente o fazia crer, como a todos os franceses vítimas da mesma miragem que eu desde que caí doente, que a vitória – como a minha cura – era já para o dia seguinte. Antecipando-se, anunciava a Françoise que essa vitória talvez ocorresse, mas que seu coração sangrava, pois a revolução viria logo, e depois a invasão. – Ah, dessa maldita guerra os *boches* serão os únicos a se recuperarem depressa, Françoise; já ganharam centenas de milhões. Mas que nos estendam um só tostão, que esperança! Os jornais vão dizer que deram – acrescentava por prudência, e para precaver-se contra qualquer eventualidade –, para acalmar o povo, como fizeram há três anos, ao dizerem que a guerra acabaria no dia seguinte. – Françoise impressionava-se tanto mais com essas palavras quanto, de fato, tendo acreditado nos otimistas e não no mordomo, via que a guerra, que julgava dever terminar em quinze dias apesar da "*invadição* da pobre Bélgica", durava sempre e parecia estacionária, pelo fenômeno, que não compreendia, de fixação das frentes, e que, afinal, um dos inúmeros "afilhados", a quem dava tudo quanto ganhava de nós, garantia-lhe que escondiam uma coisa e outra. – Tudo isso recairá sobre o operário – concluía o mordomo. – Tomarão as suas terras, Françoise. – Ah, Senhor Deus! – Mas a essas desgraças longínquas, ele preferia as mais próximas e devorava os jornais na esperança de anunciar uma derrota a Françoise. Esperava as más notícias como se fossem ovos de Páscoa, na expectativa de serem bastante sérias para aterrorizar Françoise, mas não tanto que causassem a ele danos materiais. Assim é que um ataque de dez zepelins o deixaria encantado por ver Françoise esconder-se nas adegas, e porque estava convencido de que, numa cidade tão grande como Paris, as bombas não iriam cair justamente sobre a nossa casa.

Além disso, Françoise começava a retomar, de vez e quando, o seu pacifismo de Combray. Chegava quase duvidar das "atrocidades alemãs". – No começo da guerra nos diziam que os alemães eram assassinos, malfeitores, verdadeiros bandidos, *bbboches*... – (Se colocava diversos *bb* em *boches*, era porque a acusação de que os alemães fossem assassinos lhe parecia, afinal de contas, bem plausível, mas a de que fossem *boches* quase inverossímil devido à sua enormidade. Apenas, era muito difícil compreender que sentido misteriosamente pavoroso ela atribuía à palavra *boche*, pois se tratava do princípio da guerra, e também por causa do ar de dúvida com que pronunciava essa palavra. Pois a dúvida de que os alemães fossem criminosos podia, na verdade, ser mal fundada, mas não guardava em si, do ponto de vista da lógica, nenhuma contradição. Porém como duvidar que fossem *boches*, visto que precisamente este vocábulo, na linguagem do povo, quer dizer alemão? Talvez não fizesse Françoise mais que repetir, em estilo indireto, as frases violentas que ouvira então, e nas quais uma energia especial acentuava o termo *boche*.) – Acreditei nisso tudo – dizia ela –, mas me pergunto ainda agora se não somos tão velhacos feito eles. – Essa idéia blasfema fora preparada sorrateiramente em Françoise pelo mordomo, o qual, vendo que sua companheira mostrava uma certa inclinação pelo rei Constantino da Grécia, não deixara de lho pintar privado por nós de alimentos até o dia em que cedesse. Assim, a abdicação do soberano emocionara fortemente Françoise, que chegava ao ponto de declarar: – Não valemos mais do que eles. Se estivéssemos na Alemanha, faríamos outro tanto.

Aliás, eu a vi poucas vezes durante esses dias, pois ela estava quase sempre em casa daqueles seus primos de que certa ocasião mamãe me havia dito: – Mas sabes que eles são mais ricos que tu. – Ora, vimos então esta coisa tão bonita, freqüente em todo o país por aquela época, e que, se houvesse um historiador para lhe perpetuar a recordação, testemunharia a grandeza da França, sua grandeza de alma, sua grandeza segundo Saint-André-des-Champs, a fim de animar tanto os civis sobreviventes na retaguarda quanto os soldados tombados no Marne. Um sobrinho de Françoise, morto em Berry-au-Bac, era-o também desses primos milionários dela, antigos proprietários de botequins, há muito retirados dos negócios depois de fazerem fortuna. Fora morto, e era um pequeno negociante pobre que, mobilizado aos vinte e cinco anos, deixara sozinha a jovem esposa para gerir o pequeno bar, para onde esperava voltar em poucos meses. Fora morto. E então viu-se isto. Os primos milionários de Françoise, e que não tinham parentesco algum com a moça, viúva de seu sobrinho, haviam deixado o campo, onde há dez anos descansavam, e recomeçaram a trabalhar sem querer ganhar um tostão; todos os dias, às seis da manhã, a mulher milionária, uma verdadeira dama, estava vestida, bem como a filha "senhorita", ambas prontas para ajudar a sobrinha e prima por afinidade. E fazia três anos que lavavam copos e atendiam à freguesia, da manhã às nove e meia da noite, sem um dia de descanso. Neste livro, onde não há um fato que não seja inventado, nem uma só personagem à *clef*, onde tudo foi criado por mim segundo as necessidades do que pretendia demonstrar, devo confessar, em louvor de minha terra, que só os parentes milionários de Françoise, renunciando ao descanso, para ajudar a sobrinha sem arrimo, só eles são pessoas reais existentes. E persuadido de que sua modéstia não ficará ofendida, visto que jamais lerão este livro, é com prazer infantil e uma profunda emoção que, não podendo citar os nomes de tantos outros que devem ter agido da mesma forma, e graças aos quais a França sobreviveu, declaro aqui seu nome verdadeiro: eles se chamam Larivière, sobrenome aliás bem francês. Se houve gente infame que se furtou ao alistamento, como o arrogante rapaz de *smoking* que eu vira no estabelecimento de Jupien, e cuja única preocupação era saber se poderia contar com Léon às dez e meia "porque ia almoçar no centro da cidade", essa gente era compensada pela multidão inumerável de todos os franceses de Saint-André-des-Champs, por todos os sublimes soldados aos quais igualo os Larivière.

O mordomo, para atiçar as inquietações de Françoise, mostrava-lhe velhos exemplares da revista *Leitura para Todos,* que havia encontrado, e em cujas capas (esses números datavam de antes da guerra) figurava a "família imperial da Alemanha". – Eis o nosso patrão de amanhã – dizia ele a Françoise, mostrando-lhe "Guilherme". Ela arregalava os olhos, passava depois à personagem feminina ao lado, e dizia: – Eis a "Guilhermina!" – Quanto a Françoise, seu ódio pelos alemães era extremo; só era atenuado pelo que lhe inspiravam nossos ministros. E não sei se ela desejava com maior ardor a morte de Hindenburg ou de Clemenceau.

Minha partida de Paris foi retardada por uma notícia que pela mágoa que me causou, me fez durante algum tempo incapaz de me pôr a caminho. Com efeito, soube da morte de Robert de Saint-Loup, baleado dois dias após o seu regresso ao *front*, ao proteger a retirada de seus homens. Jamais homem algum tivera menos que ele ódio a um povo (e quanto ao imperador, por motivos particulares, e talvez falsos, pensava que Guilherme II antes buscara evitar a guerra do que desencadeá-la). E também nenhum ódio ao germanismo; as últimas palavras que lhe ouvira, seis dias atrás, eram as que principiam um *lied* de Schumann e que ele me cantarolava na minha escada, em alemão, embora, devido aos vizinhos, eu o fizesse calar-se. Habituado pela excelente educação a podar sua conduta de qualquer apologia, de toda invectiva, de qualquer excesso verbal, tinha evitado, diante do inimigo, como no momento da mobilização, o que pudesse assegurar a sua vida, levado por aquele esquecimento de si mesmo diante dos outros, que todas as suas maneiras simbolizavam, até mesmo o seu modo de fechar a portinhola do meu fiacre quando, sem chapéu, me acompanhava sempre que eu saía de sua casa. Durante vários dias fiquei fechado no meu quarto, pensando nele. Lembrava-me de sua chegada, pela primeira vez, em Balbec, quando, com roupa de flanela clara, e olhos esverdeados e irrequietos como o mar, atravessara o *hall* contíguo à sala de jantar, cujas janelas envidraçadas davam para o mar. Recordava-me da criatura tão especial que ele me parecera então, e da qual eu tanto desejava ser amigo. Tal desejo se realizara muito além do que eu poderia imaginar, sem todavia me dar quase nenhum prazer àquela época, e logo me apercebi de todos os excelentes méritos, e também de outra coisa, ocultos sob aquela aparência elegante. Tudo isso, o bom e o mau, ele esbanjara sem conta, todos os dias, e sobretudo no último, ao atacar uma trincheira, por generosidade, pondo a serviço dos outros tudo o que possuía, como certa noite em que pulara sobre os canapés do restaurante para não me incomodar. E, afinal, tê-lo visto tão poucas vezes, em lugares tão variados, em circunstâncias tão diversas e separadas por tantos intervalos, naquele *hall* de Balbec, no café de Rivebelle, no quartel de cavalaria e nos jantares militares em Doncières, no teatro onde ele esbofeteara um jornalista, na casa da princesa de Guermantes – só fazia dar-me de sua vida quadros mais impressionantes, mais nítidos, e de sua morte um desgosto mais lúcido do que os deixados em geral por pessoas mais amadas, mas vistas tão continuamente que a imagem que delas guardamos não passa de uma vaga média de uma infinidade de imagens insensivelmente diversas, e que também a nossa afeição, saciada, não alimenta a seu respeito, ao contrário dos que só avistamos em momentos fugidios, nos encontros interrompidos a seu e a nosso pesar, a ilusão da possibilidade de um afeto maior frustrada apenas pelas circunstâncias. Poucos dias depois daquele em que o vira correndo atrás de seu monóculo, e imaginando-o então muito altivo, naquele *hall* em Balbec, havia uma outra forma viva, que eu tinha avistado pela primeira vez na praia de Balbec, e que agora também só existia em estado de recordação: era Albertine, pisando a areia naquela tarde inicial, indiferente a todos, e marítima como uma gaivota. A ela, eu a havia amado logo, tanto que, para passear todos os dias em sua companhia, nunca fui, de Balbec, visitar Saint-Loup. E, no entanto, a história de minhas relações com ele testemunhava também que, em certa época, eu deixara de amar Albertine, pois, se fora me instalar durante algum tempo perto de Robert, em Doncières, movera-me o desgosto de não ver correspondido o meu amor pela duquesa de Guermantes. Sua vida e a de Albertine, tão tarde por mim conhecidas, ambas em Balbec, e tão depressa terminadas, mal se haviam cruzado; fora ele, repetia comigo mesmo, ao ver que as lançadeiras ágeis do tempo tecem fios entre as lembranças que a princípio nos pareciam as mais independentes, fora ele que eu havia enviado à casa da Sra. Bontemps quando Albertine me deixara. E depois, acontecia que suas duas vidas tinham segredos paralelos de que eu não suspeitara. O segredo de Saint-Loup me causava agora talvez mais tristeza que o de Albertine, cuja vida se me tornara tão estranha. Mas eu não podia me consolar que ambas houvessem sido tão breves. Ambos, muitas vezes, diziam-me, cercando-me de atenções: – Você, que é doente. – E eles é que haviam morrido, eles de quem eu podia evocar, separadas afinal por um intervalo tão curto, a imagem última, na trincheira, no rio, da primeira imagem, que, mesmo no caso de Albertine, só valia agora para mim por associar-se à do sol poente no mar.

A morte de Saint-Loup foi recebida por Françoise com mais pesar do que a de Albertine. Adotou imediatamente o seu papel de carpideira e celebrou a memória do morto com lamentos e cantilenas desesperados. Exibia a sua mágoa e só assumia um ar seco, virando o rosto, quando eu deixava perceber a minha, que fingia não notar. Pois como a muitas pessoas nervosas, o nervosismo alheio, sem dúvida muito parecido ao seu, a horrorizava. Gostava agora de evidenciar seus mais leves torcicolos, uma tontura, um esbarrão. Mas, se eu falava de um de meus males, voltando a ser grave e estóica, fingia não ouvir.

– Pobre marquês – dizia ela, embora não pudesse deixar de pensar que ele teria feito o impossível para não partir e, uma vez mobilizado, para fugir diante do perigo. – Pobre senhora! – dizia, pensando na Sra. de Marsantes. – Como não deve ter chorado ao saber da morte do seu menino! Ainda se o tivesse podido ver; mas deve ter sido melhor assim, porque ele tinha o nariz partido em dois, estava todo desfigurado. – E os olhos de Françoise se enchiam de lágrimas, através das quais, entretanto, aguçava-se a curiosidade malsã da camponesa. É claro que Françoise lastimava a dor da Sra. de Marsantes de todo o coração, mas lamentava não conhecer a forma que assumira essa dor, assistir ao espetáculo de sua aflição. E como gostaria de chorar, e que eu a visse chorando, disse para se comover: – Isso mexe comigo! – Em mim, ela também espreitava os sinais de dor com uma avidez que me levou a simular uma certa secura ao falar de Robert. E, sem dúvida, mais por espírito de imitação, pois já ouvira falar nisso, visto existirem clichês tanto nas cozinhas quanto nos cenáculos, ela repetia, não sem todavia pôr na frase a satisfação do pobre: – Toda a sua riqueza não o impediu de morrer como qualquer outro, e ela já não lhe serve para nada. – O mordomo aproveitou a ocasião para dizer a Françoise que aquilo, sem dúvida, era triste, mas não representava nada diante dos milhões de homens que tombavam todos os dias, malgrado os esforços do governo para esconder esse fato. Mas, dessa vez, o mordomo não conseguiu aumentar a dor de Françoise, como pensara. Pois ela lhe respondeu: – É verdade que eles morrem assim pela França, mas são desconhecidos; é sempre mais interessante quando se trata de pessoas que conhecemos. – E Françoise, que sentia prazer em chorar, ainda acrescentou: – Não deixem de me avisar se falarem da morte do marquês nos jornais.

Robert muitas vezes me dissera com tristeza, bem antes da guerra: – Oh, não falemos da minha vida, sou um homem previamente condenado. – Aludiria ele ao vício, que até então conseguira ocultar a todos, mas cuja gravidade conhecia, talvez exagerando-a, como os adolescentes que fazem amor pela primeira vez, ou que, antes disso, buscam o prazer solitário, imaginando-se semelhantes às plantas, que não podem disseminar seu pólen sem logo depois morrer? Talvez esse exagero proviesse, em Saint-Loup como nos adolescentes, tanto da idéia do pecado, com a qual ainda não se está familiarizado, quanto do fato de sensações inteiramente novas possuírem uma força quase terrível, que a seguir se irá atenuando. Ou, então, teria, justificando-o se preciso com o exemplo da morte do pai, falecido tão jovem, o pressentimento de seu fim prematuro? Sem dúvida, um tal pressentimento parece impossível. Entretanto, a morte se afigura sujeita a certas leis. Dir-se-ia muitas vezes, por exemplo, que as criaturas nascidas de pais falecidos muito velhos ou bem jovens estão quase forçadas a desaparecer na mesma idade, os primeiros arrastando até os cem anos desgostos e enfermidades incuráveis, e os outros, apesar de uma existência higiênica e feliz, arrebatados na data inevitável e prematura por um mal tão oportuno e tão acidental (embora com profundas raízes no seu temperamento) que parece exclusivamente a formalidade necessária à realização da morte. E não seria possível que a própria morte acidental – como a de Saint Loup – ligada aliás ao seu caráter talvez por maior número de aspectos do que julguei ter o dever de dizer – fosse também previamente inscrita, conhecida apenas dos deuses, invisível aos homens, porém revelada por uma tristeza meio inconsciente, meio consciente (e, ainda neste caso, expressa aos outros com a sinceridade completa com que anunciamos desgraças às quais, em nosso foro íntimo, julgamos escapar e que todavia acontecerão), própria de quem traz em si e sem cessar vislumbra, como um marco, uma data fatal?

Saint-Loup devia ter sido belo naquelas últimas horas. Ele, que sempre parecera, na vida, mesmo sentado, mesmo caminhando num salão, conter em si o impulso de uma carga; dissimulando sob o sorriso a vontade indomável a lhe transparecer na cabeça triangular, lançara-se enfim à carga. Desembaraçado de seus livros, o torreão feudal voltara a ser militar. E esse Guermantes morrera mais ele mesmo, ou melhor, mais de sua raça, em que se criara, na qual não era mais que um Guermantes, como ficou simbolicamente claro no seu enterro, na igreja de Saint-Hilaire, em Combray, toda forrada de preto, e onde se destacava em vermelho, sob a coroa fechada, sem iniciais de prenomes nem de títulos, o G do Guermantes que pela morte ele voltara a ser.

Mesmo antes de ir a esse enterro, que não se realizou imediatamente, escrevi a Gilberte. Talvez devesse ter escrito à duquesa de Guermantes, pensava comigo que ela acolheria a morte de Robert com a mesma indiferença que eu a vira manifestar pela de tantos outros que haviam parecido estar tão estreitamente ligados à sua vida, procurando, com seu jeito mental de Guermantes, mostrar-se imune à superstição dos laços de sangue. Eu sofria demais para escrever a todos. Pensara outrora que ela e Robert se amavam no sentido em que se diz da amizade entre mundanos, isto é, que, quando juntos, trocavam palavras ternas, sinceras naquele momento. Mas, longe dela, Saint-Loup não hesitava em declará-la idiota, e ela, se sentia às vezes um prazer egoísta em vê-lo, já se me mostrara incapaz de dar-se ao menor incômodo, de empregar, mesmo ligeiramente que fosse, o seu prestígio para lhe prestar um serviço, até mesmo para lhe poupar alguma infelicidade. A malvadez de que dera provas a seu respeito, recusando recomendá-lo ao general de Saint-Joseph quando Robert ia voltar para Marrocos, provava que o devotamento que lhe demonstrara por ocasião de seu matrimônio não passara de uma espécie de compensação que nada lhe custava. Assim, fiquei muito assombrado ao saber, achando-se ela doente quando Robert morreu, que todos se haviam julgado no dever de lhe ocultar durante vários dias, sob os pretextos mais falaciosos, os jornais que a teriam informado sobre essa morte, a fim de lhe poupar o choque que havia de sentir. Porém minha surpresa aumentou quando soube que, ao ter conhecimento da verdade, a duquesa chorou um dia inteiro, ficou de cama, e levou muito tempo – mais de uma semana, era muito tempo para ela – para se consolar. Ao saber desse desgosto, fiquei comovido. Todo mundo, por isso, repetiu, e eu afirmei, que havia entre eles uma grande amizade. Mas, lembrando-me das pequenas maledicências, da má vontade em prestarem serviço um ao outro que esta incluía, convenci-me do pouco valor que se dá a uma grande amizade entre mundanos.

Além disso, pouco depois, numa circunstância historicamente mais importante, embora me tocasse menos ao coração, a Sra. de Guermantes mostrou-se, em minha opinião, sob uma luz ainda mais favorável. Ela que, em solteira, se estão lembrados, dera provas de tanta ousadia impertinente quanto à família imperial russa, e que, casada, falara-lhes sempre com uma liberdade que por vezes a fazia ser acusada de falta de tato, foi talvez a única, após a Revolução Russa, a dar provas, quanto aos grão-duques e às grã-duquesas, de um devotamento sem limites. No próprio ano que havia precedido a guerra, ela irritara muitíssimo a grã-duquesa Wladimir por tratar sempre a condessa de Hohenfelsen, esposa morganática do grão-duque Paul, de "grã-duquesa Paul". O que não a impediu de, logo que rebentou a Revolução Russa, importunar o nosso embaixador em Petersburgo, Sr. Paléologue ("Paléo" para o mundo diplomático, que também tem suas abreviações pretensamente espirituosas, como o outro), com telegramas, para ter notícias da grã-duquesa Marie Pavlovna. E por muito tempo, as únicas mostras de respeito e simpatia que sem cessar recebeu essa princesa lhe vieram exclusivamente da Sra. de Guermantes.

Saint-Loup causou, se não por sua morte, ao menos pelo que havia feito nas semanas precedentes, desgostos maiores que os da duquesa. Com efeito, já no dia seguinte à noite em que o vira, e dois dias depois que Charlus dissera a Morel: "Eu me vingarei", os passos que Saint-Loup dera para reencontrar Morel tiveram êxito; ou seja, levaram o general, sob cujas ordens deveria servir Morel, a verificar que ele era um desertor, fizeram-no procurá-lo e mandar prendê-lo e, para se desculpar junto a Saint-Loup do castigo que ia sofrer alguém que lhe interessava, escrevera-lhe uma carta para avisá-lo do fato. Morel não teve dúvidas de que sua prisão fora provocada pelo rancor do Sr. de Charlus. Lembrou-se das palavras: "Eu me vingarei", pensou que era esta a vingança, e pediu para fazer revelações. – Sem dúvida – declarou –, eu desertei. Mas, se me desencaminharam, de quem é a culpa? – Sobre o Sr. de Charlus e sobre o Sr. de Argencourt, com quem também estava rompido, narrou histórias que na verdade não o implicavam diretamente, mas que estes, na dupla indiscrição dos amantes e dos invertidos, haviam lhe contado, o que causou a um tempo a prisão do Sr. de Charlus e do Sr. de Argencourt. Tal prisão afligiu talvez menos a ambos do que a certeza de serem rivais ignorados um do outro, e de muitos mais, numerosos, obscuros, diários, provenientes da sarjeta, conforme provou o processo. Aliás, foram logo soltos. Morel também, porque a carta escrita a Saint-Loup pelo general lhe foi reenviada com a seguinte menção: "Falecido, morto no campo de honra." Em atenção ao defunto, o general quis fazer que Morel fosse simplesmente enviado para o *front*; aí Morel portou-se com bravura, escapou a todos os perigos e, terminada a guerra, regressou com a cruz que o Sr. de Charlus outrora solicitara em vão para ele, indiretamente devida à morte de Saint-Loup.

Desde então pensei muitas vezes, ao lembrar-me dessa cruz de guerra perdida no estabelecimento de Jupien, que, se Saint-Loup tivesse sobrevivido, poderia facilmente eleger-se deputado nas eleições que se seguiram à guerra, pois, se, graças à escuma de futilidade e ao reflexo da glória deixados por esta em seu rastro, um dedo a menos, abolindo séculos de preconceitos, dava acesso a uma família aristocrática, por meio de um brilhante casamento, a cruz de guerra, mesmo ganha em escritórios, bastava para fazer alguém ter assento, numa eleição triunfal, à Câmara dos Deputados, quase na Academia Francesa. A eleição de Saint-Loup, devido à sua "santa família", teria feito o Sr. Arthur Meyer derramar ondas de lágrimas e tinta. Mas talvez ele amasse demais o povo para conseguir obter-lhe os sufrágios, embora certamente lhe fossem perdoadas, em atenção a seus títulos de nobreza, suas idéias democráticas. Saint-Loup, sem dúvida, as teria exposto com sucesso diante de uma câmara de aviadores. Com certeza, esses heróis o teriam compreendido, bem como alguns raros espíritos elevados. Mas, devido ao apaziguamento do Bloco Nacional, voltaram à vida política os velhos corruptos, que sempre são reeleitos. Os que não puderam entrar para uma câmara de aviadores, mendigaram, ao menos para entrar para a Academia Francesa, os votos dos marechais, de um presidente da República, de um presidente da Câmara etc. Não teriam sido favoráveis a Saint-Loup, mas eram-no a outro *habitué* de Jupien, o deputado da Ação Liberal, que foi reeleito sem concorrente. Não deixava o uniforme de oficial do exército territorial, embora a guerra já tivesse acabado há muito. Sua eleição foi saudada com alegria por todos os jornais que tinham feito a "união" em torno de seu nome, pelas damas nobres e ricas que, pelo senso das conveniências e medo aos impostos, só usavam roupa muito modesta, ao passo que os homens da Bolsa não cessavam de adquirir diamantes, não para suas esposas, e sim porque, tendo perdido toda a confiança no crédito de todo e qualquer povo, refugiavam-se nessa riqueza palpável e, assim, faziam subir acima de mil francos a cotação do De Beers. Tanta estupidez irritava um pouco mas perdoou-se ao Bloco Nacional quando, subitamente, apareceram as vítimas do bolchevismo, as grã-duquesas em farrapos, cujos maridos e filhos tinham sido assassinados, aqueles em trabalhos forçados, e estes depois de terem sido deixados sem comida, foram apedrejados e atirados aos poços, pois se acreditava que estivessem pestosos e podiam transmitir a enfermidade. Os que lograram fugir reapareceram de súbito...

* * *

A nova casa de saúde a que me recolhi também não conseguiu, como a primeira, obter minha cura. E muitos anos se passaram antes que a deixasse. Durante a viagem de trem em que afinal regressei a Paris, a idéia de que não possuía dotes literários, o que havia descoberto outrora nas redondezas de Guermantes, que reconhecera com mais tristeza ainda em meus passeios diários com Gilberte antes de voltar para jantar, já noite fechada, em Tansonville, e que na véspera de deixar aquela propriedade mais ou menos identificara, ao ler algumas páginas do diário dos Goncourt, com a vaidade, com a mentira da literatura, essa idéia, menos dolorosa talvez, porém mais melancólica, se a atribuía não a uma deficiência peculiar a mim, mas à inexistência do ideal em que acreditara, essa idéia, que de há muito não me vinha à cabeça, assaltou-me de novo e com uma força mais acabrunhadora que nunca. Lembro-me, foi numa parada do trem em pleno campo. O sol iluminava até a metade do tronco um renque de árvores que margeava a estrada de ferro. "Árvores – pensei –, vocês nada mais têm a dizer-me, meu coração secou e já não as ouve. No entanto, aqui estou em plena natureza, pois sim, e é com frieza, com tédio, que meus olhos observam a linha que vos separa a fronde luminosa do tronco ensombrecido. Se alguma vez pude julgar-me poeta, o fato é que hoje sei que o não sou. Talvez na nova etapa que se abre em minha vida, tão ressequida, os homens possam inspirar-me o que já não me diz a natureza. Porém os anos em que eu talvez tivesse sido capaz de celebrá-la não voltarão jamais." Mas, ao dar-me o consolo de que uma observação humana possível viesse substituir uma inspiração impossível, sabia tratar-se apenas de um consolo, sobre cujo valor não me iludia. Se de fato eu possuía uma alma de artista, que prazer não sentiria diante dessa fileira de árvores iluminadas pelo sol poente, diante dessas florzinhas do declive que se erguiam até quase o estribo do vagão, das quais poderia contar as pétalas, evitando contudo descrever-lhe a cor como o fariam tantos bons literatos; pois é possível esperar transmitir ao leitor um prazer que não se sentiu?

Um pouco depois havia visto, com a mesma indiferença, as pastilhas de ouro e laranja com que o sol enchia as janelas de uma casa; e, por fim, como a hora já ia adiantada, eu vira uma outra casa que parecia construída com uma substância de um róseo muito estranho. Mas fizera estas várias observações com a mesma indiferença absoluta com que, se estivesse passeando num jardim com uma senhora, veria uma folha de vidro e, mais adiante, um objeto de matéria análoga ao alabastro, cuja cor desusada não me venceria o mais langoroso tédio, mas, por polidez para com a companheira, para dizer alguma coisa, e também para mostrar que havia reparado nessa cor, designasse de passagem o vidro colorido e o pedaço de estuque. Da mesma forma, por desencargo de consciência, assinalei para mim mesmo, como para alguém que me houvesse acompanhado e que fosse capaz de extrair mais satisfação daquilo, os reflexos de fogo nas vidraças e a transparência rósea da casa. Mas o companheiro a quem eu havia mostrado esses efeitos curiosos, era sem dúvida de natureza bem menos entusiasta que muitas pessoas cordiais, que um tal espetáculo deslumbra, pois tomara conhecimento dessas cores sem qualquer mostra de satisfação.

Minha longa ausência de Paris não impedira que velhos amigos continuassem, visto que meu nome figurava em suas listas, a me enviar convites religiosamente; e quando, ao entrar em casa, vi que um deles era para um chá dado pela Berma em honra da filha e do genro, e outro, para uma vesperal que devia ocorrer no dia seguinte em casa do príncipe de Guermantes, as tristes reflexões que havia feito no trem não foram um dos menores motivos que me aconselharam a comparecer a ela. Não vale a pena, verdadeiramente, disse comigo mesmo, privar-me de levar uma vida de homem de sociedade, já que o famoso "trabalho" ao qual penso todos os dias, há tanto tempo, consagrar-me no dia seguinte, não estou, ou já não estou, em condições de fazê-lo, e talvez ele mesmo já não corresponda a nenhuma realidade. No fundo, este motivo era inteiramente negativo e extraía seu valor apenas daqueles que me poderiam afastar desse concerto mundano. Mas o que me fez resolver ir foi esse nome de Guermantes, de há muito afastado de meu espírito, para que, lido num convite, despertasse-me um vislumbre de atenção, suscitasse, nos recessos da memória, um retalho de seu passado envolto em todas as imagens de floresta senhorial ou de floridos arbustos que então o escoltavam, e retomasse para mim o encanto e o significado que eu lhe atribuía em Combray, quando ao passar, de volta a casa, na rua de l'Oiseau, eu via de fora, como uma laca escura, o vitral de Gilberto, o Mau, senhor de Guermantes. Por um momento, os Guermantes me haviam parecido de novo bem diversos das pessoas da sociedade, incomparáveis a elas, nem a nenhum ser vivo, ainda que fosse um soberano: reapareciam-me como surgidos da fecundação do ar ácido e ventoso da sombria cidade de Combray, onde transcorrera a minha infância, pelo passado que, à altura do vitral, aí se avistava na ruazinha. Tinha vontade de ir à casa dos Guermantes como se isso devesse me aproximar da infância e das profundezas da memória onde a avistava. E continuara a reler o convite até o momento em que, revoltadas, as letras que compunham esse nome tão familiar e misterioso, como o próprio nome de Combray, retomassem a sua independência e desenhassem ante meus olhos cansados um nome que eu não conhecia. Tendo Mamãe ido precisamente a um chá em casa da Sra. Sazerat, reunião que de antemão sabia ser muito aborrecida, não tive nenhum escrúpulo em ir à recepção da princesa de Guermantes.

Tomei um carro para ir à casa do príncipe, que não morava mais no antigo palacete e sim num outro, magnífico, que mandara construir na avenida do Bois. Um dos erros dos mundanos é não compreender que, se desejam que acreditemos neles, é necessário primeiro que acreditem em si mesmos, ou, pelo menos, que respeitem os elementos essenciais de nossa crença. No tempo em que eu acreditava, mesmo sabendo que não era assim, que os Guermantes moravam em determinado palácio em virtude de um direito hereditário, penetrar no palácio do feiticeiro ou da fada, mandar que se abrissem para mim as portas que só cedem quando se pronuncia a fórmula mágica, parecia-me tão difícil como obter uma entrevista com o próprio feiticeiro ou a própria fada. Nada mais fácil do que me fazerem crer que o velho criado, contratado na véspera, ou fornecido por Potel e Chabot,[63] era filho, neto, descendente dos que serviam a família bem antes da Revolução, e com infinita boa vontade eu chamava retrato de antepassado o que fora adquirido no mês anterior na casa de Bernheim o jovem. Mas um feitiço não se transporta, as lembranças não podem se dividir, e do príncipe de Guermantes, agora que ele próprio destruíra as ilusões da minha fé indo morar na avenida do Bois, já não restava grande coisa. Os tetos que eu receara ver desabarem ao anúncio do meu nome, e sob os quais ainda flutuaria, para mim, muito do encanto e dos temores de outrora, cobriam os saraus de uma americana que não me interessava. É claro que as coisas não têm poder em si mesmas, e, visto sermos nós que lho conferimos, um jovem colegial burguês devia naquele momento, diante do palacete da avenida do Bois, ter os mesmos sentimentos que eu, outrora, diante do antigo palacete do príncipe de Guermantes. É que ele ainda se encontrava na idade das crenças, que eu já ultrapassara, perdendo esse privilégio, como, depois da primeira juventude, a gente perde o poder, próprio das crianças, de dissociar em fragmentos assimiláveis o leite ingerido. O que obriga os adultos a beber leite em pequenas doses, por prudência, ao passo que as criancinhas podem mamá-lo indefinidamente, sem precisar tomar fôlego. Pelo menos a mudança de residência do príncipe de Guermantes teve isto de bom para mim: o carro que viera buscar-me e no qual fazia estas reflexões teve de atravessar as ruas que dão para o Champs-Élysées. Estavam bem mal pavimentadas nessa ocasião; porém, desde que entrei por ali, nem por isso deixou de distrair-me de meus pensamentos uma sensação de extrema doçura que se tem quando, de

[63] Potel e Chabot eram, no século passado, comerciantes que alugavam criados para recepções. Ver referência a eles em *A Prisioneira*, p. 178. (N. do T.)

repente, o carro desliza facilmente, com mais suavidade, sem ruído, como quando, estando abertas as grades de um parque, deslizamos sobre as aléias cobertas de areia fina ou folhas mortas. Materialmente, nada mudara; mas senti subitamente a supressão dos obstáculos exteriores porque, de fato, já não fazia o esforço de adaptação ou de atenção de que precisamos, mesmo sem o perceber, diante das coisas novas: as ruas pelas quais passava nesse momento eram as mesmas, esquecidas há muito, que eu percorria antigamente com Françoise para ir aos Champs Élysées. O próprio solo sabia aonde devia levar: sua resistência estava vencida. E, como um aviador que até então penosamente preso à terra, decola bruscamente, eu me erguia, vagaroso, para as alturas silenciosas da recordação. Em Paris, estas ruas sempre hão de salientar-se para mim, materialmente diversas das outras. Quando cheguei à esquina da rua Royale, onde antes ficava, ao ar livre, o vendedor das fotografias de que Françoise gostava, pareceu-me que o carro, arrastado por centenas de curvas antigas, não podia deixar de virar por si mesmo. Eu não atravessava as mesmas ruas que os passeantes daquele dia, e sim um passado resvaladiço, triste e doce. Aliás, era feito de tantos passados diferentes que se me tornava difícil reconhecer a causa de minha melancolia, se era devida àquelas caminhadas ao encontro de Gilberte e no receio de que ela não viesse, ou à proximidade de certa casa aonde me haviam dito que Albertine fora em companhia de Andrée, ou ao significado de vaidade filosófica que parece adquirir um caminho seguido mil vezes, com uma paixão que já não existe, que foi estéril, como aquele em que, depois do almoço, eu percorria tão apressada e febrilmente para contemplar, ainda frescos de cola, os cartazes da *Fedra* e do *Domino noir*. Tendo chegado aos Champs-Élysées, como não desejasse ouvir todo o concerto que se dava na casa dos Guermantes, mandei parar o carro e apressava-me para descer e dar alguns passos quando me impressionou o espetáculo de um carro que também ia estacionar. Um homem de olhos fixos, o talhe curvo, antes colocado que sentado no fundo, fazia para aprumar-se esforços parecidos aos de uma criança a quem tivessem recomendado juízo. Mas, seu chapéu de palha deixava que se observasse uma floresta indômita de cabelos inteiramente brancos; uma barba branca, feito a que a neve faz nas estátuas dos rios nos jardins públicos, escorria-lhe do queixo. Era, ao lado de Jupien que se desdobrava por ele, o Sr. de Charlus, convalescendo de um ataque de apoplexia que eu havia ignorado (tinham-me dito apenas que ele perdera a visão; tratava-se de uma perturbação passageira, pois ele via perfeitamente bem de novo) e, a menos que até então fossem pintados e lhe houvessem proibido semelhante esforço, tendo conseguido, como numa espécie de precipitado químico, tornar visível e brilhante todo o metal de que se saturavam e lançavam, à maneira de gêiseres, as mechas, agora de pura prata, da cabeleira e da barba, ao passo que estas conferiam, ao velho príncipe decaído, a majestade shakespeareana de um rei Lear. Os olhos não tinham ficado imunes a essa convulsão total, a essa alteração metalúrgica da cabeça, mas, por um fenômeno inverso, haviam perdido todo o brilho. Mas o que ainda mais comovia era sentir-se que tal brilho perdido representava a altivez moral, e que, desse modo, a vida física e até intelectual do Sr. de Charlus sobrevivia ao orgulho aristocrático, do qual por um momento parecera inseparável. Assim, naquele instante, sem dúvida encaminhando-se também para a casa do príncipe de Guermantes, passou numa vitória a Sra. de Saint-Euverte, que o barão considerava socialmente inferior a ele. Jupien, que cuidava dele como de uma criança, murmurou-lhe ao ouvido que se tratava de uma pessoa conhecida, a Sra. de Saint-Euverte. E imediatamente, com esforço infinito mas toda a aplicação de um enfermo que deseja mostrar-se capaz de todos os movimentos que ainda lhe são difíceis, o Sr. de Charlus se descobriu, inclinou-se e cumprimentou a Sra. de Saint-Euverte com o mesmo respeito como se ela fosse a rainha da França. Talvez houvesse, na própria dificuldade do Sr. de Charlus para fazer esse cumprimento, uma razão sua para fazê-lo, certo de que era mais um ato que, doloroso para um enfermo, tornava-se duplamente meritório da parte de quem o fazia e lisonjeiro para aquela a quem se dirigia, visto que os doentes exageram a polidez, como os monarcas. Talvez ainda houvesse igualmente, nos movimentos do barão, essa descoordenação consecutiva às perturbações da medula e do cérebro, e seus gestos lhe excedessem a intenção. Por mim, vi aqui antes uma espécie de doçura quase física, de desapego às realidades da vida, tão impressionantes naqueles que a morte já fez entrar em sua sombra. A descoberta de camadas argênteas da cabeleira revelava uma mudança menos profunda que aquela inconsciente humildade mundana que invertia todas as relações sociais, rebaixando diante da Sra. de Saint-Euverte, como rebaixaria diante da última das americanas (por fim recebendo a polidez do barão, até ali inacessível para ela), o esnobismo que parecia ser o mais altivo. Pois o barão vivia e pensava ainda; sua inteligência não fora atingida. E nem o coro de Sófocles sobre o orgulho humilhado de Édipo, nem a própria morte e toda oração fúnebre, proclamaria melhor o que existe de frágil e perecível ao amor às grandezas da terra e em todo orgulho humano do que o cumprimento humilde e apressado do barão à Sra. de Saint-Euverte. O Sr. de Charlus, que até então não consentira em jantar com a Sra. de Saint-Euverte, saudava-a agora, curvando-se até o chão. Saudava talvez por ignorância da estirpe da pessoa a quem cumprimentava (visto que os artigos do código social podem ser destruídos por um acesso, como toda e qualquer parte da memória), talvez por uma descoordenação dos movimentos, que transpunha ao plano da humildade aparente a incerteza, do contrário sobranceira, quanto à identidade da pessoa que passava. Cumprimentou-a com a polidez das crianças que vêm timidamente cumprimentar as pessoas gradas, a chamado das mães. E era numa criança, sem o orgulho delas, que ele se havia transformado.

Receber a homenagem do Sr. de Charlus era, para a Sra. de Saint-Euverte, esnobismo puro, como fora outrora puro esnobismo do barão o recusar-lhe. Ora, tal temperamento inacessível e precioso que o Sr. de Charlus conseguira fazer a Sra. de Saint-Euverte julgar essencial à sua personalidade, arrasou-o de um só golpe, pela timidez aplicada, pelo cuidado medroso com que tirou o chapéu, do qual, com a eloqüência de um Bossuet, jorraram, enquanto deixou a cabeça descoberta por deferência, as torrentes de sua cabeleira de prata. Quando Jupien o ajudou a descer, cumprimentei-o, ele me falou rapidamente, com voz tão imperceptível que não pude perceber o que me dizia, o que lhe arrancou, quando pela terceira vez o fiz repetir as palavras, um gesto de impaciência que me espantou pelo contraste com a impassibilidade que antes havia mostrado a sua fisionomia e que certamente era devida a um resto de paralisia. Mas quando, por fim, habituei-me a esse pianíssimo de palavras sussurradas, dei-me conta de que a enfermidade deixara absolutamente intacta a sua inteligência.

Aliás, havia dois Srs. de Charlus, sem contar os outros. Desses dois, o intelectual passava o tempo a queixar-se de que estava ficando afásico, que constantemente, ao pronunciar uma palavra, trocava uma sílaba por outra. Mas sempre que isso acontecia, o outro Sr. de Charlus, o subconsciente, o qual tanto desejava ser invejado quanto lastimado o primeiro, em relação ao qual exibia faceirices desdenhadas pelo outro, interrompia imediatamente a frase começada, como um maestro cujos músicos erram, e, com infinito engenho, ligava o que vinha a seguir à palavra dita na realidade por outrem mas que ele parecia ter escolhido. Até a sua memória estava intacta, do que se mostrava faceiro, não sem o cansaço de uma aplicação bastante árdua, por extrair certa recordação antiga, pouco importante, relativa a mim, para me provar que ele conservara ou recuperara toda a nitidez de espírito. Sem mover a cabeça nem os olhos, sem alterar a inflexão do que narrava, disse-me por exemplo: – Eis um poste onde há um cartaz semelhante àquele diante do qual eu me achava da primeira vez que o vi em Avranches, não, estou enganado, em Balbec. – E, de fato, era um anúncio do mesmo produto.

No começo, eu mal distinguira o que ele falava, da mesma forma como principiamos a não ver coisa alguma ao entrar num quarto com todas as cortinas cerradas. Mas, assim como os olhos na penumbra, meus ouvidos logo se habituaram a esse pianíssimo. Creio também que este se elevava gradualmente, enquanto o barão falava, ou porque a fraqueza de sua voz proviesse em parte de uma apreensão nervosa que se desfazia quando, distraído por um terceiro, já não pensava nela; ou porque, ao contrário, essa fraqueza correspondesse ao seu estado verdadeiro, e a força momentânea com que palestrava fosse causada por uma excitação artificial, passageira e antes funesta, que fazia com que os estranhos dissessem: – Ele já está melhor, não convém que pense na doença –, mas de fato agravava o mal, que não demorava a recrudescer. Fosse como fosse, o barão, nesse momento (e mesmo levando em conta a minha adaptação), lançava com mais força as palavras, como a maré, nos dias de mau tempo, suas pequenas ondas retorcidas. E o que lhe restava de seu ataque recente fazia ouvir, no fundo de suas palavras, como que um ruído de seixos rolados. Além disso, continuando a falar do passado, sem dúvida para deixar bem claro que não perdera a memória, ele o evocava de modo fúnebre, porém sem tristeza. Não cessava de enumerar todas as pessoas da família, ou de seu meio, que já não viviam, menos, ao que parecia, com a tristeza de que já estivessem mortas do que com a satisfação de lhes ter sobrevivido. Ao lembrar-se da morte delas, parecia conscientizar-se melhor de seu regresso à saúde. E era com dureza quase triunfal que repetia em tom uniforme, levemente balbuciante e com surdas ressonâncias sepulcrais: – Hannibal de Bréauté, morto! Antoine de Mouchy, morto! Charles Swann, morto! Adalbert de Montmorency, morto! Boson de Talleyrand, morto! Sosthène de Doudeauville, morto! – E, de cada vez, essa palavra "morto" parecia cair sobre os defuntos como uma pá de terra mais pesada, atirada por um coveiro que se empenhasse em prendê-los mais fundamente no túmulo.

A duquesa de Létourville, que não ia à recepção da princesa de Guermantes, pois estivera doente por muito tempo, passou nesse momento a pé ao nosso lado, e, avistando o barão, cujo acesso recente ignorava, parou para cumprimentá-lo. Mas a doença de que sofrera não a fizera mais compreensiva para com os males alheios, antes suportando-os mais impacientemente, com um mau humor nervoso em que havia talvez muito de piedade. Ouvindo o barão pronunciar com dificuldade e errando certas palavras, mover o braço a custo, ela olhava ora para mim, ora para Jupien, como a pedir explicações de um fenômeno tão chocante. Como não lhe disséssemos coisa alguma, foi ao próprio Sr. de Charlus que ela dirigiu um longo olhar cheio de tristeza, mas igualmente de censuras. Parecia repreendê-lo por estar na rua com ela numa atitude tão pouco usual, como se ele tivesse saído descalço ou sem gravata. A um novo erro de pronúncia cometido pelo barão, a dor e a indignação da duquesa aumentando juntas, ela exclamou: – Palamède! – no tom interrogativo e exasperado das pessoas demasiado nervosas que não podem suportar esperar um minuto e que, se as mandamos entrar imediatamente, desculpando-nos por estarmos acabando de nos vestir, dizem com amargura, não para se desculpar, mas para acusar: – Mas então estou incomodando! – como se fosse um crime sentir-se incomodado. Finalmente, deixou-nos com um ar cada vez mais enervado, dizendo ao barão: – Faria melhor se voltasse para casa.

O barão pediu uma cadeira para sentar-se, a fim de repousar enquanto Jupien e eu caminharíamos um pouco, e tirou penosamente do bolso um livro que me pareceu ser de orações. Agradava-me poder saber, através de Jupien, detalhes sobre o estado de saúde do barão. – Estou muito contente de conversar com o senhor – disse Jupien –, mas não iremos além do Rond-Point. Graças a Deus o barão está bem agora, mas não tenho coragem de deixá-lo sozinho por muito tempo; e é sempre o mesmo, tem um coração bom demais, daria tudo o que possui aos outros; e depois, isto não é tudo, ele continua ardoroso como um rapaz, e sou obrigado a ficar de olho. – Tanto mais que recobrou a vista – respondi –; entristeceram-me bastante ao me dizer que a perdera. – De fato, sua paralisia chegou a tanto, ele não via absolutamente nada. Imagine que durante o tratamento, que aliás lhe fez muito bem, ele ficou vários meses sem ver tanto quanto um cego de nascença. – Ao menos, isso deveria tornar inútil uma parte de sua vigilância, não? – De modo algum; mal chegava a um hotel, perguntava como era determinada pessoa de serviço. Eu lhe afirmava que só havia gente horrenda. Mas ele percebia perfeitamente que aquilo não podia ser geral, que eu às vezes devia estar mentindo. Veja que devasso! E, além disso, ele tinha uma espécie de faro, talvez conforme a voz da pessoa, não sei. Então, arrumava um jeito de me fazer sair para um recado urgente. Um dia – há de me desculpar que lhe diga isto, mas o senhor veio certa ocasião, por acaso, ao templo do Impudor, nada tenho a lhe esconder (aliás, ele tinha sempre uma satisfação bem pouco simpática em divulgar segredos alheios que conhecia) – eu voltava de dar um desses recados supostamente urgentes, tanto mais depressa quanto já o imaginava arranjado de propósito, quando, no momento em que chegava ao quarto do barão, ouvi uma voz dizendo: – Quê? – Como – respondeu o barão – então era a primeira vez? – Entrei sem bater, e qual não foi o meu medo! O barão, enganado pela voz que, de fato, era mais forte que de costume a essa idade (e por esse tempo o barão estava completamente cego), estava, logo ele que antes gostava de pessoas maduras, com uma criança que ainda não tinha dez anos.

Contaram-me que, naquela época, o barão estava sujeito, quase todos os dias, a crises de depressão mental, caracterizadas não exatamente pela divagação, mas pela confissão em altas vozes (diante de terceiros cuja presença ou severidade ele olvidava) de opiniões que costumava ocultar, sua germanofilia por exemplo. Se por muito tempo, depois da guerra, lamentava a derrota dos alemães, dentre os quais se considerava, e dizia com orgulho: – No entanto, é impossível que não tenhamos a nossa desforra, pois temos comprovado que somos capazes da maior resistência, e que possuímos a melhor organização. – Ou então suas confidências assumiam um tom diverso, e ele exclamava com fúria: – Que Lorde X ou o príncipe de *** não venham repetir o que disseram ontem, pois contive-me a custo para não lhes retrucar: – Sabem muito bem que o são pelo menos tanto quanto eu. – Inútil acrescentar que, quando o Sr. de Charlus procedia desse modo, nos momentos em que, como se diz, não estava muito "presente", fazendo confissões germanófilas ou outras, as pessoas de sua roda que ali se achavam, fosse Jupien ou a duquesa de Guermantes, tinham o hábito de interromper as palavras imprudentes e dar a elas e aos demais, menos íntimos e mais indiscretos, uma interpretação forçada mas honrosa.

– Ah, meu Deus! – exclamou Jupien –, bem que eu tinha razão em não querer que nos afastássemos; ele já encontrou meio de entabular conversa com um moço jardineiro. Adeus senhor, é melhor deixá-lo, para não abandonar um só instante o meu doente, que não passa de uma criança grande.

Desci a rua novamente de carro um pouco antes de chegar à casa da princesa de Guermantes, e recomecei a pensar no cansaço e no tédio com que, na véspera, tentara notar a linha que separava nas árvores a sombra da região de luz, num dos campos considerados dos mais belos da França. É certo que as conclusões intelectuais que tirara não afetavam hoje tão fortemente a minha sensibilidade. Permaneciam as mesmas. Porém, como sempre me acontecia ao ser arrancado a meus hábitos, sair em outra hora, num lugar novo, experimentava um vivo prazer. Tal prazer, hoje, me parecia puramente frívolo, o de ir a uma vesperal na casa da princesa de Guermantes. Mas, visto que agora eu sabia não poder alcançar nada além de prazeres frívolos, por que recusar-me a eles? Repetia para mim mesmo que não sentira, ao esboçar aquela descrição, nada desse entusiasmo que não é o único mas é o primeiro critério para avaliar o talento. Procurava agora extrair da memória outros "instantâneos", especialmente instantâneos que ela tomara em Veneza, mas esta palavra era o bastante para torná-los enfadonhos como uma exposição de fotografias, e eu já não sentia mais gosto nem talento para descrever hoje o que vira outrora do que ontem para fixar, no próprio instante, com olhos minuciosos e enfadados. Dali a pouco, muitos amigos há tanto tempo deixados de ver certamente me pediriam que não me isolasse desse modo, que lhes dedicasse os meus dias. Não possuía motivo algum para recusar, pois agora eu tinha a prova de que não valia para nada, que a literatura não poderia me causar nenhuma alegria, fosse por culpa minha (por ser pouco dotado), fosse por culpa dela, se de fato era menos carregada de realidade do que pensara.

Quando lembrava o que Bergotte me dissera: "Você é doente, mas não se pode lastimá-lo porque possui todos os dotes do espírito", refletia o quanto ele se enganara! Como havia tão pouca satisfação nessa lucidez estéril! Digo até que, se às vezes talvez sentisse satisfação – não da inteligência –, gastava-a sempre com uma mulher diversa; de forma que o destino, mesmo que me concedesse mais cem anos de vida, e com saúde, não teria feito mais que proporcionar acréscimos sucessivos a uma existência toda em comprimento, que não me interessava prolongar ainda mais, e sobretudo por muito tempo. Quanto às "alegrias da inteligência", poderia acaso chamar assim aquelas frias verificações que meu olhar sagaz, ou meu exato raciocínio, assinalavam sem qualquer prazer e permaneciam infecundas?

Porém é, às vezes, no justo momento em que tudo nos parece perdido, que ocorre o aviso que nos pode salvar; batemos a todas as portas que não abrem para nada, e na única pela qual podemos entrar, e que teríamos buscado em vão durante um século, esbarramos por acaso e ela se abre.

Remoendo os tristes pensamentos a que me referi há pouco, havia entrado no pátio do palacete de Guermantes e, distraído, não vira um carro que avançava;

ao grito do *wattman*[64], só tive tempo de me pôr vivamente de lado, e recuei o bastante para, sem querer, tropeçar nas pedras irregulares do calçamento, diante de uma cocheira. Mas, no instante em que, ao me endireitar, firmei o pé numa laje um tanto mais baixa que a anterior, todo o meu desânimo sumiu em face à mesma sensação de felicidade que em diversas épocas da minha vida me haviam proporcionado a vista das árvores que eu julgara reconhecer num passeio de carro pelos arredores de Balbec, a vista dos campanários de Martinville, o sabor da *madeleine* mergulhada no chá, e tantas outras sensações de que já falei e que as últimas peças de Vinteuil me pareciam sintetizar. Como no momento em que eu saboreava a *madeleine*, toda a inquietação acerca do futuro e toda dúvida intelectual se haviam dissipado. As que ainda há pouco me assaltavam a respeito da realidade de meus dotes literários, e até da realidade da literatura, tinham desaparecido como por encanto.

Sem que tivesse feito qualquer novo raciocínio, ou encontrado algum argumento decisivo, as dificuldades, insolúveis há pouco, tinham perdido toda importância. Mas, desta vez, eu estava bem decidido a não me resignar a ignorar por quê, como o fizera no dia em que saboreava uma *madeleine* mergulhada no chá. Com efeito, a felicidade que eu acabava de experimentar era exatamente igual à que sentira ao comer a *madeleine*, e de cujas causas profundas tivera, naquele tempo, de adiar a pesquisa. A diferença, puramente material, estava nas imagens evocadas; um azul profundo embriagava meus olhos, impressões de frescor, de luz deslumbrante rodopiavam perto de mim e, em meu desejo de captá-las, sem ousar mexer-me, como quando saboreava a *madeleine* tentando fazer vir até mim o que ela me recordava, eu continuava, como há pouco, a titubear, um pé no pavimento mais alto e outro no mais baixo, arriscando-me a causar a gargalhada da turba inumerável dos *wattmen*. Cada vez que refazia, materialmente apenas, esse mesmo passo, ele se mostrava inútil; mas, se eu conseguisse, deixando de lado a vesperal Guermantes reencontrar o que havia sentido ao pousar assim os pés novamente a visão deslumbrante e indistinta me roçava de leve, como se me houvesse dito: "Agarra-me quando eu passar, se tens forças para tanto, e procura resolver o enigma de felicidade que te proponho." E quase imediatamente a reconheci: era Veneza, da qual meus esforços por descrevê-la e os pretensos instantâneos tomados pela memória nunca me tinham dito coisa alguma, e que me era devolvida agora pela sensação antigamente experimentada ao pisar em dois ladrilhos desiguais do batistério de São Marcos, junto com todas as outras sensações somadas àquela no mesmo dia, e que haviam permanecido à espera, em seu posto na fila dos dias

[64] *Wattman* (palavra inglesa): designa o condutor de um bonde elétrico. Ocorre, todavia, que muitas viaturas do começo do século eram movidas a eletricidade. (N. do T.)

esquecidos, de onde um súbito acaso as fizera imperiosamente sair. Da mesma forma o sabor da pequena *madeleine* me relembrara Combray. Mas por que motivo as imagens de Combray e de Veneza me haviam, num como noutro momento, comunicado uma alegria semelhante à certeza e suficiente, sem outras provas, para me deixar indiferente à morte?

Sempre me indagando, e estando agora resolvido a encontrar a resposta, entrei no palacete de Guermantes, porque sempre damos preferência, sobre o trabalho interior que nos compete, ao papel aparente que representamos e que, nesse dia, era o de um convidado. Mas, tendo chegado ao primeiro andar, um mordomo me fez entrar, por um instante, num pequeno salão-biblioteca vizinho ao bufê, até que se terminasse de tocar a peça musical em andamento, pois a princesa proibira que abrissem as portas durante a sua execução. Ora, bem naquele momento, um segundo aviso veio reforçar o que me fora dado pelas lajes desiguais e exortar-me a perseverar em minha tarefa. De fato, um criado, em seus esforços infrutíferos para não fazer barulho, acabava de bater num prato com uma colher. O mesmo gênero de felicidade produzido pelas lajes desiguais me invadiu; as sensações eram bastante frescas ainda, mas bem diversas: mistura de um cheiro de fumaça, atenuado pelo fresco aroma de uma paisagem florestal; e reconheci que aquilo que me parecia tão agradável era a mesma fileira de árvores que eu achara odiosa de observar e descrever, e diante da qual, abrindo a caneca de cerveja que trazia no vagão, julguei por um momento, numa espécie de tonteira, que ainda me encontrava, de tal modo o ruído idêntico da colher contra o prato me dera, antes que eu tivesse tido tempo de me recobrar, a ilusão do ruído do martelo de um empregado que consertara alguma coisa numa roda do trem enquanto estávamos parados em frente ao bosquezinho. Poder-se-ia dizer até que os sinais que, nesse dia, deveriam arrancar-me do desânimo e restituir minha fé nas letras, empenhavam-se em multiplicar-se, pois um mordomo, há muito a serviço do príncipe de Guermantes, tendo me reconhecido e levando para a biblioteca onde me achava, para que não tivesse de ir ao bufê, um prato de bolinhos e um copo de laranjada, enxuguei a boca no guardanapo que me deu; mas imediatamente, como o personagem das *Mil e Uma Noites* que, sem saber, cumpria exatamente o ritual que fazia aparecer, visível somente para ele, um gênio dócil pronto para transportá-lo para bem longe, nova visão azul me passou pelos olhos; mas era pura e salina e arredondou-se em azuladas mamas. A impressão foi tão intensa que o instante que eu vivia pareceu-me ser o momento atual; mais entontecido que no dia em que me perguntava se de fato ia ser acolhido pela princesa de Guermantes ou se tudo ia desmoronar, acreditei que o criado acabara de abrir a janela que dava para a praia e que tudo me convidava para descer e passear ao longo do molhe na maré alta; o guardanapo com que enxugara os lábios fora engomado precisamente como aquela toalha com a qual tivera tanta dificuldade em me secar na manhã seguinte à minha chegada a Balbec, e agora, diante desta biblioteca do palacete de Guermantes, desdobrava, em suas faixas e vincos, a plumagem de um oceano verde e azul como a cauda de um pavão. E eu não gozava somente dessas cores, mas de toda uma etapa da minha vida que as sustentava, que sem dúvida havia aspirado a elas, da qual uma sensação de cansaço ou de tristeza talvez me houvesse impedido de gozar em Balbec, e que agora, livre do que existe de imperfeito na percepção exterior, pura e desencarnada, deixava-me repleto de alegria.

O trecho musical que estavam tocando podia terminar a qualquer momento e, desse modo, eu seria obrigado a entrar no salão. Portanto, esforcei-me para tentar ver com clareza, o mais rápido possível, o caráter dos prazeres idênticos que acabara de sentir de novo, por três vezes, em poucos minutos; e, a seguir, a lição que podia tirar daí. Não me detinha na extrema diferença existente entre a impressão verdadeira que tivemos de uma coisa e a impressão artificial que fornecemos a nós mesmos quando tentamos no-la representar voluntariamente. Lembrando-me bem da relativa indiferença com que Swann pudera falar outrora dos dias em que fora amado, porque sob aquela frase enxergava uma coisa diversa, e da dor súbita que lhe provocara a pequena frase de Vinteuil ao lhe devolver aqueles mesmos dias, tais como outrora os havia sentido, eu compreendia perfeitamente que aquilo que a sensação das lajes desiguais, a goma do guardanapo e o gosto da *madeleine* tinham despertado em mim não se relacionava de forma alguma com o que muitas vezes tentava recordar de Veneza, de Balbec, de Combray, com o auxílio de uma memória uniforme; e compreendia que a vida podia ser considerada medíocre, embora em certos momentos parecesse tão bela, sendo, no primeiro caso, julgada e depreciada por meio de coisas que lhe são alheias, de imagens que nada conservam dela. Quando muito, registrei acessoriamente que a diferença que existe entre cada uma das impressões reais – diferenças que explicam por que uma pintura uniforme da vida não pode ser análoga a esta – derivava provavelmente do fato de que a menor palavra dita numa época da nossa vida, o gesto mais insignificante que tenhamos feito, estava banhado, deixava impregnar-se pelo reflexo de coisas logicamente estranhas a eles, das quais os separava a inteligência, para cujos raciocínios não eram necessários, mas onde – aqui, reflexo róseo do poente sobre o muro florido de um restaurante campestre, sensação de fome, desejo pelas mulheres, prazer do luxo; ali, violetas azuis do mar matinal envolvendo as frases musicais que delas emergem parcialmente, como espáduas de ondinas – o gesto, o ato mais simples permanece encerrado como que dentro de mil vasos selados, dos quais cada um contivesse coisas de uma cor, de um cheiro e de uma temperatura absolutamente diferentes; sem contar que esses vasos, dispostos ao longo de todos os nossos anos, durante os quais não cessáramos de mudar, ao menos de sonhos e de idéias, estão situados em altitudes bem diversas, dando-nos a sensação de atmosferas singularmente variadas. É certo que tais mudanças, nós as sofremos insensivelmente; mas, entre a recordação que nos chega de chofre e o nosso estado atual, assim como entre duas recordações de épocas, lugares e de horas diferentes, é tamanha a distância que bastaria isso, mesmo fora de uma originalidade específica, para torná-los incomparáveis uma à outra. Sim, caso a recordação, graças ao esquecimento, não tenha podido contrair nenhum laço, estabelecer nenhum vínculo entre si mesma e o momento presente, se ficou no seu lugar, em seu tempo, se manteve suas distâncias, seu isolamento no côncavo de um vale ou no cimo de um monte, ela nos faz de súbito respirar um ar mais novo, precisamente porque é um ar que respiramos outrora, esse ar mais puro que os poetas em vão tentaram fazer reinar no paraíso e que só poderia dar essa profunda sensação de renovamento se já tivesse sido respirado, pois os verdadeiros paraísos são aqueles que já perdemos.

E, de passagem, notei que haveria na obra de arte que já me sentia prestes a empreender, sem ainda estar conscientemente resolvido a fazê-lo, grandes dificuldades. Pois deveria executar as partes sucessivas com material de certo modo diferente, e que seria bem diverso daquele que conviria às lembranças de manhãs à beira-mar ou de tardes em Veneza, se quisesse pintar aquelas noites de Rivebelle onde, na sala de jantar aberta para o jardim, o calor principiava a desfazer-se, a diminuir, a depositar-se, onde um último clarão ainda iluminava as rosas das paredes do restaurante enquanto as derradeiras aquarelas do dia eram ainda visíveis no céu material sempre novo, distinto, de uma transparência e sonoridade especiais, compacto, refrescante e róseo.

Eu deslizava rapidamente sobre tudo isso, mais imperiosamente solicitado, como estava, a procurar a causa dessa felicidade, do caráter de certeza com que ela se impunha, pesquisa outrora adiada. Essa causa, contudo, eu a adivinhava ao comparar essas várias impressões que me proporcionavam bem-estar e que, entre elas, tinham em comum a faculdade de serem sentidas, ao mesmo tempo, no momento atual e num momento passado – o ruído da colher no prato, a desigualdade das lajes, o gosto da *madeleine* –, até fazerem o passado permear o presente a ponto de me tornar hesitante, sem saber em qual dos dois me encontrava; na verdade, a criatura que então saboreava em mim essa impressão, saboreava-a naquilo que ela possuía em comum entre um dia antigo e o atual, no que possuía de extratemporal, era uma criatura que só aparecia quando, por uma dessas identidades entre o presente e o passado, podia achar-se no único ambiente em que conseguiria viver, desfrutar da essência das coisas, isto é, fora do tempo. Isto explicava por que minhas inquietações acerca da minha morte teriam cessado no momento em que eu, inconscientemente, reconhecera o gosto do bolinho, pois nesse instante a criatura que eu fora era um ser extratemporal, por conseguinte despreocupado das vicissitudes do futuro. Só vivia da essência das coisas e não podia alcançá-la no presente, onde, não entrando em jogo a imaginação, os sentidos eram incapazes de fornecê-la; o próprio futuro, para o qual se dirige a ação, no-la abandona. Tal ser nunca viera até mim, nunca se manifestara senão fora da ação, do gozo imediato, todas as vezes que o milagre de uma analogia me fizera escapar ao presente. Só ele possuía o poder de me fazer reencontrar os dias antigos, o tempo perdido, ante o qual os esforços da memória e da inteligência fracassavam sempre.

E talvez, se há pouco me parecera ter Bergotte errado ao falar das alegrias da vida do espírito, era porque eu denominava "vida do espírito" a raciocínios lógicos que não tinham nenhuma relação com ela, com o que existia em mim naquele momento – exatamente como pudera achar enfadonhas a vida e a sociedade, porque as julgava segundo lembranças sem verdade, ao passo que experimentava enorme apetite de viver, agora que acabava de renascer em mim, em três ocasiões sucessivas, um verdadeiro momento do passado.

Apenas um momento do passado? Muito mais que isso, talvez; algo que, ao mesmo tempo comum ao passado e ao presente, é muito mais essencial que ambos. Tantas vezes, no decorrer da minha vida, a realidade me decepcionara porque, no momento em que a percebia, minha imaginação, único órgão de que dispunha para gozar a beleza, não podia aplicar-se a ela, em virtude da lei inevitável que impõe que só se possa imaginar aquilo que está ausente. E eis que, de súbito, o efeito dessa dura lei estava neutralizado, suspenso, por um maravilhoso expediente da natureza, que faz refletir-se uma sensação – ruído do garfo e do martelo, mesmo titulo de livro etc. – ao mesmo tempo no passado, o que permitia à minha imaginação saboreá-la, e no presente, onde o abalo efetivo de meus sentidos pelo ruído, pelo contato do pano etc. acrescentara aos devaneios da imaginação aquilo de que são habitualmente destituídos, a idéia de existência – e graças a tal subterfúgio me permitira obter, isolar e imobilizar (na duração de um relâmpago) o que jamais apreendera: uma fração de tempo em estado puro. A criatura que renascera em mim quando, com tal frêmito de felicidade, eu ouvira o ruído vulgar, simultâneo, da colher que bate no prato e do martelo que atinge a roda, da desigualdade semelhante dos pavimentos do pátio dos Guermantes e do batistério de São Marcos etc., essa criatura só se nutre da essência das coisas, só nela encontra subsistência e delícias. Enlanguesce na observação do presente, onde os sentidos não lhe podem fornecê-las, na consideração de um passado que a inteligência resseca, na espera de um futuro que a vontade constrói com fragmentos do presente e do passado, dos quais ainda lhes extrai a realidade, só conservando o bastante para fins utilitários, estritamente humanos, que lhes fixa. Mas desde que um ruído, um cheiro, já ouvido ou aspirado antes, o sejam de novo, ao mesmo tempo no presente e no passado, reais sem serem atuais, ideais sem serem abstratos, logo a essência permanente e em geral oculta das coisas se libera, e nosso verdadeiro eu, que às vezes parecia morto há muito tempo, mas não o estava de todo, desperta e se anima ao receber o alimento celeste que lhe trazem. Um minuto livre da ordem do tempo recriou em nós, para senti-lo, o homem livre da ordem do tempo. E, quanto a este, compreendemos que esteja confiante em seu júbilo; mesmo que o simples sabor de uma *madeleine* não pareça, logicamente, conter os motivos desse júbilo, compreendemos que a palavra "morte" não tenha sentido para ele; situado fora do tempo, o que poderia recear do futuro?

Mas essa ilusão que punha junto a mim um instante do passado, incompatível com o presente, essa ilusão era efêmera. É certo que se poderia prolongar os espetáculos da memória voluntária, o que não demandaria esforço maior que o de folhear um livro de figuras. Assim, por exemplo, antigamente, no dia em que deveria ir pela primeira vez à casa da princesa de Guermantes, eu havia preguiçosamente contemplado, à minha escolha, do pátio ensolarado de nossa casa em Paris, ora a praça da igreja em Combray, ora a praia de Balbec, como teria decorado de imagens o dia claro que fazia ao folhear um caderno de aquarelas feitas nos diversos lugares em que estivera e onde, com um prazer egoísta de colecionador, dissera comigo ao catalogar assim as ilustrações de minha memória: "Afinal, vi muita coisa bonita na minha vida." Sem dúvida, minha memória afirmara então a diferença das sensações; porém não fazia mais que combinar elementos homogêneos entre si. Não se dava o mesmo com as três recordações que acabavam de me assaltar e nas quais, em vez de me fazer uma idéia mais lisonjeira de mim mesmo, pelo contrário quase duvidara da realidade atual do meu eu. Da mesma forma que no dia em que mergulhara a *madeleine* no chá quente, onde quer que me achasse (fosse, como naquele dia, no meu quarto em Paris, ou como hoje, neste momento, na biblioteca do príncipe de Guermantes, um pouco antes, no pátio de seu palacete), houvera em mim, irradiando de uma estreita faixa a meu redor, uma sensação (gosto de *madeleine* mergulhada, ruído metálico, lajes desiguais) comum ao local em que me achava e também a outro local (quarto de tia Léonie, vagão da estrada de ferro, batistério de São Marcos). E, no momento em que raciocinava deste modo, o ruído estridente de um encanamento de água, exatamente igual aos longos apitos que às vezes, no verão, os navios de recreio faziam ouvir à tardinha em Balbec, fez-me sentir (como já me ocorrera certa ocasião em Paris, num grande restaurante, à vista de uma luxuosa sala de jantar meio vazia, estival e quente), bem mais que uma sensação simplesmente análoga à que tivera no fim da tarde em Balbec, quando todas as mesas já estavam cobertas com a toalha e os talheres, e permaneciam abertas de par em par as amplas sacadas envidraçadas que davam para o molhe, sem um único intervalo, um único espaço recoberto de vidro ou de pedra, enquanto o sol descambava lentamente para o mar, onde começavam a ranger os navios, e eu, para reunir-me a Albertine e suas amigas que passeavam no molhe, não precisava mais que transpor o caixilho de madeira, pouco acima de meu tornozelo, para dentro do qual, a fim de melhorar a ventilação do hotel, corriam todas as vidraças que continuavam ininterruptamente. Porém a dolorosa lembrança de ter amado Albertine não se mesclava a tal sensação. Lembrança dolorosa só existe a que vem dos mortos. Ora, estes se extinguem depressa, e já não sobra, ao redor de seus próprios túmulos, senão o encanto da natureza, o silêncio, o ar puro. Aliás, não era somente um eco, o ressoar de uma sensação passada, o que o ruído do encanamento acabava de me fazer experimentar, mas essa mesma sensação. Neste caso, como em todos os precedentes, a sensação comum buscara recriar a seu redor o local antigo, ao passo que o atual, que o substituía, opunha-se com toda a resistência de sua matéria a essa imigração, para uma residência de Paris, de uma praia normanda ou de uma rampa de estrada de ferro. A sala de jantar marinha de Balbec, com seu linho adamascado disposto como toalhas de altar para receber o pôr-do-sol, tinha procurado abalar a solidez do palacete de Guermantes, forçara suas portas e, por um instante, fizera vacilar os canapés a meu redor, como o fizera outro dia com as mesas do restaurante de Paris. Nessas ressurreições, o local distante engendrado em torno da sensação comum sempre se agarrava, por um momento, como um lutador, ao local de hoje. E o local de hoje sempre fora vencedor; e sempre o vencido é que me parecera mais belo; tão belo que eu ficava em êxtase sobre o pavimento irregular, como diante da taça de chá buscando manter nos momentos em que me surgia, fazer desaparecer logo que me escapava, aquela Combray, aquela Veneza, aquela Balbec, invasoras e reprimidas, que se elevavam para me abandonar em seguida no seio destes lugares novos, mais permeáveis ao passado. E, se o lugar atual não fosse logo vitorioso, creio que desmaiaria; pois essas ressurreições do passado, no segundo em que duram, são tão totais que não apenas obrigam nossos olhos a deixar de ver o quarto em que se encontram, como forçam-nos a contemplar o caminho orlado de árvores ou a maré montante. Obrigam nossas narinas a aspirar a atmosfera de locais todavia remotos, nossa vontade a escolher entre os diversos projetos que nos propõem, toda a nossa pessoa a se julgar envolta por elas, ou, pelo menos a tropeçar entre elas e os locais presentes, no aturdimento de uma incerteza parecida à que sentimos, de vez em quando, ante uma visão inefável no momento de adormecer.

Desse modo, o que acabava de desfrutar a criatura três ou quatro vezes despertada em mim talvez fossem mesmo fragmentos de existência subtraídos ao tempo; mas essa contemplação, embora de eternidade, era fugaz. E, contudo, eu sentia que o prazer que ela proporcionava à minha vida, em raros intervalos, era o único fecundo e verdadeiro. O sinal da irrealidade dos outros mostra-se com sobras, seja em sua impossibilidade de nos satisfazer, como, por exemplo, os prazeres mundanos, que no máximo provocam mal-estar semelhante ao causado pela ingestão de alimentos estragados, a amizade, que é uma simulação, pois, mesmo quando o faz por motivos éticos, o artista que renuncia a uma hora de trabalho por outro tanto de palestra com um amigo sabe que sacrifica uma realidade por algo que não existe (visto que os amigos unicamente o são nessa doce loucura que temos durante a vida, à qual nos prestamos mas que, no âmago de nossa inteligência, sabemos ser o erro de um louco que acreditaria que os móveis vivem e conversam com ele), seja na tristeza que lhes sucede à satisfação, como a que sentira no dia em que fora apresentado a Albertine, por ter feito esforços, contudo leves, para obter algo – conhecer essa moça – que me pareceu insignificante tão logo o obtive.

Mesmo um prazer mais profundo, como o que poderia ter experimentado quando amava Albertine, na realidade só era percebido ao contrário pela angústia que sentira quando ela não se achava presente, pois, ao ter certeza de que ela iria voltar, como no dia em que regressara do Trocadero, não julgara sentir mais que um vago tédio, ao passo que mais me exaltava à medida que analisava, com alegria crescente, o rumor da faca ou o gosto do chá que fizera entrar em meu quarto o quarto da tia Léonie e, a seguir, toda Combray e seus dois lados. Assim, estava agora resolvido a me dedicar a essa contemplação da essência das coisas, a fixá-la; porém como?, por qual meio? Sem dúvida, no momento em que a goma do guardanapo me devolvera Balbec, acariciando-me a imaginação por um instante, não apenas com a vista do mar tal como se mostrara naquela manhã, mas com o cheiro do quarto, a rapidez do vento, a vontade de almoçar, a vacilação entre os diversos passeios, tudo isto preso à sensação do linho, assim como as mil asas dos anjos dão mil giros por minuto; sem dúvida, no momento em que a desigualdade das duas lajes prolongara, em todos os sentidos e todas as dimensões, com todas as sensações que já havia experimentado, as imagens ressequidas e nuas que eu guardava de Veneza e de São Marcos, unindo a praça à igreja, o embarcadouro à praça, o canal ao embarcadouro, e, a tudo o que os olhos alcançam, o mundo dos desejos, que só é visto pelo espírito, eu fora tentado, se não, por causa da estação, a ir passear de novo nas águas para mim sobretudo primaveris de Veneza, pelo menos a retornar a Balbec. Mas não me deteve sequer por um instante essa idéia. Sabia que as terras eram diversas do que me pintavam seus nomes, e que quase só existiam em meus sonhos, dormindo, e também que se estendia à minha frente um lugar feito da pura matéria inteiramente distinta das coisas comuns que se vêem, que se tocam, e que fora a sua quando eu as imaginava. Porém, mesmo no que se referia a essas imagens de outro gênero, as da lembrança, sabia que não havia descoberto a beleza de Balbec quando ali estivera, e mesmo a que ela me deixara, a da lembrança, já não fora a que eu havia reencontrado em minha segunda temporada. Já verificara bastante a impossibilidade de atingir, na realidade, aquilo que estava no fundo de mim mesmo; que não mais seria na praça de São Marcos, como não fora em minha segunda viagem a Balbec, ou no meu regresso a Tansonville para visitar Gilberte, que haveria de recuperar o Tempo Perdido, e que a viagem, que só me proporcionava, uma vez mais, a ilusão de que essas impressões antigas existiam fora de mim, na esquina de certa praça, não podia ser o meio que eu buscava. E eu não queria me deixar lograr mais uma vez, pois tratava-se de saber afinal se era verdadeiramente possível alcançar o que, sempre decepcionado como tinha sido em presença dos seres e dos lugares, julgara (conquanto uma vez a peça para concerto de Vinteuil me parecera dizer o contrário) irrealizável. Portanto, não ia tentar uma experiência a mais no caminho que há muito verificara não levar a coisa alguma. Impressões como as que buscava fixar só poderiam desvanecer-se ao contato de um gozo direto, que fora incapaz de criá-las. A única maneira de apreciá-las melhor seria tentar conhecê-las mais completamente, no ponto em que se encontravam, ou seja, em mim mesmo, torná-las nítidas até em suas profundezas. Não pudera conhecer o prazer em Balbec, como não conhecera o de viver com Albertine, o qual só bem mais tarde me fora perceptível. E a recapitulação que eu fazia das decepções de minha vida enquanto vivida, e que me levava a acreditar que a realidade desta devia existir fora da ação, não se unia de um modo puramente fortuito, e seguindo as circunstâncias de minha existência, a diferentes desapontamentos. Percebia muito bem que a decepção da viagem e a decepção do amor não eram decepções diversas, mas o aspecto variado que assume, conforme o fato a que se aplica, a nossa incapacidade de nos realizarmos no gozo material, na ação efetiva. E, voltando a pensar nesse júbilo extratemporal causado, ou pelo ruído da colher, ou pelo sabor da *madeleine*, dizia comigo: "Era isso, esta ventura proposta pela pequena frase da sonata a Swann, que se enganara assimilando-a ao prazer do amor e não soubera achá-lo na criação artística; esta ventura que me fizera pressentir, como ainda mais supraterrestre do que o conseguira a frase da sonata, o rubro apelo misterioso daquele septeto que Swann não pudera conhecer, tendo morrido, como tantos outros, antes que a verdade feita para eles fosse revelada? Aliás, não lhe poderia ter servido, pois essa frase podia muito bem simbolizar um apelo, mas não criar forças e fazer de Swann o escritor que ele não era."

Todavia, ao cabo de um instante, depois de ter pensado nessas ressurreições da memória, percebi que, de outro modo, impressões obscuras tinham às vezes, e já em Combray, no caminho de Guermantes, solicitado minha atenção, ao modo dessas reminiscências, e que ocultavam não uma sensação de outrora mas uma verdade nova, uma imagem preciosa que eu buscava descobrir por meio de esforços do mesmo gênero dos que fazemos para recordar alguma coisa, como se nossas mais belas idéias fossem árias musicais que retornassem a nós sem que jamais as tivéssemos ouvido, e que nos esforçaríamos por escutar e transcrever. Lembrei-me com prazer, pois isso mostrava que então eu já era o mesmo, e assim marcava-se um traço fundamental de minha natureza, e também com tristeza, ao pensar que desde então não havia progredido, que já em Combray fixava atentamente em meu espírito uma certa imagem que me obrigara a encará-la, uma nuvem, um triângulo, um campanário, uma flor, um pedregulho, sentindo haver talvez debaixo desses signos algo bem diverso que deveria tentar descobrir, uma idéia traduzida à maneira dos caracteres hieroglíficos que se diria representarem exclusivamente objetos materiais. Claro que a decifração era difícil, porém só ela permitiria ler a verdade. Pois as verdades que a inteligência clara e diretamente apreende no mundo da plena luz têm algo de menos profundo, menos necessário, do que as que a vida nos comunicou à nossa revelia em uma impressão, material porque entrou em nós pelos sentidos, mas da qual podemos desprender o espírito. Em suma, num e noutro caso, quer se trate de impressões como a que me proporcionara a vista dos campanários de Martinville, quer de reminiscências como a da desigualdade dos dois passos ou do sabor da *madeleine*, era preciso tentar interpretar as sensações como signos de outras tantas leis e idéias, procurando pensar, isto é, fazer sair da penumbra aquilo que sentira, convertê-lo em um equivalente espiritual. Ora, este meio, que me parecia o único, que outra coisa era senão compor uma obra de arte? E as conseqüências já se revolviam em meu espírito; pois, trate-se de reminiscências das do gênero do ruído do garfo ou do sabor da *madeleine*, ou daquelas verdades escritas com o auxílio de figuras cujo sentido eu procurava encontrar em minha cabeça, onde campanários, ervas daninhas, compunham um anfiguri complicado e florido, o fato é que logo de início eu não era livre para escolhê-las, sendo obrigado a aceitá-las tais como eram. E percebia nisso a marca de sua autenticidade. Não fora procurar as duas lajes regulares do pátio onde tropeçara. Porém justamente a maneira casual, inevitável, por que surgira a sensação, controlava a verdade do passado que ela ressuscitava, das imagens que desencadeava, visto que sentimos o seu esforço para subir à luz, sentimos a alegria do real recuperado. Ela igualmente controla a verdade do quadro feito de impressões contemporâneas, que arrasta consigo com aquela infalível proporção de luz e sombra, de realce e de omissão, de lembrança e esquecimento, que a memória ou a observação conscientes sempre hão de ignorar.

Quanto ao livro interior de signos desconhecidos (signos em relevo, dir-se-ia, que minha atenção, explorando o inconsciente, ia procurar, feria, contornava, como um mergulhador que faz sondagens), para cuja leitura ninguém podia me ajudar com nenhuma regra, essa leitura consistia num ato criador para o qual coisa alguma nos pode suprir ou até colaborar conosco. Assim, quantos deixam de escrevê-lo desviando-se para outras tarefas! Cada acontecimento, fosse o Caso Dreyfus, fosse a guerra, fornecera outras tantas desculpas aos escritores para não decifrarem esse livro; queriam assegurar o triunfo do direito, refazer a unidade moral da nação, não tinham tempo de pensar na literatura. Mas isto não passava de desculpas de quem não tinha, ou já não tinha talento, ou seja, instinto. Pois o instinto dita o dever e a inteligência fornece os pretextos para esquivar-se a ele. Apenas, as desculpas não são aceitas pela arte, onde as intenções nada valem; a todo instante o artista deve ouvir seu instinto, o que faz com que a arte seja o que existe de mais real, a mais austera escola da vida, e o verdadeiro Juízo Final. Esse livro, o de decifração mais trabalhosa, é também o único a nos ser ditado pela realidade, o único do qual a "impressão" foi realizada por ela própria. De alguma idéia deixada em nós pela vida, seja qual for, sua representação material, traço da impressão que nos causou, é ainda o penhor de sua verdade necessária. As idéias formadas pela inteligência pura só têm uma verdade lógica, uma verdade possível, sua escolha é arbitrária. O livro de caracteres figurados, não traçados por nós, é o nosso único livro. Não que essas idéias que formamos não possam ser logicamente corretas, mas não sabemos se são verdadeiras. Só a impressão, por mais débil que lhe pareça a matéria, ou inapreensíveis os traços, é um critério de verdade, e devido a isto merece exclusivamente ser apreendida pelo espírito, sendo, se ele lhe souber extrair essa verdade, a única em condições de fazê-lo atingir a maior perfeição, dando-lhe uma genuína alegria. A impressão é para o escritor o que a experimentação significa para o sábio, com a diferença de que, no sábio, o trabalho da inteligência é anterior, e no escritor vem depois. O que não temos de decifrar, esclarecer por nosso esforço pessoal, o que já estava claro antes de nós, não nos pertence. Só vem de nós mesmos o que extraímos da obscuridade existente no nosso íntimo e que os outros não conhecem.

Um raio oblíquo do sol poente me recordou de imediato uma época em que jamais voltara a pensar e na qual, na minha primeira infância, como a tia Léonie adoecera e o Dr. Percepied temia fosse febre tifóide, tinham me mandado passar uma semana no quartinho de Eulalie, na praça da igreja, onde só havia uma esteira no chão e, na janela, uma cortina de percal, sempre a vibrar de um sol a que eu não estava habituado. E vendo como a lembrança desse quartinho da antiga empregada acrescentava de súbito à minha vida passada um longo pedaço bem diferente do resto, e tão delicioso, pensei, por contraste, na nulidade de impressões que haviam trazido à minha vida as mais suntuosas festas dos palácios mais principescos. O único elemento tristonho daquele quarto de Eulalie era que se ouvia à noite, devido à proximidade do viaduto, os uivos dos trens. Mas, como sabia que tais bramidos emanavam de máquinas dirigidas, eles não me aterrorizavam como o poderiam ter feito, em dado período da pré-história, os berros soltados por um mamute vizinho em seu passeio livre e desordenado.

Assim, já chegara à conclusão de que de maneira alguma somos livres diante da obra de arte, que não a fazemos à nossa vontade, mas que, sendo preexistente a nós, devemos, porque é necessária e oculta e da mesma forma como o faríamos se se tratasse de uma lei da natureza, descobri-la. Porém essa descoberta que a arte poderia nos obrigar a fazer, não seria, no fundo, a do que temos de mais precioso, e que habitualmente permanece ignorado de nós para sempre, nossa verdadeira vida, a realidade tal como a sentimos e que difere tanto daquilo em que acreditamos que nos enchemos de felicidade imensa quando o acaso nos traz dela a verdadeira lembrança? Convencia-me disso justamente devido à falsidade da arte pretensamente realista, e que não seria tão mentirosa se não houvéssemos na vida criado o hábito de atribuir ao que sentimos uma expressão que difere bastante dela e que, após algum tempo, tomamos pela própria realidade. Percebia que não precisava me embaraçar com as diferentes teorias literárias que por um instante me haviam perturbado – principalmente as que a crítica desenvolvera por ocasião do Caso Dreyfus, retomando-as durante a guerra, e que mostravam tendência a "fazer o artista deixar sua torre de marfim", e cuidar não de assuntos frívolos e sentimentais, mas descrever grandes movimentos operários e, à falta de multidões, pelo menos não tratar de vadios insignificantes ("confesso que a descrição desses inúteis me deixa muito indiferente", dizia Bloch), e sim de nobres intelectuais ou de heróis.

Além disso, mesmo antes de discutir seu conteúdo lógico, tais teorias me pareciam denotar, em quem as sustentava, uma prova de inferioridade, como uma criança de fato bem educada, ao ouvir as pessoas em cuja casa a mandaram almoçar dizerem: – Nós admitimos tudo, somos francos –, sente que isso demonstra uma qualidade moral inferior à da boa ação pura e simples, que não precisa de palavras. A arte genuína se realiza em silêncio e não tende a fazer tantas proclamações. Ademais, os que teorizavam desse modo valiam-se de frases feitas que singularmente se assemelhavam às dos imbecis a quem condenavam. E talvez seja mais pela qualidade da linguagem do que pelo gênero de estética que podemos avaliar o nível de perfeição do trabalho intelectual e moral. Porém inversamente, essa qualidade da linguagem (e até para estudar as leis do caráter servem tanto os assuntos sérios quanto os frívolos, assim como um dissecador tanto estuda as da anatomia no corpo de um imbecil quanto no de um homem de talento; as grandes leis morais, bem como as da circulação do sangue ou da eliminação renal, diferem pouco segundo o valor intelectual dos indivíduos), sem a qual julgam os teóricos poder passar, os admiradores destes crêem facilmente que ela não prova um grande valor intelectual, valor que necessitam, para discerni-lo, ver expresso diretamente e que não deduzem da beleza de uma imagem. Daí a grosseira tentação, para o escritor, de produzir obras intelectuais. Grande indelicadeza. Uma obra repleta de teorias é como um objeto com etiqueta de preço. E esta expressa um valor que em literatura, ao contrário, o raciocínio lógico diminui. Raciocina-se, ou seja, vagabundeia-se, toda vez que não se consegue fazer passar uma impressão por todos os estados sucessivos que levam à sua fixação, à expressão.

A realidade a ser expressa residia, conforme percebia agora, não na aparência do assunto, mas no grau de penetração dessa impressão nas profundezas onde essa aparência não tem qualquer significado, como o simbolizavam o ruído da colher num prato, a rigidez engomada do guardanapo, que tinham sido mais preciosos para a minha renovação espiritual do que tantas conversas humanitárias, patrióticas, internacionalistas e metafísicas. "Nada de estilo", eu ouvira dizer então, "nada de literatura, queremos vida". Já se percebe o quanto até as ingênuas teorias do Sr. de Norpois contra os "flautistas" ganharam em vigor desde a guerra. Pois todos aqueles desprovidos de senso artístico, ou seja, de submissão à realidade interior, podem ser dotados da faculdade de raciocinar interminavelmente sobre a arte. Ainda que sejam, por acréscimo, diplomatas ou financistas a lidarem com as "realidades" do tempo presente, crêem piamente que a literatura é um simples jogo do espírito destinado gradualmente a desaparecer no futuro. Desejariam alguns que o romance fosse uma espécie de desfile cinematográfico das coisas. Tal concepção é absurda. Nada se distancia mais daquilo que na realidade percebemos do que semelhante visão cinematográfica. Como, ao entrar nesta biblioteca, lembrara-me justamente do que dizem os Goncourt acerca das belas edições originais que ela contém, prometera a mim mesmo olhá-las enquanto estava encerrado aqui. E, sempre continuando o meu raciocínio, retirei um a um os preciosos volumes, sem dar maior atenção ao resto, quando, no momento em que abria distraído um deles, *François le Champi* de George Sand, senti-me desagradavelmente surpreendido como por alguma impressão em extremo desacordo com meus pensamentos atuais, até o momento em que, emocionado até as lágrimas, reconheci o quanto essa impressão se harmonizava com eles. Ao passo que na câmara-ardente os funcionários da empresa funerária se preparam para descer o esquife, o filho do morto que prestou serviços à pátria aperta a mão dos últimos amigos em desfile, revoltando-se caso ouça, de súbito, fanfarras sob a janela, julgando tratar-se de algum escárnio à sua dor. Mas a seguir, ele, que se mostrara senhor de si até então, não pode mais conter as lágrimas; pois acaba de compreender que o que está escutando é a música de um regimento que se associa a seu luto e presta homenagem aos despojos de seu pai. Assim, eu acabava de reconhecer o quanto se harmonizava com meus pensamentos atuais a dolorosa impressão que havia sentido ao ler o título de um livro na biblioteca do príncipe de Guermantes; título que me fornecera a idéia de que a literatura verdadeiramente nos oferecia aquele mundo de mistério que já não encontrava nela. E todavia não era um livro propriamente extraordinário, era *François le Champi*. Esse nome, porém, como o de Guermantes, não representava para mim o mesmo que os outros que conhecera desde essa época: a lembrança do que me parecera inexplicável no tema de *François le Champi*, enquanto mamãe lia para mim a obra de George Sand, era despertada por esse título (assim como o nome de Guermantes, quando passava muito tempo sem vê-los, encerrava para mim tanto feudalismo – como *François le Champi* a essência do romance), e se substituía por um momento à idéia bastante geral do que constituem os romances berrichões[65] de George Sand. Num jantar, quando o pensamento fica sempre

[65] *Berrichão*: que se refere à região de Berry, na França; designa igualmente um dialeto falado nessa região. Por extensão, tipo de camponês. (N. do T.)

na superfície, sem dúvida eu teria podido falar de *François le Champi* e dos Guermantes, sem que qualquer deles fosse o de Combray. Mas, quando estava a sós, como agora, teria mergulhado a uma profundidade maior. Neste momento, a idéia de que alguma senhora, que havia conhecido na sociedade, fosse prima da Sra. de Guermantes, isto é, de uma personagem de lanterna mágica, parecia-me tão incompreensível como a de que os mais belos livros que já li fossem – não digo até superiores, conquanto o fossem de fato – mas iguais a esse extraordinário *François le Champi*. Era uma impressão bem antiga, em que minhas recordações da infância e da família se misturavam com ternura, e que eu não reconhecera de pronto. No primeiro instante, indagara a mim mesmo, encolerizado, quem era o estranho que vinha me fazer mal. Esse estranho era eu próprio, era a criança que eu fora àquela época, e que o livro acabava de suscitar em mim, pois, não conhecendo de mim senão essa criança, fora essa mesma que o livro havia convocado imediatamente, não desejando ser visto senão pelos seus olhos, ser amado exclusivamente pelo seu coração, e querendo falar apenas a ela. Assim esse livro que minha mãe havia lido para mim em voz alta, em Combray, até quase de manhã, conservara todo o encanto daquela noite. É certo que a "pluma" de George Sand (para empregar uma expressão que Brichot gostava tanto de dizer quando se referia a que um livro era escrito com "uma pluma alerta") não me parecia de modo algum mágica, como havia parecido a minha mãe, durante tanto tempo, antes que ela moldasse meus gostos literários pelos seus. Mas, sem querer, eu a magnetizara, como se divertem muitas vezes a fazer os colegiais; e eis que mil nadas de Combray, há muito tempo olvidados, punham-se a saltar rapidamente por si mesmos, um a um, e vinham ligar-se ao bico imantado numa corrente interminável e trêmula de recordações.

Certos espíritos que apreciam o mistério preferem acreditar que os objetos conservam algo dos olhos que os contemplaram, que os quadros e monumentos só nos surgem debaixo do véu sensível que lhes teceram o amor e a contemplação de tantos adoradores durante séculos. Tal quimera se transformaria em verdade se eles a transpusessem para o domínio da única realidade de cada um, para o domínio da sua própria sensibilidade. Sim, neste sentido, e unicamente neste (mas de forma bem mais ampla), uma coisa para a qual olhamos antigamente, se voltamos a vê-la, traz-nos de novo, juntamente com o olhar que pousamos nela, todas as imagens que a preenchiam outrora. É que as coisas – um livro de capa vermelha como as outras –, logo ao serem avistadas por nós, tornam-se dentro de nós algo de imaterial, da mesma natureza de todas as nossas preocupações ou sensações daquele tempo, e se mesclam indissoluvelmente a elas. Determinado nome, lido num livro outrora, contém entre suas sílabas o vento veloz e o sol brilhante que fazia quando o líamos. De modo que a literatura que se contenta em "descrever as coisas", em delas fornecer apenas um miserável sumário de linhas e superfícies, é a que, intitulando-se realista, mostra-se a mais afastada da realidade, a que mais nos empobrece e consterna, pois corta bruscamente toda e qualquer comunicação do nosso eu presente com o passado, do qual as coisas conservavam a essência, e com o futuro, onde elas nos incitam a saboreá-lo de novo. É isso que deve expressar a arte digna desse nome e, se fracassa, pode-se ainda extrair de sua impotência uma lição (ao passo que não se tira nenhuma dos êxitos do realismo), a saber, que tal essência é, em parte, subjetiva e incomunicável.

Mais ainda: uma coisa que vimos em certa época, um livro que lemos, não ficam ligados para sempre somente ao que havia a nosso redor; este associa-se tão fielmente ao que éramos então, que só pode ser sentido e repensado pela sensibilidade, pelo pensamento, pela pessoa que éramos naquele tempo; se pego novamente o *François le Champi* na biblioteca, imediatamente ergue-se em mim uma criança, que assume o meu lugar, e é só ela quem tem o direito de ler esse título: *François le Champi*, e de fazê-lo como outrora, com a mesma impressão do tempo que reinava no jardim, os mesmos sonhos que então nutria acerca das terras distantes e da vida, a mesma angústia do dia seguinte. Revendo eu alguma coisa de outro tempo, outro rapaz se erguerá dentro de mim. E minha pessoa de hoje não passa de uma pedreira abandonada, a julgar que tudo aquilo que contém é igual e monótono, mas de onde cada lembrança, como um escultor de gênio, extrai um sem-número de estátuas. Digo: cada coisa que revemos; pois os livros, sob tal aspecto, se comportam feito coisas, o modo como se abria a sua lombada, o grão do papel pode ter conservado uma lembrança, tão viva quanto as próprias frases do texto, da forma como eu imaginava então Veneza e do desejo de ir conhecê-la. Mais viva até, pois estas perturbam às vezes, como certas fotografias, que nos dão de alguém uma imagem menos fiel do que a que teríamos se nos limitássemos a pensar nele. É certo que, no caso de muitos livros da minha infância e, infelizmente, até no de certos livros de Bergotte, quando numa noite de cansaço me ocorre pegá-los, só o fazia como se tomasse um trem na esperança de repousar pela visão de coisas diferentes e respirando a atmosfera do tempo antigo. Mas, ao contrário, sucede que semelhante evocação procurada sai prejudicada pelo prolongamento da leitura do livro. É o que ocorre num livro de Bergotte (que na biblioteca do príncipe trazia uma dedicatória de vulgaridade e bajulação extremas), lido outrora num dia de inverno em que eu não pudera ver Gilberte, e no qual não pude reencontrar as frases de que tanto gostava. Certas palavras me faziam pensar que eram elas, mas é impossível. Onde estaria então a beleza que lhes atribuía? Mas do próprio volume não fora removida a neve que cobria os Champs-Elysées no dia em que o li; vejo-a sempre.

E é por isso que, se fosse tentado a ser um bibliófilo, como o príncipe de Guermantes, só o teria sido de modo particular, buscando aquela beleza independente do valor próprio de um livro, e que decorre, para um colecionador, de conhecer as bibliotecas por onde passou, de sabê-lo dado, em tal acontecimento, por determinado soberano a um certo homem célebre, de tê-lo seguido, de venda em venda, através de sua vida; essa beleza histórica, por assim dizer, de um livro não ficaria perdida para mim. Mas eu a extrairia, de preferência, da história de minha própria vida, isto é, não a encarando como simples amador; e muitas vezes a iria buscar, não no exemplar material, mas na obra em si mesma, como no caso do *François le Champi*, contemplado pela primeira vez no meu pequeno quarto de Combray, na noite talvez a mais doce e triste da minha vida, em que eu, ai de mim! (num tempo em que me pareciam bastante inacessíveis os misteriosos Guermantes), obtivera de meus pais uma primeira abdicação, da qual posso datar o declínio de minha saúde e de minha vontade, minha renúncia cada vez maior a uma tarefa difícil – e reencontrado hoje precisamente na biblioteca dos Guermantes, no dia mais belo, o que me iluminava subitamente não só as antigas hesitações intelectuais, mas até o objetivo da minha vida e talvez da arte. Quanto aos próprios exemplares dos livros, aliás poderiam interessar-me, mas apenas em função da vida. A primeira edição de uma obra teria sido mais preciosa que as outras, mas por essa expressão entenderia a edição em que o li pela primeira vez.

Procuraria as edições originais, ou seja, aquelas em que tive desse livro uma impressão original. Pois as impressões seguintes já o não são. Colecionaria os romances por causa das encadernações antigas, as do tempo em que li meus primeiros livros, e que ouviram tantas vezes papai dizer: "Fica direito!". Como o vestido em que vimos uma mulher pela primeira vez, elas me ajudariam a reencontrar o amor que eu sentia à época, a beleza à qual eu superpusera tantas imagens cada vez menos amadas, a fim de poder reencontrar a primeira, eu que já não sou o eu que a viu e que devo ceder o lugar ao eu que eu era então, para que ele chame o objeto que conheceu e que o eu de hoje absolutamente ignora. Porém mesmo neste sentido, o único que posso entender, eu não seria bibliófilo. Por causa de tudo isso, sei perfeitamente como as coisas são porosas ao espírito e se embebem nele.

Assim, a biblioteca que eu comporia até poderia alcançar um valor ainda maior; pois os livros que li antigamente em Combray e em Veneza, agora enriquecidos, pela memória, de amplas iluminuras representando a igreja de Saint-Hilaire, a gôndola atracada aos pés de São Jorge Maior, no Grande Canal incrustado de cintilantes safiras, se tornariam dignos desses "livros de imagens", dessas histórias sagradas, livros de horas que o conhecedor jamais abre para ler o texto e sim para encantar-se mais uma vez com as cores que a eles acrescentou algum êmulo de Foucquet,[66] e constituem o maior valor da obra. E no entanto, até mesmo só abrir esses livros de outrora para olhar as imagens que então não os ornavam, se me afiguraria ainda tão perigoso que nem neste sentido, o único que posso admitir,

[66] Jean Foucquet (c.1420-c.1480), pintor e miniaturista francês. (N. do T.)

seria tentado a transformar-me em bibliófilo. Sei perfeitamente o quanto essas imagens deixadas pelo espírito são por ele próprio apagadas. As antigas substitui por novas que já não têm o mesmo poder de ressurreição. E, se ainda possuía o *François le Champi* que mamãe tirou certa ocasião do pacote de livros que minha avó devia me dar pelo meu aniversário, o fato é que nunca mais o olharia; recearia muito inserir nele, aos poucos, as minhas impressões de hoje, até chegar a encobrir de todo as de outrora, recearia muito vê-lo tornar-se a esse ponto uma coisa do presente que, quando lhe pedisse para suscitar de novo a criança que decifrou seu título no pequeno quarto de Combray, essa criança, não reconhecendo o seu tom, já não respondesse ao seu apelo e ficasse enterrada no esquecimento para sempre.

A idéia de uma arte popular, como de uma arte patriótica, ainda que não fosse perigosa por si mesma, parecia-me ridícula. Se se tratasse de torná-la acessível ao povo, sacrificando para isso os requintes formais, "bons para os ociosos", eu havia freqüentado bastante as pessoas da sociedade para saber que são elas os verdadeiros iletrados, e não os operários eletricistas. Sob tal aspecto, uma arte popular pela forma seria antes destinada aos membros do Jockey do que aos da Confederação Geral do Trabalho; quanto aos assuntos, os romances populares entediam a gente do povo tanto quanto as crianças se sentem entediadas por esses livros escritos especialmente para elas. Todos procuram se distrair na leitura, e os operários têm tanta curiosidade acerca dos príncipes quanto estes acerca dos operários. Desde o começo da guerra, o Sr. Barrès havia dito que o artista (no caso, Ticiano) deve sobretudo servir à glória de sua pátria. Mas só pode servir a ela sendo artista, isto é, com a condição de, ao estudar as leis da Arte, e instituir suas experiências e fazer suas descobertas, tão delicadas como as da ciência, não pensar em outra coisa – nem na pátria – senão na verdade que está à sua frente. Não imitemos os revolucionários que por "civismo" desprezavam, quando não destruíam, as obras de Watteau e de La Tour, pintores que honram mais a França do que todos os da Revolução. Caso tivesse escolha, não seria a anatomia o que haveria de eleger uma criatura sensível. Não foi a bondade, aliás bem grande, de seu coração virtuoso, que levou Choderlos de Laclos a escrever *As Ligações Perigosas*, nem seu interesse pela pequena ou grande burguesia que fez Flaubert preferi-las como assuntos de *Madame Bovary* ou de *A Educação Sentimental*. Alguns diziam que seria breve a arte de uma época apressada, assim como aqueles que previam, antes da guerra, que esta seria curta. Assim, a estrada de ferro devia matar a contemplação; era inútil lastimar o fim das diligências, mas o automóvel veio preencher suas funções e permitir aos turistas pararem novamente nas igrejas abandonadas.

Uma imagem ofertada pela vida nos traz de fato, neste momento, sensações múltiplas e diversas. A visão, por exemplo, da capa de um livro já lido teceu nos caracteres de seu título os raios de lua de uma distante noite de verão. O gosto do café com leite matinal nos traz essa vaga esperança de um bom tempo que, outrora, enquanto o bebíamos numa xícara de branca porcelana cremosa e enrugada, parecendo leite coalhado, quando o dia ainda estava pleno e intacto, nos sorria na clara incerteza do amanhecer. Uma hora não é somente uma hora, é um jarro cheio de perfumes, de sons, de projetos e de climas. O que denominamos realidade é uma certa relação existente entre tais sensações e lembranças que nos cercam simultaneamente – relação que uma simples visão cinematográfica suprime, pois se afasta tanto mais da realidade quanto mais pretende limitar-se a ela – relação única que o escritor deve reencontrar para ligar-lhe para sempre em sua frase os dois termos diferentes. Podem-se alinhar indefinidamente numa descrição os objetos que figurariam no lugar descrito, mas a verdade só começará no momento em que o escritor tomar dois objetos diversos, estabelecer a relação entre eles, análoga no mundo da arte à relação única da lei de causa e efeito no mundo da ciência, e encerrá-las nos anéis necessários de um estilo harmonioso. Ou quando, assim como a vida, aproximar uma qualidade própria de duas sensações, extraindo a essência comum a elas ao reuni-las, a fim de libertá-las das contingências do tempo, numa metáfora. Sob este aspecto, não me pusera a própria natureza no caminho da arte, não era ela o próprio começo da arte, ela que, tantas vezes bem mais tarde, só me permitira conhecer a beleza de uma coisa em outra, o meio-dia em Combray no repicar de seus sinos, as manhãs de Doncières nos soluços do nosso calorífero a água? A relação pode ser pouco interessante, os objetos medíocres, o estilo ruim, mas sem isso nada se faz.

Porém havia mais. Se a realidade fosse esta espécie de resíduo da experiência, mais ou menos idêntico para todos, pois quando dizemos: um mau tempo, uma guerra, um posto de carros de aluguel, um restaurante iluminado, um jardim em flor, todo mundo sabe o que desejamos expressar; se a realidade fosse isso, sem dúvida uma espécie de filme cinematográfico dessas coisas seria o suficiente, e o "estilo" e a "literatura" que se afastassem dessas limitações seriam uma excrescência artificial. Mas seria isso mesmo a realidade? Se eu tentasse verificar de fato o que se passa no momento em que uma coisa nos causa uma determinada impressão, seja como naquele dia em que, ao passar pela ponte sobre o Vivonne, a sombra de uma nuvem sobre a água me fizera gritar "Oba!", saltando de alegria, seja quando, ouvindo uma frase de Bergotte, só pudera captar de minha impressão esta coisa vaga: "É admirável", seja ainda quando, irritado por uma inabilidade, Bloch pronunciara estas palavras que de forma alguma convinham a um episódio tão vulgar: "Que alguém proceda desse modo, acho até *fffantástico*", ou seja quando, lisonjeado por ter sido bem acolhido em casa dos Guermantes, e além disso um tanto embriagado pelos seus vinhos, não podia evitar dizer a meia voz, sozinho, ao deixá-los: "Ainda assim, são pessoas requintadas com as quais será agradável conviver" – percebia que esse livro essencial, o único livro genuíno, um grande escritor não precisa inventá-lo, no sentido comum, pois ele já existe em cada um de nós, e sim traduzi-lo. O dever e a tarefa de um escrito são os de um tradutor.

Ora, se, quando se trata da linguagem incorreta do amor-próprio, por exemplo, o aprumo do oblíquo discurso interior (que vai se afastando cada vez mais da impressão primeira e central) até confundi-lo com a reta que deveria ter partido da impressão, se obter esse aprumo é tarefa ingrata contra a qual se enfeza a nossa preguiça, há outros casos, o do amor, por exemplo, em que esse mesmo aprumo se torna doloroso. Todas as nossas fingidas indiferenças, toda nossa indignação contra mentiras tão naturais, tão semelhantes às nossas próprias, numa palavra, tudo aquilo que não só não deixamos de dizer à pessoa amada, toda vez que nos sentíamos infelizes ou traídos, mas até, enquanto esperamos vê-la, repetimos a nós mesmos incessantemente, por vezes em altos brados no silêncio do nosso quarto quebrado por frases do tipo: "Não, na verdade tais atitudes são intoleráveis", e: "Quis receber-te uma última vez, e não nego que isso me desgosta", reconduzir tudo isso à verdade já sentida, da qual se havia afastado, será abolir aquilo a que mais nos apegávamos, aquilo que, a sós, nos projetos febris de cartas e entrevistas, discutíamos apaixonadamente.

Mesmo nos prazeres artísticos, que todavia buscamos devido à impressão que causam, procuramos logo deixar de lado, como sendo inexprimível, o que constitui precisamente essa mesma impressão, e de nos unir àquilo que nos permite gozar o prazer sem conhecê-lo até o fundo, e que nos dá a ilusão de comunicá-lo a outros amadores com quem a conversação será possível, porque lhes falaremos de algo que é o mesmo para eles como para nós, sendo supressa a raiz pessoal de nossa própria impressão. Mesmo nos exatos momentos em que somos os espectadores mais desinteressados da natureza, da sociedade, do amor, da própria arte, como toda impressão é dupla, em parte envolta pelo objeto, prolongada em nós mesmos por uma outra metade que só nós poderíamos conhecer, fazemos questão de negligenciá-la, ou seja, justo aquela a que nos deveríamos ligar, sem nos darmos conta de que a outra metade, não podendo ser aprofundada pois que é externa, não nos causará nenhum cansaço: o pequeno sulco aberto em nós pela vista de um espinheiro-alvar ou de uma igreja, acharemos bem difícil tentar percebê-lo. Porém voltamos a tocar a sinfonia, tornamos a ver a igreja até – nessa fuga para longe de nossa própria vida que não temos a coragem de encarar, e que se chama erudição – chegarmos a conhecê-la tão bem como os mais sábios apreciadores de música ou de arqueologia, e da mesma forma que eles.

Assim, muitos ficam nisso e nada extraem das próprias impressões, envelhecendo inúteis e insatisfeitos como celibatários da arte! Sofrem de males iguais aos das virgens e dos preguiçosos, a quem a fecundidade ou o trabalho poderiam curar. São mais exaltados a respeito das obras de arte que os verdadeiros artistas, pois sua exaltação, não sendo para eles objeto de um duro trabalho de aprofundamento, derrama-se para fora, aquece as suas conversas, avermelha seus rostos. Julgam realizar-se gritando até perder a voz: "Bravo! Bravo!" após a interpretação de uma peça preferida. Mas tais manifestações não os obrigam a esclarecer a natureza de seu amor, que lhes permanece ignorada. Todavia este, inutilizado, transborda de suas conversas mais tranqüilas, leva-os a fazer grandes gestos, caretas, a menear a cabeça, ao falarem de arte. "Estive num concerto. Confesso que aquilo não me entusiasmou. Começaram o quarteto. Ah! Mas que diabo! Que diferença!" (o rosto do amador exprime nesse instante uma inquietação ansiosa, como se estivesse pensando: "Mas vejo fagulhas, sinto cheiro de queimado, é um incêndio"). "Com mil demônios, o que ouço é exasperador, está mal escrito mas mexe com a gente, não é para qualquer um fazer." Esse olhar é precedido de uma entonação igualmente ansiosa, de sacudidelas de cabeça, de novas gesticulações, todo o ridículo das asinhas curtas do patinho que não resolveu o problema do vôo mas é instigado pelo desejo de planar. De concertos em concertos passa a vida esse estéril amador, azedo e insatisfeito quando se torna grisalho, sem velhice fecunda, de algum modo o celibatário da arte. Mas essa gente odiosa, que empesta seu mérito, dele não recebendo nenhuma satisfação, chega a ser tocante porque é o primeiro esboço informe da necessidade de passar do objeto variável do prazer intelectual ao seu órgão permanente.

Mais ainda: por muito ridículos que sejam, não são de todo desprezíveis. Constituem os primeiros ensaios da natureza no sentido da criação do artista, tão informes e tão pouco viáveis como os primeiros animais que precederam as espécies de hoje, e que não eram feitos para durar. Esses amadores veleidosos e estéreis devem nos emocionar como aqueles primeiros aparelhos que não puderam deixar o solo, mas nos quais se abrigava, não ainda o meio secreto que deveria estar por descobrir, mas o desejo do vôo. "Meu velho", acrescenta o amador, segurando-nos o braço, "é a oitava vez que o ouço, e juro que não será a última". De fato, como eles não assimilam o que, na arte, é na verdade nutriente, necessitam o tempo todo de satisfações artísticas, presa de uma bulimia que não os farta jamais. Portanto, vão aplaudir muitas vezes seguidas a mesma obra, julgando além disso que sua presença cumpre um dever, um ato, como, para outros, o assistirem a uma sessão do conselho administrativo ou a um enterro. Depois se inclinam por obras diferentes, e até opostas, seja na literatura, na pintura ou na música. Pois a faculdade de lançar idéias, sistemas e, sobretudo, de os assimilar, foi sempre bem mais freqüente, mesmo no meio daqueles que produzem, que o verdadeiro gosto, porém assumiu uma extensão considerável desde que as revistas e os jornais literários se multiplicaram (e com eles as vocações artificiais de escritores e de artistas). Assim, a melhor parte da juventude, a mais inteligente, a mais isenta, passou a apreciar na literatura somente as obras que tivessem um elevado alcance moral e sociológico, até religioso. Imaginava que era esse o critério para avaliar uma obra, repetindo desse modo o erro dos David, dos Chenavard, dos Brunetière etc. Preferia-se a Bergotte, cujas mais harmoniosas frases tinham na verdade exigido uma bem mais profunda pesquisa de si mesmo, escritores que pareciam mais profundos apenas por escreverem pior. A complicação da escrita de Bergotte só era apropriada às pessoas da alta sociedade, diziam democratas que assim atribuíam aos mundanos uma honra imerecida. Mas, quando a inteligência raciocinadora põe-se a julgar as obras de arte não existe mais nada que seja fixo, exato; pode-se demonstrar tudo o que se deseja. Ainda que a realidade do talento seja um bem, uma aquisição universal, cuja presença se pode constatar, antes de tudo, sob as modas aparentes do pensamento e do estilo, é sobre estes últimos que a crítica se detém para classificar os autores. Ela consagra profeta, devido a seu tom peremptório, seu desprezo ostensivo pela escola que o precedeu, a um escritor que não traz nada de novo. Essa constante aberração da crítica é de tal monta que um escritor quase deveria preferir ser avaliado pelo grande público (caso este não fosse incapaz de perceber até aquilo que o artista experimentou numa ordem de pesquisas que lhe é desconhecida). Pois existe analogia maior entre a vida instintiva do público e o talento de um grande escritor, que não é mais que um instinto religiosamente ouvido em meio ao silêncio imposto ao resto, um instinto aperfeiçoado e compreendido, do que entre este e a verbosidade superficial e os critérios inconstantes dos juízes oficiais. Sua logomaquia se renova de dez em dez anos (pois o calidoscópio não se compõe apenas dos grupos mundanos, mas das idéias sociais, políticas e religiosas, que assumem uma amplitude momentânea graças à sua refração pelas massas extensas, mas apesar disso permanecem limitadas à vida breve das idéias cuja novidade só pôde seduzir os espíritos pouco exigentes em matéria de provas). Assim sucediam-se partidos e escolas, arregimentando sempre os mesmos homens, homens de inteligência relativa, sempre tomados de um entusiasmo de que se abstinham os mais escrupulosos e exigentes. Por desgraça, justamente porque os outros só são meio-espíritos, têm necessidade de se complementarem pela ação, são mais ativos que os espíritos superiores, atraem a multidão e criam em torno deles não só as reputações exaltadas e os desprezos injustos, mas igualmente as guerras civis e as externas, das quais um pouco de autocrítica jansenista nos deveria preservar.

E quanto ao regozijo que dá a um espírito equilibrado, a um coração verdadeiramente vivo, o belo pensamento de um mestre, é fora de dúvida salutar; mas, por mais preciosos sejam os homens de fato capazes de desfrutá-lo (quantos haverá em vinte anos?), ele os reduz a serem, mesmo assim, unicamente à plena consciência alheia. Assim é determinado homem que, tendo feito de tudo para ser amado por uma mulher que só lhe daria desgostos, sem conseguir, apesar dos esforços redobrados e persistentes durante anos, obter nem mesmo um encontro com tal mulher, em vez de procurar exprimir os perigos e sofrimentos de que escapou, se puser a reler sem cessar, misturando-lhe "um milhão de palavras"[67] e

[67] "Um milhão de palavras": referência a uma fala do personagem Philaminte, na peça *As Sabichonas*, de Molière (ato III, cena II). (N. do T.)

as lembranças mais emocionantes de sua própria vida, esta reflexão de La Bruyère: "Os homens com freqüência querem amar sem o conseguir e, por assim dizer, são compelidos a permanecer livres." Que este pensamento tenha tido ou não tal significado para quem o escreveu (e, para isso, seria melhor escrever "ser amados" em vez de "amar"), é certo que o letrado sensível o vivifica, enchendo-o de significado até fazê-lo estourar, só pode relê-lo transbordando de alegria, de tanto que o considera belo e verdadeiro, mas apesar de tudo nada lhe acrescentou, e o pensamento continua sendo apenas uma reflexão de La Bruyère.

De que maneira a literatura de anotações teria qualquer valor, pois que a realidade se esconde sob as pequenas coisas que assinala (a grandeza no rumor distante de um aeroplano, na linha do campanário de Saint-Hilaire, o passado no sabor de uma *madeleine* etc.) e por si mesmas nada significam se não se souber extrair o que encerram?

Aos poucos, guardada pela memória, é a corrente de todas as expressões inexatas, onde não resta nada daquilo que de fato experimentamos, que constitui para nós o nosso pensamento, nossa vida, a realidade, e é essa mentira a meramente reproduzida por uma arte dita "vivida", simples como a vida, sem beleza, duplo emprego, aborrecido e inútil, do que vêem nossos olhos e atesta a nossa inteligência, de tal modo que perguntamos onde encontra, quem a cultiva, a alegre e motora centelha, capaz de animá-lo e de o fazer prosseguir em sua tarefa. A grandeza da arte verdadeira, a que o Sr. Norpois chamaria de jogo de diletante, consiste, ao contrário, em recuperar, fixar e nos fazer conhecer a realidade longe da qual vivemos, da qual nos afastamos cada vez mais à medida que adquire mais espessura e impermeabilidade o conhecimento convencional pelo qual a substituímos, essa realidade que corremos o risco de morrer sem ter conhecido, e que é simplesmente a nossa vida.

A vida verdadeira, a vida afinal descoberta e tornada clara, por conseguinte a única vida plenamente vivida, é a literatura. Essa vida que, em certo sentido, habita cada instante em todos os homens tanto quanto no artista. Mas eles não vêem, pois não procuram desvendá-la. E assim o seu passado fica encoberto por inúmeros clichês que permanecem inúteis, visto que a inteligência não os "desenvolveu". Nossa vida; e também a vida alheia; pois o estilo, para o escritor, tanto quanto a cor para quem pinta, é uma questão não de técnica mas de visão. É a revelação, impossível pelos meios diretos e conscientes, da diferença qualitativa que existe na maneira, como nos surge o mundo, diferença que, se não houvesse a arte, ficaria sendo o segredo eterno de cada um. Somente pela arte podemos sair de nós mesmos, saber o que enxerga outra pessoa desse universo que não é igual ao nosso, e cujas paisagens permaneceriam tão ignoradas de nós como as por acaso existentes na lua. Graças à arte, em vez de ver um mundo, o nosso, nós o vemos multiplicar-se, e dispomos de tantos mundos quantos forem os artistas originais, mais diferentes uns dos outros do que aqueles que rolam pelo Infinito e que, muitos séculos depois de se haver extinto o núcleo de onde provêm, chame-se este Rembrandt ou Vermeer, ainda nos enviam seus raios especiais.

Este trabalho do artista, de procurar vislumbrar sob a matéria, sob a experiência, sob as palavras, algo diferente, é exatamente o trabalho em sentido inverso do que, a cada minuto, quando vivemos desviados de nós mesmos, realizam em nós o amor-próprio, a paixão, a inteligência e o hábito, quando amontoam sobre nossas verdadeiras impressões, mas para ocultá-las de todo, as nomenclaturas, os objetivos práticos, a que falsamente chamamos vida. Em suma, esta arte tão complicada é justamente a única arte viva. Só ela expressa para os outros e nos faz ver a nós mesmos a nossa própria vida, esta vida que não pode ser "observada", cujas aparências observáveis precisam ser traduzidas e, muitas vezes, lidas pelo avesso e penosamente decifradas. Esse trabalho feito pelo nosso amor-próprio, nossa paixão, nosso espírito de imitação, nossa inteligência abstrata, nossos hábitos, é o trabalho que a arte irá desfazer, é a marcha em sentido contrário, o retorno que nos obrigará a fazer às profundezas onde o que de fato existiu jaz ignorado de nós.

E, sem dúvida, era uma grande tentação recriar a verdadeira vida, rejuvenescer as impressões. Mas seria preciso coragem de todo gênero, até do sentimental. Pois exigia, antes de mais nada, derrogar as mais caras ilusões, deixar de crer na objetividade do que se elaborou, e, em lugar de se embalar pela centésima vez com estas palavras: "Ela era muito amável", ler ao revés: "Sentiria prazer em beijá-la." Certo, o que eu sentira nessas horas de amor, todos os homens também sentem. Sentimos, mas o que sentimos é semelhante a determinados negativos que só parecem negros enquanto não os colocamos junto de uma lâmpada, e que também é preciso ver às avessas: não sabemos do que se trata enquanto não o aproximamos da inteligência. Só depois que ela o iluminou, quando o intelectualizou, distinguimos, e com que esforço, a figura do que sentimos. Mas eu também percebia que o sofrimento, que primeiro me chegara através de Gilberte, de que nosso amor não pertence à pessoa que o inspira, é salutar, acessoriamente, como meio de conhecimento. (Pois, por menos que dure a nossa vida, é apenas enquanto sofremos que nossas idéias, de algum modo agitadas por movimentos ondulantes e perpétuos, fazem elevar-se, como numa tempestade, a um nível em que podemos vê-la, toda essa imensidade regida por leis, que, postados a uma janela mal colocada, não conseguimos avistar, pois o sossego da felicidade a deixa lisa e muito rasa; talvez só para alguns gênios excepcionais esse movimento exista de modo constante, imune às agitações da dor; o que não é certo, pois, quando contemplamos o amplo e regular desenvolvimento de suas obras alegres, deduzimos, da alegria da produção, a da vida, que, ao contrário, foi talvez permanentemente dolorosa.) Mas, principalmente porque, se nosso amor não se deu exclusivamente a uma Gilberte (o que nos faz sofrer tanto), tal sofrimento não ocorreu porque o amor se deu também a uma Albertine, e sim por ser um pedaço de nossa alma, mais durável que os "eus" diversos que morrem sucessivamente em nós e, por egoísmo, desejariam retê-lo, pedaço que deve (mesmo ao preço do sofrimento, aliás útil, que isto nos cause), desprender-se das criaturas para que lhe devolvamos a generalidade, e darmos esse amor, a compreensão desse amor, a todos, ao espírito universal, e não a esta, depois àquela, nas quais se desejariam dissolver sucessivamente este e depois aquele dos "eus" que fomos.

Portanto, precisava restituir o seu sentido, que o hábito me fizera perder, aos menores sinais que me rodeavam (Guermantes, Albertine, Gilberte, Saint-Loup, Balbec etc.). E, quando houvermos alcançado a realidade, afastaremos, para exprimi-la, para conservá-la, o que for diferente dela e que a velocidade adquirida do hábito não cessa de nos trazer. Acima de tudo, afastaria essas palavras escolhidas antes pelos lábios do que pelo espírito, essas palavras cheias de humor, como as que usamos numa longa conversa e que, depois desta, continuamos a dirigir artificialmente a nós mesmos, e que nos enchem o espírito de mentiras, essas palavras apenas materiais, acompanhadas, no escritor que se rebaixa a transcrevê-las, do breve sorriso, do pequeno esgar que altera a todo instante, por exemplo, a frase oral de um Sainte-Beuve, ao passo que os livros legítimos devem ser filhos não do dia claro e das conversações, mas da obscuridade e do silêncio. E como a arte recompõe exatamente a vida, flutuará sempre em torno às verdades que atingimos em nós mesmos, uma atmosfera de poesia, a doçura de um mistério que é apenas o vestígio da penumbra que atravessamos, a indicação, assinalada com precisão como que por um altímetro, da profundidade de uma obra. (Pois essa profundidade não é inerente a certos assuntos, como o acreditam os romancistas materialisticamente espiritualistas, visto que não podem descer além do mundo das aparências, e cujas nobres intenções, semelhantes a essas virtuosas tiradas habituais em certas pessoas incapazes do menor ato de bondade, não devem nos impedir de notar que não possuem sequer a força mental de se livrar de todas as banalidades de forma adquiridas pela imitação.)

Quanto às verdades que a inteligência – mesmo nos espíritos mais elevados – colhe aos borbotões em plena luz, seu valor pode ser bem grande; porém apresentam contornos mais secos e são planas, não têm profundidade, pois não houve profundezas a devassar para alcançá-las, porque não foram recriadas. Freqüentemente escritores, em cujo âmago já não surgem essas verdades misteriosas, somente escrevem, a partir de certa idade, com a inteligência, cada vez mais vigorosa; os livros da madureza têm, por causa disso, mais força que os da juventude, mas já não possuem o mesmo frescor aveludado.

No entanto, eu sentia que tais verdades que a inteligência desprende diretamente da realidade não são de todo desprezíveis, pois poderiam envolver matéria menos pura, mas ainda eivada de espírito, essas impressões que, fora do tempo, nos traz a essência comum às sensações do passado e do presente, mas que, mais preciosas, são igualmente raras demais para que a obra de arte possa ser composta apenas com elas. Capazes de serem utilizadas para tal, eu sentia aglomerar-se dentro de mim uma multidão de verdades relativas às paixões, aos caracteres e aos costumes. Percebê-las dava-me alegria; entretanto, parecia-me recordar que mais de uma entre elas me fora desvendada no sofrimento, e outras em prazeres bem medíocres.

Toda pessoa que nos faz sofrer pode representar para nós uma divindade, da qual não passa de um reflexo fragmentário e a derradeira manifestação, divindade (Idéia) cuja contemplação logo transforma em alegria a mágoa que sentíamos. A arte de viver consiste em sabermos nos servir de pessoas que nos atormentam como sendo degraus que nos permitam ter acesso à sua forma divina, e, assim, de povoar alegremente de deuses a nossa vida.

Então, sem dúvida menos brilhante que a que me fizera entrever que a obra de arte era o único meio de recuperar o Tempo Perdido, uma nova luz se fez em mim. E compreendi que todos os materiais da obra literária eram a minha vida passada; compreendi que tinham vindo a mim, nos prazeres frívolos, na preguiça, na ternura, na dor, armazenados por mim sem que eu adivinhasse sua destinação, sua própria sobrevivência, como a semente acumula todos os alimentos que hão de nutrir a planta. Como a semente, eu poderia morrer quando a planta se desenvolvesse; e percebia ter vivido para ela sem saber, sem que a vida me parecesse dever entrar em contato com os livros que desejara escrever, e para os quais não achava assunto outrora, quando me sentava à mesa de trabalho. Assim, a minha vida até este dia poderia e não poderia resumir-se neste título: Uma vocação. Não o poderia porque a literatura não desempenhara nenhum papel em minha vida; e o poderia porque essa vida, com as lembranças de suas tristezas e alegrias, formava uma reserva semelhante ao albúmen do óvulo das plantas e no qual este encontra alimento para se transmudar em semente, nesta época em que ainda se ignora como se desenvolve o embrião de uma planta, o qual todavia é palco de fenômenos químicos e respiratórios secretos porém muito ativos. Assim a minha vida se relacionava com o que determinaria a sua maturação. E os que dela depois se nutririam, ignorariam, como os que se alimentam de grãos nutritivos, que as ricas substâncias que estes contêm foram feitas para alimentá-los e tinham antes nutrido a semente e permitido o seu amadurecimento.

Nesse assunto, as mesmas comparações, falsas se delas partimos, podem ser verdadeiras como pontos de chegada. O literato inveja o pintor, gostaria de fazer esboços, tomar apontamentos, mas estará perdido se assim proceder. Mas quando escreve, não há um gesto de seus personagens, um tique, uma inflexão, que não lhe seja trazido à inspiração pela memória, não há um só nome de personagem inventado sob o qual não se possa colocar sessenta nomes de pessoas da vida real, das quais uma posou para as caretas, outra para o monóculo, outra para a cólera, outra para o movimento sobranceiro do braço etc. E então o escritor percebe que, se seu sonho de ser pintor não fora realizável de uma forma, consciente e voluntária, todavia achou-se realizado e que também o escritor, sem o saber, fez o seu caderno de esboços.

Pois, movido pelo instinto, o escritor, muito antes de imaginar sê-lo um dia, esquecia-se de reparar em coisas que os outros notavam, o que o fazia ser tachado de distraído, pelos outros e por si mesmo, acusando-se de não saber ouvir nem ver; durante esse período, ordenava a seus olhos e ouvidos que retivessem para sempre o que aos outros parecia ninharias pueris, o tom com que fora dita certa frase, a expressão e o dar de ombros de uma pessoa em certo momento, pessoa de quem talvez não saiba coisa alguma, isto há muitos anos, e porque já ouvira esse tom ou sentia que poderia ouvi-lo novamente, que aquilo era algo de renovável, durável; é o senso do geral que, no escritor futuro, escolhe por si mesmo o que é geral e poderá fazer parte de uma obra de arte. Pois ele só escutou os outros quando, por mais imbecis ou loucos que fossem, repetindo como papagaios o que dizem as pessoas de natureza semelhante à deles, por isso mesmo tornavam-se aves proféticas, porta-vozes de uma lei psicológica. Ele só se recorda do essencial. Por determinadas inflexões de voz, por certos movimentos faciais, mesmo que vistos na sua mais longínqua infância, a vida dos outros estava representada nele, e quando, mais tarde, escrever, irá ajudá-lo, ou compondo um dar de ombros igual a muitos, real como se tivesse sido anotado no caderno de um anatomista, mas aqui para exprimir uma verdade psicológica, ou enxertando nos ombros um movimento do pescoço feito por outrem, cada modelo tendo dado seu instante de pose.

Não é certo que, para criar uma obra literária, a imaginação e a sensibilidade não sejam qualidades intercambiáveis e que a segunda não possa, sem grande inconveniente, substituir a primeira, como as pessoas, cujo estômago é incapaz de digerir, encarregam dessa função o intestino. Um homem de sensibilidade inata, e sem imaginação, poderia apesar disso escrever romances admiráveis. O sofrimento que os outros lhe causassem, seus esforços para evitá-lo, os conflitos que teria com pessoas cruéis, tudo isto interpretado pela inteligência, poderia dar o assunto de um livro, não apenas tão belo como imaginara e inventara, mas ainda tão externo à fantasia do autor, quando feliz e livre, tão surpreendente para ele próprio, tão acidental, como um capricho fortuito da imaginação.

As criaturas mais estúpidas manifestam, por seus gestos, frases e sentimentos involuntariamente expressos, leis de que não se dão conta, mas que o artista nelas surpreende. Devido a esse tipo de observações, o vulgo acha que o escritor é cruel, e o faz erradamente, pois, num ridículo, o artista percebe uma bela generalidade, e nem por isso culpa a pessoa observada, assim como o cirurgião não menospreza o paciente por estar sofrendo de um distúrbio muito freqüente de circulação; por isso, caçoa menos que ninguém dos ridículos. Desgraçadamente, é mais infeliz do que cruel: quando se trata das próprias paixões, embora lhes conheça muito bem a generalidade, liberta-se menos facilmente dos desgostos pessoais que elas provocam. É claro que, quando um indivíduo insolente nos injuria, teríamos preferido que ele nos elogiasse; e, sobretudo, se nos trai uma mulher a quem adoramos, quanto não daríamos para que o contrário ocorresse! Mas o ressentimento pela afronta e as mágoas pelo abandono seriam então as terras que jamais conheceríamos, e cuja descoberta, penosa para o homem, torna-se preciosa para o artista. Assim os malvados e os ingratos, apesar de si mesmos e do autor, entram na sua obra. O panfletário associa à sua glória, involuntariamente, o canalha a quem desmascarou. Pode-se reconhecer em toda obra de arte aqueles a quem o artista mais detestou e, infelizmente, até as que mais amou. Elas mesmas não fizeram senão posar para o escritor no próprio momento em que, bem contra a vontade, o faziam mais sofrer. Quando amava Albertine, estava bem ciente de que não era correspondido, e me resignara a que ela me fizesse saber o que é sofrimento, amor e até, no começo, felicidade.

E, quando buscamos extrair a generalidade do nosso desgosto, escrever a seu respeito, talvez nos sintamos um tanto consolados ainda por um outro motivo diverso dos que alinhei até aqui, que é o fato de que pensar de um modo geral, escrever, é para o escritor uma função sadia e necessária, cuja realização o torna feliz, assim como para os homens esportivos o exercício, o suor, os banhos. A falar a verdade, eu me revoltava um tanto contra isso. Por mais que julgasse estar a verdade suprema da vida na arte, mesmo que, por outro lado, não fosse mais capaz do esforço de memória exigido para de novo amar Albertine ou ainda chorar a minha avó, eu me indagava todavia se uma obra de arte da qual não teriam conhecimento seria para elas, para o destino dessas pobres mortas, uma realização de fato. Minha avó que eu vira, com tamanha indiferença, agonizar e morrer junto a mim! Ó, possa eu, como expiação, tão logo termine a minha obra, irremediavelmente ferido, sofrer longas horas, abandonado de todos, antes de morrer! Além disso, sentia uma piedade infinita mesmo pelas criaturas menos queridas, e até indiferentes, por tantas existências, cujo sofrimento, ou só mesmo os ridículos, afinal, por tentar compreendê-los, haviam me sido úteis. Todas essas criaturas que me haviam exposto verdades e que já não existiam, davam a impressão de terem vivido somente em meu proveito, e como se estivessem mortas para mim.

Era-me triste pensar que meu amor, ao qual tanto me aferrara, seria em meu livro tão desligado de um ser particular, que leitores diversos o aplicariam exatamente ao que sentissem por outras mulheres. Mas devia eu escandalizar-me com essa infidelidade póstuma e que este ou aquele pudesse atribuir o objeto de meus sentimentos a mulheres desconhecidas, quando essa infidelidade, essa divisão do amor entre vários seres principiara durante a minha vida e antes mesmo que eu pensasse em escrever? Eu sofrera muito, sucessivamente, por Gilberte, pela Sra. de Guermantes, por Albertine. Também sucessivamente as esquecera, e só o amor dedicado a criaturas diferentes fora duradouro. A profanação de uma de minhas lembranças por leitores desconhecidos, eu a consumara antes deles. Não estava longe de sentir horror de mim mesmo, como ocorreria a um partido nacionalista em cujo nome se processassem hostilidades, e ao qual unicamente aproveitaria uma guerra em que tantas nobres vítimas teriam sofrido e morrido, sem sequer saber (o que para minha avó, pelo menos, significaria uma recompensa) o resultado da luta. E meu consolo único do fato de que ela não saberia que eu enfim pusera mãos à obra era que (tal é a lei dos mortos), se não lhe era dado desfrutar do meu progresso, há muito, igualmente, não tinha consciência de minha inatividade, de minha vida falha que tanto a desgostara. E evidentemente, não apenas de minha avó, ou de Albertine, mas também de muitos outros ainda, eu havia assimilado uma palavra, um olhar, e de quem, como criaturas individuais, já me esquecera; um livro é um vasto cemitério no qual, sobre a maior parte dos túmulos, não mais podemos ler os nomes apagados. Às vezes, ao contrário, lembramos perfeitamente o nome, mas sem saber se algo da criatura que o usava sobrevive nestas páginas. Estará aqui a moça de olhos fundos e voz arrastada? E, se se encontra mesmo aqui, em que lugar, já não sabemos; e como descobri-la sob as flores?

Porém, visto vivermos longe dos seres individuais, visto que nossos mais fortes sentimentos, como foram o amor pela minha avó, por Albertine, não os reconhecemos mais ao fim de alguns anos, pois tornaram-se para nós apenas palavras incompreensíveis, visto que podemos falar desses mortos com os mundanos, em cuja residência ainda sentimos prazer em nos achar quando tudo o que amávamos todavia está morto – então, se há um modo pelo qual possamos começar a entender tais palavras esquecidas, acaso não o devemos aplicar, ainda que tenhamos de traduzi-las primeiro para uma língua universal, ao menos permanente, que faria dos que já não existem, em sua mais verdadeira essência, uma aquisição perpétua para todas as almas? Até essa lei da transformação, que nos tornou inteligíveis tais palavras, se conseguirmos explicá-la, nossa enfermidade não virá a ser uma força nova?

Aliás, a obra para a qual colaboraram as nossas mágoas pode ser interpretada, no futuro, a um tempo como um sinal nefasto de sofrimento e como um sinal feliz de consolação. Com efeito, se se diz que os amores e os desgostos do poeta lhe serviram, ajudando-o a elaborar sua obra, e que, sem sequer o suspeitarem, muitas desconhecidas contribuíram, uma pela crueldade, outra pela zombaria, com pedras para a edificação de um monumento que não hão de ver, esquece-se que a vida do escritor não termina com esse trabalho, que o mesmo temperamento que o fez passar por esses sofrimentos, os quais entraram em sua obra, o levará a viver após o término desta, a amar outras mulheres em condições que seriam semelhantes se não fossem ligeiramente desviadas por tudo o que o tempo modifica nas circunstâncias, no próprio indivíduo, na sua fome de amor e na sua resistência ao sofrimento. Sob este primeiro ponto de vista, a obra deve ser considerada apenas um amor infeliz que pressagia fatalmente outros, fazendo com que a vida se pareça à obra, que o poeta quase não tenha necessidade de escrever, a tal ponto pode encontrar, no que escreveu, a imagem antecipada do que acontecerá. Assim, o meu amor por Albertine, tão diverso, já estava inscrito em meu amor por Gilberte, no meio dos dias felizes em que lhe ouvi pela primeira vez, de sua tia, o nome e o retrato, sem desconfiar que esse germe insignificante se desenvolveria, acabando por se estender sobre toda a minha vida.

Mas sob outro ponto de vista, a obra é sinal de felicidade, pois nos ensina que em todo amor o geral jaz ao lado do particular e, ao passar do segundo para o primeiro devido a uma ginástica fortalecedora contra o desgosto, torna desprezível o que o provocou a fim de aprofundar a sua essência. De fato, e como eu deveria experimentar a seguir, mesmo no momento em que amamos e sofremos, caso a vocação enfim se realize nas horas em que trabalhamos na nossa obra, sentimos tão claramente a criatura amada dissolver-se numa realidade mais ampla que chegamos a esquecê-la por instantes, e não mais sofremos dos males de amor senão como de algum mal puramente físico, como uma doença do coração, sem qualquer ingerência da pessoa amada. É verdade que se trata de uma questão de poucos instantes, e o efeito parece ser o oposto, caso o trabalho principie bem mais tarde. Pois, se iniciamos a tarefa quando as criaturas que, devido à sua crueldade, sua nulidez, chegaram, à nossa revelia, a destruir nossas ilusões, tendo-se reduzido elas mesmas a nada, separando-se da quimera amorosa por nós forjada, nossa alma, pelas exigências de nossa auto-análise, ergue-as de novo, identifica-as com criaturas que nos teriam amado; e, nesse caso, a literatura, recomeçando o trabalho desfeito da ilusão amorosa, confere uma espécie de sobrevivência a sentimentos que já não existem.

É certo que somos obrigados a reviver nossa mágoa particular com a coragem do médico que recomeça em si mesmo a injeção perigosa. Mas, ao mesmo tempo, devemos pensá-la sob uma forma geral, o que de certo modo nos impele a fugir à sua opressão, que faz com que todos participem do nosso sofrimento, o que não deixa de nos causar uma certa alegria. No ponto em que a vida nos enclausura, a inteligência encontra uma saída, pois, se não há remédio para um amor não correspondido, conseguimos escapar à contemplação de um sofrimento, nem que seja tirando as conseqüências cabíveis. A inteligência desconhece as situações oclusas da vida que não oferecem escapatória.

Assim, precisava resignar-me, pois nada pode durar sem tornar-se geral e o espírito morre por si mesmo à idéia de que até as criaturas mais queridas ao escritor afinal de contas não fizeram mais que posar para ele como nos ateliês dos pintores.

Em amor, nosso rival feliz, ou melhor, nosso inimigo, é o nosso benfeitor. A uma criatura que não despertaria em nós senão um insignificante desejo físico, ele acrescenta logo um valor imenso, estranho, mas que confundimos com ele. Se não tivéssemos rivais, o prazer não se transformaria em amor. Se não os tivéssemos ou não julgássemos tê-los. Pois não é necessário que existam de verdade. Para o nosso bem, é suficiente essa vida ilusória dada a rivais inexistentes por nossa desconfiança, nosso ciúme.

Por vezes, quando um trecho doloroso permaneceu em estado de esboço, uma nova ternura e um novo sofrimento nos chegam, permitindo que o concluamos e preenchamos. Dessas grandes mágoas úteis não nos podemos queixar, pois não falham nem se fazem esperar muito: logo nos consolamos, ou, se são muito intensas e o coração não muito sólido, morremos. Pois só a felicidade é saudável para o corpo; mas é o desgosto que desenvolve as forças da mente. Além disso, mesmo que a cada passo não nos revelasse uma lei, não seria menos indispensável para nos reconduzir à verdade, nos obrigar a levar as coisas a sério, sempre nos arrancando as ervas daninhas do hábito, do ceticismo, da leviandade e da indiferença. É certo que essa verdade, incompatível com a ventura, com a saúde, nem sempre o é com a vida. O desgosto acaba por matar. A cada nova dor mais intensa, percebemos intumescer-se mais uma veia, cuja sinuosidade mortal se desenvolve ao longo de nossa têmpora, sob nossos olhos. E é assim que aos poucos se fazem as fisionomias terríveis e devastadas do velho Rembrandt, do velho Beethoven, de quem todos escarneciam. E nenhuma importância haveria nas bolsas sob os olhos e nas rugas da testa, não fosse a tristeza no coração. Mas, visto que as forças podem se transformar em outras, visto que o ardor durável se faz luz e que a eletricidade do raio pode virar fotografia, e que nossa dor surda no coração consegue elevar acima de si própria, como um lábaro, a permanência visível de uma imagem a cada novo desgosto, aceitemos o mal físico que nos inflige devido ao conhecimento espiritual que nos traz; deixemos que nosso corpo se desagregue, pois cada parcela nova que dele se destaca vem, já agora luminosa e legível, acrescentar-se à nossa obra para completá-la ao preço de sofrimentos de que os outros mais dotados não necessitam, para torná-la mais sólida à medida que as emoções esfarelam a nossa existência. As idéias são sucedâneos dos desgostos; no momento em que estes se transmudam em idéias, perdem uma parte de sua ação nociva sobre nosso coração, e até, no primeiro instante, a própria transformação desencadeia uma alegria súbita. Aliás, apenas sucedâneos no tempo, pois o elemento primitivo parece ser a idéia, sendo o desgosto somente a maneira pela qual certas idéias penetram inicialmente em nós. Porém há várias famílias no grupo das idéias, das quais algumas logo se mudam em alegrias.

Estas reflexões faziam-me descobrir um sentido mais intenso e exato na verdade que eu sempre havia pressentido, especialmente quando a Sra. de

Cambremer se perguntava como podia eu abandonar, por Albertine, um homem notável como Elstir. Mesmo do ponto de vista intelectual, eu percebia que ela estava errada, mas não sabia o que ela desconhecia: eram as lições com as quais faz seu aprendizado o homem de letras. O valor objetivo das artes é de pouca monta em tudo isso; o que interessa desvelar, trazer à luz, são os nossos sentimentos, nossas paixões, ou seja, as paixões e os sentimentos de todos. Uma mulher de quem necessitamos, que nos faz sofrer, extrai-nos, como não faria nenhum homem superior que nos interessasse, séries de sentimentos aliás profundos, vitais. Resta saber, conforme o plano em que vivemos, se achamos que a traição que nos faz uma mulher vale pouco diante das verdades que essa traição nos permitiu descobrir, e que a mulher, feliz por ter feito sofrer, nem compreenderia. Em todo caso, traições assim não faltam. Um escritor pode sem temor entregar-se a um longo trabalho. Que a inteligência principie a tarefa, no caminho aparecerão muitos desgostos que irão encarregar-se de terminá-la. Quanto à felicidade, ela tem quase uma única utilidade apenas: tornar possível a desgraça. É preciso que na felicidade possamos formar laços bem suaves e fortes de confiança e afeto para que sua ruptura nos cause o dilaceramento tão precioso que se chama infelicidade. Se não tivéssemos sido felizes, ainda que pela esperança, as infelicidades não seriam cruéis e, portanto, não dariam frutos.

E mais do que o pintor, a quem é necessário ver muitas igrejas para pintar uma só, o escritor, para obter volume e consistência, generalidade e realidade literárias, também precisa de muitos seres para retratar um único sentimento. Pois, se a arte é longa e a vida curta, em compensação pode-se dizer que, se a inspiração é curta, os sentimentos que ela deve retratar não são muito mais longos. São nossas paixões que esboçam nossos livros, os intervalos de repouso que os escrevem. Quando renasce a inspiração, quando podemos retomar o trabalho, a mulher que nos servia de modelo para um sentimento, já não no-lo causa mais. É preciso continuar a descrevê-lo segundo outra mulher, e, se nisso há traição, literalmente, graças à semelhança de nossos sentimentos que faz com que uma obra seja, a um tempo, a lembrança dos amores passados e a profecia de amores novos, não existe grande inconveniente nessas substituições. Esta é uma das razões da vaidade dos estudos em que se procura adivinhar de quem um autor está falando. Pois uma obra, ainda que de confissão direta, é pelo menos intercalada entre vários episódios da vida do autor, os anteriores, que a inspiraram, os posteriores, que não se lhe assemelham menos, sendo as particularidades dos amores seguintes decalcadas pelas dos precedentes. Pois à pessoa mais amada não somos tão fiéis quanto a nós mesmos, e esquecemo-la cedo ou tarde para poder recomeçar a amar, visto que é esse um dos traços do nosso próprio caráter. Quando muito, a esse amor terá aquela a quem tanto amamos acrescentado um aspecto peculiar, que nos há de fazer fiéis a ela mesmo na infidelidade. Com a mulher seguinte, precisaremos dos mesmos passeios matinais ou de levá-la em casa todas as noites da mesma forma, ou de lhe dar também dinheiro em excesso. (Uma coisa curiosa, a circulação do dinheiro gasto com mulheres que, por causa disso, nos tornam infelizes, isto é, nos permitem escrever livros – pode-se quase dizer que as obras, como os poços artesianos, sabem tanto mais quanto mais o sofrimento escavou o coração.) Tais substituições emprestam à obra algo de desinteressado, de mais geral, que também é uma lição austera de como não nos prendermos aos seres, que não existem na realidade e, logo, não suscetíveis de expressão, mas às idéias. É necessário, ainda, que nos apressemos e não percamos tempo enquanto estão disponíveis tais modelos; pois, em geral, os que posam para a felicidade não nos podem conceder muito tempo; e nem, infelizmente, os que posam para a dor, visto que também ela passa rápido.

Aliás, mesmo quando o sofrimento não nos fornece, com a sua revelação, a matéria de nosso livro, pode nos servir de incentivo. A imaginação e o pensamento podem em si mesmos ser máquinas admiráveis, mas também inertes. O sofrimento, então, as põe em marcha. E as criaturas que nos servem de modelo para a dor concedem-nos sessões tão freqüentes, nesse ateliê ao qual não vamos senão nesses períodos, e que está no íntimo de nós mesmos! Esses períodos são como imagens de nossa vida com suas dores várias. Pois também estas contêm outras diversas, e, quando julgávamos tudo tranqüilo, aparece uma nova, nova em todos os sentidos da palavra: talvez porque tais situações imprevistas nos obrigam a entrar mais profundamente em contato conosco; esses dilemas dolorosos, que o amor nos formula a todo instante, instruem-nos, revelam-nos sucessivamente a matéria de que somos feitos. Assim, quando Françoise, vendo Albertine entrar por todas as portas abertas em minha casa, como um cãozinho, e pôr tudo em desordem, arruinar-me, causar-me tantos desgostos, dizia-me (pois nessa ocasião eu já escrevera alguns artigos e fizera umas poucas traduções): – Ah! Se o senhor, em vez dessa menina que o faz perder todo o seu tempo, tivesse tomado um secretariozinho bem-educado para classificar todos os seus papeluchos! – eu talvez não tivesse razão em achar sensatas as suas palavras. Fazendo-me perder tempo, dando-me desgostos, Albertine me fora talvez mais útil, até mesmo do ponto de vista literário, do que um secretário que pusesse em ordem minha papelada. Mas, ainda assim, quando uma criatura é tão mal conformada (e talvez, na natureza, essa criatura seja o homem) que não possa amar sem sofrer, e que lhe seja preciso sofrer para conhecer verdades, a vida de tal criatura acaba por ser bem fatigante. Os anos felizes são anos perdidos, esperamos um sofrimento para iniciar um trabalho. A idéia do sofrimento prévio associa-se à idéia do trabalho, temos medo de cada obra nova ao pensar nas dores que primeiro devemos suportar para imaginá-la. E, como entendemos que o sofrimento é a melhor coisa que podemos achar na vida, pensamos sem errar, quase como se fosse uma libertação, na morte.

No entanto, se isso me revoltava um pouco, precisava tomar cuidado, pois muitas vezes jogamos mal nossa partida com a existência, não aproveitamos as criaturas para nossos livros, antes pelo contrário. O caso de Werther, tão nobre, infelizmente não era o meu. Sem crer um só instante no amor de Albertine, quisera vinte vezes matar-me por ela, arruinara-me, destruíra a minha saúde por causa dela. Quando se trata de escrever, somos escrupulosos, verificamos tudo de perto, rejeitamos tudo que não for verdade. Mas, na vida, arruinamo-nos, ficamos doentes, matamo-nos por mentiras. É certo que, da ganga dessas mentiras (se já passou a idade da poesia), pode-se extrair apenas um pouco de verdade. Os desgostos são servidores obscuros, detestados, contra os quais lutamos e sob cujo império cada vez mais tombamos, servidores atrozes, impossíveis de substituir e que por vias subterrâneas nos conduzem à verdade e à morte. Felizes os que encontraram a primeira antes da segunda, e para quem, por mais próximas que estejam uma da outra, a hora da verdade soou antes da hora da morte!

Compreendi também que os mínimos episódios de minha vida passada haviam concorrido para a lição de idealismo que eu ia aproveitar hoje. Por exemplo, meus encontros com o Sr. de Charlus não me haviam, antes mesmo que sua germanofilia me desse lição igual, e ainda melhor que meu amor pela Sra. de Guermantes ou por Albertine, que o amor de Saint-Loup por Rachel, convencido o quanto a matéria é indiferente e que nela o pensamento pode enxertar tudo; verdade que o fenômeno tão mal compreendido, tão inutilmente censurado, da inversão sexual amplia ainda mais do que este outro, já tão instrutivo, do amor. Este nos mostra a beleza fugindo da mulher que já não amamos e vindo residir no rosto que outros achariam muito feio, e que a nós mesmos poderia, poderá um dia desagradar; mas ainda é mais espantoso vê-la, obtendo todas as homenagens de um senhor ilustre que logo deixa uma bela princesa, emigrar para debaixo do boné de um fiscal de ônibus. Meu espanto, sempre que revia nos Champs-Élysées, na rua, na praia, o rosto de Gilberte, da Sra. de Guermantes, de Albertine, não provaria acaso o quanto uma lembrança só se prolonga numa direção divergente da impressão com a qual coincidiu no começo e da qual se afasta cada vez mais?

O escritor não deve ficar ofendido se o invertido confere a suas heroínas uma fisionomia masculina. Só essa particularidade meio aberrante permite ao invertido atribuir ao que lê toda a sua generalidade. Racine fora obrigado, para lhe dar a seguir todo o seu valor universal, a fazer por um momento uma jansenista da Fedra antiga; da mesma forma, se o Sr. de Charlus não desse as feições de Morel ao "infiel" por quem Musset chora na *Nuit d'Octobre* ou em *Le Souvenir*, não teria nem chorado nem compreendido, pois era só por esse caminho oblíquo e estreito que tinha acesso às verdades do amor. O escritor, só por um hábito extraído da linguagem insincera dos prefácios e das dedicatórias, escreve: "meu leitor." Na realidade, todo leitor, quando lê, é o leitor de si mesmo. A obra do escritor não passa de uma espécie de instrumento óptico que ele oferece ao leitor a fim de permitir que este distinga aquilo que, sem o livro, talvez não pudesse ver em si mesmo. O reconhecimento em si mesmo, pelo leitor, do que diz o livro, é a prova da verdade deste, e vice-versa, ao menos em certa medida, podendo a diferença entre ambos os textos ser várias vezes imputada não ao autor, mas ao leitor. Além do mais, o livro pode ser muito sábio, obscuro demais para o leitor ingênuo e, assim, não lhe apresentar senão lentes turvas com as quais ele não poderá ler. Porém outras peculiaridades (como a inversão) podem fazer com que o leitor sinta necessidade de ler de uma certa maneira para ler bem; o autor não precisa ficar ofendido, mas, pelo contrário, deve dar a maior liberdade ao leitor, dizendo: "Olhe você mesmo, veja se vê melhor com esta lente ou com essa outra."

Se eu tinha me interessado tanto pelos sonhos, não seria por que, compensando a brevidade com a força, eles nos ajudam a compreender melhor o que existe de subjetivo no amor, por exemplo, pelo simples fato de que realizam – mas com prodigiosa rapidez – o que vulgarmente se diz ficar louco por uma mulher, chegando a ponto de, durante o sono, nos fazer amar apaixonadamente, por alguns minutos, uma mulher feia, o que, na vida real, teria demandado anos e anos de hábito, de vida em comum, e – caso as inventasse um médico milagroso – injeções intravenosas de amor, da mesma forma que também poderiam ser de sofrimento? Com a mesma rapidez, a sugestão amorosa que nos inculcaram se dissipa, e às vezes não só a amante noturna deixou de sê-lo para nós como tal, voltando a ser a feia bem conhecida, mas também se dissipa algo de mais precioso, todo um quadro deslumbrante de sentimentos de ternura, de volúpia, de lamentos vagamente esfumados, todo um embarque para a Citera[68] da paixão de que, ao despertar, gostaríamos de recordar as nuanças de uma deliciosa verdade, mas que se apaga como uma tela muito esmaecida para ser restaurada. E muito mais ainda: era talvez também devido ao seu extraordinário jogo com o Tempo que o Sonho me fascinara. Não vira tantas vezes numa noite, num momento de uma noite, tempos longínquos, relegados a essas distâncias enormes em que já não distinguimos coisa alguma dos sentimentos que experimentávamos, se precipitarem sobre nós, cegando-nos com sua claridade, como se fossem aviões gigantes em vez das pálidas estrelas que pensávamos, restituindo-nos tudo o que para nós contiveram, dando-nos a emoção, o choque, o brilho de sua proximidade imediata e, mal acordamos, ganhando de novo a distância que milagrosamente haviam franqueado, de modo a nos fazer acreditar, aliás erradamente, serem os sonhos uma das maneiras de recuperar o Tempo Perdido?

[68] Citera: ilha grega entre o Peloponeso e Creta. A expressão "embarque para Citera" é referência ao quadro *L'embarquement pour Cythère*, de Watteau (1717), atualmente no Louvre, e que sintetiza o espírito erótico do Rococó. (N. do T.)

Havia reparado que só a percepção grosseira e errônea põe tudo no objeto, quando tudo está no espírito; na realidade, havia perdido minha avó muitos meses antes de perdê-la de fato, vira as pessoas variarem de aspecto de acordo com a idéia que eu ou outros fazíamos delas, serem diversas para observadores diversos (os vários Swanns do começo deste livro, por exemplo; a princesa de Luxemburgo vista pelo primeiro magistrado e por mim), ou até para o mesmo no decurso dos anos (as variações, em mim, do nome de Guermantes e os diversos Swanns). Vira o amor colocar na pessoa amada o que só ao amador pertencia. Havia reparado melhor em tudo isso quanto fizera desdobrar-se ao máximo a distância entre a realidade objetiva e o amor (Rachel para Saint-Loup e para mim, Albertine para mim e Saint-Loup, Morel ou o fiscal de ônibus para Charlus ou outras pessoas e, apesar disso, enternecimentos de Charlus; versos de Musset etc.). Enfim, numa certa medida, a germanofilia do Sr. de Charlus, bem como o olhar de Saint-Loup à fotografia de Albertine, ajudaram-me por um instante a me desligar, senão de minha germanofobia, ao menos da crença na pura objetividade desta, e a me fazer pensar que talvez nisso se parecessem o amor e o ódio, e que, no terrível juízo que nesse próprio momento a França fazia da Alemanha, julgando-a fora da humanidade, houvesse uma objetividade sobretudo de sentimentos, como os que tornavam Rachel e Albertine tão preciosas, uma a Saint-Loup, e a outra a mim. O que, de fato, possibilitava que semelhante perversidade não fosse inteiramente intrínseca à Alemanha era que – assim como individualmente eu tivera amores sucessivos, e, ao fim deles, achava sem valia o objeto desse amor – já assistira em meu país a sucessivas explosões de ódio que tinham feito, por exemplo, parecer traidores – mil vezes piores que os alemães aos quais entregavam a França – dreyfusistas como Reinach, com quem hoje colaboravam os patriotas, unidos contra a nação cujos filhos eram necessariamente tidos como mentirosos, bestas ferozes e imbecis, exceção feita aos alemães que haviam abraçado a causa francesa, como o rei da Romênia, o rei da Bélgica ou a imperatriz da Rússia. É verdade que os antidreyfusistas teriam me respondido: "Não é a mesma coisa." Mas, de fato, nunca é a mesma coisa, nem a mesma pessoa; a não ser assim, diante de um mesmo fenômeno, quem se deixasse enganar só poderia acusar seu estado subjetivo e não as qualidades e defeitos do objeto. Então, a inteligência não tem dificuldades em estabelecer, sobre essa diferença, uma teoria (ensino antinatural dos congregados, segundo os radicais; impossibilidade da raça judia em se naturalizar; ódio perpétuo da raça alemã contra a latina, acompanhada de reabilitação momentânea da raça amarela). Esse lado subjetivo, aliás, verificava-se nas conversações dos neutros, onde os germanófilos, por exemplo, tinham a faculdade de cessar por um instante de compreender, e até mesmo de ouvir, quando lhes falavam das atrocidades alemãs na Bélgica. (E no entanto elas eram reais: o que eu assinalava de subjetivo no ódio, como na visão, não impedia que o objeto pudesse possuir reais qualidades ou defeitos, e de modo algum fazia desvanecer-se a realidade num puro relativismo.)

E se, após tantos anos decorridos e tanto tempo desperdiçado, eu sentia essa influência capital do ato interno até nas relações internacionais, já a pressentira no começo da vida, ao ler no jardim de Combray um desses romances de Bergotte que, ainda hoje, quando folheio algumas páginas esquecidas e me deparo com a velhacaria de um malvado, não descanso enquanto não verifico, virando cem páginas, se o mau acaba devidamente humilhado e vive o bastante para saber que seus tenebrosos planos fracassaram. Pois já não me recordava bem o que acontecera com tais personagens, o que aliás não os diferenciava das pessoas que se achavam àquela tarde na casa da Sra. de Guermantes, e cuja vida passada, ao menos para muitos, era tão vaga para mim como se a tivesse lido num romance meio olvidado. O príncipe de Agrigento acabara por desposar a Srta. X...? Ou antes, não seria o irmão da Srta. X... que deveria se casar com a irmã do príncipe? Ou então, não estaria eu fazendo confusão com uma leitura antiga ou um sonho recente? O sonho ainda era um dos fatos da minha vida que mais tinham me impressionado, que mais me deveriam ter convencido do caráter puramente mental da realidade, e cujo auxílio eu não desdenharia na composição de minha obra. Quando vivia para um amor, de modo um pouco menos desinteressado, um sonho vinha singularmente aproximar de mim, fazendo-lhes percorrer grandes distâncias de tempo perdido, minha avó, Albertine, que eu recomeçara a amar porque me dera, no meu sonho, uma versão, aliás atenuada, da história da lavadeira. Pensei que por vezes viriam eles, desse modo, aproximar de mim verdades e impressões que somente o meu esforço ou um encontro casual não seriam suficientes para me fornecer; que despertariam em mim o desejo, a saudade de certas coisas inexistentes, condição indispensável para trabalhar, para fugirmos ao hábito, para nos livrarmos do concreto. Eu não desprezaria esta segunda musa, a musa noturna que por vezes supriria a outra.

Já vira os nobres tornarem-se vulgares quando o seu espírito, como o do duque de Guermantes, por exemplo, era vulgar ("Você não se aperta", como teria dito Cottard). Na medicina, no Caso Dreyfus, durante a guerra, vira acreditar que a verdade é um certo fato, que os ministros e o médico dispõem de uma afirmação ou negação que não precisa ser interpretada, como se uma chapa radiográfica bastasse para revelar o estado do enfermo, como se os políticos *soubessem* que Dreyfus era culpado, *soubessem* (sem precisar, para isso, enviar Roques ao local para averiguações) que Sarrail possuía ou não meios para marchar ao mesmo tempo que os russos.[69] Não há sequer uma hora da minha vida que não tenha

[69] Em 1915, tendo a Bulgária entrado na guerra ao lado da Alemanha, os aliados formaram um exército expedicionário sob o comando do general Sarrail (1856-1929) para combatê-la em Salônica. Roques (1856-1920) era ministro da guerra na França em 1916, e efetuou uma missão a Salônica para verificar os métodos de Sarrail, devido às derrotas deste. (N. do T.)

servido para me ensinar que somente a percepção grosseira e errônea coloca tudo no objeto quando, ao contrário, tudo está no espírito.

Em suma, pensando bem, a matéria da minha experiência, que seria a do meu livro, me vinha de Swann, e não apenas por tudo que lhe dizia respeito e a Gilberte. Mas fora ele que, desde Combray, estimulara-me o desejo de ir a Balbec, aonde, sem isso, meus pais nunca teriam tido a idéia de me mandar, e sem o que eu não teria conhecido Albertine, e até mesmo os Guermantes, visto que minha avó não se encontraria de novo com a Sra. de Villeparisis, nem eu travaria relações com Saint-Loup e o Sr. de Charlus, o que me faria conhecer a duquesa de Guermantes e, através dela, a sua prima, de modo que até a minha presença neste momento na casa do príncipe de Guermantes, onde me acabara de vir bruscamente a idéia do meu livro (decorrendo daí que devia a Swann não apenas o assunto mas a decisão), vinha-me também de Swann. Pedúnculo talvez um tanto delgado para suportar assim a extensão de toda a minha vida (portanto, neste sentido, o "caminho de Guermantes" provinha do "caminho de Swann"). Muitas vezes, porém, o autor dos aspectos da nossa vida é alguém bastante inferior a Swann, é a criatura mais medíocre. Acaso não teria bastado que um companheiro qualquer me indicasse uma prostituta agradável (e que provavelmente eu não encontraria) para que fosse a Balbec? Assim, muitas vezes encontramos mais tarde um companheiro desagradável, mal lhe apertamos a mão; e todavia, se alguma vez refletirmos nisso, foi de uma palavra distraída dele, como "Você deveria ir a Balbec", que saíram toda a nossa vida e a nossa obra. Não lhe guardamos nenhum reconhecimento, sem que isso denote ingratidão de nossa parte. Pois, dizendo aquelas palavras, ele de modo algum pensou nas enormes conseqüências que teriam para nós. Nossa sensibilidade e nossa inteligência é que exploraram as circunstâncias, as quais, dado o primeiro impulso, engendraram-se umas às outras, sem que ele pudesse prever a coabitação com Albertine e o baile de máscaras na casa dos Guermantes. Sem dúvida, o impulso fora necessário, e portanto a forma exterior da nossa vida, a matéria mesma do nosso livro, dependem dele. Sem Swann, meus pais nunca se lembrariam de me enviar a Balbec. Aliás, ele não era responsável pelos sofrimentos que indiretamente me causara, os quais se deviam à minha fraqueza. Também a sua o fez sofrer por causa de Odette. Mas, determinando dessa maneira a vida que temos levado, excluiu as que em seu lugar poderíamos ter tido. Se Swann não me houvesse falado de Balbec, eu não teria conhecido Albertine, a sala de jantar do hotel, os Guermantes. Teria ido alhures, conhecido pessoas diferentes, minha memória, como meus livros, seria repleta de quadros bem diversos, quadros que eu nem sequer posso imaginar e cuja novidade, desconhecida de mim, seduz-me, fazendo-me lamentar antes não ter ido a seu encontro, e que Albertine e a praia de Balbec, e Rivebelle e os Guermantes não me tivessem permanecido ignorados para sempre.

Certo, ao rosto de Albertine, tal como o avistara pela primeira vez defronte ao mar, é que eu ligava determinadas coisas sobre as quais sem dúvida escreveria.

Num certo sentido, tinha motivos para estabelecer essa ligação, pois, se não fosse até o molhe naquele dia, se não a tivesse conhecido, todas estas idéias não seriam desenvolvidas (a menos que fossem devido a outra). Por outro lado, essa ligação era errônea, pois o prazer gerador que devemos encontrar retrospectivamente num belo rosto de mulher provém dos nossos sentidos: com efeito, essas páginas que eu haveria de escrever, Albertine, sobretudo a Albertine de então, não teria compreendido. Mas é justamente por isso (e trata-se aqui de um alerta para não se viver numa atmosfera excessivamente intelectualizada), porque ela era tão diversa de mim, que me fecundara pelo desgosto e até, no começo, pelo simples esforço de compreender alguém tão diferente de mim. Estas páginas, se ela fosse capaz de entendê-las, por essa mesma razão não as teria inspirado.

O ciúme é um bom aliciador que, quando existe um vazio, no nosso quadro, vai buscar-nos na rua a bela moça que faltava. Já não era mais bela, volta a sê-lo pois lhe temos ciúme, e ela preencherá esse vazio.

Uma vez que estivermos mortos, já não teremos alegria que esse quadro se complete desse modo. Mas semelhante idéia não é de forma alguma desanimadora. Pois sentimos que a vida é um pouco mais complicada do que se costuma dizer, e também as circunstâncias. E há uma necessidade premente de mostrar essa complexidade. O ciúme, tão útil, não nasce forçosamente de um olhar, de um relato ou de uma reflexão retrospectiva. Pode-se encontrá-lo, prestes a nos aguilhoar, entre as folhas de um anuário – o *Tout-Paris* no caso de Paris, e, para o campo, o *Annuaire des Châteaux*. Ouvíramos, distraidamente, a bela moça, que se nos tornara indiferente, dizer que precisava ir passar alguns dias na casa da irmã, em Pas-de-Calais, perto de Dunquerque; também distraídos, tínhamos pensado que talvez a bela jovem fora cortejada outrora pelo Sr. E***, a quem já não via pois deixara de ir ao bar em que o conhecera antigamente. Que podia ser sua irmã? Talvez camareira? Por discrição, nada havíamos indagado. E eis que, abrindo ao acaso o *Annuaire des Châteaux*, soubemos que o Sr. E*** tem seu castelo no Pas-de-Calais, perto de Dunquerque. Já não havia dúvida de que, para agradar à jovem bonita, empregara a irmã dela como camareira, e, se a bela já não o vê no bar é porque ele a faz vir à sua casa, morando em Paris quase o ano inteiro, mas não podendo privar-se dela mesmo enquanto está no Pas-de-Calais. Os pincéis, ébrios de fúria e amor, pintam, pintam. E no entanto, se aquilo fosse falso? Se, na verdade, o Sr. E*** nunca mais visse a bela moça mas, para ser prestativo, recomendasse a irmã desta a um irmão que morasse o tempo todo no Pas-de-Calais? De modo que ela, mesmo por acaso, vai visitar a irmã no momento em que o Sr. E*** não se acha presente, pois eles já não se preocupam um com o outro. A menos que a irmã não seja camareira no castelo nem em qualquer outro lugar, mas possua parentes no Pas-de-Calais. Nossa mágoa do primeiro instante cede às últimas suposições que tranqüilizam o ciúme. Mas que importa? Este, escondido nas folhas do *Annuaire* *des Châteaux*, veio em boa hora, pois agora o vazio existente na tela está preenchido. E tudo se compõe harmoniosamente, graças à presença suscitada pelo ciúme relativo à bela moça, de quem já não somos ciumentos e que não mais amamos.

Neste momento, o mordomo veio me dizer que a primeira peça musical já havia terminado e que eu podia deixar a biblioteca e entrar nos salões. Isto me fez recordar de onde me achava. Mas de forma alguma me perturbei no raciocínio que acabava de principiar, pelo fato de que uma reunião mundana e a volta à sociedade, houvessem-me fornecido este ponto de partida em direção a uma vida nova que eu não soubera encontrar na solidão. O fato nada tinha de extraordinário, pois uma impressão que podia ressuscitar em mim o homem eterno não estaria mais ligada forçosamente à solidão que à sociedade (como eu o julgara antigamente, como talvez pudesse ter sido outrora para mim, e ainda o fosse caso eu me tivesse desenvolvido harmoniosamente, sem essa longa parada que só agora parecia ter fim). Pois, sendo sensível a essa impressão de beleza apenas quando, a uma sensação atual, por mais insignificante que fosse, vinha superpor-se outra semelhante que, renascendo espontaneamente em mim, espalhava a primeira, simultaneamente, sobre diversas épocas, enchendo-me a alma de uma essência geral, onde, via de regra, as sensações particulares deixavam tantas lacunas – não havia razão para que não recebesse sensações desse gênero tanto na sociedade quanto na natureza, visto serem elas fornecidas pelo acaso, sem dúvida auxiliado pela excitação própria dos dias fora do ritmo normal da vida, quando até as coisas mais simples recomeçam a nos causar sensações de ordinário poupadas ao nosso sistema nervoso. Por que motivo justa e unicamente esse gênero de sensações é que deveria conduzir à obra de arte, era o que eu iria tentar verificar de maneira objetiva, continuando o raciocínio que principiara na biblioteca; pois sentia que o desencadear da vida espiritual era bem poderoso em mim agora, e tanto poderia continuar a pensar no salão, entre os convidados, como sozinho, entre os livros. Parecia-me que, sob tal ponto de vista, ainda que em meio a uma assistência tão numerosa como esta, saberia preservar minha solidão. Pois, pelo mesmo motivo que os grandes acontecimentos não influem, de fora, sobre nossas forças espirituais, e que um escritor medíocre, mesmo vivendo numa época heróica, ainda assim continuará medíocre, o perigo da sociedade seriam as disposições mundanas que ali aportam. Mas, por si mesma, ela já não seria capaz de nos tornar medíocres, assim como uma guerra heróica não torna sublime um poeta ruim.

Em todo caso, fosse ou não teoricamente valioso que a obra de arte se constituísse dessa forma, e esperando elucidar melhor a questão, como o faria, não podia negar, pelo que me concernia, que as impressões verdadeiramente estéticas me vinham, efetivamente, apenas quando iam no encalço de sensações desse tipo. É verdade que haviam sido bem raras na minha vida, mas a dominavam; podia encontrar no passado alguns desses cimos, que fizera mal em perder de vista (o que esperava não mais fazer de agora em diante). E já podia afirmar que, pela importância exclusiva que assumia, se houvesse em mim um traço pessoal, tranqüilizava-me contudo verificar que, em certos escritores, tal característica se assemelhava a aspectos menos marcados, porém discerníveis e, no fundo, análogos. Não é a uma sensação do gênero do da *madeleine* que se prende a mais bela parte das *Memórias de Além-túmulo?* – "Ontem à noite eu passeava sozinho... fui despertado de minhas reflexões pelo gorjeio de um tordo pousado no mais alto ramo de uma bétula. E logo este som mágico fez reaparecer a meus olhos a herdade paterna; esqueci as catástrofes que acabara de presenciar e, subitamente transferido ao passado, revi aqueles campos onde tantas vezes ouvira o tordo assobiar." E não será esta agora uma das duas ou três mais belas frases dessas memórias: "Um aroma fino e suave de heliotrópio se exalava de um canteirinho de favas em flor; não fora trazido pela brisa da pátria, mas por um vento selvagem da Terra-Nova, sem relação com a planta exilada, sem simpatia de reminiscências e volúpia. Nesse perfume, não respirado pela beleza, não apurado no seu seio, não disseminado sobre seus traços, nesse perfume matizado[70] de aurora, de cultura e de humanidade, havia todas as melancolias nostálgicas, da ausência e da juventude." Uma das obras-primas da literatura francesa, *Sylvie*, de Gérard de Nerval, apresenta, bem como o volume das *Memórias de Além-túmulo* relativo a Combourg, uma sensação do mesmo gênero da do sabor da *madeleine* e do "gorjeio do tordo". Em Baudelaire, por fim, tais reminiscências, ainda mais numerosas, são, é claro, menos fortuitas e, conseqüentemente, na minha opinião, decisivas. É o próprio poeta quem, com mais requinte e preguiça, busca voluntariamente, no odor de uma mulher por exemplo, nos seus cabelos e no seu seio, as analogias inspiradoras que lhe evocarão "o azul do céu imenso e redondo" e "um porto apinhado de flâmulas e de mastros". Procurava lembrar-me das peças de Baudelaire em cuja raiz se encontra desse modo uma sensação transposta, para, definitivamente, filiar-me a uma linhagem tão nobre e, desta maneira, me assegurar que a obra – que eu já não hesitava mais em empreender – merecia o esforço que ia lhe consagrar, quando, tendo chegado ao pé da escada que descia da biblioteca, encontrei-me de súbito no grande salão e em meio a uma festa que ia me parecer bem diferente de todas as que outrora assistira, e que assumiria para mim um aspecto peculiar, adquirindo um novo sentido. Com efeito, logo que entrei no grande salão, conquanto sempre mantivesse firme em mim, no ponto em que me achava, o projeto recém-formado, deu-se um lance teatral que ergueria contra minha empreitada a mais grave das objeções. Uma objeção que eu certamente haveria de superar, mas que, enquanto

[70] No original, tanto na edição de Clarac e Ferré, como na de Jean-Yves Tadié, está *changé* (mudado), o que nos parece não fazer sentido, em vez de *chargé* (carregado, matizado). Assumimos a responsabilidade de forçar a tradução. (N. do T.)

continuava a refletir sobre as condições da obra de arte, iria, pelo exemplo cem vezes repetido da ponderação mais adequada para me fazer hesitar, interromper a todo instante o meu raciocínio.

No primeiro momento não compreendi por que vacilava em reconhecer o mordomo, os convidados, e por que todos me pareciam trazer bem tratadas as cabeças, em geral empoadas, e que os modificavam inteiramente. O príncipe, recebendo, tinha ainda esse ar bonachão de rei feérico que lhe achara da primeira vez, mas agora, parecendo submeter-se ele próprio à etiqueta que impusera aos convidados, deixara crescer uma barba branca e, arrastando os pés, tornando-os pesados como se usassem solas de chumbo, parecia ter-se encarregado de representar uma das "fases da vida". Seus bigodes também estavam brancos, como se lhes tivessem colado pedaços da geada da floresta do Pequeno Polegar. Pareciam incomodar a boca enrugada, e, uma vez obtido o efeito desejado, deveria tê-los tirado. A falar a verdade, só o reconheci com auxílio do raciocínio, concluindo, da simples semelhança de certos traços, pela identidade da pessoa. Não sei o que o jovem Fezensac colocara no rosto, mas, enquanto outros tinham embranquecido, este a metade da barba, outro apenas os bigodes, ele, sem se incomodar com as tinturas, achara um meio de cobrir a face de rugas, as sobrancelhas de pêlos eriçados, e tudo isso, aliás, não lhe ficava bem, pois o rosto dava a impressão de ser rígido, brônzeo, solene, envelhecendo-o de tal maneira que nem parecia um rapaz. No mesmo instante, fiquei bem mais espantado ao ouvir chamarem duque de Châtellerault ao velhote de bigodes prateados de embaixador, em que apenas o modo de olhar, sempre o mesmo, permitiu-me reconhecer o rapaz que eu encontrara certa vez visitando a Sra. de Villeparisis. À primeira pessoa que, dessa forma, logrei identificar, buscando fazer abstração do disfarce e completar as feições naturais num esforço de memória, meu primeiro impulso deveria ter sido (e certamente o foi talvez por menos de um segundo) felicitá-la por se ter tão maravilhosamente caracterizado que, à primeira vista, antes de ser reconhecida, causava a mesma hesitação que os grandes atores, surgindo num papel em que são diferentes de si próprios, dão, ao entrarem em cena, ao público, que, mesmo prevenido pelo programa, permanece por um instante assombrado antes de romper em aplausos.

Sob tal aspecto, o mais extraordinário de todos era o meu inimigo pessoal, o Sr. de Argencourt, a verdadeira atração da vesperal. Não somente, em lugar de sua barba apenas grisalha, se cobrira com uma incrível barba de brancura extraordinária, mas também (de tal modo as pequeninas mudanças materiais podem encolher ou tornar mais corpulenta uma pessoa, e mais ainda, mudar seu caráter aparente, sua personalidade) transformava num velho mendigo, que já não inspirava nenhum respeito, esse homem cujo ar solene, cujas atitudes rígidas e engomadas, ainda estavam bem presentes na minha memória, conferindo tamanha verossimilhança à sua pessoa de velho caduco que os membros lhe tremiam, e os traços frouxos de sua fisionomia normalmente altiva não cessavam de sorrir numa beatitude simplória. Levada a esse grau, a arte do disfarce torna-se algo mais, confunde-se com uma transformação completa da personalidade. De fato, embora alguns detalhes confirmassem que era mesmo o Sr. de Argencourt que dava esse espetáculo inenarrável e pitoresco, quantos estágios sucessivos desse rosto não precisaria eu atravessar se quisesse recuperar o do Argencourt que havia conhecido, e que era tão diverso de si mesmo, tendo à sua disposição apenas o seu próprio corpo! Era, evidentemente, o último limite a que poderia levá-lo, sem matar-se; o rosto mais orgulhoso, o mais galhardo porte não passavam de um andrajo pastoso agitado aqui e ali. Ao relembrar certos sorrisos de Argencourt, que outrora temperavam às vezes, por um momento, a sua altivez, mal podia encontrar, no Argencourt de agora, aquele que eu vira tantas vezes, mal podia compreender a possibilidade da existência desse sorriso embotado de velho negociante de roupas usadas no *gentleman* correto de antigamente. Mas ainda que emprestasse a mesma intenção antiga ao sorriso do Sr. de Argencourt, a própria substância dos olhos, pelos quais a exprimia, era de tal modo diversa por causa da prodigiosa transformação do rosto, que a expressão se tornava outra, e até de outro. Tive um doido acesso de riso diante desse gagá sublime, tão quebrantado em sua benévola autocaricatura como também, no sentido trágico, o Sr. de Charlus hemiplégico e cortês. O Sr. de Argencourt, em sua encarnação de moribundo bufão de um Regnard exagerado por Labiche, era tão acessível e afável como o Sr. de Charlus no papel de rei Lear, descobrindo-se aplicadamente diante de qualquer joão-ninguém. Não tive a idéia, entretanto, de lhe externar minha admiração pelo espetáculo extraordinário que oferecia. Não foi minha velha antipatia que me impediu de fazê-lo, pois exatamente por mostrar-se tão diverso de si mesmo é que eu tinha a ilusão de estar diante de outra pessoa, tão benévola, tão desarmada, tão inofensiva quanto o Argencourt costumeiro era arrogante, hostil e perigoso. De tal modo me parecia outra pessoa que, ao contemplar esse personagem inefavelmente careteiro, cômico e branco, esse boneco de neve a simular um general Durakine regredido à infância pela velhice, imaginei que o ser humano podia sofrer metamorfoses tão completas como as de certos insetos. Tinha a impressão de olhar por detrás da vidraça instrutiva de um museu de História Natural a evolução sofrida pelo mais rápido e nítido dos insetos, e não podia, diante dessa mole crisálida, antes vibrátil que movediça, experimentar de novo os sentimentos que sempre me haviam inspirado o Sr. de Argencourt. Porém calei-me, não felicitei o Sr. de Argencourt por oferecer um espetáculo que parecia ampliar os limites em que podem ocorrer as transformações do corpo humano.

É claro que, nos bastidores do teatro ou durante um baile à fantasia, antes somos levados, por polidez, a exagerar a dificuldade e quase a afirmar ser impossível reconhecer a pessoa fantasiada. Aqui, pelo contrário, o instinto me advertira no sentido de dissimulá-las ao máximo; sentia que nada tinham de lisonjeiro, pois a transformação não fora intencional, e me apercebia enfim (no que não pensara ao entrar naquele salão) que toda festa, ainda a mais singela, nos causa, quando ocorre muito tempo depois que deixamos de freqüentar a sociedade e mesmo que reúna poucas pessoas das que conhecêramos outrora, o efeito de uma festa à fantasia, extremamente bem organizada, aquela em que somos mais sinceramente surpreendidos pelos outros, mas onde essas cabeças, que se formam lentamente sem querer, não se deixam desfazer em abluções, tão logo terminada a festa. Surpreendido pelos outros? Ai de mim, supreendo-os também. Pois a mesma dificuldade que eu sentia em dar o nome correto a esses rostos, parecia compartilhada por todas as pessoas que, avistando o meu, não lhe prestavam atenção como se jamais o houvessem visto, ou tentavam resgatar do aspecto atual uma recordação diferente.

Se o Sr. de Argencourt acabava de realizar esse "número" extraordinário que, em seu estilo burlesco, certamente era a visão de maior sucesso que dele conservaria, fazia-o como um ator que retorna uma última vez à cena antes que o pano caia em definitivo em meio às gargalhadas. Se já não lhe queria mal, era porque nele, que reencontrara a inocência da infância, não existia mais qualquer lembrança das opiniões desdenhosas que pudera ter a meu respeito, nenhuma recordação de ter visto o Sr. de Charlus me largar bruscamente o braço, ou porque nada mais lhe restasse de tais sentimentos, ou porque, para chegar até nós, estes fossem obrigados a passar através de refratores físicos tão deformantes que, na passagem, mudavam completamente de sentido, e o Sr. de Argencourt parecia bom, à falta de meios físicos para exprimir que ainda era mau e para reprimir sua perpétua hilaridade compulsiva. Terá sido excessiva a comparação com um ator e, destituído como estava de toda alma consciente, era como um boneco trepidante, com barba postiça de lã branca, que eu o via agitado, passeando pelo salão como num teatro de fantoches a um tempo científico e filosófico, onde servia, como numa oração fúnebre ou num curso da Sorbonne, ao mesmo tempo de advertência à vaidade de todos e de exemplo de história natural.

Um teatro de fantoches, onde, para se identificarem as pessoas conhecidas, fazia-se necessário decifrar, a um só tempo, vários planos situados por detrás delas, e que lhes conferiam profundidade, obrigando a um trabalho mental, pois devia-se ver esses velhos fantoches tanto com os olhos quanto com a memória; um teatro de fantoches banhados nas cores imateriais dos anos, exteriorizando o Tempo, o Tempo que de hábito é invisível, que, para deixar de sê-lo, procura corpos e, onde quer que os encontre, deles se apodera a fim de mostrar, acima deles, a sua lanterna mágica. Tão imaterial como outrora Golo na maçaneta da porta de meu quarto em Combray, assim o novo e tão irreconhecível Argencourt ali estava como a revelação do Tempo, que ele tornava parcialmente visível. Nos novos elementos que lhe compunham o rosto e a personagem, lia-se um certo número em anos, reconhecia-se a figura simbólica da vida não tal qual nos aparece, isto é, permanente, mas real, atmosfera tão mutável – que o altivo senhor nela se projeta, à noite, como uma caricatura, como um negociante de roupas usadas.

Em outras criaturas, aliás, tais mudanças, verdadeiras alienações, pareciam deixar o domínio da História Natural, e eu me espantava ao ouvir um nome que uma mesma pessoa pudesse apresentar, não, como o Sr. de Argencourt, os traços de uma nova espécie diferente, mas os sinais exteriores de outro caráter. Eram, sem dúvida, como no caso do Sr. de Argencourt, possibilidades insuspeitadas que o tempo extraíra de certa jovem; mas tais possibilidades, conquanto fossem todas fisiognomônicas ou corpóreas, pareciam ter algo de moral. As feições do rosto, mudam-se, se se combinam de modo diverso, se se contraem como de costume, porém com maior lentidão, assumem significação diferente em outro aspecto. De modo que, em determinada mulher, que tínhamos conhecido acanhada e seca, um alargamento das faces agora irreconhecíveis, uma imprevista curvatura do nariz, causavam a mesma surpresa, muitas vezes a mesma boa surpresa que certa palavra sensível e profunda, certo ato nobre e corajoso que jamais esperaríamos da parte dela. Em torno desse novo nariz, víamos abrirem-se os horizontes que não tínhamos ousado admitir. A bondade e a ternura, outrora impossíveis, tornavam-se bem prováveis com as novas faces. Podíamos fazer ouvir, diante desse queixo, o que nunca teríamos tido a idéia de ler diante do anterior. Todos esses traços novos da fisionomia implicavam outros tantos de caráter, a moça magra e ríspida se tornara uma corpulenta e indulgente matrona. Não mais num sentido zoológico, como no caso do Sr. de Argencourt, e sim num sentido social e moral, é que se podia dizer que se tratava de outra pessoa.

Por todos esses motivos, uma vesperal como esta em que me achava era algo bem mais precioso que uma imagem do passado, e me oferecia todas as imagens sucessivas, e que jamais vira, que separavam o passado do presente; melhor até, a relação existente entre o presente e o passado. Era como o que se denominava outrora um "panorama", mas um panorama dos anos, a visão não de um momento mas de uma pessoa situada na perspectiva deformante do Tempo.

Quanto à mulher de quem o Sr. de Argencourt fora amante, não havia mudado muito, *se se levasse em conta o tempo decorrido*. Ou seja, seu rosto não fora totalmente demolido para uma criatura que se vai deformando ao longo do trajeto no abismo em que foi lançada, abismo cuja direção só conseguimos exprimir através de comparações igualmente vãs, já que apenas podemos tomá-las de empréstimo ao mundo do espaço, e que, orientadas seja no sentido da elevação, seja no do comprimento ou da profundidade, têm como única vantagem nos fazer sentir que essa dimensão inconcebível e sensível existe. A necessidade – para dar um nome às figuras – de remontar efetivamente o curso dos anos, obrigava-me, como reação, a restabelecer em seguida, dando-lhes o lugar verdadeiro, os anos em que não havia pensado. Sob este aspecto, e para não me deixar iludir pela identidade aparente do espaço, a imagem totalmente nova de uma pessoa como o Sr. de Argencourt era para mim uma revelação impressionante dessa realidade do milésimo, que de costume nos permanece abstrata, assim como o surgimento de certas árvores anãs ou de baobás gigantes nos adverte da mudança de meridiano.

Então a vida nos parece uma *féerie* onde vemos, de ato em ato, o neném tornar-se adolescente, homem maduro, e curvar-se para o túmulo. E sendo através de mudanças permanentes que percebemos que tais criaturas, observadas a intervalos demasiado grandes, são tão diversas, verificamos ter seguido a mesma lei dessas criaturas, que se transformaram de tal maneira que já não se assemelham ao que foram outrora, sem ter deixado de sê-lo, justo por não terem deixado de sê-lo.

Uma jovem que eu conhecera antigamente, agora de cabelos brancos e reduzida a uma velha feiticeira, parecia indicar ser necessário que, no divertimento final de uma peça, as personagens se travestissem a ponto de não serem reconhecidas. Mas seu irmão permanecia tão aprumado, tão semelhante ao que fora, que espantava, no rosto jovem, ver inteiramente brancos os retorcidos bigodes. As partes brancas das barbas, até então completamente negras, tornavam melancólica a paisagem humana desta vesperal, assim como as primeiras folhas amarelas das árvores, quando ainda julgávamos poder contar com um prolongado verão, mostram-nos que antes de principiar a desfrutá-lo já estamos no outono. Desse modo, eu, que desde a infância, vivendo só do momento presente e tendo aliás recebido dos outros e de mim mesmo uma impressão definitiva, percebi pela primeira vez, segundo as metamorfoses que se haviam produzido em todas essas pessoas, o tempo que para elas transcorrera, o que me perturbou pela revelação de que ele também para mim passara. E indiferente em si mesma, sua velhice me deixava desolado por me advertir da aproximação da minha. Esta, aliás, me foi proclamada de maneira sucessiva, por palavras que, com poucos minutos de intervalo, vieram ferir-me como as trombetas do Juízo Final. A primeira foi pronunciada pela duquesa de Guermantes; acabava de avistá-la passando por uma dupla fila de curiosos que, sem se darem conta dos maravilhosos artifícios de vestuário e de estética que agiam sobre eles, deixavam-se emocionar pela cabeleira ruiva, pelo colo cor de salmão que mal emergia das aladas rendas negras, apertado por colares, coberto de jóias, contemplando-lhe as linhas hereditariamente sinuosas, como o teriam feito a um velho peixe sagrado no qual se encarnasse o gênio protetor da família dos Guermantes. – Ah – disse ela –, que alegria em vê-lo. Você é o meu mais velho amigo. – E na minha presunção de rapazinho de Combray, que jamais imaginara poder ser um de seus amigos, nem participar realmente da verdadeira vida misteriosa que se levava na casa dos Guermantes, ser um de seus amigos como o Sr. de Bréauté, o Sr. de Forestelle, ou como Swann, todos já falecidos, deveria me sentir lisonjeado, mas fiquei triste. "Seu mais velho amigo, diz ela", murmurei comigo. "Está exagerando; talvez um dos mais velhos; mas então..." Neste momento, aproximou-se um sobrinho do príncipe: – Você que é um velho parisiense – disse ele. Logo a seguir entregaram-me um bilhete. Ao chegar, encontrara o jovem Létourville, cujo parentesco com a duquesa não sabia bem qual fosse, mas que me conhecia ligeiramente. Acabava de sair de Saint-Cyr, e, pensando que seria para mim um bom companheiro, como o fora Saint-Loup, e poderia iniciar-se nas coisas do exército, com as mudanças que ele havia sofrido, dissera-lhe que logo voltaria a encontrá-lo e marcaríamos um encontro para jantar juntos, o que ele muito me agradeceu. Mas eu ficara tempo demais a devanear na biblioteca e o bilhete que me mandara, avisando-me que não tinha podido esperar, era para deixar o seu endereço. A carta do suposto companheiro terminava assim: "Com todo o respeito do seu jovem amigo, Létourville." "Jovem amigo!" Era assim que outrora eu escrevia às pessoas trinta anos mais velhas, a Legrandin por exemplo. Quê! Esse subtenente que se me afigurara meu companheiro, como Saint-Loup, dizia-se meu jovem amigo. Mas então não haviam mudado apenas os métodos militares, e assim, para Létourville, eu era, não um companheiro, mas um velho senhor; e do Sr. de Létourville, portanto, em cuja companhia me imaginava tal qual via a mim mesmo, um bom companheiro, estava separado pela abertura de um compasso invisível, no qual nunca pensara, e que me colocava tão longe do jovem subtenente que, para este, que se dizia "meu jovem amigo", eu era um velho!

Quase logo depois alguém falou de Bloch, e indaguei se se tratava do filho ou do pai (pois ignorava a morte deste, durante a guerra, de emoção, segundo me disseram, por ver a França invadida). – Não sabia que tinha filhos, nem que fosse casado – disse-me o príncipe. – Mas evidentemente é do pai que estamos falando, pois já não é um homem novo – acrescentou rindo. – Poderia ter filhos já adultos. – E compreendi que se tratava do meu companheiro. E, de resto, ele entrou após um instante. De fato, no rosto de Bloch, vi superporem-se a fisionomia frágil e opiniática, as débeis inclinações de cabeça que logo encontram seu ponto de encaixe, e onde eu teria notado a douta fadiga dos velhos amáveis, se, por outro lado, não reconhecesse diante de mim o meu amigo e se minhas lembranças não o animassem desse ardor juvenil e ininterrupto do qual parecia agora desprovido. Para mim, que o conhecera no limiar da vida e jamais deixara de o ver, ele era meu camarada, um adolescente cuja mocidade eu media pela que, esquecido de ter vivido desde então, inconscientemente a mim mesmo atribuía. Ouvi dizer que tinha a idade que aparentava, e espantou-me notar em seu rosto alguns sinais que são próprios dos homens velhos. Compreendi que de fato envelhecera, e que a vida produz seus velhos com os adolescentes cuja existência se prolonga.

Como alguém, ouvindo dizer que eu estava adoentado, perguntasse se eu não receava pegar a gripe que grassava por essa época, um outro, bondosamente, me tranqüilizou dizendo: "Não, ela atinge sobretudo as pessoas ainda jovens. As de sua idade não correm muito risco." E me garantiram que os criados me haviam reconhecido perfeitamente. Tinham sussurrado o meu nome, e até, "em sua linguagem", contou uma senhora, ela os ouvira dizer: "Eis o pai" (esta expressão fora seguida pelo meu nome). E como eu não tivesse filhos, tal expressão só podia referir-se à idade.

– Como, se conheci o marechal? – disse-me a duquesa. – Mas conheci pessoas muito mais representativas: a duquesa de Galliera, Pauline de Périgord, Monsenhor Dupanloup. – Ao ouvi-la, ingenuamente lamentei não ter conhecido o que ela denominava "um resto do antigo regime". Deveria ter pensado que o que chamamos "antigo regime" é aquele de que só pudemos conhecer o fim; é desse modo que o que vislumbramos no horizonte adquire misteriosa grandeza e se nos afigura cerrar-se sobre um mundo que não mais veremos; contudo, o horizonte recua, e o mundo, que parecia findo, recomeça a existir. – Cheguei mesmo a ver, quando mocinha, a duquesa de Dino – acrescentou a Sra. de Guermantes. – Ora, você sabe que já não tenho vinte e cinco anos. – Tais palavras me aborreceram: "Não deveria ter dito isto, parece coisa de mulher velha." E logo pensei que, de fato, ela era uma mulher velha. – Quanto a você – prosseguiu a duquesa –, está sempre o mesmo. Sim – afirmou – você é assombroso, permanece jovem sempre – expressão bastante melancólica, pois só não carece de sentido se de fato, senão na aparência, estivermos velhos. E ela me assestou o golpe de misericórdia: – Sempre lamentei que não se tivesse casado. Mas no fundo, quem sabe, talvez tenha sido melhor assim? Você já teria filhos na guerra e, se fossem mortos, como o pobre Robert (ainda penso muito nele), sensível como é, não lhes teria sobrevivido. – Pude contemplar-me, como ao primeiro espelho verídico que encontrasse, nos olhos dos velhos que se achavam jovens, como eu próprio me achava, e que, quando me proclamava velho para ouvir um desmentido, com um exemplo de velho, não mostravam o menor protesto em seus olhos que me viam tal como não se viam a si mesmos, porém como eu os via. Pois não vemos nosso próprio aspecto, nossa própria idade, mas cada um, como um espelho, exibia os dos outros. E, sem dúvida, ao se descobrirem envelhecidas, poucas pessoas ficariam tão tristes como eu. Mas, em primeiro lugar, acontece com a velhice o mesmo que com a morte. Alguns a enfrentam com indiferença, não porque sejam mais corajosos que os outros, mas por terem menos imaginação. Além disso, o homem que desde a infância visa a um só objetivo, a que a preguiça e mesmo o estado de saúde, fazendo-o adiar interminavelmente suas realizações, anula a cada noite o dia passado e perdido, embora a doença que apressa o envelhecimento do corpo retarde o do espírito, este homem, ao ver que não cessou de viver no Tempo, mostra-se mais surpreso e perturbado do que quem, menos ensimesmado, regula-se pelo calendário e não descobre, de repente, o total dos anos cuja adição diariamente fora fazendo. Mas um motivo mais grave explicava a minha angústia; descobria a ação destruidora do Tempo justo no momento em que desejava empenhar-me por tornar claras, intelectualizando-as numa obra de arte, realidades extratemporais.

Em alguns indivíduos, a substituição contínua, mas cumprida em minha ausência, de cada célula por outras, conduzira a uma alteração de tal modo completa, a uma tão inteira metamorfose, que eu poderia jantar cem vezes com eles num restaurante sem suspeitar havê-los conhecido um dia, assim como não adivinharia a realeza de um soberano incógnito ou o vício de um estranho. A comparação até se torna inexata caso ouvisse os seus nomes, pois pode-se admitir que um desconhecido sentado à nossa frente seja rei ou criminoso, ao passo que aqueles, eu os conhecera, ou melhor, havia conhecido pessoas que usavam o mesmo nome, porém tão diversas, que não podia crer fossem as mesmas. No entanto, como o faria ao aceitar a idéia de soberania ou de vício, que não demora a dar novas feições ao desconhecido – com o qual, quando ignorasse ainda a verdadeira personalidade, cometeria a gafe de ser insolente ou amável – em cujos traços discernimos agora algo de notável ou de suspeito, empenhava-me em introduzir no rosto da desconhecida, totalmente estranha, a idéia de que ela era a Sra. Sazerat, e acabava por restabelecer o sentido, outrora familiar, desse rosto, mas que permanecera verdadeiramente alheio para mim, sendo a tal ponto o de outra pessoa, que se despisse de todos os atributos humanos, como um homem transformado em macaco, se o nome e a afirmação da identidade não me pusessem, apesar das dificuldades do problema, no caminho da solução. Às vezes, entretanto, a imagem antiga renascia com suficiente precisão para que eu pudesse tentar um confronto; e, como uma testemunha levada à presença do acusado a quem vira, eu me sentia forçado a dizer, de tão grande era a diferença: – Não, não a reconheço.

Gilberte de Saint-Loup me disse: – Quer ir jantar a sós comigo num restaurante? – Como eu respondesse: – Se não achar comprometedor jantar sozinha com um rapaz – percebi que todos a meu redor estavam rindo, e apressei-me a corrigir: –, ou melhor, com um homem velho. – Senti que a frase que provocara o riso era dessas que, falando de mim, poderia dizer minha mãe, para quem eu continuava a ser uma criança. Pois percebia que, para julgar-me, colocava-me no mesmo ponto de vista dela. Se acabara por registrar, como ela, algumas alterações ocorridas desde a primeira infância, ainda assim tratava-se de alterações agora bastante antigas. Detivera-me naquele de quem se dizia em certa ocasião, antecipadamente: "Já está quase um rapaz." Assim o imaginava ainda, mas desta vez com muito atraso. Nem me dava conta de quanto havia mudado. Mas na verdade, eles, que acabavam de rir às gargalhadas, onde notavam essa mudança? Eu não tinha cabelo grisalho, meu bigode era preto. Gostaria de poder perguntar-lhes em que se revelava a evidência dessa coisa terrível.

E agora compreendia o que era a velhice – a velhice que, de todas as realidades, é talvez aquela de que guardamos por mais tempo na vida uma noção puramente abstrata, observando os calendários, datando nossas cartas, vendo se casarem nossos amigos, e os filhos de nossos amigos, sem compreender, por medo ou por preguiça, o que significa tudo isso, até o dia em que avistamos uma silhueta estranha, como a do Sr. de Argencourt, a qual nos informa que vivemos num mundo novo; até o dia em que o neto de uma de nossas amigas, rapaz que instintivamente trataríamos como a um camarada, sorri como se zombássemos dele, nós que poderíamos ser seu avô; compreendia o que significava a morte, o amor, as alegrias do espírito, a utilidade da dor, a vocação etc. Pois, se os nomes haviam perdido para mim a sua individualidade, as palavras não desvendavam todo o seu sentido. A beleza das imagens está situada por detrás das coisas, a das idéias na frente. De modo que a primeira deixa de nos maravilhar quando atingimos estas, mas só compreendemos a segunda quando as ultrapassamos.

Sem dúvida, a descoberta cruel que acabava de fazer só poderia me servir no que se referisse ao assunto mesmo de meu livro. Visto haver decidido que essa matéria não podia ser constituída exclusivamente pelas impressões autenticamente plenas, as que estão fora do tempo, teriam destaque, entre as verdades em que as engastaria, aquelas que se relacionam com o tempo, o tempo em que mergulham e se modificam os homens, as sociedades e as nações. Não cuidaria somente das alterações sofridas pelo aspecto dos seres, e das quais tinha novos exemplos a cada instante, pois, pensando sempre na minha obra, definitivamente posta em andamento, o bastante para não se deixar deter por distrações passageiras, continuava a cumprimentar as pessoas conhecidas e a conversar com elas. Aliás, o envelhecimento não se assinalava para todos de maneira análoga.

Vi alguém que perguntava o meu nome; disseram-me que se tratava do Sr. de Cambremer. E então, para mostrar que me reconhecera, indagou: – Ainda tem acessos de asma? – E diante da minha resposta afirmativa: – Verá que isso não vai lhe impedir a longevidade –, disse, como se eu fosse verdadeiramente centenário. Eu lhe falava com os olhos presos em dois ou três traços que procurava mentalmente enquadrar na síntese de recordações – de que divergia todo o resto de minhas lembranças – a que eu chamava de sua pessoa. Mas por um momento ele virou ligeiramente a cabeça. E então verifiquei que se tornara irreconhecível devido ao acréscimo de enormes bolsas vermelhas nas faces, que o impediam de abrir completamente a boca e os olhos; mostrei-me perplexo, não ousando encarar esse tipo de antraz, pois me parecia mais conveniente que ele próprio me falasse primeiro a respeito. Mas como um enfermo corajoso, ele ria, não fazendo qualquer alusão ao mal, e eu receava parecer impiedoso se não lhe perguntasse, e de mostrar falta de tato caso indagasse de que sofria. – Mas, com a idade, não lhe vêm mais raramente? – perguntou-me, continuando a falar das sufocações. Disse-lhe que não. – Ah, pois minha irmã tem melhorado muito – redargüiu em tom de contradição, como se em nossos casos não se pudesse passar diversamente, e como se a idade fosse um desses remédios que ele não admitia serem insalubres para mim quando tinham causado tanto bem à Sra. de Gaucourt. Tendo se aproximado a Sra. de Cambremer-Legrandin, eu cada vez mais receava parecer insensível por não deplorar o que verificava no rosto de seu marido; contudo não ousava tocar primeiro no assunto. – Está contente em vê-lo? – indagou ela. – Ele está bem? – indaguei num tom de incerteza. – Ora, meu Deus, nada mal, como vê. – Não percebera o mal que me ofuscava e que não era mais que uma dessas máscaras que o Tempo havia aplicado ao rosto do marquês, mas aos pouquinhos, inchando-o tão vagarosamente que a marquesa nada vira. Quando o Sr. de Cambremer terminou as perguntas acerca de minhas sufocações, foi minha vez de informar-me, bem baixinho, junto a alguém, se ainda vivia a mãe do marquês. De fato, na apreciação do tempo decorrido, só custa o primeiro passo. A princípio, fazemos grande esforço para imaginar tanto tempo passado e, a seguir, que não se tenha passado mais ainda. Jamais teríamos imaginado que o século XIII fosse tão longínquo, e depois mal poderíamos acreditar que ainda existam igrejas dessa época, que no entanto são bem numerosas na França. Em poucos instantes, fizera-se em mim o trabalho mais lento que se opera naqueles que, mal podendo compreender que uma pessoa que conheceram jovem já tenha sessenta anos, não chegam a capacitar-se, passados mais quinze anos, ao saberem que vive ainda, de que esteja com setenta e cinco. Perguntei ao Sr. de Cambremer como ia a sua mãe. – Ela é sempre admirável – respondeu-me, empregando um adjetivo que, por oposição às tribos em que se trata impiedosamente os pais idosos, aplica-se, em certas famílias, aos velhos nos quais o uso das faculdades físicas, como ouvir, ir a pé à missa e suportar sem qualquer mágoa os lutos, adquire, aos olhos dos filhos, uma aura de extraordinária beleza moral.

Outros, cujo rosto permanecia intacto, pareciam constrangidos apenas quando precisavam caminhar; a princípio, davam a impressão de sofrer das pernas; e só depois se percebia que a velhice lhes pregara solas de chumbo. A idade embelezava alguns, como o príncipe de Agrigento. Ao homem comprido, magro, de olhar embaciado, de cabelos que pareciam dever ficar eternamente arruivados, sucedera-se, por uma metamorfose análoga à dos insetos, um velhote em quem os cabelos avermelhados, visto há tempos, tinham sido substituídos, como um tapete por demais usado, por cabelos brancos. Seu peito assumira uma corpulência desconhecida, robusta, quase guerreira, e que deveria ter necessitado de um verdadeiro estouro da frágil crisálida que eu conhecera; uma gravidade consciente de si mesma banhava os olhos, onde se lia uma nova benevolência, estendida a todos. E como, apesar de tudo, persistisse uma certa semelhança entre o poderoso príncipe atual e o retrato que minha lembrança conservava, maravilhei-me com a força de renovação original do Tempo, que, sempre respeitando a unidade do ser e as leis da vida, sabe mudar o cenário dessa maneira e introduzir violentos contrastes em dois aspectos sucessivos de uma mesma personagem. Pois muitas dessas pessoas são identificáveis imediatamente, porém como retratos extremamente ruins delas mesmas reunidos numa exposição em que um artista irregular e mal-intencionado endurece as feições de um, retira o frescor da tez ou a leveza do talhe desta, entristecendo o seu olhar. Comparando essas imagens às que estavam sob os olhos de minha memória, gostava menos das que me eram mostradas por último. Assim, ocorre-nos várias vezes achar menos boa, e a recusamos, uma das fotografias que um amigo nos dá para escolher. Da mesma forma, a cada pessoa, e diante da imagem que me mostrava de si mesma, desejaria dizer: "Não, esta não, você não está bem nela, nem parece sua." Não teria coragem de acrescentar: "Em vez do seu belo nariz reto, pintaram-lhe o nariz adunco de seu pai, que você nunca teve." E, de fato, era um nariz novo e familial. Numa palavra, o artista, o Tempo, "modificara" esses modelos de tal forma que eles eram reconhecíveis, mas não parecidos; não que os tivesse favorecido, mas porque os envelhecera. Aliás, esse artista vai trabalhando com enorme lentidão. Assim, a réplica do rosto de Odette, de que vislumbrara o esboço recém-começado no rosto de Gilberte, no dia em que vira Bergotte pela primeira vez, o Tempo afinal o levara à mais perfeita semelhança, como esses pintores que vão trabalhando numa obra lentamente, completando-a ano após ano.

Se algumas mulheres confessavam a sua velhice ao se maquilarem, a velhice, ao contrário, surgia pela ausência de maquilagem em certos homens em cujo rosto eu nunca havia reparado, e que mesmo assim me pareciam bem mudados desde que, tendo desanimado de tentar agradar, haviam deixado de enfeitar-se. Entre eles contava-se Legrandin. A supressão do tom róseo, que eu jamais julgara artificial, dos lábios e das faces conferia-lhe ao rosto a aparência acinzentada e a precisão escultural da pedra, cinzelando-lhe as feições compridas e tristonhas à maneira das de certos deuses egípcios. Deuses? Antes fantasmas. Perdera não apenas a coragem de se pintar mas de sorrir, de fazer os olhos brilharem, de pronunciar discursos engenhosos. Assombrava vê-lo tão pálido, abatido, só proferindo raras palavras, insignificantes como as dos mortos que se evocam. Procurei saber, como se questiona diante do "duplo" insignificante de um homem brilhante em vida, e ao qual um médium todavia faz perguntas que se prestariam a um desenvolvimento brincalhão, que motivo o impedia de ser animado, eloqüente, charmoso. E concluí que esse motivo, que substituíra o Legrandin colorido e rápido por seu pálido e melancólico fantasma, era a velhice.

Em vários outros eu acabava por reconhecer, não só eles próprios porém tais como eram antigamente. Por exemplo, Ski, não mais alterado que uma flor ou um fruto secos. Era um esboço informe, confirmando minhas teorias sobre a arte. Outros, sendo mundanos, não eram de modo algum amadores. Mas também a estes a velhice não havia amadurecido, e mesmo envoltos no primeiro círculo de rugas e por um arco de cabelos brancos, seus rostos rosados mantinham a jovialidade dos dezoito anos. Não eram velhos, e sim rapazes de dezoito anos extremamente murchos. Pouco bastaria para apagar esse desbotamento da vida e a morte lhes devolveria ao semblante a juventude tão facilmente como se limpa um quadro do qual só um pouco de sujeira impede que brilhe como antes. Assim, pensava na ilusão que nos engana a todos quando, ouvindo falar de um velho célebre, fiamo-nos previamente de sua bondade, sua justiça, sua doçura de alma; pois eu sentia que, quarenta anos antes, eles haviam sido rapazes terríveis, cuja vaidade, velhacaria, soberba e astúcia, nada permitia supor que não houvessem conservado.

E todavia, em completo contraste com esses, tive a surpresa de conversar com homens e mulheres outrora insuportáveis, e que haviam perdido quase todos os seus defeitos, talvez porque a vida, frustrando ou realizando seus desejos, lhes extinguisse a pretensão ou a amargura. Um casamento rico, que torna desnecessária a luta pela sobrevivência ou a ostentação, a própria influência da mulher, o conhecimento lentamente adquirido de valores outros que aqueles em que acredita uma juventude frívola, permitiram-lhes suavizar o caráter, demonstrar suas qualidades. Envelhecendo, pareciam ganhar uma nova personalidade, como as árvores em que o outono, variando-lhes as cores, parece mudar-lhes a essência. Neles a velhice manifestava-se de fato, mas como algo moral. Em outros, ela era acima de tudo física, e tão nova que a pessoa (a Sra. d'Arpajon, por exemplo)[71] parecia-me a um tempo conhecida e desconhecida. Desconhecida, pois era-me impossível suspeitar que se tratasse dela, e não obstante não pude, ao responder ao seu cumprimento, deixar de manifestar o trabalho do espírito que me fazia hesitar entre três ou quatro pessoas (entre as quais não contava a Sra. d'Arpajon) para saber a quem cumprimentava, com um ardor que aliás deve tê-la espantado, pois sem dúvida, receando mostrar-me excessivamente frio, caso se tratasse de uma amiga íntima, compensara a incerteza do olhar com o calor do aperto de mão e do sorriso. Mas, por outro lado, seu novo aspecto não me era desconhecido. Era o que eu vira muitas vezes no decorrer da minha vida em mulheres idosas e corpulentas, mas sem suspeitar então que elas pudessem ter sido, muitos anos antes, parecidas com a Sra. d'Arpajon. Tal aspecto era tão diverso do que eu conhecera na marquesa, que se diria ser ela uma criatura condenada, como uma personagem de contos de fadas, a aparecer primeiro como uma mocinha, e depois feito uma espessa matrona, e que certamente se transformaria logo numa velha trêmula e encurvada. Como uma nadadora pesadona que não vê mais a margem senão a grande distância, ela parecia repelir com esforço as vagas do tempo que a submergiam. Aos poucos, todavia, à força de contemplar seu rosto vacilante, incerto como uma memória infiel que já não consegue reter as formas de outrora, cheguei a recuperar alguma coisa ao me

[71] A referência à Sra. d'Arpajon é um engano de Proust, pois nessa ocasião ela já havia morrido, como veremos adiante. (N. do T.)

entregar ao jogo de eliminar os quadrados e hexágonos que a idade acrescentara às suas faces. Além disso, o que a idade mesclara a essas mulheres nem sempre eram figuras geométricas. Nas faces da duquesa de Guermantes, entretanto, de tal modo parecidas com o que haviam sido, e no entanto agora heterogêneas como um *nougat*, distingui traços azinhavrados, um pedacinho róseo de concha triturada, uma excrescência mal definida, menor que uma bolinha de visco e menos transparente que uma conta de vidro.

Certos homens coxeavam, e logo se via que aquilo não resultara de um acidente de carro, e sim de um primeiro ataque, pois eles já tinham, como se diz, um pé na sepultura. Da sua, entreaberta, algumas mulheres, meio paralíticas, pareciam não poder retirar completamente o vestido, que ficara preso à lápide do túmulo e, incapazes de se aprumarem, inclinadas como estavam, a cabeça baixa, descreviam uma curva que era na verdade a sua posição atual entre a vida e a morte, antes da última queda. Nada poderia impedir o movimento dessa parábola que as impelia e, quando queriam erguer-se, tremiam todas e seus dedos não logravam segurar coisa alguma.

Em alguns homens, os cabelos ainda nem se mostravam brancos. Assim, quando veio dar um recado ao patrão, reconheci o velho lacaio do príncipe de Guermantes. Os pêlos ríspidos que lhe eriçavam o rosto e o crânio haviam mantido um tom ruivo tirante a róseo, e não se podia suspeitá-lo de tingi-los como a duquesa de Guermantes. Mas nem por isso parecia menos velho. Percebi, apenas, que existe entre os homens, como, no reino vegetal, entre os musgos, os liquens e tantas outras espécies, alguns que não se alteram com a aproximação do inverno.

Essas mudanças eram, com efeito, habitualmente atávicas, e a família – e às vezes até, sobretudo entre os judeus, a raça – se encarregava de anular as que o tempo fizera ao passar. Além disso, devia eu dizer que tais particularidades morreriam? Sempre considerara nosso indivíduo, num dado momento do tempo, como um polipeiro em que o olho, organismo independente embora associado, pisca sem que a inteligência o comande, se é invadido pela poeira, ou mais ainda, onde o intestino, parasita oculto, infecta-se sem que a inteligência fique sabendo; e, paralelamente, a alma se me afigurara também, na duração da vida, como uma série de eus justapostos mas distintos, que morriam uns após outros ou até se alternavam entre si, como os que, em Combray, substituíam-se um ao outro, em mim, quando caía a noite. Mas vira igualmente que essas células morais que compõem um ser são mais duradouras que ele. Vira os vícios e a coragem dos Guermantes retornarem em Saint-Loup, tanto quanto seus próprios defeitos de caráter, estranhos e efêmeros, ou o semitismo de Swann. Podia vê-lo ainda em Bloch. Havia perdido o pai alguns anos antes e, quando lhe escrevi naquela ocasião, não pudera me responder logo, pois, além dos grandes sentimentos de família que existem muitas vezes entre os judeus, a idéia de que seu pai era um homem de tal modo superior aos demais dera a seu amor filial a forma de um culto. Não pudera suportar perdê-lo e teve de se encerrar durante um ano numa casa de saúde. Respondera às minhas condolências num tom ao mesmo tempo profundamente sentido e quase altaneiro, de tanto que me julgava digno de inveja por ter privado com pessoa tão importante, cuja carruagem tirada por dois cavalos teria de bom grado oferecido a um museu histórico. E agora, sentado à mesa da família, a mesma cólera que animava o pai contra o Sr. Nissim Bernard ele a externava contra o sogro. As invectivas eram as mesmas. Da mesma forma que, ouvindo falar Cottard, Brichot, e tantos outros, eu sentira que, pela cultura e pela moda, uma só ondulação propaga em toda a extensão do espaço as mesmas maneiras de dizer, de pensar, assim também, em toda a duração do tempo, enormes vagalhões erguem, da profundeza das idades, as mesmas cóleras, as mesmas tristezas, as mesmas bravatas, as mesmas manias, através de gerações superpostas, cada corte, efetuado em níveis diversos da mesma série, oferecendo a repetição, como sombras sobre telas sucessivas, de um quadro idêntico, embora com freqüência menos insignificante, àquele em que se opunham Bloch e seu sogro, o Sr. Bloch pai e o Sr. Nissim Bernard, e outros que eu não havia conhecido.

Certos rostos, ocultos sob os cabelos brancos, já mostravam a rigidez e as pálpebras fechadas dos moribundos, e seus lábios, agitados por um tremor contínuo, pareciam resmonear a oração dos agonizantes. A um rosto linearmente o mesmo era bastante, para que parecesse outro, cabelos brancos em vez de negros ou louros. Os figurinistas de teatro sabem que basta uma peruca empoada para disfarçar perfeitamente uma pessoa e torná-la irreconhecível. O jovem conde de *** que eu tinha visto no camarote da Sra. de Cambremer, tenente na ocasião, no dia em que a Sra. de Guermantes estava na frisa de sua prima, conservava sempre seus traços perfeitamente regulares, e mais até, pois a rigidez fisiológica da arteriosclerose exagerava ainda a retidão impassível da fisionomia do dândi, emprestando a essas feições a intensa nitidez quase caricata, à força de imobilidade, de um estudo de Mantegna ou de Michelangelo. A pele, outrora de um vivo tom avermelhado, mostrava uma solene palidez; os pêlos prateados, a gordura discreta, uma nobreza de doge, um cansaço que chegava à vontade de dormir, tudo nele concorria para dar a impressão nova e profética da majestade fatal. Substituindo-se ao retângulo de barba loura, outro igual, de barba branca, transformava-o tão perfeitamente que, reparando que esse subtenente que eu conhecera possuía cinco galões, minha primeira idéia foi felicitá-lo não por ter sido promovido a coronel, mas por estar tão à vontade na fantasia de coronel, disfarce para o qual parecia ter tomado emprestado o uniforme e o ar grave e triste do oficial superior que fora seu pai. Num outro, a barba branca também substituíra a loura; e como o rosto permanecera vivo, sorridente e jovem, fazendo-o parecer apenas mais vermelho e dando-lhe mais relevo, aumentava o brilho dos olhos e conferia ao mundano que ficara jovem o ar inspirado de um profeta.

A transformação que os cabelos brancos e outros elementos ainda haviam operado, sobretudo nas mulheres, teria me afetado menos se se tratasse unicamente de uma mudança de colorido, o que pode agradar aos olhos, e não de pessoal, o que desorienta o espírito. De fato, "reconhecer" alguém e, mais ainda, depois de não ter podido reconhecê-lo, identificá-lo, é pensar em duas coisas contraditórias sob uma só denominação, é admitir que quem está aqui, a pessoa de quem nos lembramos, já não existe, e a pessoa que aqui está é uma desconhecida; é ter de pensar em um mistério quase tão perturbador quanto o da morte, de que, aliás, é o prefácio e o arauto. Pois essas mudanças, sabia eu o que queriam dizer, o que preludiavam. Assim essa alvura dos cabelos impressionava nas mulheres, acrescentando-se a tantas outras modificações. Diziam-me um nome, e eu ficava estupefato ao vê-lo aplicar-se tanto à loura valsista que havia conhecido outrora, quanto à dama pesada e de cabelos brancos que se arrastava junto a mim. Com certo matiz róseo de pele, esse nome era talvez a única coisa existente em comum entre essas duas mulheres, mais diferentes – a da minha memória e a da vesperal Guermantes – que uma ingênua e uma matrona de teatro. Para que a vida chegasse a dar a essa valsista semelhante corpo enorme, para poder, como um metrônomo, retardar seus movimentos confusos, para, mantendo talvez como único elemento comum as faces – mais cheias, é certo, mas que desde a juventude eram já arroxeadas – substituir à loura tão leve esse velho marechal ventripotente, fora-lhe preciso realizar mais devastações e reconstruções que para colocar uma cúpula no lugar de uma flecha; e, quando se pensava que semelhante esforço se operara não sobre a matéria inerte, mas sobre uma carne que só muda insensivelmente, o contraste assombroso entre a atual aparição e a criatura de que me lembrava, fazia recuar esta a um passado mais que remoto, quase inverossímil. Tinha dificuldades em juntar os dois aspectos, em pensar nas duas pessoas sob a mesma denominação; pois, assim como é difícil imaginar que um morto foi vivo ou que o que era vivo hoje está morto, é quase tão complicado, e do mesmo tipo de dificuldade (pois o aniquilamento da juventude, a destruição de uma pessoa cheia de forças e de agilidade, já é um primeiro passo rumo ao nada), quanto conceber que esta que foi jovem hoje é velha, quando o aspecto dessa velha, justaposto ao da jovem, parece de tal forma excluí-la que, alternadamente, é a velha, depois a jovem, depois ainda a velha, que nos parecem um sonho, e não acreditaria que isto pudesse ter sido alguma vez aquilo, que a matéria daquilo seja ela mesma que se tivesse, sem refugiar-se em outra parte, tornado isto graças às sábias manipulações do tempo, que seja a mesma substância, sem ter deixado o mesmo corpo – se não possuísse o indício do nome igual e o testemunho afirmativo dos amigos, ao qual apenas as rosas das faces, outrora limitadas entre o ouro das espigas, hoje espalhadas sob a neve, davam uma aparência de verdade.

Aliás, como no caso da neve, o grau de alvura dos cabelos parecia em geral marcar a extensão do tempo vivido, como esses píncaros montanhosos que, mesmo surgindo aos olhos à mesma altitude dos demais, revelam todavia o nível dessa altitude pela intensidade de sua brancura nivosa. Entretanto, isto não era correto, sobretudo quanto às mulheres. Assim, as mechas da princesa de Guermantes que, quando eram grisalhas e brilhantes como seda pareciam de prata nas frontes arqueadas, tendo adquirido, à força de se tornarem brancas, uma opacidade de lã e de estopa, por isso, ao contrário, davam a impressão de ser cinzentas como a neve suja que perdeu o brilho.

E muitas vezes tais dançarinas louras não haviam apenas conquistado, com uma peruca branca, a amizade de duquesas a quem outrora não conheciam. Mas, não tendo feito então mais que dançar, a arte as havia tocado como a graça. E, como ilustres damas do século XVII que se encerravam em conventos, elas viviam em apartamentos repletos de pinturas cubistas, um pintor cubista trabalhando só para elas, que viviam só para ele. Todavia, os velhos de feições transformadas procuravam reter fixa e permanentemente uma dessas expressões fugidias que assumem durante um minuto de pose, e com as quais tentam tirar partido de uma vantagem física ou disfarçar um defeito; davam a impressão de se tornarem, definitivamente, imutáveis instantâneos de si próprios.

Todos tinha levado tanto *tempo* para vestir a fantasia que esta em geral passava despercebida daqueles com quem conviviam. Muitas vezes se lhes concedia uma dilação, mediante a qual podiam continuar a ser eles mesmos até bem mais tarde. Mas então o disfarce prorrogado se fazia com mais pressa; de qualquer modo, era inevitável. Eu nunca achara semelhança alguma entre a Sra. X... e sua mãe, a quem só conhecera na velhice, semelhando um pequeno turco atarracado. E, na verdade, sempre havia conhecido a Sra. X... encantadora e espigada; e por muito tempo, de fato, ela o fora assim, pois, para uma pessoa que, antes de cair a noite, não deve esquecer-se de vestir a fantasia de turca, ela se atrasara, tanto que foi de modo precipitado, quase de repente, que se encolhera para reproduzir fielmente o aspecto de velha turca que a mãe outrora exibira.

Havia homens cujo parentesco com outros eu conhecia, mas sem ter nunca pensado que possuíssem traços comuns; ao admirar o velho ermitão de cabelos brancos em que se transformara Legrandin, verifiquei de súbito, posso dizer que descobri com satisfação de zoólogo, na espessura desigual de suas faces, a construção das de seu jovem sobrinho Léonor de Cambremer, que no entanto não se parecia de modo algum com ele; a esse primeiro traço em comum, acrescentei um outro que não havia notado nele, e depois outros, e que não eram nenhum dos que habitualmente me oferecia a síntese de sua mocidade, de modo que em breve tive dele como que uma caricatura mais verdadeira, mais profunda, do que se fosse literalmente semelhante; seu tio me parecia agora apenas o jovem Cambremer assumindo, para se divertir, as aparências do velho que de fato ele haveria de ser um dia, e, desse modo, o que me dava com tanta força a sensação do tempo decorrido não era mais somente aquilo em que se tornavam os jovens de outrora, mas também a transformação dos moços de hoje.

As feições em que se agravara, se não a mocidade, ao menos a beleza, tendo desaparecido em todas as mulheres, procuravam elas, com o que lhes sobrara, construir um outro rosto. Deslocando o centro, senão de gravidade, ao menos de perspectiva, de sua fisionomia, compondo as feições a seu redor conforme um outro gênero, começavam, aos cinqüenta anos, uma nova espécie de beleza, como se exerce tardiamente uma profissão diversa ou se plantam beterrabas numa terra que já não serve para vinhedos. Em torno a essas novas feições faziam florescer uma mocidade nova. Só as mulheres muito bonitas ou muito feias é que não podiam acomodar-se a tais transformações. As primeiras, esculpidas como um mármore de linhas definitivas do qual nada mais se pode mudar, pulverizavam-se como estátuas. As outras, que possuíam alguma deformidade no rosto, tinham mesmo certas vantagens sobre as belas. Primeiro, eram as únicas a ser reconhecidas de pronto. Sabíamos que não existiam duas bocas idênticas em Paris, e a delas fazia com que as reconhecesse naquela vesperal, onde já não reconhecia ninguém. E, além disso, sequer pareciam ter envelhecido. A velhice é algo de humano; elas eram monstros e não pareciam "mudar" mais do que baleias.

Alguns homens e mulheres também não davam a impressão de ter envelhecido; o talhe ainda era esbelto, o rosto continuava jovem. Mas se, para lhes falar, aproximava-me bem do rosto de lisa pele e foros contornos, então este se fazia inteiramente diverso, como sucede com uma superfície vegetal, uma gota d'água ou de sangue vistas ao microscópio. Distinguia então, na pele que julgara lisa, várias manchas gordurosas que me repugnavam. As linhas não resistiam ao aumento causado pelas lentes. A do nariz logo se quebrava e arredondava, invadida pelos mesmos círculos oleosos do resto da fisionomia; e, vistos de bem perto, os olhos encovavam-se debaixo de bolsas que destruíam a semelhança do rosto de agora com o de antigamente, que eu imaginara reencontrar. De modo que, no caso desses convidados, eles eram jovens vistos de longe, sua idade aumentava com o engordamento do rosto e a possibilidade de observá-lo em diversos planos; a velhice, para eles, dependia do espectador colocar-se de modo a vê-los jovens, lançando-lhes apenas olhares de longe, que diminuem o objeto, como os vidros que um oculista escolhe para quem sofre de presbiopia; para eles, a velhice, como a presença de infusórios numa gota d'água, era trazida menos pela passagem dos anos que pelo grau da escala na visão do observador.

Ali reencontrei um de meus antigos companheiros a quem, durante dez anos, havia encontrado quase todos os dias. Alguém desejou apresentar-nos de novo. Fui então direito a ele, que me falou com voz que reconheci perfeitamente: – É uma alegria muito grande para mim, depois de tantos anos. – Mas que surpresa tive! Essa voz parecia ser emitida por um fonógrafo aperfeiçoado, pois, sendo a de meu amigo, saía de um sujeito gordo e grisalho que eu não conhecia, dando a impressão de ter sido posta artificialmente, por um engenho mecânico, nesse velhote gordo igual a tantos. Contudo, sabia que se tratava dele, pois a pessoa que nos apresentara depois de tanto tempo não se prestava a mistificações. Ele próprio me declarou que eu não mudara em nada, e compreendi que também ele não se julgava mudado. Então, observei-o melhor. E, afinal, salvo o haver engordado daquele jeito, conservara muitas coisas de outrora. No entanto, não podia entender que se tratasse dele. Assim, tentei lembrar-me. Na juventude ele tivera olhos azuis sempre risonhos, perpetuamente em movimento, em busca é claro de algo que no momento me escapara, algo de desinteressado, sem dúvida a verdade, perseguida em constante incerteza, com um jeito folgazão e uma espécie de respeito erradio por todos os amigos da família. Ora, tornando-se um político influente, capaz, despótico, os olhos azuis que aliás não haviam encontrado o que procuravam, tinham se imobilizado, o que lhes conferia um olhar agudo, como se saísse debaixo de um sobrecenho franzido. Assim, a expressão de alegria, de abandono e de inocência se transformara num acento de astúcia e dissimulação. Decididamente, parecia-me outra pessoa, quando subitamente ouvi, a uma coisa que eu havia dito, a sua risada, sua doida risada de outrora, acompanhada pela permanente mobilidade alegre do olhar. Certos melômanos acham que, orquestrada por X..., a música de Z... se torna absolutamente diferente. São matizes que o homem comum não percebe. Mas um riso louco e sufocado de criança, sob um olhar agudo como um lápis azul de ponta bem feita, embora um tanto de lado, é mais que uma diferença de orquestração. O riso cessou, e bem que eu gostaria de reconhecer o meu amigo, mas, como na *Odisséia*, Ulisses lançando-se para a mãe morta, como um espírita que tentasse em vão alcançar de uma aparição a resposta que a identifica, como um visitante da exposição de eletricidade que não pode crer que o fonógrafo reproduza sem alteração a voz de uma pessoa, julgando-a espontaneamente emitida por alguém, deixei de reconhecer o meu amigo.

Todavia, é necessário ressalvar que as medidas do tempo, para certas pessoas, podem ser aceleradas ou retardadas. Por acaso, havia encontrado na rua, haveria uns quatro ou cinco anos, a viscondessa de Saint-Fiacre (nora da amiga dos Guermantes). Seus traços esculturais pareciam assegurar-lhe uma juventude eterna. Aliás, era ainda jovem. Pois não pude, apesar de seus sorrisos e cumprimentos, reconhecê-la numa dama de feições tão desfeitas que não era possível recompor-lhe a linha do rosto. É que, fazia três anos, andava tomando cocaína e outras drogas. Seus olhos, profundamente orlados de negro, eram quase selvagens. A boca apresentava estranho esgar. Disseram-me que se levantara só para aquela vesperal, tendo estado de cama, ou na espreguiçadeira, durante meses. Assim, o Tempo dispõe de trens expressos e especiais que levam rapidamente a uma velhice prematura. Mas em trilhos paralelos circulam trens de regresso, quase tão velozes. Tomei o Sr. de Courgivaux pelo seu filho, pois tinha o ar bem jovem. (Devia já ter passado dos cinqüenta, e parecia mais moço que aos trinta.) Descobrira um médico inteligente, suprimira o álcool e o sal; retornara ao trinta anos e parecia até, naquela noite, não os ter atingido ainda. É que, nessa mesma manhã, cortara o cabelo. Entretanto, houve um que, mesmo quando me disseram seu nome, não pude reconhecer e julguei tratar-se de um homônimo, pois não tinha qualquer espécie de semelhança com a pessoa que não só eu conhecera antes, mas que reencontrara fazia alguns anos. No entanto, era ele mesmo, apenas embranquecido e gordo; porém raspara os bigodes e bastara isso para fazê-lo perder sua personalidade.

Coisa curiosa, o fenômeno da velhice parecia, em suas modalidades, levar em conta alguns hábitos sociais. Certos senhores ilustres, mas que sempre haviam usado simples ternos de alpaca e velhos chapéus de palha que os pequenos burgueses se recusariam a pôr, tinham envelhecido do mesmo modo que os jardineiros e camponeses em meio aos quais haviam vivido. Manchas castanhas invadiam suas faces e o rosto amarelecera, escurecendo como um livro.

E eu também pensava em todos os que ali não se achavam porque não podiam, aqueles cujos secretários, tentando forjar a ilusão de sua sobrevida, desculpavam em telegramas volta e meia entregues à princesa, nos enfermos que agonizavam havia muitos anos, que já não se levantam nem se mexem, e, mesmo à frívola assiduidade dos visitantes atraídos por uma curiosidade de turistas ou confiança de peregrinos, de olhos fechados, rosário nas mãos, afastando a meio o lençol já mortuário, são semelhantes aos que jazem, estendidos no túmulo, a carne rígida e branca feito mármore, e que a doença esculpiu até deixar à mostra o esqueleto.

As mulheres se esforçavam por manter contato com o que fora o mais individual de seus encantos. Mas muitas vezes a nova substância de seus rostos já não se prestava a tal. Assustava-me pensar nos períodos que deviam ter escoado para que se cumprisse tamanha revolução na geologia de um rosto, ao ver que erosões se haviam produzido ao longo do nariz, que enormes aluviões, na orla das faces, cercavam o rosto inteiro de massas opacas e refratárias.

Sem dúvida certas mulheres ainda eram bem reconhecíveis, o rosto se mantivera quase o mesmo; apenas, como para harmonizar-se com a estação de forma conveniente, tinham se recoberto de cabelos grisalhos, seus enfeites de outono. Mas, no caso de outras, e também no dos homens, a transformação era tão completa, a identidade tão impossível de estabelecer – por exemplo, entre um boêmio moreno, de que me lembrava, e o velho monge que tinha diante dos olhos – que semelhantes transformações faziam pensar, mais que na própria arte do ator, na de certos pantomimeiros prodigiosos de que Fregoli é o protótipo.[72] A velha

[72] Leopoldo Fregoli (1867-1916), ator transformista italiano. (N. do T.)

tinha vontade de chorar, ao compreender que o indefinível e melancólico sorriso que fora o seu charme já não podia irradiar-se até a superfície dessa máscara de gesso que a velhice lhe aplicara. Depois, subitamente desencorajada de agradar, achando mais espirituoso resignar-se, serviu-se dela como de uma máscara de teatro para fazer rir! Mas quase todas as mulheres não tinham tréguas em seus esforços para lutar contra a idade e estendiam, para a beleza que se afastava como um sol poente e do qual desejavam apaixonadamente conservar os últimos raios, o espelho do seu rosto. Para consegui-lo, algumas procuravam aplainar, alargar a branca superfície, renunciando à graça picante das covinhas ameaçadas, às tentações de um sorriso já condenado e meio frouxo; ao passo que, tendo outras visto a beleza desaparecer em definitivo e sendo obrigadas a se refugiar na expressão, como se compensa pela arte da dicção a perda da voz, agarravam-se a uma careta, a um pé de galinha, a um olhar vago, por vezes a um sorriso que, devido à descoordenação dos músculos que já não obedeciam, fazia-as parecer estarem chorando.

Além disso, mesmo entre os homens que tinham sofrido apenas uma ligeira mudança, cujo bigode se fizera branco etc., sentia-se que tal mudança positivamente não era material. Era como se fossem vistos através de um vapor colorido, um vidro pintado que lhes modificasse o aspecto do rosto, mas, sobretudo, pelo que acrescentava de embaciado, mostrava estarem na realidade muito longe aqueles que nos permitia ver em "tamanho natural", num distanciamento diverso, é verdade, do do espaço, mas de cujo fundo, como de outra margem, sentíamos terem tanta dificuldade em nos reconhecer como nós a eles. Talvez somente a Sra. de Forcheville, intumescida como se se tivesse injetado algum líquido, uma espécie de parafina que incha a pele mas a impede de se modificar, se assemelhasse a uma cocote de outrora, para sempre "naturalizada".

– Você me toma por minha mãe – havia dito Gilberte. Era verdade. E, aliás, seria quase lisonjeiro para a filha: partimos da idéia de que as pessoas permaneceram as mesmas e reencontramo-las envelhecidas. Mas, desde que a idéia inicial fosse a de que são velhas, não as acharíamos tão envelhecidas quando as encontrássemos. No caso de Odette, não se tratava apenas disso; seu aspecto, uma vez que soubéssemos a sua idade e esperássemos uma velha, parecia um desafio mais milagroso às leis da cronologia que a conservação do rádio às da natureza. Se não a reconheci de imediato, não foi porque tivesse mudado, e sim porque não mudara. Tendo me dado conta, durante uma hora, de tudo o que o tempo acrescentava às criaturas, e que era preciso subtrair para reencontrá-las tais quais as havia conhecido, fazia agora rapidamente esse cálculo e, ajuntando à antiga Odette o total dos anos passados, o resultado que achei foi uma pessoa que me pareceu não poder ser a que tinha diante dos olhos, justamente porque esta era idêntica à de outrora. Onde ficava nisso a parte do cosmético, da tintura? Com os cabelos dourados bem corridos – peruca arrepiada de grande boneca mecânica sobre uma face atônita e imóvel, também de boneca – aos quais se superpunha um chapéu de palha achatado, ela se assemelhava à Exposição de 1878 (de que, teria sido então, sobretudo se já tivesse à época a idade atual, a mais fantástica maravilha), recitando a sua fala numa revista de fim de ano, mas a Exposição de 1878 representada por uma mulher ainda jovem.[73]

Ao nosso lado, um ministro anterior ao período boulangista, reconduzido ao ministério, também passava, enviando às senhoras um trêmulo sorriso de longe, mas como que aprisionado nos mil laços do pretérito, como um pequeno fantasma que uma invisível mão fizesse passear, diminuído de tamanho, mudado em sua substância, e dando a impressão de ser uma redução em pedra-pomes de si mesmo. Esse antigo presidente do Conselho, tão bem recebido no *faubourg* Saint-Germain, fora antigamente objeto de processos criminais, execrado pela alta sociedade e pelo povo. Porém, graças à renovação dos indivíduos que compõem uma e outro, e, nos indivíduos subsistentes, da alteração das paixões e até das lembranças, ninguém sabia mais disso e todos o honravam. Não há, pois, humilhação, por maior que seja, a que não nos devamos facilmente resignar, sabendo que ao cabo de alguns anos nossas culpas serão apenas uma invisível poeira sobre a qual vicejará a paz risonha e florida da natureza. O indivíduo momentaneamente calado se achará, devido ao jogo de equilíbrio do tempo, entre duas novas camadas sociais, que só lhe tributarão deferência e admiração, e acima das quais ele se exibirá a contento. Unicamente, é ao tempo que se confia semelhante trabalho; na ocasião de seus tormentos, nada o consola de ouvir ser chamado de "tubarão" pela turba de punhos cerrados, quando entrava no "tintureiro" na presença da vizinha, a jovem leiteira que não vê as coisas no plano do tempo, que ignora que os homens incensados pelo jornal da manhã foram desconsiderados na véspera, e que o homem hoje à beira da condenação será um dia festejado pela imprensa e recebido pelas duquesas, e agora talvez não tenha, pensando nessa jovem leiteira, as palavras humildes que lhe conquistariam as simpatias. E o tempo igualmente desfaz as rixas de família. Na casa da princesa de Guermantes, via-se um casal cujos tios, já mortos agora, haviam se esbofeteado; a seguir um deles, mais para humilhar o outro, enviara-lhe como testemunhas do duelo o seu porteiro e o seu mordomo, julgando que o adversário não merecia pessoas da sociedade. Tais histórias, porém, dormiam nos jornais de há trinta anos e ninguém mais sabia delas. E assim o

[73] Para a Exposição mundial de 1878, em Paris, construíram-se pavilhões. Um deles, o Trocadero, bastante citado na obra de Proust, foi demolido para a Exposição de 1937, cujos pavilhões ainda existem. Na peça *Tant Plus ça change* ('Quanto mais isto muda'), de Edmond Gondinet e Pierre Véron, a atriz que fazia o papel da Exposição usava um corpete bordado de panos coloridos que representavam as nações e, nos cabelos, duas torrezinhas representando as do Trocadero. (N. do T.)

salão da princesa de Guermantes era iluminado, esquecido e florejante, como um cemitério tranqüilo. O tempo não só desfizera antigas criaturas, mas tornara possíveis, criara associações novas.

Voltando a esse político; apesar da modificação de sua substância física, tão profunda quanto a transformação das idéias morais que agora ele despertava no público; numa palavra, apesar de passados tantos anos desde que havia sido presidente do Conselho, fazia parte do novo gabinete, e seu chefe lhe confiara uma pasta, um tanto como os diretores de teatro dão um papel a um dos antigos camaradas, aposentado há muito, mas que ainda julgam mais capazes de desempenhar com sutileza um papel do que os jovens, camarada de quem conhecem aliás a delicada situação financeira e que, com diferença de vinte e quatro anos, ainda exibe ao público a integridade de seu talento, quase intacto, nesse prolongamento da vida que, a seguir, espanta-nos ter sido verificado poucos dias antes da sua morte.

Quanto à Sra. de Forcheville, ao contrário, o aspecto era tão milagroso que sequer se poderia falar em rejuvenescimento, e sim que, lançando mão de todos os carmins, todas as tintas ruivas, havia reflorescido. Mais até que a encarnação da Exposição mundial de 1878, ela teria sido, numa exposição botânica de hoje, o ponto de enfoque, a atração principal. De resto, para mim, ela não parecia dizer: "Sou a Exposição de 1878", mas sobretudo: "Sou a alameda das Acácias de 1892." Dava a impressão de poder sê-lo ainda. Ademais, justo por não ter mudado, quase não parecia viver. Tinha o ar de uma rosa esterilizada. Cumprimentei-a, ela indagou por algum tempo o meu nome na minha fisionomia, assim como um aluno, sob o olhar do professor que o examina, procura uma resposta que teria mais facilmente encontrado em sua cabeça. Disse-lhe, e logo, como se graças a este mágico nome eu tivesse perdido a aparência de medronheiro[74] ou de canguru que sem dúvida a idade me atribuíra, ela me reconheceu e se pôs a falar com aquela inflexão especial, que as pessoas que a tinham aplaudido nos teatrinhos, quando eram convidadas a almoçar com ela "na cidade", ficavam maravilhadas por encontrar em cada palavra sua, durante toda a conversa. Essa inflexão continuava a mesma, inutilmente cálida, envolvente, com um leve sotaque inglês. E, no entanto, assim como seus olhos davam a impressão de me fixarem de um litoral distante, sua voz era triste, quase súplice, como a dos mortos na *Odisséia*. Odette poderia representar ainda. Cumprimentei-a pela mocidade, e ela me disse: – Você é gentil, *my dear*, obrigada – e como dificilmente atribuía a um sentimento, até o mais verdadeiro, uma expressão que não fosse afetada pela preocupação de elegância, repetiu várias vezes: –

[74] *Medronheiro*: planta arborescente da família das ericáceas (*Arbutus unedo*), que dá frutos semelhantes ao morango. Não existe no Brasil. (N. do T.)

Muito obrigada, muito obrigada. – Porém eu, que antigamente caminhara tanto para avistá-la no Bois, que ouvira o som de sua voz lhe sair dos lábios como um tesouro, da primeira vez que estivera em sua casa, agora julgava intermináveis os minutos passados em sua companhia, devido à impossibilidade de saber o que lhe falar, e afastei-me, dizendo comigo que as palavras de Gilberte "Você me toma por minha mãe" não eram somente verdadeiras, mas também muito lisonjeiras para a filha.

Aliás, não só nesta haviam surgido traços de família, até então igualmente invisíveis no rosto como as partes interiores da semente, onde não se adivinham os impulsos que um dia as lançarão para fora. Assim, uma enorme curva materna vinha, nesta ou naquela, transformar, pelas alturas dos cinqüenta anos, um nariz até então retilíneo e puro. Numa outra, filha de banqueiro, a pele, de frescor de camponesa, avermelhava-se, adquiria tons de cobre e tomava como que o reflexo do ouro que o pai tanto manuseara. Alguns até acabavam por se assemelhar a seus bairros, traziam neles como que o reflexo da rua da Arcade, da avenida do Bois, da rua do Elysée. Mas sobretudo reproduziam os traços dos pais.

Infelizmente a Sra. de Forcheville não deveria manter-se em forma por muito tempo. Menos de três anos depois, numa reunião dançante promovida por Gilberte, eu deveria voltar a vê-la, não gagá mas um tanto enfraquecida da cabeça, incapaz de ocultar sob uma máscara imóvel o que estava pensando – pensar é força de expressão –, o que sentia, sacudindo a cabeça, fechando a boca, dando de ombros a cada impressão que experimentava, como o faria um bêbado, uma criança, como procedem certos poetas que não se dão conta de quem está à sua volta e, inspirados, compõem versos na sociedade e, indo para a mesa dando o braço a uma senhora que se espanta, franzem as sobrancelhas, fazem trejeitos. As impressões da Sra. de Forcheville – salvo uma, a que precisamente a fizera comparecer à reunião, a ternura pela filha bem-amada, o orgulho que sentia pela filha que dava aquela recepção tão brilhante, orgulho que não escondia na mãe a tristeza por não ser mais nada –, essas impressões não eram alegres, e apenas mantinham uma defesa permanente contra as ofensas que lhe faziam, defesa tímida como a de uma criança. Só se ouviam estas palavras: – Não sei se a Sra. de Forcheville me reconhece, talvez eu devesse apresentar-me de novo. – Isto, por exemplo, é desnecessário – respondiam em altos brados, esquecidos de que a mãe de Gilberte ouvia tudo (sem pensar ou sem se preocupar com isso). – É inútil. Pelo interesse que ela demonstra! E melhor deixá-la em seu cantinho. Aliás, está meio gagá. – Furtivamente, a Sra. de Forcheville lançava um olhar (com seus olhos que ainda eram tão lindos) para os interlocutores injuriosos, e logo o recolhia com receio de ter sido descortês e, ainda assim, agitada pela ofensa, sufocando a débil indignação, a cabeça a tremular, o peito arfante, lançava novo olhar sobre outro conviva também descortês, sem muito espantar-se, pois, estando indisposta nos últimos dias, havia sugerido cautelosamente à filha que adiasse a festa, no que não fora atendida. Nem por isso a Sra. de Forcheville a amava menos; todas as duquesas que entravam e a admiração de todos pela nova mansão inundavam seu coração de alegria. E, quando entrou a marquesa de Sabran, que era então a dama mais alta e inatingivelmente situada na escala social, a Sra. de Forcheville sentiu que havia sido uma boa e previdente mãe e que sua tarefa materna estava acabada. Novos convidados zombeteiros fizeram-na encarar outra vez os mal-educados e falar sozinha, se pode se chamar "falar" uma linguagem muda traduzida apenas em gesticulações. Tão bela ainda, tornara-se infinitamente simpática (o que jamais fora); pois ela, que havia traído Swann e todo o mundo, era agora traída pelo universo inteiro; e tornara-se tão débil que, trocando-se os papéis, já não ousava defender-se contra os homens. E em breve não se defenderia contra a morte. Mas, após essa antecipação, voltemos três anos, ou seja, à vesperal em que estamos na casa da princesa de Guermantes.

Tive dificuldade em reconhecer o meu companheiro Bloch, que agora, aliás, usava não o pseudônimo mas o nome de Jacques du Rozier, sob o qual teria sido preciso todo o faro de meu avô para descobrir o "doce vale" do Hebron e "cadeias de Israel", que meu amigo parecia ter rompido de vez.[75] De fato, uma elegância britânica havia modificado inteiramente a sua fisionomia, aplainando tudo o que podia ser apagado. Os cabelos, outrora anelados, agora lisos e repartidos ao meio, brilhavam de cosmético. Seu nariz continuava rubro e grosso, mas parecia antes tumefacto por uma espécie de resfriado permanente, o que podia explicar a acentuação nasal com que rematava preguiçosamente as frases, pois, assim como encontrara um penteado próprio para o seu tipo, conseguira uma voz adaptada para a sua pronúncia, onde o anasalamento de outrora assumia um jeito desdenhoso de articular que combinava com as asas inflamadas do nariz. E, graças ao penteado, à supressão dos bigodes, à elegância, ao tipo, à vontade, esse nariz judeu desaparecia, assim como parece quase reta uma corcunda bem tratada. Mas, sobretudo, logo que Bloch surgia, o sentido de sua fisionomia era mudado por um temível monóculo. A parte mecânica que esse monóculo introduzia no rosto de Bloch dispensava-o de todos os deveres difíceis a que um rosto humano é submetido: dever de ser belo, de exprimir o espírito, a benevolência, a força. A presença desse monóculo no rosto de Bloch bastava para dispensá-lo de que alguém indagasse se era feio ou bonito, como, diante das mercadorias inglesas que o caixeiro da loja assegura serem a última moda, não ousamos discutir se nos agradam ou não. Por outro lado, Bloch se instalava atrás do vidro do monóculo numa posição tão altaneira, distante e confortável, como se se tratasse da vidraça de uma carrua-

[75] Ver *No Caminho de Swann*, pp. 85-86. (N. do T.)

gem de luxo e, para se harmonizarem aos cabelos lisos e ao monóculo, suas feições mantinham-se impassíveis.

Bloch me pediu que o apresentasse ao príncipe de Guermantes; não levantei para isso nenhuma das objeções com que me escusara no dia em que fora pela primeira vez a um sarau na casa do príncipe, objeções que me haviam parecido naturais, ao passo que agora se me afigurava bastante simples apresentar-lhe um de seus convidados, bem como conduzir até ele e apresentar-lhe de improviso alguém que não tivesse convidado. Seria porque, desde aquela época remota, eu me tornara "familiar", embora meio esquecido fazia algum tempo daquela sociedade, onde então era "noviço"?; ou, pelo contrário, seria porque, não sendo um verdadeiro mundano, tudo o que lhes era difícil já não existia para mim, tão logo perdesse a timidez?; seria porque – tendo as pessoas, pouco a pouco, deixado cair diante de mim o seu primeiro (amiúde o segundo e o terceiro) aspecto artificial – eu percebia por detrás da altivez desdenhosa do príncipe uma grande avidez humana de conhecer as criaturas, de conhecer mesmo aqueles a quem fingia desdenhar?; seria porque o príncipe igualmente havia mudado, como todos esses insolentes da mocidade e da idade madura a quem a velhice abranda (tanto mais que os homens estreantes e as idéias ignoradas, contra os quais se insurgiam, há muito os conheciam de vista e os sabiam recebidos por todos a seu redor), e sobretudo se a velhice conta com o auxílio de alguma virtude, ou de alguns vícios, que desenvolve as relações, ou da revolução que provoca uma conversão política, como a do príncipe ao dreyfusismo?

Bloch me interrogava – como eu o fazia outrora ao entrar na vida mundana, como me sucede ainda fazê-lo – sobre as pessoas que eu então conhecera e que estavam tão longe, tão distantes de tudo como as pessoas de Combray que muitas vezes me ocorrera querer "situar" exatamente. Porém Combray possuía para mim uma forma tão especial, tão impossível de confundir com o resto, que era um *puzzle* que eu jamais poderia colocar no mapa da França. – Então o príncipe não pode me dar nenhuma idéia de Swann nem do Sr. de Charlus? – perguntou-me Bloch, de quem eu por muito tempo havia imitado o modo de falar, e que agora freqüentemente imitava o meu. – De jeito nenhum. – Mas em que consistia a diferença? – Seria preciso fazê-lo conversar com eles, mas isto é impossível; Swann está morto e o Sr. de Charlus não anda muito melhor. Mas as diferenças eram enormes. – E, enquanto o olhar de Bloch se iluminava ao imaginar o que podiam ser tais personagens maravilhosos, eu pensava que lhe exagerava o prazer que sentira ao me achar na companhia deles, nunca o tendo experimentado senão quando me encontrava a sós, a impressão das verdadeiras diferenças tendo se produzido unicamente em minha imaginação. Terá Bloch percebido isso? – Talvez estejas me pintando tudo isto de modo embelezado – disse ele. – Assim, a dona desta casa, a princesa de Guermantes, sei perfeitamente que já não é nova; mas, enfim, não faz muito tempo que me falavas do seu encanto incomparável, de sua extraordinária beleza. Certo, reconheço que tem uma postura aristocrática e exatamente aqueles olhos singulares de que me falavas, mas afinal não a considero tão incrível como dizias. Evidentemente é muito distinta, mas enfim... – Fui obrigado a lhe dizer que ele não me falava da mesma pessoa. Com efeito, a princesa de Guermantes morrera, e fora a antiga senhora Verdurin que o príncipe, arruinado pela derrota alemã, desposara. – Enganas-te, procurei no almanaque Gotha deste ano – confessou-me ingenuamente Bloch – e nele encontrei o príncipe de Guermantes, morando na mansão em que nos achamos, e casado com o que existe de mais grandioso, espera um pouco, já me recordo do nome, casado com Sidonie, duquesa de Duras, nascida des Baux. – De fato, a Sra. Verdurin, pouco após a morte do marido, se casara com o velho duque de Duras, arruinado, o que a fizera prima do príncipe de Guermantes; o duque havia morrido após dois anos de casamento. Fora uma transição bastante útil para a Sra. Verdurin, e agora ela, pelo terceiro casamento, era princesa de Guermantes e dispunha de excelente posição no *faubourg* Saint-Germain, o que teria causado grande espanto em Combray, onde as senhoras da rua de l'Oiseau, a filha da Sra. Goupil e a nora da Sra. Sazerat, nos últimos anos, antes que a Sra. Verdurin se transformasse na princesa de Guermantes, zombavam dela chamando-a de "duquesa de Duras", como se se tratasse de um papel que a Sra. Verdurin representasse no teatro. E até, exigindo o princípio das castas que ela morresse como Sra. Verdurin, esse título, que não acreditavam dever conferir-lhe nenhum poder mundano, antes causava mau efeito. "Dá que falar", expressão que em todas as rodas mundanas é aplicada às mulheres que têm amantes, podia sê-lo, no *faubourg* Saint-Germain, àquelas que publicam livros, na burguesia de Combray, às que fazem casamentos "desiguais" num sentido ou noutro. Quando a Sra. Verdurin se casou com o príncipe de Guermantes, disseram que se tratava de um falso Guermantes, um escroque. Para mim, nessa identidade de título e de nome, que tornava possível existir ainda uma princesa de Guermantes, sem nada de comum com aquela que tanto me seduzira e que já não vivia, morta sem defesa, a quem haviam despojado da identidade, havia algo de tão doloroso como em ver que os bens que a princesa Hedwige possuíra, como seu castelo, como tudo o que fora seu, outra agora os desfrutava. A sucessão ao nome é triste como todas as sucessões, como todas as usurpações de propriedade; e sempre, sem cessar, surgiriam, à maneira de vagas, novas princesas de Guermantes, ou melhor, viveria uma única princesa de Guermantes, milenar, substituída a cada geração por uma mulher diferente que desempenharia suas funções, ignorando a morte, alheia a tudo que muda e fere nossos corações, e o nome, feito o mar, recobriria as que afundassem de vez em quando com sua sempre igual e imemorial placidez.

É certo que mesmo essa mudança externa nas fisionomias conhecidas era apenas o símbolo de uma mudança interior que se produzira dia após dia; talvez essas pessoas tivessem continuado a realizar as mesmas coisas; porém, tendo-se desviado um pouco, dia a dia, a idéia que se faziam dessas coisas e das pessoas que costumavam freqüentar, tornavam-se, ao fim de alguns anos, sob os mesmos nomes, outras coisas e outras pessoas de quem gostavam, e, tendo se tornado outras pessoas, seria de espantar que não tivessem novos rostos.

Entre as pessoas presentes achava-se um homem notável que, num processo famoso, acabara de dar um testemunho cujo único valor residia em sua alta moralidade, diante da qual os juízes e advogados, unânimes, inclinavam-se, e que havia acarretado a condenação de dois sujeitos. Assim, houve um movimento de curiosidade e de respeito quando entrou: era Morel. Eu era talvez o único a saber que ele fora sustentado por Saint-Loup e, ao mesmo tempo, por um amiga deste. Apesar dessas recordações, ele me cumprimentou prazerosamente, embora com alguma reserva. Lembrava-se do tempo em que nos tínhamos visto em Balbec, e essas lembranças faziam-no sentir a poesia e a melancolia da juventude.

Mas também havia pessoas que eu não poderia reconhecer pela simples razão de que nunca as conhecera, pois tanto quanto sobre as próprias pessoas, o tempo, naquele salão, também exercera sua química sobre a sociedade. Esse meio, em cuja natureza específica, determinada por certas afinidades que atraíam todos os grandes nomes principescos da Europa, e repeliam todo elemento não aristocrático, eu o descobrira como um refúgio material para esse nome de Guermantes, ao qual emprestava a última realidade; ele próprio sofrera em sua constituição íntima, e que eu achara estável, uma alteração profunda. A presença de pessoas que eu conhecera em meios completamente diversos, e que se me afiguravam jamais dever penetrar neste, assombrou-me ainda menos que a íntima familiaridade com que eram recebidas e chamadas pelo nome de batismo. Um certo conjunto de preconceitos aristocráticos e de esnobismos, que outrora afastava automaticamente do nome de Guermantes tudo o que não se harmonizava com ele, deixara de vigorar.

Alguns (Tossizza, Kleinmichel) que, quando eu estreara na sociedade, costumavam dar grandes jantares onde só recebiam a princesa de Guermantes, a duquesa de Guermantes e a princesa de Parma, e ocupavam um lugar de honra na casa destas, sendo considerados o que havia de melhor na sociedade da época, e talvez o fossem, tinham passado sem deixar qualquer traço. Seriam estrangeiros em missão diplomática e que tivessem regressado a seus países? Talvez um escândalo, um suicídio, um rapto os houvesse impedido de reaparecer na sociedade, ou então eram alemães. Mas seu nome só devia o brilho à posição social que antigamente desfrutavam, e já não era usado por ninguém, nem sequer sabiam de quem falava quando me referia a eles. E, tentando soletrar-lhes o nome, dava-lhes a impressão de que se tratava de rastaqüeras. Para meu grande espanto, pessoas que nem deveriam ter sido convidadas, segundo o velho código social, estavam em relações bem familiares com pessoas admiravelmente nascidas, as quais só tinham vindo se aborrecer na casa da princesa de Guermantes por causa dessas novas amizades. Pois a maior característica dessa sociedade era a sua prodigiosa inclinação para desclassificar-se.

Frouxas ou quebradas, as molas da máquina repressora já não funcionavam, mil corpos estranhos a invadiam, retirando-lhe toda homogeneidade, distinção ou cor. O *faubourg* Saint-Germain, como uma velhota gagá, só respondia com sorrisos tímidos aos criados insolentes que lhe invadiam os salões, bebiam sua laranjada e lhe apresentavam suas amantes. Ainda assim, a sensação do tempo transcorrido e de uma pequena parte desaparecida do meu passado relacionava-se menos à destruição desse conjunto coerente (que tinha sido o salão Guermantes) do que à própria extinção do conhecimento de mil razões, mil nuanças, graças às quais tal personagem, que nele ainda figurava, parecia naturalmente indicado e posto em seu lugar, ao passo que outro, que se lhe emparelhava, representava uma novidade suspeita. Esse descobrimento não grassava apenas na sociedade, mas na política, em tudo. Pois, nos indivíduos, a memória dura menos que a vida, e, por outro lado, em pessoas muito jovens, sem as lembranças abolidas nos outros, fazendo agora, e muito legitimamente, parte da sociedade, e até no sentido nobiliárquico, o esquecimento ou a ignorância dos começos os levavam a aceitar as pessoas no ponto de elevação ou de queda em que se encontravam, julgando que tudo fora sempre assim, que a Sra. Swann, a princesa de Guermantes e Bloch haviam sempre desfrutado da mais alta posição social, que Clemenceau e Viviani sempre tinham sido conservadores. E, como certos fatos se prolongam demais, a lembrança execrável do Caso Dreyfus persistia neles de modo vago, graças ao que lhes tinham dito os pais; se lhes dissessem que Clemenceau fora dreyfusista, retrucavam: – Não é possível, o senhor confunde, ele estava justamente do lado oposto. – Ministros desacreditados e antigas mulheres da vida eram considerados modelos de virtude. Tendo alguém perguntado a um rapaz da mais notável família se não tivera algo a dizer acerca da mãe de Gilberte, o jovem respondeu que, de fato, no começo da vida, ela se casara com um aventureiro chamado Swann, mas que, a seguir, desposara um dos homens mais em evidência, o conde de Forcheville. É claro que algumas pessoas, mesmo neste salão, a duquesa de Guermantes, por exemplo, teriam sorrido dessa afirmativa (que, negando a elegância de Swann se me afigurava monstruosa, ainda que eu próprio, outrora, em Combray, concordara com minha tia-avó que Swann não podia "conhecer princesas"); o mesmo quanto às mulheres que poderiam se achar presentes, mas que já não saíam quase de casa, como duquesas de Montmorency, de Mouchy, de Sagan, que tinham sido amigas íntimas de Swann e jamais haviam visto Forcheville, não recebido na sociedade ao tempo em que elas ainda a freqüentavam. Mas justamente a sociedade de então, assim como os rostos hoje modificados e os louros cabelos substituídos por cabelos brancos, só permanecia na lembrança de pessoas cujo número diminuía a cada dia.

Durante a guerra, Bloch deixara de "sair", de freqüentar seus antigos ambientes de outrora, onde fazia figura deplorável. Em compensação, não cessara de publicar suas obras, cujos absurdos sofísticos eu agora me esforçava por destruir para não me deixar estorvar por eles; obras sem originalidade, mas que davam aos rapazes e a muitas mulheres da sociedade a impressão de uma altura intelectual nada comum, de uma espécie de gênio. Portanto, foi após uma cisão completa entre sua antiga mundanidade e a atual, que, numa sociedade reconstituída, ele fizera, para uma nova fase de sua vida, honrada, gloriosa, um aparecimento de grande homem. Naturalmente os jovens ignoravam que estivesse fazendo, naquela idade, a sua estréia social, tanto mais que os poucos nomes que Bloch havia guardado da convivência com Saint-Loup lhe permitiam dar a seu prestígio de agora uma espécie de recuo indefinido. De qualquer forma, semelhava um desses homens de talento que florescem na alta roda em todas as épocas, e nem se pensava que pudesse ter vivido em outra parte.

Os antigos asseguravam que tudo estava mudado na sociedade, que eram recebidas pessoas que ninguém jamais no seu tempo teria recebido, e, como se diz, isto era e não era verdadeiro. Não era verdadeiro porque eles não se apercebiam da curva do tempo, que fazia com que os de hoje vissem as novas pessoas do seu ponto de chegada, ao passo que eles as recordavam do seu ponto de partida. E, quando eles, os antigos, tinham estreado na sociedade, ali havia pessoas de cujo ponto de partida outros se lembravam. Basta uma geração para que ali ocorra a mudança que somente em séculos se faz para que o nome burguês de um Colbert adquira foros de nobreza. E, por outro lado, isto poderia ser verdadeiro, pois, se as pessoas mudam sua posição social, as mais arraigadas idéias e costumes (assim como as fortunas e as alianças e os ódios entre países) também mudam, e entre estes até os que mandam receber unicamente pessoas elegantes. Não só o esnobismo muda de forma, mas até poderia desaparecer como a própria guerra, e os radicais e judeus serem recebidos no Jockey.

Se as pessoas das novas gerações davam pouco valor à duquesa, porque era amiga de atrizes etc., as damas da família, hoje velhas, continuavam a considerá-la uma personagem extraordinária; por um lado, porque sabiam exatamente do seu nascimento, de sua primazia heráldica, de suas intimidades com o que a Sra. de Forcheville teria denominado *royalties* (realezas), mas ainda porque desdenhava reuniões familiares, entediava-se nelas, e sabiam jamais poder contar com ela nessas ocasiões. Suas amizades políticas e teatrais, aliás mal conhecidas, só lhe faziam aumentar a singularidade, e portanto o prestígio. De modo que, enquanto no mundo político e artístico era considerada pessoa indefinida, uma espécie de *defroquée* do *faubourg* Saint-Germain freqüentada pelas estrelas e pelos subsecretários de Estado, nesse mesmo *faubourg*, se dessem um belo sarau, diziam: – Valerá a pena convidar Oriane? Ela não virá. Enfim, só mesmo *pro forma*, mas sem alimentar ilusões. E se, por volta das dez e meia, num vestido cintilante, revelando, no olhar duro que lhes lançava, desprezar todas as primas, entrava Oriane, detendo-se no limiar com uma espécie de majestoso desdém, e, se ali ficava uma hora, era uma festa para a velha dama que dava o sarau, maior que a de um diretor teatral antigamente, quando Sarah Bernhardt, que lhe prometera vagamente um concurso com o qual não ousara contar, comparecia e, com uma complacência e simplicidade infinitas, recitasse, em vez do trecho prometido, vinte outros. A presença dessa Oriane, a quem os chefes de gabinete falavam com sobranceria e que nem por isso (o espírito governa o mundo) desistia de procurá-los cada vez mais, vinha classificar a reunião da velha dama, onde todavia só se encontravam senhoras de extrema elegância, à parte e muito acima das reuniões de todas as demais damas da mesma *season* (como igualmente diria a Sra. de Forcheville), às quais Oriane nem se incomodava em comparecer.

Logo que terminei de conversar com o príncipe de Guermantes, Bloch tomou conta de mim, apresentando-me a uma moça que ouvira falar muito a meu respeito pela duquesa de Guermantes, e que era uma das mulheres mais elegantes desse dia. Ora, seu nome era-me inteiramente desconhecido, e o dos diversos Guermantes não devia lhe ser muito familiar, já que ela indagou a uma norte-americana o motivo pelo qual a Sra. de Saint-Loup parecia tão íntima da mais brilhante sociedade que ali se achava. Ora, essa americana era casada com o conde de Farcy, parente obscuro dos Forchevilles, os quais representavam o que há de mais ilustre no mundo. Assim, ela replicou com toda a naturalidade: – Quanto mais não fosse, porque nasceu Forcheville. É o que há de mais ilustre. – A Sra. de Farcy, embora julgando ingenuamente o nome de Forcheville superior ao de Saint-Loup, sabia ao menos o que este significava. Mas a encantadora amiga de Bloch e da duquesa de Guermantes o ignorava inteiramente e, bastante aturdida, respondeu de boa-fé a uma jovem que lhe perguntava como a Sra. de Saint-Loup era parente do dono da casa, o príncipe de Guermantes: – Através dos Forchevilles – informação que a jovem comunicou, como se a tivesse possuído o tempo todo, a uma de suas amigas, a qual, sendo nervosa e tendo mau gênio, fez-se vermelha como um galo quando um senhor lhe afirmou que não era pelos Forchevilles que Gilberte se ligava aos Guermantes, de tal modo que o senhor julgou que se enganara, adotou o erro e não tardou em propagá-lo. Os jantares e as festas mundanas eram para a americana uma espécie de escola Berlitz. Ela ouvia os nomes e os repetia, sem ter um conhecimento prévio do valor deles, sem lhes conhecer o alcance exato. A alguém que desejava saber se Gilberte herdara Tansonville de seu pai, o Sr. de Forcheville, explicaram que não, que se tratava de uma propriedade da família do marido, que Tansonville era vizinha de Guermantes, pertencia à Sra. de Marsantes, mas, estando hipotecada, fora resgatada pelo dote de Gilberte. Afinal, tendo um velho membro do grupo antigo evocado Swann, amigo dos Sagan e dos Mouchy, e perguntando-lhe a americana amiga de Bloch de que modo eu o conhecera, declarou que o fora na casa da Sra. de Guermantes, sem desconfiar do vizinho de campo, jovem amigo de meu avô, que ele tinha sido para mim. Equívocos desse tipo foram cometidos pelos homens mais famosos e passam por ser particularmente graves em toda sociedade conservadora. Saint-Simon, querendo mostrar que Luís XIV era de uma ignorância tal que "o fez cair, às vezes em público, nos mais grosseiros absurdos", dá somente dois exemplos dessa ignorância, a saber: que o rei, desconhecendo que Renel era da família de Clermont-Gallerande, e que Saint-Herem pertencia à de Montmorin, tratara a ambos como indivíduos de extração inferior. Pelo menos, no que se refere a Saint-Herem, temos o consolo de saber que o rei não morreu em erro, tendo sido esclarecido "bem tarde" pelo Sr. de la Rochefoucauld. "E ainda", acrescenta Saint-Simon com piedade, "foi necessário explicar-lhe quais eram essas casas, cujos nomes nada lhe diziam."

Esse vivo esquecimento, que tão depressa recobre o passado mais recente, e essa ignorância tão invasora, criam, em compensação, um conhecimento tanto mais precioso quanto é pouco disseminado, que se aplica à genealogia das pessoas, às suas verdadeiras situações, às razões de amor, de dinheiro ou qualquer outra, pelas quais se aliaram a determinada família ou fizeram casamentos desiguais, conhecimento prezado em todas as sociedades em que reina um espírito conservador, conhecimento que meu avô possuía no mais alto grau relativamente à burguesia de Combray e de Paris, conhecimento que Saint-Simon prezava tanto que, no momento em que celebra a maravilhosa inteligência do príncipe de Conti, antes mesmo de falar das ciências, ou melhor, como se nisso consistisse a ciência principal, louva-o por ter sido "um belo espírito, luminoso, justo, exato, extenso, de infinita leitura, que não esquecia nada, que conhecia as genealogias, suas quimeras e realidades, de uma polidez distinta de acordo com a estirpe e o mérito, concedendo tudo o que os príncipes de sangue devem conceder e já não concedem; comentava até as usurpações por estes praticadas. As histórias dos livros e das conversações forneciam-lhe oportunidades para se referir ao que lhe parecia mais honroso no nascimento, nas funções etc". Para uma sociedade menos brilhante, meu avô não era menos informado ou exato no que se referisse à burguesia de Combray ou de Paris, nem com menor prazer o saboreava. Já eram raros os entendidos, os especialistas desse gênero, sabedores que Gilberte não era uma Forcheville, nem que a Sra. de Cambremer não era Méséglise, ou que a sua nora não provinha dos Valentinois. Pouco numerosos, talvez nem mesmo recrutados na mais alta aristocracia (nem os católicos, nem mesmo os devotos, são obrigatoriamente, os mais entendidos na *Legenda Áurea* ou nos vitrais do século XIII), e muitas vezes numa aristocracia secundária, mais ávida por um mundo distante a que tem tantos maiores lazeres para estudar quanto menos freqüenta, tais conhecedores reúnem-se com prazer, travam relações uns com os outros, dão suculentos jantares de agremiações, como a Sociedade dos Bibliófilos ou dos Amigos de Reims, jantares em que se degustam genealogias. As mulheres não são admitidas nesses jantares, mas os maridos, ao voltarem, dizem às esposas: – Foi um jantar interessante. Estava presente um certo Sr. de La Raspelière, que nos deixou encantados explicando que essa Sra. de Saint-Loup, que tem aquela filha bonita, absolutamente não nasceu Forcheville. É um verdadeiro romance.

A amiga de Bloch e da duquesa de Guermantes não era apenas elegante e charmosa; era também inteligente, sendo agradável conversar com ela, o que no entanto se me tornara difícil, pois não era unicamente o nome de minha interlocutora que soava pela primeira vez aos meus ouvidos, mas o de um grande número de pessoas de que me falou e que atualmente formavam o âmago da sociedade. Por outro lado, é verdade que, como desejava que lhe contasse histórias, muitos dos que lhe citei não lhe diziam absolutamente nada, todos tinham caído no esquecimento, ao menos aqueles que só haviam se distinguido pelo brilho individual de uma pessoa, não sendo o nome genérico e permanente de uma célebre família aristocrática (da qual raramente ela sabia o título exato, deduzindo nascimentos errôneos por causa de um nome que não entendera bem no jantar da véspera), e que, na maioria das vezes, nunca ouvira pronunciar, pois só começara a freqüentar a sociedade alguns anos depois que eu próprio me recolhera (não apenas por ser ainda jovem, mas porque morava fazia pouco tempo na França, e não fora recebida imediatamente). Não sei como o nome da Sra. Leroi saiu da minha boca e, por acaso, a minha interlocutora, graças a um galante amigo velho da Sra. de Guermantes a seu lado, já o conhecia. Porém de modo inexato, como o percebi devido ao tom desdenhoso com que esta moça esnobe me respondeu: – Sim, sei quem é a Sra. Leroi, uma velha amiga de Bergotte –, um tom que queria dizer: "uma pessoa que eu jamais desejaria viesse à minha casa." Compreendi muito bem que o velho amigo da Sra. de Guermantes, como perfeito mundano, imbuído do espírito dos Guermantes, dos quais uma das características era não parecer ligar importância à convivência com aristocratas, havia julgado excessivamente tolo e anti-Guermantes dizer: "A Sra. Leroi, que freqüentava todas as altezas e duquesas", e preferira afirmar: — Era muito engraçada. Um dia, respondeu isto a Bergotte. – Apenas, para as pessoas que não sabem nada, tais informações mediante conversas equivalem às que a imprensa dá à gente do povo, que julga, alternadamente, conforme o jornal que lê, que o Sr. Loubet e o Sr. Reinach são ladrões ou cidadãos insignes. Para a minha interlocutora, a Sra. Leroi tinha sido uma espécie de Sra. Verdurin da primeira fase, com menos brilho, e cujo grupo se limitara a Bergotte. Aliás, esta jovem americana foi uma das últimas pessoas a ouvir, por puro acaso, o nome da Sra. Leroi. Hoje, ninguém mais sabe quem foi ela, de resto bem justamente esquecida. Seu nome nem sequer figura no índice das memórias póstumas da Sra. de Villeparisis, a quem tanto preocupou. A marquesa, aliás, não falou na Sra.

Leroi, menos porque esta, quando viva, fora muito pouco amável para com ela, do que pelo fato de ninguém mais interessar-se pela Sra. Leroi depois que morreu. E tal silêncio é ditado menos pelo rancor mundano da mulher que pelo tato literário do escritor. Minha conversa com a elegante amiga de Bloch foi encantadora, pois a moça era inteligente, mas a diferença entre nossos vocabulários tornava-a desajeitada e, ao mesmo tempo, instrutiva. Por mais que saibamos que os anos passam, que a juventude cede lugar à velhice, que as fortunas e os tronos mais sólidos se arruínam, que a glória é passageira, nosso modo de tomar conhecimento e, por assim dizer, de gravar a chapa desse universo movediço, arrastado pelo Tempo, pelo contrário o imobiliza. De modo que vemos sempre jovens as pessoas que assim conhecemos, ornamos retrospectivamente de virtudes da velhice aqueles que já conhecemos velhos, confiamos sem reserva no crédito de um bilionário e no apoio de um soberano, sabendo pelo raciocínio, mas sem acreditá-lo efetivamente, que amanhã eles poderão ser fugitivos destituídos de poder. Num campo mais restrito e de pura mundanidade, como num problema mais simples, que dá início a dificuldades mais complexas porém da mesma ordem, a ininteligibilidade resultante da conversa com a moça provinha do fato de que tínhamos vivido numa certa sociedade com vinte e cinco anos de distância; o que me dava o sentido da História, e o deveria fortalecer em mim.

Ademais, é preciso assinalar que essa ignorância das posições verdadeiras – em virtude da qual a cada dez anos surgem os eleitos na sua aparência atual, e como se o passado não existisse, sendo impossível a uma americana recém-chegada perceber que o Sr. de Charlus desfrutara da mais alta posição de Paris, numa época em que Bloch não tinha nenhuma, e que Swann, que tantos agrados fazia ao Sr. Bontemps, fora tratado com a maior amizade –, essa ignorância não existe apenas entre os recém-chegados, mas também naqueles que sempre freqüentaram sociedades vizinhas, e tal ignorância, nesses últimos como nos demais, também é um efeito do Tempo (mas desta vez exercendo-se sobre o indivíduo e não sobre a camada social). Sem dúvida, é escusado que mudemos de ambiente, de gênero de vida, pois nossa memória, retendo o fio da nossa personalidade, sempre igual, prende a ela, em épocas sucessivas, a lembrança dos meios em que vivemos, de que, ainda que passados quarenta anos, nos recordamos. Na casa do príncipe de Guermantes, Bloch não se esquecia do humilde ambiente judeu de seus dezoito anos, e Swann, quando já se tornara indiferente a Odette, apaixonado pela mulher que servia chá na casa Colombin, tida pela Sra. Swann, durante algum tempo, como tão elegante quanto a confeitaria Royale, Swann, consciente de seu valor mundano, lembrava-se de Twickenham;[76] não tinha qualquer dúvida

[76] Twickenham: núcleo residencial de Londres, sobre o rio Tâmisa, onde residiu o conde de Paris, amigo íntimo de Swann. Ver *No Caminho de Swann*, p. 32. (N. do T.)

sobre os motivos por que preferia ir ao Colombin em vez de comparecer à casa da duquesa de Broglie, e sabia perfeitamente que, se acaso fosse mil vezes menos elegante, nem por isso deixaria de ir ao Colombin ou ao Hotel Ritz, visto que ali, desde que pague, qualquer um entra. É claro que tanto os amigos de Bloch quanto os de Swann lembravam-se também da pequena sociedade judia ou dos convites para Twickenham, e assim os amigos, como "eus" um pouco menos nítidos de Swann e de Bloch, não separavam, em sua lembrança, o Bloch elegante de hoje do Bloch sórdido de antigamente, nem o Swann da casa Colombin dos últimos tempos, do Swann do palácio de Buckingham. Mas esses amigos, de alguma forma, tinham sido na vida os vizinhos de Swann; seguindo um rumo bem próximo ao seu, puderam guardar-lhe perfeitamente a memória; mas em outros, mais afastados de Swann não exatamente do ponto de vista social, mas de intimidade, o que tornara mais vagas as suas relações e mais raros os encontros, as lembranças menos numerosas haviam tornado mais imprecisas as noções. Ora, os estranhos desse tipo, ao fim de trinta anos, já não recordam com nitidez mais nada que possa prolongar no passado e mudar de valor a criatura que têm diante dos olhos. Nos últimos anos da vida de Swann, eu ouvira, de gente da sociedade, à menção do seu nome, e como se se tratasse de seu título de notoriedade, esta pergunta: – Está falando do Swann da casa Colombin? – Ouço agora, de gente que deveria estar a par de tudo, dizer de Bloch: – O Bloch-Guermantes? O íntimo dos Guermantes? – Tais erros, que cindem uma vida e, isolando o presente, fazem da pessoa de que se fala uma outra, uma criação da véspera, um homem que é somente a condensação de seus hábitos de agora (mesmo que traga dentro si, unindo-o ao passado, a continuidade de sua existência), esses erros dependem igualmente do Tempo, porém são, não um fenômeno social, mas um fenômeno de memória. No mesmo instante tive um exemplo, de natureza bem diferente, é certo, porém mais impressionante, dos esquecimentos que modificam para nós o aspecto das criaturas. Um jovem sobrinho da Sra. de Guermantes, o marquês de Villemandois, portara-se comigo, outrora, com uma insolência obstinada que me levara a adotar com ele, em represália, uma atitude tão insultuosa que nos transformáramos tacitamente em dois inimigos. Enquanto eu refletia sobre o Tempo naquela vesperal em casa da princesa de Guermantes, ele se fez apresentar a mim dizendo que julgava que eu conhecera seus pais, que havia lido artigos meus e desejava tratar ou reatar relações comigo. É certo que, com o tempo, tornara-se, como tantos, de impertinente em pessoa grave; já não tinha a mesma arrogância e, por outro lado, ouvira que me elogiavam, aliás por artigos bem superficiais, nos meios que freqüentava. Mas esses motivos de sua cordialidade e de suas iniciativas eram apenas acessórios. O principal, ou pelo menos o que permite aos outros entrarem em jogo, era que olvidara completamente a nossa inimizade – ou por ter memória pior que a minha, ou por ter prestado menos atenção aos meus revides do que eu às suas agressões, por ser eu então menos importante a seus olhos do que ele aos meus. Quando muito, meu nome lhe recordava que me vira, ou alguns dos meus, na casa de uma de suas tias. E sem saber ao certo se se fazia apresentar ou reapresentar, apressou-se em falar-me de sua tia, em cuja casa julgava que me conhecera, lembrando-se que se falara muito de mim, mas não de nossas contendas. Um nome é tudo o que muitas vezes nos resta de uma pessoa, não só depois de morta, mas ainda em vida. E nossas noções a seu respeito são tão vagas ou tão estranhas, correspondendo tão pouco às que guardamos delas, que esquecemos por completo que estivemos a ponto de batermos em duelo com ele, mas nos lembramos que usava, quando menino, estranhas polainas amarelas nos Champs-Élysées, onde, em compensação, apesar de nossas afirmativas, não se lembra em absoluto de ter brincado conosco.

Bloch entrara aos saltos, como uma hiena. Pensei: "Entra nos salões em que não poderia penetrar há vinte anos." Mas também estava vinte anos mais velho. Estava mais próximo da morte. De que lhe valia isso? De perto, na transparência de um rosto, em que, de longe, eu só divisara a mocidade alegre (porque de fato perdurasse ou porque eu a evocasse), ostentava-se a fisionomia impressionante, quase ansiosa, de um velho Shylock, todo caracterizado, esperando, nos bastidores, o momento de entrar em cena, recitando já os primeiros versos a meia voz. Dentro de dez anos, naqueles salões em que o impusera a fraqueza dos La Trémoïlle, dominador porém de muletas, entraria transformado em "mestre", achando uma chatice ter de visitá-los. De que lhe serviria isso?

Das mudanças ocorridas na sociedade eu podia extrair verdades tanto mais valiosas e dignas de cimentar uma parte de minha obra, quanto não eram, como eu me inclinara a crer no primeiro instante, de modo algum peculiares à nossa época. No tempo em que, novato, mais canhestro do que agora Bloch, eu penetrara no ambiente dos Guermantes, tivera de tomar como parte integrante deste, elementos absolutamente diversos, havia pouco aderidos, e que pareciam estranhamente novos aos mais antigos, dos quais eu não os distinguia, e que por sua vez, aceitos embora pelos duques da época na qualidade de membros natos do *Faubourg*, haviam sido arrivistas por si mesmos, ou pelos pais ou avós. Portanto, não era a qualidade dos homens da alta sociedade que tornava esse meio tão brilhante, mas o fato de ter esse meio assimilado mais ou menos completamente os recém-chegados, e de torná-los, passados cinqüenta anos, pessoas perfeitamente mundanas. Mesmo no passado, para onde eu recuava, aliás com razão, o nome de Guermantes, para o cobrir com toda a sua grandeza, pois sob Luís XIV, os Guermantes, quase régios, tinham bem maior prestígio que hoje, o fenômeno que eu registrava agora já ocorria da mesma forma. Não se tinha visto, então, aliarem-se à família Colbert, por exemplo, a qual hoje, é verdade, parece-nos muito nobre, já que desposar uma Colbert é um grande partido para um La Rochefoucauld? Mas não foi porque os Colbert, simples burgueses então, eram nobres, que os Guermantes a eles se aliaram; ao contrário, aliando-se aos Guermantes é que os Colbert se enobreceram. Se o nome de Haussonville se extinguir com o atual representante dessa casa, talvez retire o seu lustro do fato de descender da Sra. de Staël, ainda que antes da Revolução o Sr. d'Haussonville, um dos mais ilustres fidalgos do reino, jactava-se com o Sr. de Broglie de não conhecer o pai da Sra. de Staël e, portanto, de não lho poder apresentar, assim como a ele, d'Haussonville, não o poderia apresentar o Sr. de Broglie, nenhum dos dois imaginando que seus filhos um dia haveriam de se casar, um com a filha e o outro com a neta da autora de *Corinne*. Segundo o que me dizia a duquesa de Guermantes, eu percebera que talvez pudesse ter feito naquele meio a figura do homem elegante sem título, mas que todos aceitam de bom grado como tradicionalmente filiado à aristocracia, como o fora antigamente Swann e, antes dele, os Srs. Lebrun, Ampère, todos os amigos da duquesa de Broglie, ela própria recém-chegada ao mundo da alta roda. Nas primeiras vezes em que jantara na casa da Sra. de Guermantes, como não deveria ter chocado homens como o Sr. de Beauserfeuil, menos por minha própria presença que pelas observações que revelavam ser eu inteiramente ignorante das lembranças que constituíam o seu passado e lhe moldavam a imagem que se fazia da sociedade! Bloch, um dia, quando ficasse bem velho, teria do salão Guermantes uma recordação bastante antiga, tal e qual se lhe apresentava agora diante dos olhos, e experimentaria o mesmo espanto, o mesmo mau humor em presença de certas intrusões e de certas ignorâncias. E, por outro lado, teria adquirido sem dúvida, irradiando a seu redor, as qualidades de tato e de discrição que eu julgara privilégio de homens como o Sr. de Norpois, mas que renascem e se encarnam naqueles que, dentre todos, se nos afiguraria dever excluí-las.

Além do mais, a ocasião que se me facultara de ser admitido na sociedade dos Guermantes parecera-me algo de excepcional. Mas, apesar de sair pouco de mim e do ambiente que logo me rodeava, percebia que esse fenômeno social não era tão isolado quanto me parecera a princípio, e que, em suma, do lago de Combray, onde eu nascera, eram bem numerosos os repuxos que, simetricamente a mim, se elevaram acima da mesma massa líquida que os alimentara. Tendo sempre as circunstâncias algo de especial, e os temperamentos algo de individual, era sem dúvida de modo inteiramente diverso que Legrandin (pelo estranho casamento do sobrinho) penetrara por sua vez naquele meio, que a filha de Odette se lhe aparentara, que o próprio Swann, e por fim eu mesmo, havíamos chegado ali. Quanto a mim, que encerrara a vida entre quatro paredes e a contemplava de dentro, a de Legrandin não me parecia ter qualquer relação com ela, e seguira caminho oposto, da mesma forma que um regato, no seu vale profundo, não percebe outro regato divergente que vai, apesar dos desvios do curso, desaguar no mesmo rio. Mas pela rama, como procede o estatístico que despreza as razões sentimentais ou as imprudências evitáveis que levaram determinada pessoa à morte, e conta somente o número das que morrem por ano, via-se que muitas criaturas, partidas do meio cuja descrição ocupou o começo desta narrativa, haviam se instalado em outro completamente diferente; e é provável que, levando em conta o número médio de casamentos realizado por ano em Paris, um meio burguês cultivado e rico, bem diverso, tenha fornecido uma proporção mais ou menos igual de pessoas atirando-se, como Swann, como Legrandin, como Bloch e como eu, no oceano da "alta sociedade". E aí reconheciam-se aliás uns aos outros, pois, se o jovem conde de Cambremer maravilhava a todos por sua distinção, seu apuro, sua sóbria elegância, eu via neles – como também no seu belo olhar e no seu desejo ardente de se impor – o que já caracterizava seu tio Legrandin, isto é, um velho amigo bem burguês de meus pais, embora de feição aristocrática.

A bondade, simples maturação que acabara por adoçar as naturezas mais originalmente ácidas, como a de Bloch, é tão difundida como o sentimento da justiça que faz com que, se nossa causa é boa, não temamos um juiz hostil mais que um juiz amigo. E os netos de Bloch seriam bons e discretos quase que de nascença, coisa que não sucedera ao avô. Mas reparei que ele, que outrora fingia julgar-se obrigado a andar duas horas de trem para encontrar-se com alguém que o não convidara, agora, que recebia tantos convites não só para almoçar e jantar, mas para ir passar duas semanas aqui, duas semanas ali, recusava muitos deles, e em silêncio, sem se vangloriar de os haver recebido ou recusado. A discrição, nos atos e nas palavras, chegara-lhe com a posição social e a idade, como uma espécie de maioridade social, por assim dizer. Certamente, outrora Bloch era indiscreto, tanto quanto incapaz de conselho e benevolência. Porém, certos defeitos e qualidades são menos ligados a este ou àquele indivíduo que a tal ou qual momento da existência, considerada do ponto de vista social. São quase exteriores eles, que se põem sob sua luz como sob solstícios diversos, preexistentes, generosos, inevitáveis. Os médicos que buscam perceber se tal medicamento aumenta ou diminui a acidez do estômago, ativa ou abranda suas secreções, obtêm resultados diferentes, não conforme o estômago sobre cujas secreções derramam um pouco de suco gástrico, mas segundo aquele do qual o retiram num momento mais ou menos próximo da ingestão do remédio.

Assim, em todos os momentos de sua duração, o nome de Guermantes, considerado como um conjunto de todos os nomes enfeixados em si mesmo, ou a seu redor, sofria perdas; recrutava elementos novos, como os jardins onde a todo instante as flores ainda em botão, e preparando-se para substituir as que já estão murchando, confundem-se numa massa que parece igual, salvo para aqueles que ainda não viram as recém-chegadas e conservam na lembrança a imagem precisa das que já não existem.

Mais de uma dessas pessoas que a vesperal reunia, ou cuja lembrança eu evocava, apresentavam, pelos aspectos que alternadamente me mostravam, pelas circunstâncias diferentes, opostas, de onde haviam, umas após outras, surgido à minha frente, fazendo ressaltar os variados aspectos da minha vida – as diferenças de perspectiva, como um acidente de terreno, colina ou castelo, que aparece ora à direita ora à esquerda, dá a impressão primeiro de dominar uma floresta, depois, de sair de um vale, e, assim, revela ao viajante as mudanças de direção e as diferenças de altitude no caminho que está trilhando. Subindo cada vez mais, eu acabava por encontrar imagens de uma mesma pessoa separadas por um intervalo de tempo tão longo, conservadas por meios tão diversos, tendo elas próprias significados tão diferentes, que de costume eu as omitia quando julgava abranger o fluxo passado de minhas relações com elas, de tal maneira que até deixara de pensar que eram as mesmas que havia conhecido outrora, e precisava de um casual relâmpago de atenção para filiá-las, como a uma etimologia, ao significado primitivo que tinham tido para mim. A Srta. Swann me lançava, do outro lado da sebe de espinheiros cor-de-rosa, um olhar cuja expressão, a do desejo, só retrospectivamente deveria eu alcançar. O amante da Sra. Swann, segundo o falatório de Combray, olhava-me por detrás daquela mesma sebe com um ar duro, cujo significado não era o que lhe havia atribuído então, e, aliás mudou de tal modo que não o pude reconhecer de forma alguma em Balbec, no cavalheiro que olhava um cartaz próximo do cassino, e do qual me vinha, uma vez a cada dez anos, a lembrança, com esta frase: "Mas então já era o Sr. de Charlus, como é estranho!" A Sra. de Guermantes, no casamento do Dr. Percepied,[77] a Sra. Swann cor-de-rosa na casa de meu tio-avô, a Sra. de Cambremer, irmã de Legrandin, tão elegante que ele receava que lhe pedíssemos uma apresentação – eram, bem como muitas outras concernentes a Swann, Saint-Loup etc., outras tantas imagens que às vezes, quando as reencontrava, divertia-me em colocar como frontispício no limiar de minhas relações com todas essas pessoas, mas que de fato se me afiguravam apenas uma imagem, e não gravada em mim pela criatura da qual provinha e à qual nada mais a ligava. Não somente certas pessoas possuem memória e outras não (sem chegar a ponto do esquecimento constante em que vivem as embaixatrizes da Turquia e outras, o que lhes permite sempre encontrar espaço para a notícia oposta à que lhes comunicam tendo a notícia anterior se desvanecido ao fim de uma semana, ou tendo a seguinte o dom de exorcizá-la), mas até, na igualdade da memória, duas pessoas não se recordam das mesmas coisas. Uma terá prestado pouca atenção a um fato do qual a outra guardará grande remorso, e, em compensação, terá apanhado no ar, como sinal característico de simpatia, uma palavra que a outra deixou escapar quase sem sentir. O interesse em não estar enganado ao emitir um juízo falso abrevia a duração

[77] Na verdade, trata-se do casamento da *filha* do Dr. Percepied. Ver *No Caminho de Swann*, pp. 146 e seguintes. (N. do T.)

da lembrança desse juízo e rapidamente permite afirmar que não o emitimos. Enfim, um interesse mais profundo, mais gratuito, diversifica as lembranças, de modo que o poeta, que esqueceu quase tudo dos fatos que lhe recordam, retém no entanto uma impressão fugidia. De tudo isso resulta que, após vinte anos de ausência, encontramos, em lugar de presumíveis rancores, perdões involuntários, inconscientes, e, em compensação, tantos ódios cuja razão não podemos explicar (porque por nosso turno esquecemos a má impressão que causamos). Até da história das pessoas que mais conhecemos, olvidamos as datas. E, porque fazia pelo menos vinte anos que vira Bloch pela primeira vez, a Sra. de Guermantes teria jurado que ele havia nascido no seu ambiente e fora ninado nos joelhos da duquesa de Chartres quando tinha dois anos.

E quantas vezes tais pessoas retornavam a mim no decurso de sua vida, cujas diversas circunstâncias pareciam apresentar os mesmos seres, porém sob formas e para fins variados; e a diversidade dos pontos de minha vida por onde passara o fio da de cada uma dessas personagens acabara por misturar os que pareciam mais afastados, como se a vida só possuísse um número limitado de fios para executar os mais diferentes desenhos. Que existiria, por exemplo, de mais diverso nos meus diferentes passados que as visitas ao meu tio Adolphe, o sobrinho da Sra. de Villeparisis prima do marechal, ou Legrandin e a irmã, ou o antigo coleteiro amigo de Françoise, no pátio de nosso prédio? E hoje, todos esses fios diferentes se haviam reunido para compor a trama, aqui do casal Saint-Loup, ali do jovem casal Cambremer, para não falar de Morel e de tantos outros cuja inclusão concorrera para formar um conjunto tão bem urdido que me parecia a unidade perfeita, da qual as criaturas representavam apenas a parte componente. E minha vida já era bastante longa para que encontrasse, nas regiões mais opostas de minhas lembranças, em mais de uma das criaturas que ela me oferecia, uma outra criatura que a completasse. Até mesmo aos Elstirs, que eu enxergava, nesta evocação, num lugar que era um símbolo de sua glória, eu podia acrescentar as mais antigas recordações dos Verdurin, dos Cottard, a conversa no restaurante de Rivebelle, a festa em que eu conhecera Albertine, e tantas outras. Assim, um apreciador de arte a quem mostram o painel de um retábulo se recorda em que igreja, em quais museus, em qual coleção particular os outros estão dispersos (da mesma forma que, seguindo os catálogos de objetos à venda ou freqüentando os antiquários, acaba por encontrar o objeto gêmeo daquele que possui e que forma um par com ele), podendo reconstituir mentalmente a predela, o altar inteiro. Como uma caçamba que sobe puxada por um guincho vem tocar por várias vezes e de lados opostos a corda presa à roldana, quase não havia pessoa ou coisa alguma que, tendo ocupado um certo lugar em minha vida, nela não representasse diversos papéis sucessivos. Uma simples relação mundana, e até um objeto material, se os encontrasse na lembrança ao cabo de alguns anos, verificava que a vida não cessara de tecer a seu redor muitos fios diferentes que terminavam por revesti-los desse belo veludo inimitável dos anos, semelhante ao que, nos velhos parques, envolve de um manto de esmeraldas os humildes canos de água.

Não era só o aspecto dessas pessoas que lhes dava uma aparência de personagens de sonho. Para elas, a vida, já sonolenta na mocidade e no amor, se tornava cada vez mais um sonho. Tais pessoas haviam até esquecido seus rancores e ódios, e, para estarem certas de que ali encontravam aquela a quem já não dirigiam a palavra, teriam de consultar um registro, porém este exibia a imprecisão de um sonho em que fomos insultados já não sabemos por quem. Todos esses sonhos formavam as aparências contrastantes da vida política, onde se viam num mesmo ministério pessoas que se tinham acusado mutuamente de assassinato ou traição. E tal sonho tornava-se espesso como a morte em certos velhos, nos dias seguintes àqueles em que faziam amor. Durante esses dias, nada se poderia pedir ao presidente da República, ele esquecia tudo. Depois, se o deixavam repousar por algum tempo, a lembrança dos negócios públicos lhe voltava, fortuita como a de um sonho.

Às vezes, não era sob uma só imagem que me surgia tal pessoa, tão diferente da que havia conhecido. Durante anos Bergotte me parecera um meigo velho divino, e eu me sentira paralisado, como diante de um espectro, ao ver o chapéu cinzento de Swann, o mantô violáceo de sua mulher, diante do mistério em que, mesmo num salão, o nome de sua raça envolvia a duquesa de Guermantes: origens quase fabulosas, atraente mitologia de relações tornadas tão banais depois, mas que, graças a seus começos, prolongavam-se no passado, como em céu aberto, com um brilho parecido ao que projeta a cauda deslumbrante de um cometa. E até as que não haviam principiado no mistério, como as minhas relações com a Sra. de Souvré, tão secas e tão puramente mundanas atualmente, conservavam nos seus inícios o seu primeiro sorriso, mais tranqüilo, mais suave e tão suntuosamente traçado na plenitude de uma tarde à beira-mar, de um crepúsculo de primavera em Paris, barulhento de equipagens, de poeira levantada e de sol agitado como água. E talvez a Sra. de Souvré pouco valesse se a destacasse desse quadro, como os monumentos – a Santa Maria del Salute, por exemplo – que, sem grande beleza própria, causam um belo efeito onde são colocadas; mas ela fazia parte de um lote de recordações que, sem estimar umas pelas outras, eu avaliava bem alto, não indagando qual o valor da Sra. de Souvré naquilo tudo.

Uma coisa, em todas essas pessoas, impressionou-me ainda mais do que as mudanças de natureza física, ou social, que haviam sofrido: a idéia diferente que agora faziam uns dos outros. Legrandin outrora desprezava Bloch e jamais lhe dirigia a palavra. Foi agora muito amável com ele. E absolutamente não era por causa da grande posição social de que Bloch desfrutava, o que, no caso, nem mereceria ser notado, pois as mudanças sociais conduzem forçosamente a mudanças respectivas de posições daqueles que atingem. Não; é que as criaturas – ou seja, o que significam para nós – não têm na nossa memória a uniformidade de um quadro. Ao sabor do nosso olvido, elas evoluem. Por vezes chegamos a confundi-las com outras: – Bloch era alguém que ia a Combray – dizendo Bloch, era a mim que desejavam nomear. Inversamente, a Sra. Sazerat estava persuadida ser de minha autoria determinada tese histórica sobre Filipe II (e que era de Bloch). Mesmo sem chegar a semelhantes trocas, esquecemos as safadezas que um sujeito nos fez, seus defeitos, a última vez que nos separamos sem lhe apertar a mão e, em compensação, lembramo-nos de um encontro mais antigo, quando nos dávamos bem. E era a esse encontro anterior que correspondiam os modos de Legrandin, em sua cordialidade para com Bloch, ou porque tivesse perdido a memória de um certo passado, ou porque o julgasse prescrito, mistura de perdão, esquecimento e indiferença que é também um efeito do Tempo. Além disso, as lembranças que temos uns dos outros, até no amor, não são as mesmas. Vira Albertine recordar-se admiravelmente de certa frase que lhe dissera nos nossos primeiros encontros, e que eu esquecera por completo. De outro episódio, fixo para sempre no meu cérebro como um pedregulho, ela não guardava a menor lembrança. Nossa vida paralela se assemelhava a essas aléias em que, de distância em distância, colocam-se vasos de flores de modo simétrico, mas não uns defronte aos outros. Com maior razão compreende-se que, no caso de pessoas que mal conhecemos, temos dificuldade em recordar quem sejam, ou somos dominados por impressões mais remotas, diversas das que depois sentimos, algo que é sugerido pelas pessoas em cujo meio as reencontramos, constituído por gente que só de pouco tempo as conhece e que lhes empresta qualidades e posição social que não tinham outrora, mas que o desmemoriado logo aceita.

A vida, sem dúvida, colocando várias vezes tais pessoas no meu caminho, apresentara-mas em circunstâncias especiais que, cercando-as por todos os lados, diminuíam-me a perspectiva e impediam que lhes penetrasse a essência. Estes mesmos Guermantes, que foram para mim objeto de um tão grande devaneio, quando me aproximara deles se me revelaram sob o aspecto, uma de uma velha amiga de minha avó, outro de um senhor que me encarara com ar tão desagradável, ao meio-dia, nos jardins do cassino. (Pois existe entre nós e as outras criaturas um obstáculo de contingências, como, nas minhas leituras de Combray, eu compreendera existir um obstáculo semelhante, na percepção, que impede o contato absoluto entre a realidade e o espírito.) De modo que só bem mais tarde, ligando-os a um nome, é que o seu conhecimento se tornou para mim o conhecimento dos Guermantes. Mas talvez isso mesmo me fizesse a vida mais poética, pensar que a raça misteriosa, de olhar agudo, de bico de pássaro, a raça cor-de-rosa, dourada, inacessível, se abriria tantas vezes à minha contemplação, com toda a naturalidade, pelo efeito de circunstâncias cegas e diversas, ao meu comércio e até a minha intimidade, a ponto de, quando eu desejara ser apresentado à Srta. de Stermaria ou mandar fazer vestidos para Albertine, ter me dirigido aos mais serviçais de meus amigos, os Guermantes. É claro que me enfadava freqüentá-los, tanto quanto aos outros mundanos que conheci depois. Até no caso da duquesa de Guermantes, como no de certas páginas de Bergotte, seu encanto só me era visível à distância e se desvanecia quando me encontrava a seu lado, pois residia na minha memória e na minha imaginação. Mas enfim, apesar de tudo, os Guermantes, como também Gilberte, diferenciavam-se das outras pessoas daquela sociedade pelo fato de lançarem raízes mais profundas num passado de minha vida em que eu sonhava mais e alimentava maior crença nos indivíduos. O que possuía com tédio agora, conversando neste momento com uma e com outra, era apenas a realização dos sonhos de minha infância, que eu julgara muito belos e inacessíveis, e consolava-me confundindo, feito um comerciante que se atrapalha em seus assentamentos, o valor da posse com o preço pelo qual os cotara o meu desejo.

Mas, quanto às outras pessoas, o passado de minhas relações com elas se inflava dos mais ardentes devaneios, criados sem esperança, onde se desabrochava com tal riqueza a minha vida de então, dedicada inteiramente a elas, que eu mal podia compreender como fora tão minguado o seu acolhimento, exígua e descorada faixa de uma intimidade menosprezada e indiferente, onde eu já não podia encontrar coisa alguma do que lhe formara o mistério, a febre e a doçura. Nenhum fora "recebido", condecorado; para alguns, o adjetivo era outro, embora sem importância, haviam morrido há pouco.

– Que aconteceu com a marquesa d'Arpajon? – perguntou a Sra. de Cambremer. – Morreu – disse Bloch. – Está confundindo com a condessa d'Arpajon, que morreu no ano passado. – A princesa de Agrigento se meteu na conversa; viúva jovem de um velho marido muito rico e portador de um nome insigne,[78] era muito pedida em casamento, o que lhe dava grande autoconfiança. – A marquesa d'Arpajon também morreu há mais ou menos um ano. – Ah, um ano! Asseguro-lhes que não – respondeu a Sra. de Cambremer –; estive num sarau em sua casa há menos de um ano. – Bloch e os outros "gigolôs" da sociedade não podiam tomar parte nessa discussão, pois essas mortes de pessoas idosas situavam-se a grande distância deles, seja pela enorme diferença de idade, seja por terem (no caso de Bloch, por exemplo) entrado recentemente, de esguelha, para uma sociedade diferente, justo no momento em que ela declinava, num crepúsculo em que a lembrança de um

[78] A princesa de Agrigento não poderia ser "viúva jovem de um velho marido muito rico", pois algumas páginas antes Proust fala do príncipe Agrigento, dizendo: "A idade embelezava alguns, como o príncipe de Agrigento." (N. do T.)

passado que não lhe era familiar não podia esclarecê-lo. E para as pessoas da mesma idade e do mesmo ambiente, a morte havia perdido seu significado estranho. Além do mais, todos os dias mandavam pedir notícias de tantas pessoas que estavam para morrer, das quais umas se restabeleciam e outras tinham "sucumbido", que já não se lembravam ao certo se determinada pessoa que nunca tinham tido oportunidade de ver se curara da congestão pulmonar ou havia falecido. A morte se multiplicava, tornando-se mais incerta entre os idosos. Nesse cruzamento de duas gerações e de duas sociedades que, por motivos diversos, eram mal colocadas para enxergar a morte, confundiam-na quase com a vida, aquela se mundanizara, tomara-se um incidente que mais ou menos qualificava uma pessoa, sem que o tom com que falavam significasse que semelhante incidente rematava tudo para ela. Diziam: – Mas esquece que Fulano está morto – como teriam dito: "Foi condecorado", "pertence à Academia", ou – e isso dava no mesmo, pois impedia de comparecer às reuniões – "foi passar o inverno no Sul", "prescreveram-lhe o clima das montanhas". Além disso, no caso dos homens conhecidos, o que eles deixavam ao morrer auxiliava a lembrar que sua existência terminara. Porém, quanto aos simples mundanos macróbios, ninguém sabia bem se estavam vivos ou mortos, não só por ser olvidado e mal conhecido o seu pretérito, mas porque de modo algum se prendiam ao futuro. E a dificuldade que todos tinham em distinguir, nos mais idosos da sociedade, as doenças, a ausência, o retiro para o campo, e a morte, confirmava, tanto quanto a indiferença dos vacilantes, a insignificância dos defuntos.

– Mas se ela não está morta, como se explica que nunca vejamos, tampouco seu marido? – perguntou uma solteirona que apreciava gracejar. – Já te direi – replicou sua mãe que, apesar de qüinquagenária, não perdia uma festa: – é porque estão velhos. Na idade deles a gente já não sai de casa. – Era como se, antes do cemitério, houvesse toda uma cidade fechada, de velhos, com lâmpadas sempre acesas na bruma. A Sra. de Saint-Euverte cortou a discussão dizendo que a condessa d'Arpajon havia morrido há um ano, de uma longa enfermidade, mas que a marquesa d'Arpajon também morrera logo depois, muito depressa, "de um modo totalmente insignificante". Morte que, nisso, era semelhante à vida de todas aquelas criaturas, o que também explicava tivesse passado despercebida e desculpava as confusões. Ao ouvir que a Sra. d'Arpajon estava realmente morta, a solteirona lançou à mãe um olhar alarmado, pois temia que a notícia da morte de uma de suas "contemporâneas" pudesse "impressionar" a mãe; julgava ouvir de antemão a notícia da morte da própria mãe acompanhada da seguinte explicação: "Ela ficou muito *impressionada* com a morte da Sra. d'Arpajon." Mas, ao contrário, a mãe da solteirona sentia-se como se tivesse vencido, num concurso, adversários brilhantes, cada vez que uma pessoa de sua idade "desaparecia". A morte deles era a única forma pela qual ainda tomava agradavelmente consciência da própria vida. A solteirona percebeu que a mãe, que não parecera incomodar-se em afirmar que a Sra. d'Arpajon vivia enclausurada numa das casas de onde já não saem os velhos fatigados, incomodara-se menos ao saber que a marquesa fora para a Cidade do Além, aquela de onde ninguém mais sai. Tal verificação da indiferença da mãe agradou ao espírito cáustico da filha. E, para divertir suas amigas, fazia um relato desopilante da maneira alegre, segundo dizia, com que a mãe observara, esfregando as mãos: – Meu Deus, é bem verdade que esta pobre Sra. d'Arpajon está morta. – Mesmo aqueles que não necessitavam dessa morte para se alegrar por estarem vivos, ela os deixou felizes. Pois toda morte é para os outros uma simplificação da existência, anula os escrúpulos de gratidão, a obrigação de fazer visitas. Mas não foi deste modo que Elstir acolheu a morte do Sr. Verdurin.

Uma dama saiu, pois precisava ir a outras vesperais e tomar chá com duas rainhas. Era a grande cocote da sociedade que eu conhecera outrora, a princesa de Nassau. Mas a não ser pela estatura diminuída – o que, devido à cabeça, situada a altura mais baixa do que antes, dava-lhe um ar de quem já tivesse, como se diz, *um pé na sepultura* – mal se poderia dizer que envelhecera. Continuava sendo uma Maria Antonieta de nariz austríaco, de olhar delicioso, conservado, embalsamado graças a mil arrebiques, que, maravilhosamente combinados, formavam-lhe um rosto lilás. Aureolava-a aquela expressão terna e confusa, feita de pena de partir, de meigas promessas de retorno, de discreta esquivança, emanando das várias reuniões de elite onde era esperada. Nascida quase nos degraus de um trono, três vezes casada, sustentada ricamente, durante muito tempo, por grandes banqueiros, sem falar nas incontáveis fantasias que se permitira, ostentava galhardamente no vestido, cor de malva como seus olhos redondos e admiráveis, e como seu rosto maquilado, as lembranças um tanto complicadas desse passado inumerável. Como passasse junto a mim ao sair *à inglesa*, cumprimentei-a. Ela me reconheceu, apertou-me a mão e me encarou com as redondas íris cor de malva, como se dissesse: "Há quanto tempo não nos vemos! Falaremos disto em outra ocasião." Apertou-me a mão com força, sem se lembrar ao certo se no carro, numa noite em que havíamos voltado juntos da casa da duquesa de Guermantes, houvera ou não algo entre nós. Na dúvida, parecia referir-se ao que não houvera, o que não lhe era difícil, pois lançava olhares ternos a uma simples torta de morangos, e assumia, se era obrigada a sair antes do fim de um concerto, o aspecto desesperado de uma ruptura que não seria definitiva. Aliás, incerta quanto ao que houvera ou não entre nós, seu aperto de mão furtivo não demorou, e ela não me disse palavra. Olhou-me apenas, como já disse, de um modo que significava: "Há quanto tempo!" e no qual repassavam seus maridos, os homens que a tinham sustentado, duas guerras, e seus olhos estelares, semelhantes a um relógio astronômico talhado numa opala, marcaram sucessivamente todas as solenes horas do passado tão distante, que ela recuperava a todo momento em que desejava nos cumprimentar de um modo que era sempre uma desculpa. Depois, deixando-me, pôs-se a andar ligeira para a porta, para que não se incomodassem com ela, e também me mostrar que não conversara comigo por estar apressada, precisando recuperar o minuto que perdera ao me apertar a mão, a fim de chegar pontualmente à casa da rainha da Espanha, que deveria cear a sós com ela. E, quando chegou à porta, pensei até que fosse sair correndo. E de fato corria para o seu túmulo.

Uma senhora corpulenta me deu boa-tarde e, durante o curto momento em que me falava, as mais diferentes idéias me passaram pelo espírito. Hesitei um instante em lhe responder, por recear que, reconhecendo os demais convivas tal como eu, tomasse-me por outra pessoa; depois, face à sua tranqüilidade, ocorreu-me, ao contrário, de medo que se tratasse de alguém com quem tivesse tido uma relação íntima, exagerar a amabilidade do sorriso, enquanto meus olhares continuavam a procurar nas suas feições o nome que não achava. Tal como um candidato a bacharel, inseguro da resposta, prega os olhos no examinador e espera em vão encontrar ali a resposta que faria melhor indo buscar em sua memória, da mesma forma, sempre a sorrir, eu fixava os olhos nos traços da senhora corpulenta. Pareceram-me ser os da Sra. Swann, e por isso meu sorriso se matizou de respeito, enquanto minha indecisão principiava a terminar. Então, um segundo após, ouvi a dama corpulenta me dizer: – Você me toma por mamãe, e de fato estou começando a ficar muito parecida com ela. – E reconheci Gilberte.[79]

Conversamos muito sobre Robert; Gilberte falava dele em tom de deferência, como se se tratasse de um ser superior, e se empenhava em me mostrar que o admirara e compreendera. Recordamos mutuamente o quanto as idéias que ele expusera outrora sobre a arte da guerra (pois lhe repetira muitas vezes em Tansonville as mesmas teses que eu o ouvira expor em Doncières e depois) muitas vezes, e em suma em grande número de pontos, haviam-se mostrado verdadeiras na última guerra.

– Não posso lhe dizer até que ponto a menor das coisas que ele me falava em Doncières, e também durante a guerra, impressiona-me agora. As últimas palavras que lhe ouvi, quando nos separamos para sempre, foram que esperava ver Hindemburgo, general napoleônico, num dos tipos de batalha napoleônica, o que tem por objetivo cindir dois adversários, talvez, acrescentara, os ingleses e nós. Pois bem, pouco mais de um ano após a morte de Robert, um crítico pelo qual nutria profunda admiração e que visivelmente exercia uma grande influência sobre suas idéias militares, o Sr. Henry Bidou, dizia que a ofensiva de Hindemburgo, em março de 1918, era "a batalha para a separação, por parte de um exército em forma-

[79] O Narrador já havia conversado com Gilberte; pelo visto, Proust não teve tempo de resolver esta contradição. (N. do T.)

ção cerrada, de dois adversários dispostos em linha, manobra que o imperador realizou com êxito em 1796 nos Apeninos e fracassou na Bélgica em 1815". Pouco antes, Robert havia comparado, junto a mim, as batalhas a peças teatrais em que nem sempre é fácil saber o que o autor desejou, e em que ele mesmo alterou seus planos durante os ensaios. No caso dessa ofensiva alemã de 1918, interpretando-a sem dúvida dessa maneira, Robert não teria concordado com o Sr. Bidou. Outros críticos, porém, acham que o sucesso da marcha de Hindemburgo na direção de Amiens, seguida de uma interrupção forçada, e seu êxito nas Flandres, e depois uma nova parada, fizeram, afinal, acidentalmente, de Amiens e depois de Boulogne, objetivos em que não havia pensado. Podendo cada qual refazer sua peça a seu modo, há quem veja nesta ofensiva o prenúncio de uma marcha fulminante sobre Paris, e outros, golpes cegos e desordenados para destruir o exército inglês. E até, se as ordens dadas pelo comandante se opõem a esta ou àquela concepção teórica, restará sempre aos críticos o recurso de dizer, como Mounet-Sully a Coquelin, que lhe assegurava que *O Misantropo* não era a peça triste e dramática que ele desejava encenar (pois Molière, a crer no testemunho de contemporâneos, dava-lhe uma interpretação cômica que despertava o riso): "Pois bem, Molière é que se enganava."

"E sobre os aviões, lembra-se quando ele dizia (tinha frases tão bonitas): 'É preciso que todo exército seja um Argos de cem olhos'? Infelizmente, não pôde assistir à realização do que afirmava." – Claro que pôde – respondi. – Na batalha do Somme, bem que ficou sabendo que começaram por cegar o inimigo, furando-lhe os olhos, destruindo-lhe os aviões e os balões cativos. – Ah, sim! É verdade. – E como se tornara um tanto pedante desde que só vivia para a inteligência – ele afirmava que os antigos métodos voltariam. Sabe que as expedições da Mesopotâmia nesta guerra – (devia ter lido isto, àquela época, nos artigos de Brichot) – evocam a todo instante, sem modificações, a retirada de Xenofonte? E para ir do Tigre ao Eufrates o comandante inglês se serviu de *bellums*, barcos estreitos e compridos, as gôndolas locais, dos quais já se serviam os mais antigos caldeus. – – Estas palavras davam-me com exatidão o sentimento da estagnação do passado que, em certos lugares, por uma espécie de peso específico, imobiliza-se indefinidamente, de modo que é possível recuperá-lo intacto.

– Há um aspecto da guerra que ele começou a perceber, creio – disse-lhe. – É que ela é humana, vivida como um amor ou um ódio, poderia ser narrada como se fosse um romance e que, por conseguinte, se este ou aquele vai repetindo que a estratégia é uma ciência, isto em nada o ajuda a compreender a guerra, pois esta não se resume à estratégia. O inimigo não conhece os nossos planos tanto quanto não conhecemos o objetivo perseguido pela mulher a quem amamos, e tais planos talvez nem nós mesmos os saibamos. Na ofensiva de 1918, teriam os alemães como objetivo tomar Amiens? Não sabemos. Talvez eles próprios não soubessem; e esse acontecimento, sua progressão para oeste na direção de Amiens, é que determinou o projeto deles. Supondo que a guerra seja científica, ainda assim seria preciso pintá-la como Elstir pintava o mar, ao revés, partindo de ilusões, de crenças que retificamos aos poucos, da mesma forma como Dostoievski narraria uma vida. Além disso, é certo que a guerra não é estratégica, antes, porém, patológica, comportando acidentes imprevistos que o clínico talvez pudesse evitar, como a revolução russa.

Mas confesso que, devido às leituras que fizera em Balbec, não longe de Robert, estava ainda mais impressionado – como na campanha da França a referência à trincheira da Sra. de Sévigné – por ver no Oriente, a propósito do cerco de Kout-el-Amara (Kout, o Emir, "como nós dizemos *Vaux-le-Vicomte* e *Bailleau-l'Évêque*", teria dito o cura de Combray caso tivesse estendido sua paixão pela etimologia às línguas orientais), aliar-se ao de Bagdá o nome de Baçorá, da qual tanto se fala nas *Mil e Uma Noites*, por onde, muito antes dos generais Townshend e Gorringe, no tempo dos califas, passava Simbad, o Marujo, sempre que deixava Bagdá ou para lá regressava.

Em toda esta conversação, Gilberte me falara de Robert com uma deferência que parecia mais dirigir-se ao meu antigo amigo do que a seu falecido esposo. Era como se me dissesse: "Sei o quanto você o admirava. Acredite que eu soube compreender o ser superior que ele era." E todavia o amor que certamente já não dedicava à sua memória talvez ainda fosse a causa remota de algumas particularidades de sua vida atual. Assim, Gilberte tinha agora Andrée como sua amiga inseparável. Embora esta principiasse, sobretudo em função do talento do marido e de sua própria inteligência, a penetrar não, é claro, no meio dos Guermantes, mas numa sociedade infinitamente mais elegante que a que freqüentava outrora, todos se espantaram que a marquesa de Saint-Loup condescendesse em ser sua melhor amiga. O fato pareceu um sinal, em Gilberte, de sua inclinação para o que julgava ser uma existência artística e para uma verdadeira degradação social. Esta explicação talvez seja correta. No entanto, ocorreu-me outra ao espírito, sempre imbuído da idéia de que as imagens que vemos reunidas em alguma parte são em geral o reflexo, ou de qualquer modo o efeito, de um primeiro agrupamento bem diverso, embora simétrico, de outras imagens, extremamente afastado do segundo. Achava que, se se viam juntos todas as noites Andrée, seu marido e Gilberte, talvez fosse porque, muitos anos antes, pudera-se ver o futuro marido de Andrée vivendo com Rachel, e depois deixando-a por Andrée. É provável que Gilberte então, no mundo muito distante e afastado em que vivia, de nada tivesse sabido. Mas deve tê-lo sabido mais tarde, quando Andrée subira, e ela própria descera bastante para que eles pudessem avistá-la. Exercera sobre ela, então, um grande fascínio a mulher pela qual Rachel fora abandonada pelo homem (aliás sedutor, sem dúvida) que ela preferira a Robert. (Ouvia-se a princesa de Guermantes repetir, em tom exaltado e com voz de ferragem causada pela dentadura postiça: – Sim, é isso, formaremos um clã! Formaremos um clã! Adoro essa juventude inteligente, tão participante, ah! que *musichista* que você é! – E plantava seu monóculo enorme no olho redondo, meio divertida, meio se desculpando por não poder manter a alegria muito tempo, mas ao ponto em que se decidira a "participar", a "formar um clã.")

Assim, talvez, a presença de Andrée lembrava a Gilberte aquele romance da juventude que fora o seu amor por Robert, inspirando-lhe igualmente um grande respeito por Andrée, muito amada pelo homem tão querido por aquela Rachel que Gilberte sentia ter sido mais cara a Robert do que ela própria. Talvez, ao contrário, tais lembranças não desempenhassem nenhum papel na predileção de Gilberte por esse casal de artistas, predileção em que bastava simplesmente enxergar, como tantos o faziam, o interesse em geral inseparável das mulheres da sociedade, de se instruírem e de se desqualificarem. Talvez Gilberte houvesse olvidado Robert tanto quanto eu a Albertine; e mesmo que soubesse ter sido Rachel quem o artista abandonara por Andrée, nunca pensava, ao vê-los, nesse fato que jamais tivera qualquer importância no seu gosto por eles. Impossível decidir se minha primeira explicação era apenas provável, mas verdadeira, senão graças ao testemunho dos interessados, única saída que resta em semelhantes casos, desde que em suas confidências houvesse clarividência e sinceridade. Ora, encontra-se raramente a primeira e jamais a segunda. Em todo caso, a presença de Rachel, atualmente uma célebre atriz, não podia ser muito agradável a Gilberte. Assim, espantei-me ao saber que ela recitaria versos naquela reunião; tinham anunciado *Le Souvenir* de Musset e fábulas de La Fontaine.

– Mas como vem a reuniões tão numerosas? – indagou Gilberte. – Encontrá-lo de novo numa "carnificina" feito esta não correspondia à idéia que faço de você. Certo, esperava encontrá-lo em qualquer lugar longe de uma dessas barulheiras da minha tia, pois agora tenho tia – acrescentou maliciosamente, pois, sendo Sra. de Saint-Loup antes que a Sra. Verdurin entrasse para a família, considerava-se genuína Guermantes, sentindo-se atingida pelo casamento desigual que o tio fizera ao desposar a Sra. Verdurin, a quem, é verdade, ouvira ridicularizar várias vezes na sua frente pela família, que, naturalmente, só na sua ausência se referia à *mésalliance* de Saint-Loup ao se casar com ela. Aliás, ela demonstrava tanto maior desdém por essa tia falsa, quanto a princesa de Guermantes, por uma espécie de perversão que impele as pessoas inteligentes a deixar de lado a elegância habitual, e também pela necessidade de lembranças próprias das pessoas idosas, enfim, para tentar atribuir um passado à sua elegância nova, gostava de dizer, falando de Gilberte: – Digo que não é para mim uma relação nova; conheci muito a mãe dessa pequena, amiga de minha prima Marsantes. Foi em minha casa que ela conheceu o pai de Gilberte. Quanto ao pobre Saint-Loup, conheci-lhe outrora toda a família; seu tio era até meu amigo íntimo, antigamente, na Raspelière. – Vejam que os Verdurin não eram de todo boêmios – dizia-me os que assim ouviam falar a princesa de Guermantes; eram velhos amigos da família da Sra. de Saint-Loup. – Eu era talvez o único a saber, pelo meu avô, que de fato os Verdurin não eram boêmios. Mas não exatamente por terem conhecido Odette. Porém arrumamos facilmente as narrativas do passado que ninguém conhece, como a das viagem a países aonde ninguém nunca foi. – Afinal – concluiu Gilberte –, já que você deixa às vezes sua torre de marfim, não lhe conviriam mais pequenas reuniões íntimas em minha casa, para as quais só convidaria espíritos simpáticos? "Carnificinas" como esta não são feitas para você. Via-o conversando com minha tia Oriane, que possui todas as qualidades que quiser, mas a quem não faremos a injustiça, não é mesmo?, de dizer que pertence à elite pensante.

Não podia pôr Gilberte a par dos pensamentos que me assaltavam há uma hora, mas julguei que, por pura distração, ela poderia servir a meus prazeres, que, de fato, não me pareciam dever ser conversar sobre literatura com a duquesa de Guermantes mais do que com a Sra. de Saint-Loup. É claro que tencionava recomeçar a viver na solidão a partir do dia seguinte, se bem que agora com um objetivo preciso. Mesmo em casa, não deixaria que me visitassem durante as horas de trabalho, pois o dever de compor minha obra era mais importante que o de ser polido, ou até mesmo indulgente. Insistiriam, sem dúvida; todos os que há tanto tempo não me viam acabavam de me encontrar e me julgavam curado. Viriam quando o seu trabalho diário, ou de sua vida, estava acabado ou se interrompia, tendo então a mesma necessidade de mim como outrora eu a tivera de Saint-Loup; porque – como já o pressentira em Combray, quando meus pais me censuravam justo no momento em que eu acabava de tomar, à sua revelia, as mais louváveis resoluções – não marcam a mesma hora os relógios interiores distribuídos aos homens. Um soa a hora do repouso ao mesmo tempo que outro a do trabalho, o do juiz assinalando a da pena, enquanto o do culpado desde há muito soara a hora do arrependimento e da perfeição interior. Mas eu teria coragem para responder, aos que me viessem visitar ou convidar-me, que, para ser informado sem demora de coisas essenciais, tinha um encontro urgente, fundamental, comigo mesmo. E todavia, embora fossem poucas as relações existentes entre o meu ser de verdade e o outro, devido à homonímia e ao corpo comum a ambos, a abnegação que nos leva a sacrificar os deveres mais fáceis, e até os divertimentos, parece egoísmo aos outros.

E, além do mais, não era para me ocupar deles que haveria de viver longe dos que se queixavam de não me ver, para me ocupar deles mais a fundo do que o poderia fazer na sua convivência, para tentar revelá-los a eles próprios, para realizá-los? De que me serviria se, durante alguns anos, ainda perdesse tempo em reuniões, fazendo deslizar ao eco mal expirado de suas palavras o som igualmente vão das minhas, pelo estéril prazer de um contato mundano que exclui qualquer aprofundamento? Não seria melhor que, dos gestos que faziam, das palavras que pronunciavam, de sua vida, de sua natureza, eu tentasse traçar a curva e extrair as leis gerais? Infelizmente, teria de lutar contra o hábito de me pôr no lugar dos outros, hábito que, se favorece a concepção de uma obra, retarda-lhe a execução. Pois, devido a uma polidez superior, ela nos leva a sacrificar aos outros não só o nosso gosto, mas também nosso dever, quando, do ponto de vista alheio, esse dever, qualquer que seja, é o de permanecer na retaguarda, onde será útil, aquele que não pode prestar serviço no *front*, sendo considerado comodismo o que na realidade não é.

E bem longe de me julgar infeliz por semelhante vida sem amigos, sem conversações, como ocorreu com os mais notáveis homens, eu percebia que as forças de exaltação, despendidas na amizade, são uma espécie de porta falsa, tendo em mira uma amizade particular que não leva a coisa alguma, e se desviam de uma verdade para a qual seriam capazes de nos conduzir. Mas afinal, quando me fossem necessários intervalos de repouso e distração, sentia que, em vez das palestras intelectuais que os mundanos julgam úteis aos escritores, os amores ligeiros com moças em flor seriam o alimento escolhido que a rigor eu poderia permitir à imaginação, semelhante ao famoso cavalo que só nutriam de rosas. O que de repente me punha a desejar de novo era aquilo com que já sonhava em Balbec, quando, sem conhecê-las ainda, via passarem em frente ao mar Albertine, Andrée e suas amigas. Mas, ai de mim!, já não podia encontrar aquelas que, justamente nesta ocasião, tanto desejava. A ação dos anos que transformara todos os seres que tinha visto hoje, e a própria Gilberte, com certeza fizera das que haviam sobrevivido, como o teria feito de Albertine caso ainda vivesse, mulheres bem diversas daquelas de que me lembrava. Sofria por ser obrigado a alcançá-las por mim mesmo, pois o tempo que muda as criaturas não modifica a imagem que delas conservamos. Nada mais doloroso que essa oposição entre a mudança das criaturas e a fixidez da lembrança, quando compreendemos que a que guardou tanto frescor em nossa memória já não pode tê-lo na vida, que não nos é possível, exteriormente, conciliá-la com a que interiormente tão linda nos parece e que excita em nós um desejo, tão individual contudo, de revê-la, senão satisfazendo-o em uma criatura da mesma idade, isto é, em outra criatura. É que, como suspeitara muitas vezes, aquilo que parece único numa pessoa a quem desejamos não lhe pertence. Mas o tempo decorrido dava-me disso uma prova mais completa, já que, depois de vinte anos, espontaneamente, eu queria buscar, em vez das moças que conhecera, aquelas que hoje possuíam a juventude que elas haviam tido naquela época. (Aliás, não é só o despertar dos desejos carnais que não corresponde a nenhuma realidade por não se dar conta do tempo perdido. Acontecia-me às vezes desejar que, por um milagre, estivessem junto a mim, vivas, ao contrário do que havia suposto, minha avó e Albertine. Acreditava vê-las, meu coração ia-lhes ao encontro. Olvidava apenas uma coisa: é que, se de fato vivessem, Albertine teria agora mais ou menos o aspecto da Sra.

Cottard em Balbec, e minha avó, tendo mais de noventa e cinco anos, nada me mostraria do belo rosto calmo e sorridente com o que a imaginava ainda agora, de modo tão arbitrário como se atribui uma barba a Deus Pai, ou como eram representados, no século XVII, os heróis de Homero, parecendo fidalgos enfarpelados sem qualquer noção de sua antiguidade.)

Observava Gilberte e não pensava: "Gostaria de revê-la", mas lhe disse que ela sempre me daria prazer ao convidar-me, se possível com três moças pobres, a fim de, dando-lhes presentinhos, poder agradá-las, sem lhes pedir em troca mais que fizessem despertar em mim os devaneios e as tristezas de outrora e talvez, num dia improvável, um casto beijo. Gilberte sorriu e a seguir fingiu meditar naquilo.

Como Elstir apreciava ver encarnar diante dele, em sua mulher, a beleza veneziana que tantas vezes pintara em seus quadros, eu me desculpava por ser atraído, por um certo egoísmo estético, para as belas mulheres que me poderiam causar mágoas, e alimentava uma certa idolatria pelas futuras Gilbertes e duquesas de Guermantes, pelas futuras Albertines que poderia encontrar, as quais, parecia-me, haveriam de me dar inspiração, como um escultor que passeia entre belos mármores antigos. No entanto, deveria pensar que, anterior a cada uma, existia o meu sentimento de mistério em que elas se banham e que, assim, em vez de pedir a Gilberte que me apresentasse a algumas moças, seria melhor que fosse aos lugares em que nada nos une a elas, onde entre elas e nós sentimos que há qualquer coisa de indevassável, onde, a dois passos, na praia e no mar, sentimo-nos separados delas pelo impossível. Assim é que meu sentimento de mistério pudera sucessivamente aplicar-se a Gilberte, à duquesa de Guermantes, a Albertine, a tantas outras. Sem dúvida, o incógnito e quase o incognoscível se tornara o conhecido, o familiar, indiferente ou doloroso, retendo, porém, um certo encanto daquilo que já fora.

E, na verdade, como a folhinha que o carteiro nos traz na esperança de receber suas festas, nenhum de meus anos deixara de ostentar no frontispício, ou intercalado em seus dias, a imagem de uma mulher que eu desejara; imagem tanto mais arbitrária quanto às vezes jamais vira essa mulher, como, por exemplo, a camareira da Sra. Putbus, a Srta. d'Orgeville ou certa moça cujo nome eu lera na seção mundana de um jornal, entre "um enxame de valsistas encantadoras". Adivinhava-a linda, apaixonava-me por ela, e compunha-lhe um corpo ideal que dominasse de sua altura a paisagem de uma província onde eu havia lido, no *Annuaire des Châteaux*, que se encontravam as propriedades da família. Quanto às mulheres que havia conhecido, tal paisagem era pelo menos dupla. Cada uma se erguia, num ponto diverso da minha vida, trajada como uma deidade local e protetora, primeiro no meio de uma dessas paisagens sonhadas, cuja justaposição me enquadrava a existência, e onde eu me deliciava imaginando-a; depois, vista através das lembranças, rodeada dos locais onde a conhecera e que ela me recordava por prender-se-lhes, pois, se nossa vida é errante, a memória é sedentária, e por mais que andemos à toa nossas lembranças, presas aos lugares que abandonamos, ali continuam a levar sua vida caseira, como esses amigos temporários que o viajante faz numa cidade e que é obrigado a deixar quando parte, pois é ali que eles, que não vão partir, terminam os dias e a vida como se ele ainda estivesse ali, ao pé da igreja, diante do porto e sob as árvores da avenida. Desse modo a sombra de Gilberte se alongava não apenas diante de uma igreja da Ile-de-France onde a imaginara, mas também na alameda de um parque do lado de Méséglise, e a da Sra. de Guermantes num caminho úmido onde se erguiam pirâmides de cachos roxos e avermelhados, ou no ouro matinal de uma calçada parisiense. E esta segunda pessoa, nascida não do desejo mas da lembrança, não era somente uma para nenhuma dessas mulheres. Pois cada uma eu a vira em diversas ocasiões, em épocas diferentes, onde era uma outra para mim, ou eu mesmo era outro, banhado em sonhos de outra cor. Ora, a lei que governara os sonhos de cada ano, mantendo reunidas a seu redor as lembranças de uma mulher que eu havia conhecido, tudo o que se relacionasse, por exemplo, à duquesa de Guermantes de minha infância estava concentrado por uma força atrativa em torno de Combray, e tudo o que se referisse à duquesa de Guermantes que daqui a pouco me convidaria para um almoço, dispunha-se ao redor de uma criatura sensível e bem diferente; havia diversas duquesas de Guermantes como houvera, depois da dama cor-de-rosa, várias senhoras Swann, separadas pelo éter incolor dos anos, sendo-me impossível saltar de uma para outra, como não poderia saltar de um para outro planeta que o éter separa. Não só separada, mas diferente, ornada dos sonhos que eu tivera em épocas tão diversas, assim como por uma flora especial, inencontrável em outro planeta. A tal ponto que, depois de haver pensado que não iria almoçar com a Sra. de Forcheville nem com a Sra. de Guermantes, não podia afirmar, porque isso me transportaria de um planeta para outro, que uma era uma pessoa diferente da duquesa de Guermantes que descendia de Geneviève de Brabant, e a outra da dama cor-de-rosa, senão porque, em mim, um homem instruído mo afirmava com a mesma autoridade do sábio que asseverasse que uma Via Láctea de nebulosas era devida ao fracionamento de uma única estrela. Assim Gilberte, a quem todavia eu solicitava, sem o perceber, me permitisse ter amigas semelhantes ao que ela me fora outrora, era para mim apenas a Sra. de Saint-Loup. Ao vê-la, já não me recordava do papel que desempenhara antigamente em meu amor, também esquecido por ela, minha admiração por Bergotte, em quem só via agora o autor de seus livros, sem que me acudisse (senão por vagas reminiscências inteiramente esparsas) a emoção de ter sido apresentado ao homem, a decepção, o espanto de sua palestra, no salão forrado de brancas peles, cheio de violetas, onde tão cedo se acendiam tantas lâmpadas em vários consolos diferentes. Todas as lembranças que compunham a primeira Srta. Swann eram com efeito modificadas diante da Gilberte atual, retidas bem longe pelas forças de atração de um outro universo, em torno de uma frase de Bergotte, com a qual formavam um só corpo, e banhadas por um perfume de espinheiro-alvar.

A fragmentária Gilberte de hoje escutou o meu pedido a sorrir. Depois, refletindo, assumiu um ar de seriedade. E eu me sentia contente, pois aquilo evitava que prestasse atenção num grupo que, para ela, não seria nada agradável de ver. Notava-se a duquesa de Guermantes em animada conversação com uma velha horrível que eu contemplava sem adivinhar quem fosse: não estava entendendo nada. De fato, era com Rachel, isto é, com a atriz, agora célebre, que ia durante esta vesperal recitar versos de Victor Hugo e de La Fontaine, que a tia de Gilberte, Sra. de Guermantes, estava conversando naquele instante. Pois a duquesa, desde há muito consciente de ocupar o primeiro lugar em Paris (não percebendo que tal posição só existe nos espíritos que nela crêem, e que muitos dos recém-chegados, não a vendo em parte alguma, não lendo o seu nome em nenhum sumário de qualquer festa elegante, julgariam que ela, de fato, não tinha nenhuma importância), só em visitas raras e o mais espaçadas quanto podia, e com bocejos, é que avistava o *faubourg* Saint-Germain, o qual, dizia, matava-a de tédio; e, em compensação, permitia-se a fantasia de almoçar com esta ou aquela atriz cuja companhia achava deliciosa. Nos novos ambientes que freqüentava, sendo ainda, mais do que pensava, a mesma de sempre, continuava a crer que entediar-se facilmente era dar provas de superioridade intelectual; expressava-a, porém, com uma espécie de violência que lhe conferia um tom rouquenho à voz. Como eu lhe falasse acerca de Brichot: – Aborreceu-me durante vinte anos –; e como a Sra. de. Cambremer dissesse: – Releia o que Schopenhauer diz da música – chamou a atenção para esta frase, retrucando com veemência: – *Releia* é uma obra-prima! Ah, não, isto também é demais! – O velho d'Albon sorriu ao reconhecer uma das formas do espírito de Guermantes. Gilberte, mais moderna, permaneceu impassível. Apesar de filha de Swann, como um pato chocado por uma galinha, era mais *lakista*,[80] dizia: – Achei tocante, de uma sensibilidade comovedora.

Disse à Sra. de Guermantes que havia encontrado o Sr. de Charlus. Ela o achava ainda mais "acabado" do que estava, pois os mundanos faziam diferenças, quanto à inteligência, não só entre os diversos membros da sociedade, nos quais é mais ou menos igual, mas até entre uma mesma pessoa em diferentes momentos de sua vida. Depois acrescentou: – Ele sempre foi o retrato da minha sogra; mas agora ainda é mais impressionante a semelhança. – Tal semelhança nada tinha de extraordinária. Com efeito, sabe-se que certas mulheres se projetam detalhadamente em outro ser, errando apenas de sexo. Erro do qual não se pode dizer: *felix culpa*, pois o sexo reage sobre a personalidade e, num homem, a mesma feminilidade se torna afetação, a reserva se faz suscetibilidade etc. Não importa; no rosto, ainda que

[80] *Lakista* (do ing. *lake*, 'lago'): diz-se dos poetas das regiões dos lagos escoceses, e cujos escritos se inspiravam na natureza, em estilo singelo. Opunham-se às formas clássicas e pomposas. (N. do T.)

de faces barbadas ou congestionado sob as suíças, há certas linhas superponíveis às de um retrato materno. Todos os velhos Charlus são ruínas onde se reconhecem, com espanto, sob as camadas de gordura e de pó de arroz, alguns fragmentos de uma linda mulher em sua juventude eterna. Neste momento, entrou Morel; a duquesa portou-se com ele de uma forma tão amável que me desconcertou um pouco. – Ah, não tomo parte nas brigas de família – disse ela. – Não as acha aborrecidas?

Pois, se nesses períodos de vinte anos os conglomerados de grupinhos se desfaziam e se reformavam conforme a atração dos novos astros, aliás também destinados a se afastar e depois a reaparecer, cristalizações e depois esmigalhamentos e a seguir novas cristalizações haviam ocorrido na alma das criaturas. Se para mim a Sra. de Guermantes fora muitas pessoas, para esta, para a Sra. Swann, etc., determinada pessoa tinha sido a predileta de uma época precedente ao Caso Dreyfus, e depois um fanático, ou um imbecil a partir desse mesmo Caso, que, para elas, mudara o valor das criaturas e classificara de modo diverso os partidos, os quais desde então se haviam desfeito e refeito. O que contribui poderosamente para isso, e acrescenta sua influência às puras afinidades intelectuais, é o tempo decorrido, que nos faz esquecer nossas antipatias e nossos desdéns. Se houvessem analisado a elegância da jovem Sra. de Cambremer, teriam descoberto que ela era filha do comerciante da nossa casa, Jupien,[81] e o que se acrescentara a isso para fazê-la radiosa fora que seu pai obtinha homens para o Sr. de Charlus. Porém tudo isto combinado havia produzido efeitos cintilantes, ao passo que as causas, já remotas, não só eram desconhecidas de muitos dos novatos, mas até daqueles que as tinham conhecido e as esqueceram, fixando-se muito mais no brilho atual que nas vergonhas passadas, pois tomamos sempre um nome pela sua acepção atual. E o interessante dessas transformações dos salões é que eram também um efeito do tempo perdido e um fenômeno de memória.

A duquesa ainda hesitava, receando uma cena do Sr. de Guermantes diante de Balthy e de Mistinguett, que ela achava adoráveis, mas decididamente adotara Rachel como amiga. As novas gerações concluíam daí que a duquesa de Guermantes, apesar do nome, não devia ter sangue puro e jamais pertencera inteiramente à alta sociedade. É certo que, no caso de alguns soberanos cuja intimidade lhe era disputada por duas outras grandes damas, a Sra. de Guermantes ainda se dava o trabalho de tê-los ao almoço. Mas, por um lado, eles vinham raramente, conheciam gente de baixa extração, e, por outro, a duquesa, pelo respeito supersticioso dos Guermantes quanto ao velho protocolo (pois, ao mesmo tempo que as pessoas bem-educadas a *chateavam*, ela prezava a boa educação), punha nos convites: "Sua Majestade

[81] A jovem Sra. Cambremer era sobrinha e não filha de Jupien; erro, aliás, que Proust comete várias vezes, e até mesmo a avó do Narrador (veja-se *No Caminho de Swann*, p. 33). (N. do T.)

ordenou à Duquesa de Guermantes", "dignou-se", etc. E as novas camadas, ignorando tais fórmulas, chegavam à conclusão de que a duquesa era de origem bastante humilde. Do ponto de vista da Sra. de Guermantes, essa intimidade com Rachel podia significar que nos enganáramos ao crer que eram hipócritas e mentirosas suas condenações da elegância, ao julgar que, quando se recusava a ir à casa da Sra. de Saint-Euverte, não o faria em nome da inteligência mas do esnobismo, que só achava tola a marquesa porque esta deixava perceber que era esnobe, pois ainda não alcançara uma posição de destaque. Mas essa intimidade com Rachel podia significar também que a inteligência, na duquesa, era na realidade medíocre, insatisfeita e que, cansada do mundanismo, buscava realizar-se tardiamente, na ignorância das verdadeiras realidades intelectuais, e com uma ponta daquele espírito de fantasia graças ao qual as senhoras distintas, que dizem consigo: "como vai ser divertido", acabam a noite de maneira entediante, indo por troça acordar alguém sem saber o que dizer-lhe, e junto a cujo leito permanecem por um instante envoltas na sua capa de baile, e depois, tendo verificado ser muito tarde, terminam por ir deitar-se.

É preciso acrescentar que a antipatia que desde há pouco vinha nutrindo por Gilberte a versátil duquesa podia lhe dar um certo prazer em receber Rachel, o que lhe permitia, além disso, proclamar uma das máximas dos Guermantes, a saber, que eles eram numerosos demais para encampar as brigas (e quase para tomar luto) uns dos outros, independência resumida na frase "não tenho nada com isso", que havia reforçado a política a ser adotada em relação ao Sr. de Charlus, o qual, se a seguissem, os teria indisposto com todo o mundo.

Quanto a Rachel, se na realidade envidara grandes esforços para ligar-se à duquesa de Guermantes (esforços que a duquesa não soubera distinguir sob os desdéns fingidos, as descortesias intencionais, que a espicaçaram e a fizeram sentir grande admiração por uma atriz tão pouco esnobe) –, de um modo geral isto se devia, indubitavelmente, ao fascínio que as pessoas da alta sociedade exercem, a partir de certo momento, sobre os mais enrustidos boêmios, paralelo ao que os próprios boêmios exercem sobre a alta sociedade, duplo refluxo correspondente, no plano político, ao que ocorre na curiosidade recíproca e no desejo de formar aliança entre povos que se combateram. Mas o desejo de Rachel podia ter um motivo mais particular. Fora na casa da Sra. de Guermantes, fora da própria duquesa, que ela recebera outrora sua mais cruel afronta. Aos poucos, Rachel não a esquecera, mas perdoara; porém o prestígio singular que a duquesa obtivera a seus olhos não devia apagar-se jamais. A conversa, da qual eu queria desviar a atenção de Gilberte, foi aliás interrompida, pois a dona da casa procurava a atriz, já que era hora de recitar. Esta, deixando a duquesa, subiu ao estrado.

Ora, ao mesmo tempo, ocorria na outra extremidade de Paris um espetáculo bem diferente. A Berma, como já disse, convidara algumas pessoas para tomar chá em homenagem ao filho e à nora.[82] Mas os convidados não se apressavam a chegar. Tendo sabido que Rachel ia recitar versos na casa da princesa de Guermantes (o que muito a escandalizava, pois a Berma, grande artista, encarava Rachel como a uma prostituta que haviam deixado ser figurante em peças – onde ela própria desempenhara o papel principal – e isto porque Saint-Loup lhe pagava a roupa com que se apresentava. Escândalo tanto maior porquanto correra em Paris a notícia de que os convites estavam no nome da princesa de Guermantes, mas, na realidade, era Rachel quem recebia em casa da princesa), a Berma escrevera insistentemente a alguns convivas fiéis no sentido de que não faltassem ao chá, pois sabia-os muito amigos também da princesa de Guermantes desde o tempo em que ela era Verdurin. Porém as horas passavam e ninguém aparecia. Bloch, a quem tinham perguntado se queria ir, respondera ingenuamente: – Não, prefiro ir à casa da princesa de Guermantes. – Infelizmente, no fundo, todos haviam decidido a mesma coisa. A Berma, vítima de uma enfermidade mortal que a obrigava a quase não freqüentar a sociedade, vira seu estado agravar-se quando, para satisfazer os desejos de luxo da filha, necessidades que seu genro, enfermo e preguiçoso, não podia contentar, voltara ao palco. Sabia que estava abreviando seus dias, mas queria dar prazer à filha com seus gordos honorários, e ao genro, a quem detestava mas adulava, pois, sabendo-o adorado pela mulher, receava, se o descontentasse, que ele, por malvadez, a privasse de ver a filha. Esta, amada em segredo pelo médico que tratava do marido, convencera-se que não seria perigoso para mãe representar a *Fedra*. De algum modo, forçara o médico a anuir, só lhe retendo da resposta a licença, em meio a objeções de que não tomou conhecimento; de fato, o médico tinha dito não ver grande inconveniente nas representações da Berma. Dissera-o por sentir que dava prazer à moça a quem amava, e igualmente talvez por ignorância, por saber que a doença, de qualquer modo, era incurável – pois nos resignamos de boa vontade a abreviar o martírio dos enfermos, quando isso nos beneficia –, talvez também pela estúpida ilusão de que isso agradava à Berma e, portanto, deveria lhe fazer bem, idéia estúpida que lhe parecera justificada quando, tendo recebido dos filhos dela um camarote, e, por causa disso, largado todos os seus clientes, achou a Berma tão estuante de vida no palco quanto parecera moribunda fora dele. E, de fato, nossos hábitos, em larga medida, nos permitem, inclusive ao nosso organismo, o acomodar-se a uma existência que, a princípio, pareceria impossível. Quem já não viu um velho mestre de equitação praticar todas as acrobacias, às quais não se julgaria que seu coração resistisse um só minuto? A

[82] Lapso de Proust: trata-se da filha e do genro. (N. do T.)

Berma não era menos experiente no palco, a cujas instâncias seus órgãos se haviam adaptado tão perfeitamente que ela podia, devido à prudência indiscernível ao público, dar a ilusão de uma boa saúde que fosse perturbada apenas por um mal puramente nervoso e imaginário. Depois da cena da declaração a Hipólito, ainda que a Berma soubesse da noite horrorosa que iria passar, os admiradores a aplaudiam com entusiasmo, afirmando que ela estava mais bela que nunca. Voltou para casa sofrendo horrivelmente, mas feliz por trazer à filha as notas azuis que, com malícia de antiga mocinha da ribalta, costumava esconder nas meias, de onde as tirava com orgulho, esperando um sorriso, um beijo. Infelizmente essas notas só serviam para que a filha e o genro adornassem ainda mais a sua casa, que ficava contígua à da mãe; daí as incessantes marteladas que interrompiam o sono de que a grande trágica tanto precisava. De acordo com as variações da moda, e para estar conforme o gosto do Sr. de X... ou de Y..., a quem esperavam receber, modificavam todos os cômodos. E a Berma, sentindo que havia perdido o sono, único alívio para seu sofrimento, resignava-se a não tornar a adormecer, não sem um secreto desprezo por tais elegâncias que apressavam a sua morte, tornando-lhe atrozes os últimos dias. Sem dúvida, era também um pouco por esse motivo que ela os desprezava, vingança natural contra aquilo que nos faz mal e que somos impotentes para evitar. Mas também porque, tendo consciência de seu gênio, tendo aprendido desde a mais remota juventude a perceber a insignificância de todos esses decretos da moda, permanecera fiel à tradição que sempre respeitara, da qual era a encarnação, e que a fazia julgar as coisas e as pessoas como trinta anos antes; por exemplo, julgar Rachel, não como a atriz da moda que era atualmente, mas como a putinha que havia conhecido. Aliás, a Berma não era melhor que a filha, nela é que a filha colhera, pela hereditariedade e pela convivência, o exemplo que uma admiração bem natural tornava mais eficaz: o egoísmo, a zombaria impiedosa, a crueldade inconsciente. Apenas, tudo isso a Berma havia imolado à filha, desse modo livrando-se de tudo. Além do mais, mesmo que não tivesse em casa operários a todo instante, a filha ainda assim fatigaria a mãe, como as forças atrativas, ferozes e levianas da mocidade fatigam a velhice, a doença, que se esgotam querendo acompanhá-las. Todos os dias davam-se almoços, dos quais teriam julgado a Berma egoísta se privasse a filha, nem mesmo podendo ela esquivar-se, já que, para forçar a vinda de relações recentes e difíceis, a filha acenava com a presença prestigiosa da mãe ilustre. "Prometia-a" a essas mesmas relações para uma festa ao ar livre, a fim de lhes fazer uma fineza. E a pobre mãe, gravemente ocupada no seu colóquio com a morte que nela se instalara, era obrigada a se levantar bem cedo, a sair. Bem mais; como à mesma época Réjane, em pleno fastígio do talento, dava no estrangeiro representações de imenso êxito, o genro achou que a Berma não devia se deixar eclipsar, quis que a família colhesse a mesma profusão de glória e forçou a Berma a fazer turnês onde a obrigavam a tomar picadas de morfina, o que podia matá-la devido ao estado de seus rins. Essa mesma atração pela elegância, pelo prestígio social, pela vida mundana, havia feito, no dia da festa na casa da princesa de Guermantes, o papel de bomba aspiradora e conduzira até lá, com a força de uma máquina pneumática, até os mais fiéis convivas da Berma, em cuja casa, ao contrário, e por conseqüência, instalou-se o vazio e a morte. Viera um rapaz, incerto se a festa na casa da Berma seria igualmente brilhante. Quando a Berma viu a hora passar e compreendeu que todos a abandonavam, mandou servir o chá e todos se sentaram em torno da mesa, mas como para um repasto fúnebre. Nada no rosto da Berma lembrava ainda aquela cuja fotografia tanto me perturbara numa noite de *mi-carême*. Como diz o povo, a Berma trazia a morte estampada no rosto. Desta vez parecia mesmo uma estátua de mármore do antigo Erectêion. Suas artérias endurecidas, já meio petrificadas, formavam longos cordões esculturais que lhe percorriam as faces com rigidez mineral. Os olhos morrentes ainda apresentavam uma vivacidade relativa, contrastando com a terrível máscara ossificada, e tinham um brilho débil como uma serpente adormecida entre as pedras. Entretanto o rapaz, que se assentara à mesa por polidez, consultava a hora a todo instante, atraído como estava pela brilhante recepção na casa dos Guermantes.

A Berma não tivera uma só palavra de censura aos amigos que a tinham abandonado, e que ingenuamente esperavam que ela não soubesse tinham ido à casa dos Guermantes. Murmurou apenas: – Uma Rachel dando uma festa na casa da princesa de Guermantes. É preciso estar em Paris para ver semelhantes coisas. – E comia, silenciosamente e com lentidão solene, parecendo obedecer a ritos fúnebres, os bolos que lhe eram proibidos. O "chá" era tanto mais triste quanto o genro se mostrava furioso porque Rachel, que ele e a mulher tão bem conheciam, não os convidara. Seu despeito foi bem maior quando o rapaz lhe confessou conhecer muito bem Rachel, o bastante para, se não chegasse atrasado nos Guermantes, pedir-lhe que convidasse à última hora o frívolo casal. Mas a filha da Berma sabia perfeitamente em que ínfimo nível a mãe colocava Rachel, e que a mataria de desespero solicitando um convite da antiga prostituta. Assim, dissera ao rapaz e ao marido que tal coisa era impossível. Mas vingava-se, assumindo durante o chá atitudes adequadas para exprimir sua sede de prazeres, o tédio de se privar deles por causa da chata da mãe. Esta fingia não ver as caretas da filha e, de quando em quando, dirigia ao rapaz, com voz agonizante, uma palavra amável por ser o único dos convidados que havia comparecido. Mas em breve a corrente de ar que tudo aspirava para a casa dos Guermantes, e que até a mim arrastara, foi mais intensa, e o rapaz se foi, deixando Fedra ou a morte (não se sabia mais qual das duas ela era) acabar de comer, com a filha e o genro, os bolos funerários.

Fomos interrompidos pela voz da atriz que acabara de se erguer. Seu modo de recitar era inteligente, pois pressupunha que a poesia a ser recitada pela atriz preexistia como um todo a esse recitativo, e da qual só ouvíamos um fragmento, como se a artista, tomando por um atalho, estivesse por um momento ao alcance de nossos ouvidos.

O anúncio de poesias que quase todos conheciam causara prazer. Mas, quando viram a atriz, antes de começar, olhar em torno com ar desvairado, erguer as mãos em gesto súplice e emitir cada palavra com um gemido, todos se mostraram constrangidos, quase chocados, com semelhante exibição de sentimentos. Ninguém havia pensado que se podiam recitar versos daquele modo. Aos poucos foram se acostumando, isto é, esquecendo a primeira sensação de mal-estar, percebendo o que é bom, comparando mentalmente as várias maneiras de recitar, pensando: esta é melhor, aquela é pior. Mas da primeira vez, assim quando, no julgamento de uma causa simples, vemos um advogado avançar, erguer um braço de onde recai a manga da toga, e começar com um tom ameaçador, não ousamos encarar os vizinhos. Pois nos parece grotesco, mas talvez seja magnífico, e melhor será não demonstrar coisa alguma.

Não obstante, o auditório ficou estupefato ao ver essa mulher, antes de haver emitido um único som, dobrar os joelhos, estender os braços, como se acalentasse um ser invisível, tornar-se cambaia, e de súbito, para recitar versos muito conhecidos, assumir um tom suplicante. Todos se entreolhavam, sem saber que cara fazer, alguns jovens mal-educados abafavam o riso doido, e cada qual lançava, disfarçadamente, ao vizinho olhares furtivos, como nos banquetes elegantes quando, tendo que lidar com instrumentos novos, garfos de lagosta, raspador de açúcar etc., de que não conhece o objetivo nem o manejo, presta-se atenção em algum conviva experiente, o qual se espera que se sirva primeiro, dando assim a possibilidade de imitá-lo. Assim também fazemos quando alguém cita versos que ignoramos mas que desejamos dar a entender que os conhecemos, deixando, como quem cede o passo diante de uma porta, a outro mais instruído, como se fizéssemos um favor, o prazer de dizer quem é. Assim, ouvindo a atriz, cada um esperava, cabeça baixa e olho investigador, que outrem assumisse a iniciativa de rir ou de criticar, de chorar ou de aplaudir.

A Sra. de Forcheville, chegada expressamente de Guermantes, de onde a duquesa fora mais ou menos expulsa, mostrava uma fisionomia atenta, tensa, quase desagradável, ou para indicar ser conhecedora e não ter vindo apenas como mundana, ou por hostilidade para com as pessoas que, menos versadas em literatura, viessem lhe falar de outra coisa, ou ainda para concentrar-se, a fim de saber se "gostava" ou não, ou talvez porque, achando aquilo "interessante", não "gostasse" pelo menos da maneira de recitar certos versos. Tal atitude deveria ser adotada de preferência pela princesa de Guermantes. Mas, como era a anfitriã e, tão avara quanto rica, resolvera não dar mais que cinco rosas a Rachel, a princesa de Guermantes fazia a claque. Provocava o entusiasmo e fazia pressão, soltando a todo instante exclamações deslumbradas. Apenas aí é que se reencontrava como Verdurin, pois parecia ouvir os versos para seu próprio prazer, como se fossem recitados só para ela e por acaso ali houvesse reunido quinhentas pessoas amigas, a quem, às escondidas, havia permitido que viessem para assistir a seu próprio deleite.

Entretanto reparei, sem nenhuma satisfação de amor-próprio, pois ela estava feia e velha, que a atriz me deitava olhos compridos, aliás com alguma reserva. Durante todo o recitativo, deixou palpitar nos olhos um sorriso reprimido e penetrante, parecendo a isca de um assentimento que desejava partisse de mim. Todavia, algumas velhas senhoras, pouco habituadas aos recitais poéticos, diziam a um vizinho: – Não viu? – aludindo à mímica trágica e solene da atriz, e que não sabiam como qualificar. A duquesa de Guermantes sentiu a leve indecisão e forçou a vitória exclamando: – É admirável! – bem no meio de um poema, que julgara findo. Então, mais de um convidado fez questão de ressaltar esta exclamação com um olhar aprovador e uma inclinação de cabeça, menos talvez para mostrar sua compreensão quanto à recitante do que suas relações com a duquesa. Quando o poema terminou, como estivéssemos junto da atriz, ouvi-a agradecer à Sra. de Guermantes e, ao mesmo tempo, aproveitando que eu estava ao lado da duquesa, voltou-se para mim e me cumprimentou graciosamente. Compreendi então que se tratava de uma pessoa que eu deveria conhecer, e que, ao contrário dos olhares apaixonados do filho do Sr. de Vaugoubert,[83] que eu tomara pelo cumprimento de alguém que se enganasse, o que havia julgado na atriz um olhar de desejo nada mais era que provocação para ser reconhecida e saudada por mim. Respondi com um cumprimento risonho. – Tenho certeza de que ele não me reconheceu – disse a recitante à duquesa. – Claro que sim – retruquei em tom de segurança –, reconheço-a perfeitamente. – Muito bem, quem sou eu? – Eu não sabia absolutamente nada e tornou-se precária a minha posição. Se, ao recitar os mais belos versos de La Fontaine, essa mulher, felizmente, só pensara, seja por bondade ou estupidez, na dificuldade de travar relações comigo, durante esse mesmo recitativo, Bloch só cuidara em fazer seus preparativos para, logo que terminasse o poema, saltar como um sitiado em fuga e, passando senão sobre os corpos, ao menos sobre os pés dos vizinhos, vir felicitar a atriz, seja por uma concepção errônea do dever, seja pelo desejo de ostentação. – Como é engraçado ver Rachel aqui! – disse-me ao ouvido. Este mágico nome quebrou de pronto o encanto que dera à amante de Saint-Loup a forma desconhecida dessa velha imunda. Logo que soube quem ela era, reconheci-a perfei-

[83] Os editores consideram "pouco inteligível" a menção de Proust à presença do jovem Vaugoubert nessa reunião, pois o mesmo já estaria morto na ocasião, conforme se lê numa carta de Robert de Saint-Loup ao Narrador. Ver pp. 576-577. (N. do T.)

tamente. – Saiu-se muito bem – disse Bloch a Rachel; e, tendo dito estas simples palavras, estando satisfeito o seu desejo, voltou, e fez tanto barulho e teve tanta dificuldade para reocupar seu lugar, que Rachel teve de esperar mais de cinco minutos antes de recitar a segunda poesia. Quando acabou esta, *Os Dois Pombos*, a Sra. de Morienval aproximou-se da Sra. de Saint-Loup, que sabia ser muito letrada mas esquecendo que Gilberte herdara o temperamento sutil e sarcástico do pai: – É mesmo a fábula de La Fontaine, não? – perguntou, julgando até havê-la reconhecido, mas sem certeza nenhuma, pois conhecia bem mal as fábulas de La Fontaine e, além disso, achava que eram coisas para crianças que não se recitavam em reuniões da alta sociedade. Para obter tal sucesso, pensava a boa senhora, a atriz deveria, sem dúvida, ter pastichado as tais fábulas. Ora, Gilberte, sem querer, reforçou-lhe essa idéia, pois não gostando de Rachel e querendo indicar que nada restava da fábulas com semelhante interpretação, disse-o de modo extremamente sutil, que era o de seu pai, e que deixava as pessoas simplórias em dúvida sobre o que queria dizer: – Uma quarta parte é de invenção da intérprete, outro quarto é loucura, um quarto não faz nenhum sentido, e o resto é de La Fontaine – o que permitiu à Sra. de Morienval sustentar que aquilo que todos tinham acabado de ouvir não eram *Os Dois Pombos* de La Fontaine, mas um arranjo em que no máximo uma quarta parte era do autor das fábulas. O que não espantou ninguém, tendo em vista a incrível ignorância do público.

Mas, tendo chegado atrasado um dos amigos de Bloch, este sentiu a alegria de lhe perguntar se nunca ouvira Rachel, de lhe fazer uma extraordinária descrição de seu modo de enunciar, exagerando e encontrando de súbito, ao contar, ao revelar a outrem essa dicção modernista, um prazer estranho que jamais havia experimentado ao ouvi-la. Depois, com emoção exagerada, Bloch felicitou Rachel em tom de falsete e apresentou-lhe o amigo, o qual declarou não admirar ninguém quanto a ela; e Rachel, que agora conhecia as damas da alta sociedade e, sem o perceber, as imitava, respondeu: – Oh, estou muito lisonjeada, muito honrada com a sua opinião. – O amigo de Bloch lhe perguntou o que achava da Berma. – Pobre mulher, parece estar na maior miséria. Não deixou de ter, não direi talento, pois no fundo não se tratava do verdadeiro talento, ela só gostava de horrores, mas enfim certamente teve a sua utilidade; representava de modo bastante vivaz, e, além disso, era boa, generosa, arruinou-se por causa dos outros; e, como há muito já não ganha um tostão, pois o público há bastante tempo já não se interessa pelo que ela faz... De resto – acrescentou rindo – direi que minha idade naturalmente não me permitiu ouvi-la senão bem nos últimos tempos, e quando eu mesma era jovem demais para avaliar. – Não recitava bem? – arriscou o amigo de Bloch para adular Rachel, que respondeu: – Ah, nunca soube dizer sequer um único verso! Tratava-se de prosa, de chinês, de volapuque, de tudo menos de um verso.

Mas eu percebia que o tempo que passa não traz forçosamente o progresso nas artes. E assim como determinado autor do século XVII, que não conheceu nem a Revolução Francesa nem as descobertas científicas, nem a guerra, pode ser superior a determinado escritor de hoje, e que talvez até mesmo Fagon[84] fosse um médico tão insigne quanto Du Boulbon (a superioridade do gênio compensando aqui a inferioridade do conhecimento), da mesma forma a Berma estava, como se diz, a cem furos acima de Rachel, e o tempo, pondo esta em evidência à mesma época que Elstir, havia enaltecido uma mediocridade e consagrado um gênio.

Não era de espantar que a antiga amante de Saint-Loup difamasse a Berma. Tê-lo-ia feito quando jovem. E, se então não o fizesse, fá-lo-ia agora. Que uma mulher da sociedade, muito inteligente e de grande bondade, se faça atriz, manifeste grande talento nesse ofício novo para ela, e aí só encontre êxitos, poderá assombrar, a quem a vir muito depois de tudo isso, por ouvir-lhe, não a linguagem que antigamente empregava, mas a das comediantes, a grosseria própria destas em relação às companheiras, tudo o que, passando sobre um ser humano, acrescentam-lhe "trinta anos de teatro". Assim procedia Rachel, e não deixava o seu meio.

– Digam o que quiserem, é admirável, tem estilo, personalidade, é inteligente, nunca ninguém recitou versos dessa maneira – disse a duquesa, receando que Gilberte a atacasse. Esta se afastou para outro grupo a fim de evitar um conflito com a tia, a qual, aliás, só me disse coisas bem triviais sobre Rachel. A Sra. de Guermantes, no declínio da vida, sentira despertar em si novas curiosidades. A alta sociedade nada mais tinha a lhe dizer. A noção de que nela ocupava o primeiro posto era-lhe tão evidente quanto a distância do céu azul sobre a terra. Não julgava necessário fortalecer uma posição tida como inabalável. Em compensação, ao ler ou ir ao teatro, sentia a necessidade de um prolongamento dessas leituras, desses espetáculos; como outrora no acanhado jardinzinho onde se servia laranjada, tudo o que havia de mais requintado na alta sociedade vinha familiarmente, por entre as brisas perfumadas da noite e as nuvens de pólen, manter nela o gosto pela sociedade, assim como agora um outro apetite lhe fazia desejar saber os motivos de certas polêmicas literárias, conhecer os autores, e até mesmo as atrizes. Seu espírito fatigado reclamava uma nova espécie de alimento. Para conhecer uns e outras, aproximou-se das mulheres com quem outrora recusara manter correspondência e que, na esperança de conquistá-la, faziam valer sua intimidade com o diretor de determinada revista. A primeira atriz a ser convidada julgou ser a única num ambiente extraordinário, o qual já pareceu mais medíocre à segunda ao ver por quem fora precedida. Porque em certas noites recebia monarcas, julgava a duquesa que coisa alguma havia mudado em sua posição. Na realidade, ela, a única de sangue verdadeiramente sem mescla, ela que, nascida Guermantes, podia assinar "Guermantes-Guermantes" quando não assinava "a duquesa de Guermantes", ela

[84] Guy-Crescent Fagon (1638-1718) foi médico de Luís XIV, desde 1693 até a morte do rei em 1714. (N. do T.)

que até às próprias cunhadas parecia algo de especialmente precioso, como um Moisés salvo das águas, um Cristo oculto no Egito, um Luís XVII fugido à prisão do Templo, o puro dos puros, agora sem dúvida sacrificando a essa necessidade hereditária de alimento espiritual que fizera a decadência social da Sra. de Villeparisis – tornara-se ela própria uma outra Sra. de Villeparisis, em cuja casa as mulheres esnobes temiam encontrar fulana ou sicrano, a quem os jovens, constatando o fato consumado sem lhe conhecer as causas, achavam que era uma Guermantes de extração inferior, de má colheita, uma Guermantes desclassificada.

Mas, visto que os melhores escritores muitas vezes, com a aproximação da velhice ou após um excesso de produção, deixam de ter talento, podemos perfeitamente desculpar as mulheres da alta sociedade por deixarem de ter espírito a partir de certo momento. Swann já não encontrava, na dura vivacidade de espírito da duquesa de Guermantes, a finura da jovem princesa des Laumes. No final da vida, cansada ao menor esforço, a Sra. de Guermantes dizia muitas asneiras. Claro que a todo instante, e muitas vezes durante esta mesma vesperal, ela voltava a ser a mulher que eu conhecera, e falava com espírito das coisas mundanas. Mas, por outro lado, sucedia muitas vezes que essa palavra entusiasta, aliada a um lindo olhar, e que durante tantos anos mantivera sob seu cetro espiritual os mais eminentes homens de Paris, cintilava ainda, mas, por assim dizer, no vazio. No momento de lançar uma frase maliciosa, ela se interrompia durante o mesmo número de segundos que outrora, parecia hesitar, criar, mas a frase que então lançava já não valia a pena. Como era reduzido, aliás, o número de pessoas que se apercebiam disto! A continuidade desse procedimento as fazia acreditar na sobrevivência da graça, como ocorre com os que, supersticiosamente ligados a uma certa marca de produtos comestíveis, continuam a comprar os do mesmo fabricante sem notar que se tornaram detestáveis. Já durante a guerra a duquesa dera mostras dessa decadência. Se alguém pronunciava a palavra "cultura", ela se detinha, sorria, iluminava seus belos olhos, e exclamava: "a KKKKultura", o que provocava o riso dos amigos, que julgavam encontrar nisso o espírito dos Guermantes. E certamente era o mesmo modelo, a mesma entonação, o mesmo sorriso que haviam encantado Bergotte, o qual, de resto, também conservara os mesmos cortes de frases, suas mesmas interjeições, seus pontos de suspensão, seus epítetos, mas para não dizer coisa alguma. Porém os recém-chegados espantavam-se, dizendo às vezes, se a encontravam nos dias em que ela não estava "de veia" e "em plena posse de seus recursos": – Como é idiota!

Aliás, a duquesa se ajeitava para canalizar seu aviltamento, não o deixando se espalhar pelas pessoas da família das quais hauria uma glória aristocrática. Se, no teatro, para preencher seu papel de protetora das artes, convidava um ministro ou um pintor, e estes ingenuamente lhe perguntassem se a cunhada ou o marido não compareceriam, a duquesa, tímida, dando-se ares soberbos de audácia, respondia com insolência: – Não sei de nada. Logo que saio de casa, desconheço o que faz a minha família. Para todos os políticos e todos os artistas, sou viúva. – Assim, evitava que o arrivista muito atencioso atraísse as grosserias – e ela própria as censuras – da Sra. de Marsantes e de Basin.

– Nem sei dizer a minha satisfação em vê-lo. Meu Deus, quando foi que o vi pela última vez?... – Em visita à casa da Sra. d'Agrigento, onde a encontrava com freqüência. – É claro que ia lá muitas vezes, meu pobre amigo, pois Basin a amava. Encontravam-me sempre na casa de sua amante eventual, pois Basin dizia: "Não deixe de lhe fazer uma visita." No fundo, isso me parecia um tanto inconveniente, era uma espécie de "visita de digestão" a que ele me obrigava cada vez que a possuía. Acabei por me habituar bem depressa a tudo isso; porém o mais aborrecido é que eu era obrigada a manter as relações depois que ele acabava com as suas. O que sempre me fazia pensar no verso de Victor Hugo:

Leve a felicidade mas deixe-me o tédio[85]

– Como na mesma poesia, eu chegava, apesar de tudo, risonha,[86] mas na verdade não era justo; ele devia ter me deixado ser infiel com suas amantes, pois, acumulando assim todos os seus "restos a pagar", acabava por não ter mais uma única tarde livre. Por outro lado, aquele tempo me parece mais doce que o de hoje. Meu Deus, que ele se ponha de novo a me trair só pode me lisonjear, pois me faz rejuvenescer. Mas prefiro o seu jeito antigo. Droga, fazia muito tempo que não me traía, já nem se lembrava mais de como fazê-lo! Ah, mesmo assim nos damos bem, conversamos e gostamos bastante um do outro – confessou a duquesa, temendo que eu os imaginasse completamente separados e, como se falasse de alguém que está gravemente enfermo: – Mas ele ainda fala muito bem, ouviu-me ler em voz alta esta manhã durante uma hora. – E acrescentou: – Vou lhe dizer que você está aqui, vai querer vê-lo. – E aproximou-se do duque, o qual, sentado num canapé junto a uma dama, conversava com ela. Admirei-me que se conservasse quase o mesmo, apenas de cabelos mais brancos, continuando a ser majestoso e belo como antes. Mas, vendo a duquesa que vinha lhe falar, mostrou-se tão furioso que esta não teve outro remédio senão retirar-se. – Ele está ocupado não sei em quê, veremos daqui a pouco – disse-me a Sra. de Guermantes, preferindo deixar que eu agisse como entendesse.

Tendo Bloch se aproximado de nós e indagado, em nome de sua americana, quem era uma jovem duquesa presente, respondi que se tratava da sobrinha do Sr. de Bréauté; sobre o qual Bloch me pediu explicações, pois o nome nada lhe dizia.

[85] Trata-se do poema "15 de fevereiro de 1843", dedicado pelo poeta à filha Léopoldine. No original está *laisse-nous* ("deixe-nos"). (N. do T.)

[86] O poema citado termina: "sai com uma lágrima / entra com um sorriso!" (N. do T.)

– Ah, Bréauté – exclamou a duquesa de Guermantes dirigindo-se a mim – lembra-se? como é velho, como vai longe tudo isso! Pois bem, era um esnobe. Sua família morava perto da minha sogra. Isto não lhe interessaria, senhor Bloch; é divertido para este rapaz, que conheceu todos antigamente, ao mesmo tempo que eu – acrescentou a Sra. de Guermantes apontando-me e, com essas palavras, dando-me a entender de vários modos o longo tempo que havia transcorrido. As amizades e as opiniões da Sra. de Guermantes se haviam renovado tanto desde o momento em que considerava retrospectivamente como esnobe o seu encantador Babal. Por outro lado, este não só se fizera bastante recuado no tempo, mas, coisa de que não me apercebera quando, nos meus começos na sociedade, o havia julgado uma das notabilidades essenciais a Paris, a cuja história mundana permaneceria sempre ligado como Colbert à do reinado de Luís XIV, possuía igualmente seu estigma provinciano, era vizinho de campo da velha duquesa, e como tal fora recebido pela princesa des Laumes. Entretanto, esse Bréauté, despojado de seu vivo espírito, relegado para a época longínqua com a qual se confundia (o que provava ter sido inteiramente olvidado pela duquesa), confinado aos arredores de Guermantes, constituía, o que eu jamais teria acreditado naquela primeira noite na ópera (quando me parecera um deus aquático habitando seu antro marinho), um elo entre mim e a duquesa, pois ela se lembrava que eu o conhecera e, portanto, era seu amigo, senão saído do seu ambiente ao menos nele vivendo há muito mais tempo do que várias das pessoas presentes; lembrava-se, todavia muito imperfeitamente, a ponto de ter esquecido certos pormenores que à época tinham me parecido essenciais, como o fato de eu não ir a Guermantes, não passar de um pequeno burguês de Combray no tempo em que ela ia à missa do casamento da Srta. Percepied, por não ter querido me convidar, a despeito das insistências de Saint-Loup, no ano seguinte ao seu aparecimento na Ópera Cômica. A mim, isto me parecia capital, pois fora justamente naquela ocasião que a vida da duquesa de Guermantes se me afigurava um paraíso onde eu não chegaria a entrar. Mas, para ela, parecia-lhe a mesma vida medíocre de sempre e, desde que eu, a partir de um certo momento, jantara com freqüência em sua casa, e fora, aliás antes mesmo disso, um amigo de sua tia e de seu sobrinho, ela já não sabia exatamente em que época havia começado a nossa amizade e não percebia o incrível anacronismo que praticava fazendo principiar essa amizade alguns anos mais cedo. Pois, se assim fosse, eu teria conhecido a Sra. de Guermantes com esse nome impossível de conhecer, teria sido recebido nesse meio de sílabas douradas, no *faubourg* Saint-Germain, enquanto simplesmente fora jantar na casa de uma dama que para mim já era igual às outras, e que me convidara às vezes, não para descer ao reino submarino das nereidas, mas para passar a noite no camarote de sua prima. – Se deseja pormenores acerca de Bréauté, que não valia toda essa curiosidade – acrescentou ela, dirigindo-se a Bloch – peça-os a este rapaz (que vale cem vezes mais): ele jantou cinqüenta vezes com Bréauté na minha casa. Não foi em minha casa que o conheceu? Em todo caso, foi em minha casa que conheceu Swann. – Surpreendeu-me também que pudesse imaginar que eu talvez houvesse conhecido o Sr. de Bréauté em outro lugar que não na sua casa, portanto, que eu freqüentasse a sociedade antes de conhecê-la, como igualmente de ver que julgava ter sido em sua casa que eu conhecera Swann. Menos mentirosamente que Gilberte, quando dizia de Bréauté: "É um antigo vizinho do campo, gosto de conversar com ele sobre Tansonville", ao passo que outrora, em Tansonville, eles não se freqüentavam, eu poderia dizer: "Era um vizinho de campo, vinha ver-nos muitas vezes à noitinha" – a respeito de Swann, que de fato me recordava algo bem diverso dos Guermantes.

– Nem saberia lhe explicar. Era um homem que esgotava o assunto ao falar de altezas. Conhecia um monte de histórias bastante engraçadas sobre os Guermantes, sobre minha sogra, sobre a Sra. de Varambon antes de sua ida para junto da princesa de Parma. Mas quem saberá hoje que pessoa foi a Sra. de Varambon? Este rapaz, sim, conheceu tudo isso, mas está tudo acabado, são pessoas de quem sequer o nome sobrevive e que, aliás, não mereceriam que sobrevivesse. – E eu percebia que, apesar da coesão aparente da alta sociedade, e onde com efeito as relações sociais alcançam o seu máximo de concentração e tudo se comunica, subsistem, ou pelo menos são suscitadas pelo Tempo, que lhes muda os nomes, províncias que já não são compreensíveis para aqueles que a elas chegam somente quando a configuração se alterou. – Era uma boa senhora que dizia coisas de incrível estupidez – continuou a duquesa que, impermeável à poesia do incompreensível que é um efeito do tempo, extraía de tudo o elemento cômico, assimilável à literatura do gênero Meilhac, espírito dos Guermantes. – Certa ocasião, andou com a mania de engolir o tempo todo pastilhas que naquela época se receitavam para a tosse, e que se chamavam (acrescentou, rindo ela mesma desse nome tão especial, tão conhecido outrora, tão ignorado hoje das pessoas com quem falava) pastilhas Géraudel. "Senhora de Varambon", dizia-lhe a minha sogra, "comendo o tempo todo as pastilhas Géraudel como faz, vai ter problemas de estômago." "Mas, senhora duquesa", respondeu a Sra. de Varambon, "como quer que elas me façam mal ao estômago se vão para os brônquios?" E, além disso, era ela quem dizia: "A duquesa tem uma vaca tão bonita que mais parece um garanhão." – E a Sra. de Guermantes continuaria de bom grado a contar histórias da Sra. de Varambon, das quais conhecíamos centenas, mas bem percebíamos que esse nome não despertava na memória ignorante de Bloch nenhuma das imagens que logo se formavam para nós à simples menção da Sra. de Varambon, do Sr. de Bréauté, do príncipe de Agrigento e, por isso mesmo, excitava nele um prestígio que eu sabia exagerado mas cujos excessos compreendia, não por tê-los sofrido eu próprio, pois nossos mesmos erros e ridículos raramente têm por efeito tornar-nos, ainda quando os reconhecemos, mais indulgentes com os alheios.

A realidade, aliás insignificante, desse tempo remoto estava de tal maneira perdida que, tendo alguém indagado, não, longe de mim, se a terra de Tansonville coubera a Gilberte como herança de seu pai Forcheville, uma pessoa respondeu: – De modo nenhum! Provém da família do marido; tudo isso pertence ao lado de Guermantes. Tansonville está bem pertinho de Guermantes. Pertencia à Sra. de Marsantes, mãe do marquês de Saint-Loup. Apenas estava muito hipotecada... Assim, deram-na em dote ao noivo, e a fortuna da Srta. de Forcheville a recuperou. – E, de outra feita, alguém a quem eu havia falado de Swann para que entendesse o que era um homem de espírito naquele tempo, me disse: – Ah, sim; a duquesa de Guermantes me contou algumas de suas frases. Foi um velho senhor a quem conheceu na casa dela, não mesmo?

O passado se transformara de tal modo no espírito da duquesa – ou então as delimitações, existentes no meu, tinham sempre estado tão ausentes do seu que aquilo que fora acontecimento para mim passara despercebido dela – que esta poderia supor que eu conhecera Swann em sua casa e o Sr. de Bréauté alhures, formando-me desse modo um passado de homem da sociedade que ela recuava para bem longe. Pois essa noção de tempo escoado que eu acabava de adquirir, a duquesa também o adquirira, e até, por uma ilusão contrária à minha, que o julgara mais curto, ela o exagerava, supondo-o mais remoto, especialmente sem levar em conta a infinita linha de demarcação entre o momento em que ela era um nome para mim e, depois, o objeto do meu amor – e o momento em que passara a ser, na minha opinião, uma mulher da sociedade como qualquer outra. Ora, eu só fora à sua casa neste segundo período, em que ela era para mim uma outra pessoa. Mas a seus olhos tais diferenças se esvaneciam, e não teria achado singular a minha ida à sua casa dois anos antes, sem saber que era então outra a meus olhos, visto que sua pessoa não tinha para ela, como para mim, qualquer descontinuidade.

Falei à Sra. de Guermantes: – Isto me lembra a primeira vez em que fui à casa da princesa de Guermantes, aonde acreditava não ser convidado e que me poriam no olho da rua; seu vestido era todo vermelho e os sapatos também. – Meu Deus, como isto é velho – disse a duquesa de Guermantes, acentuando desse modo, para mim, a impressão do tempo transcorrido. Olhava para longe, com melancolia, e no entanto insistiu especialmente em comentar o vestido vermelho. Pedi que o descrevesse, e ela o fez, complacente. – Agora, ninguém mais se vestiria assim; eram vestidos que se usavam naquele tempo. – Mas não era bonito? – perguntei. Ela sempre temia colocar-se em desvantagem, por suas palavras, dizer algo que a diminuísse. – Claro que achava bonito. A gente não se veste mais assim porque a moda mudou. Mas voltará; todas as modas voltam, no vestuário, na música, na pintura – acrescentou com calor, pois achava uma certa originalidade nessa filosofia. Contudo, a tristeza de envelhecer lhe restituiu o cansaço, corrigido por um sorriso: – Tem certeza de que os sapatos eram vermelhos? Pensava que fossem dourados. – Assegurei-lhe que me lembrava perfeitamente deles, sem confessar a circunstância que me permitia afirmá-lo. – Você é amável por lembrar-se disso – observou ela com ternura, pois as mulheres chamam amabilidade ao fato de alguém lembrar-lhes a beleza, assim como os pintores ao de lhe admirarem as obras. Aliás, por mais distante que esteja o passado, não pode ser esquecido por uma mulher de cabeça sólida como a duquesa. – Lembra-se – disse ela, para me agradecer a referência ao vestido e aos sapatos – de que o levamos em casa, Basin e eu? Você esperava a visita de uma jovem para depois da meia-noite. Basin ria-se perdidamente só de pensar que alguém o visitava a essa hora. – E, com efeito, naquela noite Albertine viera visitar-me depois da reunião em casa da princesa de Guermantes. Lembrava-me disso tão bem quanto a duquesa, conquanto agora Albertine me fosse tão indiferente quanto o seria então para a Sra. de Guermantes se esta houvesse sabido quem era a moça por cuja causa eu não pudera entrar na casa deles. É que, muito tempo depois que os pobres mortos saíram do nosso coração, sua cinza fria continua a misturar-se, a servir de liga às circunstâncias do passado. E, sem mais amá-los, sucede que, ao evocar um quarto, uma aléia, um caminho em que estiveram em certa hora, somos obrigados, para que o lugar que ocupavam se preencha, a aludir a eles, mesmo sem lamentá-los, e nomeá-los, mesmo sem permitir sejam identificados. (A Sra. de Guermantes ignorava quem era a moça esperada naquela noite, jamais o soubera e só falava naquilo devido à estranheza da hora e das circunstâncias.) Tais são as formas derradeiras e pouco invejáveis da sobrevivência.

Se os juízos da duquesa a respeito de Rachel eram em si mesmos insignificantes, interessavam-me pelo fato de também assinalarem uma nova hora no seu relógio. Pois a duquesa, como Rachel, não se esquecera de todo da reunião que esta passara em sua casa, mas tal lembrança sofrera algumas alterações. – Confesso – disse-me – que tanto mais me interessa ouvi-la e vê-la ser aplaudida quanto fui eu que a descobri, apreciei, enalteci, impondo-a numa época em que ninguém a conhecia, e todos a cobriam de escárnio. Sim, meu caro, isto vai espantá-lo, mas a primeira casa em que ela se fez ouvir em público foi a minha! Sim, enquanto todos os pretensos vanguardistas, como a minha nova prima – disse ela, mostrando ironicamente a princesa de Guermantes que, para Oriane, continuava a ser a Sra. Verdurin –, a teriam deixado morrer de fome sem se dignar a ouvi-la, eu a julguei interessante e lhe mandei oferecer um cachê para vir representar em minha casa diante da nata da sociedade. Posso vangloriar-me, empregando uma expressão meio tola e pretensiosa, pois no fundo o talento não precisa de ninguém, de a ter lançado. Claro que não precisava de mim. – Esbocei um protesto e vi que a Sra. de Guermantes estava pronta para acolher a tese oposta: – Sim? Acha que o talento necessita de apoio? De alguém que o faça brilhar? No fundo, talvez tenha razão. É curioso, você diz justamente o que Dumas me dizia outrora. Neste caso, lisonjeia-me o ter contribuído, por pouco que seja, não evidentemente para o talento, mas para a fama de semelhante artista. – A Sra. de Guermantes preferia abandonar sua idéia de que o talento irrompe sozinho, como um abscesso, porque esta outra era mais lisonjeira para ela, mas também porque, ultimamente, receando gente nova e aliás sentindo-se cansada, tornara-se bastante humilde, interrogando os outros para lhes pedir a opinião e formar a sua. – Nem preciso lhe dizer – continuou – que este público inteligente que se chama "a sociedade" não entende absolutamente nada do assunto. Protestavam, riam. Por mais que eu dissesse: "É curioso, é interessante, é algo que jamais foi feito", não acreditavam, como nunca me acreditaram em coisa alguma. Assim, o trecho que ela recitou, de Maeterlinck, é hoje muito conhecido, mas, naquele tempo, só causava zombaria; pois bem, eu o achava admirável. Quando penso nisso, fico até assombrada que uma camponesa feito eu, que só desfrutou da educação das moças de sua província, tenha gostado imediatamente dessas coisas. É claro, não teria sabido dizer por quê, mas elas me agradavam, mexiam comigo: veja, Basin, que não tem nada de sensível, ficou impressionado com o efeito que elas me causavam, e me disse: "Não quero mais que assista a esses absurdos, fazem você ficar doente." E era verdade, pois me tomam por uma mulher seca quando na verdade sou um feixe de nervos.

Nesse momento ocorreu um incidente inesperado. Um lacaio veio dizer a Rachel que a filha e o genro da Berma pediam para lhe falar. Vimos que a filha da Berma resistira ao desejo do marido de pedir um convite a Rachel. Mas, depois da partida do rapaz convidado, aumentou o tédio do jovem casal em relação à mãe; atormentava-os a idéia de que outros se divertiam; assim, aproveitando um momento em que a Berma se retirara para o quarto, cuspindo um pouco de sangue, vestiram às pressas os trajes mais elegantes, mandaram chamar um carro, e tinham vindo à casa da princesa de Guermantes sem ser convidados. Rachel, desconfiando da verdade e intimamente lisonjeada, assumiu um tom arrogante e disse ao lacaio que não os podia receber, que eles escrevessem um bilhete esclarecendo o motivo daquele pedido insólito. O lacaio voltou trazendo um cartão rabiscado pela filha da Berma, onde ela dizia que não tinham podido resistir ao desejo de ouvir Rachel, e lhe pedia que os deixasse entrar. Rachel sorriu da tolice do pretexto, e de seu próprio triunfo. Mandou dizer que sentia muito, mas já terminara os recitativos. Na ante-sala, onde a espera do casal se prolongava, os lacaios já começavam a troçar dos dois solicitantes despedidos. A vergonha de uma afronta e a lembrança do nenhum valor de Rachel aos olhos da mãe levaram a filha da Berma a empenhar-se a fundo numa empreitada em que a princípio se metera por simples necessidade de prazer. Mandou pedir a Rachel, como um favor, licença para lhe apertar a mão. Rachel conversava com um príncipe italiano, seduzido, conforme se dizia, pela atração de sua grande fortuna, da qual as relações mundanas da atriz dissimulavam a origem; avaliou a mudança da situação, que punha agora a seus pés os filhos da ilustre Berma. Depois de ter contado o incidente a todos, de modo caricato, mandou o lacaio dizer ao jovem casal que entrasse, e este não se fez de rogado, arruinando de um só golpe a posição social da Berma, como já destruíra a sua saúde. Rachel o compreendeu, percebendo também que, sendo amável e condescendente, em vez de insistir na recusa, criaria na sociedade para si mesma uma reputação de benevolência, e para o casal a fama de baixeza. Assim, recebeu-os de braços abertos, com afetação, dizendo com ares de protetora invejada e que sabe esquecer sua grandeza: – Mas, acreditem, é uma alegria. A princesa ficará encantada. – Não sabendo que, nos meios teatrais, corria o boato de que ela é quem convidava, talvez receasse, ao recusar a entrada aos filhos da Berma, que estes duvidassem, não de sua boa vontade, o que pouco lhe importaria, mas de sua influência. A duquesa de Guermantes se afastou por instinto pois, à medida que alguém mostrava desejos de freqüentar a sociedade, baixava na sua estima. Só lhe interessava no momento a bondade de Rachel e voltaria as costas aos filhos da Berma se lhos houvessem apresentado. Todavia, Rachel já compunha mentalmente a frase com que no dia seguinte liquidaria com a Berma nos bastidores: – Fiquei aflita e desolada por fazer sua filha esperar na ante-sala. Se tivesse entendido logo o que ela queria! Ela me mandava cartões e mais cartões. – Sentia-se deslumbrada por poder assestar esse golpe na Berma. Talvez recuasse se soubesse que seria mortal. As pessoas gostam de fazer vítimas, mas sem se colocarem em falta, deixando-as vivas. Aliás, qual o seu crime? Sorridente, deveria confessar dias depois: – É demais! Quis ser mais amável com seus filhos do que ela nunca fora comigo, e por pouco não me acusam de a ter assassinado. Tomo a duquesa por testemunha. – Parece que todos os maus sentimentos dos atores, e toda a falsidade da vida teatral passam para os filhos, sem que neles o trabalho obstinado seja um derivativo, como no caso da mãe; as grandes trágicas muitas vezes morrem vítimas de complôs domésticos tramados a seu redor, como tantas vezes lhes sucedia ao final das peças que representavam.

A vida da duquesa, aliás, não deixava de ser muito infeliz, e por um motivo que, de outra parte, tinha o efeito de restringir o Sr. de Guermantes a freqüentar uma sociedade inferior. Serenado pela idade avançada, embora ainda fosse robusto, deixara há muito de trair a esposa; mas apaixonou-se pela Sra. de Forcheville sem que ninguém soubesse como principiara essa ligação. (Quando se pensa na idade que deveria ter agora a Sra. de Forcheville, isto parece extraordinário. Mas talvez ela tivesse começado muito jovem sua vida de mulher galante. E, além disso, há mulheres que, a cada decênio, encontramos em nova encarnação, tendo amores novos, às vezes quando as julgamos mortas, fazendo o desespero de uma jovem esposa que o marido por elas abandona.)

Porém essa ligação assumira tais proporções que o velho, imitando nesse amor derradeiro a forma dos que tivera antigamente, seqüestrara a amante a ponto que, se meu amor por Albertine repetira, com muitas variações, o amor de Swann por Odette, o amor do Sr. de Guermantes lembrava o que eu tivera por Albertine. Ela almoçava e jantava com ele, que todos os dias a visitava; disso ela tirava partido junto de amigos que, de outra forma, jamais teriam acesso ao duque de Guermantes, e que só iam à casa dela para vê-lo, mais ou menos como se vai à casa de uma cocote para conhecer o soberano que é seu amante. Certo, há muito que a Sra. de Forcheville se tornara dama da sociedade. Mas, tardiamente voltando à condição de mulher sustentada, e por um velho tão orgulhoso que mesmo de visita era de uma importância dominadora, ela se diminuía, só desejando usar *peignoirs* que a ele agradassem, fazer seus pratos favoritos, dizer aos próprios amigos, para lisonjeá-los, que lhe falara deles, como dizia a meu tio-avô que falara dele ao grão-duque, em cujo nome lhe dava cigarros; numa palavra, apesar de tudo quanto adquirira com a situação mundana e pela força das circunstâncias, inclinava-se a reencarnar a dama cor-de-rosa, tal como havia aparecido na minha infância. Certamente fazia muitos anos que meu tio Adolphe morrera. Mas a substituição, a nosso redor, das pessoas antigas pelas atuais acaso nos impede de recomeçar a mesma vida? Sem dúvida, ela cedera a essas novas circunstâncias por cupidez, mas também porque, muito procurada na sociedade enquanto tivera uma filha para casar, posta de lado quando Gilberte desposara Saint-Loup, sentiu que o duque de Guermantes, capaz de fazer tudo para satisfazê-la, haveria de pô-la em contato com muitas duquesas, encantadas com a perspectiva de pregarem uma peça à amiga Oriane; talvez, enfim, espicaçada pelo descontentamento da duquesa, sobre a qual, por um sentimento feminino de rivalidade se sentisse feliz em prevalecer.

Essa ligação com a Sra. de Forcheville, ligação que não passava de uma imitação das mais antigas, acabava de fazer o duque de Guermantes perder, pela segunda vez, a presidência do Jockey e uma cadeira de livre-docente na Academia de Belas Artes, do mesmo modo que a vida do Sr. de Charlus, associada publicamente à de Jupien, fizera aquele perder a presidência da União e da Sociedade dos Amigos da velha Paris. Assim os dois irmãos, de gostos tão diversos, haviam chegado à mesma desconsideração devido à mesma falta de vontade, a qual era sensível, porém de forma agradável, no duque de Guermantes, avô de ambos, membro da Academia Francesa, mas que, nos seus netos, arrastados, um por amores naturais e o outro pelos que assim não são considerados, resultara em desclassificação.

Até sua morte, Saint-Loup levara a esposa religiosamente à casa de Odette. Não eram os dois herdeiros a um tempo do Sr. de Guermantes e de Odette, a qual, aliás, seria sem dúvida a principal herdeira do duque? Além disso, a Sra. de Marsantes e a princesa de Trania freqüentavam até os sobrinhos Courvoisier, tão difíceis, na expectativa de uma herança, sem se preocuparem com o desgosto que isso podia causar à Sra. de Guermantes, de quem Odette, irritada pelos seus desdéns, vivia falando mal.

O velho duque de Guermantes já não saía, pois passava as tardes e as noites com Odette. Mas hoje, havia aparecido por um instante para vê-la, apesar do aborrecimento de encontrar sua mulher. Eu não o avistara e, sem dúvida, não o teria reconhecido se não mo tivessem claramente designado. Não era mais que uma ruína, mas soberba, e menos ainda que uma ruína, essa beleza romântica que pode ser um rochedo na tempestade. Fustigado por todos os lados por vagas de dor, de revolta, da preamar ameaçadora da morte que o assaltava, seu rosto, corroído como um bloco de pedra, conservava o estilo, o garbo que eu sempre lhe admirara; estava carcomido como uma dessas belas cabeças antigas por demais arruinadas, com que todavia nos orgulhamos de ornamentar um gabinete de trabalho. Apenas, parecia pertencer a uma época mais remota não só pelo endurecimento e desgaste do material outrora mais brilhante, como pela expressão que sucedera à finura e à jovialidade, expressão inconsciente, involuntária, provocada pela doença, pela luta contra a morte, a resistência, a dificuldade de viver. Tendo as artérias perdido toda a sua elasticidade, conferiam à fisionomia outrora aberta uma rigidez escultural. E, sem desconfiar, o duque punha a descoberto aspectos da nuca, das faces, da testa, onde a criatura, já obrigada a se recobrar encarniçadamente a cada momento, parecia estar sacudida numa trágica rajada, enquanto as mechas brancas de sua cabeleira magnífica, porém menos espessa, vinham açoitar com sua espuma o promontório invadido do rosto. E como esses reflexos estranhos, únicos, que somente a aproximação da tempestade em que tudo vai soçobrar confere aos rochedos, que até então foram de outra cor, compreendi que o cinza-chumbo das faces consumidas e enrugadas, o cinza quase branco e encarneirado das mechas revoltas, a débil claridade ainda concedida aos olhos que mal enxergavam, não eram tons irreais, e sim, pelo contrário, bastante reais, mas fantásticos, provenientes da palheta, do colorido da velhice, da morte próxima, inimitável em seus negrumes proféticos e impressionantes.

O duque permaneceu apenas por uns momentos, o bastante para que eu compreendesse que Odette, toda voltada para admiradores mais jovens, escarnecia dele. Mas, coisa curiosa, ele que antigamente era quase ridículo quando assumia atitudes de rei de comédia, adquirira um aspecto verdadeiramente grandioso, um tanto como seu irmão, a quem a velhice, despojando-o de todo material acessório, fazia-o assemelhar-se. E, como o irmão, ele, outrora bem soberbo, conquanto de outra maneira, parecia quase respeitoso, embora igualmente de outro modo. Pois não havia sofrido a degradação do Sr. de Charlus, reduzido a saudar, com polidez de enfermo desmemoriado, aqueles que antes desprezaria. Estava, porém, muito velho, e, quando quis passar pela porta e descer a escada para sair, a velhice, que afinal é o estado mais miserável dos homens e que os precipita do cimo de sua grandeza como aos reis da tragédia grega, a velhice, forçando-o a parar no caminho em cruz em que se transforma a vida dos impotentes ameaçados, a enxugar a testa empapada de suor, a buscar com os olhos o degrau fugidio, de que precisava como apoio para seus passos incertos, para os olhos enevoados, dando-lhe à revelia o aspecto de o implorar suave e timidamente aos outros, a velhice o tornara, mais do que augusto, suplicante.

Não podendo ficar sem Odette, sempre instalado na casa dela na mesma poltrona, de onde a velhice e a gota dificilmente o faziam erguer-se, o Sr. de Guermantes deixava-a receber amigos que se mostravam muito satisfeitos por serem apresentados ao duque, deixar que tomasse a palavra, ouvi-lo falar da antiga sociedade, da marquesa de Villeparisis, do duque de Chartres.

Assim, no *faubourg* Saint-Germain, as posições aparentemente inexpugnáveis do duque e da duquesa de Guermantes, do barão de Charlus, tinham perdido sua inviolabilidade, como todas as coisas se modificam neste mundo, pela ação de um princípio interno em que ninguém pensara: no Sr. de Charlus, o amor de Charlie que o tornara escravo dos Verdurin e, depois, a caduquice; na Sra. de Guermantes, a mania da novidade e da arte; no Sr. de Guermantes, um amor exclusivo, como já o tivera muitos na vida, mas que a fraqueza da idade tornava mais tirânico e a cujos desmandos a severidade do salão da duquesa, onde o duque não mais aparecia e que aliás já não funcionava, não mais opunha seu desmentido, seu resgate mundano. Assim muda o aspecto das coisas neste mundo; assim o centro dos impérios, o cadastro das fortunas e a carta dos privilégios, tudo o que parecia definitivo é perpetuamente remanejado, e os olhos de um homem vivido podem contemplar a mais completa mudança justo onde esta lhe parecia mais impossível.

Por instantes, sob o olhar dos quadros antigos reunidos por Swann num arranjo de "colecionador" que rematava o caráter fora de moda, antiquado, de tal cena, com esse duque tão "Restauração" e essa cocote tão "Segundo Império", num dos *peignoirs* de que ele gostava, a dama cor-de-rosa o interrompia com sua tagarelice; ele se detinha de imediato, cravando nela um olhar feroz. Talvez percebesse que também ela, como a duquesa, às vezes dizia tolices; talvez, numa alucinação de velho, achasse que se tratava de uma intervenção intempestiva da Sra. de Guermantes, que lhe cortava a frase, e julgava-se no palacete dos Guermantes, como essas feras enjauladas que imaginam por um momento ainda estar livres nos desertos da África. E, erguendo bruscamente a cabeça, fixava em Odette, com seus pequeninos olhos redondos, amarelos, que tinham o brilho das feras, um de seus olhares que às vezes, na casa da Sra. de Guermantes, quando esta falava demais, haviam me feito tremer. Assim, o duque encarava por um instante a audaciosa dama rósea. Porém esta, desafiando-o, encarava com firmeza, e, ao cabo de alguns momentos, que pareciam longos aos espectadores, a velha fera domada, lembrando-se que estava, não em liberdade na casa da duquesa, naquele Saara, cujo capacho da soleira indicava a entrada, mas na casa da Sra. de Forcheville, na jaula do Jardin des Plantes, encolhia entre os ombros a cabeça, com sua juba espessa da qual não se poderia afirmar se era branca ou fulva, e retomava a narrativa. Parecia não haver compreendido o que a Sra. de Forcheville quisera dizer e que, aliás, em geral não fazia muito sentido. Permitia-lhe ter amigos para o jantar com ele; por uma mania tomada de empréstimo a seus antigos amores, que não espantaria Odette, acostumada a vê-la em Swann, e que me comovia, fazendo-me lembrar minha vida com Albertine, exigia que essas pessoas fossem embora cedo, para ser o último a despedir-se de Odette. Inútil acrescentar que, tão logo ele saía, Odette se reunia aos outros. Mas o duque não desconfiava, ou preferia ignorá-lo; a vista dos velhos se enfraquece, como os ouvidos se tornam mais duros, a lucidez se obscurece, a própria fadiga fá-los relaxar na vigilância. E numa certa idade é num personagem de Molière – não no olímpico amante de Alcmena, mas num risível Geronte – que inevitavelmente se transforma Júpiter. Aliás Odette enganava o Sr. de Guermantes, e também dele cuidava, sem charme e sem grandeza. Era medíocre nesse papel, como em todos os demais. Não que a vida lhe houvesse negado alguns excelentes, mas ela não sabia representá-los.

E, de fato, todas as vezes que desejei vê-la a seguir, não pude lográ-lo, pois o Sr. de Guermantes, querendo a um tempo conciliar as exigências de sua higiene e de seu ciúme, só lhe permitia recepções diurnas, e ainda assim sob a condição de que não fossem bailes. Essa reclusão em que era mantida, ela ma confessava com franqueza, por vários motivos. O principal é que pensava, embora eu só tivesse escrito artigos ou publicado ensaios, que eu era escritor conhecido, o que a fazia dizer ingenuamente, ao recordar-se do tempo em que eu ia à alameda das Acácias para vê-la passar, e mais tarde em sua casa: – Ah, se tivesse adivinhado que um dia seria um grande escritor! – Ora, tendo ouvido dizer que os escritores se comprazem em estar com as mulheres para documentar-se, ouvir histórias de amor, tornava-se agora, na minha companhia, uma simples cocote para interessar-me. Ela me contava: – Olhe, certa vez houve um homem que se enamorou de mim e a quem eu amava apaixonadamente. Tínhamos uma vida divinal. Ele precisava viajar para a América, eu devia ir junto. Na véspera da partida, achei melhor não deixar diminuir um amor que não podia permanecer sempre naquele grau. Tivemos uma última noite, em que se convenceu de que eu ia com ele, foi uma noite louca, senti junto dele alegrias infinitas e o desespero de saber que não voltaria a vê-lo nunca mais. De manhã mesmo, saí e fui dar minha passagem a um viajante desconhecido. Quis pelo menos comprá-la. Mas eu respondi: – Não, o senhor me presta enorme serviço ao recebê-la, não quero dinheiro. – Depois, outra história: – Um dia eu estava nos Champs-Élysées, e o Sr. de Bréauté, a quem vira somente uma vez, começou a fitar-me com tal insistência que parei, perguntando por que se permitia olhar-me daquele jeito. Respondeu – Olho-a porque usa um chapéu ridículo. – Era verdade. Tratava-se de um chapeuzinho com amores-perfeitos; a moda daquela época era terrível. Mas eu fiquei furiosa, e retruquei: – Não lhe permito falar-me dessa maneira.

– Começou a chover. Disse-lhe: – Só lhe perdôo se tiver um carro. – Pois bem, tenho justamente um, e vou levá-la. – Não, aceito o seu carro mas não a sua companhia. – Subi para o carro e ele partiu debaixo da chuva. Mas à noite foi à minha casa. Vivemos um amor doido durante dois anos. Venha tomar chá uma vez comigo, vou lhe contar como conheci o Sr. de Forcheville. No fundo – comentou com ar melancólico – passei a vida inteira enclausurada, pois só tive grandes amores por homens terrivelmente ciumentos. Não falo do Sr. de Forcheville, pois na realidade era um sujeito medíocre, e eu nunca pude amar de fato senão homens inteligentes. Mas veja só: o Sr. Swann era tão ciumento quanto o pobre duque; por este eu me privo de tudo porque sei que não é feliz no casamento. No caso do Sr. Swann, era porque o amava loucamente, e acho que se pode muito bem sacrificar a dança e a sociedade, e tudo o mais, àquele que nos dá prazer, ou apenas evitar preocupações a um homem que nos ama. Pobre Charles, ele era tão inteligente, tão sedutor, exatamente o tipo de homem de quem eu gostava. – E talvez fosse sincera. Houve uma época em que Swann lhe agradara, justamente aquele tempo em que ela não era "do seu tipo". Para falar a verdade, ela nunca fora "do seu tipo", nem mesmo depois. E, no entanto, ele a havia amado então, muito e dolorosamente. Surpreendeu-se mais tarde com semelhante contradição. Contradição talvez só aparente, se pensarmos como é grande na vida dos homens a proporção dos sofrimentos por mulheres que não seriam "do seu tipo". Talvez isto se deva a muitas causas; justo porque não são "do nosso tipo", deixamo-nos primeiro amar sem corresponder a esse amor, e assim cultivamos um hábito que não existiria no caso de uma mulher do "nosso tipo", e que, sentindo-se desejada, se mostraria difícil, só nos concederia raros encontros, não teria assumido em nossa vida esse instalar-se em todas as horas que, mais tarde, se amamos e ela nos falta, devido a um arrufo, uma viagem, deixando-nos sem notícias, causa a ruptura não de um só laço, mas de mil. Depois, esse hábito é sentimental porque não existe um grande desejo físico em sua base, e, se o amor nasce, o cérebro trabalha muito mais: há um romance em vez de uma necessidade. Não desconfiamos das mulheres que não são "do nosso tipo", deixamo-nos ser amados e, se depois as amamos, amamo-las cem vezes mais que às outras, sem sequer possuir, junto delas, o contentamento do desejo saciado. Por essas e muitas outras razões, o fato de os maiores desgostos não virem de mulheres que não são "do nosso tipo" não se prende exclusivamente à irrisão do destino, que só realiza a nossa felicidade sob a forma que menos nos agrade. Uma mulher "do nosso tipo" raramente é perigosa, pois, ou nos repele, ou nos satisfaz e nos deixa logo, sem se instalar na nossa vida; e o perigo de males e desgostos está não na mulher em si mesma, mas na sua presença diária, na curiosidade pelo que ela faz em todos os momentos; não está na mulher, mas no hábito.

Tive a covardia de dizer que aquilo era muito gentil e nobre de sua parte, mas sabia o quanto era falso e que a sua franqueza se mesclava a mentiras. Pensei com horror, à medida que ela contava suas aventuras, em tudo o que Swann havia ignorado, e que lhe teria dado tanto desgosto, pois fixara sua sensibilidade naquela criatura e lhe descobria com segurança, só com o olhar, o interesse que lhe despertava um homem ou uma mulher desconhecidos. No fundo, ela estava contando aquilo só para me fornecer o que julgava fosse assunto para novelas! Enganava-se, não que não houvesse o tempo todo abastecido copiosamente a minha imaginação, porém de forma bem mais involuntária, e por iniciativa minha, pois, à sua revelia, eu extraía dela as leis de sua vida.

O Sr. de Guermantes só guardava seus raios fulminantes para a duquesa, sobre cuja liberdade de relações a Sra. de Forcheville não deixava de lhe atrair a atenção irritada. Portanto, a duquesa era muito infeliz. É certo que o Sr. de Charlus, a quem falara disso uma vez, afirmava que as primeiras culpas não cabiam ao irmão, que, na verdade, a lenda da pureza da Sra. de Guermantes era composta de um número incalculável de aventuras habilmente dissimuladas. Eu jamais ouvira falar nisso. Para quase todo mundo, a duquesa era uma mulher bem diferente. A idéia de que ela sempre fora irrepreensível dominava os espíritos. Entre essas duas idéias eu não podia decidir qual a que se conformava à verdade, essa verdade que, quase sempre, três quartas partes das pessoas ignoram. Lembrava-me bem de certos olhares azuis e erradios da duquesa de Guermantes na nave de Combray. Mas verdadeiramente, nenhuma das duas idéias seria refutada por eles, e ambas lhes podiam conferir um sentido diverso e igualmente aceitável. Criança, num momento de loucura, eu os tomara por olhares de amor a mim dirigidos. Desde então compreendera que se tratava apenas de olhares de benevolência de uma suserana para seus vassalos, olhares semelhantes aos dos vitrais da igreja. Seria preciso agora acreditar que a minha primeira idéia é que corresponderia à realidade e que se mais tarde a duquesa jamais me falara de amor era porque receava comprometer-se com um amigo da tia e do sobrinho desta mais do que com um menino desconhecido encontrado por acaso na igreja de Saint-Hilaire, em Combray?

A duquesa pudera, por um instante, sentir-se feliz por ver seu passado mostrar-se mais consistente, ao saber que era partilhado por mim, mas, diante de algumas perguntas que lhe fiz sobre o provincianismo do Sr. de Bréauté, que à época eu mal distinguira do Sr. de Sagan, ou do Sr. de Guermantes, ela retomou o seu ponto de vista de mulher mundana, isto, é, de desprezadora da mundanidade. Enquanto falava, fazia-me percorrer o palacete. Nas salas menores encontrávamos pessoas íntimas que, para ouvir música, tinham preferido isolar-se. Num salãozinho Império, onde algumas raras pessoas de casaca preta escutavam sentadas num canapé, via-se ao lado de um toucador de espelho, apoiado por uma estatueta representando Minerva, uma espreguiçadeira, colocada em posição reta, mas com o interior recurvo como um berço e no qual se estendia uma mulher jovem. Sua atitude lânguida não mudou com a entrada da duquesa, e contrastava com o maravilhoso brilho de seu vestido Império, de seda nacarada, diante do qual as mais vermelhas fúcsias teriam empalidecido e em cujo tecido de nácar insígnias e flores pareciam ter sido mergulhadas por muito tempo, pois seu desenho ali permanecia gravado. Para saudar a duquesa, ela inclinou levemente a bela cabeça castanha. Embora ainda fosse dia claro, como houvesse pedido que cerrassem as grandes cortinas, a fim de obter maior recolhimento para ouvir música, tinham, para evitar esbarrões, acendido sobre um tripé uma urna de fraca luz irisada. Em resposta à minha pergunta, a duquesa me disse tratar-se da Sra. de Saint-Euverte. Quis então saber qual o seu parentesco com a senhora de Saint-Euverte que eu conhecera. A Sra. de Guermantes esclareceu que era a mulher de um dos sobrinhos-netos dela, pareceu apoiar a idéia de que nascera La Rochefoucauld, mas negou ter ela própria conhecido os Saint-Euverte. Lembrei-lhe a recepção (de que, aliás, só soubera por ouvir dizer), quando, ainda princesa des Laumes, ela havia reencontrado Swann. A Sra. de Guermantes afirmou jamais ter ido àquela recepção. A duquesa sempre fora um tanto mentirosa, e tornara-se ainda mais. O salão da Sra. de Saint-Euverte – aliás muito decadente com o passar dos anos –, a Sra. de Guermantes gostava de renegá-lo. Não insisti. – Não, quem você pode ter encontrado em minha casa, porque era dotado de muito espírito, era o marido dessa de quem está falando, pois com ela eu não me dava. – Mas ela não tinha marido. – É o que pensa, pois estavam separados, mas ele era bem mais agradável do que ela. – Acabei compreendendo que um homem enorme, bastante alto e robusto, cabelos inteiramente brancos, que eu encontrava um pouco em toda parte e do qual jamais soubera o nome, era o marido da Sra. de Saint-Euverte. Havia morrido no ano anterior. Quanto à sobrinha, ignoro se era devido a uma doença do estômago, dos nervos, a uma flebite, a um parto próximo recente ou malsucedido, que ela ouvia música estendida, sem se mover para pessoa alguma. O mais provável é que, orgulhosa de suas belas sedas vermelhas, pensava fazer na espreguiçadeira um efeito do tipo Récamier.[87] Não percebia que, para mim, causava um novo desabrochar daquele nome de Saint-Euverte, o qual, após um tão longo intervalo, assinalava a distância e a continuidade do Tempo. Era o Tempo que ela embalava naquele berço onde floriam o nome de Saint-Euverte e o estilo Império em sedas de fúcsias vermelhas. A Sra. de Guermantes afirmava ter sempre detestado semelhante estilo; quer dizer que o detestava agora, o que era verdadeiro, pois ela seguia a moda embora com algum atraso. Para não se complicar falando de David, que ela conhecia pouco, a Sra. de Guermantes, quando jovem, achava o Sr. Ingres o mais tedioso dos pintores vulgares e depois, bruscamente, o mais saboroso dos mestres do *art nouveau*, o que a

[87] Conforme o famoso *Retrato da Senhora Récamier*, por François Gérard (1770-1837). (N. do T.)

levara ao ponto de detestar Delacroix. Importa pouco saber quais os critérios por que voltara do culto à reprovação, visto se tratarem de matizes do gosto que o próprio crítico de arte revela dez anos antes das palavras de mulheres superiores. Após ter criticado o estilo Império, desculpou-se por haver falado de pessoas tão insignificantes como os Saint-Euvertes, e de ninharias, como o lado provinciano de Bréauté, pois estava longe de imaginar o motivo pelo qual isso me interessava, assim como a Sra. de Saint-Euverte-La Rochefoucauld nem sonhava que seu nome me havia deslumbrado – o de seu marido, não o dos ascendentes dela, mais gloriosos –, nome que eu via, naquela peça tão cheia de atributos, como tendo a função de acalentar o Tempo.

– Mas como posso distraí-lo com semelhantes asneiras, como pode isso interessá-lo? – exclamou a duquesa. Dissera esta frase a meia voz, e ninguém pudera perceber o que ela falava. Mas um rapaz (que logo a seguir me interessou pelo seu nome, bem mais familiar a mim outrora que o de Saint-Euverte) ergueu-se com ar exasperado e foi postar ainda mais longe para ouvir a música em maior recolhimento. Pois tratava-se da *Sonata a Kreutzer*, mas, tendo-se enganado quanto ao programa, o jovem pensava que era um trecho de Ravel, que lhe tinham declarado ser tão belo quanto os de Palestrina, mas difícil de compreender. Em sua violência para mudar de lugar, ocorreu-lhe, na penumbra reinante, esbarrar numa escrivaninha, o que fez várias pessoas virarem a cabeça, contentes por diminuírem, naquele gesto simples de olhar para trás, o suplício de ouvir "religiosamente" a *Sonata a Kreutzer*. E a Sra. de Guermantes e eu, causas desse pequeno escândalo, apressamo-nos a deixar o aposento. – Sim, como é que tais bagatelas podem interessar a um homem do seu valor? É exatamente como, há pouco, quando eu o via conversando com Gilberte de Saint-Loup; ela não é digna de você. Para mim, essa mulher não significa nada, e sequer é uma mulher, é o que conheço de mais artificial e burguês em toda a sociedade – (pois mesmo em sua defesa da intelectualidade, a duquesa mesclava seus preconceitos de aristocrata). – Além do mais, deveria você comparecer a casas como esta? Hoje ainda compreendo, pois havia o recitativo de Rachel, que podia lhe interessar. Mas, apesar de ter sido brilhante, não dá tudo de si diante desse público. Hei de fazê-lo almoçar a sós com ela. Então verá o quanto vale. É cem vezes superior a esta gente aqui. E, depois do almoço lhe recitará Verlaine. Venha me contar como foi. Mas a festanças como esta, não, não consigo entender que compareça. A não ser que seja para estudos... – acrescentou com ar de dúvida, de desconfiança, e sem se aventurar muito, pois não sabia exatamente em que consistia o gênero de operações improváveis a que aludia.

Gabou-me principalmente suas reuniões vespertinas, onde todos os dias estavam X... e Y... Pois adquirira a mentalidade das mulheres de "salões", que outrora desprezara (embora o negasse agora) e cuja grande superioridade, sinal de eleição segundo ela, era terem suas casas "todos os homens". Se lhe contava que uma dessas grandes damas de "salões" falara mal da Sra. Howland enquanto viva, a duquesa desatava a rir da minha ingenuidade: – É claro, a outra tinha em sua casa todos os homens e esta procurava atraí-los.

– Não acha – perguntei-lhe – que deve ser penoso para a Sra. de Saint-Loup ouvir desse modo, como acaba de fazer, a antiga amante do marido? – Vi formar-se na fisionomia da Sra. de Guermantes essa prega oblíqua, reveladora de um raciocínio a ligar a pensamentos desagradáveis as palavras do interlocutor. Raciocínios inexpressos, é verdade, mas todas as coisas graves que dizemos não recebem nunca resposta verbal ou escrita. Somente os tolos solicitam em vão, dez vezes seguidas, resposta a uma carta que tiveram a estupidez de escrever e que era uma gafe; pois a resposta a esse tipo de cartas só se traduz por atos, mas a destinatária, tida como incorreta, só trata o correspondente de senhor, com toda a cerimônia, em vez de chamá-lo pelo seu prenome. Minha alusão à ligação de Saint-Loup com Rachel não tinha nada de muito grave e só pôde contrariar uma outra Sra. de Guermantes, recordando-lhe que eu fora amigo de Robert e talvez seu confidente a respeito dos aborrecimentos que havia causado a Rachel o sarau em casa da duquesa. Porém esta não insistiu em tais pensamentos, a prega tempestuosa se dissipou, e a Sra. de Guermantes respondeu à minha pergunta sobre a Sra. de Saint-Loup: – Digo que acho que tudo isso lhe é perfeitamente indiferente, que Gilberte nunca amou seu marido. É um monstrinho. Gostou da posição social, do nome, de ser minha sobrinha, de sair da lama, para onde, depois, não teve outra idéia senão voltar. Digo que isto me faz muito mal, por causa do pobre Robert, pois, embora ele não fosse muito atilado, bem percebia a situação, e um monte de outras coisinhas. Não convém falar nisso, pois apesar de tudo é minha sobrinha e não tenho provas decisivas de que enganava o marido, mas houve diversos casos suspeitos. Mas, na verdade, digo o que sei, Robert quis bater-se em duelo com um oficial de Méséglise. E foi por tudo isto que ele se alistou, a guerra se lhe afigurou como uma libertação de seus desgostos familiares; se quer a minha opinião, ele não foi morto, deixou-se matar. Ela não sentiu mágoa nenhuma, chegou até a me assombrar com um raro cinismo na afetação de indiferença, o que me magoou bastante, pois eu gostava muito do pobre Robert. Isto o deixará talvez espantado, pois me conhecem mal, mas o fato é que ainda me acontece pensar nele: não esqueço ninguém. Ele nunca me disse nada, mas bem compreendia que eu adivinhava tudo. Veja bem, se tivesse amado ao menos um pouco o marido, poderia suportar com toda essa fleuma o fato de se achar no mesmo salão com a mulher de quem ele fora amante apaixonado por tantos anos? Pode-se dizer até o fim, pois tenho a certeza de que o caso entre ambos nunca terminou, mesmo durante a guerra. Mas ela a estrangularia! – exclamou a duquesa, esquecendo que ela própria, mandando convidar Rachel e tornando possível a cena que julgava inevitável caso Gilberte houvesse amado Robert, agira talvez com crueldade. – Não, veja – concluiu

–, é uma cadela. – Semelhante expressão tornara-se possível à Sra. de Guermantes devido ao plano inclinado que ela descia, desde os Guermantes agradáveis, até a sociedade das comediantes, e também porque a enxertava num gênero do século XVIII que considerava cheio de verdor, em suma, por que se julgava autorizada a tudo. Mas também lhe era ditada pelo ódio que sentia por Gilberte, por uma necessidade de feri-la, se não fisicamente, ao menos em efígie. E, ao mesmo tempo, a duquesa pensava justificar assim todo o seu procedimento em relação a Gilberte, ou melhor, contra ela, na sociedade, na família, até do ponto de vista dos interesses materiais e da herança de Robert.

Porém, como às vezes os juízos proferidos recebem de fatos que se ignoram, e que não é possível adivinhar, uma aparente justificativa, Gilberte, que sem dúvida herdara alguns aspectos da mãe (e fora mesmo com essas inclinações que eu havia contado, ao lhe pedir que me fizesse conhecer três mocinhas), após muita reflexão, tirou, do pedido que lhe fizera, e sem dúvida para que a vantagem não saísse da família, uma conclusão mais audaciosa do que todas aquelas que eu pudera supor, e me disse: – Se me permite, vou buscar minha filha para lhe apresentar. Ela está no andar de baixo, conversando com o jovem Mortemart e outros garotos desinteressantes. Estou certa de que será uma boa amiguinha para você.

Perguntei se Robert ficara contente por ter uma filha: – Oh, ele era muito orgulhoso dela. Mas, naturalmente, ainda assim creio que, levando em conta suas preferências, teria gostado mais de um menino – comentou Gilberte com ingenuidade. – Essa filha, cujo nome e fortuna podiam fazer a mãe esperar que desposasse um príncipe real e coroasse toda a obra ascendente de Swann e de sua mulher, casou-se mais tarde com um obscuro literato, pois não tinha nenhum esnobismo, e fez cair o nível da família a um ponto ainda mais inferior que o de onde havia partido.[88] Foi então extremamente difícil fazer as novas gerações acreditarem que os pais desse casal obscuro tinham desfrutado de grande posição social. Os nomes de Swann e de Odette de Crécy ressuscitaram milagrosamente para permitir que as pessoas compreendessem que estavam enganadas e que absolutamente aquilo não era nada espantoso como família; e, em suma julgava-se que a Srta. de Saint-Loup havia feito o melhor casamento possível, melhor que o de seu pai com Odette de Crécy (o qual nada valia), tentando esta em vão subir socialmente enquanto que, ao contrário, quando nada do ponto de vista de seu amor, seu casa-

[88] Assinalemos que o modelo da Srta. de Saint-Loup na vida real foi Simone Arman de Caillavet, filha de Jeanne Pouquet (um dos modelos de Gilberte Swann) e de Gaston Arman de Caillavet (principal modelo de Robert de Saint-Loup). Depois de um casamento fracassado com o diplomata e escritor romeno Georges Stoicescu, casou-se com outro escritor jovem, André Maurois, que foi o principal biógrafo e grande estudioso da obra de Proust. (N. do T.)

mento fora inspirado em teorias como as que tinham podido levar, no século XVIII, grandes fidalgos, discípulos de Rousseau, ou pré-revolucionários, a viver a vida da natureza e a abandonar seus privilégios.

O espanto causado por suas palavras, bem como o prazer que me deram, foram logo substituídos – enquanto a Sra. de Saint-Loup se afastava para outro salão – por essa idéia do Tempo passado, que a Srta. de Saint-Loup à sua maneira também me devolvia, e sem que a tivesse visto. Como a maioria dos seres, aliás, não representaria ela na vida o mesmo papel que, nas encruzilhadas, fazem as "clareiras" onde convergem as estradas vindas, igualmente na nossa vida, dos mais diversos pontos? No meu caso, eram numerosas aquelas que levavam à Srta. de Saint-Loup e se irradiavam a seu redor. E, acima de tudo, vinham terminar nela os dois grandes "lados", ou caminhos, onde eu tanto havia passeado e feito tantas fantasias: por seu pai, Robert de Saint-Loup, o caminho de Guermantes; por Gilberte, sua mãe, o caminho de Méséglise que era "o caminho da casa de Swann". Um deles, através da mãe da mocinha e dos Champs-Élysées, levava-me até Swann, às minhas noites de Combray, para o lado de Méséglise; o outro, pelo pai, às minhas tardes de Balbec, onde eu o revia junto ao mar ensolarado. Já se estabeleciam transversais entre essas duas estradas. Pois essa Balbec real, onde eu conhecera Saint-Loup, quisera tanto visitá-la em grande parte devido ao que Swann me falara acerca das igrejas, sobretudo da igreja persa; por outro lado, por Robert de Saint-Loup, sobrinho da duquesa de Guermantes, eu encontrava, ainda em Combray, o caminho de Guermantes. Mas a Srta. de Saint-Loup ainda levava-me a vários outros pontos de minha vida, à dama cor-de-rosa, que era sua avó e que eu vira uma vez na casa de meu tio-avô. Nova transversal aqui, pois o criado de quarto desse tio-avô, que me introduzira naquele dia, e que mais tarde, por meio de uma fotografia, permitira-me identificar a dama rósea, era pai do jovem que não só o Sr. de Charlus mas o próprio pai da Srta. de Saint-Loup havia amado, causando tantos desgostos a sua mãe. E não fora justamente o avô da Srta. de Saint-Loup, Swann, o primeiro a me falar da música de Vinteuil, assim como Gilberte fora a primeira a me falar de Albertine? Pois bem, falando da música de Vinteuil a Albertine é que eu descobrira quem era a sua grande amiga, e começara com ela aquela vida que a conduzira à morte e me causara tanta mágoa. De resto, fora igualmente o pai da Srta. de Saint-Loup quem se dispusera a tentar fazer com que Albertine regressasse. E mesmo toda a minha vida mundana, seja em Paris no salão dos Swann ou dos Guermantes, seja no extremo oposto no salão dos Verdurin, e desse modo fazendo alinhar, ao lado dos dois caminhos de Combray, os Champs-Élysées e o belo terraço da Raspelière. Além disso, quais as criaturas conhecidas que, para relatar nossa amizade com elas, não nos obrigam a colocá-las sucessivamente nos locais mais diversos da nossa vida? Uma vida de Saint-Loup, descrita por mim, se desenrolaria em todos os cenários e interessaria a toda a minha vida, mesmo às partes dessa vida a que ele foi muito estranho, como as de minha avó ou de Albertine. Por outro lado, por mais contrários que fossem, os Verdurin ligavam-se a Odette pelo passado desta, a Robert de Saint-Loup através de Charlie; e neles, que imenso papel não representara a música de Vinteuil! Enfim, Swann amara a irmã de Legrandin, o qual havia conhecido o Sr. de Charlus, cuja pupila se casara com o jovem Cambremer. Certo, se se trata exclusivamente de nossos corações, teve razão o poeta em falar dos "fios misteriosos" que a vida rompe.[89] Mas ainda é mais verdadeiro que ela os tece sem cessar entre as criaturas, entre os acontecimentos, que entrecruza tais fios, que os redobra a fim de reforçar a trama, de modo que entre o menor ponto do nosso passado e todos os demais uma opulenta rede de lembranças nos dá uma variada escolha de comunicações.

Pode-se dizer que, se usada, não inconscientemente, mas de propósito para recordar-lhe o que fora, nenhuma dessas coisas agora a meu serviço deixaria de lembrar-me já ter sido viva, e vivendo de modo pessoal para mim, transformada a seguir, para meu uso, em simples matéria industrial. Minha apresentação à Srta. de Saint-Loup ia ocorrer na casa da Sra Verdurin: com que encanto eu pensava de novo em todas a minhas viagens com Albertine, de quem pediria à Srta. de Saint-Loup que fosse um sucedâneo – no trenzinho, indo para Doville, para a casa da Sra. Verdurin, essa mesma Sra. Verdurin que iniciara e terminara, antes de meu amor por Albertine, o do avô e da avó da Srta. de Saint-Loup! – Tudo a nosso redor eram quadros daquele Elstir que me apresentara a Albertine. E, para melhor fundir todos os meus passados, a Sra. Verdurin, exatamente como Gilberte, havia desposado um Guermantes.

Não poderíamos descrever nossas ligações, ainda raras, com alguém, sem evocar os mais diversos locais da nossa vida. Assim, cada indivíduo – e eu mesmo era um deles – proporcionava-me a medida da duração pelo giro que havia cumprido não só em torno de si mesmo, mas em torno aos outros, e notadamente pelas posições que ocupara sucessivamente em relação a mim. E, sem dúvida, todos esses planos diferentes segundo os quais o Tempo, desde que eu acabava de recuperá-lo nessa festa, dispunha a minha vida, fazendo-me pensar que, num livro em que desejaria contar uma vida, seria preciso empregar, por oposição à psicologia plana que se usa de ordinário, uma espécie de psicologia no espaço, acrescentavam uma nova beleza a essas ressurreições que minha memória operava enquanto eu me entregava ao devaneio, a sós, na biblioteca, visto que a memória, introduzindo o passado no presente sem modificá-lo, tal qual fora quando presente, suprime exatamente essa enorme dimensão do Tempo conforme a qual a vida se realiza.

[89] Alusão ao poema 'Tristeza de Olympio', de Victor Hugo, quando diz: "Os fios misteriosos em que se unem nossos corações!" (N. do T.)

Vi Gilberte aproximar-se. Eu, para quem o casamento de Saint-Loup – com as idéias que me assoberbavam então e que eram as mesmas dessa manhã – era de ontem, fiquei surpreso ao ver a seu lado uma jovem de cerca de dezesseis anos, cuja estatura elevada media essa distância que eu não quisera ver. O tempo incolor e inatingível se havia, para que eu pudesse, por assim dizer, vê-lo e tocá-lo, materializado nela, moldara-a como a uma obra-prima, ao passo que, paralelamente, em mim, infelizmente se limitara a cumprir a sua obra. Todavia a Srta. de Saint-Loup estava à minha frente. Seus olhos eram profundos, penetrantes, o nariz encantador se curvava ligeiramente em forma de bico de pássaro, não como o de Swann e sim como o de Robert. Esvaecera-se a alma daquele Guermantes, mas a atraente cabeça de olhos agudos de pássaro a alçar vôo fora se colocar sobre os ombros da Srta. de Saint-Loup, fazendo longamente devanear os que lhe haviam conhecido o pai.

Fiquei assombrado que seu nariz, como que feito pelo padrão do de sua mãe e sua avó, terminasse, embaixo, com a mesma pura linha horizontal, sublime conquanto bem curta. Sinal tão característico bastaria para reconhecer uma estátua entre milhares, e admirei-me ao ver que a natureza dera, como um grande e original escultor, no momento adequado, na neta como na mãe e na avó, esse poderoso e decisivo golpe de cinzel. Achei-a muito bonita: ainda cheia de esperanças, risonha, formada pelos próprios anos que eu havia perdido, ela se assemelhava à minha juventude.

Afinal, a noção do Tempo adquiria um último valor para mim: a de um aguilhão, ela me dizia que era tempo de começar, caso quisesse atingir o que por vezes sentira durante a vida, em breves intuições, no caminho de Guermantes, em meus passeios de carro com a Sra. de Villeparisis, e que me haviam feito considerar a vida como digna de ser vivida. Quanto mais digna a considerava agora, visto que me parecia poder iluminá-la, ela que passamos nas trevas, trazê-la de volta à verdade original, ela que falsificamos sem cessar, em suma, realizá-la num livro! Como seria feliz quem pudesse escrever tal livro, pensava eu; e quanto trabalho teria à frente! Para dar dele uma idéia, seria mister buscar comparações nas artes mais elevadas e mais diversas; pois tal escritor, que aliás de cada personagem deveria apresentar as faces opostas para mostrar a sua solidez, teria de preparar seu livro, minuciosamente, com permanentes reagrupamentos de forças, como uma ofensiva, suportá-lo como a um cansaço, aceitá-lo como uma regra, construí-lo como uma igreja, segui-lo como a um regime, vencê-lo como um obstáculo, conquistá-lo como a uma amizade, superalimentá-lo como a uma criança, criá-lo como um universo, sem deixar de lado esses mistérios que provavelmente só têm explicação em outros universos, e cujo pressentimento é o que mais nos comove na vida e na arte. E nesses grandes livros existem partes que não tiveram tempo de ser esboçadas, e que, sem dúvida, nunca ficarão prontas devido à própria extensão do plano do arquiteto. Quantas catedrais permanecem inacabadas. Nutrimos, fortificamos partes frágeis de um tal livro, preservamo-las, mas depois ele que nos engrandece, que marca o nosso túmulo, protege-o contra os rumores e, durante algum tempo, o defende do esquecimento. Mas, para voltar a mim mesmo, pensava mais modestamente no meu livro, e seria até inexato dizer que me preocupavam os que o leriam, os meus leitores. Pois eles não seriam, conforme achava, meus leitores, mas os próprios leitores de si mesmos, já que meu livro não passaria de um tipo dessas lentes de aumento, como as que oferecia a um freguês o vendedor de instrumentos ópticos de Combray; meu livro seria um instrumento graças ao qual lhes forneceria meios de lerem a si próprios. De modo que não lhes pediria que me elogiassem ou denegrissem, mas apenas que me dissessem se estava correto, se as palavras lidas em si eram mesmo as que eu havia escrito (não devendo, aliás, as possíveis divergências a tal respeito resultar sempre do meu engano, mas, às vezes, do fato de que os olhos do leitor não seriam adequados para uma boa leitura interior do meu livro). E, mudando a todo instante de comparação, conforme o que se me afigurava representar melhor, e mais concretamente, a tarefa a que me dedicaria, pensava que na minha grande mesa de pinho, observado por Françoise, como todas as criaturas despretensiosas que vivem conosco têm uma certa intuição do nosso labor (e eu já esquecera suficientemente Albertine para perdoar a Françoise o que havia feito contra ela), trabalharia junto dela, e quase à sua maneira (ao menos da forma como ela fazia outrora: tão velha agora, já não via quase nada); pois, pregando aqui uma folha suplementar, eu construiria meu livro, não ouso dizer, ambiciosamente, como uma catedral, mas simplesmente como um vestido. Quando não achasse junto a mim os meus "papeluchos", como dizia Françoise, e me faltasse justo aquele de que necessitasse, Françoise compreenderia bem o meu nervosismo, ela que sempre dizia ser-lhe impossível coser sem o número da linha e os botões apropriados. E depois, porque à força de viver a minha vida ela adquirira do trabalho literário uma espécie de compreensão instintiva, mais nítida que a de muitas pessoas inteligentes, e com maior razão que a dos tolos. Assim, quando outrora eu publicara o meu artigo em *Le Figaro*, enquanto o velho mordomo, com esse tipo de comiseração que as pessoas sempre exageram um pouco pelo o que há de penoso num trabalho que não praticam, nem concebem, ou até num hábito que não têm, como as pessoas que nos dizem: "Como deve cansar, espirrar dessa maneira", lamentava sinceramente os escritores, observando: – Que quebra-cabeças não deve ser isto –, Françoise, pelo contrário, adivinhava a minha ventura e respeitava o meu labor. Zangava-se apenas pelo fato de eu expor previamente a Bloch o meu artigo, temendo que ele se me antecipasse, e comentava: – Toda essa gente é reles copiadora, o senhor nem desconfia. – E Bloch, de fato, apresentava um álibi retrospectivo ao me dizer, sempre que eu lhe resumia algo de que ele gostava: – Olha, é curioso, escrevi uma coisa bastante parecida, preciso ler para ti. – (Não poderia me ler seu artigo então, mas iria escrevê-lo naquela mesma noite.)

De tanto colar uns aos outros os meus papéis, que Françoise chamava de "papeluchos", eles se rasgavam aqui e ali. Se necessário, não poderia Françoise ajudar-me a ajeitá-los, do mesmo modo que punha remendos nas partes gastas de seus vestidos, ou como, na janela da cozinha, à espera do vidraceiro, como eu do impressor, ela colava um pedaço de jornal no lugar de um vidro partido? Françoise diria, mostrando-me os cadernos roídos pelo cupim como a madeira: – Olhe, está tudo bichado, é uma pena, eis aqui um canto de página que é só uma renda– e, examinando-o como um alfaiate: – Acho que não poderei consertar isso, está perdido. É uma desgraça, talvez fossem as suas melhores idéias. Como se diz em Combray, ninguém conhece as peles tão bem como as traças. Elas se metem sempre nos melhores tecidos.

Além disso, como as individualidades (humanas ou não) são feitas num livro de impressões numerosas que, provocadas por muitas moças, muitas igrejas, muitas sonatas, servem para compor uma única sonata, uma só igreja, uma única moça, não faria eu o meu livro da mesma forma como Françoise fazia aquela carne de vaca estufada, que o Sr. de Norpois tanto apreciara, onde tantos pedaços de carne, escolhidos e acrescentados, enriqueciam a geléia? E realizaria enfim o que tanto havia desejado em meus passeios no caminho de Guermantes, e julgara impossível, como impossível me parecera, de volta, alguma vez habituar-se a dormir sem beijar mamãe ou, mais tarde, à idéia de que Albertine gostava de mulheres, idéia com a qual terminara convivendo sem sequer me aperceber de sua presença; pois nossos maiores temores, como as maiores esperanças, não se acham acima de nossas forças, e podemos acabar dominando os primeiros e realizar as segundas.

Sim, a essa obra, a idéia do Tempo que eu acabava de adquirir me dizia ter chegado a hora de me dedicar. Era urgente que o fizesse; mas – e isso justificava a ansiedade que se apossara de mim desde a minha entrada no salão, quando os rostos maquilados me deram a noção do tempo perdido – haveria tempo ainda, já não seria tarde? O espírito possui paisagens cuja contemplação só é permitida em curto período. Eu vivera como um pintor que sobe uma encosta a cavaleiro de um lago, escondido a seus olhos por uma cortina de árvores e rochedos. Por uma brecha, ele o avista, tem-no inteiro à sua frente, pega os pincéis. Mas já cai a noite, quando não se pode mais pintar, e sobre ela o dia não mais se erguerá. Apenas, seria necessária uma condição à minha obra, tal qual a concebera há pouco na biblioteca: o aprofundamento das impressões que antes tornava-se imperioso recriar pela memória. Ora, esta já se gastara.

Em primeiro lugar, visto que nada começara ainda, eu poderia mostrar-me inquieto, mesmo se julgasse ainda ter diante de mim, por causa da minha idade, alguns anos para viver, pois a minha hora podia soar em alguns minutos. Com efeito, era preciso partir do fato de que possuía um corpo, ou seja, que estava permanentemente ameaçado por um perigo duplo, interior e exterior. E só falava desse modo para facilidade da linguagem. Pois o perigo interior, como o da hemorragia cerebral, é igualmente externo, por ser do corpo. E possuir um corpo é a grande ameaça para o espírito. A vida humana e pensante, da qual, sem dúvida, importa menos dizer que é um milagroso aperfeiçoamento da vida animal e física, e sim que é uma imperfeição, ainda mais rudimentar que a existência gregária dos protozoários em polipeiros, que o corpo da baleia etc., na organização da vida espiritual. O corpo fecha o espírito numa fortaleza; em breve a fortaleza é assediada por todos os lados e, por fim, é necessário que o espírito se renda.

Mas, para limitar-me a distinguir as duas espécies de perigo que ameaçavam o espírito, e para começar com o externo, lembrava-me já que me ocorrera, muitas vezes na vida, em momentos de exaltação intelectual onde uma circunstância qualquer havia interrompido em mim toda atividade física – por exemplo, quando deixava de carro, um tanto ébrio, o restaurante de Rivebelle para ir a um cassino próximo –, sentir muito nitidamente dentro de mim o objeto atual de meus pensamentos, e compreender que dependera somente de um acaso, não apenas que tal objeto fosse apreendido, mas também que se destruísse juntamente com meu próprio corpo. Então, pouco me importara isso. Minha exaltação não era prudente, nem inquieta. Que essa alegria terminasse num segundo e voltasse ao nada, não me preocupava. Nem mesmo agora. É que a felicidade que eu sentia não provinha de uma tensão puramente subjetiva dos nervos que nos isola do passado, mas, ao contrário, de uma ampliação do meu espírito no qual se reformava, atualizava-se esse passado, e me conferia – infelizmente, porém, de modo efêmero – o valor da eternidade. Gostaria de legar esta aos que poderia enriquecer com meu tesouro. Evidentemente, o que havia sentido na biblioteca e que buscava proteger, era ainda prazeroso, porém não mais egoísta, ou, pelo menos, de um egoísmo (pois todos os altruísmos fecundos da natureza se desenvolvem de acordo com um modo egoísta, visto que o altruísmo humano não egoísta é estéril, é o de um escritor que interrompe seu trabalho para receber um amigo infeliz, para aceitar um cargo público, para escrever artigos de propaganda), um egoísmo que podia ser utilizado por outrem. Já não era tão indiferente como naqueles regressos de Rivebelle, sentia-me acrescido dessa obra que trazia em mim (como se fosse algo precioso e frágil que me tivessem confiado e que desejaria enviar intato às mãos a que estava destinado e que não eram as minhas). Agora, sentir-me portador de uma obra tornava mais temível para mim um acidente em que encontrasse a morte, e até absurdo (na medida em que essa obra me parecia necessária e duradoura), em contradição com meu desejo, com o impulso de meu pensamento, mas não menos possível por causa disso, pois (como acontece todos os dias nos mais simples incidentes da vida, onde, enquanto desejamos sinceramente não fazer barulho a um amigo que está dormindo, uma garrafa colocada na beira da mesa cai despertando-o) os acidentes, sendo produzidos por causas materiais, podem perfeitamente ocorrer no momento em que vontades bem diversas, que eles destroem sem conhecê-las, os tornam detestáveis. Sabia muito bem que meu cérebro era uma rica área de mineração, onde havia diversas extensas jazidas preciosas. Mas teria tempo de explorá-las? Eu era a única pessoa capaz de fazê-lo, por dois motivos: com minha morte desapareceria não só o único minerador capaz de extrair esses minérios, mas a própria jazida; ora, dali a pouco, quando voltasse para casa, bastaria o choque do carro em que eu ia com outro, para que meu corpo fosse destruído e que meu espírito, de onde a vida se retiraria, fosse obrigado a abandonar para sempre as novas idéias que, neste exato momento, sem ter tido tempo de as pôr com mais segurança em um livro, ele guardava ansiosamente em sua polpa trêmula, protetora mas frágil. Por uma estranha coincidência, esse temor racional do perigo nascia-me num momento em que, fazia pouco, a idéia da morte se me tornara indiferente. O medo de deixar de existir me horrorizara outrora, e a cada novo amor que sentia (por Gilberte, por Albertine), pois eu não podia suportar a idéia de que um dia a criatura que a amava já não viveria, o que seria como que uma espécie de morte. Porém de tanto se renovar, esse medo se transformara naturalmente numa tranqüilidade corajosa.

Nem mesmo era necessário o acidente cerebral. Seus sintomas, que me eram sensíveis por um certo vazio na cabeça e pelo esquecimento de todas as coisas que só casualmente eu recuperava, como quando, arrumando nossas coisas, encontramos uma delas que nem mesmo pensáramos em procurar, faziam de mim uma espécie de entesourador de bens cujo cofre-forte, furado, deixasse aos poucos escapar a riqueza. Por algum tempo existiu em mim um "eu" que lamentou perder essas riquezas e se opunha a ela, à memória, e em breve sente que a memória, desfazendo-se, levava esse "eu" consigo.

Se a noção da morte, naquele tempo, entristecera-me o amor, como vimos, fazia já tempos que a recordação do amor me auxiliava a não temer a morte. Pois compreendia que morrer não era nenhuma novidade, mas, pelo contrário, desde a infância já estivera morto várias vezes. Para me restringir ao período mais recente, não me prendera mais a Albertine que à minha própria vida? Poderia então conceber a minha pessoa caso meu amor por ela acabasse? Ora, eu não mais a amava, deixara de ser a criatura que a amava, era um ente diverso que já não a amava, deixara de amar Albertine quando me tornara outro. Assim, não sofria por me haver tornado esse outro, por não amar Albertine; evidentemente, deixar um dia de ter o meu corpo não podia de modo algum me parecer algo tão triste quanto me parecera outrora deixar de amar um dia a Albertine. E, todavia, como me era indiferente agora não mais amá-la! Essas mortes sucessivas, tão temidas pelo "eu" que deveriam aniquilar, tão indiferentes, tão suaves uma vez cumpridas, e quando aquele que as temia já não estava ali para senti-las, tinham-me feito desde algum tempo compreender quão pouco sensato seria aterrorizar-me com a morte. Ora, há pouco é que ela se me tornara indiferente, mas agora recomeçava a temê-la, é verdade que sob outra forma, não por mim, mas pelo meu livro, para cuja eclosão era, pelo menos durante algum tempo, indispensável essa vida que tantos perigos ameaçavam. Diz Victor Hugo:

Il faut que l'herbe pousse et que les enfants meurent.[90]

Digo que a lei cruel da arte é que os seres morram e que nós próprios morramos ao esgotar todos os sofrimentos, para que viceje a relva, não do esquecimento, mas da vida eterna, a relva espessa das obras fecundas sobre a qual as gerações virão alegremente, sem se preocupar com os que dormem sob a terra, compor o seu "almoço sobre a relva".[91]

Falei dos perigos externos; perigos internos também. Se estava preservado de um acidente vindo de fora, quem sabe se não seria impedido de desfrutar semelhante graça por causa de um acidente que sobreviesse dentro de mim, por alguma catástrofe interna, antes que se escoassem os meses necessários para escrever esse livro?

Quando há pouco regressava a casa pelos Champs-Élysées quem me garantia que eu não haveria de ser atingido pelo mesmo mal da minha avó, numa tarde em que ela acabava de realizar comigo um passeio que deveria ser o seu último sem que disso desconfiasse, nessa nossa ignorância de haver o ponteiro atingido a posição, dela ignorada, em que, soltando a mola, faz o relógio soar a hora? Talvez o medo de já ter-se escoado quase inteiramente o minuto que precede o primeiro toque da hora, quando este já se prepara, talvez esse medo do golpe que se preparava para abalar o meu cérebro, esse medo talvez fosse uma espécie de conhecimento obscuro do que iria acontecer, um reflexo na consciência do estado precário do cérebro cujas artérias não vão resistir, o que não é mais impossível do que esta súbita aceitação da morte que têm os feridos que, embora conservem sua lucidez e a quem o médico e o desejo de viver procuram enganar, dizem vendo o que deve ocorrer: – Vou morrer, estou pronto – e escrevem suas despedidas à esposa.

E de fato, ocorreu, antes que tivesse começado o meu livro, um estranho episódio, sob forma insólita, e de que eu jamais desconfiaria. Certa noite em que saí, os amigos me acharam mais bem disposto que antes, espantaram-se de que ainda conservasse o cabelo totalmente preto. Porém quase caí três vezes ao descer a escada. Saíra somente por duas horas; mas quando voltei para casa, senti que já não possuía nem memória, nem idéias, nem forças, nem qualquer existência. Se viessem me procurar a fim de me fazerem rei, para me segurar, prender-me, deixaria que o fizessem sem pronunciar palavra, sem abrir os olhos, como as pessoas que

[90] "É preciso que a relva cresça e que as crianças morram." Poema "A Villequier", do livro *Les Contemplations* (As Contemplações). (N. do T.)

[91] No original, "déjeuner sur l'herbe". Poderia ter traduzido por "piquenique", por exemplo, mas preferi a tradução literal devido à alusão ao célebre quadro de Édouard Manet, do mesmo título. (N. do T.)

enjoam demais a bordo e que, atravessando de barco o mar Cáspio, não esboçam sequer a mínima resistência quando lhes dizem que vão jogá-las ao mar. Não sofria propriamente de doença alguma, mas sentia já não ser capaz de fazer nada, como sucede com os velhos, ainda espertos na véspera, e que, tendo fraturado uma coxa ou sofrido de indigestão, podem levar na cama, por algum tempo, uma existência que nada mais é que uma preparação mais ou menos longa para uma morte de ora em diante fatal. Uma parte de mim, a que outrora freqüentava esses festins de bárbaros a que chamamos banquetes, e onde, para homens de gravata branca, para mulheres meio despidas e emplumadas, os valores estão de tal modo invertidos que, se alguém não vem para o jantar depois de haver aceito o convite, ou só chega quando estão servindo o assado, comete um ato mais culposo que as ações imorais que comenta ligeiramente nesse mesmo jantar, de mistura com os falecimentos recentes, e onde a morte ou uma doença grave são as únicas desculpas para não comparecer, desde que mandasse prevenir a tempo que se achava agonizante, a fim de ser possível descobrir outra pessoa para completar os quatorze – essa parte de mim conservara seus escrúpulos e perdera a memória. Em compensação, outra parte, que já concebera a sua obra, recordava-se. Eu recebera um convite da Sra. Molé e havia sabido que o filho da Sra. Sazerat morrera. Resolvi empregar uma dessas horas, após as quais já não podia pronunciar uma palavra, nem engolir o leite, a língua paralisada como a da minha avó durante a agonia, para enviar escusas à Sra. Molé e condolências à Sra. Sazerat. Mas depois de alguns instantes esquecera que precisava fazê-lo. Feliz esquecimento, pois a memória de minha obra estava vigilante e ia aproveitar o tempo de que dispunha para colocar os primeiros alicerces. Infelizmente, ao pegar um caderno para escrever, o convite da Sra. Molé deslizou para junto de mim. E logo o "eu" esquecido, mas preponderante sobre o outro, como acontece com todos esses bárbaros escrupulosos que freqüentam banquetes, empurrou o caderno e escreveu à Sra. Molé (a qual, sem dúvida, teria estimado bastante, caso soubesse, que eu tivesse passado a resposta a seu convite à frente de meus trabalhos de arquiteto). Bruscamente, uma palavra da minha resposta me lembrou que a Sra. Sazerat perdera o filho; escrevi-lhe também. Depois, tendo desse modo sacrificado um dever real à obrigação meramente social, a fim de me mostrar polido e sensível, caí sem forças e fechei os olhos, devendo apenas vegetar por oito dias. Entretanto, se todos os meus deveres inúteis, a que estava pronto a sacrificar o verdadeiro, fugiam-me da lembrança ao cabo de poucos minutos, a idéia de minha edificação não me deixava um só instante. Não sabia ainda se seria uma igreja em que os fiéis saberiam aos poucos aprender algumas verdades e descobrir certas harmonias, o grande plano de conjunto, ou se aquilo permaneceria para sempre infreqüentado – como um monumento druídico no cimo de uma ilha. Mas estava decidido a lhe consagrar todas as minhas forças que se acabavam com relutância e como que para me dar tempo de, findos os contornos, fechar "a porta funerária".[92] Em breve pude mostrar alguns esboços. Ninguém os compreendeu. Mesmo os que se mostraram favoráveis à minha percepção das verdades que desejava a seguir gravar no templo, felicitaram-me por tê-las descoberto ao "microscópio", quando, pelo contrário, eu me servira de um telescópio para distinguir as coisas, de fato minúsculas, mas porque estavam situadas a grandes distâncias, formando um universo cada uma. Onde procurava as grandes leis, tachavam-me de rebuscador de detalhes. Além do mais, para que fazia? Jovem, denotara algumas qualidades, e minhas páginas de ginasiano Bergotte as considerara "perfeitas".[93] Mas, ao invés de trabalhar, eu vivera na preguiça, na dissolução causada pelos prazeres, na enfermidade, cheio de cuidados, manias, e começava a empreender a minha obra às vésperas de morrer, sem saber coisa alguma do ofício. Já não me sentia com forças para cumprir com minhas obrigações relativamente aos outros, nem meus deveres para com os pensamentos e minha obra, e ainda menos para satisfazer a ambos. Quanto às primeiras, facilitava-me a tarefa o esquecimento de escrever cartas etc. Mas, de súbito, a associação de idéias me devolvia, passado um mês, a lembrança de meus remorsos, e eu ficava acabrunhado com a sensação da minha impotência. Assombrou-me constatar que lhe era indiferente, mas é que, desde o dia em que minhas pernas haviam tremido daquele modo ao descer a escada, eu me tornara indiferente a tudo, só aspirava ao repouso, à espera do grande Repouso que acabaria por chegar. Não é porque transferisse para após a morte a admiração que me parecia deverem sentir pela minha obra, que me mantinha indiferente à aprovação da elite atual. A que viesse após a minha morte poderia pensar o que quisesse, pouco me importava. Na realidade, se pensava em minha obra e não nas cartas a que devia responder, nem mesmo o fazia por atribuir, como no tempo de minha preguiça e, depois, de meu trabalho, até o dia em que precisara apoiar-me no corrimão da escada, maior diferença de importância entre as duas tarefas. A organização de minha memória e de minhas preocupações estava ligada à minha obra, talvez porque, ao passo que as cartas recebidas eram logo olvidadas, a idéia da obra estava em minha cabeça, sempre a mesma, em perpétuo devir. Mas ela também se tornara importuna. Para mim, era como um filho, com quem a mãe agonizante deve ainda impor a si mesma o cansaço de estar ocupada sem cessar, entre as injeções e as ventosas. Talvez ainda o ame, mas só sente o amor pelo dever fatigante de se ocupar dele. Em mim, as forças do escritor já não estavam à altura das exigências egoístas da obra. Desde o episódio da escada, coisa alguma da sociedade, nenhuma ventura, ainda que viesse da amizade das pessoas, dos progressos de minha obra, da esperança da glória, chegava-me senão como um gran-

[92] Alusão a um verso de Victor Hugo, que traduzo: "Não fechem a porta funerária." (N. do T.)

[93] Alusão ao primeiro livro de Proust, *Les Plaisirs et les Jours* (Os prazeres e os dias). (N. do T.)

de sol, tão pálido que já não conseguia reaquecer-me, fazer-me viver, excitar em mim um desejo qualquer e, por mais lívido que fosse, ainda era brilhante demais para meus olhos que preferiam fechar-se, e eu me desviava para o lado da parede. Creio, pois sentia o movimento dos lábios, que devia ter um sorrisinho no canto mínimo da boca, quando uma senhora me escrevia: "Fiquei *muito surpreendida* por não receber resposta à minha carta." Não obstante, isto me lembrava a carta que me escrevera, e lhe respondia. Desejava pôr a minha atual gentileza, para que não pudessem me tachar de ingrato, no mesmo nível daquela que as pessoas tinham tido para comigo. E me humilhava, impondo à minha existência agonizante as fadigas sobre-humanas da vida. A perda da memória me ajudava um pouco, abrindo lacunas nas minhas obrigações; minha obra as substituía.

Essa idéia da morte se instalou definitivamente em mim, como um amor. Não que amasse a morte, detestava-a. Mas, sem dúvida, depois de ter pensado nela de vez em quando, como a uma mulher a quem ainda não se ama, agora a sua noção aderia à mais profunda camada do meu cérebro, de forma tão completa que não podia me ocupar de uma coisa sem que esta atravessasse primeiro a idéia da morte, e até, se não me ocupava de coisa alguma, permanecendo em total repouso, a idéia da morte me acompanhava, tão incessante quanto a idéia do meu próprio eu. Não acho que, no dia em que me senti semimorto, tivessem sido os acidentes que caracterizassem – impossibilidade de descer uma escada, ou recordar um nome, de me levantar – os causadores, por um raciocínio até inconsciente, da idéia da morte, de que eu estava um tanto morto, mas sim que tudo viera em conjunto, que, inevitavelmente, esse grande espelho do espírito refletia uma nova realidade. Entretanto, não via como pudesse passar, sem aviso, dos males que sentia à morte completa. E então pensava nos outros, em todos os que morrem diariamente sem que o hiato entre a doença e a morte nos pareça extraordinário. Pensava até que era apenas porque os via do interior (mais ainda que pelas falsidades da esperança) que certos incômodos não me pareciam mortais tomados isoladamente, embora julgasse infalível a minha morte, assim como os que sabem estar desenganados facilmente se deixam convencer que, se não conseguem pronunciar certas palavras, isto nada tem a ver com um acesso, a afasia etc., mas provém de uma fadiga da língua, de um estado nervoso análogo à gagueira, do esgotamento que se segue a uma indigestão.

Quanto a mim, era outra coisa o que tinha de escrever, muito mais longa, e para mais de uma pessoa. Demorava para escrever. De dia, quando muito poderia tentar dormir. Se trabalhasse, seria de noite apenas. Mas precisaria de muitas noites, talvez cem, talvez mil. E vivia na ansiedade de não saber se o Senhor do meu destino, menos indulgente que o sultão Xariar, quando eu interrompesse a narrativa de manhã, consentiria em protelar a minha condenação à morte permitindo-me retomar a continuação na noite seguinte. Não que pretendesse refazer de algum modo as *Mil e Uma Noites*, e muito menos as *Memórias* de Saint-Simon, ambos igualmente escritos noturnos, nem qualquer dos livros a que amara na minha ingenuidade de criança, supersticiosamente unido a eles como a meus amores, não podendo imaginar sem horror uma obra diferente. Mas, como Elstir, como Chardin, só pela renúncia àquilo que se ama pode-se refazê-lo. Evidentemente, também meus livros, como o meu ser de carne, acabariam por morrer um dia. Mas é preciso resignar-se a morrer. Aceitamos a idéia de que já não existiremos daqui a dez anos, e nossos livros daqui a cem. A duração eterna não é prometida às obras mais do que aos homens.

Seria um livro talvez tão longo quanto as *Mil e Uma Noites*, porém completamente diverso. Sem dúvida, quando estamos apaixonados por uma obra, desejaríamos fazer algo bem parecido, mas é necessário sacrificar o amor da ocasião, não pensar na própria preferência, e sim numa verdade que não indaga de nossas predileções e nos proíbe de pensar nelas. E somente se seguimos essa verdade é que nos sucede às vezes encontrar o que havíamos abandonado, e escrever, por tê-los esquecido, os "Contos Árabes" ou as "*Memórias* de Saint-Simon" de uma outra época. Mas ainda teria tempo de fazê-lo? Não seria tarde demais?

Dizia-me não apenas: "Ainda é tempo?" mas também "Ainda estou em condições?". A doença que, como um rude diretor de consciência, fazia-me morrer para a sociedade, prestava-me um grande serviço, "pois, se o grão de trigo não morre depois de semeado, ficará sozinho, mas, se morre, dará muitos frutos"[94] – a doença que, depois que a preguiça me protegera contra a facilidade, ia talvez proteger-me contra a preguiça, a doença usara as minhas forças e, como eu já notara há muito, especialmente – no instante em que deixara de amar Albertine – as forças da memória. Ora, a recriação, pela memória, de impressões que a seguir era necessário aprofundar e esclarecer, transformar em equivalentes da inteligência, não seria esta uma das condições – quase a essência mesma – da obra de arte tal como a concebera há pouco na biblioteca? Ah, se ainda dispusesse das forças, intactas na noite que então evocara ao avistar *François le Champi*! Dessa noite, em que minha mãe havia abdicado, é que datava, com a morte lenta de minha avó, o declínio de minha vontade e da minha saúde. Tudo se decidira no momento em que, não mais podendo suportar a espera até o dia seguinte para depor meus lábios no rosto de mamãe, tomara uma resolução, saltara da cama e fora, de camisola, instalar-me à janela por onde entrava o luar, até ouvir o rumor da saída do Sr. Swann. Meus pais o tinham acompanhado, eu ouvira a porta do jardim se abrir, fazer soar sineta, fechar-se de novo...

Então, pensei de repente que, se ainda tivesse forças para realizar minha obra, essa vesperal – como outrora, em Combray, certos dias que me haviam in-

[94] Evangelho de S. João, XII: 24. (N. do T.)

fluenciado – que hoje mesmo me dera, a um tempo, a noção de minha obra e o temor de não poder realizá-la, com certeza marcaria nela antes de mais nada, a forma que antigamente eu havia pressentido na igreja de Combray, e que em geral nos é invisível: a forma do Tempo.

Certo, muitos outros erros dos sentidos – vimos que diversos episódios desta narrativa mo haviam provado – nos falseiam o aspecto real deste mundo. Mas, enfim, eu poderia a rigor, na transcrição mais exata que me esforçaria por obter, não mudar o lugar dos sons, abster-me de destacá-los de sua causa, a cujo lado a inteligência os coloca retrospectivamente, conquanto recordar docemente a chuva no meio do quarto e nossa tisana em ebulição caindo como um dilúvio no pátio, não deva ser, afinal, mais desconcertante que aquilo que tantas vezes fazem os pintores ao situar, perto ou longe de nós, segundo no-los mostram as leis da perspectiva, a intensidade das cores e a primeira ilusão do olhar, uma vela ou um cimo, que o raciocínio a seguir há de transportar a distâncias por vezes enormes. Poderia, embora o erro fosse mais grave, continuar, como em geral se faz, a desenhar as feições de uma transeunte vista de relance, quando em lugar do nariz, das faces e do queixo, deveria existir apenas um espaço vazio, onde no máximo se refletiriam nossos desejos. E até se não tivesse tempo de preparar coisa já bem mais importante, as cem máscaras que convém pregar a um mesmo rosto – segundo o sentido dado aos olhos que o vêem e em que lêem as feições, ou, para os mesmos olhos, conforme a esperança ou o medo, ou, pelo contrário, o amor e o hábito, graças aos quais se escondem, por trinta anos, as mudanças operadas pela idade – mesmo se, por fim, não empreendesse aquilo cuja falta (como todavia minha ligação com Albertine fora bastante para me demonstrar) torna tudo artificial e enganador, ou seja, não representar certas pessoas fora, mas dentro de nós, onde seus menores atos podem acarretar perturbações mortais, e fazer variar assim a luz do céu moral, de acordo com as diferenças de pressão da nossa sensibilidade, ou quando, ao turvar a serenidade de nossa certeza, que nos faz achar tão pequenino um objeto do qual a mais leve nuvem ameaçadora multiplica num instante o volume, se não pudesse introduzir tais mudanças e várias outras (cuja necessidade, se desejamos pintar o real, pôde aparecer ao longo desta narrativa) na transcrição de um universo que estava exigindo novo desenho, pelo menos não deixaria de descrever o homem como se tivesse o comprimento, não de seu corpo, mas dos anos vividos, como se a estes devesse, tarefa cada vez mais pesada e à qual acaba por sucumbir, arrastá-los após si quando se move.

Além disso, todos percebem que ocupamos um lugar sempre acrescido no Tempo, e semelhante universalidade só podia alegrar-me, já que me cabia a tarefa de elucidar a verdade, a verdade entrevista por todos. Não apenas todos percebem que ocupamos um lugar no Tempo, como este lugar até os mais simples o medem aproximadamente, como mediriam o que ocupamos no espaço, já que pessoas sem nenhuma perspicácia particular, vendo dois homens desconhecidos, ambos de bigodes pretos ou inteiramente barbeados, afirmam que se trata de dois homens, um de vinte anos e o outro de quarenta. É claro que muitas vezes nos enganamos nessa avaliação, mas o fato de termos acreditado poder fazê-la significa que concebíamos a idade como algo de mensurável. Ao segundo homem de bigodes pretos, vinte anos a mais são efetivamente acrescentados.

Se era essa noção do tempo incorporado, dos anos transcorridos porém de nós inseparáveis, que agora tencionava pôr em meu livro com tamanho relevo, é que, naquele momento mesmo, no palacete do príncipe de Guermantes, o ruído dos passos de meus pais reconduzindo o Sr. Swann, e o tilintar saltitante, ferruginoso, inesgotável, agudo e claro da sineta, a me anunciar que o Sr. Swann afinal partira e que mamãe ia subir, eu os ouvia ainda, apesar de pertencerem a um passado tão remoto. Então, pensando em todos os acontecimentos que obrigatoriamente se colocavam entre o instante em que os ouvira e a vesperal Guermantes, fiquei assombrado ao verificar que era mesmo aquela sineta que ainda tilintava dentro de mim, sem que lhe pudesse mudar em nada o som ruidoso do badalo, pois, não me lembrando bem como se extinguia, para o recuperar, para escutá-la melhor, era forçado a não mais ouvir o rumor das conversas dos mascarados à minha volta. Para tratar de ouvi-la mais de perto, era para dentro de mim que me obrigava a descer de novo. Portanto, era ali que esse tilintar permanecia sempre também, entre ele e o momento presente, todo esse passado a desenrolar-se indefinidamente, e que eu não sabia que carregava. Eu já existia quando soara, e desde então, para que ouvisse ainda esse tilintar, fora preciso que não houvesse descontinuidade, que nem por um instante eu tivesse um momento de sossego, nunca deixasse de existir, de pensar, de ter consciência de mim, pois esse minuto antigo ainda me agarrava, eu podia ainda recuperá-lo, voltar a ele, para isso bastando apenas penetrar mais profundamente no meu íntimo. E é por assim conterem as horas do passado que os corpos humanos podem causar tanto mal a quem os ama, pois abarcam muitas lembranças de alegrias e de desejos para eles já extintos, mas cruéis para quem contempla e prolonga na ordem do tempo o corpo amado, do qual, no auge do ciúme, chega a desejar a destruição. Pois após a morte o Tempo se retira do corpo, e as lembranças – tão pálidas indiferentes – apagam-se daquela que já não existe e em breve igualmente se apagarão daquele a quem torturam ainda, mas no qual acabarão por findar quando o desejo de um corpo vivo não mais as mantiver. Profunda Albertine que eu via dormindo e que estava morta.

Experimentava uma sensação de cansaço e de terror ao sentir que todo esse tempo tão prolongado não somente fora, sem interrupção, vivido, pensado, segregado por mim, que era a minha vida, que era eu mesmo, mas também que precisava a todo instante mantê-lo aderido a mim, que ele me suportava, e eu me via empoleirado no seu cimo vertiginoso e não podia mover-me sem deslocá-lo comigo. A data em que ouvira o ruído da sineta do jardim de Combray, tão distante e contudo interior, era um ponto de referência naquela dimensão enorme que eu ignorava possuir. Sentia a vertigem de ver, abaixo de mim, em mim todavia, como se tivesse léguas de altura, tantos e tantos anos.

Acabava de compreender por que o duque de Guermantes, a quem admirara ao contemplá-lo sentado numa cadeira, que envelhecera tão pouco embora tivesse tantos anos mais do que eu por baixo dele, desde que se erguera quisera manter-se de pé, tinha vacilado sobre as pernas flageladas como as desses velhos arcebispos, sobre os quais nada existe de sólido a não ser a cruz metálica, e em cuja direção se apressam jovens e galhardos seminaristas, e só avançara trêmulo como uma folha, do alto pouco praticável de oitenta e três anos, como se os homens estivessem se equilibrando em pernas de pau vivas, que crescessem incessantemente, às vezes mais altas que campanários, acabando por lhes tornar difícil e perigoso o andar, e de onde subitamente caíssem. (Seria por isso que a fisionomia dos homens de certa idade se tornava, aos olhos do mais ignorante, tão impossível de confundir com a de um rapaz e só transparecia através da gravidade de uma espécie de tristeza?) Assombrava-me que as minhas já fossem tão elevadas sob os meus passos, e julgava não ter ainda forças para sustentar por muito tempo ligado a mim esse passado que já se prolongava tanto para baixo. Pelo menos, se me fosse concedido tempo suficiente para terminar a minha obra, não deixaria eu, primeiro, de nela descrever os homens, o que os faria se assemelharem a criaturas monstruosas, como se ocupassem um lugar tão considerável, ao lado daquele tão restrito que lhes é reservado no espaço, um lugar, ao contrário, prolongado sem medida – visto que atingem simultaneamente, como gigantes mergulhados nos anos, épocas tão distantes vividas por eles, entre as quais tantos dias vieram se colocar – no Tempo.

FIM